黄河小浪底水利枢纽规划设计丛书

工 程 规 划

林秀山　总主编

李景宗　主　编

中国水利水电出版社
黄 河 水 利 出 版 社

内 容 提 要

本书为黄河小浪底水利枢纽规划设计丛书的工程规划卷。主要内容包括黄河径流、洪水、泥沙特性分析，工程规划、工程规模研究，水库泥沙及影响分析，水库防洪、防凌、减淤、供水、灌溉和发电作用研究，以及经济评价等。黄河泥沙多、含沙量高，居世界之冠，黄河下游河道泥沙淤积严重，形成地上悬河，威胁防洪安全。解决黄河下游洪水、泥沙淤积问题，解决小浪底水利枢纽工程的高含沙水流的泥沙问题，保障工程的安全正常运用，是小浪底水利枢纽面临的挑战性问题。书中对这些重要问题在充分总结黄河和其他河流水利水电工程实践经验的基础上，作了基础理论和科学技术的创新研究成果介绍。

本书内容丰富，反映了研究成果的先进性水平，实用性强，可供从事水利水电工程规划、设计、科研、建设管理的有关人员参考，亦可作为大专院校相关专业师生的参考书。

图书在版编目（CIP）数据

工程规划/李景宗主编．—郑州：黄河水利出版社，2006.5

（黄河小浪底水利枢纽规划设计丛书/林秀山总主编）

ISBN 7-80734-059-2

Ⅰ．工…　Ⅱ．李…　Ⅲ．黄河-水利枢纽-水利工程-水利规划　Ⅳ．TV632．613

中国版本图书馆CIP数据核字（2006）第022460号

出 版 社：中国水利水电出版社

地址：北京市西城区三里河路6号　邮政编码：100044

黄河水利出版社

地址：河南省郑州市金水路11号　邮政编码：450003

发行单位：黄河水利出版社

发行部电话：0371-66026940　传真：0371-66022620

E-mail：yrcp@public.zz.ha.cn

承印单位：河南省瑞光印务股份有限公司

开本：787mm×1 092mm　1/16

印张：35.5

字数：820千字　印数：1—2 000

版次：2006年5月第1版　印次：2006年5月第1次印刷

书号：ISBN 7-80734-059-2/TV·454　定价：140.00元

总 序 一

黄河小浪底水利枢纽是“以防洪(包括防凌)、减淤为主,兼顾供水、灌溉、发电,蓄清排浑,除害兴利,综合利用”为开发目标的大型水利工程,是国家“八五”重点建设项目,也是当时我国利用世界银行贷款最大的工程项目。小浪底主体工程于1994年9月开工,2001年底按期完工。工程采用国际招标方式选择了世界上一流的承包商,从施工管理、工程设计、移民搬迁到环境影响评价全面和国际接轨,为我国水利水电建设积累了宝贵经验。工程建成运行5年来,在黄河下游防洪、防凌、减淤冲沙、城市供水、发电、灌溉方面发挥了不可替代的作用。截至2004年底,累计发电约150亿kW·h。在黄河连续枯水的情况下为确保黄河不断流提供了物质基础。显著的社会效益和经济效益使小浪底水利枢纽成为治黄的里程碑工程。

本着建设我国一流工程的目标,我有幸参与了小浪底工程的建设管理。一流的工程首先要以一流的设计为龙头。小浪底工程由于其独特的水文泥沙条件、复杂的工程地质条件和严格的水库运用要求,给工程设计提出了一系列挑战性的课题,被国内外专家公认为是世界上最具挑战性的工程之一。黄河勘测规划设计有限公司[1]的工程技术人员,经过近30年的规划论证和10多年的方案比选,以敢于创新和科学求实的精神,在国内科研院所和高等院校的配合下,较满意地解决了一个个技术难题,诸如深式进水口防泥沙淤堵、施工导流洞改建为孔板消能泄洪洞的重复利用、排沙洞后张预应力混凝土衬砌、洞室群围岩稳定、大坝深覆盖层基础处理、进出口高边坡加固、20万移民的生产性安置等,提出了以集中布置为鲜明特点的枢纽建筑物总体布置方案,同时也创造了许多国内国际领先水平的设计。小浪底工程于1999年10月蓄水运行以来,已安全正常地运行了5年,并经历了2003年高水位的运用考验,实践证明,小浪底工程的设计是成功的。

小浪底工程成功的设计,为小浪底工程的建设提供了可靠的技术保障。

[1] **编者注:**黄河勘测规划设计有限公司为原水利部黄河水利委员会勘测规划设计研究院。

黄河勘测规划设计有限公司的同志们认真总结小浪底工程的设计经验，编写出版了这套技术丛书。这套丛书的出版，无疑将促进我国水利水电建设事业的发展，也希望通过这套丛书使小浪底水利枢纽的成功经验得到更好的推广和应用。

张基尧

二〇〇三年三月一日

总序二

小浪底水利枢纽是黄河治理开发的关键工程。如今这座举世瞩目的工程已全面竣工,几代黄河人的小浪底之梦终成现实。宏伟的小浪底工程犹如一座巍峨的丰碑,记载着人民治黄的丰功伟绩,同时又是一座黄河治理开发的里程碑工程。它的建成运用,使治黄工作进入了一个能够对黄河下游水沙进行调控的新阶段。

黄河是世界上最复杂、最难治的河流。大量的泥沙淤积在下游河道内,使下游河道滩面高于大堤背河地面,成为举世闻名的地上悬河。如何把黄河的事情办好,一代又一代黄河人进行着孜孜不倦的探索和实践。

位于黄河中游最后一个峡谷出口处的小浪底,是三门峡水利枢纽以下惟一能够取得较大库容的坝址,处于承上启下控制黄河水沙的关键部位。修建小浪底水库对于黄河下游防洪、防凌、减淤等具有非常重要的作用,其战略地位是其他治黄工程无法替代的。

小浪底工程规模宏大,地质条件复杂,水沙条件特殊,运用要求严格,被公认为世界坝工史上最具挑战性的工程之一。面对这些难题,设计人员总结国内外的工程实践经验,克服重重困难,以勇于开拓创新又实事求是的科学精神,攻克了一个个技术难关,创造了多项国内外领先的设计成果。目前,工程已经开始发挥巨大的综合效益,特别是在调水调沙及塑造黄河下游协调水沙关系方面更是发挥了突出作用。

小浪底工程的勘测、规划和设计实践体现了"团结、务实、开拓、拼搏、奉献"的黄河精神,凝聚了广大治黄人员的智慧,同时也为今后的工作积累了丰富的经验。现在黄河勘测规划设计有限公司的同志总结小浪底工程的设计经验,编撰了这套规划设计丛书,非常必要、及时。这套丛书注重工程特点,论述设计思路和方法,突出创新成果,体现时代特征,系统全面反映了工程设计情况,对于今后的治黄工作乃至我国水利水电工程建设都将具有很好的借鉴作用。

小浪底工程建成后,黄河治理开发的任务依然非常繁重。小浪底水库本身的运用方式仍然需要深入研究,以保证其最大限度地发挥综合效益。同时,必须抓住小浪底水库投入运用的大好机会,抓紧开展黄河下游治理工作,并加快黄河干流骨干工程和南水北调西线工程建设、中游水土保持以及小北干流放淤等工作,构建完善的黄河水沙调控体系,使治黄工作朝着"维持黄河健康生命"的终极目标迈进。

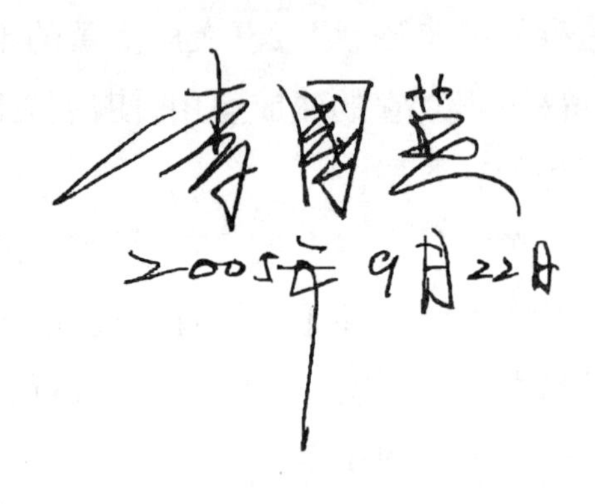

总 前 言

小浪底水利枢纽位于黄河中游三门峡以下约130km黄河最后一个峡谷的出口处。从三门峡到小浪底,河床比降0.1%,南岸是秦岭山系邙山,北岸是中条山、王屋山,河谷宽500～1 000m,洪水水面宽200～300m,每遇洪水,黄河波浪滔天、咆哮而下。黄河出小浪底峡谷之后,河道突然展宽,大浪没有了,小浪也到底了,进入了由黄河泥沙堆积而成的黄淮海平原。郑州花园口以下约800km的下游河道高悬于两岸地面,在约1 400km堤防的约束下流入渤海。居住在峡谷出口右岸黄河岸边一个小山村的先人们,观黄河流态的变化,以"小浪底"命名了自己的小山村。年年岁岁,世世代代,先人们并不知道今天小浪底竟成了家喻户晓的一个巨大的水利枢纽的名字。这个名字牵系着国内外许多专家、学者,牵系着曾为之奋斗的上万名中外建设者,牵系着上至中央领导、下至黎民百姓。

小浪底水利枢纽控制黄河流域面积69.4万km^2,占黄河流域总面积(不包括内陆区)的92.3%,控制黄河天然年径流总量的86.9%及近100%的黄河泥沙。小浪底工程处在承上启下控制黄河水沙的关键部位,与龙羊峡、刘家峡、大柳树、碛口、古贤、三门峡一起成为开发治理黄河的七大骨干工程,在治黄中具有十分重要的战略地位。

小浪底工程建在因含沙量高而闻名于世的黄河上。黄河不仅水少沙多,而且水沙在时间上分布不均,黄河下游为地上悬河,河道上宽下窄,比降上陡下缓,排洪能力上大下小,凌汛也威胁着黄河两岸人民的安全。我国近代治河的先驱者,总结我国的治河经验,引进西方科技,提出了"全面开发,综合利用"的水利规划思想。新中国成立以后,开始了人民治黄的历程。历经50多年,治黄取得了举世瞩目的成就。在黄河流域整体规划的基础上,小浪底工程的开发论证经过了近半个世纪漫长的历程。根据黄河的特点及小浪底工程在黄河流域规划中所处的位置,对小浪底工程的开发目标进行了多次分析论证,一致认为小浪底水库处在控制黄河下游水沙的关键部位,是黄河干流三门峡以下惟一能取得最大库容的重大控制工程,在治黄中具有重要的战略地位。国家计委于1986年5月明确小浪底水利枢纽的开发目标为"以防洪(包括防凌)、减淤为主,兼顾供水、灌溉和发电,蓄清排浑,除害兴利,综合利用"。要求达到的目标是:提高下游防洪标准;基本消除下游凌汛威胁,在一定时段内遏制黄河下游河床淤积的趋势;调节径流提高下游灌溉供水保证率;水电站在系统中担任调峰。

小浪底水利枢纽由于其独特的水文泥沙条件,复杂的工程地质条件,适应多目标开发的严格的运用要求,以及巨大的工程规模和在治理黄河中重要的战略地位,被国内外专家公认为是世界坝工史上最具挑战性的工程之一。多年来,参与工程规划设计和研究的人员如履薄冰,认真总结借鉴前人的经验,以求实创新的精神开展工作,攻克了工程规划设计中的许多技术难关,保证了工程的规划设计达到先进水平。设计人员既尊重科学,又敢于突破常规,开拓创新,先后进行了400余项科学试验和专题论证分析,融汇了国内外许多专家的心血和智慧,解决了一个又一个难题。在建造深82m的混凝土防渗墙、将3条直径 14.5m 的导流洞改建为永久的多级孔板消能泄洪洞、在地质条件极为复杂的左岸单薄山体内建造了规模宏大和数量众多的地下洞室群、在高水头大直径排沙洞设计中采用了双圈缠绕的后张无黏结预应力混凝土衬砌结构、在国内大规模采用了双层保护的预应力锚索和钢纤维喷混凝土技术等多方面取得突破,在国内外处于领先地位。如今,小浪底水利枢纽以其独具鲜明特色的总体布置和建筑物设计展现在世人面前。小浪底工程为黄河治理开创了崭新的局面。

小浪底工程的规划设计、研究和论证,以及工程建设一直得到中央领导、水利部和国家有关部委的关注,并得到国内外许多专家的支持和帮助,融汇了他们的心血和智慧。

小浪底工程的成功设计,为小浪底工程的建设做出了巨大的贡献。为总结小浪底工程规划设计方面的经验和教训,我们组织了直接参与小浪底工程规划设计的人员从工程规划、设计的各个方面,认真总结小浪底工程的设计经验,并出版黄河小浪底水利枢纽规划设计丛书,以期和同行进行技术交流,丰富和促进我国水利水电建设事业,使小浪底工程的成功经验得到更好的推广和应用。黄河勘测规划设计有限公司对该丛书的出版给予了大力支持,国务院南水北调建设委员会办公室主任张基尧和水利部黄河水利委员会主任李国英亲自为丛书作序,在此表示衷心的感谢。

由于水平所限,谬误之处在所难免,敬请指正。

黄河小浪底水利枢纽设计总工程师

林秀山

2005年9月

黄河小浪底水利枢纽规划设计丛书
编辑委员会

前　言

泥沙问题是黄河难治的症结所在。黄河多年平均输沙量16亿t,多年平均含沙量37kg/m^3,居世界诸河之冠,因此这是世界上最复杂、最难治理的河流。大量泥沙进入下游河道,导致河道逐年淤积抬高,形成高出两岸地面的悬河。历史上黄河下游决口频繁,洪水泛滥,灾情严重,举世闻名,是中华民族的心腹之患。小浪底工程位于黄河干流上,控制了黄河86.9%的径流和几乎全部的泥沙,是防治下游水害、开发黄河水利的重大战略措施。

小浪底水利枢纽工程处在控制黄河下游水沙的关键部位,工程规划所涉及的问题相当复杂。小浪底工程如何避免三门峡工程所出现的问题,水库能否长期保持有效库容,能否发挥巨大的防洪减淤效益,这是人们关注的首要问题;由于汛期黄河含沙量大,小浪底工程不能蓄水,非汛期才能蓄水,工程建成后能否发挥供水、灌溉、发电等兴利作用,也是人们关心的问题。小浪底工程规划,既要研究几乎全部黄河流域的径流、泥沙、洪水特性,又要研究流域经济社会发展变化趋势;既要研究历史上的水文、泥沙、洪水变化情况,又要预测未来人类活动对水文情势的影响;既要研究工程本身的规划问题,尤其是工程泥沙问题,又要研究黄河下游防洪工程体系的联合调度以及防凌、河道泥沙冲淤变化等问题;既要研究枢纽的发电问题,又要研究下游引黄灌溉、城市供水等综合利用问题。这些问题交织在一起,互相影响,使得工程规划具有特殊的复杂性。

自1954年黄河综合利用规划开始,针对小浪底工程的径流、泥沙、洪水分析及工程建设的必要性、开发任务、工程规模、工程作用等规划问题,做了大量的论证工作,直至小浪底工程开工,历时40余年。1954年底提出的《黄河综合利用规划技术经济报告》,拟定小浪底水利枢纽工程是以发电为主的径流电站。1958年提出的《小浪底水利枢纽工程设计任务书》,拟定小浪底枢纽以发电为主,综合利用。1960年5月提出的《小浪底水利枢纽选坝报告》,确定小浪底枢纽以发电为主,结合防洪、航运、灌溉和供水。1974年提出的《黄河三秦干流河段规划》及小浪底工程规划设计报告,推荐三门峡至小浪底河段采用小浪底高坝一级开发方案,确定小浪底枢纽的开发任务是防洪、防凌、减淤、灌溉、发电等综合利用。1975年之后,特别是20世纪80年代初期,为解决黄河下游面临的洪水威胁严重、水资源供需矛盾尖锐等突出问题,对小浪底工程各种可能的替代方案,诸如开辟新河道(大改道)、加高大堤、温孟滩和小北干流放淤、引汉刷黄、增加三门峡蓄水以及修建龙门、桃花峪水库工程等方案做了大量的论证和比选工作,最后推荐小浪底工程作为黄河下游防洪减淤并兼顾兴利的首选方案。1984年提出的《黄河小浪底水利枢纽可行性研究报告》,水利电力部于1984年8月组织了审查,原则上同意《黄河小浪底水利枢纽可行性研究报告》,要求按照审查意见编报设计任务书。1986年1月上报《黄河小浪底水利枢纽工程设计任务书》,1986年底通过中国国际工程咨询公司的评估。国家计委对水电部报送的《小浪底水利枢纽工程设计任务书》和咨询公司的评估报告进行了审查,于1987年1月向国务院提出《关于审批黄河小浪底水利枢纽工程设计任务书的请示》报告。1987 年 2 月，经国务院领导批准，国家计委以计农[1987]177 号文通知水电部，请按此办理。小浪底工程设计任务书，确定工程开发任务以防洪(包括防凌)、减淤为主，兼顾供水、灌溉、发电等综合利用，水库按最高蓄水位 275m 方案设计，总库容 126.5 亿 m^3，长期有效库容约 51 亿 m^3，装机容量1 560MW。据此，1988 年 3 月提出《黄河小浪底水利枢纽初步设计报告》，共分九篇，其中有《水文气象》、《工程规划》、《经济评价》等分篇报告。1989～1996 年，在招标设计阶段及世界银行贷款评估过程中，对小浪底工程的防洪、防凌、减淤、供水、灌溉、发电等作用和效益进行了大量的补充论证工作，水电站装机容量由初步设计的 1 560MW 扩大为 1 800MW，并论证了一次完成装机 1 800MW 的经济合理性。1996 年之后，在初步设计和招标设计基础上，又开展了小浪底水库运用方式研究，以结合工程建成后的调度运用。

工程规划既是小浪底工程设计的基础，又是小浪底工程能否开工建设的核心，也是小浪底工程建成后能否正常发挥防洪(包括防凌)、减淤、供水、灌溉、发电等综合利用效益的关键。小浪底工程规划具有特殊的复杂性和艰巨性，40 多年的论证积累了大量的阶段成果，但因篇幅所限，本次编写的小浪底水利枢纽技术总结《工程规划卷》，重点对 20 世纪 80 年代以来开展的初步设计、招标设计以及世界银行贷款评估等阶段取得的最终成果进行总结。书中主要总结水文及气象调查和径流、洪水、泥沙等设计成果，同时也总结了工程规模、水库泥沙、工程导截流和围堰溃坝洪水、下闸蓄水调度方案以及防洪、防凌、减淤、供水、灌溉、发电作用和经济评价、财务评价等设计论证成果。

回顾小浪底水利枢纽近 40 年的规划设计历程，每一阶段的规划研究成果和突破性的进展都凝聚着许多治黄规划前辈的心血和许多国内外水利规划专家的真知灼见。王长路、王国安、王居正、王益能、邓盛明、史辅成、白炤西、石春先、龙毓骞、刘玉茹、安增美、吴致尧、张实、张挺、张成林、张俊华、李世滢、李国英、汪祖汴、陆俭益、陈先德、陈枝林、陈炳荣、郑秀雅、易元俊、林秀山、罗宝琴、胡尔昌、胡汝南、席家治、高治定、韩曼华等数十位同志(按姓氏笔画为序)先后参加了小浪底水利枢纽初步设计、招标设计阶段工程规划工作；黄河水利委员会的历届领导班子对小浪底水利枢纽的工程规划进行直接领导和指导；钱正英、张光斗、潘家铮、徐乾清、林秉南、谢鉴衡、窦国仁、韩其为等国内专家对小浪底水利枢纽的工程规划提出许多很好的意见和建议。借此，对大力帮助及指导小浪底工程规划论证的所有专家表示衷心的感谢，对已故专家谨表深切怀念。

李景宗

2005 年 10 月 8 日

《工程规划》编写人员名单

主　编：李景宗
副主编：涂启华　安新代
统　稿：李景宗　涂启华　安新代　王玉峰

章　名	编写人员
前　言	李景宗
第一章　流域及库区概况	安新代
第二章　径流	李景宗　李福生
第三章　洪水	李海荣
第四章　泥沙	安催花　涂启华
第五章　库、坝区水文泥沙分析	李海荣　涂启华（第二节）
第六章　小浪底水利枢纽工程规划概述	李景宗
第七章　工程规模研究	李景宗　杨振立（装机容量）
第八章　水库泥沙及影响分析	涂启华　安催花　慕平（第九节）
第九章　工程导截流和围堰溃坝洪水研究	王玉峰
第十章　水库下闸蓄水调度方案研究	王玉峰
第十一章　小浪底水库防洪作用研究	李文家　李海荣
第十二章　水库防凌作用研究	李福生
第十三章　水库减淤作用研究	涂启华　安催花
第十四章　小浪底水库供水灌溉作用	安新代　李福生
第十五章　小浪底水电站在电网中的作用和效益	杨振立
第十六章　经济评价	丁大发

目　录

第一章　流域及库区概况

黄河流域位于中国的中东部，东经 96°～119°、北纬 32°～42°之间，西起青藏高原的巴颜喀拉山，东临渤海，北抵阴山，南至秦岭，流域面积 79.5 万 km^2(其中内流区为 4.2 万 km^2)。黄河发源于青藏高原巴颜喀拉山北麓的约古宗列盆地，流经青海、四川、甘肃、宁夏、内蒙古、陕西、山西、河南、山东九省(区)，在山东垦利县注入渤海，干流全长 5 464 km。自河源至内蒙古托克托县的河口镇为上游，河口镇至河南郑州桃花峪为中游，桃花峪至河口为下游。小浪底坝址位于黄河中游的河南省洛阳市境内。

第一节　流域概况

一、自然地理概况

黄河流域的地势西高东低，大致分为三个阶梯。第一阶梯是流域西部的青藏高原，一般海拔 2 500～4 500m。有一系列的西北—东南向山脉，如北部的祁连山，南部的积石山和巴颜喀拉山，黄河迂回于山峦之间，在兰州以上呈“S”形大转弯。雄踞黄河第一大河曲的阿尼玛卿山(又称积石山)主峰玛卿岗日海拔 6 282m，是黄河流域的制高点，山顶终年积雪，冰峰起伏，气象万千。

第二阶梯是青藏高原以东至太行山，海拔1 000～2 000m，由河套平原、鄂尔多斯高原、黄土高原和秦岭山脉、太行山山脉等组成。本阶梯内白于山以北属内蒙古高原的一部分，包括黄河河套平原和鄂尔多斯高原两个自然地理区域；白于山以南为黄土高原和崤山、熊耳山、太行山等。

鄂尔多斯高原的西、北、东三面均为黄河所环绕，南界长城，高原面积为 13 万 km^2，大部分海拔为 1 000～1 400m，是一块近似方形的台状干燥剥蚀高原，风沙地貌发育，高原内盐碱湖泊众多，地表径流大部分汇入湖中，是黄河流域内最大的闭流区，面积达 4.22 万 km^2。

黄土高原北起鄂尔多斯高原，南界秦岭，西抵青藏高原，东至太行山山脉，海拔1 000～2 000m。黄土塬、梁、峁、沟是黄土高原的地貌主体。黄土高原土质疏松，垂直节理发育，植被稀疏，水土流失严重，是黄河泥沙的主要来源地区。

横亘黄土高原南部的秦岭，是我国亚热带和暖温带的南北分界线和黄河与长江的分水岭，它阻挡了部分来自西南方向的水汽，使秦岭以北的年降雨量显著减少。豫西山地由秦岭东延的崤山、熊耳山、外方山、伏牛山、嵩山组成，大部分海拔在 100m 以上，这些山脉也是黄河流域同长江流域、淮河流域的分水岭。太行山耸立在黄土高原与华北平原之间，是黄河流域与海河流域的分水岭，也是华北地区一条重要的自然地理界线。

第三阶梯自太行山系以东至滨海，是黄河下游冲积平原和鲁中南低山丘陵。黄河下游冲积平原包括豫东、豫北、鲁西、鲁北、冀南、皖北、苏北等地区，面积达 25 万 km^2。平原地势大体以黄河大堤为分水岭，其北为黄海平原，属海河流域；大堤以南为黄淮平原，属淮河流域。

黄河上游在玛多(黄河沿)以上称为河源区。该区河谷宽阔，湖泊沼泽众多，水源丰富，湖沼水面面积达 2 000km^2。其中，扎陵湖和鄂陵湖相对较大，扎陵湖面积为 526km^2，平均水深 9m 左右；鄂陵湖面积 610km^2，平均水深 17.6m，最大水深 30.7m。自玛多至玛曲，黄河顺势蜿蜒而下，流经山区和丘陵地带，河道切割渐深。玛曲以上是黄河最大的弯曲段，区域内地势相对平坦、开阔，水草丰富且有较多的成片灌木。最大的支流有白河、黑河自右岸汇入，流域蓄水能力强，调蓄作用大。自西南、东南气流输入的水汽，由于该区首当其冲，所以降水量大，是黄河上游水量的主要来源区。自玛曲以下至唐乃亥，河道穿行于崇山峻岭之中，山高谷深，坡陡流急，蕴藏着丰富的水力资源。本河段植被一般较好，在沟谷坡地上灌木丛生，兼有小片的松柏森林。该段河网密度大，降水量也较大。唐乃亥至龙羊峡河段河谷切割很深，植被稀疏，水量增加很少。龙羊峡至青铜峡，河道蜿蜒曲折，一束一放，川峡相间。该段有 19 个较大峡谷和 17 个较大川地，峡谷长度占河段长度的 40%以上。该河段总落差 1 324m，在刘家峡库区至兰州之间有大夏河、洮河、湟水、庄浪河等大支流汇入。

河出青铜峡后，流经宁夏和内蒙古两大河套平原，这两大平原是夹峙在贺兰山、阴山与鄂尔多斯高原之间的一系列断陷湖积冲积平原。整个河段长 867km，平均比降为 1/6 000，是宽浅的平原河道。该河段大部分属于干旱地区，降水量小，蒸发量大，加之灌溉引水量大，且无大支流汇入，所以黄河水量有较大幅度的减少。

黄河中游的河口镇至禹门口河段，河长 725km，落差达 607m，比降近 1/1 000。除河曲、保德附近几处河道较为宽阔外，大部分河宽为 200～400m。右岸一部分支流上游为盖沙区，左岸一部分为石质山区，其余大部分属黄土丘陵及黄土丘陵沟壑区，水土流失极其严重，输沙模数一般都在 1 万～2 万 t/(km^2·a)之间，最高的可达 2.5 万 t/(km^2·a)，集中分布在河口镇至无定河口区间各支流的中下游，河口镇至吴堡区间右岸较大支流有黄甫川、窟野河、秃尾河，左岸有浑河汇入，是形成三门峡以上洪峰的主要来源区。吴堡至龙门区间，右岸有无定河、延水、清涧河，左岸有三川河等较大支流汇入。

河出晋陕峡谷后，河道豁然开阔。龙门至潼关河段长 128km，两岸为黄土台地，河宽达 3～15km，平均宽约 8.5km，对龙门以上的陡峻洪峰有较大的滞洪削峰作用。本河段内有渭河、洛河、汾河等较大支流汇入，这些支流除一部分为石质山区及林区外，大部分为黄土丘陵及黄土塬区，水土流失也比较严重。泾河、洛河上游输沙模数可达 1.5 万 t/(km^2·a)以上，是黄河洪水泥沙的又一主要来源区。

黄河三门峡至花园口区间，有伊洛河、沁河等大支流汇入。支流的上游为石质山区，植被较好；中下游为黄土丘陵区及冲积平原区。干流三门峡至小浪底区间，两岸支沟众多，源短坡陡，是三花(三门峡至花园口，下同)间洪峰的主要来源区之一。小浪底至花园口间河道展宽达 5 000～9 000m，有一定的滞洪削峰作用。伊洛河下游龙门镇、白马寺至黑石关之间为河谷盆地，面积有 200 多平方公里，河道两岸有堤防，遇较大洪水均决口漫溢，滞洪削峰作用也较为显著。沁河五龙口以下，流经冲积平原，两岸有堤，遇较大洪水时，沁阳以上北岸部分堤段即可自然漫溢或在沁阳以下右岸堤段有计划分洪，使入黄洪峰流量有一定限制。

干流桃花峪以下为“地上河”，全靠堤防束水。上段河南境内，河道宽阔，堤距一般达10km左右。下段流经山东境内，河道变窄，堤距一般1～3km。黄河下游的较大支流有两条，即左岸的金堤河和右岸的大汶河。

二、水利工程概况

小浪底以上的黄河干流上已经建成了龙羊峡、李家峡、刘家峡、盐锅峡、八盘峡、青铜峡、三盛公、天桥、三门峡等大中型水利水电工程10余座，总库容426亿m^3（原始库容），总装机容量5 816MW。其中，龙羊峡、刘家峡水库总库容304亿m^3，对黄河上游洪水及水量具有较显著的调蓄作用。支流已建的大中型水库130多座，其中伊河陆浑水库与洛河故县水库，设计总库容24.3亿m^3，对伊洛河的入黄洪水具有一定的调蓄作用。三门峡、陆浑、故县3座大型水库工程与下游的河防工程和分滞洪工程，组成了黄河下游的防洪工程体系。小浪底水库位于三门峡大坝下游130km处，建成后，黄河下游的防洪工程体系将进一步完善，黄河下游的防洪标准将进一步提高。

三、气候概况

黄河流域位于我国北中部，属大陆性季风气候。冬季受流域极地大陆冷气团（以蒙古高压为主）控制，多西北风，气候寒冷干燥，雨雪稀少。夏季蒙古高压逐渐北移，流域大部分受西太平洋副热带高压的影响，自印度洋和南海北部湾带来大量水汽，雨水增多。由于地域广阔，距海洋远近不同及地形影响，黄河流域的降水量不仅季节分配不均，年际变化较大，而且地区分布也极不平衡。

黄河流域多年平均降水量为466mm，年平均降水量约3 510亿m^3。降水的地区分布是自东南向西北递减。年降水量400mm等值线的走向是：自内蒙古的托克托，经榆林、靖边、环县、定西、兰州绕祁连山过循化、贵南、同德至玛多，该线以南年平均降水量向东南递增，秦岭北坡年平均降水量高达800～900mm，此线以北，除祁连山局部地区受地形影响年平均降水量约600mm外，其他地区降水量向西北部递减，到内蒙古后套一带，年平均降水量约150mm。

由于季风气候和地形的影响，年降水量在时间分配上变化很大，连续最大4个月降水量大部分地区出现在6～9月份。4个月降水量占年降水量的百分率随着降水量的减少而增大，由南部的60%逐渐向北增加到80%以上。7、8两月是黄河流域降水量最集中的月份。

黄河降水的另一个特点是年际变化大，而且降水愈少的地区，其降水量年际之间的变化越大。从最大、最小年降水量的对比看，流域内丰水年的降水量一般为枯水年降水量的3～4倍。流域北部少雨地区，丰水年的降水量为枯水年降水量的7～10倍。如宁夏的石嘴山站，1947年降水量358mm，1965年降水量仅有48mm，1947年降水量是1965年的7.5倍。

流域内气温西部低于东部，北部低于南部，高山低于平原。年平均气温为10℃的等温线从陕西省的潼关,沿秦岭北麓到宝鸡市折向东北,经陇县、彬县、黄龙、佳县,过黄河进入山西省的柳林、蒲县、平遥、晋城至陵川出流域。此线南侧和西北侧均低于10℃。

流域内气温年较差大,大部分地区的年较差在25~30℃,山西省的太原至宁夏的中宁一线以北,年较差最大,为30~36℃。一年内7月份平均气温最高,大部分地区均在20~29℃,洛阳市的极端最高气温达44.2℃。1月平均气温最低,大部分地区均在0℃以下。

第二节 库区概况

三门峡至小浪底河段是黄河干流最后一个峡谷段,小浪底坝址位于该峡谷的下口。三门峡至小浪底区间流域面积5 730km^2,占三门峡至花园口区间面积的14%。流域内为土石山区,植被条件较好。干流河道上窄下宽,上段约1/2的河道,河谷底宽仅200~400m,下段1/2河道的底宽一般为500~800m。坝址以上30km的八里胡同峡谷,长4km,河谷最窄处200~300m。河底比降约1‰,河床为砂卵石覆盖。

库区的支流大小共18条。其中比较大的支流有大峪河、畛水、石井河、东洋河、西阳河、东河、亳清河、板涧河等8条,各较大支流的特征值见表1-2-1。从表中可以看出,小浪底库区的较大支流多分布于近坝段,且支流比降较陡,一般在10‰左右。

表1-2-1 小浪底库区主要支流特征值

支流名称	距坝里程(km)	河道长度(km)	流域面积(km^2)	比降(‰)
大峪河	3.90	55.0	258	10.0
畛水	18.02	53.7	431	5.6
石井河	22.12	22.0	140	12.0
东洋河	31.03	60.0	571	9.2
西阳河	41.25	53.0	404	10.6
东 河	57.63	72.0	576	12.0
亳清河	57.63	52.0	647	7.2
板涧河	65.91	45.0	360	12.6

第三节 坝区气候与冰情

一、坝区气候特征

按国家气象局1979年编制的中国气候区域,坝区属南温带亚湿润气候区。根据坝区附近三门峡、垣曲、孟津和济源等气象站资料,可概略地反映坝区气候特征。1961~1990年孟津站气象要素统计资料见表1-3-1。

表 1-3-1　　1961～1990 年孟津站气象要素统计资料(测站高程 321m)

项目	1月	2月	3月	4月	5月	6月	7月	8月	9月	10月	11月	12月	全年	资料年代
平均气温(℃)	-0.3	1.6	7.6	14.6	20.6	25.4	26.3	25.1	20.0	14.7	7.7	1.5	13.7	30(1961～1990)
月平均最高气温(℃)	5.2	7.2	13.4	20.5	26.8	31.5	31.1	29.6	25.2	20.3	13.2	7.3	19.3	30(1961～1990)
月平均最低气温(℃)	-4.6	-2.6	2.7	9.1	14.5	19.5	22.1	21.1	15.7	10.2	3.3	-2.9	9.0	30(1961～1990)
极端最高气温(℃)	20.5	22.7	30.5	34.2	40.5	43.7	41.5	41.0	37.0	34.3	26.3	22.8	43.7	30(1961～1990)
时间(年·月·日)	1979.1.8	1977.2.27	1963.3.31	1988.4.30	1967.5.31	1966.6.20	1966.7.19	1969.8.1	1987.9.19	1980.10.7	1990.11.14	1989.12.3	1966.6.20	
极端最低气温(℃)	-17.2	-15.7	-8.2	-2.4	5.2	12.3	15.5	11.9	5.7	-1.9	-9.8	-12.7	-17.2	30(1961～1990)
时间(年·月·日)	1969.1.31	1969.2.1	1988.3.7	1962.4.3	1972.5.15	1971.6.4	1976.7.9	1972.8.31	1978.9.19	1966.10.28	1987.11.29	1968.12.27	1969.1.31	
平均降雨量(mm)	7.8	14.7	25.6	42.5	54.1	65.3	159.0	90.6	96.7	52.6	25.4	9.0	643.2	30(1961～1990)
≥0.1mm 天数(d)	3.3	4.9	6.2	7.4	7.4	7.7	12.2	10.4	10.1	8.2	5.2	2.7	85.7	30(1961～1990)
平均蒸发量(mm)	79.5	86.9	149.0	200.0	260.7	314.3	226.5	188.4	142.1	132.9	100.9	84.7	1 965.7	30(1961～1990)
平均相对湿度(%)	51	56	59	60	59	57	75	79	75	68	62	52	63	30(1961～1990)
平均风速(m/s)	2.9	3.2	3.3	3.3	3.0	3.1	2.8	2.4	2.2	2.6	3.1	3.2	2.9	30(1961～1990)
最大风速(m/s)	20	18	20	25	15	18	18	14.3	12	18	18	19	25	20(1971～1990)
最大风速的风向	NW	WNW	WNW	WNW	WNW	SSW	NNE	NNE	NE	NW	W,WNW	WNW	WNW	20(1971～1990)
最多风向	C,WNW	C,WNW	C,NE	ENE	C,ENE	C,ENE	ENE	ENE	C,NE	C,ENE	C,WNW	C,WNW	C,ENE	20(1961～1980)
频率(次)	19,16	19,16	16,15	17	15,13	13,12	18	20	24,14	23,19	19,16	19,16	18,14	
日照时数(h)	159.8	142.1	173.8	199.0	242.6	237.8	207.9	201.3	175.5	180.7	164.0	166.7	2 251.2	30(1961～1990)
霜日数(d)	5.8	5.3	2.1	0.2	0	0	0	0	0	0.4	5.6	7.9	27.3	30(1961～1990)
平均地面温度(℃)	-0.1	2.8	9.5	17.7	25.1	30.3	30.3	29.0	22.6	16.0	7.8	1.3	16.0	30(1961～1990)

年平均气温在14℃上下。1月平均气温最低,在0℃附近。极端最低气温达-17.2~-20℃。7月平均气温最高,达26~27.5℃,极端最高气温达41.5~43.7℃。坝区年降水量达600~660mm,其中7~9月降水量占年降水量的50%以上。年平均蒸发量1 800~2 100mm,年平均相对湿度在60%上下。极端最大风速达20m/s以上,冬季盛行风向WNW,其他季节以ENE风向为主。

坝区是三花间主要暴雨中心区之一,暴雨发生较频繁,强度与总量较大。特别是在经向型环流形势下的南北向切变线暴雨过程中,往往100mm以上大暴雨区几乎覆盖三门峡至小浪底区间。另外,坝区附近黄河北岸王屋山南坡,山岭陡峻,盛夏热力、动力作用强,易形成局地强对流天气,形成局地暴雨,产生较大支沟洪水。

二、坝址水温、冰情

根据小浪底水文站1956~1966年实测水温资料,扣除1960年、1961年三门峡水库高水位蓄水期水温观测资料,计算了多年平均逐月水温值,结果见表1-3-2。

表1-3-2　　小浪底站年、月平均水温统计

月份	1月	2月	3月	4月	5月	6月	7月	8月	9月	10月	11月	12月	全年	资料年代
水温(℃)	1.0	3.2	8.1	14.5	19.2	24.1	26.5	26.0	21.4	15.7	9.1	2.8	14.3	1956~1959 1962~1966

根据小浪底水文站1968~1985年期间冰情观测资料汇集而成的冰情特征,见表1-3-3。由表可见,小浪底水文站每年冬季仍有一定的冰情现象。

表1-3-3　　小浪底站冰情特征值统计

项目	岸冰初日(月·日)	流冰花初日(月·日)	最大岸边冰厚(m)	最大流冰块(m)		流冰花终日(月·日)	岸冰终日(月·日)
				长	宽		
最早	11.29	2.10				12.29	12.25
最晚	1.30	1.21				2.9	2.27
平均	12.21						2.3
最大			0.50	40.0	20.0		

第二章 径 流

小浪底坝址以上流域面积694 155km²,占黄河流域面积的92.3%。由于坝址以上兴建了大量的引水工程和大型水库,坝址实测径流受到人类活动的影响,需对径流进行还原计算,推求天然径流。根据设计水平年坝址以上各河段工农业耗水预测、干支流已建及计划兴建的大型水库情况,进行流域水资源供需平衡计算,推求设计水平年的入库径流和相关支流的径流。

第一节 基本资料

小浪底坝址径流计算涉及到黄河干、支流大部分水文站的实测资料,这些水文站的实测资料系列长度不同,需对主要控制站的实测径流进行插补延长,以保证径流资料的一致性。

一、黄河干、支流主要控制站实测资料系列

黄河水文站设立最早的是干流上的陕县站(三门峡坝址上游21km),始于1919年;其次是支流泾河的张家山站及干流的兰州站,分别建于1932年和1934年。1952年以前设站很少,资料不全,1952年后始形成较完整的水文站网。陕县站(1951年7月设三门峡站观测,陕县站观测至1959年6月)至今已有80年的实测资料。黄河干、支流主要控制站实测资料系列情况见表2-1-1。

表2-1-1 黄河干、支流主要控制站实测资料系列

河名	站名	始测时间(年·月)	系列年份(年·月)
黄河	贵德	1954.1	1954年迄今
黄河	兰州	1934.8	1934年迄今
黄河	安宁渡	1953.7	1953年迄今
黄河	河口镇	1952.1	1952年迄今
黄河	龙门	1934.6	1934.6~1937.12,1944.3~12,1945.7~10,1950年4月迄今
黄河	陕县	1919.4	观测至1959年6月
黄河	三门峡	1951.7	1951年7月迄今
黄河	小浪底	1955.6	1955年6月迄今
汾河	河津	1934.6	1934.6~1937.10,1950年7月迄今
北洛河	湫头	1933.5	1933.5~1935.5,1935.8~1935.12,1936.5~1948.10,1949年迄今
泾河	张家山	1932.1	1932年迄今
渭河	华县	1935.3	1935.3~1943.12,1950年6月迄今
伊洛河	黑石关	1934.8	1934.8~12,1935年7月,1936.1~1937.9,1950年7月迄今
沁河	小董	1950.7	1950年7月迄今

小浪底水文站始建于1955年6月,坝址多年平均(1955~1999年水文年45年)径流

量 361.60 亿 m^3，其中 1990～1999 年连续枯水，平均年径流量 227.19 亿 m^3，占多年平均实测径流量的 62.8%。据 1955～1990 年实测资料统计，三门峡到小浪底区间平均径流量为 5.9 亿 m^3。

二、干、支流各主要站资料插补及检验

黄河干、支流各主要站，年径流资料系列长度不一，断续不全，只有陕县（三门峡）、兰州两站历年资料较完整。1962 年黄委会水文处利用三门峡、兰州两参证站的实测资料辗转相关插补，将全河干、支流 44 个主要站的年径流均延长到 1919 年，正式刊印出《黄河干、支流各主要断面 1919～1960 年水量、沙量成果》。

由陕县站实测年径流系列分析，1922～1932 年（水文年，即 1922 年 7 月～1932 年 6 月，下同）出现连续 11 年的枯水段。黄河流域其他站，这段时间均无实测资料，是否也同步出现枯水段，关系到能否借用陕县站进行插补延长的问题。1968 年原水电部水电总局曾组织有关单位，对黄河上、中游进行了全面调查。调查结果表明，黄河上、中游干、支流主要河段均出现上述 11 年的枯水段，与三门峡站枯水基本是同步的。因此，可以利用三门峡站对全河主要站进行插补延长。

在小浪底水利枢纽初步设计阶段，又增加了 1960～1980 年的 20 年的实测资料，点绘并分析了三门峡与兰州、龙门、花园口、河口镇及四站（龙门 + 华县 + 河津 + 洑头）等站汛期（7～10 月）径流量和非汛期径流量的相关关系，以进一步检验原延长成果是否合理。结果表明，1962 年以陕县、兰州为参证站所插补的黄河干、支流其他主要站的年径流量，从定量上看基本上是合理的（见图 2-1-1～图 2-1-10，各图中数字表示年代，如“67”为“1967”）。

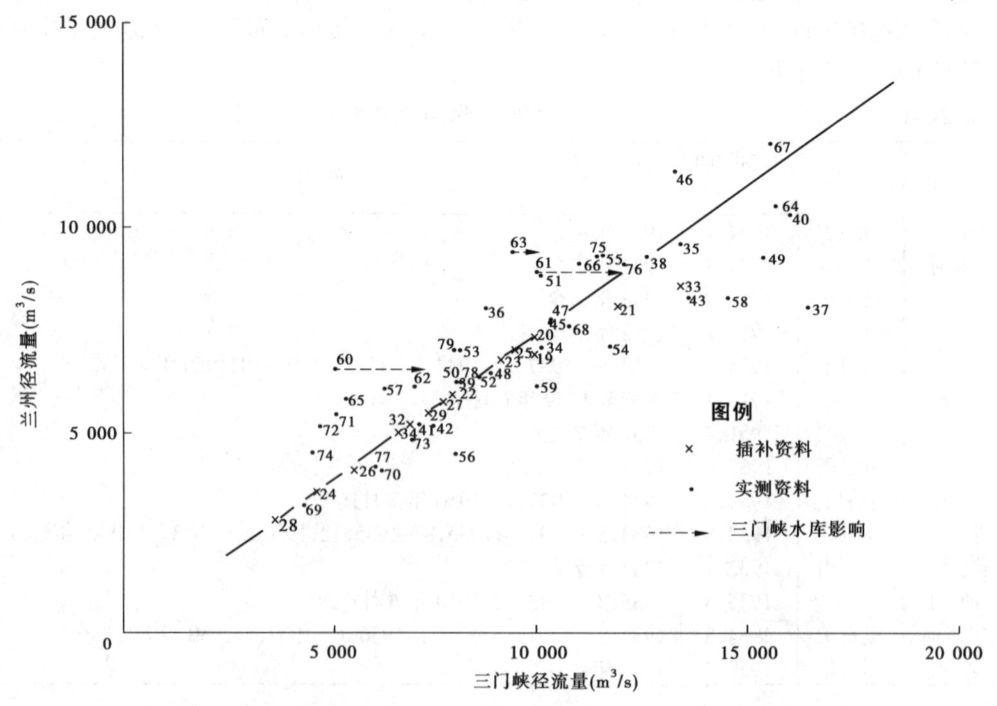

图 2-1-1 兰州—三门峡实测径流关系（7～10 月）

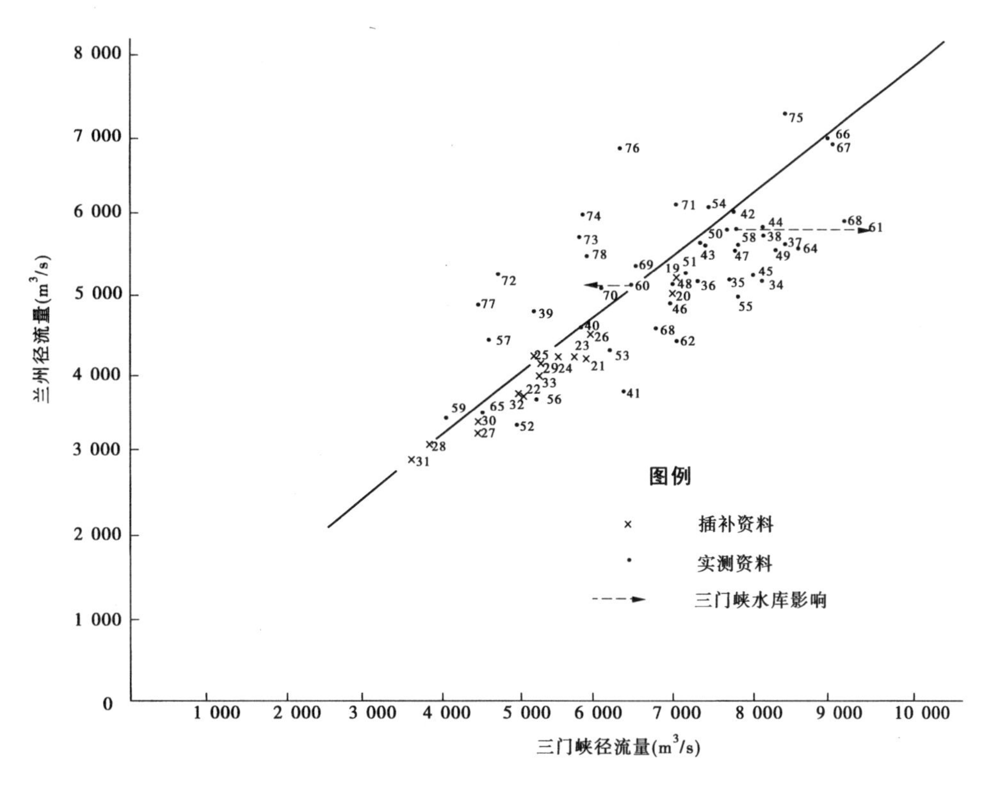

图 2-1-2　兰州—三门峡实测径流关系(11 月～来年 6 月)

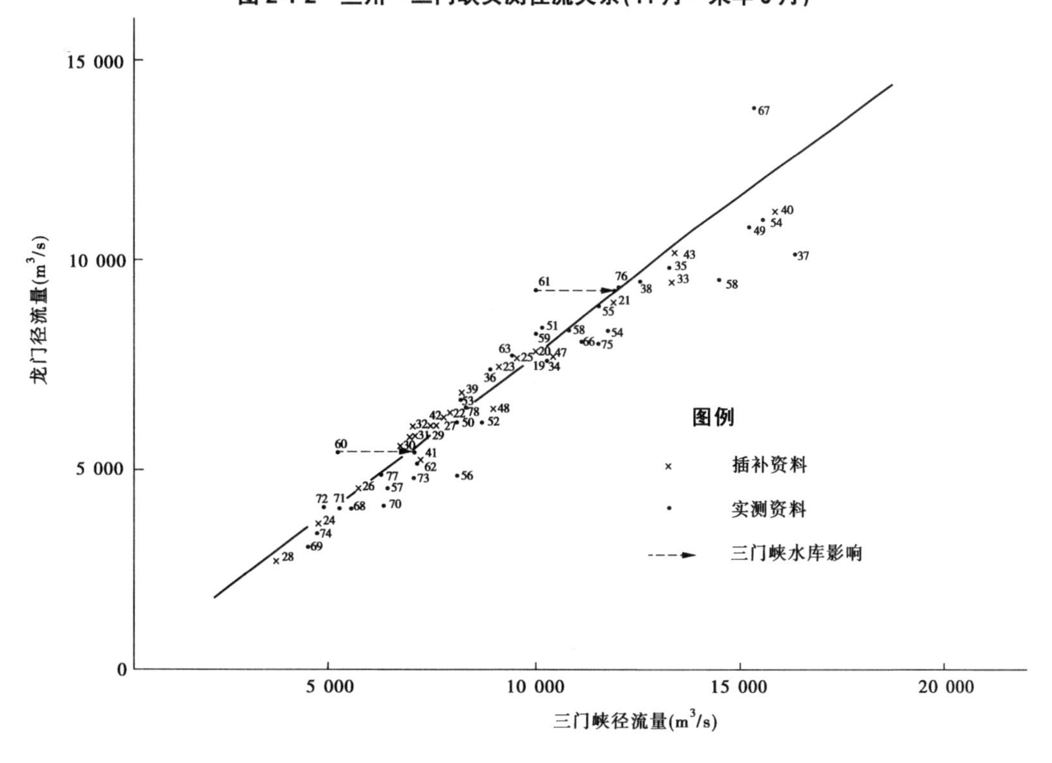

图 2-1-3　龙门—三门峡实测径流关系(7～10 月径流)

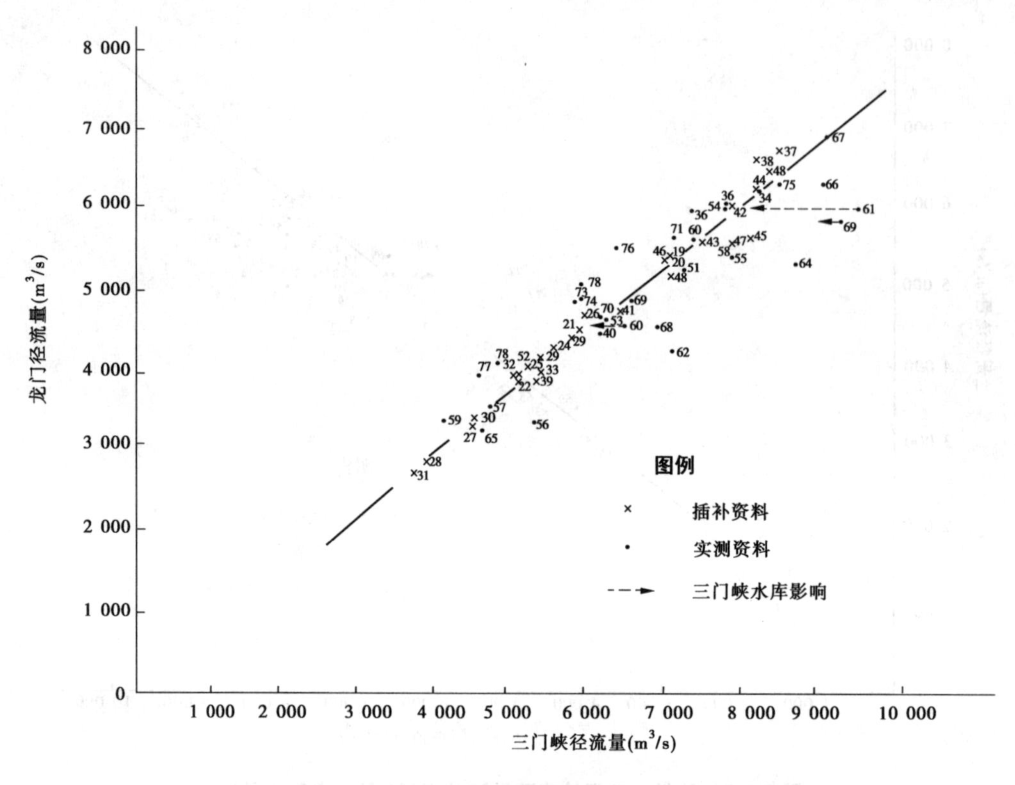

图 2-1-4 龙门—三门峡实测径流关系(11 月～来年 6 月)

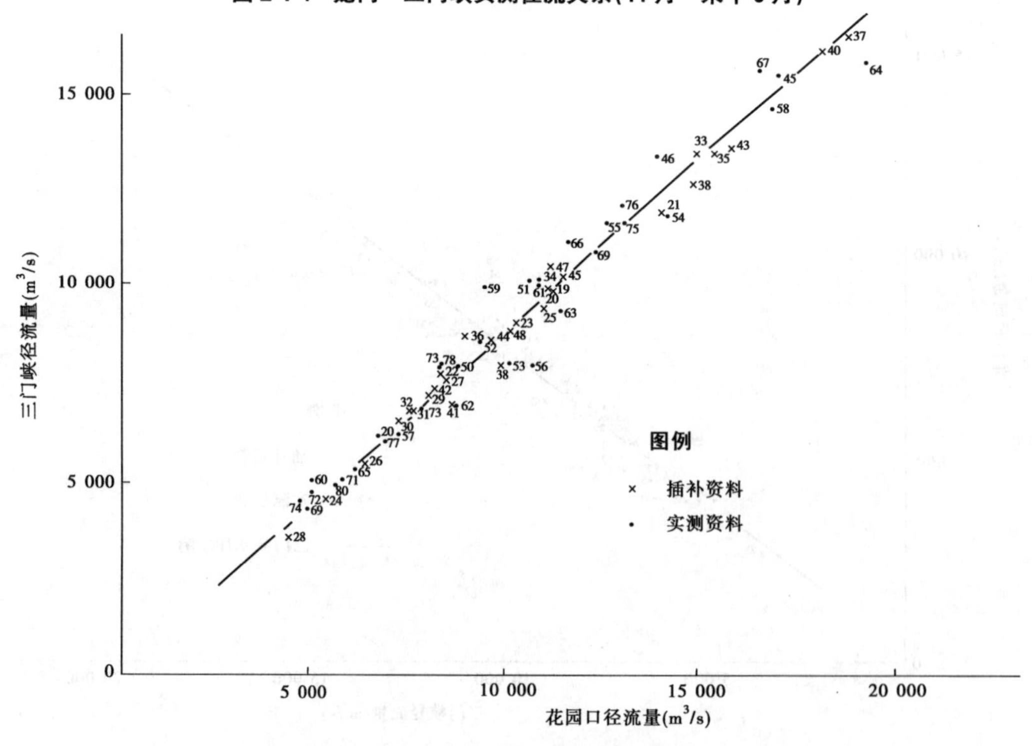

图 2-1-5 三门峡—花园口实测径流关系(7～10 月)

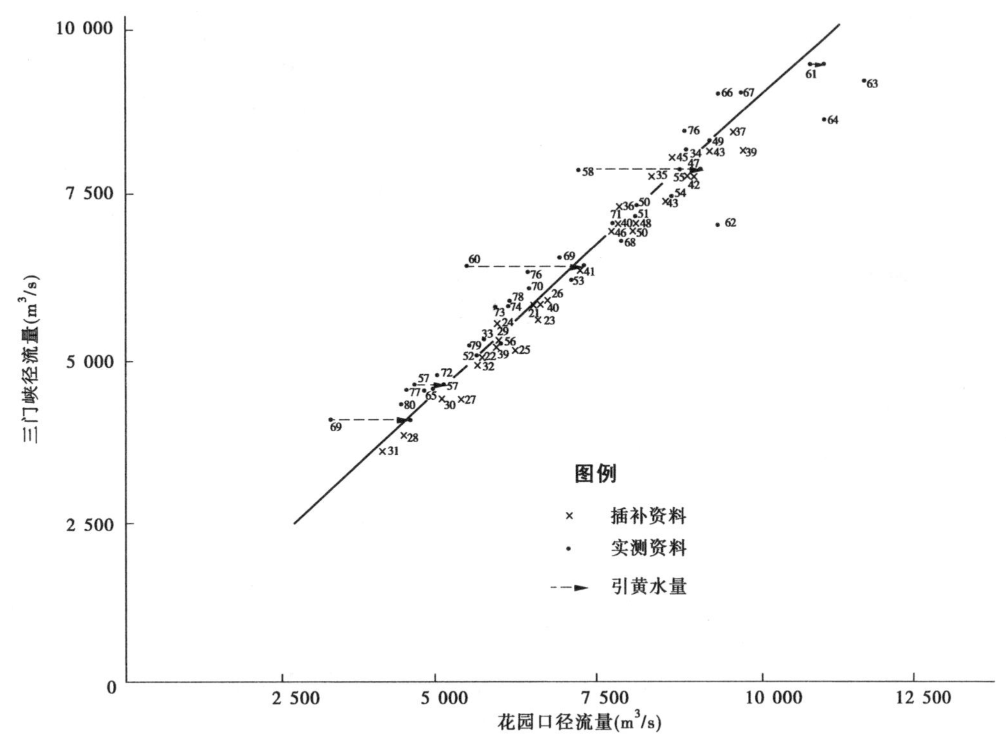

图 2-1-6 三门峡—花园口实测径流关系(11 月～来年 6 月)

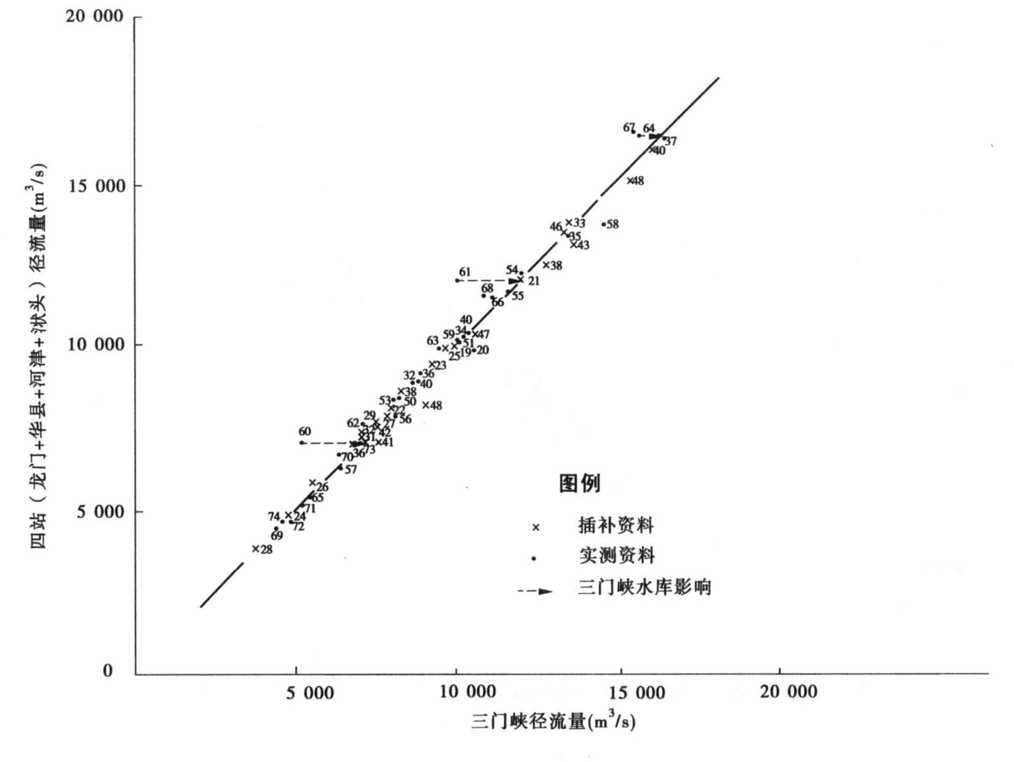

图 2-1-7 三门峡—四站(龙门＋华县＋河津＋洑头)实测径流关系(7～10 月)

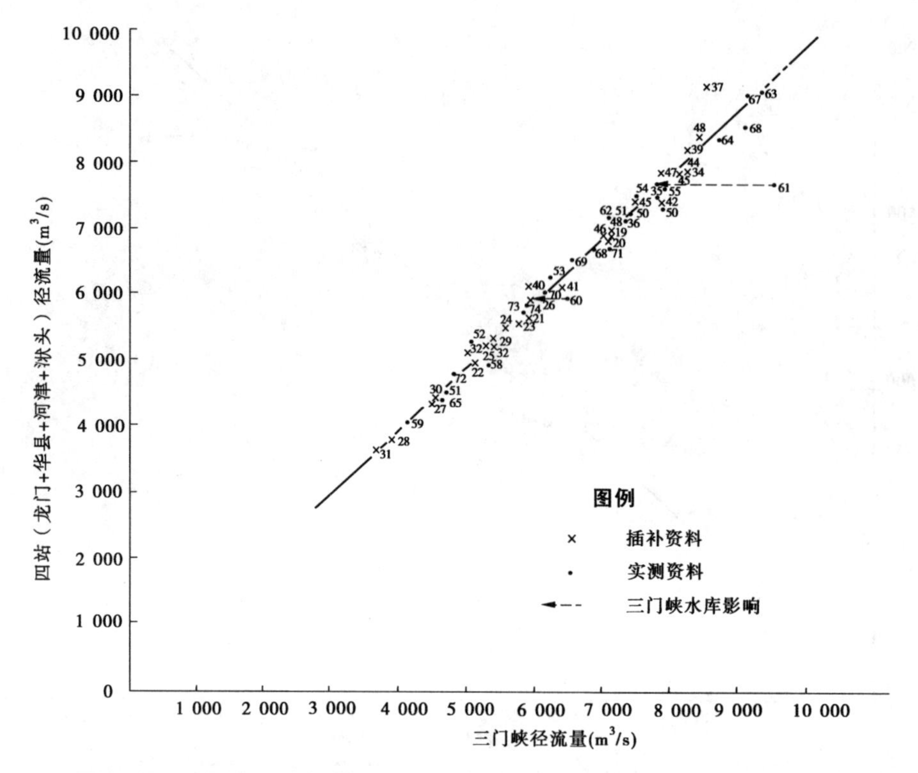

图 2-1-8 三门峡—四站(龙门+华县+河津+洑头)实测径流关系(11 月～来年 6 月)

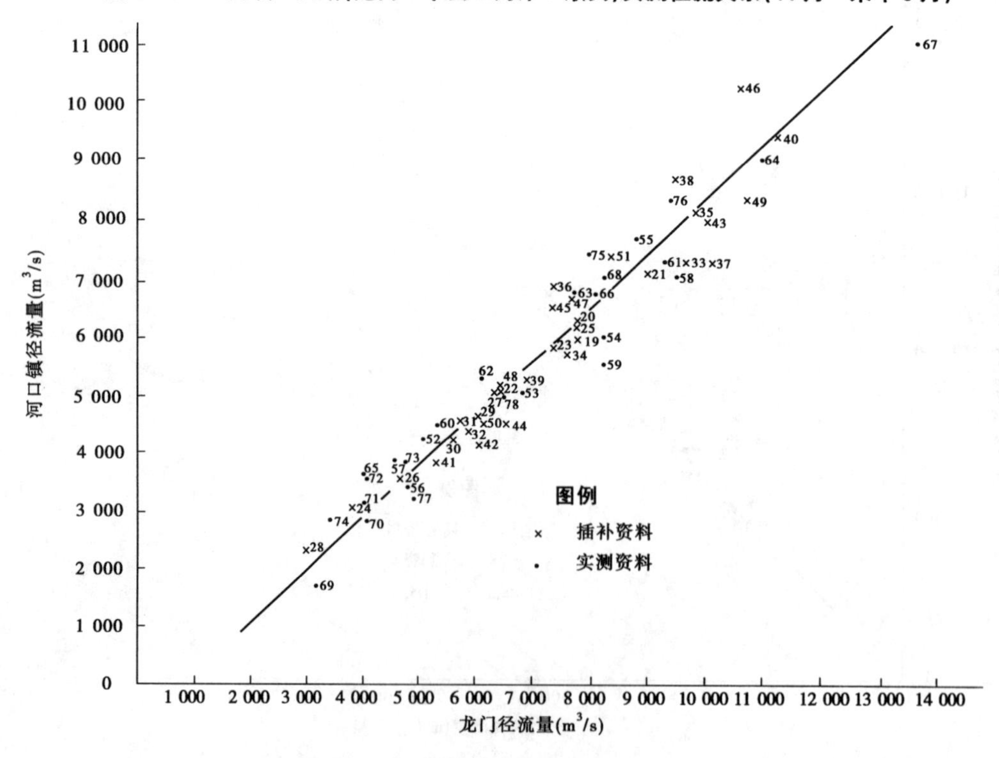

图 2-1-9 河口镇—龙门实测径流关系(7～10 月)

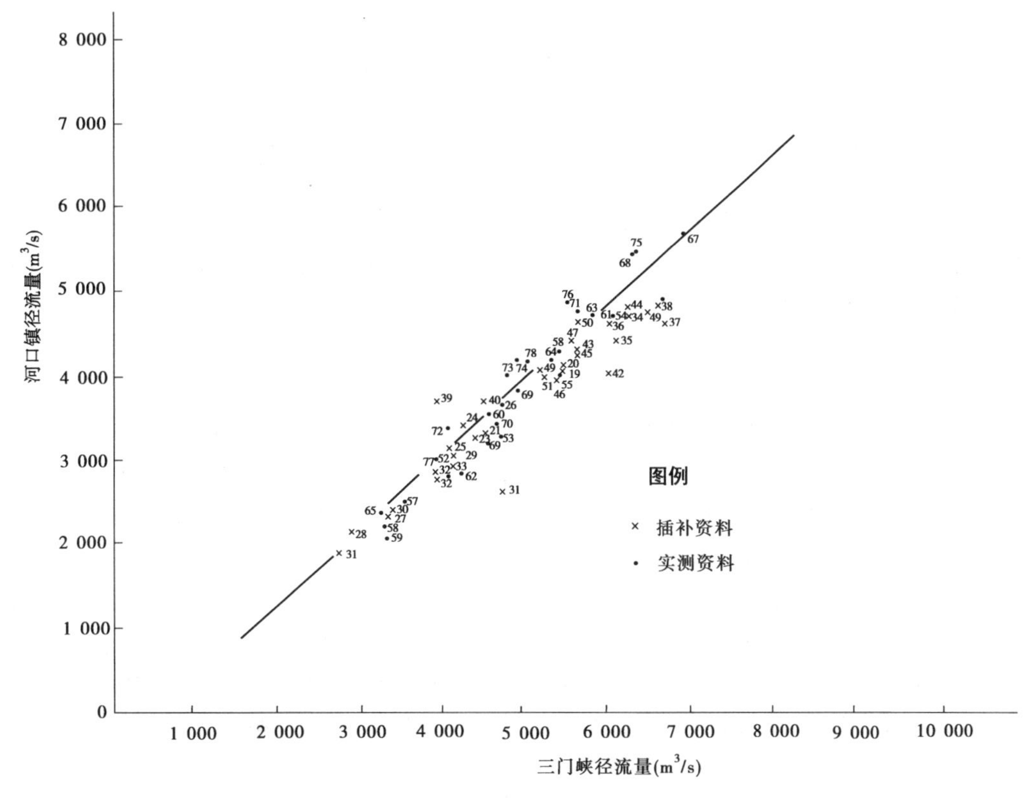

图 2-1-10 河口镇—龙门实测径流关系(11 月～来年 6 月)

1987 年国务院批准的黄河可供水量分配方案(国办发[1987]61 号文)选用 1919～1975 年 56 年系列(水文年),花园口站多年平均实测径流量为 469.8 亿 m^3,兰州、河口镇站分别为 315.3 亿 m^3、247.4 亿 m^3,详见表 2-1-2。

表 2-1-2 黄河干、支流主要站多年平均实测年径流量(1919～1975 年 56 年系列)

河名	站名	多年平均实测径流量(亿 m^3)			最大值		最小值	
		全年	汛期(7～10 月)	非汛期(11 月～来年 6 月)	年径流量(亿 m^3)	年份(水文年)	年径流量(亿 m^3)	年份(水文年)
黄河	贵德	202.0	121.7	80.3	324.0	1967～1968	101.9	1928～1929
黄河	上诠	267.2	156.0	111.2	466.5	1967～1968	137.0	1928～1929
黄河	兰州	315.3	185.5	129.8	503.6	1967～1968	163.0	1928～1929
黄河	安宁渡	316.8	189.8	127.0	525.3	1967～1968	158.3	1928～1929
黄河	河口镇	247.4	149.4	98.0	440.0	1967～1968	118.8	1928～1929
黄河	龙门	319.1	188.0	131.1	549.2	1967～1968	155.2	1928～1929
黄河	三门峡	418.5	245.3	173.2	656.5	1937～1938	198.3	1928～1929
黄河	花园口	469.8	279.2	190.6	802.3	1964～1965	230.1	1928～1929
汾河	河津	15.6	9.7	5.9	34.1	1964～1965	7.8	1936～1937
北洛河	洑头	7.0	4.0	3.0	17.4	1964～1965	2.8	1957～1958
渭河	华县	80.0	48.7	31.3	193.0	1937～1938	30.1	1928～1929
伊洛河	黑石关	33.7	20.7	13.0	84.5	1964～1965	6.1	1936～1937
沁河	小董	13.4	9.1	4.3	29.6	1963～1964	3.6	1936～1937

第二节　天然年径流量

一、天然年径流计算

黄河实测径流受人类活动影响较大，其中影响最大的是农业灌溉耗水和大型水库的调蓄。除这两项因素外，水土保持、中小型水库蓄水以及因修建水库所增加的蒸发渗漏等，对天然径流还原也有一定影响，由于缺乏资料并且所占比重较小，未进行还原。工业、城市生活耗水量，在1949年以前几乎没有，1949年以后耗水量也很小，而且多为地下水。据统计，花园口以上1979年工业、城市生活耗用河川水量仅5亿m^3，影响很小，未曾还原。因此，天然径流的还原，主要考虑了农业灌溉耗水量及干、支流大型水库的调蓄还原。

为了进行黄河水资源利用规划，黄委会设计院于1982年12月完成了《黄河流域天然年径流》成果，主要控制站天然年径流量统计特征值见表2-2-1。该成果中主要控制站天然径流系列为1919年7月～1975年6月，个别站为1919年7月～1980年6月。在小浪底水利枢纽初步设计阶段，采用了《黄河流域天然年径流》成果，主要控制站的天然年径流系列为1919年7月～1975年6月共56年。

在招标设计阶段，黄委会设计院在《黄河流域天然年径流》成果的基础上，将主要控制站的天然年径流还原到1989年6月，系列年数达到70年，花园口站70年系列天然年径流量为574亿m^3，比56年系列的559亿m^3多15亿m^3增大2.7%。1999年，在开展"黄河的重大问题及对策"研究过程中，黄委会水文局又将主要站的天然年径流还原到1997年6月，系列年数达到78，花园口站78年系列天然年径流量为562亿m^3，与56年系列均值相比仅相差0.5%，说明56年系列具有一定的代表性。考虑到经国务院批准的黄河可供水量370亿m^3分配方案，是根据56年系列径流资料制定的，且56年系列成果已被广泛应用于黄河流域规划工作中，因此在小浪底工程各设计阶段均采用56年径流系列。

按56年系列计算，三门峡站、三门峡至小浪底区间、小浪底站多年平均天然年径流量分别为498.4亿m^3、5.6亿m^3和504亿m^3。

二、年径流特性

黄河花园口以上天然年径流深77mm(三门峡以上径流深只有72mm)，与全国其他河流比较，黄河流域河川水资源量是比较贫乏的，而且具有以下特性。

(一)水资源贫乏，水量与土地、人口分布不协调

黄河流域河川径流主要由大气补给，由于受大气环流及季风影响，降水量少而蒸发能力很强，花园口以上多年平均径流深77mm，只相当于全国平均径流深276mm的28%，比海河流域山区径流深111mm还小31%。

黄河流域面积占全国国土面积的8.3%，而年径流量只占全国的2%。流域内人均水量527m^3，为全国人均水量的22%；耕地亩均水量294m^3，仅为全国耕地亩均水量的16%。再加上流域外的供水需求，人均占有水资源量更少。

表 2-2-1　黄河流域天然年径流量统计特征值

河名	站名	控制面积（万 km^2）	1919～1975年天然年径流量（亿 m^3）										
			多年平均值	7～10月径流量	11月～来年6月径流量	计算 C_v	最大年径流量		最小年径流量		最大与最小年径流量之比	不同保证率年径流量	
							径流量	年份	径流量	年份		$P=50\%$	$P=75\%$
黄河	贵德	13.36	202.8	121.8	81.0	0.22	326.2	1967～1968	101.9	1928～1929	3.2	201.8	164.8
黄河	上诠	18.28	269.7	160.0	109.7	0.23	469.4	1967～1968	137.1	1928～1929	3.4	261.6	217.2
黄河	兰州	22.25	322.6	191.1	131.5	0.22	515.1	1967～1968	165.5	1928～1929	3.1	314.4	267.7
黄河	安宁渡	24.38	325.6	195.7	129.3	0.23	539.3	1967～1968	160.8	1928～1929	3.4	313.6	266.7
黄河	河口镇	38.59	312.6	190.6	122.0	0.23	541.7	1967～1968	160.2	1928～1929	3.4	295.6	260.5
黄河	龙门	49.75	385.1	229.4	155.7	0.22	652.6	1967～1968	196.6	1928～1929	3.3	377.1	313.6
黄河	三门峡	68.84	498.4	294.2	204.2	0.24	770.2	1964～1965	239.7	1928～1929	3.2	477.4	411.8
黄河	花园口	73.00	559.2	331.7	227.5	0.25	938.7	1964～1965	273.5	1928～1929	3.4	537.2	463.8
汾河	河津	3.87	20.1	11.5	8.6	0.41	41.8	1964～1965	7.8	1936～1937	5.4	18.5	13.3
北洛河	洑头	2.51	7.6	4.3	3.3	0.42	18.5	1964～1965	3.7	1957～1958	5.0	6.4	5.1
渭河	华县	10.64	87.3	51.6	35.7	0.39	194.2	1937～1938	30.1	1928～1929	6.5	84.0	61.5
伊洛河	黑石关	1.85	35.9	21.7	14.2	0.41	88.0	1964～1965	7.3	1936～1937	12.0	34.0	25.7
沁河	小董	1.28	15.1	9.8	5.3	0.49	31.8	1963～1964	4.6	1936～1937	6.9	14.0	9.3

(二)地区分布不均

由于受地形、气候、产流条件的影响,河川径流在地区上的分布很不平衡。黄河径流大部分来自兰州以上及龙门到三门峡区间。兰州以上控制流域面积占花园口控制流域面积的30%,但多年平均径流量占花园口年平均径流量的58%;龙门到三门峡区间,流域面积占花园口控制流域面积的26%,年径流量占花园口年平均径流量的20%;兰州到河口镇区间集水面积达16万km^2(占花园口的22%),区间较大支流产水量仅5亿m^3(占花园口年径流量不到1%),考虑河道损失后,兰州到河口镇区间的多年平均水量为负值。

(三)年际、年内变化大

黄河流域是典型的季风气候区,因受大气环流和季风的影响,河川径流量的年际变化较大,年内分配很不均衡。

龙门以上干流各站年径流 C_v 值0.22~0.23;龙门以下汇入了一些流域内涵蓄能力很小的大支流,年径流 C_v 值有所增大,如三门峡、花园口两站的 C_v 值分别为0.24和0.25。干流各站最大年径流量与最小年径流量之比为3~4,黄河流域较大支流年径流量的年际变化大,中游黄土丘陵干旱地区的中、小支流年径流量年际变化更大。

黄河流域径流量的年内分配很不均匀,干流及较大支流汛期径流量占全年的60%左右,3~6月份,径流量只占全年的10%~20%;陇东、宁南、陕北、晋西北等黄土丘陵干旱地区的一些支流,汛期径流量占全年的80%~90%,3~6月份的径流量所占比重很小,有些支流基本上呈断流状态。

(四)上、下游站年径流量丰、枯同步遭遇概率大

由于黄河年径流主要来自兰州以上,因此造成黄河干流各站年径流量丰、枯的同步遭遇概率大。不论是1919~1975年的56年系列,还是1950~1975年的25年系列,同丰、同枯出现的概率都在50%以上,见表2-2-2。如三门峡与花园口两站年径流量同步丰、枯级别的概率达85%左右,兰州与龙门到三门峡区间(即汾河、洛河、渭河)年径流量同步丰、枯级别出现的概率为40%~50%。

表2-2-2　黄河干流主要站年径流量同步丰、枯级别出现的概率

系列段	项目	兰州与龙门	兰州与三门峡	兰州与花园口	兰州与龙门到三门峡区间	龙门与三门峡	三门峡与花园口
1919~1975年	丰枯同级年数	38	40	36	28	44	48
	占全系列(%)	67.9	71.4	64	50.0	78.6	85.7
1950~1975年	丰枯同级年数	20	19	17	10	21	21
	占全系列(%)	80.0	76.0	68.0	40.0	84.0	84.0

黄河流域自有实测资料以来(至2000年),出现了3次连续5年以上的枯水段,即1922~1932年的11年和1969~1974年的6年及1990~2000年的11年枯水段。

(五)水质污染日益严重

黄河干、支流大部分天然水质良好,部分山区、干旱区有苦水、高含氟水或其他有害水源。苦水区多分布在祖厉河、清水河、泾河西川、北洛河上游以及内蒙古鄂托克旗一带。

近年来干、支流水质污染日趋严重，据1990年统计，全流域日接纳废污水量达893万t，年总量将近32.6亿t。在黄河干支流12 550km的评价河长中，属于Ⅰ、Ⅱ类水质河长为1 750km，占13.9%；Ⅲ类水质河长2 160km，占17.2%；Ⅳ、Ⅴ类水质河长6 290km，占51.3%；劣于Ⅴ类水质河长达2 350km，占18.7%。黄河干流刘家峡以下及大部分主要支流的中下游均遭受不同程度的污染。

第三节　黄河水资源开发利用预测

以南水北调工程生效前的用水水平作为设计水平年，预测小浪底水库建成后的入库年径流。

一、黄河水资源利用现状分析

新中国成立以来，黄河流域修建了大量的蓄水、引水、提水工程，为水资源的开发利用创造了条件。截止到1993年底，全流域共建成大、中、小型水库及塘堰坝等蓄水工程10 077座，总库容606亿m^3；引水工程9 858处，提水工程23 597处，机电井工程37.8万眼。此外，在黄河下游还兴建了向海河、淮河平原地区供水的引黄涵闸65座、虹吸10处、提水站25座。

小浪底坝址以上已建的大中型水库共159座，总库容474亿m^3，占全流域总库容的78%；万亩以上灌区453处，设计灌溉面积5 142万亩，实际灌溉面积3 035万亩，占全流域（含下游引黄灌区）的46.3%。

1993年，黄河流域及下游引黄灌区各类工程总供水量505亿m^3，其中小浪底坝址以上333.1亿m^3，占全河的66%；河川径流供水量378.8亿m^3，其中小浪底坝址以上248.6亿m^3，亦占全河的66%。

现状耗用的河川径流量为294.3亿m^3，其中农林牧业灌溉耗水量258.1亿m^3，占全河的87.7%。河川径流耗水量主要集中在兰州—河口镇和花园口以下两个河段，分别占全河总耗水量的43.5%和40.3%。小浪底坝址以上耗用的河川径流量为168.2亿m^3，占全河的57.2%。目前，黄河河川水资源利用率已达51%。

由于黄河水资源不足，20世纪70年代以来，随着中上游地区工农业用水量的不断增长，进入下游的水量明显减少。以三门峡站为例，年平均实测径流量1950～1979年为437亿m^3、1970～1989年为361亿m^3，1990～1995年由于流域内降水量偏少，年平均径流量只有277亿m^3。

二、黄河水资源开发利用预测

为使黄河水资源最大限度地满足沿黄地区社会经济持续发展的要求，开发利用水资源的主要原则是：坚持节约用水，上、中、下游统筹，兴利与除害兼顾，优先保证国家重点发展的城镇、工矿企业和能源基地用水及人畜饮水，控制农田灌溉用水的增长，干流沿程应保持必要的水量，以保护环境和输沙入海。

(一)可供水量及分配方案

黄河是一条多泥沙河流,在水资源开发利用规划中,必须考虑输沙入海的用水。黄河河川水资源量扣除要求的输沙入海水量,即为可供水量。

为了不加重黄河下游河道淤积,应控制下游河道年平均淤积量不超过 4 亿 t(相当于 1950~1959 年平均淤积量)。根据泥沙分析计算成果,当下游年用水量为 116 亿 m^3,下游年来水量 342.4 亿 m^3、来沙量 13.73 亿 t,在无小浪底水库时的三门峡水库现状工程条件下,汛期水量输送全年沙量 13.73 亿 t,下游汛期淤积 5 亿 t,排沙入海量为 8.73 亿 t,相应汛期所需入海水量为 210 亿 m^3;非汛期来水量为清水,下游冲刷 1 亿 t,基本上用于工农业用水,入海水量很少。因此,相当于平均每年下游淤积 4 亿 t,应保证汛期入海水量最少为 200 亿 m^3,加上非汛期要有一定的入海水量,年入海水量要大于 200 亿 m^3,为 210 亿~240 亿 m^3。考虑到今后平均年来水来沙量会比上述计算采用值减少,因此黄河天然年径流量 580 亿 m^3,入海水量 200 亿~240 亿 m^3,维持下游河道淤积 3.8 亿 t(20 世纪 50 年代淤积水平),可供工农业和城镇人民生活耗用的河川径流量 340 亿~380 亿 m^3。小浪底水库拦沙和调水调沙运用,在水库拦沙运用期 20 年拦沙 100 亿 t,年平均约有 8 亿 t 泥沙进入下游,下游减淤 78 亿 t,有 20 年不淤积,为保持此减淤效益,也是按此入海水量要求进行输沙减淤的。

为了协调黄河供水范围各省(区)、各部门的用水要求,加强宏观调控,做到计划用水、节约用水,根据统筹兼顾、全面安排的原则,国家计委与有关省(区)和部门协商拟订了南水北调生效以前多年平均情况下的黄河可供水量分配方案,见表 2-3-1。经国务院原则同意并以国办发[1987]61 号文通知各省(区、市)和有关部门,以黄河可供水量分配方案为依据,制定各自的用水规划。

表 2-3-1 南水北调工程生效前黄河可供水量分配方案

地 区	青 海	四 川	甘 肃	宁 夏	内蒙古	陕 西	山 西	河 南	山 东	外调河北、天津	合 计
年耗水量(亿 m^3)	14.1	0.4	30.4	40.0	58.6	38.0	43.1	55.4	70.0	20.0	370

根据黄河可供水量分配方案及黄河水资源开发利用原则,在综合研究各省区提出的城乡生活及工业用水要求,引黄灌溉规划,以及输沙、发电、航运、水产、水质等项用水的情况下,结合工程投资的可能性及经济合理性,对设计水平年(南水北调工程生效前)黄河水资源开发利用的预测如下。

1.城镇生活、农村人畜及工业用水

按照国家制定的经济和社会发展规划,近期黄河流域城镇及工业建设将有较大发展。在坚持节水要求的前提下,预计设计水平年城镇、工业及农村人畜耗用河川径流量 78.4 亿 m^3,比 1990 年将增加 55.7 亿 m^3。工业用水重复利用率要求平均达到 76%,工业万元产值取水量平均为 332m^3。上述用水预测包括能源基地供水及向流域外城市调水,主要项目是:

(1)能源基地用水。包括流域内山西太原,内蒙古准格尔、东胜,陕西神木、府谷,以及流域外山西境内的平鲁、朔州、大同等地，共计引用黄河水15.8亿m^3。

(2)“引黄济青(岛)”工程。近期年引水量按5亿m^3考虑。

(3)“引黄入卫”及“引黄入淀”工程。为了缓解河北省部分地区严重缺水矛盾，除已建引黄入卫工程年引水量6.2亿m^3外，还计划建设引黄入白洋淀工程，年引水量13.8亿m^3。

2.农田灌溉用水

1990年，黄河流域及下游沿黄平原地区有效灌溉面积为716.23万hm^2，约占总耕地面积的45%，其中用河川径流灌溉面积456.94万hm^2，占有效灌溉面积的64%。根据黄河灌溉发展规划，以搞好现有灌区的续建配套及更新改造为主，充分发挥现有工程效益。到21世纪初，黄河干、支流供水(河川径流，不含地下水)的有效灌溉面积将达到573.92万hm^2。农业灌溉用水，要求采取节水措施，平均耗水定额由现状5 625m^3/hm^2下降到5 115m^3/hm^2，农业灌溉年耗水量由1990年的255.6亿m^3增加到291.7亿m^3。

3.各河段需耗水量

根据上述工农业用水预测情况，汇总各河段设计水平年需耗水量，见表2-3-2。由表可知，设计水平年三门峡以上地区工农业需耗水量222.3亿m^3，占三门峡断面天然年径流量498.4亿m^3的44.6%。

表2-3-2 黄河不同水平年工农业需耗水量 (单位:亿m^3)

河段	1980年		1990年		设计水平年(南水北调生效前)	
	耗水量	其中:灌溉	耗水量	其中:灌溉	耗水量	其中:灌溉
兰州以上	17.4	14.7	18.82	15.05	28.7	22.9
河口镇以上	108.1	104.8	126.68	119.44	127.1	118.8
三门峡以上	160.2	156.6	164.56	152.86	222.3	189.5
花园口以上	172.8	168.0	174.44	161.82	248.6	210.7
利津以上	270.6	260.0	278.3	255.61	370	291.7

三、花园口以上地区工农业耗水量变化趋势分析

新中国成立以来，随着流域内国民经济的发展和人口的增长，工农业耗水量不断增长。据统计调查，花园口以上地区1949～1989年耗水量(地表水，下同)平均每年增长约2亿m^3；20世纪60年代比50年代耗水量增加约38亿m^3，年平均增加3.8亿m^3；70年代比60年代耗水量增加20亿m^3，年平均增加2亿m^3；1980～1989年平均耗水量为191.8亿m^3，80年代比70年代耗水量增加21亿m^3，年平均增加2.1亿m^3。根据《黄河水资源统计公报》，1990～1995年花园口以上地区年平均耗水量为179.9亿m^3，比80年代平均减少11.9亿m^3，其中中游地区减少11.7亿m^3。造成中游地区1990～1995年平均耗水量减少的主要原因：一是国家用于灌区建设的投资减少，加之城乡建设占地导致灌溉面积增长缓慢；二是部分地区实行节约用水，降低了灌溉定额；三是由于来水偏枯，部分地区引水困难；四是20世纪90年代《黄河水资源统计公报》统计数字可能偏小。

据对资料较详细的1993年和1997年流域各地区耗水量分析，花园口以上流域耗水量分别为201.9亿m^3和198.9亿m^3，说明20世纪90年代花园口以上流域耗水量统计数字偏小10亿～20亿m^3。初步分析，现状水平(90年代平均)花园口以上地区年耗水量约为196.2亿m^3。

根据目前各省(区)灌溉工程、供水工程的建设情况，今后黄河上、中游地区的工农业耗水量将有一定的增长，但发展不均衡。宁蒙平原引黄灌区目前耗用黄河的水量已经接近或超过分水指标，今后增加用水将受到一定的限制，发展新的灌区只有依靠节约用水；青海、甘肃两省需要发展新的灌溉面积，但待建的工程十分艰巨，加之资金短缺，制约了耗水量的增长；中游地区随着万家寨水利枢纽、西安市黑河水库、山西汾河玄泉寺水库的兴建以及在黄河小北干流沿岸续建太里湾、禹门口、尊村、北赵等抽黄灌溉工程，将发展部分新的灌溉面积，增加城市供水量，耗水量将有一定的增长。根据20世纪80年代以来黄河上、中游地区耗水量增长速度，考虑近期计划建设的供水、灌溉工程，估计2000～2010年花园口以上新增耗水量52.36亿m^3，其中三门峡以上新增耗水量44.71亿m^3，三花区间新增耗水量7.65亿m^3。预计2010年前后，花园口以上地区耗水量将可能达到国务院分配控制的水量248.6亿m^3；2010年之后，因受国务院分水指标控制，各省区工农业进一步发展需要增加的耗水量要靠节水和南水北调西线工程。

第四节　小浪底水库设计水平年入库径流设计

根据设计水平年小浪底以上工农业需耗水量及干支流水库运用条件，推求小浪底入库径流。

一、设计水平年黄河径流条件

(一)设计水平年和代表系列年选定

1.设计水平年

根据工程施工安排，小浪底水利枢纽于2000年1月1日第一台机组发电，全部工程将于2001年建成生效。小浪底水库投入后，由于上中游工农业用水的不断增加，入库径流量将逐渐减少。如前所述，当用水增加到国务院分配的可供水量指标时，且南水北调还没有实现，用水将受限制而趋于相对稳定，小浪底入库径流量也趋于相对稳定。设计水平年的入库径流量是计算小浪底水库防洪、减淤、供水、灌溉、发电效益的重要条件，因此必须合理选定设计水平年。

1988年3月的《黄河小浪底水利枢纽初步设计报告》，根据《黄河水资源开发利用预测》(黄委会，1984年)的研究成果，选择小浪底入库径流的设计水平年为2000年水平。2000年水平黄河流域及下游沿黄地区需耗黄河水量355.1亿m^3，其中花园口以上需耗水量248.6亿m^3；在总需耗水量中，农业需耗水量为291.7亿m^3，城乡生活及工业需耗水量为63.4亿m^3。在南水北调生效前，黄河年耗水量基本维持在355.1亿m^3左右。

在小浪底水利枢纽招标设计阶段，根据20世纪80年代黄河中游地区工农业实际耗用黄河水量增长缓慢的实际情况及国务院[1987]61号文批准的黄河可供水量分配方案，

《黄河治理开发规划纲要》对近期,即南水北调生效前的黄河水资源开发利用进行了预测,其中主要成果和1984年《黄河水资源开发利用预测》中2000年水平预测的需耗水量相比,农业需耗水量和花园口以上总需耗水量均相同;工业需耗水量增加14.9亿m^3,主要增加在下游地区流域外引水;总需耗黄河水量为370亿m^3,比1984年成果增加14.9亿m^3。新的预测成果的突出特点是规划水平年不确定,留有一定的余地。为了和黄河治理开发规划一致,将花园口以上耗水量达到248.6亿m^3的水平年作为小浪底入库径流的设计水平年。如前所述,预计2010年前后,花园口以上耗水量将达到248.6亿m^3。黄河灌区特别是宁蒙引黄灌区节水潜力较大,随着黄河水资源逐步实行统一调度、统一管理以及节水改造工程的实施,预计在南水北调西线一期工程生效前(2020年前),花园口以上地区耗水量增长有限,2010年之后的10余年内耗水量仍将维持在248.6亿m^3左右。

2.代表系列年选择

在小浪底水利枢纽初步设计阶段,干支流同步的天然年径流系列只有56年(1919年7月~1975年6月),因此将这56年系列作为设计代表系列。

招标设计阶段,黄河实测年径流至1990年,已有70余年系列。黄委会设计院将黄河干支流控制站天然年径流系列延长到1989年,系列年数达70年。黄河花园口站70年系列天然年径流量约574亿m^3,比56年系列的560亿m^3多14亿m^3。由于70年系列平均年水量只增加2.5%,同时考虑黄河可供水量批准的依据,故仍选用1919~1975年56年系列作为设计代表系列。在小浪底水库防洪减淤效益计算中,则从1919~1975年的56年中选择以不同丰、平、枯水段开头的6个50年代表系列进行水库和下游河道泥沙冲淤计算,以检验设计成果的敏感性影响。

(二)小浪底以上干支流用水条件

根据以往黄河水资源开发利用预测成果,设计水平年小浪底以上干支流工农业需耗黄河水量224.73亿m^3,其中三门峡以上222.3亿m^3,三门峡—小浪底区间2.43亿m^3,各河段需耗水量分配见表2-3-2。

(三)小浪底以上干支流水库运用及调节径流方式

1.设计水平年干支流蓄水工程

黄河干流现状蓄水工程主要有龙羊峡水库、刘家峡水库、三门峡水库,和小浪底同期建设的万家寨水库调节库容只有4.5亿m^3,对黄河径流调节影响不大,在计算设计水平年小浪底入库径流时,没有考虑其调节作用。

目前,小浪底以上支流上已建有巴家嘴、汾河、文峪河、冯家山、石头河、王瑶、羊毛湾等7座大型水库,中小型水库数百座。近期还将建成玄泉寺、黑河等大型水库及一批中小型水库。在设计水平年支流水资源供需平衡计算时,仅考虑了库容较大的汾河水库的调节作用;其他水库,由于控制的流域面积、年径流量不大,仅按其控制的流域面积,分析计算其可能调蓄的水量。

2.干流已建水库运用条件及调节径流方式

黄河上游龙羊峡水库,调节库容193.5亿m^3,系多年调节水库;刘家峡水库,调节库容41.5亿m^3,系年调节水库;龙羊峡水库控制黄河36%的天然年径流量。黄河上游径流经过龙羊峡、刘家峡两库联合补偿调节后,不仅满足上游地区,特别是宁蒙地区工农业用水要求，提高梯级电站的保证出力，同时，对中游缺水地区，特别是山西能源基地的用水及龙门至潼关干流河段的工农业用水要求，也应适当补水。目前，河口镇至潼关的沿黄干流，晋、陕两省已建、在建万亩以上提灌站15处，设计灌溉面积33.84万hm^2。因此，龙羊峡、刘家峡两库调节运用后，除承担上游地区沿黄干流工农业需水外，还可以使河口镇保持一定流量满足山西能源基地及龙门至潼关干流河段工农业用水要求，经分析，设计水平年(南水北调西线工程生效前)河口镇流量不小于250m^3/s(见表2-4-1)。遇黄河流域出现特枯水年(保证率大于75%年)，黄河年径流有限，为了首先保证城镇生活、工业用水，适当减少农业用水。

表2-4-1　黄河河口镇到潼关干流区间水量平衡　(单位：m^3/s)

河段	项目	2000年水平				
		4月	5月	6月	7月	8月
1. 河口镇—龙门区间天然流量	保证率75%	152	120	55	204	308
	保证率80%	142	112	22	164	272
	保证率90%	111	55	0	84	190
2. 河口镇—龙门区间工农业需水	工业	3	3	3	3	3
	农业	65	31	53	57	57
	小计	68	34	56	60	60
3. 河口镇—龙门区间余水	保证率75%	84	86	0	144	248
	保证率80%	74	78	0	104	212
	保证率90%	43	21	0	24	130
4. 龙门—潼关区间干流工农业需水	工业	11	11	11	11	11
	农业	119	45	94	109	130
	小计	130	56	105	120	141
5. 余缺水量	保证率75%	-46	+30	-105	+24	+107
	保证率80%	-56	+22	-105	-16	+71
	保证率90%	-87	-35	-105	-96	-11
6. 山西能源基地需水	工业	130	130	130	130	130
7. 河口镇断面最少补充流量	保证率75%	170	130	235	130	130
	保证率80%	186	130	235	146	130
	保证率90%	217	165	235	226	141
8. 采用河口镇断面最小补充流量		250	250	250	250	250

注："-"为缺水；"+"为余水。

小浪底水库建成后，下游工农业供水任务由小浪底水库承担，三门峡水库与小浪底水库联合防洪、防凌运用以减轻其运用负担，为了不影响潼关河床高程，非汛期发电运用水位要适当降低。三门峡水库运用水位基本上根据1969年晋、陕、鲁、豫"四省会议"确定的原则拟定为：7～10月305m，10月末蓄至310m，11～1月310m，2月315m(2月防凌时先小浪底水库防凌蓄水20亿m^3，不足时三门峡水库补充防凌蓄水，蓄水位不高于324m)，

3～6月315m,6月末降至305m。

3.干流待建骨干控制性工程情况

根据黄河治理开发规划,在黄河干流上布置了龙羊峡、刘家峡、大柳树、碛口、古贤、三门峡、小浪底等7座控制性骨干工程,构成黄河水沙调控体系。其中,大柳树、碛口、古贤水利枢纽为待建工程,在小浪底工程招标设计期间,还没有确定这3座工程的开发时间。根据黄河最新规划成果,古贤水利枢纽和大柳树水利枢纽有可能在2020年前后建成,届时南水北调西线一期工程将增加黄河水量40亿m^3,小浪底水库的入库径流将有一定的变化。此问题有待在小浪底水库正常运用后,结合南水北调西线一期工程、大柳树水利枢纽、古贤水利枢纽的前期工作,作进一步的研究。

二、小浪底入库径流设计

小浪底坝址控制黄河流域面积的92.3%,设计水平年坝址以上工农业及城乡生活耗水量占天然径流量的44.6%,因此小浪底水库设计水平年入库径流计算,按照先支流后干流,对大型水库进行径流调节计算,对各河段进行水量平衡计算,最后得出三门峡断面设计水平年设计代表系列的来水量和来水过程。

(一)支流来水计算

黄河上、中游支流众多,流域面积大于10 000km^2的一级支流有10条。对其中供需矛盾比较突出的湟水、汾河、北洛河、泾河、渭河及小浪底水库以下的伊洛河、沁河等支流分片进行平衡计算。对于控制面积大、流域内水土资源分布差异也大的支流,又划分几个河段分别进行平衡,如汾河、渭河等。在平衡计算时,考虑了各支流内大、中、小型水库的调节作用。

大部分支流,由于汛期洪水陡涨陡落,水流含沙量大,洪水期的水量不可能全部利用。汛期各月可用的径流量,按各月用水量乘以不均匀系数值确定。

$$\text{不均匀系数}\ K = \frac{\text{小于月平均用水量的逐日来水量总和}}{\text{月用水总量}} \tag{2-4-1}$$

利用式(2-4-1)分别计算各支流丰、平、枯三个代表年的K值。三个K值平均,作为该支流汛期各月用水的不均匀系数。

根据黄河流域1919～1975年56年系列的天然年径流及支流工农业需水量成果,并考虑各河段大、中、小型水库的调节,分河段进行长系列逐月水量平衡计算,求得各支流设计水平年56年逐月入黄流量过程。

(二)干流平衡计算及三门峡出库径流成果

根据预测的设计水平年干流两岸工农业需水量,考虑龙羊峡、刘家峡两库的联合调节,进行干流供需平衡计算。刘家峡为年调节水库,为提高发电出力,一般尽量保持高水位运用(不超过限制水位)。龙羊峡为多年调节水库,进行补偿调节。两库联合运用,不仅满足上游地区沿黄两岸工农业用水,同时,保证河口镇断面流量不小于250m^3/s。三门峡水库受低蓄水位限制,基本上不调节径流。对56年系列逐河段月平衡计算,并加入各支流的设计入黄河流量,即得三门峡水库出库流量过程。设计水平年(南水北调生效前)黄河干流主要站水量供需平衡成果见表2-4-2。

（三）小浪底净入库流量设计

小浪底坝址上距三门峡坝址131km（按河槽中心线里程计），水库正常蓄水位275m，回水末端基本上与三门峡尾水位衔接，设计水平年小浪底净入库流量按下式计算：

$$Q_{净入} = Q_{三} + Q_{区} - Q_{用} - Q_{损} \tag{2-4-2}$$

表2-4-2　设计水平年（南水北调生效前）黄河干流主要站供需平衡成果

河段	保证率（%）	代表年（年）	天然年径流（亿m^3）			需耗水（亿m^3）				2000年来水量（亿m^3）		
			7～10月	11月～来年6月	全年	7～10月	11月～来年6月	全年	其中：城市工业	7～10月	11月～来年6月	全年
兰州以上	95%	1931～1932	141.4	79.7	220.8	9.3	19.4	28.7	5.8	77.7	133.3	211.0
	75%	1969～1970	138.9	130.6	269.5					99.6	137.2	236.5
	50%	1948～1949	173.9	140.7	314.6					133.0	148.4	281.7
	多年平均		191.5	131.7	232.2					136.1	154.5	290.6
河口镇以上	95%	1931～1932	146.3	65.8	212.1	56.7	70.4	127.1	8.3	35.6	68.5	104.0
	75%	1942～1943	136.6	124.1	260.7					33.1	77.9	111.0
	50%	1953～1954	184.6	111.2	295.8					59.6	93.6	153.2
	多年平均		191.0	122.2	313.2					88.0	94.0	182.0
龙门以上	95%	1931～1932	179.6	88.1	267.7	66.1	86.2	152.3	25.0	59.6	75.0	134.6
	75%	1929～1930	186.8	126.8	313.6					62.4	83.8	146.2
	50%	1953～1954	228.2	148.9	377.1					94.1	115.5	209.6
	多年平均		229.4	155.7	385.1					117.6	111.7	229.3
三门峡以上	95%	1931～1932	208.8	112.2	321.2			222.4	32.9	59.2	63.3	124.6
	75%	1974～1975	216.2	202.9	419.1					79.2	114.6	193.8
	50%	1960～1961	258.7	218.7	477.4					88.4	125.0	213.4
	多年平均		294.1	204.3	498.4					153.0	123.6	276.6

注：1. 河口镇流量≥250m^3/s。
2. 山西能源基地引水在河口镇以下。
3. 2000年来水保证率为相应天然径流量的保证率。

式中　$Q_{净入}$——小浪底净入库流量；

$Q_{三}$——设计水平年三门峡出库流量；

$Q_{区}$——三门峡至小浪底区间天然流量；

$Q_{用}$——三门峡至小浪底区间工农业需耗水流量；

$Q_{损}$——小浪底水库蒸发渗漏损失水流量（汛期月平均为2m^3/s，非汛期月平均为5m^3/s）。

由式（2-4-2）求得设计水平年历年逐月净入库流量过程见表2-4-3。

表 2-4-3 小浪底水库入库径流过程 （单位：亿 m³）

时段（年）	年水量	时段（年）	年水量	时段（年）	年水量	时段（年）	年水量	时段（年）	年水量	时段（年）	年水量
1919～1920	250.7	1929～1930	141.8	1939～1940	174.8	1949～1950	478.1	1959～1960	309.3	1969～1970	221.3
1920～1921	266.6	1930～1931	125.7	1940～1941	411.9	1950～1951	256.3	1960～1961	217.2	1970～1971	272.2
1921～1922	300.2	1931～1932	120.4	1941～1942	203.2	1951～1952	311.4	1961～1962	437.9	1971～1972	212.9
1922～1923	170.1	1932～1933	146.8	1942～1943	211.8	1952～1953	247.7	1962～1963	311.4	1972～1973	197.2
1923～1924	182.8	1933～1934	262.4	1943～1944	371.6	1953～1954	242.1	1963～1964	405.1	1973～1974	224.9
1924～1925	118.5	1934～1935	262.5	1944～1945	269.5	1954～1955	366.8	1964～1965	574.0	1974～1975	185.5
1925～1926	170.3	1935～1936	307.9	1945～1946	309.2	1955～1956	379.0	1965～1966	187.8	平 均	277.1
1926～1927	130.4	1936～1937	250.0	1946～1947	362.7	1956～1957	287.9	1966～1967	404.3		
1927～1928	150.4	1937～1938	492.9	1947～1948	297.1	1957～1958	171.0	1967～1968	550.7		
1928～1929	101.3	1938～1939	399.4	1948～1949	251.1	1958～1959	443.8	1968～1969	409.3		

小浪底坝址多年平均（1955～1999 年水文年 45 年）径流量 361.60 亿 m³，1990～1999 年连续枯水，平均年径流量 227.19 亿 m³，占多年平均实测径流量的 62.8%。小浪底水库设计水平年净入库年平均水量为 277.1 亿 m³。

第五节 小浪底水库下游设计水平年径流

小浪底水库建成后将承担黄河下游引黄灌溉和城市供水任务，为了科学合理地利用水库蓄水量和小浪底坝址以下黄河支流的入黄径流，小浪底水库径流调节计算要考虑补偿调节。因此，应计算设计水平年小浪底坝址以下黄河支流伊洛河、沁河等的入黄水量。

一、伊洛河、沁河径流

（一）伊洛河径流

伊洛河控制流域面积 18 563km²（黑石关水文站），多年（1919～1975 年）平均天然年径流量 35.9 亿 m³，年平均径流深 193mm，来水含沙量小，是黄河清水来源区之一。

现状，伊洛河工农业耗水量达 6.46 亿 m³，已建大型水库有两座，即陆浑水库和故县水库。陆浑水库于 1965 年 8 月建成，总库容 11.8 亿 m³，调节库容 6 亿 m³；故县水库于 1992 年 12 月建成，总库容 11.57 亿 m³，调节库容 5.1 亿 m³。根据黄河水资源开发利用预测，设计水平年伊洛河工农业需耗水量 15.62 亿 m³，其中农业需耗水量 14.6 亿 m³。陆浑水库控制流域面积 3 492km²，多年平均天然年径流量 8.33 亿 m³，设计水平年净入库水量约 7.66 亿 m³，水库汛期在死水位与汛限水位之间兴利运用，调节库容 5.06 亿 m³，非汛期调节库容 6 亿 m³。故县水库控制流域面积 5 370km²，多年平均年径流量 12.8 亿

m^3,设计水平年净入库水量约 12.1 亿 m^3,水库汛期在死水位与汛限水位之间兴利运用,调节库容 2.73 亿 m^3,非汛期调节库容 4.2 亿 m^3。

根据伊洛河流域 1919～1975 年天然年径流系列及设计水平年各河段工农业需耗水量,考虑陆浑、故县水库及一些中小型水库的调节作用,求得设计水平年伊洛河年平均入黄水量为 22 亿 m^3。

(二)沁河径流

沁河控制流域面积 12 880km^2(小董站),年平均天然径流量 15.11 亿 m^3。目前,沁河流域工农业耗水量达 4.1 亿 m^3,已建中小型水库 108 座,总库容 2.52 亿 m^3。根据黄河水资源开发利用预测,设计水平年工农业需耗水量 5.1 亿 m^3。根据规划,沁河干流自上而下规划布置了马连圪塔、张峰和河口村三座大型水库工程,建设时间难以预料,在计算设计水平年沁河入黄水量时,没有考虑大型水库的调节作用。根据沁河流域天然年径流量及设计水平年工农业需耗水量,考虑流域内中小型水库的调节作用,求得设计水平年沁河多年平均入黄水量约为 11 亿 m^3。

二、小浪底至花园口干流区间径流

该区间控制流域面积 4 442km^2,多年平均天然年径流量约 4.2 亿 m^3,目前工农业耗用水量约 0.84 亿 m^3,预计设计水平年工农业需耗水量约 1.78 亿 m^3。根据该区间天然年径流和设计水平年工农业需耗水量,并考虑当地中小型水库调节,进行供需平衡计算,求得设计水平年该区间多年平均入黄水量约为 2.46 亿 m^3。

设计水平年伊河、洛河、沁河及小浪底至花园口干流区间历年各月入黄水量见表 2-5-1。

表 2-5-1　小浪底至花园口河段入黄水量　(单位:亿 m^3)

时段(年)	年水量	时段(年)	年水量	时段(年)	年水量	时段(年)	年水量	时段(年)	年水量	时段(年)	年水量
1919～1920	28.8	1929～1930	14.8	1939～1940	49.4	1949～1950	45.1	1959～1960	13.8	1969～1970	18.1
1920～1921	32.5	1930～1931	13.0	1940～1941	53.4	1950～1951	22.8	1960～1961	24.3	1970～1971	17.9
1921～1922	52.7	1931～1932	15.0	1941～1942	36.7	1951～1952	18.7	1961～1962	39.1	1971～1972	26.6
1922～1923	13.4	1932～1933	15.6	1942～1943	25.9	1952～1953	26.6	1962～1963	62.0	1972～1973	10.6
1923～1924	29.2	1933～1934	31.0	1943～1944	60.5	1953～1954	46.5	1963～1964	79.6	1973～1974	21.5
1924～1925	21.0	1934～1935	30.4	1944～1945	31.0	1954～1955	68.0	1964～1965	114.6	1974～1975	12.8
1925～1926	39.0	1935～1936	55.9	1945～1946	32.4	1955～1956	41.9	1965～1966	26.8	平均	35.5
1926～1927	23.7	1936～1937	6.9	1946～1947	18.4	1956～1957	68.1	1966～1967	22.0		
1927～1928	21.8	1937～1938	61.8	1947～1948	28.2	1957～1958	26.1	1967～1968	31.8		
1928～1929	16.2	1938～1939	73.3	1948～1949	36.7	1958～1959	88.9	1968～1969	42.8		

第六节 设计入库径流合理性分析

(1)黄河天然年径流计算成果是合理的。在进行黄河天然年径流还原计算时,仅对历年灌溉耗水量和干支流已建大型(刘家峡、三门峡、汾河)水库的调蓄影响进行了还原,没有考虑工业和生活耗水及建库后增加的蒸发损失水量的还原。花园口以上灌溉耗水量的还原,约占70%的耗水量用灌区实测引、退水资料计算,约占30%的耗水量用灌溉耗水定额推求,而灌溉耗水定额是根据邻近有实测引、退水资料的灌区或灌溉试验站资料分析得出的。因此,灌溉耗水量还原计算的成果使用的基础资料比较扎实,成果比较合理。黄河流域1975年以前城镇工业、生活耗用的水量大部分为地下水,耗用的河川水量不足3亿m^3。大型水库的蒸发损失水量估计不超过2亿m^3。没有考虑工业和生活耗水量及大型水库蒸发损失水量的还原,可能使黄河多年平均天然年径流成果偏小0.5%左右。因此,本次采用的黄河1919～1975年天然年径流成果是合理的。

(2)设计水平年小浪底入库水量设计成果是留有一定余地的。本次计算的设计水平年小浪底水库多年平均入库径流量为277.1亿m^3,采用的工农业需耗水量为国务院批准的南水北调生效前黄河可供水量分配方案,其中花园口以上为248.6亿m^3。根据黄河花园口以上20世纪70年代初至今工农业耗水量年平均增长不足1.5亿m^3的实际情况,即使今后花园口以上工农业耗水量按年平均增长2亿m^3估计,到2020年前后,工农业耗水量才可能达到设计采用的248.6亿m^3。因此,在小浪底水库建成后的20年左右时间内,水库年平均来水量将可能大于设计的入库径流量。2020年之后,即使南水北调工程没有生效,为了保证黄河下游排沙入海水量及满足下游沿黄工农业需水要求,花园口以上工农业需耗水量将长期维持在248.6亿m^3左右,而小浪底的入库径流也将长期维持在设计的年平均入库水量277.1亿m^3左右。

第三章 洪 水

黄河流域的洪水一般是由暴雨形成的。黄河上游有少量的融雪洪水,融雪洪水的洪峰流量、洪量较小,且有明显的日变化特征。黄河下游的洪水主要来自黄河中游,黄河上游的洪水只能形成下游洪水的基流。黄河中游的洪水主要来自河口镇至龙门区间(以下简称河龙间)、龙门至三门峡区间(以下简称龙三间)和三门峡至花园口区间(以下简称三花间)。

第一节 基本资料

与小浪底水利枢纽设计有关的水文测站有中游干流的三门峡(陕县)、小浪底、花园口(秦厂),伊河的东湾、陆浑、龙门镇,洛河的卢氏、故县、长水、宜阳、白马寺和伊洛河的黑石关,沁河的五龙口、山路平、小董,还有上游干流的唐乃亥、贵德、循化、小川、上诠,上游支流的红旗、冯家台等站。

现将有关各站及区间的资料情况简述如下。

一、实测资料

黄河的水文资料,1952 年 7 月～1954 年 7 月进行过系统整编,并已正式刊印。在 1954～1955 年编制《黄河综合利用规划技术经济报告》期间和 1955 年、1956 年编制《伊洛沁河综合利用规划技术经济报告》期间,又对有关测站资料进行过复核。1984 年又对 1933 年、1942 年、1954 年、1958 年和 1982 年等几个大洪水年的资料进行了复核。复核的结论是:原整编刊印成果基本合理。上述各有关站实测资料情况见表 3-1-1,大水年资料复核成果见表 3-1-2。

表 3-1-1 黄河中游主要水文站及水文资料情况

序号	河 名	站 名	控制流域面积(km^2)	资料年限(年)
1	黄 河	循 化	145 459	1945～1982
2	黄 河	小 川	181 770	1953～1982
3	洮 河	红 旗	24 973	1954～1982
4	大夏河	折 桥	6 843	1954～1982
5	黄 河	潼 关	682 141	1953～1982
6	黄 河	陕 县	687 869	1919～1943、1946、1949～1958
7	黄 河	三门峡	688 421	1951～1982
8	黄 河	小浪底	694 155	1955～1982
9	黄 河	花园口(秦厂)	730 036	1934、1946、1949～1982
10	伊洛河	黑石关	18 563	1934～1937、1950～1982

续表 3-1-1

序号	河 名	站 名	控制流域面积(km^2)	资料年限(年)
11	沁 河	小董(武陟、木栾店)	12 894	1934～1937、1950～1982
12	伊 河	东湾	2 623	1960～1982
13	伊 河	陆浑	3 492	1960～1982
14	伊 河	龙门镇	5 318	1936～1943、1946、1947、1951～1982
15	洛 河	卢氏	4 623	1951～1982
16	洛 河	故县	5 370	1957～1961
17	洛 河	长水	6 244	1951～1982
18	洛 河	白马寺(洛阳)	11 891	1936～1943、1946、1947、1951～1982

表 3-1-2 黄河中下游几次大洪水复核成果

站名	年份	洪峰流量(m^3/s)	洪量(亿 m^3)		
			5 日	12 日	45 日
陕县	1933	22 000	51.8	91.8	220
	1942	17 700	23.9	41.6	101
花园口	1954	15 000	34.7	72.7	216
	1958	22 300	51.9	81.5	235
	1982	15 300	42.6	72.6	146

从历次资料的复核情况看,我们认为 1949 年以前特别是抗日战争期间水文资料的观测精度较差,1949 年以后水文资料的观测精度较高。

二、历史调查洪水资料

20 世纪 50、60 年代,黄河水利委员会在黄河干支流上开展了大规模的历史洪水调查考证工作,取得了不少宝贵资料。在 70、80 年代进行流域规划和水库工程设计时,对重点的历史调查洪水又进行了复核。主要的历史调查洪水都经过原水利电力部审查,并刊印成册。

从调查及考证结果看,黄河上的大洪水年份,上游干流为 1904 年、1911 年和 1946 年;中游三门峡以上为 1099 年、1534 年、1570 年、1613 年、1632 年、1662 年、1785 年、1841 年和 1843 年等年。三门峡到花园口区间为公元前 184 年、公元 223 年、公元 271 年、公元 983 年和 1344 年、1482 年、1553 年、1761 年以及 1931 年等年。

从工作过程看,20 世纪 50 年代侧重野外调查,这期间发现的大洪水有黄河干流的 1843 年、沁河的 1482 年、伊洛河的 1931 年等;60 年代重视历史文献考证分析,这期间发现的大洪水有伊河的公元 223 年等;70 年代以来主要开展水文考古,这期间取得的成果有黄河干流 1761 年特大洪水的定量、1843 年洪水重现期的考证延长等。

黄河中游各次历史大洪水情况具体如下。

(一)1843 年洪水

1843 年(道光二十三年)洪水是黄河干流潼关至孟津河段所调查到的一次罕见的特大洪水。在三门峡一带至今还流传着“道光二十三,黄河涨上天,冲了太阳渡,捎带万锦滩”的歌谣。这次洪水来自三门峡以上,主要雨区在泾河、北洛河的中上游和河口镇到龙门区间的西部;主要暴雨中心可能在窟野河、黄甫川一带。根据调查资料推算,三门峡洪峰流量为 36 000m^3/s,小浪底洪峰流量为 32 500m^3/s。

根据当时河东河道总督慧成的奏报,陕州“万锦滩黄河于七月十三日巳时报长水七尺五寸,后续据陕州呈报,十四日辰时至十五日寅时复长水一丈三尺三寸,前水尚未见消,后水踵至,计一日十时之间,长水至二丈八寸之多,浪若排山,历考成案,未有长水如此猛骤”的水情,估绘出水位过程线,借用陕县站水位—流量关系推算出流量过程,求得陕县 5 日洪量为 84 亿 m^3、12 日洪量为 119 亿 m^3。

根据陕县至花园口洪峰流量、5 日洪量、12 日洪量的相关关系,推得花园口 1843 年洪峰流量为 33 000m^3/s、5 日洪量为 90 亿 m^3、12 日洪量为 136 亿 m^3。

(二)1761 年洪水

1761 年(乾隆二十六年)洪水是黄河三门峡至花园口区间近 400 多年以来的最大洪水。该次洪水相应的降雨,雨区范围很广,南起淮河流域,北至汾河、沁河和海河流域,西起陕西关中一带,东至郑州花园口一带。其中以三花间雨量为最大,暴雨中心在垣曲、新安、沁阳一带。降雨总历时约 10 天,其中强度较大的暴雨有四五天。雨区呈南北向带状分布。该年在三花间的伊洛河、沁河、三花干流区间均发生了大洪水。干支流洪水情况如下。

1.伊洛河

7 月 15～19 日,伊洛河流域出现了持续 4 天的大暴雨,伊河上游嵩县“秋大雨五日伊水溢,民庐田舍多没”(《嵩县县志》)。洛河流域灾情更重,“渑洛溢,坏城垣漂没人畜房舍”(《渑池县志》),“涧水溢,坏民田坟墓无数”(《新安县志》)。下游洪水更大,《河南府志》记载:“伊洛诸水泛溢,冲塌坛庙、城廓、村庄,田禾殆尽。”洛阳重修洛渡桥碑对该场洪水作了更具体的描述:“七月十六日洛、涧水溢,南至望城岗,北至华藏寺,庙前水深丈余……水至十八日方落。”洛阳河段洪水漫溢,历史上是常出现的,但洪水淹及望城岗则很少见。从洪水淹及高程判断,无疑是一场罕见的大洪水。

2.沁河

据沁河中游润城镇洪水位碑刻“大清乾隆二十六年七月十八日辰时,大水发至此”估计,洪峰流量约在 4 000m^3/s 以上。其下游洪水更大,“沁阳府城沦为巨浸,城内水深浅者五六尺,深者一丈二三尺,漂房舍十五六万间,溺人四千,灾害特重,为明成化十八年(1482 年)以来所仅见”。值得注意的是,当时河南河北镇总兵田金玉的奏折中曾提到:“河南属迅地方(沁阳境),于七月十二三等日昼夜大雨如注,连绵不息,丹、沁两河同时异涨,……于十六日夜间水势汹涌长高一二丈,……至十八日水势方定。”由此可见,沁河洪水涨消过程同洛河是一致的。

3.三花干流区间

三花干流区间暴雨也很突出。如垣曲“大雨四昼夜两川(亳清河、沇水)皆溢”,八里胡同东洋河“大雨极乎五日,洪水溢乎两岸”,西沃“暴雨滂沱者数日”。

由上可见,三花间南北两大支流的洪水与干流同时遭遇。由于暴雨持续时间较长,干支流洪水同时遭遇,峰高量大,造成三花间历史上罕见的特大洪水。

该次洪水黄河花园口站洪峰流量及洪量的估算:根据当时河南巡抚常钧的奏报“祥符县(今开封)属之黑岗口(七月)十五日测量,原存长水二尺九寸,十六日午时起至十八日巳时,陆续共长水五尺,连前共长水七尺九寸,十八日午时至酉时又长水四寸,除落水一尺外,净长水七尺三寸,堤顶与水面相平,间有过水之处”的水情,估绘水位过程线,考证了当时河道断面形态,并考虑洪水过程冲刷和河槽调节作用,推得花园口(在黑岗口上游65km)洪峰流量为32 000m^3/s、5日洪量为85亿m^3、12日洪量为120亿m^3。

(三)公元223年洪水

公元223年(魏文帝黄初四年)伊河发生了大洪水。据《水经注》记载,“伊阙(现伊河龙门)左壁有石铭云魏黄初四年六月二十四日辛巳大水出水举高四丈五尺齐此已下盖记水之涨减也”,《三国志·魏书》中也有“黄初四年六月甲戌……是月大雨伊洛溢流杀人民坏庐宅”,《晋书·五行志》有“魏文帝黄初四年六月大雨霖伊洛溢至津阳城门漂数千家杀人”。另外,《河渠纪闻》、《偃师县志》等文献中对该年洪水也有记载。根据《水经注》的“举高四丈五尺”折算为10.9m,推算洪峰流量为20 000m^3/s。

(四)1931年洪水

1931年8月,主要暴雨区在伊洛河的中下游,三门峡至花园口的干流区间及淮河流域的洪汝河上也有降雨。1955年调查时,60~85岁的老人认为1931年洪水在伊河龙门镇河段与洛河洛阳河段都是近百年来最大洪水,经推算,其洪峰流量分别为10 400m^3/s和11 100m^3/s。由于当时伊洛河下游无堤防,洛阳、龙门镇至黑石关区间形成一自然滞洪区,平均水深为八尺至一丈,滞蓄削峰作用较大,黑石关洪峰流量仅为7 800m^3/s。又据《河南省西汉以来历代灾情史料》中“沁阳县八月中旬以来,淫雨连绵,平地积水数尺,淹没秋禾不计其数”、《河南水灾》中“济源县淫雨连绵,山洪暴发,水深数寸至一尺”,从以上文献知,1931年三花干流区间及沁河下游有雨,但不大,反映在花园口断面不属大洪水,黄河下游亦未决溢。

第二节 暴雨洪水特性

一、暴雨特性

(一)暴雨环流形势与影响系统

参照《中国之暴雨》的研究,黄河中游、上游大面积日暴雨的环流形势,可分为稳定经向型、稳定纬向型和过渡型。

稳定经向型环流形势下,西风带经向环流为主,长波系统移动缓慢或停滞少动。西太平洋副热带高压位置偏北,中心在日本海一带,并且稳定少动,青藏高原为高压控制。从巴尔喀什湖一带东移的短波槽可直接并入这两个对峙高压之间的南北向辐合带中,在110°E附近形成一条较稳定的南北向切变线。此时,弱冷空气可由偏北方向流入辐合带中,促使辐合加强。与此同时,赤道辐合带北移,导致台风、台风倒槽或东风波系统进入华中地区,构成中、低纬天气系统相互作用的形势。在上海—郑州一线形成风速达16~20m/s的低空东南风急流。这种中、低纬低值系统相互作用之时,水汽与动力条件特优,暴雨尤为剧烈,再加上三门峡以下有利地形等因素,往往形成强度大、笼罩面积广、呈南北向带状分布的大暴雨区与特大暴雨区。特大暴雨中心则主要落在三花间喇叭口地形区的环山地带,小浪底坝址附近的仁村、垣曲等地是特大暴雨中心之一。1958年7月中旬三花间发生的大洪水,便是这类的典型过程。

在稳定纬向型与过渡型环流形势下,西风带盛行纬向环流,短波槽活动较多。副热带高压稳定时,常呈东西向带状分布;副热带高压位置不稳定时,在暴雨过程中常出现副热带高压较明显进退。700hPa天气图上暴雨影响系统主要有西风槽、暖切变、冷切变、低涡和三合点,并且暴雨期低空副高西北侧边缘经常有一支风速达12m/s以上的西南风急流北上,为暴雨提供了水汽和位势不稳定条件。地面天气图上常伴有冷锋、锢囚锋等。雨区位于副高西北侧边缘,在700hPa天气图上的低槽、切变线与地面锋面之间,暴雨区常呈东西向或东北—西南向带状分布。随副高位置南北、东西差别,暴雨带可出现在38°N以北,偏南时则落在三花间。1933年8月10日陕县站出现流量达22 000m^3/s洪水,其暴雨的环流形势与影响系统即属此类型。

黄河上游循化以上,地处青藏高原的东北部,地面平均海拔3 000m以上。由于高原热力与动力影响,形成了特定的连阴雨天气条件。当500hPa天气图上东亚中高纬度盛行纬向环流,巴尔喀什湖至新疆北部一带低槽稳定、偏强时,西太平洋副热带高压势力较强西伸,停滞在长江中下游地区,以及孟加拉湾一带低槽加强,高原近地层热低压发展,致使西南暖湿气流源源不断地向高原东侧汇集,向黄河上游兰州以上地区输送大量暖湿空气。这样,极地冷空气经北疆东移南下,与偏南暖湿气流汇合于高原东北侧,在500hPa天气图上形成稳定的近东西向横切变,造成较强的持续20天以上的连阴雨天气。例如1981年8月中旬至9月上旬较强连阴雨,形成兰州站洪峰流量为7 090m^3/s,便是此类的典型。

(二)暴雨特征

根据暴雨属性以及大地形、山岭障碍等,坝址以上分属三个暴雨类型区:拉脊山以西南的黄河上游区,即河源至循化区间的青藏高原区;拉脊山以东至吕梁山—嵴山,南达秦岭、北抵阴山,包括黄河上游下段和中游河龙间及泾河、洛河、渭河,为黄土高原区;汾河流域、三门峡至小浪底区间已属吕梁山、嵴山以东暴雨区。

造成黄河上游大洪水的降雨特点是面积大、历时长,但雨强不大。如1981年8月中旬至9月上旬连续降雨约1个月,150mm雨区面积为11.0万km^2,降雨中心久治站总降水量为313.2mm,其中仅有1天雨量达43.2mm,其余日雨量均小于25mm。1967年8月下旬至9月上旬,1964年7月中、下旬等几次较大洪水,其降雨历时都在15天以上,雨区笼罩兰州以上大部分流域。

黄河中游托克托至三门峡河段暴雨强度大,但暴雨历时短,陕西渭南大石槽1981年6月20日,60min降水量达267.0mm,山西陶村铺1976年8月10日,6h降水量达

600mm,内蒙古乌审旗木多才当1977年8月1日,12h降水量达1 400mm(调查值)为我国大陆同历时降水极值。日暴雨面积(50mm以上)常可达1万~2万km^2,最大可达6万~7万km^2。暴雨区长轴为200~300km,最长为560km,短轴为50~180km。如河龙间1964年8月10~12日面平均雨量达40mm,最大24h雨量占3日雨量的93.6%,日暴雨面积达4.8万km^2。另外,这种大面积暴雨还有相隔数天相继出现的情况。例如,1933年8月上旬出现了一场西南—东北向暴雨,暴雨区同时笼罩泾河、洛河、渭河与北干流无定河、延水、三川河流域,主要雨峰出现在6日,其次是9日。

三花间大面积日暴雨较频繁,强度亦较大,日暴雨区面积可达2万~3万km^2。三门峡至小浪底坝址区间常是该暴雨区的一部分。1958年7月中旬暴雨,小浪底坝址以上垣曲站,最大日雨量达366mm,任村日雨量达650mm(调查值)。1982年7月30日伊河石碣站24h降雨量达734.3mm,7月29日~8月2日降雨量为904.8mm,三花间最大24h面平均雨量为90.7mm,5日面平均雨量为264.4mm,为历年最大。该场暴雨期间,三门峡至小浪底区间最大1日面平均雨量达99.4mm,最大5日面平均雨量为321.8mm,亦是历年最大。

黄河中游的河三间(河口镇至三门峡区间的简称,下同)与三花间的特大暴雨不会同期发生。这是由于当河三间产生特大暴雨时,三花间经常受太平洋副热带高压控制而无雨或处于雨区边缘;当三花间降特大暴雨时,三门峡以上大部分地区受青藏高压控制而无雨。有时东西向大雨—暴雨带经由渭河延展到三花间且持续数日,但雨强不大,例如1964年8月底到9月初的降雨过程就属这一类型。

二、洪水特性

(一)洪水发生时间及峰型

黄河洪水系由暴雨形成,故洪水发生的时间与暴雨发生时间相一致。从全流域来看,洪水发生时间为6~10月。其中大洪水的发生时间,上游一般为7~9月,三门峡为8月,三花间为7月中旬至8月中旬。

从黄河洪水的过程来看,上游为矮胖型,即洪水历时长、洪峰低、洪量大,这是由上游地区降雨特点(历时长、面积大、强度小)以及产汇流条件(草原、沼泽多,河道流程长,调蓄作用大)决定的。如兰州站,一次洪水历时平均为40天左右,最短为22天,最长为66天。较大洪水的洪峰流量一般为4 000~6 000m^3/s。中游洪水过程为高瘦型,洪水历时较短,洪峰较大,洪量相对较小,这是由中游地区的降雨特性(历时短、强度大)及产汇流条件(沟壑纵横、支流众多,有利于产汇流)决定的。据实测资料统计,中游洪水过程有单峰型,也有连续多峰型。一次洪水的主峰历时,支流一般为3~5天,干流一般为8~15天。支流连续洪水一般为10~15天,干流三门峡、小浪底、花园口等站的连续洪水历时可达30~40天,最长达45天,较大洪水洪峰流量为15 000~25 000m^3/s。

(二)洪水来源及组成

黄河下游的洪水主要来自中游的河口镇至花园口区间。

黄河上游的洪水主要来自兰州以上,由于源远流长,加之河道的调蓄作用和宁夏、内蒙古灌区耗水,洪水传播至下游,只能组成黄河下游洪水的基流,并随洪水统计时段的加长，上游来水所占比重相应增大。

黄河中游洪水主要来自河龙间、龙三间和三花间三个地区。

根据实测及历史调查洪水资料分析，花园口站大于 8 000m^3/s 的洪水，都是以中游来水为主所组成的，河口镇以上的上游地区相应来水流量一般为 2 000～3 000m^3/s，只能形成花园口洪水的基流。花园口站各类较大洪水的洪峰流量、洪量组成见表 3-2-1。

表 3-2-1　花园口各类较大洪水洪峰流量、洪量组成

洪水类型	洪水年份	花园口		三门峡			三花间			三门峡占花园口的比例(%)	
		洪峰流量(m^3/s)	12 日洪量(亿 m^3)	洪峰流量(m^3/s)	相应洪水流量(m^3/s)	12 日洪量(亿 m^3)	洪峰流量(m^3/s)	相应洪水流量(m^3/s)	12 日洪量(亿 m^3)	洪峰流量(m^3/s)	12 日洪量(亿 m^3)
上大洪水	1843	33 000	136.0	36 000		119.0		2 200	17.0	93.3	87.5
	1933	20 400	100.5	22 000		91.90		1 900	8.60	90.7	91.4
下大洪水	1761	32 000	120.0		6 000	50.0	26 000		70.0	18.8	41.7
	1954	15 000	76.98		4 460	36.12	12 240		40.55	29.7	46.9
	1958	22 300	88.85		6 520	50.79	15 700		37.31	29.2	57.2
	1982	15 300	65.25		4 710	28.01	10 730		37.5	30.8	42.9
“上下较大”型洪水	1957	13 000	66.30		5 700	43.10		7 300	23.2	43.8	65.0

注：相应洪水流量是指组成花园口洪峰流量的相应来水流量，1761 年和 1843 年洪水系调查推算值。

从表 3-2-1 中可以看出，以三门峡以上来水为主的洪水(简称“上大洪水”，下同)，三门峡洪峰流量占花园口洪峰流量的 90% 以上，12 日洪量占花园口 12 日洪量的 85% 以上。以三花间来水为主的洪水(简称“下大洪水”，下同)，三门峡洪峰流量占花园口洪峰流量的 20%～30%，12 日洪量占花园口 12 日洪量的 40%～60%。

三花间的洪水主要来自小花间(见表 3-2-2)。据对 3 次实测较大洪水统计，小花间来水占三花间来水的 70% 以上，主要原因是小花间面积占三花间面积比例很大(86.2%)。与面积所占比例相比，三花间大洪水时，三小间来水也较大，1958 年洪水三小间来水比例达25% 以上，3 次洪水平均三小间来水比例达 23% 以上，远大于其面积所占比例(13.8%)。这与三小间的地理位置(降雨中心地区)、流域形状(近方圆形)、地形地貌条件(山区，地面坡度大，植被条件好)是一致的。

(三)洪水的地区遭遇

根据实测及历史洪水资料分析，黄河上游大洪水和黄河中游大洪水不遭遇。黄河中游的“上大洪水”和“下大洪水”也不同时遭遇。例如，上游地区的大洪水年份有 1850 年、1904 年、1911 年、1946 年、1981 年等，黄河中游河三间的大洪水年份有 1632 年、1662 年、1841 年、1843 年、1933 年、1942 年等，黄河中游三花间的大洪水年份有 1553 年、1761 年、1954 年、1958 年、1982 年等。

黄河上游大洪水可以和黄河中游的小洪水相遇，形成花园口断面洪水，据实测资料统计，由上游洪水组成的花园口洪水，洪峰流量一般不超过 8 000m^3/s，但洪水历时较长，含沙量较小。

黄河中游的河龙间和龙三间洪水可以相遇,形成三门峡断面峰高量大的洪水过程。从洪水传播时间上看,河龙间与龙三间洪水遭遇具有得天独厚的条件。黄河干流的龙门与渭河的华县、北洛河的洑头、汾河的河津至三门峡的洪水传播时间相当,干流的吴堡与支流三川河的后大成、无定河的绥德、清涧河的子长、延水的延安、北洛河的道佐埠、泾河的雨落坪、渭河的林家村、汾河的义棠至三门峡洪水传播时间相当,干流的沙窝铺与支流窟野河的温家川、无定河的赵石窑、北洛河的刘家河、马莲河的庆阳、泾河的泾川、渭河的南河川、汾河二坝至三门峡洪水传播时间相当。因此,当西南至东北向的雨区笼罩河三间时,黄河龙门以上和泾河、北洛河、渭河地区可以同时形成大洪水并有遭遇的可能,形成三门峡以上的大洪水或特大洪水。如 1933 年洪水,为 1919 年陕县有实测资料以来的最大洪水,即是河龙间和龙三间洪水相遇而成。

表 3-2-2 三花间较大洪水地区组成统计

年份	区间	洪峰流量(m^3/s)	5 日洪量(亿 m^3)	12 日洪量(亿 m^3)
1954	三花间	12 240	24.0	40.55
	小花间	10 900	18.78	31.9
	三小间	1 340	5.22	8.65
	三小间占花园口(%)	10.9	21.8	21.3
1958	三花间	15 700	30.8	37.31
	小花间	10 000	22.9	27.92
	三小间	5 700	7.9	9.39
	三小间占花园口(%)	36.3	25.6	25.2
1982	三花间	10 730	29.01	37.5
	小花间	8 350	20.6	27.77
	三小间	2 380	8.41	9.73
	三小间占花园口(%)	22.2	29.0	25.9
平均	三小间占花园口(%)	23.1	25.5	24.1

黄河中游的河三间和三花间的较大洪水也可以相遇,形成花园口断面的较大洪水。这类洪水一般由纬向型暴雨形成,雨区一般笼罩泾洛渭河下游至伊洛河的上游地区。如 1957 年 7 月洪水,三门峡和三花间较大洪水相遇,形成花园口断面 7 月 19 日洪峰流量 13 000m^3/s 的洪水。与此次洪水对应的渭河华县站 17 日洪峰流量 4 330m^3/s,洛河长水站 18 日洪峰流量 3 100m^3/s。历史调查的 1898 年洪水,在渭河下游、洛河上游和宏农涧河地区均为百年一遇以上的大洪水,而在花园口断面没有反映,仅为一般或较大洪水。

第三节 洪水频率分析

根据小浪底水库的防洪任务,即小浪底水库与现有的三门峡、故县、陆浑水库工程和黄河下游的分、滞洪区联合运用,解决黄河下游的洪水问题。小浪底水库的防洪运用与三门峡、小浪底、花园口、三门峡至花园口区间,三门峡至小浪底区间(简称三小间),小浪底至花园口区间(简称小花间),小浪底、陆浑、故县到花园口区间(简称小陆故花间)等站和区间的洪水有关。因此,需要计算上述各站及区间的设计洪水。

上述各站及区间的设计洪水曾于1976年、1980年及1985年进行过3次分析计算,1976年计算是淮河"75·8"大水后进行黄河下游防洪规划的第一次计算,资料系列截至1969年,成果经过了原水电部水利水电规划设计总院的审定;1980年计算是将1976年计算系列由1919~1969年延长到1976年所做的补充计算;1985年计算是为小浪底水库初步设计服务,对基本资料进行了进一步的审查和修正,将资料系列延长至1982年。1980年和1985年的计算成果也经过了水利部水利水电规划设计总院的审查,审查结论为:小浪底初步设计阶段仍采用1976年审定成果,对1976年未计算的短缺部分采用1980年补充成果,对1980年也未作补充的小浪底洪峰流量及45日洪量采用1985年计算成果。

一、区间设计洪水计算方法

三花间、小花间、小陆故花间的设计洪水,利用区间洪水的资料系列进行频率分析求得。区间洪水的洪峰流量采用干流洪水过程相减法计算,区间洪水的洪量采用支流洪量相加法计算。

三小间的设计洪水采用地区综合法进行计算,参证站选用伊河的龙门镇站。计算公式如下:

洪峰流量 $$Q_{三小间} = (F_{三小间}/F_{龙})^{0.5} \times Q_{龙} \tag{3-3-1}$$

洪量 $$W_{三小间} = (F_{三小间}/F_{龙})^{0.75} \times W_{龙} \tag{3-3-2}$$

二、洪水资料的插补延长

为增强资料系列的代表性,对有关测站和区间的资料都进行了插补延长。

插补延长方法,对各测站主要是采用上下游站洪峰流量、洪量相关。对各区间洪峰流量,主要采用上下洪水过程线推演相减和区间内干支流站推演相加,区间洪量主要采用区间内各区洪量相加或峰量相关。比如,对小浪底站,插补资料有32年,其年份为1919~1943年、1946年、1949~1954年,其中1951~1954年是将上游八里胡同站资料进行修正移用,其余年份是用陕县与小浪底洪量相关插补。对花园口,洪峰流量通过与陕县、三花间及泺口等的相关关系进行插补,洪量则主要由陕县资料插补。对三花间的洪峰流量、洪量由区间内的洛阳、龙门镇、黑石关站的实测及调查洪水资料进行插补。插补资料的年份,花园口洪峰流量为1919~1932年、1933年、1935~1937年、1938~1943年、1947~1948年共26年,花园口洪量为1919~1923年、1925年、1927~1930年、1932~1933年、1935~1943年共21年;三花间洪峰流量及洪量为1931年、1938~1943年、1946~1947年共9年。

各站及区间插补资料情况见表3-3-1。

三、洪水资料的还原处理

花园口断面以上干支流先后于1960年和1967年、1968年建成三门峡、陆浑和刘家峡等大型水库,由于水库的调蓄作用,这些水库以下各站的实测水文资料的一致性受到一

定的影响。为了使统计资料系列具有一致性,需要对水库工程调蓄影响的资料进行还原,其还原方法如下:

表 3-3-1 各站及区间实测和插补资料情况

站名	项目	插补资料	
		年份	年数
三门峡(陕县)	洪峰流量	1944~1945,1947~1948	4
	洪量	1960	
小浪底	洪峰流量	1919~1943,1946,1949~1954,1960~1982	55
	洪量	1919~1943,1946,1949~1954	32
花园口(秦厂)	洪峰流量	1919~1932,1933,1935~1937,1938~1943,1947~1948	26
	洪量	1919~1923,1925,1927~1930,1932~1933,1935~1943	21
三花间	洪峰流量	1931,1938~1943,1946~1947	9
	洪量	1931,1938~1943,1946~1947	9
无控制区	洪峰流量	1931,1934~1943,1946~1947,1949~1953	18
	洪量	1931,1934~1943,1946~1947,1949~1950	15

(1)对于洪量,主要通过水量平衡原理计算调蓄量,并考虑洪水传播时间进行还原。对刘家峡水库的影响,由水库入、出库站(循化、红旗、折桥、小川等站)逐日平均流量,计算出水库逐日调蓄量($\pm \Delta Q$),然后考虑刘家峡水库至三门峡、小浪底、花园口断面的洪水传播时间,将此逐日调蓄量与三门峡、小浪底、花园口的实测逐日平均流量代数相加,即为刘家峡水库还原后的逐日平均流量。对于刘家峡至河口镇河段沿程的水量损耗,鉴于目前难于估计,暂不考虑这一因素。对三门峡水库的影响,由入、出库潼关站和三门峡站的逐日平均流量计算水库的逐日调蓄量,考虑洪水传播时间,与小浪底、花园口实测逐日平均流量代数相加,即为三门峡还原后的逐日平均流量。对陆浑水库的影响,由入、出库东湾站和陆浑站的逐日平均流量计算水库的逐日调蓄量,考虑洪水传播时间,与龙门镇、花园口实测逐日平均流量代数相加,即为陆浑还原后的逐日平均流量。

(2)对于洪峰流量,刘家峡水库由于上游洪水过程线低胖,其洪峰流量所占比重不大的特点,暂不考虑其对下游洪峰流量的影响;三门峡洪峰流量用入库站潼关站资料代替;三门峡水库对小浪底、花园口洪峰流量的影响及陆浑水库对花园口、三花间洪峰流量的影响用洪水演算的方法进行还原。

四、历史洪水重现期的确定

(一)公元 223 年洪水的重现期

龙门镇站公元 223 年洪水,按公元 223 年以来的最大洪水考虑,截至 1982 年,洪水重现期为 1660 年。

(二)1931 年洪水的重现期

龙门镇 1931 年洪水,根据 1955 年调查情况,当时 70 岁左右的老人反映是他们记事的第一次大水,还有的说“听长辈说,过去也没有涨过这样的大水”。按照被调查者的年龄推算,1955 年时的 70 岁,出生年为 1885 年,1885~1985 年时段长为 100 年,因此 1931 年洪水的重现期确定为100年。

(三)1843年洪水的重现期

1843年洪水洪峰流量的重现期,在黄河小浪底以上,1976年计算时曾按1765年清政府在万锦滩设水尺志桩以来的最大洪水计,其重现期定为210年。1979年以后,又从远古史料考证、水文考古、地貌特征研究等方面,补充论证了1843年洪水的重现期。论证的结论为1843年洪水的重现期为1 000年。具体叙述如下。

1.从垣曲古城水情记载看,1843年洪水的重现期至少为600年

垣曲古城位于三门峡以下峡谷河道的左岸,据考证始建于西魏大统三年(公元537年),自建城以来,位置没有变化,只是在明崇祯九年(1636年)城墙加高五尺。该城南面紧靠黄河,西有亳清河,东有 沇水来汇,历史上常受洪水之患。自明洪武十八年(1385年)以来,凡涨水危及该城者,县志中多有记载。从《垣曲县志》的水情记载看,道光二十三年洪水最大,"水溢至南城砖垛",其次为1632年"黄河溢南城,不没者数版"。县志记载中还有1385年、1530年、1563年、1761年有"水溢南城圮"之说。为了落实这几年洪水是否大于1843年洪水,又与黄河下游的决溢资料进行了对比,除1761年以外,其余几年黄河下游河段均无漫溢或决溢记载,而1761年洪水是三花间大洪水,"水溢南城圮"可能系亳清河或 沇水涨水所致。因此,1843年洪水为《垣曲县志》中有水情记载以来的最大洪水,即1385年以来的最大洪水的重现期为600年。

2.从三门峡人门岛上唐宋灰层考证,1843年洪水是自唐末以来的最大洪水,重现期约为1 000年

中国社会科学院考古研究所俞伟超等同志于1955~1957年在三门峡大坝施工期间,曾对三门峡坝区进行了考古调查。他们发现人门岛顶上南北约16m、东西约4m的平台上有黄土灰烬和砖瓦碎块,砖瓦的外形具有明显的唐代特征,少量遗物还具有宋代特征,故取名曰"唐宋灰层"。

从这些遗物的存在可以推断,唐末或宋初以来所发生过的大洪水,其水位都没能超过这一层,否则这个灰层将被冲掉。人门岛顶部岩面高程为301m,灰层厚度平均约1m。则自唐宋以来在该处可能发生的最高洪水位应不超过302m。1843年洪水在本断面水位为301m,截至目前,还没有发现比1843年更高的洪水位。所以,1843年洪水应是自唐末以来的最大洪水,其重现期约为1 000年。

3.从龙岩村集津仓遗址考证,1843年洪水是自唐开元二十一年以来的最大洪水,其重现期可确定为1 000年以上

在三门峡以下约7.8km的龙岩村冲沟的剖面上,发现在1843年淤沙层之下2.5~3.0m处有一层厚约0.5m的文化层。该层上部是杂土、炉渣等,下部多为灰色素面布纹瓦片,间有少量的白釉或青釉瓷片与陶片等。

经过对大量历史资料的考证,自汉武帝时便利用黄河自下游向京都长安运送漕粮。唐开元二十一年(公元733年)为避三门天险,在三门峡以西建盐仓,三门峡以东设集津仓,并在北岸凿开十八里山路,陆运过三门峡。经过多方考证,确定此处即为集津仓遗址。据考古工作者对现场考察和对遗物标本外形特征所做的鉴定,以及上海博物馆做的"热释光"鉴定,确定瓦片、瓷片等是唐宋时代的遗物,瓦片的烧制年代是在西汉末年至唐初一段

时期内。由于这组古文化层是埋在1843年洪水淤沙层之下，说明1843年洪水位是自唐开元二十一年(公元733年)以来最高的。因此，1843年洪水的重现期可确定为1 000年以上。

4.与河流一级阶地对比，1843年洪水的出现概率更稀遇

三门峡建库前后，在潼关至小浪底河段所进行的大量调查工作中发现，在该河段的凸岸及支沟入黄处，至今留有一层粗沙，其厚度随地形不同而异，最厚者可达2～3m，粗砂的中数粒径0.2～0.3mm。经多次调查，在此粗砂层之上没有发现洪水淤积物。在小浪底坝段北岸的土崖底村附近，在1843年淤沙面之上为二三十米高的直立黄土陡崖。从三门峡库区地质地貌调查资料中可知，自潼关至小浪底沿岸不对称地分布着一级阶地，1843年的淤沙与一级阶地的前沿高程相近，而一级阶地的形成年代距今1.0万～1.2万年。因此，与潼关至小浪底河段的一级阶地形成年代相比，1843年洪水的出现概率是更为稀遇的。

综上所述，认为在黄河干流潼关至小浪底河段1843年洪水洪峰流量的重现期至少是1 000年，本次按1 000年计。

在花园口河段，1843年洪水也是最大的，其重现期按与三门峡相同考虑，为1 000年。

(四)1761年洪水的重现期

在1976年设计洪水计算时，将1761年洪水按1761年以来的最大洪水考虑，重现期为215年。通过对三花间历史文献的收集和分析，发现自15世纪以来，三花间的地方志资料基本上是连续的，仅个别时段有间断。从地方志资料中发现，1553年为伊洛河的特大洪水，且当地灾情严重。沁河也有水情反映，但较1761年小。干流区间该年没有涨水。故可初步确定，1761年为1553年以来的最大洪水，其重现期可确定为430年。1553年以前，由于历史文献资料不全，难以再向前考证。

在花园口河段，1761年洪水的重现期按与三花间相同考虑，为430年。

五、年最大洪峰洪量系列

经过上述区间洪水计算，资料的插补、还原，各站及区间的年最大洪峰流量、洪量系列情况见表3-3-2。各站及区间历史洪峰流量、洪量及重现期情况见表3-3-3。

表3-3-2　各站及区间年最大洪峰流量、洪量系列情况

站名	项目	实测		插补		还原		总年数
		年份	年数	年份	年数	年份	年数	
三门峡(陕县)	洪峰流量	1919～1943,1946,1949～1967	60	1944～1945,1947～1948	4			64
	洪量	1919～1943,1946,1949～1967	45			1968～1982	15	60
小浪底	洪峰流量	1955～1959	5	1919～1943,1946,1949～1954	32	1960～1982	23	60
	洪量	1955～1959	5	1919～1943,1946,1949～1954	32	1960～1982	23	60

续表 3-3-2

站名	项目	实测		插补		还原		总年数
		年份	年数	年份	年数	年份	年数	
花园口（秦厂）	洪峰流量	1934,1946, 1949～1959	13	1919～1932, 1933,1935～1937, 1938～1943, 1947～1948	26	1960～1982	23	62
	洪量	1934,1946, 1949～1959	13	1919～1923, 1925,1927～1930, 1932～1933, 1935～1943	21	1960～1982	23	57
三花间	洪峰流量	1934～1937, 1949～1959	15	1931,1938～1943, 1946～1947	9	1960～191982	23	47
	洪量	1934～1937, 1949～1959	15	1931,1938～1943, 1946～1947	9	1960～1982	23	47
无控制区	洪峰流量	1954～1982	29	1931,1934～1943, 1946～1947, 1949～1953	18			47
	洪量	1951～1982	32	1931,1934～1943, 1946～1947, 1949～1950	15			47
龙门镇	洪峰流量	1936～1943,1946, 1947,1951～1959	19			1960～1982	23	42
	洪量	1936～1943,1946, 1947,1951～1959	19			1960～1982	23	42

表 3-3-3　　各站及区间历史洪峰流量、洪量及重现期情况

项目	1843年		1761年		公元223年	1931年		
	陕县	花园口	花园口	三花间	龙门镇	龙门镇	黑石关	三花间
洪峰流量(m^3/s)	36 000	33 000	32 000	26 000	20 000	10 400	7 800	9 400
5日洪量(亿m^3)	84		85	59		9.85		
12日洪量(亿m^3)	119		120	70				
重现期(年)	1 000	1 000	430	430	1 760	100		

六、频率洪水计算及设计洪水成果

按照《水利水电工程设计洪水计算规范》(SL 44—93)，采用P－III曲线进行适线，适线确定的设计洪水统计参数及不同频率设计洪峰流量、洪量值见表 3-3-4。

表 3-3-4　　与小浪底水库设计有关的站及区间天然设计洪水成果

（单位：洪峰流量 Q_m，m^3/s；洪量 W，亿 m^3）

站名	控制流域面积(km^2)	项目	资料系列(年)			均值	C_v	C_s/C_v	频率为 P(%)的设计值		
			N	n	a				0.01	0.1	1.0
三门峡	688 401	Q_m	1 000	64	1	8 582	0.52	4.0	46 000	35 400	24 900
		W_5		60		21.5	0.45	4.0	96.5	76.0	55.5
		W_{12}		60		43.3	0.40	3.0	154.1	126.5	98.0
		W_{45}		60		125	0.35	2.0	357.6	305.1	250.1
小浪底	694 155	Q_m	1 000	64	1	8 340	0.49	4.0	41 530	32 280	23 000
		W_5		60		21.9	0.45	4.0	98.3	77.5	56.5
		W_{12}		60		43.8	0.40	3.0	156	127.9	99.0
		W_{45}		60		127.5	0.35	2.0	364.5	311.0	254.9
花园口		Q_m	1 000	50	2	9 380	0.51	4.0	49 000	37 900	26 700
		W_5		46		27.7	0.42	4.0	115	91.4	67.5
		W_{12}		46		55.4	0.40	3.0	197.2	162	125.2
		W_{45}		46		153	0.33	2.0	416	358	295
三花间		Q_m	1 000	47	1	4 400	0.95	2.5	42 200	31 200	20 300
		W_5		47		8.72	0.95	2.5	83.6	61.8	40.1
		W_{12}		47		13.15	0.90	2.5	116.6	86.9	57.2
		W_{45}		47		26.89	0.68	2.5	165	127.6	89.8
小花间		Q_m		47		3 670	0.84	2.5	29 700	22 300	15 000
		W_5		47		7.52	0.90	2.5	66.8	49.7	32.8
		W_{12}		47		11.37	0.86	2.5	95.1	71.1	47.4
小陆故花间		Q_m		47		2 580	0.92	2.5	23 600	17 500	11 500
		W_5		47		4.17	1.04	2.5	45.5	33.1	21.1
		W_{12}		47		6.52	0.96	2.5	63.5	46.8	30.3
龙门镇		Q_m	1 760	42	2	1 980	1.17	2.5	25 600	18 400	11 300
		W_5		42		2.28	1.05	2.5	25.2	18.3	11.6
		W_{12}		42		3.09	0.98	2.5	30.9	22.7	14.7
三小间		Q_m							26 600	19 000	11 700
		W_5							26.7	19.4	12.3
		W_{12}							32.7	24.0	15.5

七、频率洪水计算成果的合理性分析

设计洪水计算成果合理与否,关系到工程的设计标准、防洪安全等,因此需要对设计洪水成果进行合理性检查。下面从基本资料情况、历次成果的差别等方面,对本次计算的设计洪水成果进行合理性分析,以确定采用成果。

(一)资料系列的可靠性和代表性

1. 可靠性方面

黄河的水文资料经过新中国成立初期的统一审查和黄河规划期间的核查,发现并纠正了资料中的差误,落实了连续枯水段的问题。其后在历次治黄规划中,又相继进行过重点的审查,特别是一些大水年如 1933 年、1954 年、1958 年等。因此,刊布的水文资料,除因测验技术条件所限,还存在一定的误差外,其基础是可靠的。20 世纪 70 年代以来,对黄河干流和主要支流历史调查洪水资料进行了全面的审编和刊布。1976 年黄河规划以来先后对缺测年份资料做过插补延长,从而增加了资料系列的连续性。同时对 60 年代、70 年代受水库调蓄影响的资料均进行了还原处理,恢复了资料基础的一致性。对调查考证到的历史特大洪水如 1843 年、1761 年和公元 223 年等,对其定量和重现期的考证进行了长期的调研工作,使调查成果质量得以不断提高。

2. 代表性方面

系列的代表性是对样本总体而言的,而洪水系列的总体现在是未知的。因此,要确切地回答这个问题,是有实际困难的,分析讨论这个问题,最多也只能是根据现有资料条件做一些相对的分析。

首先,从各站计算资料系列看,一般在 47～64 年之间。但无论是长系列或短系列,均包括有不同量级的洪水年份。如干流陕县站的 64 年系列,其 20 世纪 20 年代为连续小水时段,30 年代和 40 年代为多水时段,50 年代至 70 年代属中水时段;三花间的 47 年系列,其 20 世纪 30 年代和 50 年代为多水时段,40 年代和 60 年代前期属中水时段,60 年代后期至 70 年代属小水时段;花园口站 20 世纪 20 年代属小水时段,30 年代和 50 年代属多水时段,40 年代和 60 年代属中水时段,70 年代属中偏小水时段。可见花园口站与陕县站洪水系列基本对应。但由于花园口站洪水是陕县和三花间洪水的组合,因此花园口 50 年代多水时段和 70 年代小水时段是受三花间来水影响造成的,这样花园口站的系列与陕县站又略有不同。

总的来看,虽然各站及区间的实测系列较短,但较短的系列中包含了不同量级的洪水资料,再加上几百年甚至上千年的历史大洪水资料,其系列的代表性还是比较好的。

其次,从陕县站 64 年系列的稳定性上看,均值随时序的变化过程从 20 世纪 50 年代就趋于相对稳定的状态,摆动变化幅度 ΔQ 为 $-50 \sim +250 m^3/s$,因此可以认为其系列的代表性尚可。

(二)统计参数分析

从表 3-3-4 可知,陕县至小浪底洪峰流量均值及 C_v 是随流域面积增加而呈减小趋势。实测资料表明,从陕县至小浪底虽然流域面积增加,但由于区间河道的调蓄作用,绝大多数洪水资料小浪底洪峰小于陕县相应洪峰,所以这种减小是符合实际的。小浪底至花园口，由于区间汇入伊洛沁河等较大支流，且这些支流是三花间的暴雨中心地区，因而洪峰流量均值和 C_v 值呈增加趋势，这也是符合实际的。而干流各站洪量均值是随流域面积增加而增加的，而 C_v 的变化则较小。从洪峰流量、洪量 C_s 与 C_v 的倍比看，洪量倍比小于洪峰流量倍比，而洪量倍比是随洪量历时的加长而减小的。三花间洪峰流量、洪量均值及 C_v 在流域面积上的变化也基本类似干流的特性。总之，统计参数的时空分布基本符合一般的规律特征，是比较合理的。

（三）历次计算成果比较

从 1975 年进行黄河下游防洪规划以来，洪水频率曾先后于 1976 年、1980 年及 1985 年进行过 3 次计算。1976 年计算是淮河“75·8”大水后进行黄河下游防洪规划的第一次计算，这次计算的成果已经水电部规划设计总院组织审查和审定；1980 年计算是在 1979 年黄河中下游学术讨论会的基础上，考虑将 1976 年计算系列由 1919～1969 年延长到 1976 年所做的补充计算；本次（1985 年）计算是为小浪底水库初步设计服务，对基本资料进行了进一步的审查和修正，将洪水系列增加到 1982 年。现分析比较具体如下。

1. 各次计算的差别

1976 年与 1980 年两次计算的差别：①1980 年计算资料系列比 1976 年增加了 1970～1976 年 7 年资料；②1980 年对 1843 年、1761 年历史洪峰流量、洪量及重现期有所修正；③1980 年补充计算了三门峡、小浪底、花园口 5 日洪量及小浪底、小陆故花间 12 日洪量设计值。

1980 年与 1985 年计算的差别：①1985 年计算资料系列比 1980 年增加了 1977～1982 年 6 年资料；②1985 年花园口站增加了 1960～1982 年还原后洪峰流量系列，其插补洪峰资料也有所修改；③1985 年对三花间的干流区间历年实测洪量用雨量资料进行计算和修正，插补的 1931 年洪峰流量、洪量也作了修正。

2. 各次计算成果比较

尽管各次计算资料系列均有差别，插补资料、历史洪水也有修改，但总的计算成果变化不大。各次计算成果比较见表 3-3-5～表 3-3-8。表中显示，1985 年计算成果与 1976 年成果相比，除小陆故花间 5 日洪量变化较大（达 17.5%）外，一般减少在 10% 以内。1985 年成果与 1980 年成果相比则变化更小。下面就各次洪峰流量、洪量成果的增减再作两点说明（见表 3-3-9、表 3-3-10）：

（1）千年一遇及万年一遇洪峰流量成果，1985 年比 1976 年普遍减少 3.3%～15.9%。其减少的原因，一是对 1843 年、1761 年历史洪水重现期的修正及三花各区间 1931 年大水资料的修改影响也较大；二是增加的资料系列多属中小洪水，从而使均值及 C_v 减小。

（2）千年一遇及万年一遇洪量成果，1985 年与 1976 年相比，5 日洪量三花间减少 5% 左右，小陆故花间减少 17.5%；12 日洪量花园口、三花间减少 1.2%～4.5%，陕县减少 8% 左右；45 日洪量花园口、三花间减少 0～3.3%，陕县减少 0.7%～0.9%。洪量减小的原因，对干流站主要是系列延长后引起 C_v 减小所致，而均值的变化则不大；对三花间的各区间则主要是增加系列和资料修改从而使均值减小所致。

表 3-3-5 各站及区间洪峰流量频率计算成果比较 (单位: Q_m, m^3/s)

站名	计算时间(年)	资料系列(年)			均值	C_v	C_s/C_v	频率为 P(%)的设计值			说明
		N	n	a				0.01	0.1	1.0	
三门峡	1976	210	47	1	8 880	0.56	4.0	52 300	40 000	27 500	采用
	1980	1 000~600	54	1	8 740	0.52	4.0	47 000	36 200	25 300	
	1985	1 000	64	1	8 582	0.52	4.0	46 000	35 400	24 900	
小浪底	1985	1 000	64	1	8 340	0.49	4.0	41 500	32 300	23 000	采用
花园口	1976	215	34	2	9 780	0.54	4.0	55 000	42 300	29 200	采用
	1980	600	34	2	9 780	0.50	4.0	50 000	38 700	27 400	
	1985	1 000	50	2	9 380	0.51	4.0	49 000	37 900	26 700	
三花间	1976	215	34	1	5 170	0.91	2.5	46 700	34 600	22 700	采用
	1980	430	41	1	4 630	0.89	3.0	44 000	32 400	20 700	
	1985		47	1	4 400	0.95	2.5	42 200	31 200	20 300	
小花间	1976	215	34	1	4 232	0.86	2.5	35 400	26 500	17 600	采用
	1985		47		3 670	0.84	2.5	29 700	22 300	15 000	
小陆故花间	1976	215	34	1	2 910	0.88	3.0	27 400	20 100	12 900	采用
	1980		41		2 660	0.88	3.0	25 000	18 400	11 700	
	1985		47		2 580	0.92	2.5	23 600	17 500	11 500	
龙门镇	1980	1 754	40	1	2 150	1.24	2.0	27 000	19 600	12 400	采用
	1985		42	2	1 980	1.17	2.5	25 600	18 400	11 300	

表 3-3-6 各站及区间年最大 5 日洪量频率计算成果比较 (单位: W, 亿 m^3)

站名	计算时间(年)	资料系列(年)			均值	C_v	C_s/C_v	频率为 P(%)的设计值			说明
		N	n	a				0.01	0.1	1.0	
三门峡	1980		54		21.6	0.50	3.5	104	81.8	59.1	
	1985		60		21.5	0.45	4.0	96.5	76.0	55.5	
小浪底	1980		54		22.3	0.51	3.5	111	87.0	62.4	采用
	1985		60		21.9	0.45	4.0	98.3	77.5	56.5	
花园口	1980		51		26.5	0.49	3.5	125	98.4	71.3	采用
	1985		46		27.7	0.42	4.0	115	91.4	67.5	
三花间	1976	215	34	1	9.8	0.90	2.5	87.0	64.7	42.8	采用
	1980		41		9.1	0.95	2.5	87.0	64.0	41.6	
	1985		47		8.72	0.95	2.5	83.6	61.8	40.1	
小花间	1976	215	34	1	8.65	0.84	2.5	70.0	52.5	35.2	
	1985		47		7.52	0.90	2.5	66.8	49.7	32.8	
小陆故花间	1976		34		5.06	1.04	2.5	55.0	40.1	25.4	采用
	1980		41		4.61	1.04	2.5	50.1	36.6	23.1	
	1985		47		4.17	1.04	2.5	45.5	33.1	21.1	
龙门镇	1980		40		2.40	1.09	2.0	25.1	18.6	12.1	采用
	1985		42		2.28	1.05	2.5	25.2	18.3	11.6	

表 3-3-7　　各站及区间年最大 12 日洪量频率计算成果比较　　(单位:W,亿 m^3)

站名	计算时间(年)	资料系列(年)			均值	C_v	C_s/C_v	频率为 P(%)的设计值			说明
		N	n	a				0.01	0.1	1.0	
三门峡	1976	210	47	1	43.5	0.43	3.0	168	136	104	采用
	1980		54		43.3	0.41	3.0	159	130	100	
	1985		60		43.3	0.40	3.0	154.1	126.5	98.0	
小浪底	1980		54		44.1	0.44	3.0	172	139	106	采用
	1985		60		43.8	0.40	3.0	156	127.9	99.0	
花园口	1976	215	44	2	53.5	0.42	3.0	201	164	125	采用
	1980		51		52.9	0.41	3.0	194	158	122	
	1985		46		55.4	0.40	3.0	197.2	162	125.2	
三花间	1976	215	34	1	15.03	0.84	2.5	122	91.1	61.0	采用
	1980		41		13.8	0.86	2.5	115	86.5	57.5	
	1985		47		13.15	0.90	2.5	116.6	86.9	57.2	
小花间	1976	215	34	1	13.15	0.80	2.5	99.5	75.4	51.0	采用
	1985		47		11.37	0.86	2.5	95.1	71.1	47.4	
小陆故花间	1980		41		7.14	0.96	2.5	69.3	51.0	33.1	采用
	1985		47		6.52	0.96	2.5	63.5	46.8	30.3	
龙门镇	1980		40		3.40	1.01	2.0	31.5	23.7	15.8	采用
	1985		42		3.09	0.98	2.5	30.9	22.7	14.7	

表 3-3-8　　各站及区间年最大 45 日洪量频率计算成果比较　　(单位:W,亿 m^3)

站名	计算时间(年)	资料系列(年)			均值	C_v	C_s/C_v	频率为 P(%)的设计值			说明
		N	n	a				0.01	0.1	1.0	
三门峡	1976	210	47	1	126	0.35	2.0	360	308	251	采用
	1980		54		125	0.35	2.0	358	306	249	
	1985		60		125	0.35	2.0	357.6	305.1	250.1	
小浪底	1985		60		127.5	0.35	2.0	364.5	311.0	254.9	采用
花园口	1976	215	44	2	153	0.33	2.0	417	358	294	采用
	1980		51		150	0.33	2.0	410	352	289	
	1985		46		153	0.33	2.0	416	358	295	
三花间	1976	215	34	1	31.6	0.64	2.0	165	132	96.5	采用
	1980		41		28.8	0.66	2.5	170	132	94.0	
	1985		47		26.89	0.68	2.5	165	127.6	89.8	

表 3-3-9　　各站及区间本次成果与 1976 年成果增减比较　　(%)

项目		三门峡	花园口	三花间	小花间	小陆故花间
洪峰流量	均值	-3.4	-4.1	-14.9	-13.3	-11.3
	P=0.1%	-11.5	-10.4	-9.8	-15.8	-12.9
	P=0.01%	-12.0	-10.9	-9.6	-15.9	-13.9
5 日洪量	均值			-11.0	-13.1	-17.6
	P=0.1%			-4.5	-5.3	-17.5
	P=0.01%			-3.9	-4.6	-17.3
12 日洪量	均值	-0.5	+3.6	-12.5	-13.5	
	P=0.1%	-7.0	-1.2	-4.5	-5.7	
	P=0.01%	-8.3	-1.9	-4.0	-4.4	
45 日洪量	均值	-0.8	0	-14.9		
	P=0.1%	-0.9	0	-3.3		
	P=0.01%	-0.7	-0.2	0		

表 3-3-10　　各站及区间本次成果与 1980 年成果增减比较　　(%)

项目		三门峡	小浪底	花园口	三花间	小陆故花间	龙门镇
洪峰流量	均值	-1.8		-4.1	-5.0	-3.0	-7.9
	P=0.1%	-2.2		-2.1	-3.7	-4.9	-6.1
	P=0.01%	-2.1		-2.0	-4.1	-5.6	-5.2
5 日洪量	均值	-0.5	-1.8	+4.5	-4.2	-9.5	-1.5
	P=0.1%	-7.1	-10.9	-7.1	-3.4	-9.6	-1.6
	P=0.01%	-7.2	-11.4	-8.0	-3.9	-9.2	+0.4
12 日洪量	均值	0	-0.7	+4.7	-4.7	-8.7	-9.1
	P=0.1%	-2.7	-8.0	+2.5	+0.5	-8.2	-4.2
	P=0.01%	-3.1	-9.3	+1.6	+1.4	-8.4	-1.9
45 日洪量	均值	0		+2.0	-6.6		
	P=0.1%	-0.3		+1.7	-3.3		
	P=0.01%	-0.1		+1.5	-2.9		

八、频率洪水计算成果的采用

通过本次对频率洪水的复核，延长了资料系列，修正了插补资料，进一步考证了历史洪水重现期，增补了原成果的缺项，从而使频率洪水成果更趋合理完整。但从历次计算成果的比较来看，除个别成果变化较大外，一般变化不大，成果的稳定性较好。考虑到目前的认识水平，人们对洪水发生规律特性的研究和掌握还是有限的，为了小浪底水库的安全，本阶段仍采用 1976 年水利部审定成果；对 1976 年未计算的短缺部分仍采用 1980 年补充成果;对 1980 年也未作补充的小浪底洪峰流量及 45 日洪量可采用本次成果。具体成果的采用是:陕县站、花园口站的洪峰流量、12 日洪量、45 日洪量,三花间的洪峰流量、5 日洪量、12 日洪量、45 日洪量,小陆故花间的洪峰流量、5 日洪量采用 1976 年成果;陕县站、花园口站的 5 日洪量,小浪底的 5 日洪量、12 日洪量,小陆故花间的 12 日洪量,龙门镇(三小间)的洪峰流量、5 日洪量、12 日洪量采用 1980 年成果;小浪底洪峰流量、45 日洪量采用本次成果。

第四节　可能最大暴雨洪水

在小浪底水利枢纽的规划、可行性研究和初步设计中,对于可能最大洪水的分析计算,采用历史洪水加成、频率分析和水文气象三种方法分别进行了分析计算,然后综合分析,合理选定成果。三门峡站、花园口站的可能最大洪水成果,采用历史洪水加成法和频率分析法的综合成果。三花间的可能最大洪水采用水文气象法成果。

一、各种方法估算的可能最大洪水成果

(一)历史洪水加成法

本法是采用 1761 年洪水加大一个百分数作为可能最大洪水。

1761 年洪水的洪峰流量、洪量,1975 年提出初步成果,1980 年进行了修订。

历史洪水的加成数以往采用 30%～50%。根据水文气象法推求 PMP 的基本思路:高效暴雨→水汽放大→可能最大暴雨→可能最大洪水,用相似暴雨的概念推估出 1761 年洪水相应暴雨的代表性露点,进而求得水汽放大倍比为 1.40,遂采用 40%作为加成数,见表 3-4-1。

表 3-4-1　　历史洪水加成法可能最大洪水成果

估算时间	地区	项目	1761 年洪水	1761 年洪水加成		
				30%	40%	50%
1976 年	花园口	Q_m(m³/s)	37 000	48 000	52 000	55 000
		W_{12}(亿 m³)	142.5	185	200	214
	三花间	Q_m(m³/s)	29 000	38 000	40 000	43 000
		W_{12}(亿 m³)	75	98	105	113
1985 年	花园口	Q_m(m³/s)	32 000		44 800	
		W_5(亿 m³)	85		119	
		W_{12}(亿 m³)	120		168	
	三花间	Q_m(m³/s)	26 000		36 400	
		W_5(亿 m³)	59		82.6	
		W_{12}(亿 m³)	70		98	

(二)频率分析法

按《水利水电工程设计洪水计算规范》(SDJ22—79)(试行)规定:“根据频率计算成果

分析选定可能最大洪水时,采用值不得小于万年一遇洪水的数值。"考虑到黄河下游主要站的洪水频率分析成果尚属可靠,遂采用万年一遇作为可能最大洪水,见表 3-4-2。

表 3-4-2　频率分析法可能最大洪水成果

站区名	1976 年成果			1985 年成果		
	Q_m(m^3/s)	W_5(亿 m^3)	W_{12}(亿 m^3)	Q_m(m^3/s)	W_5(亿 m^3)	W_{12}(亿 m^3)
三门峡	52 300	(104)	168	46 000	96.5	154
小浪底				41 500	98.3	156
花园口	55 000	(125)	201	49 000	115	197
三花间	46 700	87.0	122	42 200	83.6	117
无控制区	27 400	55.0	69.3	23 600	45.5	63.5

注:带( )者为 1980 年成果。

(三)水文气象法

水文气象法的基本思路是,采用当地暴雨放大、暴雨移置、暴雨组合等方法,分析计算可能最大暴雨,再应用水文学的产汇流计算方法,推求可能最大洪水。初步设计阶段采用水文气象法对三花间的可能最大暴雨和洪水进行了较深入的分析研究,将在后面进行详细介绍。

二、三花间可能最大暴雨推求

(一)三花间可能最大暴雨特征的定性估计

根据三花间的暴雨特性,三花间的特大洪水是由南北向的经向型暴雨造成的。由三花间暴雨的动力与水汽条件分析并参照有关的天气分析经验,可以确定三花间经向型暴雨比纬向型暴雨有着持久的高强度降水能力。因此,三花间 5 日可能最大暴雨应以经向型暴雨作为控制;12 日可能最大暴雨亦应以 5 日可能最大暴雨为主体,再适当组合其他一场较一般的暴雨过程。

关于三花间可能最大暴雨的历时,分析了海河流域和淮河流域的大暴雨资料及历史文献资料。海河"63·8"暴雨平移三花间后流域面平均降雨量在 50mm 以上的天数达 6 天,淮河"75·8"暴雨移置三花间后面平均降雨量在 50mm 以上的天数为 3 天。可见,三花间实测大暴雨历时与淮河"75·8"相当,而短于海河"63·8"暴雨。从数百年历史文献资料来看,海河流域历史特大暴雨有 1626 年、1668 年、1801 年等。这些年份记载了"七月初二至初八雨若倾盆"、"大雨 7 日如注"等情况,表明数百年来华北西部山区大范围、南北向高强度暴雨可以持续 7 天。三花间地处其西南侧,比较深入内陆。若南北向暴雨带从华北西部山区再往西、南推移 3 个经纬度,则要求西太平洋副高更为深入华北平原,这样天气形势愈加不易稳定。因此,在经向环流形势下,三花间强暴雨持续日数短于华北西部山区是合理的。参考三花间 1761 年暴雨特性,判定三花间经向型可能最大暴雨历时为 3~5 天是比较合理的。

综上所述,提出三花间可能最大暴雨的定性特征见表 3-4-3。

表 3-4-3　　三花间可能最大暴雨定性特征估计

序号	项目		定性特征
1	大气环流形势		盛夏经向型
2	暴雨天气系统		南北向切变线、台风、东风波、低空东南急流等，且多为上述多个系统综合作用
3	雨区分布型式		呈南北向带状分布
4	雨区范围		暴雨笼罩面积在三花间大于 2 万 km^2，造成主要支流同时涨水
5	暴雨中心位置		伊洛沁河中下游及干流区间
6	暴雨移来方向		自南向北或原地产生
7	降雨历时	断续降雨	10 日左右
		其中暴雨	5 日
8	暴雨时程分配		强烈阵性 2～3 场，主峰较后
9	暴雨出现时间		7～8 月
10	前期降雨情况		多雨

(二)可能最大暴雨的计算方法及成果

可能最大暴雨的计算方法有当地暴雨放大法、暴雨组合法和暴雨移置法等。

1.当地暴雨放大法

1)水汽放大

选择三花间实际发生的“54·8”、“58·7”、“82·8”较大暴雨作为当地暴雨放大的模式。

采用群站平均的方法，在锋面暖侧雨区的大暴雨期或稍前的时段内，统计典型暴雨的代表性露点。三花间“53·8”、“54·8”、“56·8”、“57·7”、“58·7”、“82·8”的代表性露点为21.8～24.7℃。海河“63·8”的代表性露点为 24.3℃，淮河“75·8”的代表性露点为25.5℃。

可能最大露点的推求，通过用当地实测最大露点统计、最大探空可降水反算、历年最大露点频率计算和最大露点物理上限分析等途径，综合确定三花间可能最大露点为26.5℃。

以典型暴雨的露点和可能最大露点，分别计算持续 12h 的可降水量，以可能最大 12h 的可降水量与典型 12h 的可降水量的比值，作为暴雨的水汽放大系数，进行典型暴雨水汽放大。

2)效率放大

效率的计算公式：

$$\eta_t = \frac{P_t}{tW_{12}} = \frac{i}{W_{12}} \tag{3-4-1}$$

式中 t——计算降水时段；

η_t——流域 t 时段的降水效率；

P_t——流域 t 时段的面平均雨量；

W——典型暴雨的可降水量，用持续 12h 地面代表性露点查算。

按照上述公式，统计计算了三花间及邻近流域较大暴雨最大 1 日的效率，共计算了三花间“54·8”、“57·7”、“58·7”、“82·8”，汉江“35·7”，淮河“54·7”、“68·7”、“75·8”，海河“56·8”、“63·8”等 10 场较大暴雨的效率。在计算邻近流域暴雨效率时，进行了流域形状改正和暴雨移置改正。据统计，三花间暴雨的最大效率为 5.63%，海河“63·8”暴雨的效率为 5.6%，淮河“75·8”暴雨的效率为 6.8%。

以三花间实测暴雨的最大效率为依据，参考邻近流域移置改正后的效率，可能最大暴雨的效率取两个数值，即以 $\eta=6.0\%$ 作为设计效率，以 $\eta=7.0\%$ 作为比较方案。

以设计效率与典型暴雨效率的比值，放大典型暴雨。

2. 暴雨组合法

从实测各典型暴雨过程和影响三花间中、低纬度低压系统规律来看，组成三花间 5 日 PMP(Probable Maximum Precipition，可能最大降大)的暴雨过程应为两场暴雨组成。但一些典型过程 5 日暴雨放大后，面雨量仍有 3 日在 50mm 以下。可见，从暴雨演变过程而言，仍可选择暴雨组合模式。

1)组合模式拟定

根据三花间历年资料，拟订了两个组合方案：方案 1，1957 年 7 月 16～18 日接 1954 年 8 月 2～3 日；方案 2，1954 年 8 月 2～3 日接 1958 年 7 月 14～16 日。

对组合模式的合理性，从天气系统演变的可能性和连续性、气团进退演变的可行性等方面进行了分析。经比较，方案 1 组合模式最好，方案 2 衔接时，西太平洋副热带高压北上西进的速度较常见的快一些。

2)组合模式放大

由于选定的几个典型都不是稀遇暴雨，因此采用了两场暴雨同时进行水汽效率放大的方法，对组合模式进行放大。组合模式放大后，面雨深大于 50mm 的暴雨日为 4 日，符合三花间 5 日 PMP 的定性特征。

3. 暴雨移置法

根据我国气候区划，并进行气象一致区分析，认为三花间的气象一致区为西界 110°E、北界 39°N、东界约 116°E、南界约 32.5°N 的范围，即三花间的气候特性和暴雨特性与邻近的海河流域、淮河上游十分相似。在此范围内黄河、淮河、海河地区已发生过的特大经向型暴雨有：黄河“54·8”、“58·7”、“73·7”、“82·8”；淮河“75·8”、“84·8”；海河“63·8”暴雨。经比较，暴雨的移置模式选择了海河“63·8”、淮河“75·8”和黄河“82·8”，并对移置模式进行移置的可能性分析。

通过雨图安置、移置改正等，将移置模式移置到三花间。根据移置后暴雨的露点和效率，对移置的暴雨进行极大化。海河“63·8”暴雨移置后的效率是 5.6%，淮河“75·8”移置后的效率是 7.0%，是相当高效的暴雨了。因此，海河“63·8”和淮河“75·8”移置后，不再作效率放大，只进行水汽放大即可。而黄河“82·8”移置后，代表性露点是 24.4℃，效率是

4.82%,均未达到三花间可能最大露点与效率,需要进行水汽与效率放大。

4. 可能最大暴雨成果及合理性分析

1)可能最大暴雨成果

按照上述各种方法计算可能最大暴雨的最大1日、5日面雨深。最大12日面雨深在5日PMP的基础上延长,参照同类型较大暴雨的 H_5 与 H_{12} 的比值,组合其他1～2场暴雨而成。可能最大1日、5日、12日面雨深计算成果见表3-4-4。从表中可以看出,三花间可能最大降雨最大1日面雨深为130～170mm,最大5日面雨深为320～470mm,最大12日面雨深为500～570mm。经过综合分析,最终研究确定三花间可能最大降雨最大1日面雨深为130～150mm,最大5日面雨深为350～400mm,最大12日面雨深为500～550mm。

表3-4-4 三花间可能最大暴雨成果 (单位:mm)

计算方法	典型暴雨	PMP面平均雨量			说明
		1日	5日	12日	
当地暴雨放大	“58·7”	154.1	365	565	采用
	“82·8”	154	450		
暴雨组合	“57·8+54·8”	132	357.8		
	“54·8+58·7”	132.6	404.6	506	采用
暴雨移置	“63·8”	135	472	539	采用
	“75·8”	169.7	389	498	采用
	“37·8”	124	357		
	“82·8”	132	387		

2)可能最大暴雨成果的合理性分析

为了进一步论证可能最大暴雨成果的可能性和极大性,下面从计算过程的合理性、与邻近流域暴雨的比较、与暴雨频率分析成果比较等几个方面进行分析。

a. 计算过程的合理性

选用的暴雨模式具有一定的代表性。选用的当地暴雨模式、移置暴雨模式和组合暴雨模式都是按照三花间可能最大暴雨的定性特征进行挑选的。而三花间可能最大暴雨的定性特征是根据三花间千余年来历史文献考证、调查洪水及实测雨洪资料进行估计的,并运用现代天气学理论与经验进行分析。因此,选用的暴雨模式具有一定的代表性。

当地暴雨水汽、效率因子放大成果具有一定的稳定性。通过典型大暴雨的成因分析,认为水汽因子比较稳定,基本达到了物理上限,其误差影响在10%以下。效率因子变化较大,有一定的经验性和任意性。采用三花间本流域典型的最大效率取整为衡量基础,以邻近流域特大暴雨的效率为参考的方法确定可能最大暴雨的效率,经过黄河“82·8”暴雨的验证,证明原来估计的最大效率是合适的。因此,当地暴雨水汽、效率因子放大成果具有一定的稳定性。

组合模式再放大的成果是合理的。经过水文气象上的分析论证,把两场较严重的实测暴雨组合在一起,既具备了实际模式的全部优点,又可弥补实测资料的不足。从放大后的5日雨量过程来看,有4日面雨量超过50mm,这与历史记载的1761年暴雨5昼夜不止相比,还不是很突出的,与海河“63·8”相比,也不是最严重的。因此,组合模式放大的成果是合理的。

对暴雨移置的可能性进行了论证,并对移置的暴雨进行了地形改正、水汽订正和动力订正等,充分利用了邻近流域的大暴雨资料,使可能最大暴雨的极大性得到进一步保障。

采用多元组合的方法计算可能最大12日暴雨,并用实测较大暴雨的 H_5 与 H_{12} 比值进行控制,使可能最大12日暴雨成果更具合理性。

因此,从可能最大暴雨的计算过程来看,可能最大暴雨计算成果是合理可靠的。

b.与邻近流域实测大暴雨的比较

计算的三花间可能最大暴雨成果与本流域的实测暴雨相比,大得很多。但与海河“63·8”和淮河“75·8”暴雨相比,也不算大。海河“63·8”5日面雨深688mm(经流域形状和地形改正后为358mm),淮河“75·8”5日面雨深470mm(经流域形状和地形改正后为315mm),而三花间可能最大5日面雨深为350~400mm。因此,与邻近流域实测大暴雨相比,三花间的可能最大暴雨成果是合理的。

c.与暴雨频率分析成果比较

根据三花间的实测暴雨资料,统计历年不同时段的面平均雨量。对面平均雨量系列进行频率分析,计算不同频率的面平均雨量。经计算,三花间万年一遇5日面平均雨量为355mm,与可能最大5日面雨量接近。

3)结论

通过以上各方面的合理性分析,可以得出如下结论:

(1)在目前资料条件和认识水平下,推算的可能最大暴雨成果是合理的。

(2)可能最大暴雨成果具备了可能性和极大性。

三、三花间可能最大洪水计算

采用新安江(三水源)产汇流模型。将三花间分为11大块、116个单元块。每个单元块300~500km²,单元块的面雨量以点雨量代替。利用黄河“58·7”、“82·8”典型实测暴雨洪水资料,率定模型参数,对各种方法计算的可能最大暴雨进行产汇流计算。各种方法计算的PMP相应的PMF(Probable Maximum Flood,可能最大洪水)成果见表3-4-5。从表中可知,各种方法计算的PMF,洪峰流量为31 100~43 100m³/s,5日洪量为80亿~104亿m³,12天洪量为102亿~139亿m³。

表3-4-5　三花间可能最大洪峰流量、洪量成果

方案	可能最大暴雨(mm)			可能最大洪水PMF		
	1日	5日	12日	Q_m(m³/s)	W_5(亿m³)	W_{12}(亿m³)
黄河“58·7”	154	365	565	41 700	100	139
黄河“82·8”	132	389.6		31 100	79.9	101.8
移置淮河“75·8”	169.7	389	498	43 100	104	

四、三花间可能最大洪水成果的分析比较

在1975年和1976年计算时，对可能最大暴雨的分析，考虑了当地“58·7”、当地组合（“54·8”+“58·7”）、移置海河“63·8”和移置淮河“75·8”四种模式。求得三花间的可能最大暴雨的面平均雨深，最大1日为130～150mm，最大5日为350～400mm。经过产流、汇流计算，得出三花间的可能最大洪水，洪峰流量为43 000～57 000m^3/s，5日洪量为85亿～111亿m^3，12日洪量为134亿～136亿m^3。

1977～1978年，曾对移置淮河“75·8”等方案进行过补充修改。

初步设计阶段又增加了当地“82·8”模式和移置“82·8”模式（即将当地“82·8”模式的雨图略做平移），所得三花间可能最大暴雨，两种模式几乎一致。在产汇流方面，考虑了1982年大水的新情况，补充了当地“82·8”模式、当地“58·7”模式、移置“82·8”模式及移置“75·8”模式可能最大暴雨的产汇流计算。经过产流汇流计算，求得三花间可能最大洪水，当地模式洪峰流量为31 100～41 700m^3/s，5日洪量为79.9亿～100亿m^3，移置模式洪峰流量为36 700～43 100m^3/s，5日洪量为75.1亿～104亿m^3。

经过小浪底水库初步设计阶段的复核，三花间的可能最大洪水成果与以往相比普遍偏小，历次计算成果见表3-4-6。

表3-4-6　三花间可能最大暴雨和可能最大洪水历次成果

计算年份	方案	可能最大暴雨(mm)			可能最大洪水		
		1日	5日	12日	Q_m (m^3/s)	W_5 (亿m^3)	W_{12} (亿m^3)
1976	当地“58·7”	155	359	559	52 000	102	136
	当地组合（“54·8”+“58·7”）	133	405	500	47 700	95.5	134
	移置海河“63·8”	140	472	500	57 000	111	
	移置淮河“75·8”	157	360		43 000	85	
1978	当地“58·7”	154	365	565	49 500	103	139
	当地组合（“54·8”+“58·7”）	132.6	404.6	506	47 000	95.7	134
	移置海河“63·8”	135	472	539	56 000	110	
	移置淮河“75·8”	169.7	389	498	57 500	108	135
	综合推荐	130～150	350～400	500～550	50 000	100	135
1985	当地“82·8”	132	389.6		31 100	79.9	102
	移置“82·8”	132	386.5		36 700	75.1	96.0
	当地“58·7”	154	365	565	41 700	100	139
	移置淮河“75·8”	169.7	389	498	43 100	104	

五、可能最大洪水成果的选定

黄河下游的可能最大洪水成果，经水电部 1975 年 12 月组织审查，选定的成果见表 3-4-7。成果选定的原则是，洪峰偏重于考虑频率分析的成果，洪量偏重于考虑水文气象的成果。1976 年 8 月和 1980 年 5 月水电部又进行过审查，结论仍维持 1976 年审定成果，其主要理由是综观历史洪水加成法、频率分析法和水文气象法 3 种方法，1985 年的分析成果虽均较 1976 年的成果为小，但是考虑到：

表 3-4-7　　采用的可能最大洪水成果

站区名	Q_m(m^3/s)	W_5(亿 m^3)	W_{12}(亿 m^3)	W_{45}(亿 m^3)
三门峡	52 300	104	168	360
花园口	55 000	125	200	420
三花间	45 000	95	120	
无控制区	30 000	65		

(1)历史洪水加成法，受历史洪水本身的误差和加成数的选取影响较大，一般只能作为参考。

(2)频率分析法，无控制区小得较多一些(洪峰流量小 14%，5 日洪量小 17%)，但其基本资料精确度较差。其余各站，洪峰流量小 10%～12%，洪量小 2%～8%，在水文测验误差范围之内。

(3)水文气象法，当地"82·8"模式三花间可能最大暴雨在以往成果取值范围之内，但三花间可能最大洪水的洪峰流量、洪量均偏小，这主要是当地"82·8"模式暴雨的时面分布比较分散，由于人类活动的影响，使产流、汇流条件也有所改变。但从三花间的暴雨洪水特性来看，"82·8"模式对三花间可能最大暴雨的代表性，不如当地"58·7"模式的代表性强。

因此，认为黄河下游的可能最大洪水成果，仍可采用 1976 年水电部审定的成果。

第五节　设计洪水过程线拟定

小浪底水库的主要任务之一是防洪，而黄河下游防洪采用的设计洪水是以花园口断面为标准。设计洪水过程线的拟定，取决于洪水来源的地区组成、典型洪水的选择以及区域洪水过程线的平衡。

一、洪水来源的地区组成

根据黄河中下游洪水特性分析，花园口较大洪水的地区组成主要有两种类型：一是以三门峡以上来水为主所组成的洪水，简称"上大洪水"；二是以三花间来水为主组成的洪水，简称"下大洪水"。不同类型的洪水，其设计洪水的地区组成不同，具体如下所述。

(一)"上大洪水"的地区组成

对"上大洪水",花园口的设计洪水采用三门峡与花园口同频率、三花间相应的地区组成。三花间内部各分区的洪水,按典型洪水来水比分配。

(二)"下大洪水"的地区组成

对"下大洪水",花园口设计洪水采用三花间与花园口同频率、三门峡相应的地区组成。三花间内部各分区的洪水,是根据工程任务的目的和要求而定的。举例如下:

(1)确定小浪底水库的设计指标时,采用三小间、三花间与花园口为同频率洪水,小花间为相应洪水的地区组成。小花间各分区按典型洪水的来水比分配。

(2)确定干支流水库的防洪作用时,采用三花间内部各分区按典型洪水来水比分配的地区组成。

(3)确定干支流水库联合防洪后黄河下游的防洪措施和对策时,采用小陆故花间、小花间与三花间同频率,陆浑、故县以上和三小间相应的地区组成。小陆故花间内部按典型洪水来水比分配。

二、典型洪水的选择

根据花园口站洪水的来源及特性,"上大洪水"选1933年8月洪水为典型,"下大洪水"选1954年8月、1958年7月、1982年8月洪水作为典型。各典型洪水分析如下。

(一)1958年典型洪水

1958年洪水发生在7月中旬,是花园口站有实测资料以来的最大洪水。该次洪水的洪峰流量、洪量组成见表3-5-1。从表中可知,该次洪水花园口、三花间洪峰流量分别为22 300m³/s、15 780m³/s。三花间的洪峰流量主要由伊洛河中下游地区和三小间洪峰遭遇而成,沁河来水较小。洪水主要集中在5日之内,为单峰型洪水过程。小陆故花间无控制区的洪水占三花间的40%以上。

表3-5-1 1958年洪水花园口断面洪峰流量、洪量组成

站、区间名称	洪峰流量		5日洪量		12日洪量	
	流量(m³/s)	占花园口(%)	洪量(亿m³)	占花园口(%)	洪量(亿m³)	占花园口(%)
花园口	22 300	100	57.02	100	88.85	100
三门峡	6 520	29.2	25.68	45.0	50.79	57.2
三花间	15 780	70.8	31.34	55.0	38.06	42.8
陆 浑	920	4.13	4.44	7.79	5.63	6.34
故县	1 800	8.07	5.84	10.24	7.52	8.46
三小间	5 060	22.7	7.76	13.6	8.88	10.0
黑石关	9 730	43.6	18.54	32.5	22.62	25.5
小 董	990	4.44	2.41	4.23	3.51	3.95
小花干	0	0	2.63	4.61	3.05	3.43
小陆故花间	8 000	35.9	13.3	23.3	16.03	18.0

(二)1954 年典型洪水

1954 年洪水发生在 8 月上旬,是花园口有实测资料以来的第三大洪水。该次洪水花园口实测洪峰流量 15 000m³/s,推算的三花间洪峰流量 10 540m³/s。洪水组成见表 3-5-2,从表中可以看出,该次洪水三花间的洪峰流量主要由伊洛河上中游地区与沁河洪峰遭遇而成,三小间洪水的洪峰发生在三花间洪峰之前。洪水历时达 12 日,为多峰型洪水过程。小陆故花间无控制区洪水洪峰流量占三花间的 60%以上,洪量占三花间的近 50%。

表 3-5-2　1954 年洪水花园口断面洪峰流量、洪量组成

站、区间名称	洪峰流量		5 日洪量		12 日洪量	
	流量(m³/s)	占花园口(%)	洪量(亿 m³)	占花园口(%)	洪量(亿 m³)	占花园口(%)
花园口	15 000	100	38.5	100	76.98	100
三门峡	4 460	29.7	14.1	36.6	36.12	46.9
三花间	10 540	70.3	24.4	63.4	40.86	53.1
陆 浑	1 220	8.13	2.96	7.69	5.27	6.85
故 县	1 810	12.1	4.43	11.5	7.89	10.2
三小间	750	5.00	5.03	13.06	7.77	10.1
黑石关	6 800	45.3	12.16	31.6	19.34	25.1
小 董	2 490	16.6	4.70	12.2	10.02	13.0
小花干	500	3.33	2.51	6.52	3.73	4.85
小陆故花间	6 760	45.1	11.98	31.1	19.93	25.9

(三)1982 年典型洪水

1982 年洪水发生在 8 月上旬,是花园口站有实测资料以来的第二大洪水,该次洪水花园口洪峰流量 15 300m³/s。由于受到陆浑水库调蓄和伊洛河夹滩地区决堤分滞洪的影响,三花间洪峰流量仅 10 590m³/s。对上述影响因素还原后,三花间洪峰流量可达 14 550m³/s。三花间的洪峰流量主要由伊洛河中下游地区与沁河洪水遭遇所形成,三小间和小花干流区间洪水也占有相当比重。该次洪水主要来自小陆故花间,小陆故花间洪水占三花间的近 60%。洪水组成见表 3-5-3。

上述三个典型洪水,代表了“下大洪水”不同的地区来源及组成,是“下大洪水”的典型代表,且小陆故花间来水比例较大,对下游防洪威胁较大。

(四)1933 年典型洪水

1933 年洪水发生在 8 月中旬,是三门峡站实测的最大洪水。三门峡实测洪峰流量 22 000m³/s,推算的花园口洪峰流量 20 400m³/s。洪水的洪峰流量、洪量组成见表 3-5-4。该次洪水为多峰型洪水过程,主峰历时 7 天,连续洪水历时达 1 个月之久。该次洪水主要来自三门峡以上的河龙间和龙三间,三花间来水较小,是“上大洪水”的典型代表。

表 3-5-3　　1982 年洪水花园口断面洪峰流量、洪量组成

站、区间名称	洪峰流量		5 日洪量		12 日洪量	
	流量(m^3/s)	占花园口(%)	洪量(亿 m^3)	占花园口(%)	洪量(亿 m^3)	占花园口(%)
花园口	15 300	100	41.1	100	65.25	100
三门峡	4 710	30.8	13.58	33.0	28.01	42.9
三花间	10 590	69.2	27.52	67.0	37.24	57.1
陆 浑	850	5.56	2.70	6.57	3.96	6.07
故 县	1 360	8.89	2.22	5.40	3.06	4.69
三小间	3 250	21.2	6.74	16.4	8.98	13.8
黑石关	3 410	22.3	11.25	27.4	15.13	23.2
小 董	3 010	19.7	4.93	12.0	6.76	10.4
小花干	920	6.01	4.60	11.2	6.37	9.76
小陆故花间	5 130	33.5	15.86	38.6	21.24	32.6

表 3-5-4　　1933 年洪水花园口断面洪峰流量、洪量组成

站、区间名称	洪峰流量		5 日洪量		12 日洪量	
	流量(m^3/s)	占花园口(%)	洪量(亿 m^3)	占花园口(%)	洪量(亿 m^3)	占花园口(%)
花园口	20 400	100	56.69	100	100.3	100
三门峡	19 060	93.4	51.46	90.8	91.63	91.4
龙 门	7 990	39.2	37.70	66.5	53.64	53.5
龙三间	11 070	54.26	27.76	49.0	37.99	37.9
三花间	1 340	6.57	5.23	9.23	8.66	8.63

各典型年的实测洪水过程如图 3-5-1～图 3-5-6 所示。

三、区域洪水过程线的平衡

根据工程的任务和要求，按照上述设计洪水的洪峰流量、洪量值和设计洪水的地区组成，采用洪峰流量、洪量同频率控制方法，放大典型洪水过程，进行控制断面设计洪水过程线的平衡计算，即可求得三花间、三门峡、花园口的天然设计洪水过程线。设计洪水过程线平衡是在考虑河道洪水演进的基础上，使控制断面的洪峰流量、洪量值等于设计值。对"下大洪水"，首先平衡三花间的设计洪水过程，再平衡花园口的设计洪水过程，最后确定三门峡的相应洪水过程。对"上大洪水"，首先平衡三门峡的设计洪水过程，再平衡花园口的设计洪水过程，最后确定三花间的相应洪水过程。

不同频率、不同组成各典型年的设计洪水过程如图 3-5-7～图 3-5-18 所示。

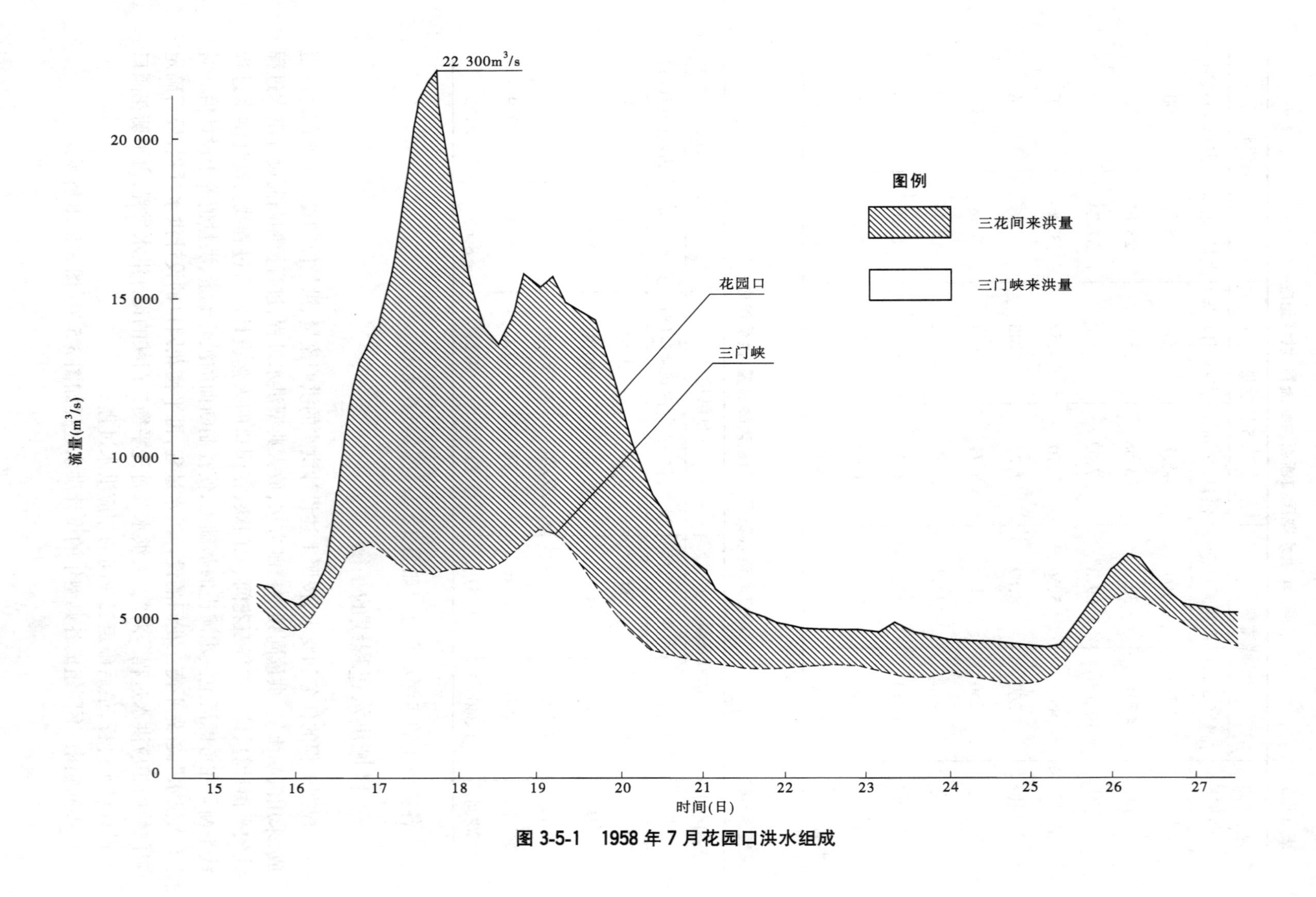

图 3-5-1 1958 年 7 月花园口洪水组成

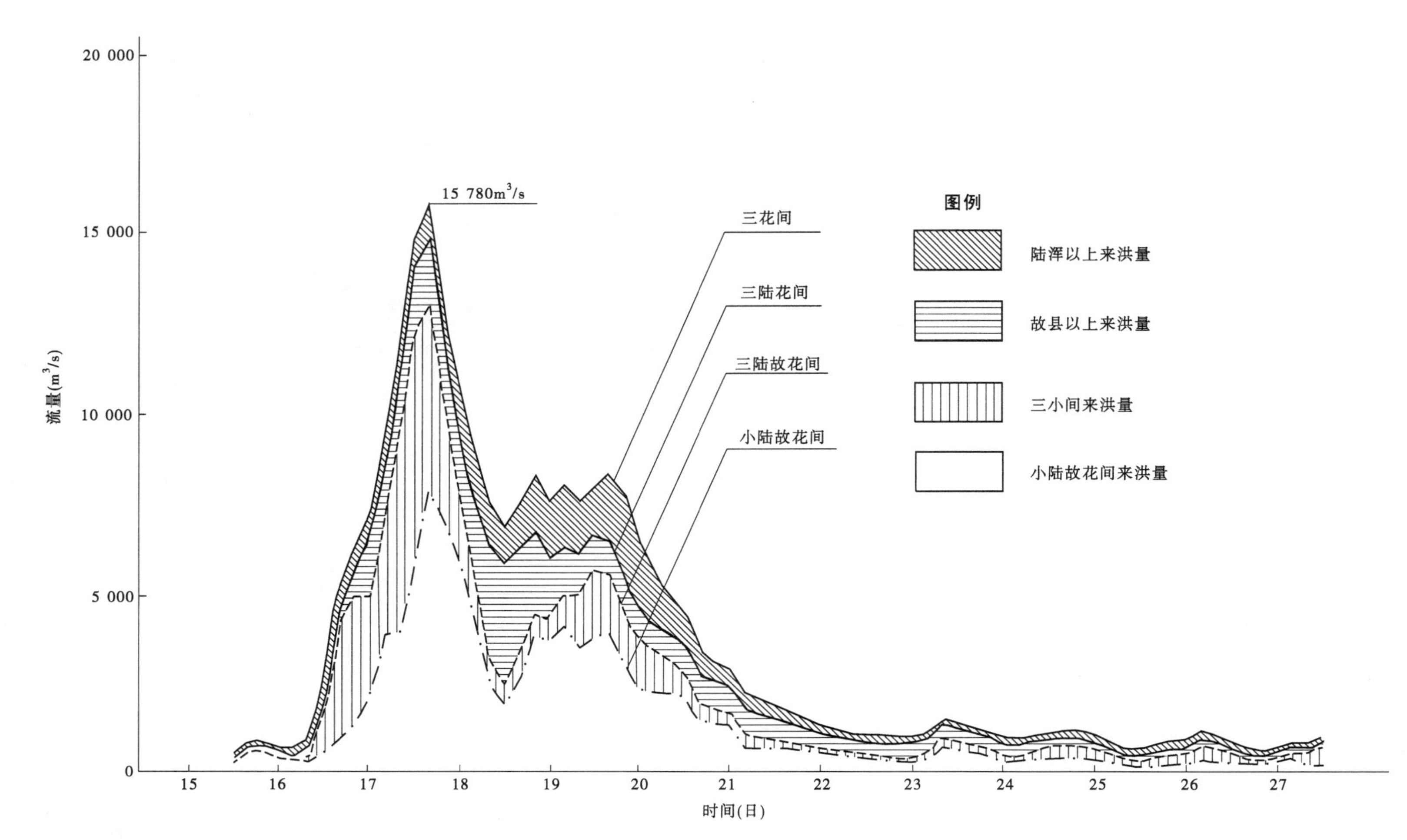

图 3-5-2 1958 年 7 月三花区间洪水组成

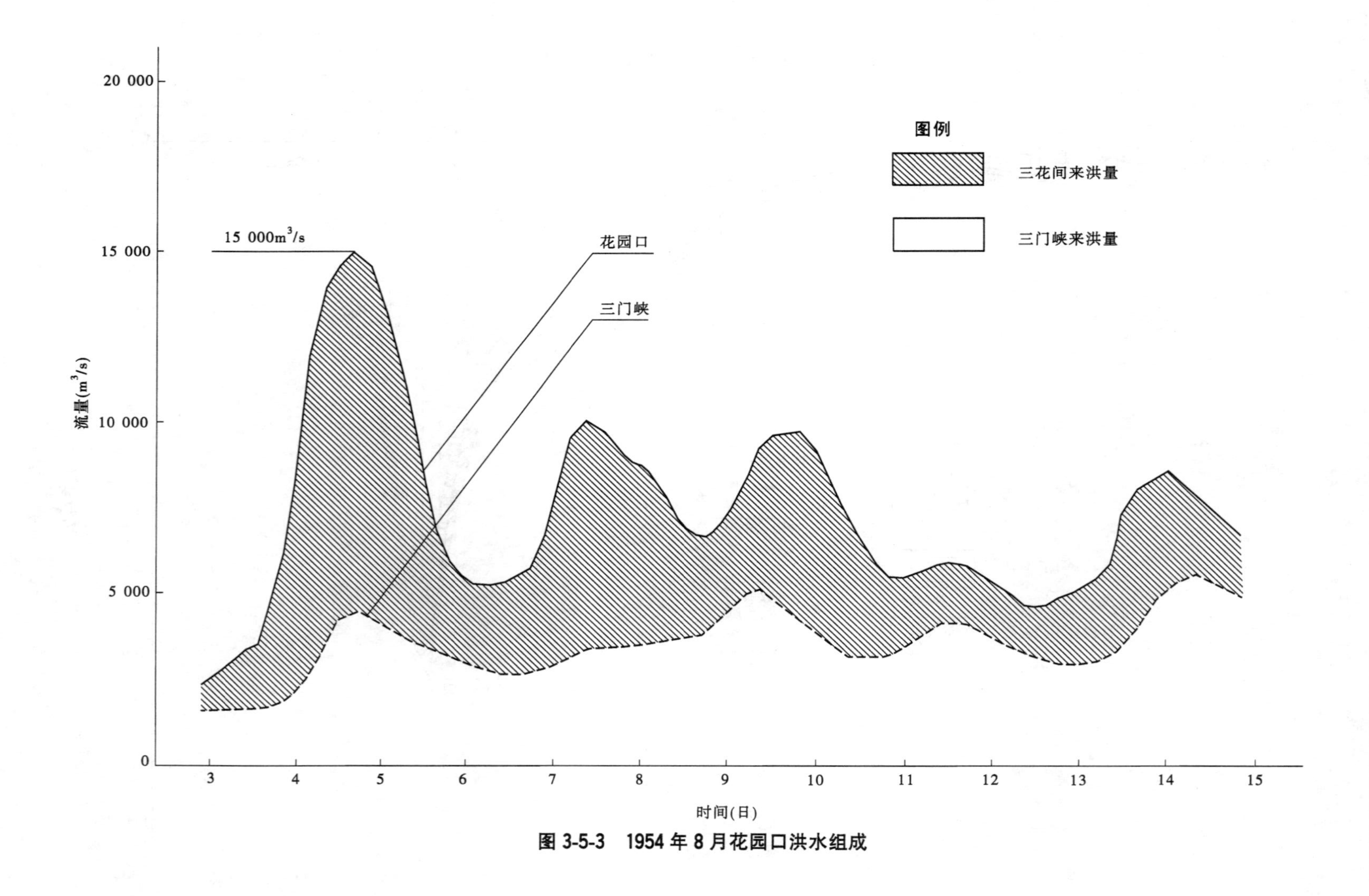

图 3-5-3 1954 年 8 月花园口洪水组成

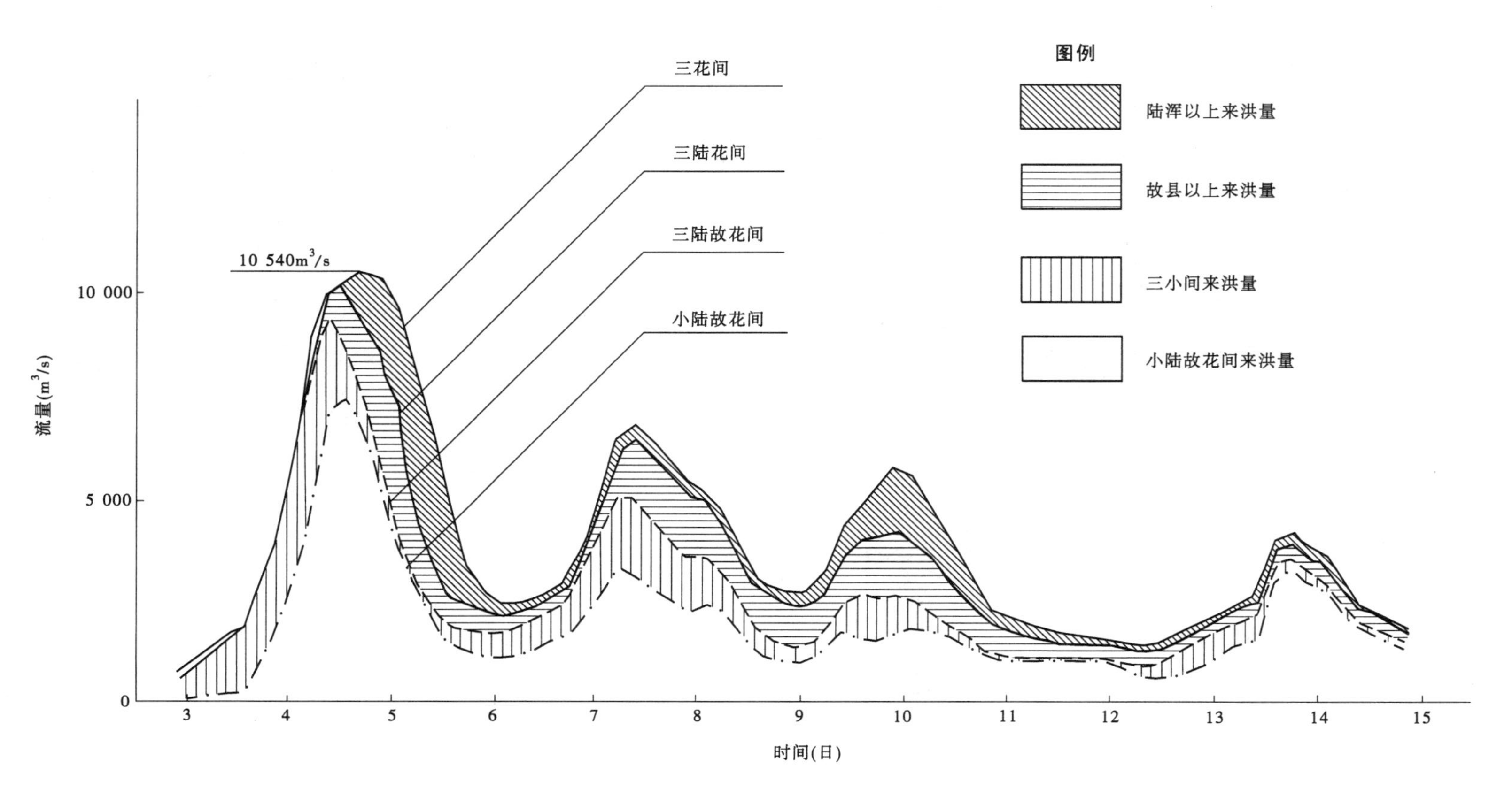

图 3-5-4 1954 年 8 月三花区间洪水组成

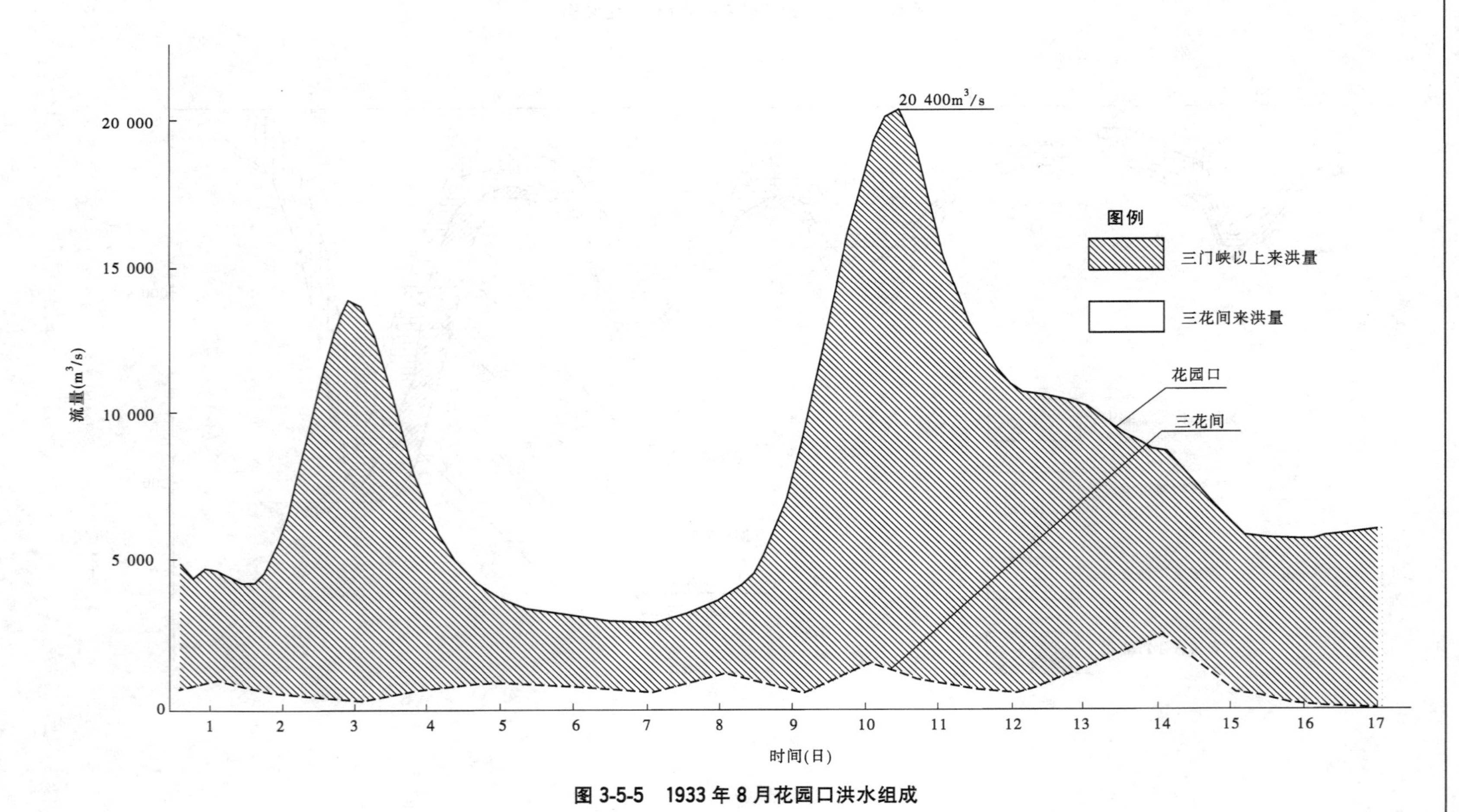

图 3-5-5 1933 年 8 月花园口洪水组成

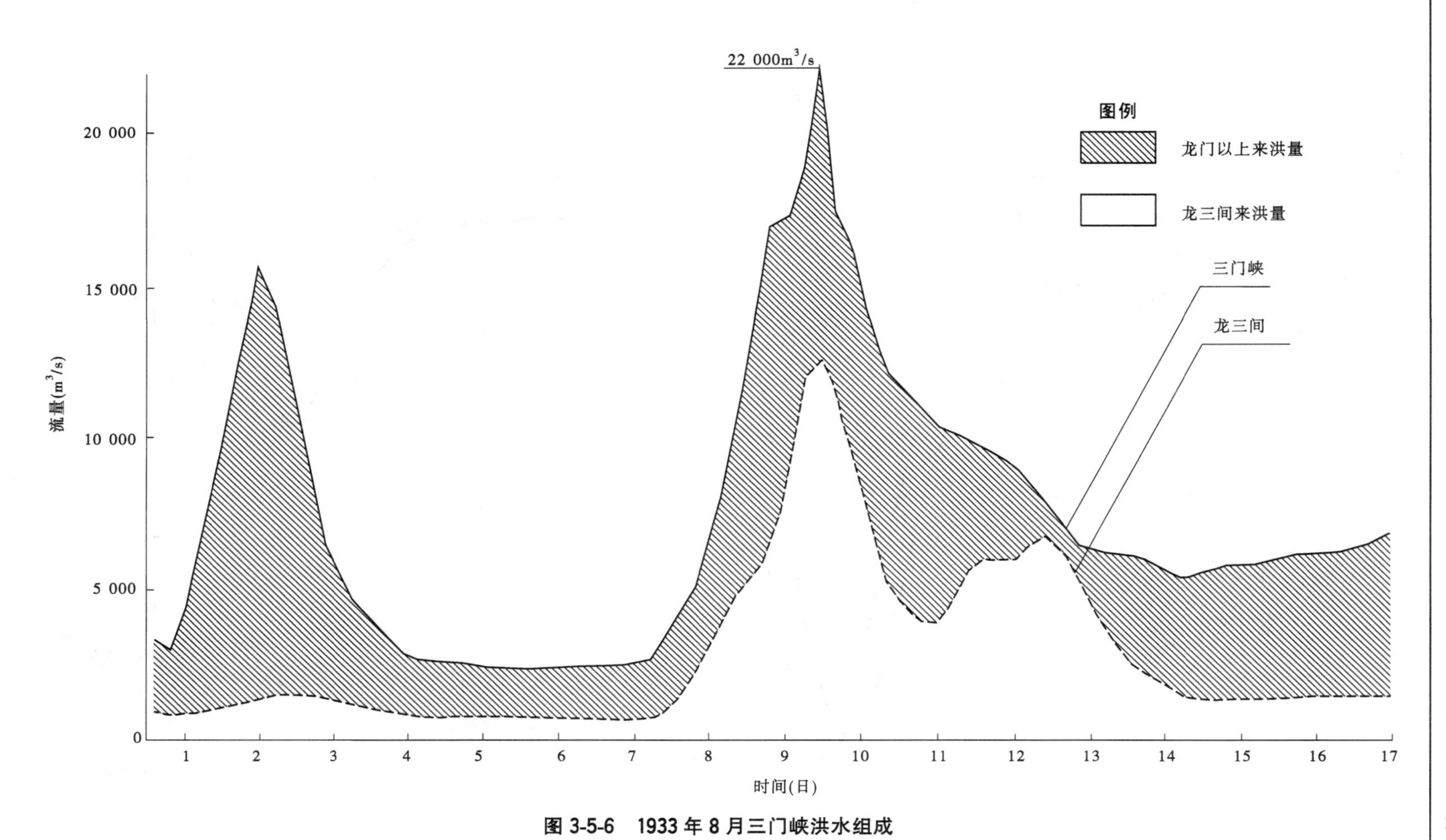

图 3-5-6　1933 年 8 月三门峡洪水组成

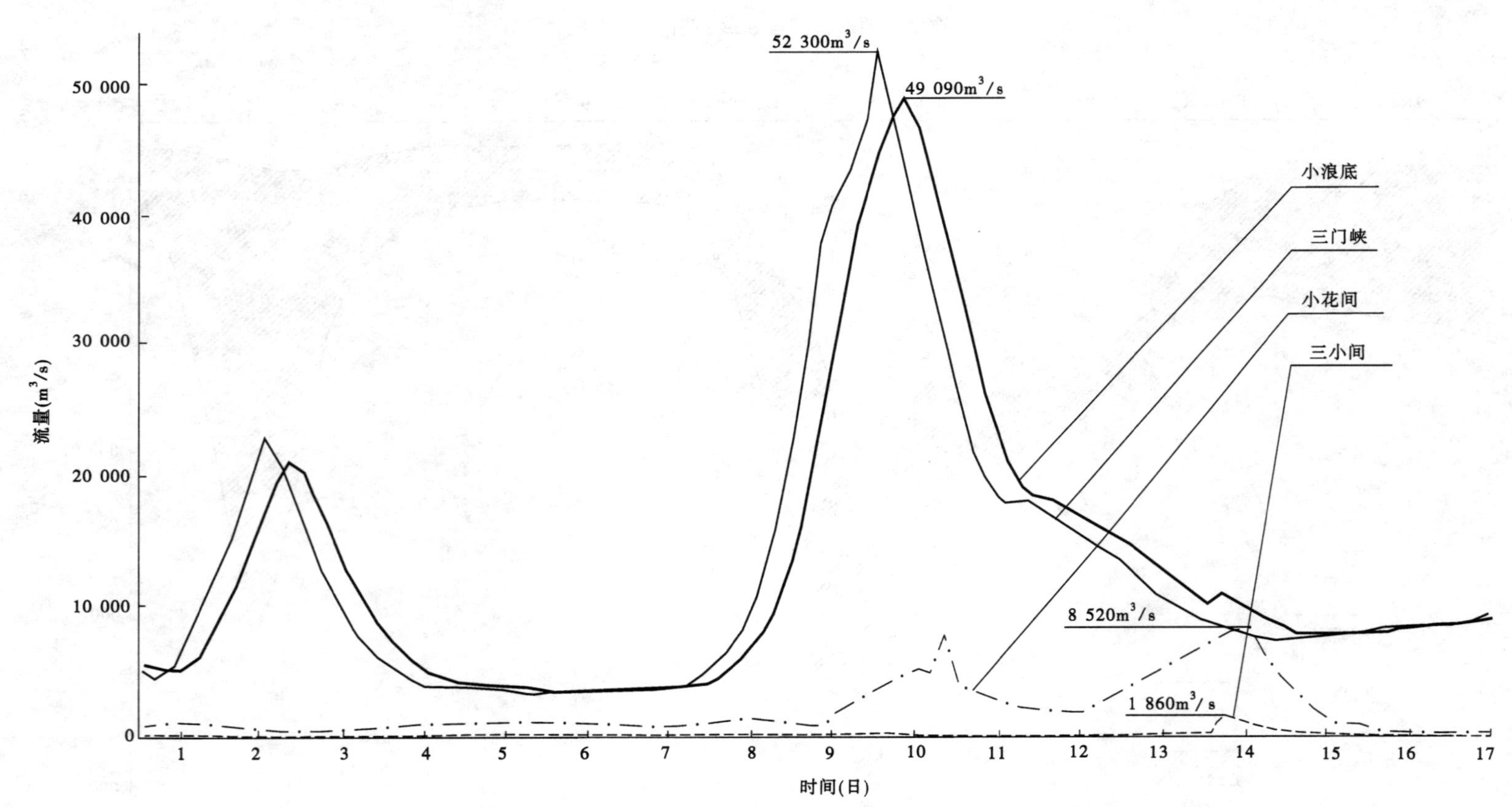

图 3-5-7 1933 年 8 月小浪底同频率各断面(区间)相应洪水过程线

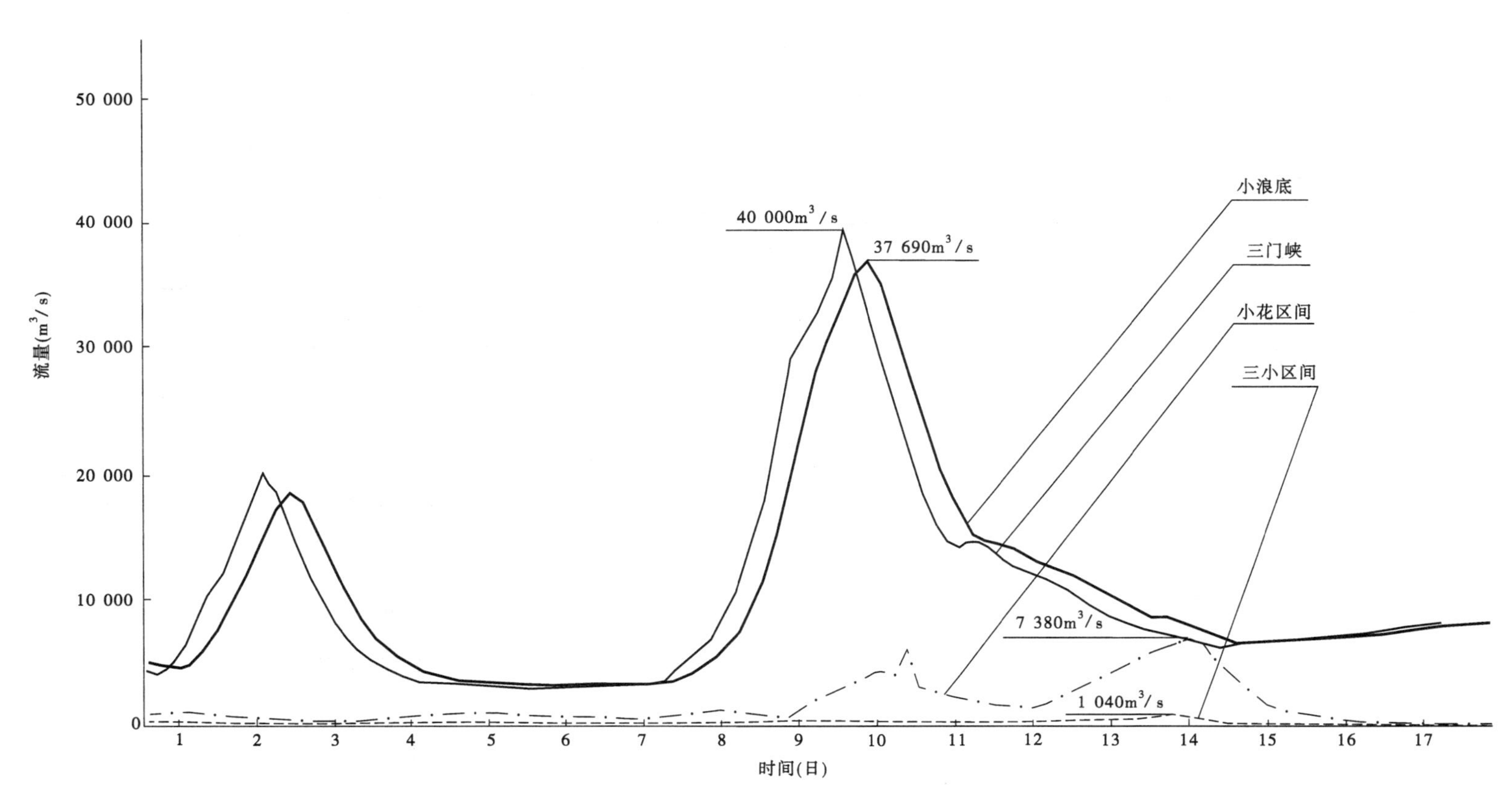

图 3-5-8 1933年(8月)型小浪底千年一遇洪水三门峡与小浪底同频率各断面(区间)相应洪水过程线

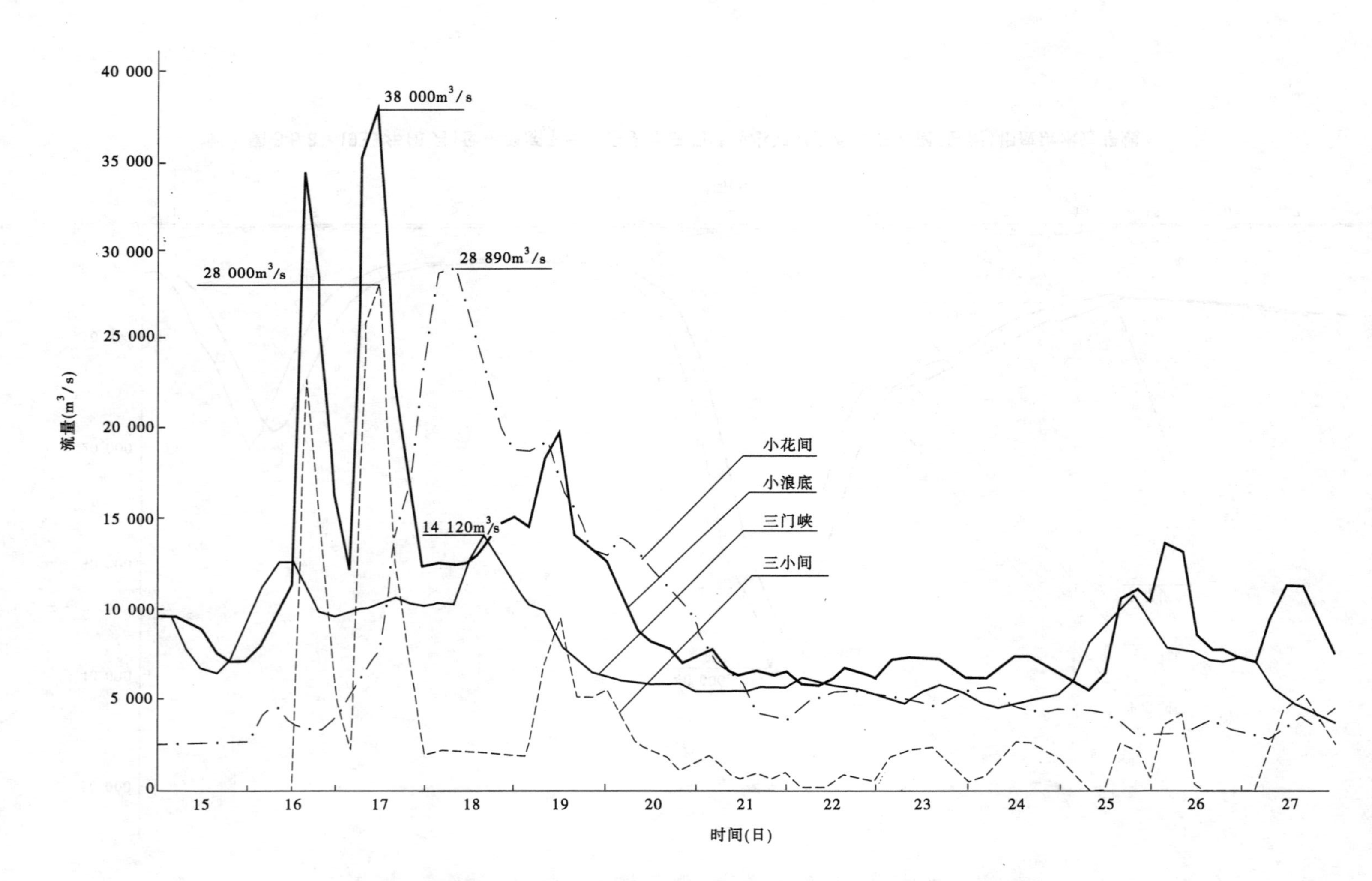

图 3-5-9 花园口 1958 年(7 月)型万年一遇洪水各断面(区间)相应洪水过程线

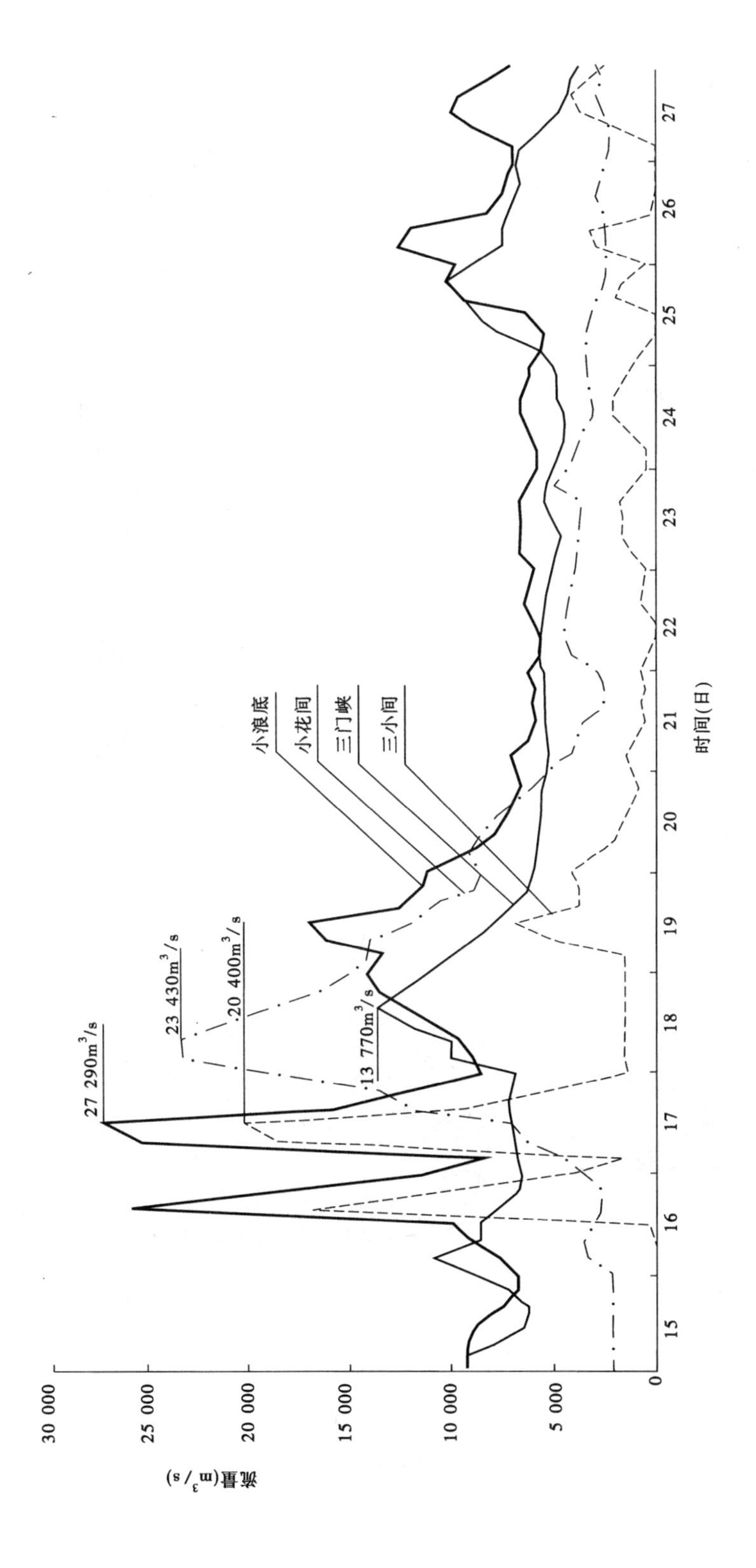

图 3-5-10 花园口 1958 年(7 月)型千年一遇洪水各断面(区间)相应洪水过程线

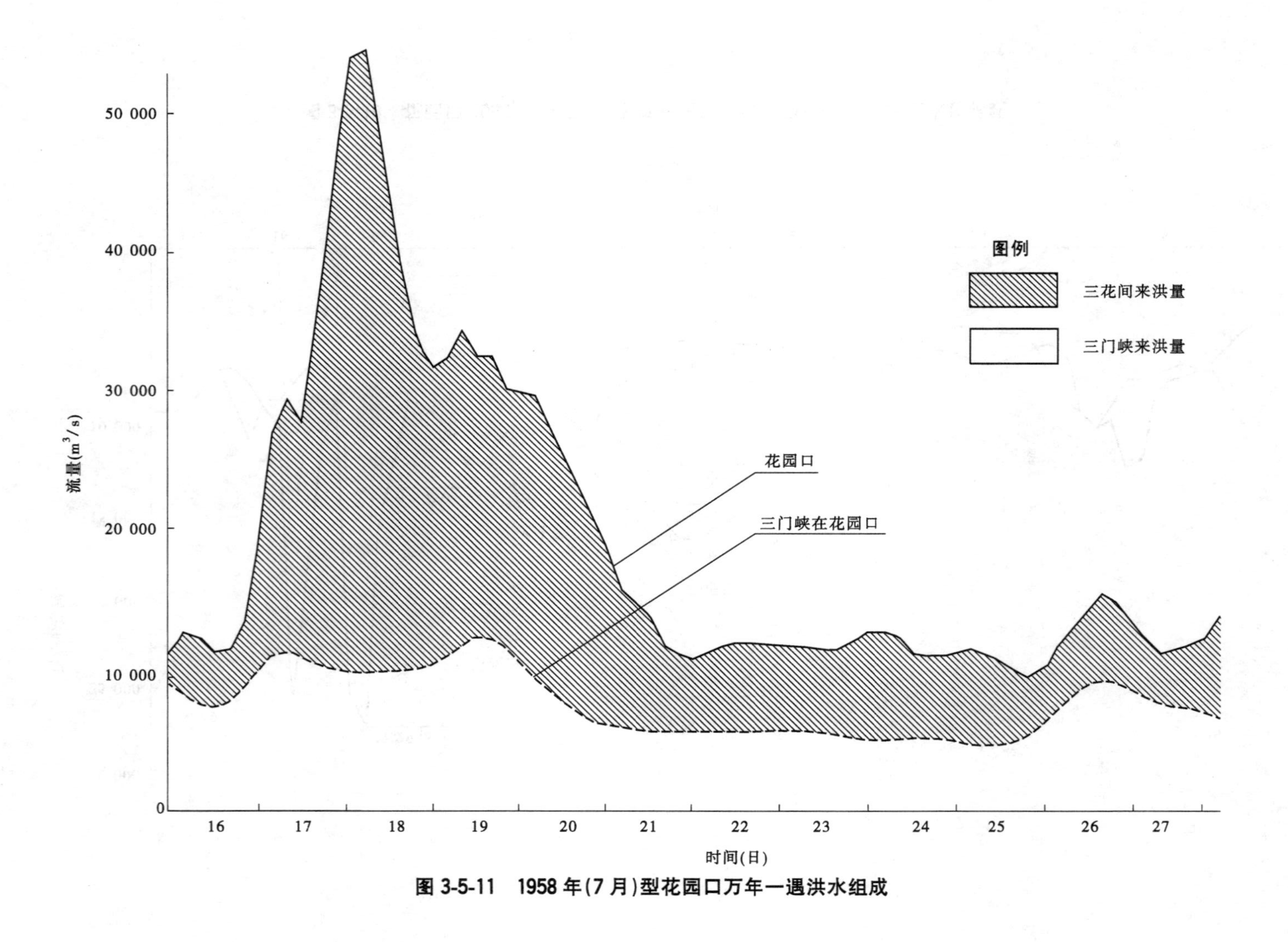

图 3-5-11 1958 年(7 月)型花园口万年一遇洪水组成

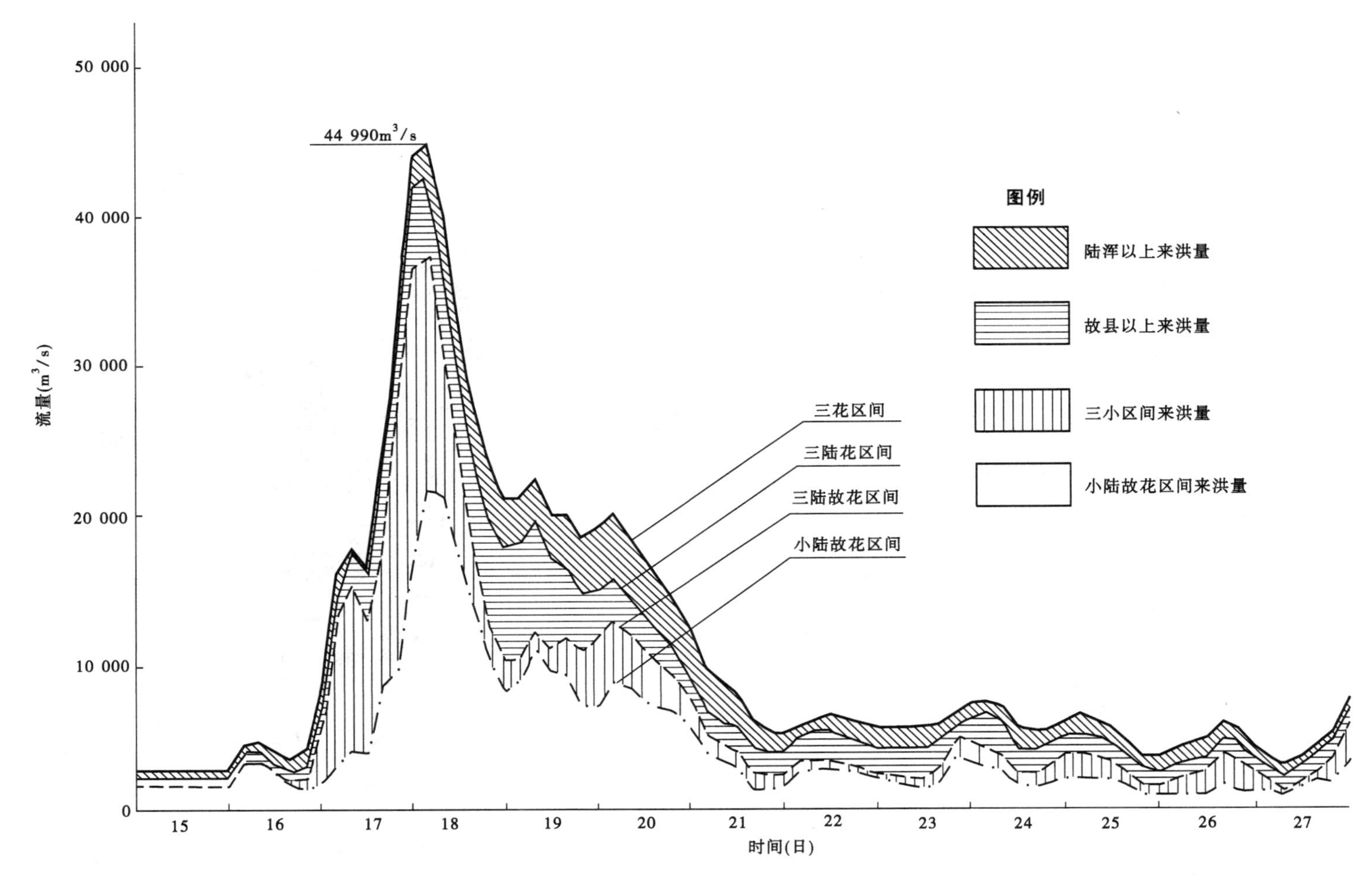

图 3-5-12 1958年(7月)型三花区间万年一遇洪水组成

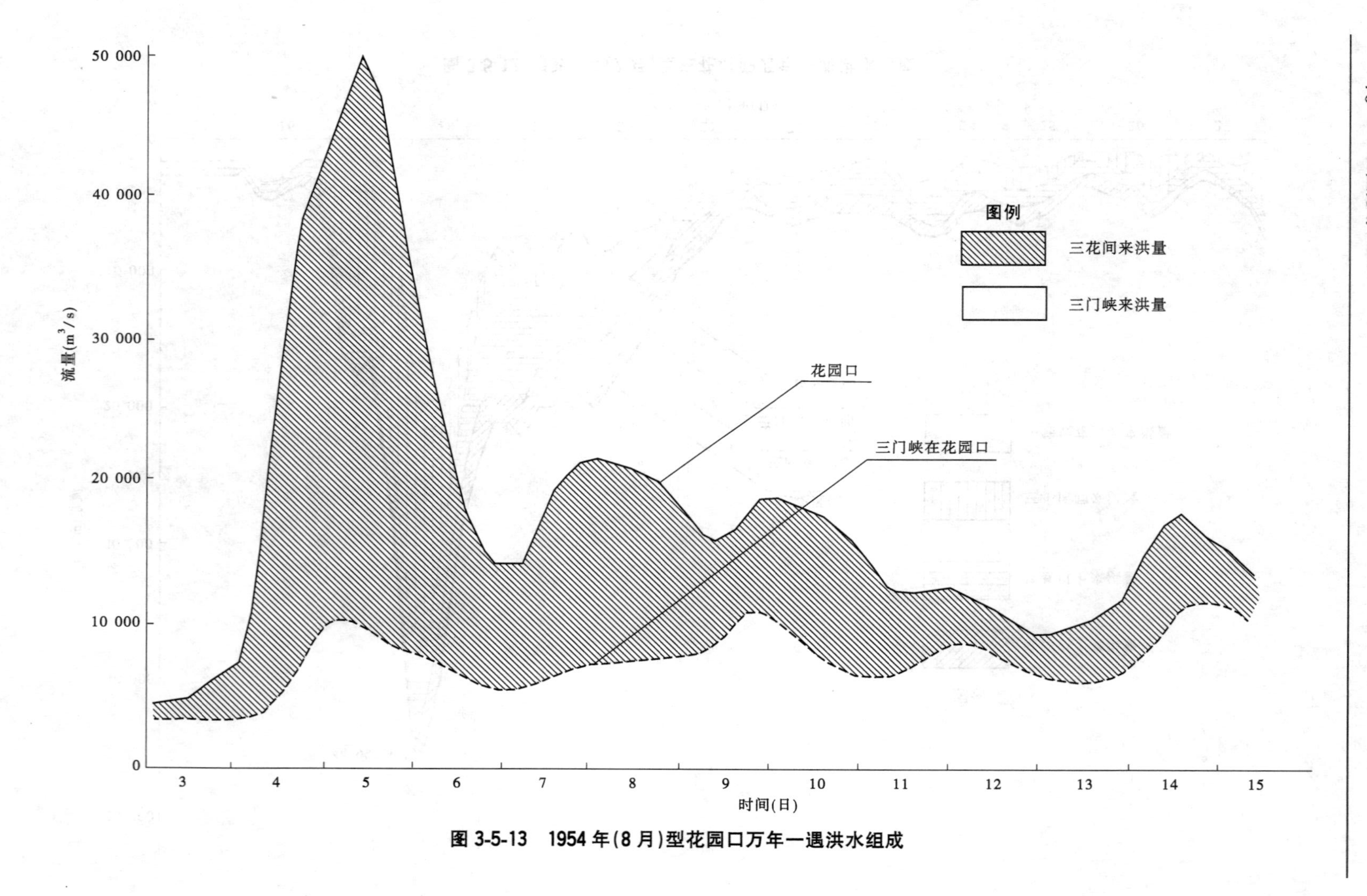

图 3-5-13　1954 年(8 月)型花园口万年一遇洪水组成

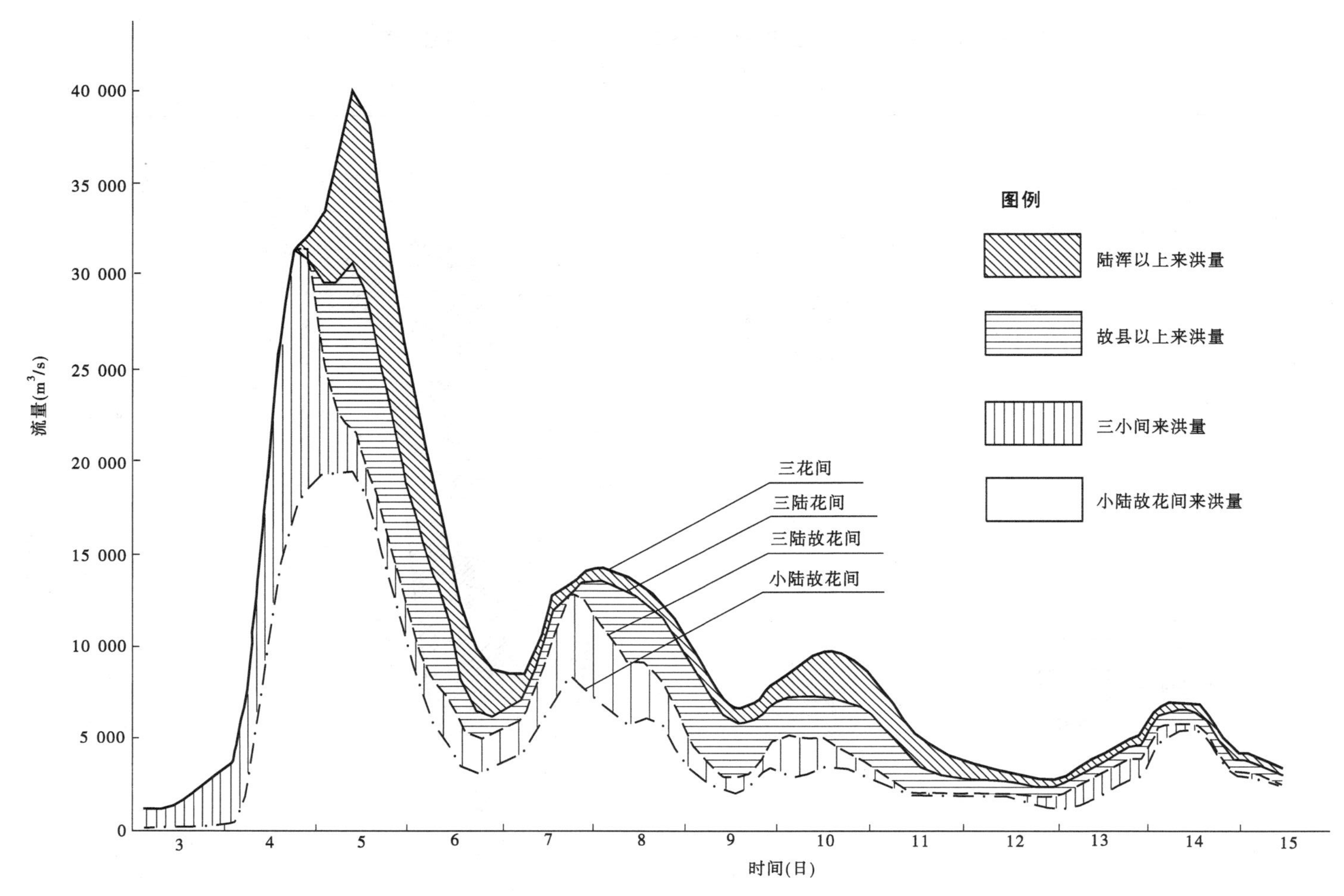

图 3-5-14 1954 年(8 月)型三花区间万年一遇洪水组成

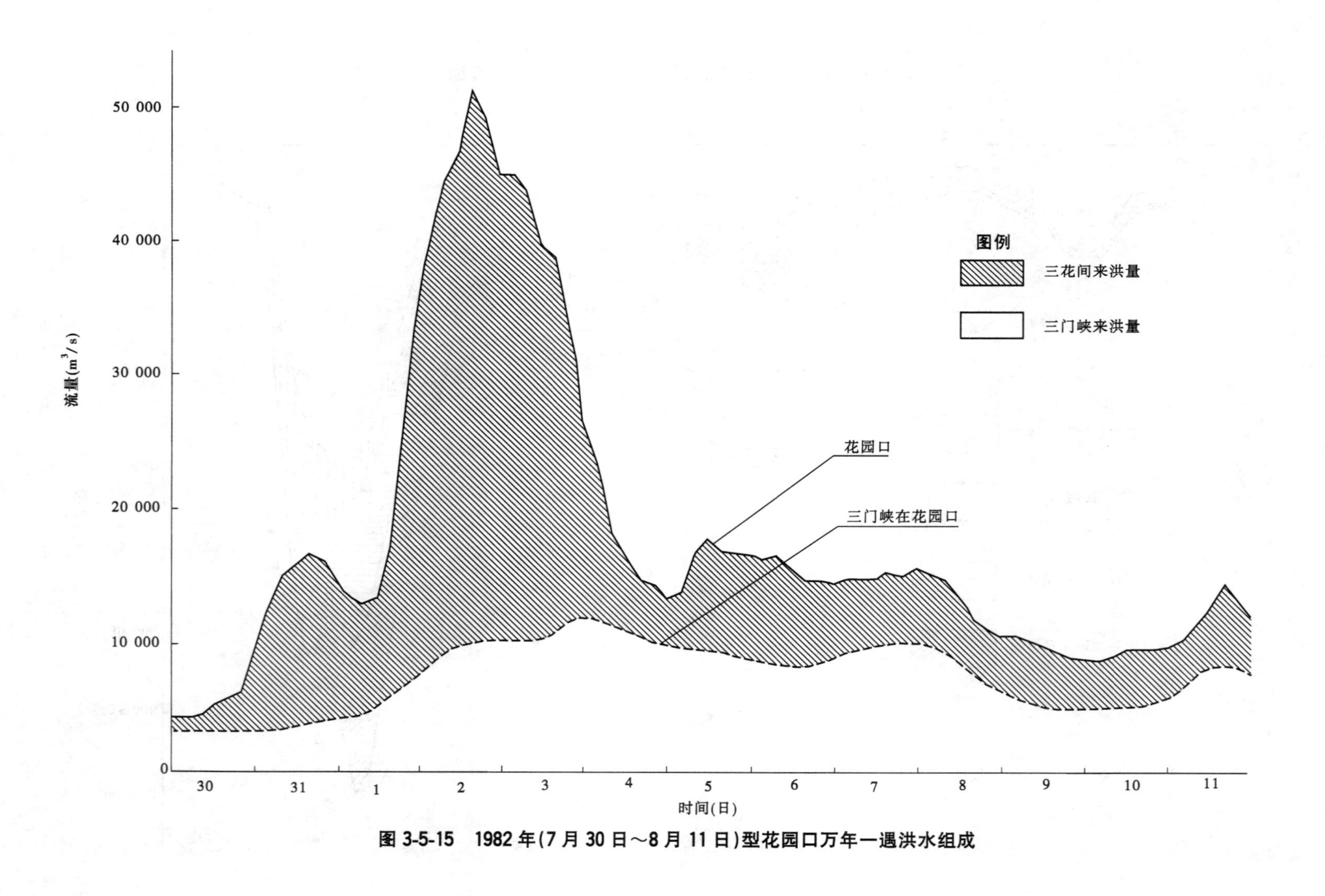

图 3-5-15 1982 年(7 月 30 日~8 月 11 日)型花园口万年一遇洪水组成

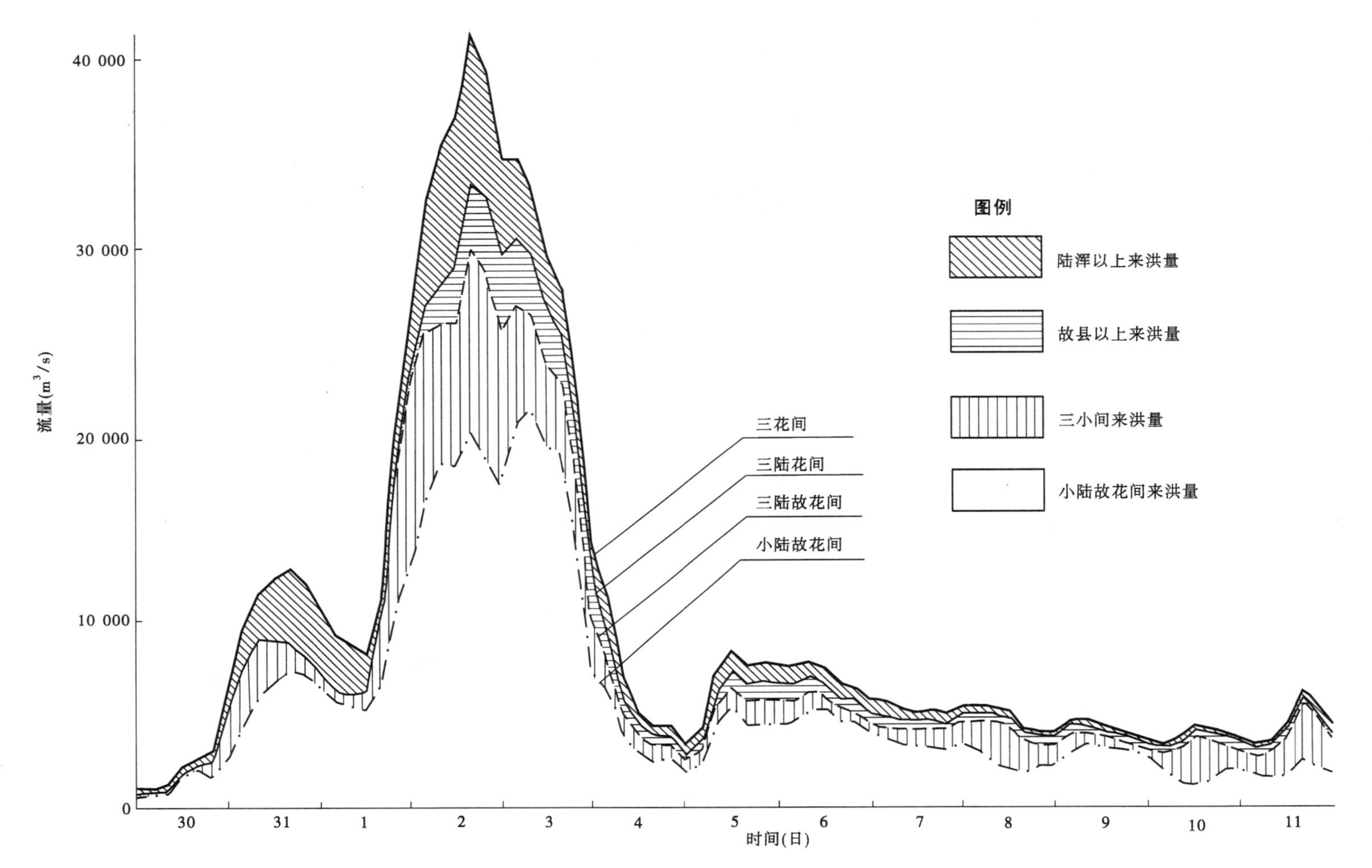

图 3-5-16 1982 年(7 月 30 日～8 月 11 日)型三花区间万年一遇洪水组成

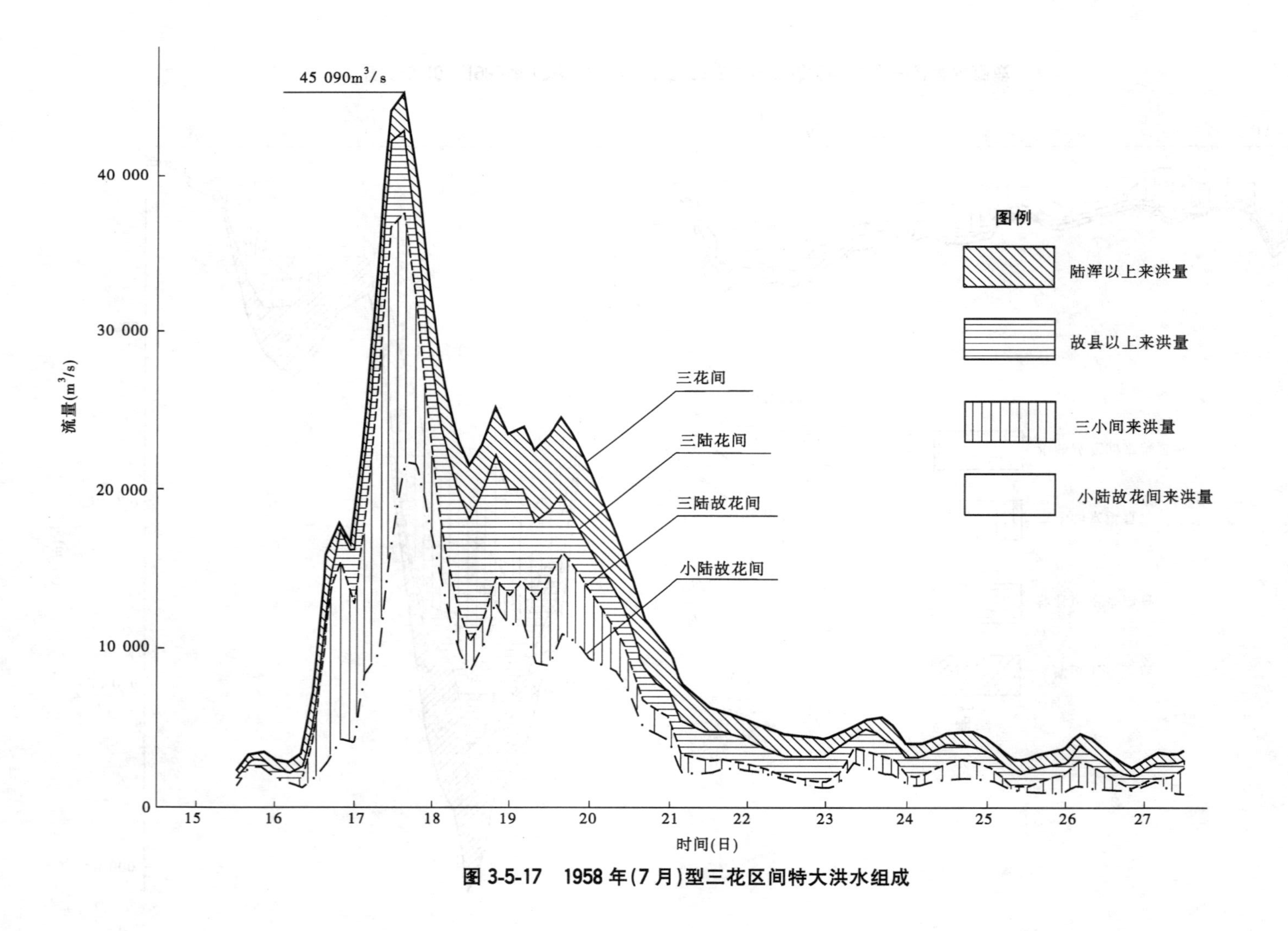

图 3-5-17　1958 年(7 月)型三花区间特大洪水组成

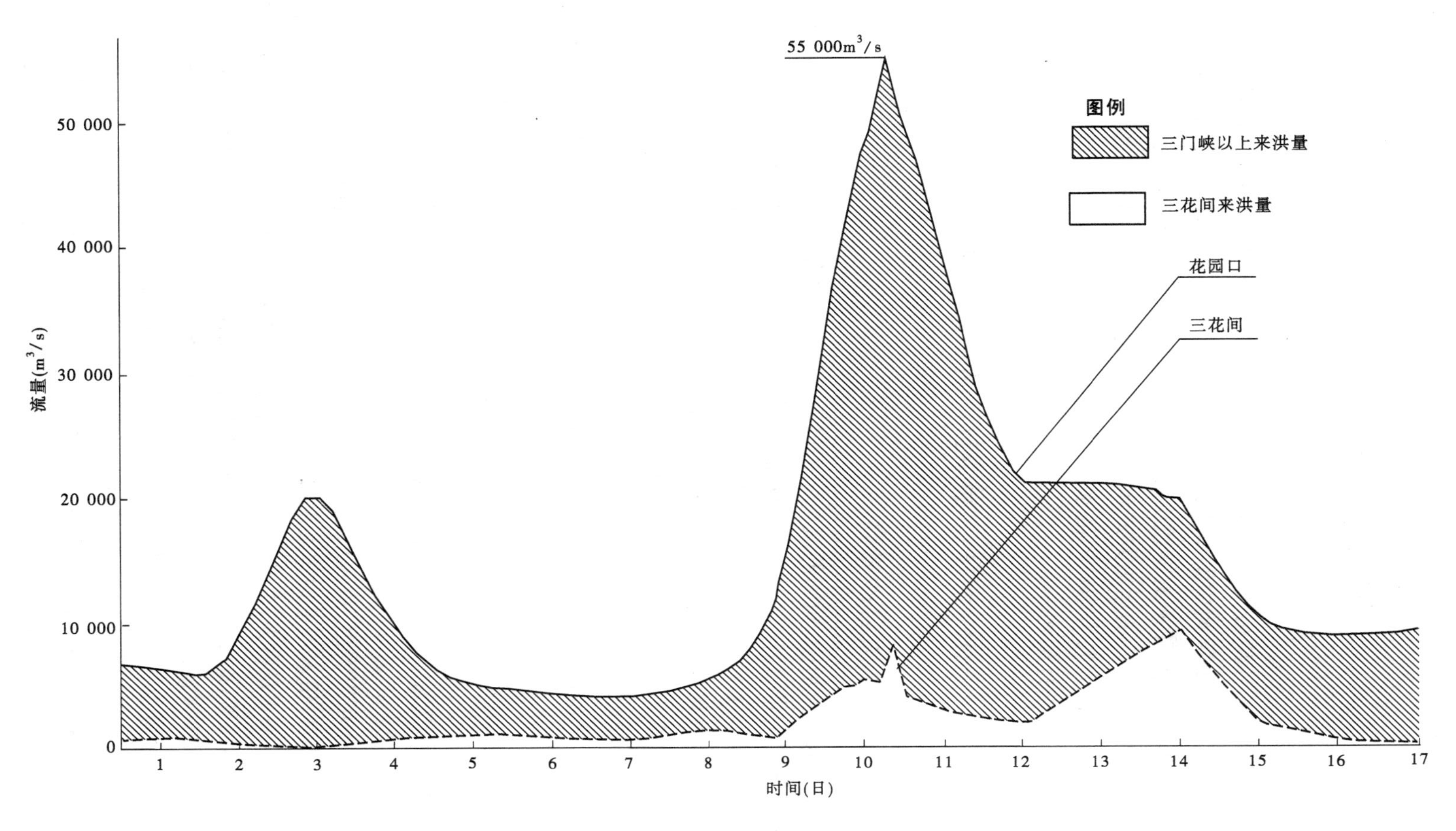

图 3-5-18　1933 年(8 月)型花园口万年一遇洪水组成

第四章 泥 沙

黄河是世界上输沙量最大、含沙量又高的一条大河,因此泥沙问题是治黄的症结。小浪底水利枢纽工程位于黄河中游最后一个峡谷河段,控制黄河流域98%以上的泥沙来量,泥沙问题的解决直接影响着枢纽工程安全和效益的发挥,同时也是小浪底水利枢纽工程的关键问题之一。水库的运用方式和工程布置要能够适应黄河的泥沙特点,水库泥沙和减淤效益的分析研究要考虑黄河的水沙变化,由此需要分析黄河泥沙特性,并对水库运用后来水来沙条件进行预测。

第一节 黄河中游泥沙特性

一、水少沙多、水流含沙量高

在我国的大江大河中,黄河的流域面积仅次于长江而居第二位,但由于大部分地区处于干旱和半干旱地带,径流量贫乏,流域面积占全国国土面积的8.3%,而年径流量只占全国的2%(见表4-1-1)。由于黄河流经的黄土高原地区土壤结构疏松,抗冲、抗蚀能力差,气候干旱,植被稀少,坡陡沟深,暴雨集中,加上人类活动影响,水土流失极为严重,是我国乃至世界上水土流失面积最广、强度最大的地区,造成了黄河大量的来沙量。根据1919~1959年实测资料(可代表天然情况)统计,三门峡水文站水量426.3亿m^3,沙量16亿t,含沙量37.5kg/m^3。黄河水量不及长江的1/20,沙量却是长江的3倍,与世界多泥沙河流相比,沙量之多、含沙量之高,是世界大江大河中绝无仅有的。

二、水沙异源

根据1919年7月~1997年6月实测资料统计,黄河中游干支流主要控制站的水沙特征值见表4-1-2。

从表4-1-2中可以看出,黄河水沙主要来自4个区间。一是河口镇以上,来水多来沙少,水流较清。河口镇多年平均年来水量241.6亿m^3,年来沙量1.28亿t,年平均含沙量为5.3kg/m^3,年来水量占龙门、华县、河津、洑头(简称四站)和黑石关、小董六站(简称六站)来水量的54.4%,而年来沙量仅占六站来沙量的8.8%。二是河口镇至龙门区间(简称河龙间),来水少来沙多,水流含沙量高,多年平均年来水量63.7亿m^3,年来沙量8.0亿t,年平均含沙量为125.6kg/m^3,年来水量占六站来水量的14.4%,而年来沙量占六站沙量的54.8%。三是龙门至小浪底区间(主要是渭河、北洛河及汾河,简称龙小间,下同),多年平均年来水量99.3亿m^3,占六站来水量的22.4%,年来沙量4.12亿t,占六站来沙量的28.2%。四是伊洛河和沁河,为黄河又一清水来源区,两条支流合计,多年平均年来水量42.1亿m^3,年来沙量0.26亿t,年平均含沙量为6.2kg/m^3,年来水量占六站的

9.5%,而年来沙量仅占六站的1.8%。龙门至潼关及汇流区是堆积性河道,经过这一河段调整后,进入小浪底水文站的多年平均沙量为13.4亿t,进入黄河下游(以小浪底、黑石关、小董之和,简称小黑小)的沙量为13.66亿t。表明黄河的水量大部分来自河口镇以上,沙量则主要来自河口镇以下的河龙间和龙小间。这样就形成了常说的黄河水沙异源的特点。

表4-1-1　　国内外一些河流的水量和沙量

国名	河名	流域面积(km^2)	站名	水量		沙量			说明
				年平均流量(m^3/s)	年平均水量(亿m^3)	年平均含沙量(kg/m^3)	年平均沙量(亿t)	输沙模数($t/(km^2·a)$)	
孟加拉国	布拉马普特拉河	666 000	河口	12 190	3 840	1.89	7.26	1 090	
孟加拉国	恒河	955 000	河口	11 750	3 710	3.92	14.51	1 525	
印度	科西河	62 200	楚特拉	1 810	570	3.02	1.72	2 770	恒河支流
巴基斯坦	印度河	969 000	科特里	5 500	1 750	2.49	4.35	450	
缅甸	伊洛瓦底江	430 000	普朗姆	13 550	4 270	0.70	2.99	693	
越南	红河	119 000	河内	3 900	1 230	1.06	1.30	1 090	
美国	密西西比河	3 220 000	河口	17 820	5 610	0.56	3.12	97	
美国	科罗拉多河	637 000	大峡谷	155	49	27.5	1.35	212	
巴西	亚马逊河	5 770 000	河口	181 000	57 100	0.06	3.63	63	
埃及	尼罗河	2 978 000	格弗拉	2 830	892	1.25	1.1	37	
中国	黄河	688 384	陕县	1 352	426.3	37.5	16.0	2 320	1919~1959年
中国	泾河	43 195	张家山	49.2	15.5	172	2.67	6 180	黄河支流
中国	窟野河	8 645	温家川	24.7	7.8	169	1.32	15 300	黄河支流
中国	长江	1 700 000	大通	29 200	9 211	0.52	4.78	280	
中国	永定河	49 000	三家店	45	14.2	44.2	0.82	1 673	
中国	珠江	329 725	梧州	7 210	2 270	0.34	0.718	218	珠江干流西口

表 4-1-2 黄河中游干支流主要控制站水沙特征值

站名	水量(亿 m^3)			沙量(亿 t)			含沙量(kg/m^3)		
	7～10月	11月～来年6月	7月～来年6月	7～10月	11月～来年6月	7月～来年6月	7～10月	11月～来年6月	7月～来年6月
河口镇	141.0	100.6	241.6	1.03	0.25	1.28	7.3	2.5	5.3
龙门	175.4	129.9	305.3	8.14	1.14	9.28	46.4	8.8	30.4
河龙间	34.4	29.3	63.7	7.11	0.89	8.00	206.7	30.4	125.6
渭洛汾河	59.6	36.8	96.4	4.64	0.43	5.07	77.9	11.7	52.6
四站	235.0	166.7	401.7	12.78	1.56	14.34	54.4	9.4	35.7
三门峡	230.4	167.7	398.1	11.56	1.95	13.51	50.2	11.6	33.9
小浪底	234.6	170.0	404.6	11.57	1.84	13.40	49.3	10.8	33.1
伊洛沁河	26.8	15.3	42.1	0.23	0.03	0.26	8.6	2.0	6.2
小黑小	261.4	185.3	446.7	11.80	1.87	13.66	45.1	10.1	30.6
六站	261.8	182.0	443.8	13.01	1.59	14.60	49.7	8.7	32.9
利津	221.3	136.7	358.0	7.74	1.36	9.11	35.0	10.0	25.4

三、水沙在时间分布上不均衡

沙量年际间分布不均。小浪底水文站最大年来沙量为 37.04 亿 t(按水文年,下同),为最小年来沙量 2.02 亿 t(1961 年)的 18.3 倍。

沙量年内分布不均。小浪底站来沙量主要集中于汛期 7～9 月,7、8 月尤为突出。小浪底水文站多年平均来沙量为 13.37 亿 t,其中汛期来沙量为 11.53 亿 t,占全年来沙量的 86.2%。8 月份来沙量最大,为 5.1 亿 t,占汛期来沙量的 44.2%。7 月份来沙量次之,为 3.13 亿 t,占汛期来沙量的 27.1%。由于三门峡水库蓄清排浑运用,1974 年以来汛期来沙量所占比例明显增加,见表 4-1-3。

表 4-1-3 小浪底水文站不同时期的水沙量

项　目	来沙量(亿 t)			含沙量(kg/m^3)		
	汛期	非汛期	年	汛期	非汛期	年
1919.7～1950.6	12.96	2.44	15.41	49.4	14.4	35.7
1950.7～1960.6	15.15	2.42	17.56	57.7	14.5	40.9
1960.7～1974.6	9.71	2.60	12.32	42.5	13.6	29.3
1974.7～1987.6	9.89	0.31	10.20	43.8	1.9	26.4
1987.7～1997.6	8.15	0.44	8.59	63.4	3.3	32.8
1919.7～1997.6	11.53	1.84	13.37	49.5	11.0	33.4

三门峡水库1960年9月15日正式投入运用,1964年后又进行了两次工程改建以增大泄流排沙能力,1973年12月开始实行蓄清排浑运用,发挥效益。1968年10月刘家峡水库开始蓄水,1986年10月龙羊峡水库下闸蓄水,加之20世纪60年代以来黄河中游水土保持的减水减沙作用和黄河上中游工农业用水的增加,这些因素使不同时期的泥沙特征有一定的变化。来沙量自20世纪50年代以来逐渐减小。20世纪50年代年来沙量及平均含沙量最大;60年代由于三门峡水库的拦沙作用,来沙量和含沙量有所减小;70年代以来,由于中游水土保持的减沙作用,来沙量减小,同时由于三门峡水库的蓄清排浑运用及龙羊峡水库的调节作用,汛期基本上排泄全年泥沙,使汛期水少沙多含沙量高的矛盾更加突出。

四、黄河水沙的组合特点、形成条件和机遇分析

钱宁等人在20世纪80年代就黄河中游多沙粗沙来源区对下游河道的影响进行分析时,将黄河流域的洪水来源分成以下4个区域。

Ⅰ区:河口镇以上,来沙较少,是少沙来源区。

Ⅱ区:河龙间、马莲河、北洛河,属于多沙粗泥沙来源区。

Ⅲ区:除去马莲河的泾河干支流、渭河上游、汾河,属于多沙细泥沙来源区。渭河南山支流则为少沙来源区。

Ⅳ区:伊洛河、沁河,是少沙来源区。

同时,还根据洪水来源区的分布情况,将进入黄河下游的洪水水沙分为以下6种组合:①各地区普遍有雨,强度不大;②多沙粗泥沙来源区有较大洪水,少沙区未发生洪水或洪水较小;③多沙粗泥沙来源区有中等洪水,少沙区也有补给;④多沙粗沙、多沙细沙来源区洪水与少沙区较大洪水相遇;⑤洪水主要来自少沙区,多沙粗泥沙来源区雨量不大;⑥洪水主要来自多沙细泥沙来源区。

将1952～1960年和1969～1978年两个系列中103次洪水的情况进行统计,得到表4-1-4,从表中可以看出:

(1)这6种水沙组合,以第二种组合来沙系数最大,平均达0.051 6kg·s/m^6。多沙粗泥沙来源区洪水多系暴雨产生,洪峰尖瘦,汇入干流后,因受槽蓄作用,洪峰调平,至下游一般处于不漫滩或小漫滩的情况,下游河道淤积严重。

(2)第三种组合洪水虽仍来自多沙粗泥沙来源区,但因得到少沙区的一定补给,下泄洪水的平均来沙系数降低到0.036kg·s/m^6。这种组合的洪水出现次数最多,在统计的19年中,共出现了22次,占洪峰总数的21.4%,下游淤积量占全部洪峰淤积总量的13.6%。

(3)第一种组合各地区普遍降雨,但降雨强度小。花园口平均洪峰流量为3 680m^3/s,来沙系数为0.021 6kg·s/m^6,下泄沙量小,下游主槽的淤积强度为341万t/d。这种组合出现的概率较小,仅为6.8%,下游淤积量仅占全部洪峰淤积量的4%。

(4)第四种组合花园口的洪峰最大流量的平均值为11 742m^3/s,水流多漫滩。因此,虽然平均来沙系数仅为0.013 1kg·s/m^6,下游河道的淤积强度仍达189.9万t/d,仅次于第二种组合。

(5)第五种组合洪水主要来自少沙区。花园口来沙系数为0.007 4～0.011 9kg·s/m^6,黄河下游出现冲刷,而且一直可以发展到山东河段。分析的19年系列中,出现

表 4-1-4　1952～1960年及1969～1978年期间洪水来源的几种主要组合及其对下游河道冲淤的影响

<table>
<tr><th colspan="3" rowspan="2">洪水来源组合</th><th colspan="2" rowspan="2">各种组合洪峰次数</th><th colspan="2" rowspan="2">各种组合出现的百分率</th><th colspan="2">花园口洪峰特征</th><th colspan="4">各地区来水占三黑小来水量百分比</th><th colspan="4">各地区来沙占三黑小来沙量百分比</th><th rowspan="2">下游河道冲淤强度（万 t/d）</th></tr>
<tr><th>Q_m (m^3/s)</th><th>S/Q ($kg \cdot s/m^6$)</th><th>Ⅰ区</th><th>Ⅱ区</th><th>Ⅲ区</th><th>Ⅳ区</th><th>Ⅰ区</th><th>Ⅱ区</th><th>Ⅲ区</th><th>Ⅳ区</th></tr>
<tr><td colspan="3">1. 各地区普遍有雨，强度不大</td><td colspan="2">7</td><td colspan="2">6.8</td><td>3 680</td><td>0.021 6</td><td>29.9</td><td>22.3</td><td>26.8</td><td>17.1</td><td>3.7</td><td>59.6</td><td>34.2</td><td>5.6</td><td>341.3</td></tr>
<tr><td colspan="3">2. 多沙粗泥沙来源区有较大洪水，少沙区未发生洪水或洪水较小</td><td colspan="2">13</td><td colspan="2">12.6</td><td>6 830</td><td>0.051 6</td><td>26.6</td><td>60.8</td><td>18.1</td><td>6.3</td><td>1.2</td><td>122.5</td><td>15.9</td><td>0.3</td><td>3 100</td></tr>
<tr><td colspan="3">3. 多沙粗泥沙来源区有中等洪水，少沙区也有补给</td><td colspan="2">22</td><td colspan="2">21.4</td><td>4 280</td><td>0.036 0</td><td>46.0</td><td>33.3</td><td>14.8</td><td>8.5</td><td>5.6</td><td>97.0</td><td>17.7</td><td>0.9</td><td>545</td></tr>
<tr><td colspan="3">4. 多沙粗沙、多沙细沙来源区洪水与少沙区较大洪水相遇</td><td colspan="2">10</td><td colspan="2">9.7</td><td>11 742</td><td>0.013 1</td><td>23.7</td><td>24.2</td><td>26.1</td><td>22.8</td><td>3.0</td><td>72.2</td><td>30.2</td><td>5.2</td><td>1 898</td></tr>
<tr><td rowspan="7">5. 洪水主要来自少沙区，粗泥沙来源区雨量不大</td><td colspan="2">三个少沙区同时来水</td><td>6</td><td rowspan="7">47</td><td>5.8</td><td rowspan="7">45.6</td><td>4 750</td><td>0.011 0</td><td>56.8</td><td>9.9</td><td>21.6</td><td>11.3</td><td>10.2</td><td>40.0</td><td>23.2</td><td>1.6</td><td>−166.6</td></tr>
<tr><td rowspan="3">两个少沙区同时来水</td><td>河口镇以上与渭河南山支流同时来水</td><td>4</td><td>3.9</td><td>4 620</td><td>0.009 3</td><td>64.6</td><td>10.8</td><td>26.7</td><td>4.5</td><td>13.1</td><td>52.5</td><td>42.4</td><td>2.8</td><td>75.1</td></tr>
<tr><td>河口镇以上与伊洛河同时来水</td><td>3</td><td>2.9</td><td>3 520</td><td>0.009 4</td><td>57.2</td><td>4.6</td><td>18.6</td><td>15.0</td><td>15.9</td><td>35.4</td><td>14.1</td><td>3.4</td><td>−59.7</td></tr>
<tr><td>渭河南山支流与伊洛河同时来水</td><td>15</td><td>14.6</td><td>5 150</td><td>0.010 2</td><td>30.1</td><td>10.2</td><td>40.7</td><td>17.2</td><td>8.1</td><td>26.0</td><td>44.4</td><td>6.1</td><td>−179.7</td></tr>
<tr><td rowspan="3">一个少沙区来水</td><td>河口镇以上来水</td><td>13</td><td>12.6</td><td>3 830</td><td>0.011 3</td><td>75.8</td><td>9.9</td><td>10.2</td><td>3.5</td><td>19.2</td><td>56.0</td><td>8.3</td><td>0.3</td><td>2.1</td></tr>
<tr><td>渭河南山支流来水</td><td>1</td><td>1.0</td><td>4 920</td><td>0.007 4</td><td>41.7</td><td>1.3</td><td>63.5</td><td>5.8</td><td>7.0</td><td>9.4</td><td>39.2</td><td>0.2</td><td>2.0</td></tr>
<tr><td>伊洛河来水</td><td>5</td><td>4.9</td><td>5 400</td><td>0.011 9</td><td>33.5</td><td>11.2</td><td>7.8</td><td>38.5</td><td>7.3</td><td>49.0</td><td>9.2</td><td>15.5</td><td>−232.7</td></tr>
<tr><td colspan="3">6. 洪水主要来自多沙细泥沙来源区</td><td colspan="2">4</td><td colspan="2">3.9</td><td>5 730</td><td>0.021 0</td><td>34.0</td><td>8.8</td><td>46.0</td><td>9.0</td><td>4.6</td><td>21.5</td><td>72.3</td><td>1.0</td><td>932.0</td></tr>
<tr><td colspan="7">平　均</td><td>5 500</td><td>0.022 6</td><td>42.3</td><td>23.4</td><td>22.6</td><td>12.5</td><td>7.7</td><td>66.8</td><td>25.6</td><td>3.1</td><td>705.6</td></tr>
</table>

注：三黑小为三门峡＋黑石关＋小董。

这种组合的概率达 45.6%。

(6)第六种组合洪水主要来自多沙细泥沙来源区,出现的概率为 3.9%,就洪峰流量和下游河道淤积强度等方面来说,仅次于第二、第四两种组合。说明细泥沙来源区的沙量来得多时,下游河道也是要淤积的。

五、黄河高含沙洪水的水沙特点、形成条件和机遇分析

黄土高原地区一些支流的来沙占小浪底库区来沙的绝大部分。每年主汛期暴雨季节,库区经常出现高含沙洪水,高含沙洪水对水库、黄河下游河道的淤积以及水电站的运行造成很大影响,应引起重视。

(一)小浪底水库的高含沙洪水水沙特点和形成条件

小浪底水文站的高含沙洪水具有下列特点:

(1)高含沙洪水输沙量大,一次或数次高含沙洪水的来沙量往往占全年输沙量的很大一部分。表 4-1-5 列出了小浪底水文站 1977 年的两场高含沙洪水输沙资料,可以看出高含沙洪水的巨大输沙作用,历时 7 天的两场高含沙洪水输沙量可占全年输沙量的 60%,日均输沙量达到 1.7 亿 t。

表 4-1-5　小浪底水文站 1977 年高含沙洪水的输沙量

洪峰时段(年·月·日)	总历时(天)	洪峰流量(m^3/s)	最大含沙量(kg/m^3)	洪峰时段输沙量指标		
				沙量(亿 t)	占该月输沙量百分比	占年输沙量百分比
1977.7.8～1977.7.10	3	8 100	535	5.60	68.1	28.0
1977.8.7～1977.8.10	4	10 100	941	6.39	61.2	32.0

(2)高含沙洪水悬移质泥沙颗粒粗。据渭河南河川、无定河丁家沟泥流测验资料分析,悬沙中值粒径与含沙量存在很好的正比关系。很多支流汇合后的小浪底水文站的这种关系稍微复杂一些,但含沙量愈大悬移质泥沙颗粒愈粗的总趋势是明显的,见图 4-1-1。

(3)河龙间来高含沙量洪水,或渭河来高含沙洪水,或三门峡水库泄空冲刷时,小浪底水库可能形成的高含沙量洪水。小浪底入库的高含沙洪水按其地区来源不同可分为四种类型。第一种是河龙间来的高含沙洪水,含沙量较高,泥沙粒径粗。如 1966 年 7 月中旬小浪底的高含沙量洪水,小浪底水文站最大含沙量为 549kg/m^3,相应龙门最大含沙量为 933kg/m^3。第二种是河龙间和渭河共同来高含沙水流形成的小浪底水文站的高含沙洪水,这种高含沙洪水含沙量高,高含沙历时相对较长。如 1977 年的两场高含沙洪水。第三种是渭河来的高含沙洪水,这种洪水的洪峰流量一般较小,含沙量也较高。如 1978 年 7 月中旬的高含沙量洪水,最大含沙量为 464kg/m^3,相应流量为 2 100m^3/s。第四种为三门峡水库冲刷形成的高含沙洪水,这种洪水高含沙量历时一般较短,如 1986 年 9 月下旬的高含沙量洪水。

(4)高含沙量洪水的含沙量沿垂线和沿河宽分布特别均匀。表 4-1-6 为渭河南河川水文站的一次实测资料,可以看出含沙量沿垂线十分均匀,沿河宽分布也相当均匀。

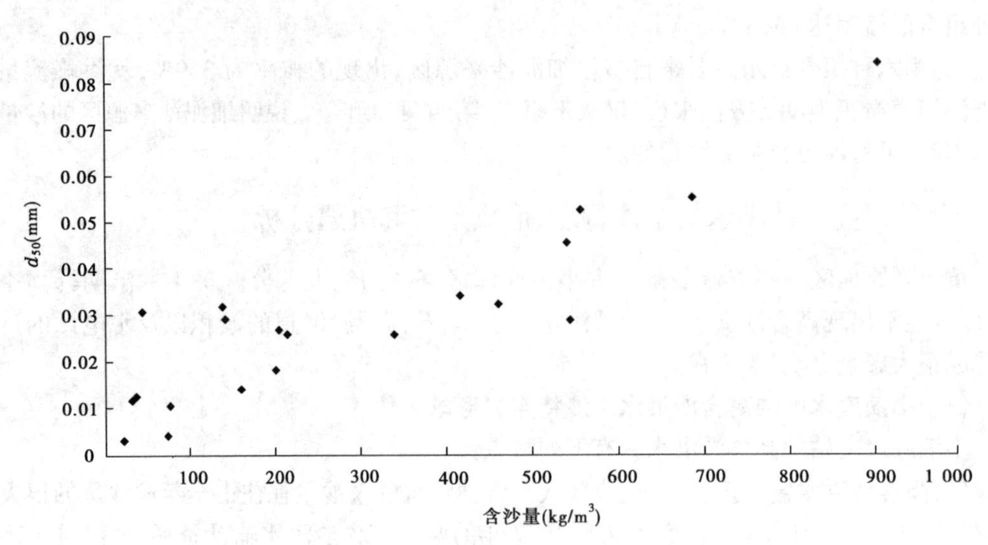

图 4-1-1 小浪底水文站悬移质泥沙中值粒径与含沙量的关系

表 4-1-6 渭河南河川水文站含沙量分布(1963 年 8 月)

含沙量沿垂线分布				含沙量沿河宽分布	
起点距为 290m		起点距为 310m		起点距(m)	含沙量(kg/m³)
相对水深(m)	含沙量(kg/m³)	相对水深(m)	含沙量(kg/m³)		
0.2	300	0.17	311	280	293.0
0.4	301	0.2	311	290	301.6
0.6	303	0.6	323	300	304.8
0.8	303	0.8	312	310	313.6
0.95	301	0.95	311	320	301.0

(二)高含沙洪水的机遇分析

统计小浪底水文站最大含沙量大于 300kg/m³ 洪水资料见表 4-1-7。扣除三门峡水库蓄水和滞洪运用下泄相对清水的 1960～1964 年外,在所统计的 43 年资料中,出现含沙量大于 300kg/m³ 的高含沙量洪水的年份有 24 年,占 51%。其中在人类活动影响较小的 20 世纪 50 年代有 5 年出现高含沙量洪水,占 50%;80 年代高含沙量洪水出现概率较小,有 1986 年、1987 年、1988 年三年,占 30%;90 年代前 8 年有 7 年出现了高含沙量洪水,占 88%,概率较大。

表 4-1-7 小浪底水文站年最大含沙量大于 300kg/m³ 洪水资料统计 (单位:kg/m³)

年份	1950	1953	1954	1956	1959	1966	1969	1970	1971	1973	1974	1977
最大含沙量	369	412	590	462	379	549	448	602	783	512	385	941
年份	1978	1980	1986	1987	1988	1991	1992	1993	1994	1995	1996	1997
最大含沙量	464	300	323	426	365	336	525	376	460	514	537	539

六、黄河泥沙级配特点和下游河道淤积物组成分析

(一)黄河泥沙级配特点分析

黄河泥沙主要来源于中游黄土高原地区,上游泥沙来量少、颗粒细。中游地区新黄土分布十分广泛,其粒径组成的地理分布具有从西北向东南逐渐变细的特点,表现在主要控制站上,见表 4-1-8。按 1974～1995 年沙量加权统计结果,河口镇、龙门、河津、华县、洑头、三门峡、小浪底、花园口等水文站的中值粒径分别为 0.017mm、0.027mm、0.012mm、0.017mm、0.026mm、0.024mm、0.024mm、0.021mm,粒径大于 0.05mm 的泥沙分别占 18.4%、24.9%、9.6%、11.3%、18.7%、20.4%、21.3%、19.5%。粗颗粒泥沙主要来自河龙间。

表 4-1-8 主要控制站泥沙颗粒级配统计

站名	时 段	平均小于某粒径的沙重百分数 粒 径 级(mm)								d_{50} (mm)
		0.005	0.01	0.025	0.05	0.1	0.25	0.5	1	
河口镇	1962～1973 年	28.9	38.0	60.2	83.3	97.3	99.8	100	100	0.017
	1974～1995 年	30.8	39.3	60.1	81.6	95.0	99.8	100		0.017
龙门	1962～1973 年	21.2	26.4	42.8	69.8	90.7	97.0	99.2	100	0.031
	1974～1995 年	22.3	28.9	48.3	75.1	93.6	98.8	99.9	100	0.027
河津	1962～1973 年	25.4	35.3	59.4	83.2	97.3	99.8	100		0.018
	1974～1995 年	36.7	46.4	71.3	90.4	98.9	99.9	100		0.012
华县	1962～1973 年	26.1	36.8	64.0	89.6	97.6	99.1	99.8	100	0.017
	1974～1995 年	27.5	36.9	62.9	88.7	97.9	99.3	99.9	100	0.017
洑头	1963～1973 年	15.6	31.5	61.7	88.0	98.4	99.9	100		0.019
	1974～1995 年	19.4	26.7	48.8	81.3	98.1	99.7	99.9	100	0.026
三门峡	1960～1973 年	26.1	34.6	55.3	79.2	95.4	99.7	100		0.021
	1974～1995 年	23.6	30.6	52.4	79.6	96.1	99.6	100		0.024
小浪底	1962～1973 年	26.2	34.6	56.8	81.8	90.3	96.2	99.9	100	0.019
	1974～1995 年	23.4	29.6	51.6	78.7	93.0	98.1	99.8	100	0.024
花园口	1962～1973 年	27.9	37.2	59.7	83.5	91.9	97.7	100		0.018
	1974～1995 年	26.2	33.0	55.4	80.5	94.0	98.4	99.9	100	0.021

(二)黄河下游河道淤积物组成分析

为了便于分析黄河下游河道不同粒径组泥沙的冲淤规律,把黄河泥沙按粒径分为 3 组:$d<0.025$mm,为细颗粒泥沙;0.025mm$\leqslant d \leqslant$0.05mm,为中颗粒泥沙;$d>0.05$mm,为粗颗粒泥沙。黄河下游河道中的河床泥沙淤积物主要为粗颗粒泥沙。

表 4-1-9 列出了 1960 年 7 月～1996 年 6 月按输沙率法统计的黄河下游各个河段粗沙、中沙、细沙淤积量。由表可以看出，在 36 年的统计资料里，下游淤积物中中沙所占比例为 25.1%，粗沙所占比例为 76.1%，在花园口以上河段和艾山以下河段细沙则有冲刷，在花园口至艾山河段细沙则有淤积。粗泥沙是淤积物的主体，而细泥沙很少参与河床造床作用，但参与滩地淤积。

表 4-1-9　黄河下游各个河段分组沙淤积量

河　段	分组沙淤积量(亿 t)			全沙淤积量(亿 t)
	$d<0.025$mm	$0.025\text{mm}\leqslant d\leqslant 0.05$mm	$d>0.05$mm	
三门峡—花园口	-13.72	8.28	4.16	-1.28
花园口—高　村	10.47	-0.72	10.82	20.57
高　村—艾　山	7.3	1.91	3.32	12.53
艾　山—利　津	-4.52	0.27	11.22	6.97
全下游	-0.48	9.74	29.52	38.79

第二节　设计水平水沙条件分析

一、设计水平年黄河中游水沙条件计算方法

小浪底水库设计水平水沙条件分河口镇以上、河龙间、渭河(华县)、汾河(河津)、北洛河(洑头)、四站至潼关、三小间、伊洛沁河等 8 个分区计算。潼关至三门峡库区则按三门峡水库运用计算。设计水平年各年龙门、华县、河津、洑头、黑石关、小浪底日输沙率过程，是根据设计水平年各年各月输沙率与实测各年各月输沙率的比值，对各年各月实测日输沙率进行同倍比缩放求得的(无实测日过程的年份，选择典型年日过程代替)。

(一)河口镇站

河口镇水文站位于黄河上游的最下端，是进入黄河中游的控制站，其水沙关系与上游干、支流来水来沙及上游水库调度密切相关。河口镇的水量主要来自唐乃亥以上，沙量则来自兰州以下，呈现显著的水沙异源。黄河上游自 1958 年以来三盛公、青铜峡、盐锅峡、刘家峡、龙羊峡等工程先后建成投入运用，对进入宁蒙河段的水沙状况有一定的改变，但点绘河口镇沙量与流量关系表明，水沙关系无显著变化。因此，河口镇设计水平来沙量可采用反映工程影响后实测资料建立的水沙经验关系式计算：

$$W_s = kQ^A \tag{4-2-1}$$

式中　W_s——沙量，亿 t；

Q——流量，m^3/s；

k、A——依据实测资料求得的系数、指数。

(二)龙门站

水利水保工程对河龙间减沙有一定的作用，但由于黄土高原的自然地理特性，水土保

持的减沙作用是缓慢的。为安全计,并留有余地,考虑设计水平、维持3亿t左右减沙水平,以1970年以来的流域条件作为估算河龙间沙量的基础。龙门沙量月计算公式为:

$$W_s = W_{s河} + k\Delta W_{s河龙} \tag{4-2-2}$$

式中　W_s——龙门站设计水平年沙量,亿t;

$W_{s河}$——河口镇设计水平年沙量,亿t;

$\Delta W_{s河龙}$——河龙间实测沙量,亿t;

k——考虑水利水保工程减沙及引水引沙作用的减沙系数。

(三)华县站

渭河华县站的来水来沙主要由咸阳以上干流和泾河组成,南山支流来水来沙亦有一定影响。渭河咸阳以上及南山支流水多沙少,含沙量低(咸阳站多年平均含沙量31 kg/m^3);泾河水少沙多,含沙量高(多年平均含沙量达143kg/m^3)。华县的水沙关系受泾河来水比例影响较大,计算设计水平年沙量时,考虑了泾河来水所占比例对华县沙量的影响。计算公式为:

7月~10月

$$W_s = k\frac{W^\alpha}{B^\beta} \tag{4-2-3}$$

11月~来年6月

$$W_s = kW^\alpha \tag{4-2-4}$$

式中　W_s——华县站设计水平年月沙量,亿t;

W——华县站设计水平年月水量,亿m^3;

$B=(W_{华}-W_{张})/W_{华}$,其中$W_{华}$、$W_{张}$分别为华县、张家山月水量,亿m^3;

k、α、β——系数、指数,依据实测资料确定。

(四)河津站

采用下列经验关系式计算:

$$W_s = kW^\alpha \tag{4-2-5}$$

式中　W_s——河津站设计水平年月沙量,亿t;

W——河津站设计水平年月水量,亿m^3;

k、α——系数、指数,依据实测资料确定。

(五)洑头站

根据实测资料分析,北洛河洑头站的历年含沙量没有趋势性的增大或减少。假定今后减水与减沙继续保持同步,即含沙量不变,洑头站设计水平年沙量按设计水平年水量乘以实测含沙量计算。

(六)龙门、华县、河津、洑头分组泥沙输沙率关系

龙门、华县、河津、洑头分组泥沙输沙率汛期按日计算、非汛期按月计算。

汛期计算式为:

$$Q_{s分组} = kQ_{s全}^{m} \tag{4-2-6}$$

式中　$Q_{s分组}$——日分组泥沙输沙率,t/s;

$Q_{s全}$——日全沙输沙率,t/s;

k、m——系数、指数,据实测资料确定。

非汛期计算式为:

$$Q_{s分组} = kQ_{s全} \tag{4-2-7}$$

式中 $Q_{s分组}$——月分组泥沙输沙率,t/s;

$Q_{s全}$——月全沙输沙率,t/s;

k——系数,据实测资料确定。

按公式计算中、细沙输沙率,粗沙输沙率按全沙输沙率减去中、细沙输沙率而得。

(七)龙门、华县、河津、洑头至潼关输沙关系

黄河龙门至潼关的小北干流河段、渭河华县以下河段以及北洛河洑头以下河段分别进行输沙至潼关断面的计算,合计得潼关断面总来沙量。计算公式采用1974年以来实测资料建立的经验关系,汛期逐日计算,非汛期逐月计算。

龙门至潼关的干流河段分粗、中、细三组泥沙计算由干流进入潼关的输沙率。渭河下游、北洛河下游则首先根据相关关系求出华阴、朝邑的全沙输沙率,再按华县站的方法计算华阴分组输沙率,按洑头的方法计算朝邑分组输沙率。潼关的分组输沙率等于相应北干流输沙率、华阴输沙率、朝邑输沙率之和。计算公式如下。

龙门—潼关干流关系式:

$$汛期:Q_{s干} = kQ^{m}_{龙+河}\rho^{n}_{龙+河} \qquad 非汛期:Q_{s干} = kQ^{m}_{龙+河} \tag{4-2-8}$$

渭河华县—华阴关系式:

$$汛期:Q_{s华阴} = k_1 Q^{m_1}_{s华县} \qquad 非汛期:Q_{s华阴} = Q_{s华县} \tag{4-2-9}$$

北洛河洑头—朝邑关系式

$$汛期:Q_{s朝邑} = k_2 Q^{m_2}_{s洑头} \qquad 非汛期:Q_{s朝邑} = Q_{s洑头} \tag{4-2-10}$$

式中 $Q_{s干}$——由干流至潼关的分组泥沙输沙率,t/s;

$Q_{s华县}$——华县输沙率,t/s;

$Q_{s洑头}$——头输沙率,t/s;

$Q_{s华阴}$——华阴输沙量,t/s;

$Q_{s朝邑}$——朝邑输沙量,t/s;

$Q_{龙+河}$——龙门、河津两站流量之和,m^3/s;

k、k_1、k_2——系数;

n、m、m_1、m_2——指数,据实测资料确定。

二、设计水沙条件分析

(一)河口镇、龙门、华县、河津、洑头站设计水沙条件

根据上述方法计算,河口镇1919年7月～1989年6月设计水平年平均水量、沙量分别为194.1亿m^3、0.98亿t,与实测系列相比,水量减少54亿m^3,沙量减少0.39亿t。小浪底水库设计采用的设计水平1919年7月～1975年6月56年系列河口镇年平均水量、沙量分别为182亿m^3、0.95亿t,接近于长系列1919年7月～1989年6月的年平均水量、沙量。见表4-2-1。

表 4-2-1 河口镇设计水平年水沙量与实测水沙量对比

系 列（年·月）	设计水平年			实 测		
	水量（亿 m^3）	沙量（亿 t）	含沙量（kg/m^3）	水量（亿 m^3）	沙量（亿 t）	含沙量（kg/m^3）
1919.7～1975.6	182.0	0.95	5.2	247.9	1.44	5.8
1975.7～1989.6	242.7	1.12	4.6	248.9	1.13	4.5
1919.7～1989.6	194.1	0.98	5.1	248.1	1.37	5.5

设计水平河口镇年最大水沙量均出现在 1967 年，年水量为 418.7 亿 m^3，年沙量为 4.52 亿 t；最小年水沙量出现在 1941 年，水量为 100.9 亿 t，沙量为 0.16 亿 t。

设计水平（1919 年 7 月～1989 年 6 月）龙门、华县、河津、洑头水沙特征见表 4-2-2，与实测相比具有以下特点：

表 4-2-2 龙门、华县、河津、洑头设计水平年与实测水沙量对比（1919 年 7 月～1989 年 6 月）

站名		水量（亿 m^3）			沙量（亿 t）		
		汛期	非汛期	年	汛期	非汛期	年
龙门	设计水平	119.7	117.8	237.5	7.21	1.04	8.25
	实测	184.2	129.8	314.0	8.52	1.15	9.67
华县	设计水平	39.1	18.9	58.0	3.68	0.17	3.85
	实测	50.6	30.6	81.2	3.72	0.37	4.09
河津	设计水平	5.6	4.1	9.7	0.26	0.06	0.32
	实测	8.9	5.2	14.1	0.37	0.03	0.40
洑头	设计水平	3.4	2.3	5.7	0.61	0.04	0.65
	实测	4.3	2.9	7.2	0.77	0.05	0.82
合计	设计水平	167.8	143.1	310.9	11.75	1.31	13.06
	实测	248.0	168.5	416.5	13.38	1.60	14.98

（1）龙门、华县、河津、洑头四站年平均水量减少 105.6 亿 m^3，年平均沙量减少 1.92 亿 t，年平均含沙量提高 $6kg/m^3$。

（2）由于龙羊峡、刘家峡水库调节运用的影响，设计水平汛期水量占全年水量的 54%，比实测的 59.6%有所减少。

小浪底水库设计采用的设计水平 1919 年 7 月～1975 年 6 月系列龙门、华县、河津、洑头四站水沙量见表 4-2-3，从表中可以看出，与设计水平长系列 1919 年 7 月～1989 年 6 月相比，四站水量略少（少 8.7 亿 m^3）、沙量略大（大 0.84 亿 t），作为设计条件是偏安全的。

表 4-2-3 设计水平龙门、华县、河津、洑头水沙量(1919 年 7 月～1975 年 6 月)

站名	水量(亿 m^3)			沙量(亿 t)		
	汛期	非汛期	年	汛期	非汛期	年
龙门	118.8	111.0	229.8	7.78	1.07	8.86
华县	38.4	18.8	57.2	3.87	0.19	4.05
河津	5.9	4.0	9.9	0.27	0.07	0.34
洑头	3.2	2.1	5.2	0.63	0.03	0.65
合计	166.3	135.9	302.2	12.55	1.36	13.90

设计水平龙门、华县、河津、洑头四站最大年水量出现在 1967 年,为 618.7 亿 m^3,最小年水量出现在 1928 年,为 133.5 亿 m^3,年最大水量与年最小水量的比值为 4.6。设计水平年四站最大年沙量出现在 1933 年,为 32.57 亿 t,最小年沙量出现在 1928 年,为 2.92 亿 t,年最大沙量与年最小沙量的比值为 11.2。水沙量年际变化大。

(二)三门峡至小浪底区间水沙条件

三小间年平均水量 5.6 亿 m^3,区间用水 1 亿 m^3,坝上引水 1.45 亿 m^3,水库蒸发、渗漏耗水量 1.6 亿 m^3,区间净增水量仅 1.55 亿 m^3,可略而不计;区间较大支流 15 条,年平均输沙量约 0.037 亿 t,其余汇流面积来沙量约 0.01 亿 t,合计 0.047 亿 t,也略而不计。1954 年和 1958 年,三门峡至小浪底区间洪水较大,1954 年洪水期区间增水 5.6 亿 m^3,1958 年洪水期区间增水 17.8 亿 m^3,见表 4-2-4。

表 4-2-4 1954 年和 1958 年洪水期三门峡至小浪底区间流量

时　间	1954 年 8 月			1958 年 7 月							
日期(日)	4	5	6	16	17	18	19	20	21	22	23
加入流量(m^3/s)	2 339	2 199	1 918	2 800	6 230	1 140	3 910	2 535	1 605	1 233	1 093

第三节　小浪底水库设计水沙条件

一、设计代表系列选择

采用南水北调生效前的 2000 年设计水平年的水沙条件,小浪底初步设计选择 1950～1975 年翻番系列作为代表系列,这个系列包含丰水时段、平水时段和枯水时段,年平均水量和沙量接近于长系列的年平均水量和沙量,具有一定的代表性。但缺点是 1950～1975 年系列出现两次,水沙过程代表性不足。不同系列水沙组合不同,对水库的淤积过程、坝前水位抬高过程、库容变化过程、下游的减淤过程等都会产生影响,且多系列计算可以对水库的效益指标进行敏感性分析。因此,招标设计阶段采用 1919 年 7 月～1975 年 6 月 56 年系列作为长系列水沙条件,从中选择不同的代表系列进行计算,进行水库和下游河道泥沙冲淤的敏感性检验,以确定水库的平均淤积过程和黄河下游的平均减淤效益。

代表系列选择的主要依据是水库初期拦沙运用(约28年)的来水来沙条件。考虑小浪底水库运用以不同丰水、平水、枯水时段在前,对龙门、华县、河津、洑头四站1919～1975年56年系列,分析选定了以下6个系列:

(1)1919年7月～1969年6月;

(2)1933年7月～1975年6月+1919年7月～1927年6月;

(3)1941年7月～1975年6月+1919年7月～1935年6月;

(4)1950年7月～1975年6月+1919年7月～1944年6月;

(5)1958年+1977年+1960年7月～1975年6月+1919年7月～1952年6月;

(6)1950年7月～1975年6月+1950年7月～1975年6月。

二、代表系列龙门、华县、河津、洑头四站的水沙特点

小浪底水库的入库水沙条件受龙门、华县、河津、洑头至潼关河段及三门峡水库的冲淤调整影响,其水沙条件应从龙门、华县、河津、洑头四站算起。设计水平6个50年代表系列龙门、华县、河津、洑头四站水沙量(见表4-3-1)有以下特点:

表4-3-1 设计水平各代表系列龙门、华县、河津、洑头四站水沙量特征

系列年(年)	水量(亿 m^3)			沙量(亿 t)		
	汛期	非汛期	年	汛期	非汛期	年
1919～1969	172.4	136.9	309.3	12.72	1.40	14.11
1933～1975+1919～1927	177.3	141.3	318.6	12.99	1.43	14.42
1941～1975+1919～1935	158.6	135.6	294.2	12.47	1.34	13.81
1958+1977+1960～1975+1919～1952	162.4	132.4	294.9	12.44	1.31	13.75
1950～1975+1919～1944	161.9	134.5	296.4	12.46	1.36	13.83
1950～1975+1950～1975	181.5	154.0	335.5	13.23	1.53	14.75
1919～1975	166.3	135.9	302.2	12.55	1.36	13.90

(1)1919年7月～1969年6月为枯水时段在前的系列,从第4年至第14年是一个连续的11年枯水段。系列前25年的年平均水量、沙量分别为257.2亿 m^3、12.9亿t,为56年平均值的0.85倍、0.93倍,尤其连续11年枯水时段在水库初期拦沙运用时出现,对水库拦沙、淤积和下游冲淤过程的影响大;其50年的年平均水沙量接近于1919年7月～1975年6月56年系列的年平均值。

(2)1933年7月～1975年6月+1919年7月～1927年6月是大沙年起算的系列,来水来沙量较丰。起算的第1年1933年是特丰大沙年,四站年水、沙量分别为297.7亿 m^3、32.6亿t,含沙量为109.5 kg/m^3,其年沙量为长系列最大年沙量。系列前25年四站年平均水量、沙量分别为327.3亿 m^3、14.51亿t,为56年系列平均值的1.09倍、1.05倍。50年系列年平均水沙量稍大于56年系列年平均水沙量,两者比值为1.05、1.04。

(3)1941年7月～1975年6月+1919年7月～1935年6月是平水时段在前的系列,

50 年年平均水量、沙量分别为 294.2 亿 m^3、13.81 亿 t,略小于 56 年系列的年平均值。前 25 年系列年平均水量略大于 56 年系列的年平均值,为 56 年系列年平均值的 1.11 倍,年平均沙量则与 56 年系列年平均值相当。

(4)1950 年 7 月～1975 年 6 月 + 1919 年 7 月～1944 年 6 月系列为枯水、平水、丰水年交替出现在前的系列,其前 25 年系列的年平均水沙量在 6 个系列中最大,丰水丰沙年较多,年平均水沙量与 56 年系列年平均水沙量的比值分别为 1.11、1.06。50 年系列年平均水沙量稍小于 56 年系列的年平均值,与 56 年系列年平均水、沙量的比值分别为 0.98、0.99。

(5)1958 + 1977 + 1960 年 7 月～1975 年 6 月 + 1919 年 7 月～1952 年 6 月系列是连续两个大沙年起算的系列。第 1 年 1958 年四站水沙量分别为 431.5 亿 m^3、27.6 亿 t,含沙量为 64kg/m^3;第 2 年 1977 年四站水沙量分别为 264.9 亿 m^3、20.6 亿 t,含沙量为 77.8kg/m^3。系列前 25 年的年平均水沙量稍大,与 56 年系列年平均水沙量的比值分别为 1.03、1.03。50 年系列的年平均水沙量略小于 56 年系列的年平均水沙量,与 56 年年平均水量、沙量的比值分别为 0.98、0.99。

(6)1950 年 7 月～1975 年 6 月 + 1950 年 7 月～1975 年 6 月为小浪底水库初步设计阶段采用的系列,为相对丰水丰沙系列,在前 25 年和后 25 年两次出现 1954 年、1958 年、1964 年、1967 年丰水丰沙年,其 50 年年平均水沙量在 6 个系列中最大,与 56 年系列年平均水沙量的比值分别为 1.11、1.06。

(7)6 个 50 年代表系列中,均含有枯水时段、丰水时段和平水时段,其中,还有 5 个 50 年代表系列均含有 1922 年 7 月～1933 年 6 月的 11 年枯水时段,而这 11 年枯水时段机遇稀少(约 200 年一遇),所以参与代表系列组合的机遇偏多,加上代表系列中还有其他枯水时段,显得 50 年系列中枯水时段年数偏多,因此水库对下游减淤效益的计算偏小,留有余地。

三、代表系列小浪底入库水沙条件

来自黄河上中游地区的水沙,经过龙门、华县、河津、狱头四站至潼关河道的冲淤调整及三门峡水库的调节运用后,进入小浪底库区。6 个 50 年代表系列小浪底入库水沙量见表 4-3-2。

表 4-3-2 设计水平各代表系列小浪底入库水沙量特征

系列年(年)	水量(亿 m^3)			沙量(亿 t)		
	汛期	非汛期	年	汛期	非汛期	年
1919～1969	165.4	123.9	289.3	12.30	0.54	12.83
1933～1975 + 1919～1927	170.3	128.3	298.6	12.57	0.50	13.06
1941～1975 + 1919～1935	151.6	122.5	274.1	11.81	0.49	12.30
1950～1975 + 1919～1944	155.0	121.5	276.5	11.81	0.51	12.33
1958 + 1977 + 1960～1975 + 1919～1952	157.1	124.5	281.6	12.32	0.23	12.56
1950～1975 + 1950～1975	174.5	140.5	315.0	12.76	0.59	13.35
平 均	162.3	126.9	289.2	12.26	0.48	12.74

6个50年代表系列平均年入库水量为289.2亿m^3,沙量为12.74亿t,年平均入库含沙量为44kg/m^3。其中汛期水量为162.3亿m^3,占全年水量的56.1%;汛期沙量为12.26亿t,占全年沙量的96.2%。由于6个50年代表系列中有5个代表系列都含有1922年7月～1933年6月的11年枯水时段,这11年枯水时段年平均入库水量156.6亿m^3,年平均入库沙量7.75亿t,其中汛期平均入库水量73.6亿m^3、平均入库沙量7.31亿t,非汛期平均入库水量83亿m^3、平均入库沙量0.44亿t,出现汛期水少沙多含沙量高的情形。但是1986年7月～1996年6月实测水沙系列,年平均水沙量分别为300.2亿m^3和8.02亿t,1996年汛前下游平滩流量为2 800～3 400m^3/s,仅为1982年、1958年汛前的50%,该枯水时段的水沙量与实测水沙量相比,情况更为不利,对水库运用和下游影响很大,值得注意。

从小浪底入库情况看,6个50年代表系列的水沙特点与龙门、华县、河津、洑头四站基本相同,仍以1950～1975+1950～1975年系列水沙量大,水沙量均最小的系列为1941～1975+1919～1935年系列,年平均水量、沙量分别为274.1亿m^3、12.3亿t。但与龙门、华县、河津、洑头四站相比,6个50年代表系列平均,小浪底年平均入库水量减少13亿m^3,其中汛期水量减少4亿m^3,非汛期水量减少9亿m^3,这是龙门、华县、河津、洑头四站至三门峡区间引用黄河水量所致;小浪底年平均入库沙量减少1.17亿t,其中汛期沙量减少0.29亿t,非汛期沙量减少0.88亿t,这是四站至三门峡区间泥沙淤积所致。三门峡水库非汛期潼关以下是蓄水淤积的,潼关以上是冲刷的;在汛期,潼关以下是冲刷的,潼关以上是淤积的。从全年讲,潼关以上是淤积的,潼关以下则基本冲淤平衡。因此,小浪底水库非汛期来沙量显著减少,而汛期来沙量相对增多,即三门峡水库的蓄清排浑运用,一年的沙量几乎集中于汛期排入小浪底库区,导致汛期水少沙多,非汛期水多沙少。

第四节 设计水平伊洛河和沁河水沙条件

一、计算方法

小浪底下游有伊洛河(黑石关站)和沁河(小董站或武陟站)支流汇入,为黄河下游的清水来源区,与小浪底出库水沙组成进入下游的水沙条件。黑石关、小董设计水平年沙量依据实测资料分别建立汛期和非汛期的月平均水沙关系式计算,公式为:

$$W_s = kW^m \tag{4-4-1}$$

式中 W_s——沙量,亿t;

W——径流量,亿m^3;

k、m——系数、指数。

二、设计水沙条件

黑石关、小董两站合计1919年7月～1975年6月长系列设计水平年年平均水量为32.8亿m^3,年平均沙量为0.23亿t,年平均含沙量7kg/m^3。与实测相比,设计水平年两站年平均水量减少了14.3亿m^3,年平均沙量减少了0.09亿t,年平均含沙量接近。黑石关、小董设计水平年水沙量见表4-4-1。

表 4-4-1　设计水平 1919 年 7 月～1975 年 6 月长系列黑石关、小董水沙量

站名	水量(亿 m^3)			沙量(亿 t)		
	汛期	非汛期	年	汛期	非汛期	年
黑石关	14.3	7.6	21.9	0.13	0.01	0.14
小董	8.5	2.4	10.9	0.09	0	0.09
合计	22.8	10.0	32.8	0.22	0.01	0.23

三、代表系列水沙条件

黄河下游的来水来沙条件为小浪底出库水沙量加伊洛河和沁河汇入黄河的水沙量。关于设计水平各代表系列年伊洛河和沁河的水沙条件见表 4-4-2。可以看出，6 个系列平均设计水平伊洛河和沁河合计汇入黄河的年水量为 33.2 亿 m^3，年沙量为 0.24 亿 t，年平均含沙量 7.2 kg/m^3，各代表系列水沙量相近，为黄河下游的清水来源区。伊洛河和沁河虽然年水量小，但有暴雨洪水，洪峰流量大，年际间水量变化幅度比较大，这是值得注意的一个水情特点。

表 4-4-2　设计水平各代表系列伊洛河、沁河水沙量特征

系列年(年)	水量(亿 m^3)			沙量(亿 t)		
	汛期	非汛期	年	汛期	非汛期	年
1919～1969	24.3	10.4	34.7	0.24	0.01	0.25
1933～1975+1919～1927	24.3	10.4	34.7	0.24	0.01	0.25
1941～1975+1919～1935	20.7	10.1	30.8	0.19	0.01	0.20
1950～1975+1919～1944	23.1	9.9	33.0	0.23	0.01	0.24
1958+1977+1960～1975+1919～1952	21.8	9.9	31.7	0.20	0.01	0.21
1950～1975+1950～1975	22.5	11.7	34.2	0.24	0.02	0.26
平　均	22.8	10.4	33.2	0.22	0.02	0.24

第五节　黄河近期输沙量变化分析及设计入库泥沙的评价

统计 1950 年 7 月～1997 年 6 月黄河中游干支流主要控制站实测沙量见表 4-5-1，可以看出，河口镇 20 世纪 60 年代以来的沙量是逐年代减少的，90 年代前 7 年年平均沙量减少到 0.4 亿 t；四站（龙门、华县、河津、洑头）、三门峡、小浪底等站的沙量以 80 年代最小，各个站分别为 7.97 亿 t、8.54 亿 t、8.18 亿 t，进入黄河下游的沙量也以 80 年代最小，

为8.29亿t。四站的设计沙量比80年代、90年代分别大74.4%、43.4%，与70年代相当；小浪底入库的设计值比80年代、90年代分别大49.2%、48.1%，比70年代略小。设计沙量留有余地。

表4-5-1 20世纪黄河中游主要控制站实测沙量统计

时间	河口镇	四站					三门峡	小浪底	黑石关	小董
		龙门	华县	河津	洑头	合计				
50年代	1.5	11.9	4.3	0.7	0.9	17.80	17.4	17.6	0.4	0.1
60年代	1.80	11.38	4.39	0.34	0.99	17.10	11.47	11.31	0.18	0.07
70年代	1.13	8.66	3.81	0.18	0.80	13.45	13.74	13.52	0.07	0.04
80年代	0.99	4.70	2.76	0.04	0.47	7.97	8.54	8.18	0.08	0.03
90年代	0.42	5.83	3.09	0.04	0.73	9.69	8.60	8.53	0.01	0.01
设计(56年)	1.44	8.86	4.05	0.34	0.65	13.9	12.74*		0.14	0.09

注：*表示三门峡(即小浪底入库)的设计值为6个系列平均值。

第六节 小浪底水库洪水水沙条件

一、三门峡入库洪水来沙条件

(一)洪水典型

洪水来源不同，其洪水过程及洪水沙量有较大差别。以三门峡以上来水为主的"上大洪水"，其特点是洪峰高、洪量大、含沙量大，洪水典型选用1933年洪水；以三门峡以下的三花间来水为主的"下大洪水"，其特点是涨势猛、洪峰高、含沙量小，洪水典型选用1958年洪水。

(二)洪水沙量设计

小浪底水库的入库水沙为三门峡水库的出库水沙加上三小间汇入的水沙，三门峡水库洪水的水沙条件以龙门、华县、河津、洑头四站为入库站。

1933年洪水为有实测水文资料以来水大沙多的一次洪水，洪水发生在7月22日～9月4日之间。龙门、华县、河津、洑头四站各频率沙量过程采用多种方法综合分析确定。

1958年洪水三门峡以上来水不大且含沙量低，可直接以潼关站作为三门峡水库洪水水沙条件的入库站。各频率沙量过程可由潼关断面的水沙关系及流量过程得到。

二、小浪底入库洪水来沙条件

小浪底水库入库洪水水沙量为三门峡出库水沙量加上三小间汇入的水沙量。三小间为清水来源区且为无控制地区，不能直接建立三小间水沙关系。为此，建立了小浪底断面来沙系数ρ/Q与流量Q的关系图。从图中可以看出，点群分布呈两种趋势，上线为以三门峡来水为主,同流量下含沙量较大,而下线则为以三小间来水为主,同流量下含沙量小得多。采用下线作为三小间汇入沙量设计的依据。

三、龙羊峡、刘家峡水库调节运用对龙门站洪水泥沙的影响

龙羊峡、刘家峡两库的调节作用,可减少洪水期的基流 2 000m³/s,将对龙门断面沙量产生影响。

龙门断面的沙量大部分来自河龙间,小部分来自河口镇以上,同时与河龙间河道冲淤变化也有一定的关系。龙羊峡、刘家峡两库的调节,可减少河口镇断面的来沙量,同时也降低了对河龙间干流河床的调整作用。

河口镇断面的沙量主要来自青铜峡以上,经长距离的宁蒙河段调整,水沙关系较稳定。由河口镇断面的减水量即可确定河口镇断面的减沙量。

分析河口镇减水后对河龙间河床的调整作用,就要排除河龙间汇入沙量对龙门断面沙量的影响,即分析河龙间汇入沙量接近于零时河口镇流量 $Q_{河}$ 与 $Q_{s河龙}$(即从河龙间河床上冲起的沙量)的关系可得:

$$Q_{s河龙} = 3.1 \times 10^{-4} Q_{河}^{1.4} \tag{4-6-1}$$

由考虑与不考虑龙羊峡、刘家峡水库影响的河口镇断面洪水过程线,由式(4-6-1)即可计算二者的 $Q_{s河龙}$,其差值即为由于河口镇断面的水量减小,从而使河龙间河床调整作用降低而产生的减沙量。与河口镇断面的减沙量之和,即为龙门断面的减沙量。从各频率洪水减沙量计算结果看,减沙量不多,频率为 0.01%、0.1%及 1%洪水的减沙量分别为 0.558 亿 t、0.512 亿 t 及 0.496 亿 t。

四、三门峡和小浪底水库联合防洪运用的入库泥沙条件

小浪底水库与三门峡水库联合防洪运用,从洪水泥沙条件讲,以 1933 年型洪水来沙量最多,对三门峡水库和小浪底水库的防洪运用泥沙淤积影响最大,包括泥沙淤积损失库容影响和泄水建筑物前的含沙量影响及浑水容重垂向分布的影响。1958 年型洪水来沙量少,对三门峡和小浪底水库的防洪运用泥沙淤积影响较小,不是影响水库库容损失和泄水建筑物前含沙量及浑水容重垂向分布的主要条件。故三门峡和小浪底水库联合防洪运用的泥沙计算主要分析 1933 年型洪水,虽亦计算 1958 年型洪水的泥沙淤积,但不作为小浪底水利枢纽工程设计的条件。

由于小浪底水库初期拦沙运用完成后的库区滩地已很高,坝前滩面高程达 254m,小浪底水利枢纽泄流能力较大,在平滩水位 254m 的泄流量为 11 200m³/s,在考虑部分槽库容调洪下,50 年一遇以下洪水一般不上滩淤积,不损失滩库容,所以只对百年一遇以上洪水进行水库防洪运用的泥沙淤积影响计算。

小浪底水库按千年一遇洪水设计、万年一遇洪水校核,百年一遇洪水作为较易出现的特大洪水,对水库防洪运用的泥沙淤积影响比较现实,所以亦列为计算洪水淤积影响的一个条件。

按上述洪水泥沙的计算方法与考虑的影响因素,求得 1933 年型百年一遇、千年一遇、万年一遇洪水三门峡和小浪底水库联合防洪运用的入库洪水水沙量条件,见表 4-6-1。

表 4-6-1　　1933 年型洪水三门峡和小浪底水库入库水沙特征

频率 P (%)	龙门、华县、河津、洑头四站			三门峡水库输沙量		龙羊峡、刘家峡水库调节影响		
	天数 (d)	洪水量 (亿 m^3)	输沙量 (亿 t)	潼关 (亿 t)	出库 (亿 t)	减基流量 (m^3/s)	减洪水量 (亿 m^3)	减沙量 (亿 t)
1	45	174	49.0	40.6	36.5	2 000	78	0.49
0.1	45	224	67.1	54.6	42.2	2 000	78	0.51
0.01	45	276.5	83.8	60.2	38.1	2 000	78	0.56

第七节　水位流量关系

一、三门峡坝下水位

小浪底水库运用在各种情况下均要以不影响三门峡坝下水位为控制条件，因此要分析研究三门峡坝下水位变化问题。现根据 1975 年原水电部第十一工程局勘测规划设计院的《水工分册》的文献资料和现今三门峡坝下水位资料作如下分析。

三门峡水电站尾水管出口 19.5m 处的 1 号水尺的水位简称尾水位。从三门峡大坝至三门峡(六)断面水文站基本断面，距离 1 600m。坝下游至张公岛由导水墙分为溢流坝下游区和电站尾水区左右两部分，张公岛以下，水流连成一片，流经坝下游约 600m 的钢桥断面受到束窄，呈现卡水现象，流量大于 1 000m^3/s 时，钢桥上游水面比降已不明显。钢桥以下到三门峡(六)断面河床糙率系数为 0.06～0.07，水流湍急。钢桥附近河床基本由块石和混凝土渣覆盖，一般直径为 0.2～0.6m。钢桥下游河床有些基岩露出。在三门峡枢纽工程修建和改建的影响下，三门峡坝下游水位有所抬高。

(一)堆渣影响

根据地形测量资料，从 1954 年 11 月～1971 年 2 月，钢桥上游 100m 至桥下游 450m 河道左岸共堆渣 57 万 m^3 左右，使得钢桥上游 100m 至桥下游 450m 河段各断面 285m 高程以下的断面面积减少 500m^2，285m 高程的河宽平均缩窄 50m，因此坝下游水位抬高。

(二)钢桥影响

1957 年建桥后不仅桥墩具有壅水作用，而且河床受到缩窄，桥上游 100m 范围也受到缩窄；1971 年以后，由于桥上游河心堆渣，断面形态呈现 W 形使过流能力也受到影响。在钢桥上游水面比降平缓；钢桥以下水面比降较陡，钢桥断面及其上游附近河道具有显著卡水作用。

(三)泄流建筑物不同运用方式的影响

钢管或底孔参与泄流，皆有利于降低尾水位；隧洞参与泄流，对尾水区有顶托作用而抬高尾水位。

根据 1972 年以前实测资料和模型试验成果分析计算，将上述各项因素对尾水位的抬高值粗略区分列入表 4-7-1 中。表中将 1 号水尺水位与三门峡水利枢纽技术设计 T_5(位于尾水管出口下游37.2m,两者相近)水位进行比较,以反映对尾水位的影响抬高值。

表 4-7-1 各种影响因素对三门峡尾水位抬高值 (单位:m)

影响因素	流量范围	
	400～5 000m^3/s	8 000～12 800m^3/s
1. 运用隧洞泄流影响	0.2～0.4	0.5～0.7
2. 钢桥边墩缩窄及桥上游河道影响	0.8～1.5	1.8～2.0
3. 钢桥桥墩影响		0.20
4. 堆渣影响	0.1～0.2	0.3～0.4

表4-7-2列出尾水位和钢桥断面水位在三门峡水利枢纽建成运用后至1970年的水位变化与技术设计水位和建桥前水位的比较,亦看出坝下水位抬高情况。坝下水位历年不断抬高,主要是枢纽工程建设时期和改建时期的堆渣影响。流量400～5 000m^3/s水位在1970年比工程兴建前已抬高1.0～2.2m。1970年汛前为坝下河道堆渣最多,所以,坝下各处水位最高。

表 4-7-2 三门峡坝下水位变化

水位断面	时间	水位(以大沽为基面)(m)						
		流量(m^3/s)						
		400	1 000	2 000	3 000	4 000	4 500	5 000
尾水位(1号水尺)	(苏联)技术设计(T_5)	278.0	279.3	280.6	281.7	282.6	283.0	283.3
	1964年	278.5	279.8	281.2	282.0	282.7		
	1967年	278.8	280.0	281.8	283.0	283.7	284.0	284.2
	1970年	279.0	280.7	282.4	283.5	284.4	284.9	285.3
1970年比技术设计水位抬高值(m)		1.0	1.4	1.8	1.8	1.8	1.9	2.0
钢桥前(8号水尺)	1957年建桥前	277.9	278.6	279.9	281.1	282.2	282.6	
	1969年	278.5	279.9	281.7	283.1	284.3	284.8	
	1969年水位比1957年抬高值(m)	0.6	1.3	1.8	2.0	2.1	2.2	

1970年以后,由于工程改建打开底孔泄流,促使主流靠近左岸,增加了水流对钢桥附近河段左岸滩地堆渣的冲刷力。1970年汛期自桥上游200m到桥下游200m河段内共计冲刷5.5万m^3,4 500m^3/s流量的水位在1970年洪峰后降低0.3m左右;在1971年洪峰后降低0.6m左右。

根据水位流量关系资料分析,水库泄流量超过4 000m^3/s时,河道发生明显冲刷。例如1971年,流量4 400m^3/s时,钢桥和三门峡(四)断面实测水位下的断面平均流速分别为3.36m/s和4.58m/s,坝下河床表面1.0m直径的块石运动迹象比较多见,以1.0m直径作为代表,块石起动流速按下式计算:

$$V = \phi\sqrt{D} \tag{4-7-1}$$

式中　V——块石起动流速，m/s；

ϕ——系数，据苏联伊兹巴什研究，系数 ϕ 为 4.9～6.8，按三门峡坝下河段资料，本河段可取系数 ϕ 为 3.4～4.6；

D——块石粒径，m。

可利用式(4-7-1)估算河床上块石的起动流速，分析水流冲刷堆渣的水力条件。

目前钢桥上游河道仍有一些堆渣，桥下游河心堆渣已不多，左岸岸边堆渣仍较多。随着堆渣逐渐冲刷和河床的调整，河床组成发生粗化，要求冲刷的流量将越来越大。因此，河道堆渣(特别是岸边堆渣)的继续冲刷将是比较缓慢的。1977 年 7、8 月发生两场高含沙洪水，瞬时最大含沙量达 911kg/m^3，钢桥上下河道堆渣受到剧烈冲刷，将大块石掀起，堆积在三门峡水文站测验河段上，影响水文正常测验，后经多次爆破，将堆积的大石块破碎和清渣，恢复水文正常测验。

采用中小水情况下 1 号水尺 1971 年实测水位流量关系(机组和钢管没有泄流时取得的资料)，与通过模型试验(按 1972 年 2 月坝下游河道地形修建的河道模型)获得的 8 000 m^3/s 以上流量相应的 1 号水尺的水位，形成推荐的三门峡坝下尾水(1 号水尺)水位流量关系。这已初步反映了 1970～1971 年打开底孔增大泄流能力冲刷下游堆渣后水位下降的情形。现今三门峡水利枢纽仍在应用(原为大沽基面的水位高程现换算为黄海基面的水位高程，换算关系为 $H_{黄海} = H_{大沽} - 1.16$m)，小浪底水利枢纽设计亦采用。表 4-7-3 所示为三门峡坝下尾水水位流量关系。

表 4-7-3　三门峡坝下尾水水位流量关系(以黄海为基面)

流量(m^3/s)	200	500	1 000	2 000	3 000	4 000	5 000	8 000	10 000	12 800	13 400	15 000	17 000
水位(m)	277.15	278.20	279.20	280.55	281.65	282.74	283.70	286.25	287.65	289.15	289.35	290.20	291.0

三门峡水利枢纽尾水平台和进厂铁路、公路，原设计按最大出库流量为 10 000m^3/s 时的设计水位修建，大沽高程为 289.5m，黄海高程为 288.34m。三门峡工程已两次改建，泄流能力加大，若出现百年一遇洪水，洪峰泄量为 12 800m^3/s 时，三门峡尾水位为 289.15m，将超过已建尾水平台和进厂铁路、公路高程，若下泄更大洪水，尾水位将更高，淹没更甚，因此三门峡水利枢纽工程本身需要考虑坝下游及尾水平台的防洪措施。

二、小浪底坝址水位流量关系

小浪底坝址位于小浪底水文站(一)(原站)断面。坝址河段上下游均为砂卵石河床，洪水时河床下切，小水时河槽回淤，河床底部平均升降约 5m，其高程在 126～131m 附近往复变化，在长时间内不存在单向性升高或降底，平均情况相对稳定。

小浪底坝址河段左岸为山坡，右岸为冲积性河漫滩，有多级台阶。在常遇洪水 4 000m^3/s 时，平均水面宽 220m，平均水深 7m，平均比降 8‰，平均流速 2.6m/s。1958 年洪水 17 000m^3/s,水面宽 300m,最大水深 21m。据 1955～1987 年历年的流量水位变化看,在流量 2 000～12 000m^3/s,同流量的水位变幅为 0.95～1.38m,其中同流量水位变幅最大的在 6 000～8 000m^3/s 流量段,变幅为 1.35～1.38m;而枯水流量 200m^3/s 以下和洪水流量 15 000m^3/s 以上的同流量水位变幅小,仅 0.53～0.25m,在平水流量 800～2 000m^3/s范围,同流量水位变幅为 0.90～0.95m。洪水期涨峰水位高,落峰水位低,汛后枯水期水位逐渐回复到汛前枯水期水位,河槽冲淤近于平衡。

据 1955～1987 年小浪底水文站(一)断面实则水位流量资料点绘的水位流量关系图,可以看出,在 33 年内水位流量关系曲线相对稳定,根据点群分布范围可定出 3 条线:上线、下线及中线。1987 年水位接近中线平均线,20 世纪 80 年代水位与 50 年代水位相近,见图 4-7-1 及表 4-7-4。

小浪底建坝后,黄河水流由布置在大坝左岸风雨沟内的进水塔群泄出,坝下水位水尺布置在消力塘出口断面,小浪底水文站(一)断面下迁 4 000m,名为小浪底水文站(二)断面。

三、小浪底坝址上、下游水位流量关系

在水文站(一)断面上、下游设有水尺,间距为 1 000m,据实测水位资料概化各级流量的水面比降见表 4-7-5。

从表 4-7-5 中看出,本河段的水面比降变化与流量变化成正比关系,反映了本河段河床形态和水流流态的特点。

本河段从风雨沟口至桥沟口河底平均比降为 8‰,与流量 4 000～5 000m^3/s 的平均水面比降相一致,代表平衡比降。当流量小于 2 000m^3/s 时,河床上的砂卵石不发生推移运动并有泥沙回淤,河床淤高;当流量大于 2 000m^3/s 时,冲刷前期小水时回淤的泥沙;当流量为 3 000～5 000m^3/s 时,河床上砂卵石强烈推移运动;当流量大于 8 000m^3/s 时,砂卵石河床冲刷下切显著。

通过表 4-7-5 的河段比降与流量关系,根据小浪底水文站(一)断面实测水位流量关系推算上游 576m 处风雨沟口断面的自然水位流量关系和下游 1 992m 处桥沟入黄河断面的自然水位流量关系,见表 4-7-6 及图 4-7-2、图 4-7-3。经过 1986 年、1987 年临时水尺观测水位检验,基本符合实际。

四、小浪底消力塘出口断面水位流量关系设计

小浪底消力塘出口断面的水位流量关系按以下方法设计:

(1)黄河水流改由设置在风雨沟内的进水塔群孔洞泄出经消力塘流至桥沟入黄河。从消力塘出口至桥沟入黄河断面长 822m,水流冲刷桥沟形成新河段。此新河段与小浪底水文站(一)断面至桥沟入黄河断面的河段具有相同的水面比降与流量关系。

(2)桥沟河床为砂卵石覆盖层,与小浪底水文站(一)断面至桥沟入黄河断面的河段的砂卵石河床覆盖层相类似,塑造冲刷桥沟新河段的河床纵剖面形态与小浪底水文站(一)断面至桥沟入黄河断面的河床纵剖面形态相同。在桥沟入黄河断面上游 822m 处的干流断面的水位流量关系可以应用到桥沟口上游 822m 处的消力塘出口断面。

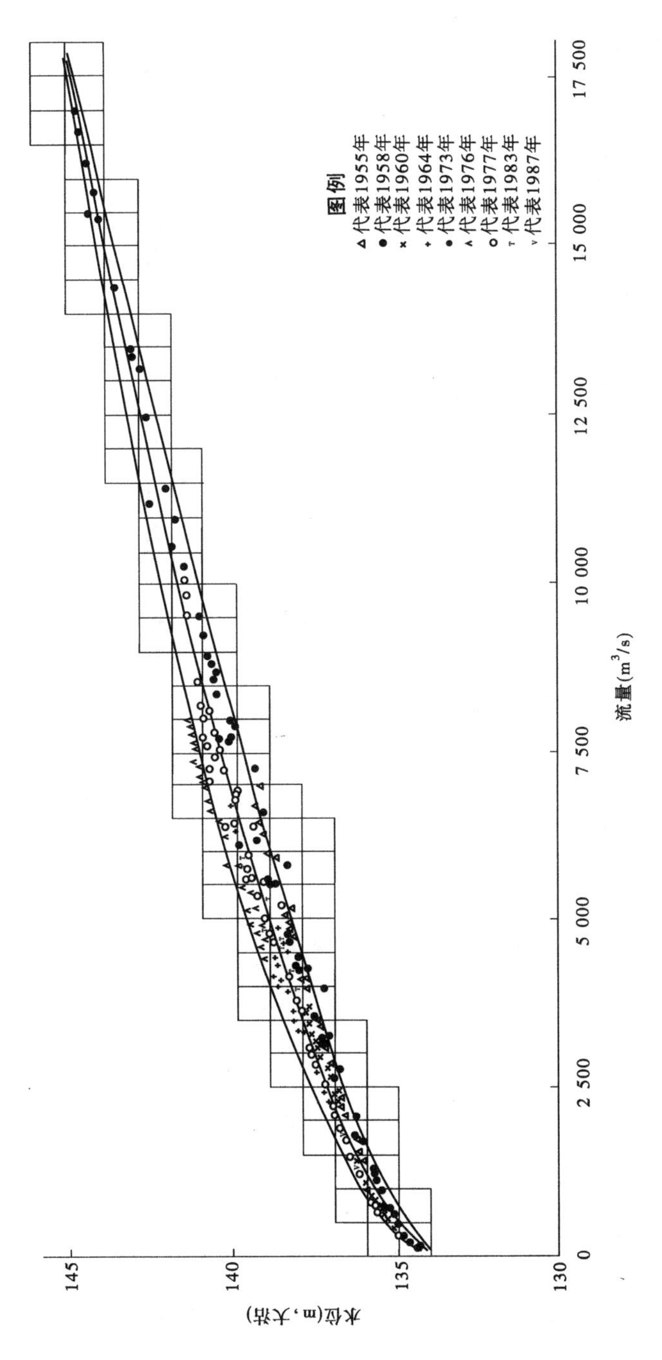

图 4-7-1 小浪底水文站(坝址)实测水位流量关系($H_{黄海}=H_{大沽}-0.571\mathrm{m}$)

表 4-7-4 1955～1987年小浪底水文站(一)坝址断面水位流量关系

水位(m,黄海)	流量(m^3/s)												
	100	200	400	800	1 000	2 000	4 000	6 000	8 000	10 000	12 000	15 000	17 500
上线平均线	133.73	134.13	134.73	135.37	135.65	136.68	138.39	139.76	140.83	141.73	142.53	143.65	144.51
中线平均线	133.53	133.83	134.28	134.93	135.18	136.25	137.78	139.06	140.20	141.20	142.10	143.38	144.40
下线平均线	133.46	133.58	133.93	134.47	134.73	135.73	137.18	138.38	139.48	140.55	141.58	143.13	144.28

表 4-7-5 小浪底老水文站(一)上、下游河段水面比降与流量关系

流量(m^3/s)	100～200	500	1 000	2 000	4 000	6 000	8 000	10 000	12 000	14 000	15 000	17 000
水面比降(‱)	1.5	2.3	3.3	4.9	7.6	9.9	11.7	13.3	14.7	15.8	16.4	17.5

表 4-7-6 风雨沟口和桥沟入黄河断面自然河道水位流量关系

断面位置	水位(m,黄海)	流量(m^3/s)											
		200	400	600	1 000	2 000	4 000	6 000	8 000	10 000	12 000	15 000	17 000
风雨沟黄河断面(小浪底站(一)上游576m)	上线平均线	134.24	134.75	135.14	135.83	137.01	138.81	140.32	141.50	142.50	143.38	144.59	145.38
	中线平均线	133.92	134.40	134.75	135.38	136.55	138.24	139.64	140.89	141.97	142.95	144.32	145.26
	下线平均线	133.67	134.05	134.34	134.93	136.01	137.59	138.96	140.17	141.32	142.43	144.07	145.14
桥沟入黄河断面(小浪底站(一)下游992m)	上线平均线	133.83	134.23	134.53	134.99	135.73	136.83	137.70	138.49	139.09	139.60	140.39	140.88
	中线平均线	133.53	133.88	134.13	134.52	135.27	136.26	137.08	137.83	138.51	139.17	140.11	140.75
	下线平均线	133.28	133.53	133.70	134.07	134.75	135.68	136.43	137.16	137.91	138.65	139.86	140.63

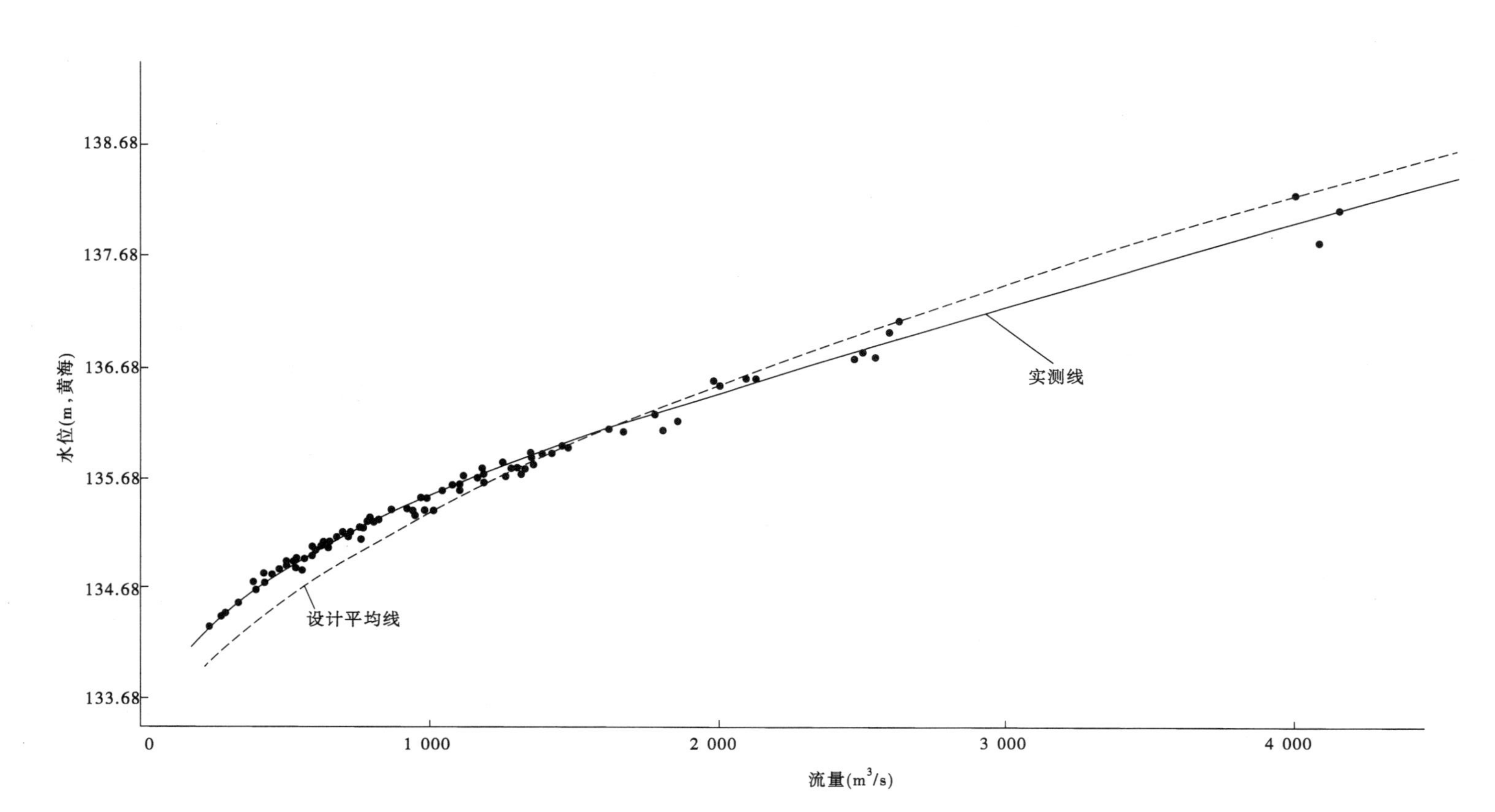

图 4-7-2　风雨沟口黄河断面天然实测水位流量关系(1987 年)(小浪底水文站水位:$H_{黄海}=H_{大沽}-0.571\text{m}$)

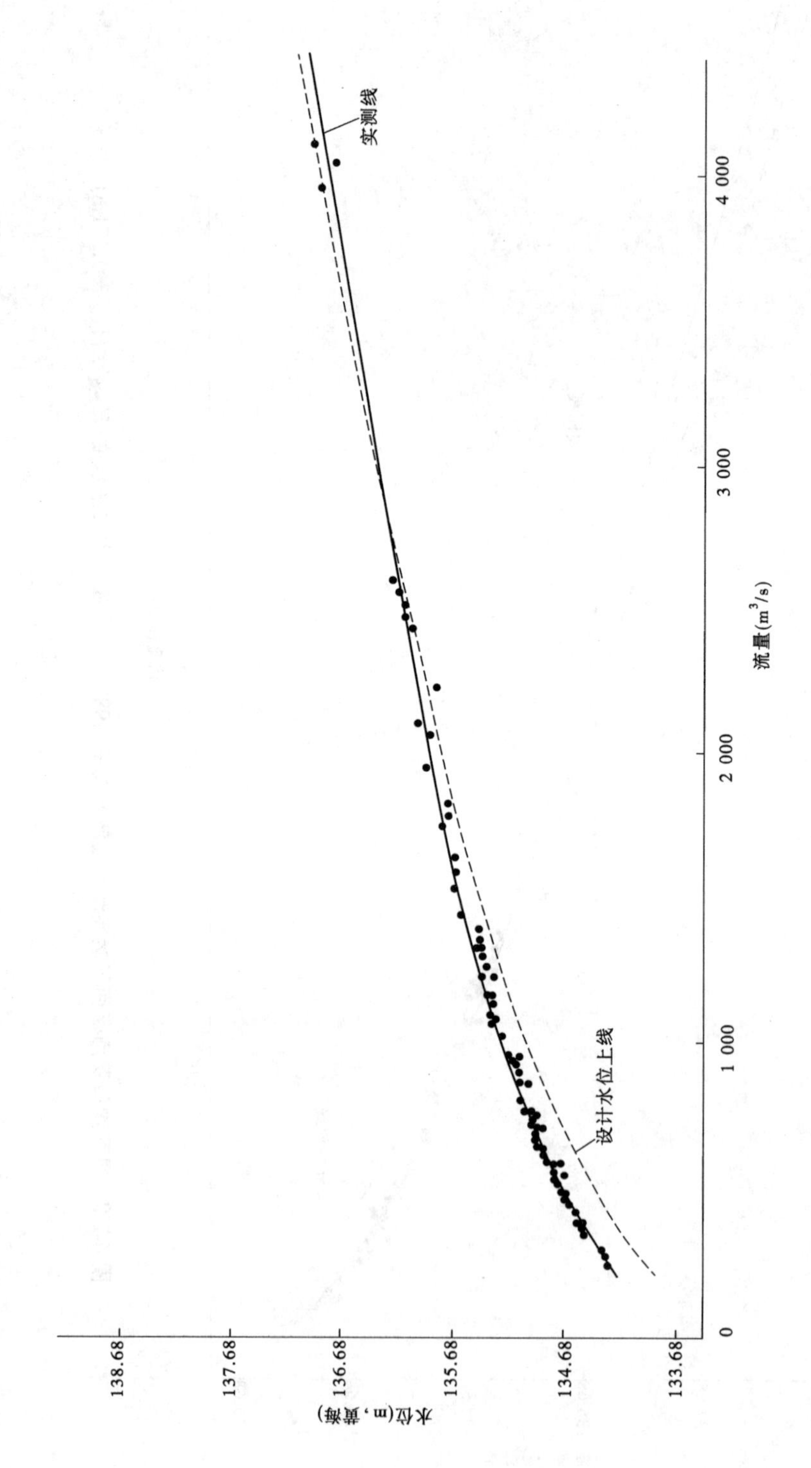

图 4-7-3 桥沟入黄河断面天然实测水位流量关系(1987 年)(小浪底水文站水位：$H_{黄海} = H_{大沽} - 0.571$m)

注：临时设的水尺位于桥沟入黄河断面上游约 500m。

(3)由小浪底水文站(一)断面的实测水位流量关系按表4-7-5的水面比降与流量关系推算桥沟入黄河处断面上游822m的干流断面的水位流量关系,即为小浪底消力塘出口断面的水位流量关系,见图4-7-4及表4-7-7。

在水库运用初期,桥沟需要一段时间的冲刷过程才能完成新河段的塑造并逐步形成设计的水位流量关系。

(4)水库运用后,坝下游砂卵石河床将发生冲刷。河床上的砂卵石发生推移运动后,却没有上游砂卵石推移运动补给,导致砂卵石河床下降,在经过较长时间大水冲刷后,河床粗化,将形成抗冲层,河床冲刷停止。据苏联阿尔杜宁研究,在较大粗颗粒砂卵石河床的山区河流建坝后,坝下游新的砂卵石河床纵剖面比降约为原河道比降的0.9倍。

小浪底坝下至柿林滩河段长约10km,河段平均比降为8‰,河道逐渐放宽。据计算,小浪底水库运用22年后坝下游河段的河床纵剖面比降减小为7.2‰,砂卵石河床冲刷下切影响至柿林滩。若遭遇百年一遇以上或至千年一遇的特大洪水,下泄洪水流量持续时间长,河床将要继续冲刷下切,并向下游发展冲刷,在上游消力塘出口断面的水位流量关系将受到影响,见表4-7-7,在流量100~17 000m^3/s范围内,形成的最大冲刷下降线,比下线平均线水位降低0.18~1.35m,小流量水位降低少,大流量水位降低多。

由于施工堆渣及束窄河道等影响,水库运用后初期坝下游水位将比天然情况升高。例如三门峡、刘家峡、龚嘴等水库的坝下水位升高情况。小浪底施工过程中已经出现坝下游河段水位升高的情形。

五、小浪底工程施工期消力塘出口断面水位流量关系

小浪底工程施工期较长,工程施工的堆渣、缩窄河道等影响,已使坝下游河段水位比天然水位显著抬高。根据1996年4月在小浪底坝下游河道各断面水下地形测量和获得的各断面水位—流量—面积关系,从小浪底水文站(二)断面的水位流量关系的变化,可以分析小浪底施工期坝下游水位抬高情形。

从小浪底消力塘出口断面至桥沟入黄河后的CS4断面共长970m,划分4个断面,消力塘出口断面为1号断面,河底高程130m,桥沟口为2号断面,河底高程130m。桥沟为砂卵石河床,均开挖到平底130m高程,一边为山体,一边为浆砌块石墙,边坡1:1。3号断面为桥沟入黄河后断面,CS4为1996年布设的黄河断面。3号断面河底高程为129.4m,CS4断面河底高程为128.7m。CS4号至3号断面距离为279m,糙率系数$n=0.04$,3号至2号断面距离为241m,糙率系数$n=0.042$,2号至1号断面距离为450m,糙率系数$n=0.045$。从1996年4月黄河CS4断面实测绘制的水位—流量—面积关系曲线,由CS4断面向上游消力塘出口断面推算水面线。推算中没有考虑河床冲淤变化,仅根据消力塘出口断面至桥沟口断面的开挖地形和黄河3号断面及CS4断面1996年4月施测的水下地形计算,可以反映在此边界条件下水位流量关系。

由此计算获得的小浪底消力塘出口断面在施工期1996年的水位流量关系见表4-7-8。由表4-7-8看出,由于小浪底工程施工,造成坝下游河段水位抬高,引起小浪底消力塘出口断面水位抬高。与消力塘出口断面设计的水位流量关系中线平均线相比,施工期水位抬高表现为小流量水位抬高值小,大流量水位抬高值大。在流量1 000m^3/s以下水位抬

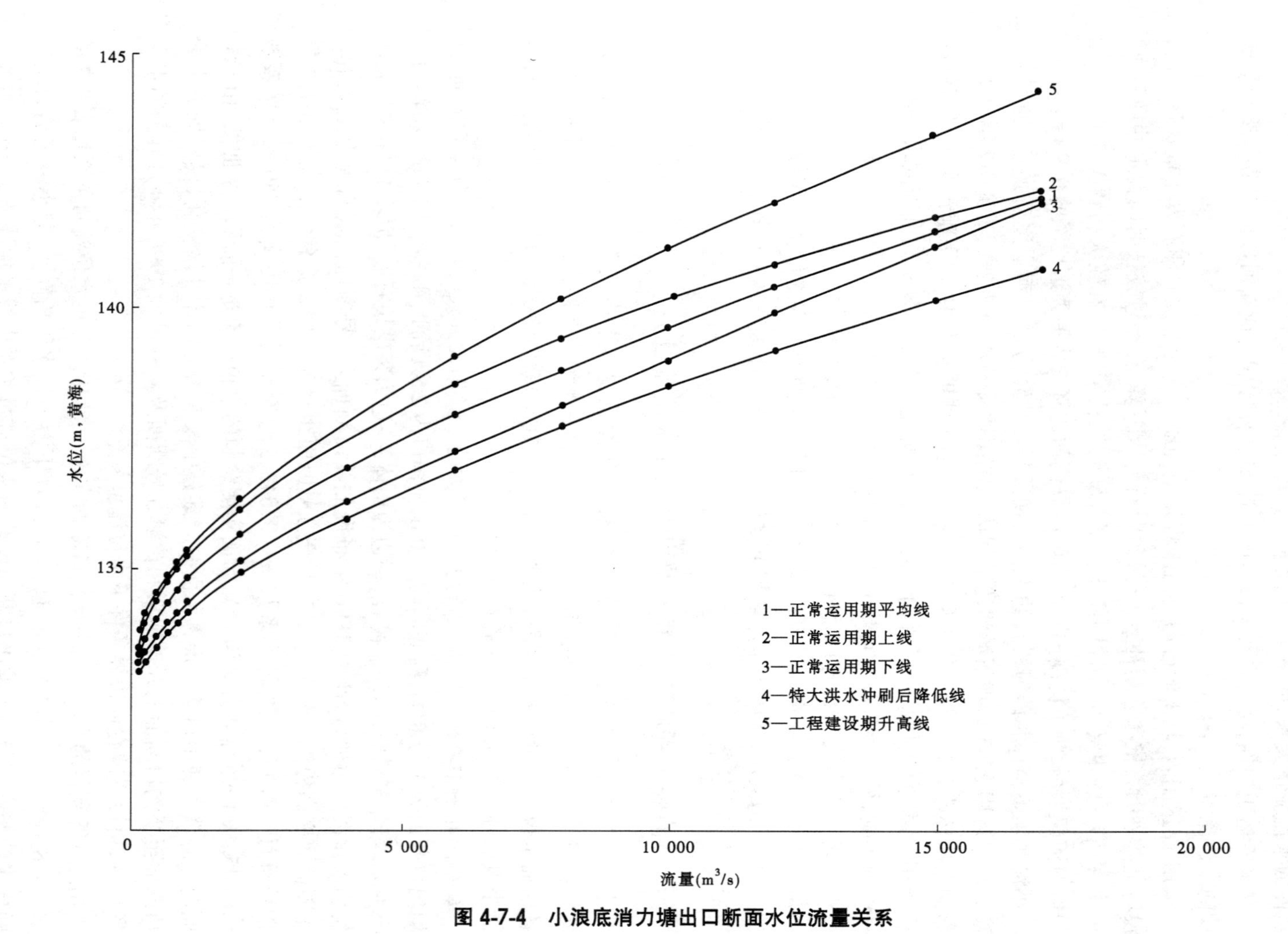

图 4-7-4 小浪底消力塘出口断面水位流量关系

高0.50m,流量1 000～4 000m^3/s水位抬高0.5～1.0m,流量4 000～10 000m^3/s水位抬高1.0～1.5m,流量10 000～17 000m^3/s水位抬高1.5～2.0m。

在小浪底工程继续施工的过程中,坝下游河段水位可能还有继续抬高情形。

六、小浪底水库建成运用后消力塘出口断面水位流量关系变化分析

小浪底水库建成运用后,坝下游水位将随着河床的冲刷而下降。坝下游砂卵石河床的冲刷将在小浪底水库拦沙运用5年、10年、15年后有显著变化。在来水流量2 000～8 000m^3/s,坝下游砂卵石河床由于河道坡降大,会发生不同颗粒组成的推移运动和河床冲刷下切,流量愈大,愈易冲刷更大粒径的卵石和块石。小浪底水库调水调沙运用方式,在来水2 000～8 000m^3/s时即按来水流量泄放,因此具备水流冲刷砂卵石河床的水流条件。根据三门峡工程二期改建后泄流能力增大,在1970年汛期和1971年汛期水流冲刷河床,使3 000～5 000m^3/s水位降低0.90m左右,可以预估小浪底水库在建成运用的前5～6年,若汛期来水较大,中水流量3 000～8 000m^3/s出现,汛期水流冲刷坝下游河床,能够使坝下游水位降低约1.0m。5～6年后随着黄河洪水流量的增大和大水年的到来,水库下泄流量增大,将进一步冲刷坝下游砂卵石河床,使坝下游水位进一步下降。如果发生20年一遇或50年一遇以上洪水,则坝下游砂卵石河床会再发生冲刷,使坝下游水位再下降。黄委会设计院委托黄委会水科院于1993年进行的模拟小浪底水库运用22年过程中的"小浪底至坡头河段河床演变模型试验"成果表明,坝下游河床在中水流量3 000～8 000m^3/s冲刷下切河床和水位下降的基础上,增加一次大洪水,水库泄放10 000～13 500m^3/s洪峰流量,进一步冲刷河床,水位进一步下降,与天然河道的流量2 750m^3/s的水位相比,同流量水位下降值见表4-7-9。在蓼坞滩断面(相当于前述桥沟入黄河后黄河CS4断面)水位下降1.59m,在坝下游黄河公路桥断面水位下降1.30m,在小浪底水文站(二)断面水位下降1.11m。将表4-7-8和表4-7-7相比,小浪底施工期1996年,在流量2 000～4 000m^3/s,消力塘出口断面水位为136.38～137.86m,在经过水库拦沙期下泄水流冲刷,再经10 000～13 500m^3/s大洪水的冲刷后,同流量2 000～4 000m^3/s的水位降为134.94～135.98m,达到设计最大冲刷下降线水位,比施工期1996年水位降低1.44～1.88m,这与上述"小浪底至坡头河段河床演变模型试验"经过水库拦沙运用22年再加泄放大洪水10 000～13 500m^3/s流量冲刷后,在蓼坞断面流量2 750m^3/s的水位比天然河道同流量水位下降1.59m的试验成果是很相近的,说明设计水位得到了模型试验的验证。

综上分析可见,小浪底水库工程设计的消力塘出口断面水位流量关系的中线平均线和最大冲刷下降线是比较合理的。在小浪底工程施工期,坝下游水位抬高,消力塘出口断面水位抬高,能够在水库运用的5～6年下降约1m;在10～15年内还将继续下降;在经过水库拦沙运用22年的冲刷和经过大洪水及特大洪水冲刷后,水位将接近设计的最大冲刷下降线。在水库运用中进行跟踪观测和分析,适时预测水位变化是必要的。

表 4-7-7 小浪底消力塘出口断面设计水位流量关系

水位(m,黄海)	流量(m^3/s)													
	100	200	400	600	800	1 000	2 000	4 000	6 000	8 000	10 000	12 000	15 000	17 000
上线平均线	133.55	133.95	134.40	134.71	135.02	135.26	136.16	137.48	138.51	139.44	140.18	140.80	141.73	142.33
中线平均线	133.35	133.65	134.05	134.32	134.58	134.83	135.68	136.88	137.91	138.79	139.64	140.38	141.48	142.18
下线平均线	133.25	133.40	133.70	133.91	134.14	134.36	135.16	136.28	137.23	138.10	138.98	139.88	141.18	142.08
特大洪水最大冲刷下降线	133.07	133.20	133.48	133.72	133.95	134.18	134.94	135.98	136.88	137.73	138.47	139.16	140.11	140.73

表 4-7-8 小浪底消力塘出口断面施工期(1996 年)水位流量关系

水位(m,黄海)	流量(m^3/s)													
	100	200	400	600	800	1 000	2 000	4 000	6 000	8 000	10 000	12 000	15 000	17 000
施工期 1996 年	133.85	134.12	134.49	134.81	135.13	135.35	136.38	137.86	139.06	140.17	141.17	142.11	143.42	144.23
比设计中线平均线抬高(m)	0.50	0.47	0.44	0.49	0.55	0.52	0.70	0.98	1.15	1.38	1.53	1.73	1.94	2.05

表 4-7-9 小浪底坝下游河段河床演变模型试验水位变化特征

试验条件	水库泄洪流量(m^3/s)	水位比较流量(m^3/s)	水位(m,黄海)	蓼坞	黄河桥	小浪底(二)	东河清	留庄桥(右)	王庄老闸(右)	坡头(左)
初期拦沙运用后来特大洪水	13 500	2 750	天然河道	136.11	135.00	134.60	133.94	129.47	127.91	123.92
			水库拦沙和泄放大洪水冲刷后	134.52	133.70	133.49	132.87	128.97	127.45	123.65
			水位下降值(m)	1.59	1.30	1.11	1.07	0.50	0.46	0.27

第五章　库、坝区水文泥沙分析

第一节　坝区支沟设计洪水

一、坝区概况及支沟特征

小浪底坝区指小浪底大坝附近至下游焦枝铁路区间，是小浪底大坝的施工场区及料场区。该地区属黄土山区，植被相对较差。年降水量约650mm，全年降水主要集中在7～10月，盛夏季节常出现暴雨，实测24h暴雨量可达600mm以上。

该区间南北两岸有主要支沟约13条，其中近坝上游有风雨沟、小清河；近坝下游有桥沟、砚瓦河、连地河、西河清、东河清等，各支沟的特征值见表5-1-1。从表中可以看出，小浪底坝区的支沟具有流域面积小、沟道短、比降陡的特点。比如风雨沟，流域面积仅0.483km^2，沟长1.25km，比降达80.4‰。遇高强度短历时暴雨易出现尖瘦型洪水，根据对黄河三花间暴雨洪水资料分析，小浪底坝区属暴雨洪水高值区，对施工场区及料场区的安全威胁较大。

表5-1-1　小浪底坝区主要支沟特征值

支沟名称	位于黄河左、右岸	河道长度(km)	流域面积(km^2)	比降(‰)
风雨沟	左	1.25	0.483	80.4
砚瓦河	左	30.9	87.5	8.9
连地河	左	18.7	48.0	11.3
桥　沟	左	26.4	42.4	16.5
小清河	右	18.0	40.9	16.8
东河清	右	10.3	24.7	16.9
西河清	右	9.8	16.8	26.1
留庄沟	左	9.2	15.3	16.8
庙　沟	左	4.85	4.85	33.1

二、坝区支沟历史洪水调查

坝区支沟均无实测流量资料，在20世纪50年代和70年代对坝区部分支沟进行过历史洪水调查，在小浪底大坝技施设计阶段又对连地河、砚瓦河、桥沟等进行了历史洪水调查，并对以往的历史洪水调查资料进行了复核，各支沟历史洪水调查成果见表5-1-2。

表 5-1-2 小浪底坝区支沟历史洪水调查成果

支沟名称	年份	流量(m^3/s)	评 价
桥 沟	1929	864	供参考
	1943	667	较可靠
	1937	528	较可靠
	1953	327	较可靠
	1954	249	较可靠
砚瓦河	1939	1 250	较可靠
	1943	1 090	可靠
	1922	1 060	较可靠
	1933	860	较可靠
	1953	410	可靠
连地河	1915	850	供参考
	1937	576	较可靠
	1992	130	可靠
小清河	1915	700	可靠
	1931	400	可靠
西河清	1915	302	可靠

从坝区支沟历史洪水调查资料看，坝区近百年来出现过多次大的暴雨洪水，支沟洪峰量级相对较大，如桥沟、连地河历史最大洪峰流量为 $860m^3/s$ 左右，砚瓦河历史最大洪峰流量达 1 $250m^3/s$。

根据对坝区支沟及其周围地区支沟历史最大洪水调查资料的综合分析，并考虑一定的安全因素，综合确定出的各支沟历史最大洪水的重现期为 100 年左右。

三、坝区支沟设计洪水

小浪底坝区支沟无实测流量资料，支沟设计洪水分析计算，主要采用暴雨径流查算图表法和历史洪水调查及洪水地区综合法进行推求。

暴雨径流查算图表法，采用《河南省中小流域设计暴雨洪水图集》(以下简称《图集》)提供的设计暴雨、设计洪水计算方法及参数进行计算。

历史洪水调查，即对各支沟的历史洪水流量，根据调查访问及资料查阅情况，确定历史洪水的重现期，以验证设计洪水的合理性。

地区综合法，采用坝区各支沟的历史最大洪水和《图集》推求的各支沟设计洪水资料，点绘洪峰流量与面积的相关图，并参考邻近地区中小流域实测流量频率分析成果，综合确定设计流域不同频率的洪峰流量与面积的相关关系。

各种方法计算的支沟设计洪水成果见表 5-1-3、表 5-1-4。

表 5-1-3　暴雨洪水《图集》推算的支沟设计洪峰流量成果

序号	支沟名称	面积 (km^2)	频率为 P(%)的设计洪峰流量(m^3/s)				
			1	2	5	10	20
1	风雨沟	0.483	23.0	19.8	15.7	12.6	9.5
2	庙　沟	4.85	160	135	106	80.7	56.5
3	留庄沟	15.3	380	313	235	175	119
4	西河清	16.83	441	364	274	206	140
5	东河清	24.7	615	507	380	284	193
6	小清河	40.9	790	647	478	351	230
7	桥　沟	42.4	649	528	384	276	173
8	连地河	48.0	856	700	514	375	243
9	砚瓦河	87.5	974	785	556	385	221

表 5-1-4　地区综合法推算的支沟设计洪峰流量成果

序号	支沟名称	面积 (km^2)	频率为 P(%)的设计洪峰流量(m^3/s)			
			1	2	5	10
1	风雨沟	0.483	26.0	21.0	13.8	11.0
2	庙　沟	4.85	145	117	78.0	
3	留庄沟	15.3	350	280	180	155
4	西河清	16.83	370	300	190	165
5	东河清	24.7	500	400	260	230
6	小清河	40.9	720	580	380	320
7	桥　沟	42.4	730	600	400	330
8	连地河	48.0	810	660	430	370
9	砚瓦河	87.5	1 260	1 020	670	580

四、坝区支沟设计洪水成果的采用

经过技施设计阶段对主要支沟历史调查洪水的复核，修改了以前个别支沟历史洪水数值，提高了历史洪水数值的精度。暴雨洪水图集法采用的《图集》是根据 1951～1980 年降雨及流量资料编制的，并经过了全国雨洪办的验收，其计算成果经与各支沟历史洪水对比，百年一遇设计洪峰流量接近最大历史洪水，表明《图集》的计算成果还是可信的。地区综合法的成果，不仅采用了较长系列的实测资料，还综合了暴雨洪水图集的计算成果，参考了较可靠的历史洪水资料，基本资料基础好，而且同一地区的各支沟设计洪水成果进行了综合的比较和平衡。因此,推荐采用地区综合法计算成果。

第二节　库区推移质输沙量估算

一、库区河床组成

库区干流为砂卵石河床,洪水时砂卵石运动剧烈,支流河口都有砂卵石堆积扇,并形成干流上的碛石滩。干流河床组成以坝区钻孔取样资料近似代表,见表 5-2-1。

表 5-2-1　坝区河床砂卵石级配

深度(m)	平均小于某粒径之土重百分数(%)								
	粒径(mm)								
	200	100	20	2	0.5	0.25	0.10	0.05	0.025
0～2	94	79	51	27	17.5	12.5	6	3.5	
2～6			62.5	38	26.5	21	17	14	2.5
0～6			60.7	36.2	25.1	18.9	14	12.3	2.1

由于水流长期冲刷作用,河床表层形成粗化铺盖层,粗化层以下(2～6m 深)的淤积物级配保持自然淤积状况,其中数粒径为 10～12mm,水库尾部段推移质淤积物的粒径按此估计。

支流河床的砂卵石较粗。表 5-2-2 为大峪河下段河床砂卵石的级配,可作为代表。

表 5-2-2　大峪河砂卵石河床组成

深度(m)	小于某粒径之土重百分数(%)								
	粒径(mm)								
	100	60	40	20	10	2	0.5	0.25	0.1
0～3	52	40.5	32.7	24.5	20.1	14.1	7.9	5.4	3

二、水库尾部段砂卵石推移质输沙量

(一)干流砂卵石河床水力几何形态计算式

根据小浪底和宝山断面资料,得到砂卵石河床的水力几何形态计算式如下:

$$B = 29.4Q^{0.22} \tag{5-2-1}$$

$$h = 0.52Q^{0.33} \tag{5-2-2}$$

$$V = 0.065Q^{0.45} \tag{5-2-3}$$

(二)砂卵石推移质最大粒径计算式

采用杜国翰、彭润泽、吴德一《都江堰工程改建和卵石推移质问题》中的计算式(《泥沙研究》,1980):

$$D_{max} = \frac{66}{\Delta^{1/3}}(hi)^{4/3} \tag{5-2-4}$$

式中 D_{max}——推移质最大粒径,m;

Δ——河床突起高度,对于天然河流,$\Delta=(22.9n)^6$,其中 n 为曼宁糙率系数;

h——水深,m;

i——比降,‱。

(三)砂卵石推移质输沙率计算式

(1)采用陈远信《都江堰卵石推移质输沙率问题》中的计算式(成都工学院学报,1980,第一期):

$$G_s = 2.48 \times 10^{-3} V^{5.41} b^{1.94} \left(\frac{D_{cp}}{h}\right)^{0.78} \tag{5-2-5}$$

$$b = 1.2Fr(1 - 0.065B^{0.5}/h)B \tag{5-2-6}$$

$$Fr = \frac{V}{(gh)^{0.5}} \tag{5-2-7}$$

式中 G_s——砂卵石推移质输沙率,kg/s;

b——砂卵石推移质输沙带宽度,m;

D_{cp}——砂卵石推移质平均粒径,m。

(2)采用苏联沙莫夫计算式(从略),进行对比计算。

(四)库尾段干流砂卵石推移质输沙量

选用三个代表性流量计算推移质输沙率计算,结果见表 5-2-3。

表 5-2-3　小浪底库尾段干流砂卵石推移质输沙率计算

流量 (m^3/s)	水面宽 (m)	平均水深 (m)	平均流速 (m/s)	糙率 n	D_{max} (m)	D_{cp} (m)	i (‱)	q (m^2/s)	推移质输沙率 (kg/s)
10 000	224	10.9	4.1	0.035	0.17	0.015	7.5	44.6	219
4 200	185	8.32	2.88	0.040	0.09	0.008	7.5	22.7	10.4
1 500	147	5.76	1.75	0.050	0.035	0.003	7.5	10.2	0.15

根据表 5-2-3 的计算,得到在砂卵石推移质输沙平均比降 7.5‱条件下砂卵石推移质输沙率计算式:

$$Q_{sb} = 3.45 \times 10^{-12} Q^{3.45} \tag{5-2-8}$$

按照 2000 年设计水平的来水条件,采用式(5-2-8)计算库尾段干流砂卵石推移质输沙量。计算结果见表 5-2-4,库尾段干流年平均砂卵石推移质输沙量为 2.02 万 t。非汛期来水小,无推移质输沙量,故此即为年平均砂卵石推移质输沙量。

表 5-2-4　汛期平均库尾段干流砂卵石推移质输沙量计算

流量级(m^3/s)	<1 000	1 000~2 000	2 000~3 000	3 000~5 000	5 000~8 000	8 000~10 000	10 000~12 000	合计
代表流量(m^3/s)	600	1 500	2 500	4 000	6 500	9 000	11 000	
推移质输沙率(kg/s)	0.013	0.313	1.823	9.224	49.25	151.3	302.4	
年平均推移质输沙量(万 t)	0.007	0.108	0.183	0.478	0.723	0.262	0.261	2.022

(五)库尾段支流砂卵石推移质输沙量

库尾段有3条较大支流,即岳家河、细流河和乾灵河,河床砂卵石级配均用大峪河的典型资料作为代表;其汛期洪峰流量过程,采用模拟与库尾段相近的五福涧的实测洪水资料。对汛期每次洪峰按涨峰、峰顶、落峰3个时段进行计算。尾部段支流常水流量小,但一般每年汛期有暴雨洪水,洪水时砂卵石推移质运动剧烈。选择有代表性的五福涧汛期洪水过程计算,代表年平均砂卵石推移质输沙量。

根据亳清河和刘家峡水库洮河资料建立支流砂卵石河床的水力几何形态计算式为:

$$B = 25Q^{0.22} \quad (5\text{-}2\text{-}9)$$

$$h = 0.115Q^{0.41} \quad (5\text{-}2\text{-}10)$$

$$V = 0.35Q^{0.37} \quad (5\text{-}2\text{-}11)$$

库尾段支流水力几何形态计算结果见表5-2-5。

表5-2-5 库尾段支流水力几何形态计算结果

支流名称	流量 (m^3/s)	B (m)	h (m)	V (m/s)	i (‱)	n	D_{max} (mm)
乾灵河	150	59	0.57	1.49	312	0.07	120
	190	79.5	0.99	2.46	312	0.05	490
细流河	50	59	0.57	1.49	284	0.07	100
	190	79.5	0.99	2.46	284	0.05	430
岳家河	50	59	0.57	1.49	255	0.07	90
	190	79.5	0.99	2.46	255	0.05	370

采用砂卵石推移质输沙率公式计算,库尾段三条支流合计的年平均砂卵石推移质输沙量为2.82万t。

采用砂卵石推移质输沙量与悬移质输沙量的比例推估。据现有资料分析,当年平均悬移质含沙量小于7.5kg/m³时,砂卵石推移质输沙量为悬移质输沙量的5%~12%;当年平均悬移质含沙量大于7.5kg/m³时,砂卵石推移质输沙量为悬移质输沙量的2%~8%。按乾灵河、细流河、岳家河情况,采用砂卵石推移质输沙量为悬移质输沙量的12%计算。库尾段三条支流合计年平均砂卵石推移质输沙量约1.0万t。

上述两方法计算值相近,采取平均数值1.91万t。加上库尾段干流年平均砂卵石推移质输沙量2.02万t,合计库尾段干、支流年平均砂卵石推移质输沙量为3.93万t。

三、库区砂卵石推移质输沙总量

以亳清河和大峪河代表亳清河以下支流,计算这两条支流各级流量的水力要素和砂卵石推移质最大粒径,见表5-2-6。在南沟涧河以上至清水河的支流其各级流量水力要素和砂卵石推移质最大粒径介于亳清河、大峪河和库尾段三条支流之间,进行类比估算。

表 5-2-6　毫清河、大峪河水力几何形态计算

支流名称	流量(m^3/s)	B(m)	h(m)	V(m/s)	i(‱)	n	D_{max}(mm)
亳清河	50	59	0.57	1.49	72	0.039	54
	100	69.2	0.76	1.93	72	0.036	94
	190	79.5	0.99	2.46	72	0.032	169
	1 000	115	1.96	4.50	72	0.030	478
大峪河	50	59	0.57	1.49	100	0.046	61
	100	69.2	0.76	1.93	100	0.043	102
	190	79.5	0.99	2.46	100	0.038	185
	1 000	115	1.96	4.50	100	0.035	544

用砂卵石推移质输沙率公式和砂卵石推移质与悬移质输沙量比例法分别估算除库尾段三条支流外库区 12 条主要支流的年平均砂卵石推移质输沙量，列于表 5-2-7 中。

表 5-2-7　库区主要支流年平均砂卵石推移质输沙量计算成果　(单位:万 t)

计算方法	大峪河	畛水	石井河	东洋河	西洋河	东河	亳清河	南沟涧河	板涧河	五福涧河	老鸦石河	清水河	合计
输沙率公式计算	1.0	4.0	1.8	1.6	1.0	1.9	3.0	1.2	1.20	0.94	0.94	0.94	19.5
推悬比法计算	1.06	4.5	0.57	1.38	1.65	2.36	2.56	0.30	0.72	0.41	0.80	0.07	16.4

按两种方法计算的库区 12 条支流年平均砂卵石推移质输沙量为 18.0 万 t，加上库尾段三条支流年平均 1.0 万 t，则 15 条支流合计年平均砂卵石推移质输沙量为 19.0 万 t。

库区尚有 21% 的流域面积为小支流及毛沟，由于库区流域特性和水文气象特性相同，地区侵蚀模数相同，故按砂卵石推移质输沙量与流域面积的比例关系推算(即 $0.21:0.79 = x:19$，$x = 0.21 \times 19/0.79 = 5.05$)，库区小支流和毛沟的砂卵石推移质输沙量为 5.1 万 t。

以上合计得库区年平均砂卵石推移质输沙量为 27 万 t，数量很小，对库容的淤积损失影响极微。在水库尾部段，砂卵石推移质的淤积体发展缓慢，它一方面向前推进和向上游延伸，另一方面砂卵石推移质要置换一定深度的悬移质泥沙淤积物，所以发展缓慢。在 50 年砂卵石推移质淤积段长度约 5km，200 年砂卵石推移质淤积段长度约 15km，那时对库区干流淤积纵剖面也影响不大，主汛期输沙平衡的河库淤积纵剖面影响不到三门峡坝下，尚距三门峡大坝 3.3km。

第六章　小浪底水利枢纽工程规划概述

小浪底水利枢纽工程位于世界上泥沙最多、最复杂、最难治理的黄河干流上，控制了黄河86.9%的径流和几乎全部的泥沙，是防治下游水害、开发黄河水利的重大战略性工程。因此，与世界其他江河上的水利枢纽相比，小浪底工程规划具有特殊的复杂性、长期性和综合性。长期以来，针对小浪底工程建设的必要性、开发任务、工程规模、工程作用等规划问题，做了大量的论证工作。

第一节　小浪底水利枢纽工程规划的研究过程及特点

一、工程规划的复杂性

泥沙问题是黄河难治的症结所在。按1919～1960年统计，黄河（陕县站、三门峡站）多年平均输沙量16亿t，多年平均含沙量37.5kg/m^3，居世界诸河之冠。大量泥沙进入下游河道，导致河道逐年淤积抬高，形成高出两岸地面的悬河。历史上黄河下游决口频繁，洪水泛滥，灾情严重，举世闻名，是中华民族的心腹之患。鉴于此，1955年7月30日，第一届全国人民代表大会第二次会议通过的《关于根除黄河水害和开发黄河水利的综合规划》，选定三门峡水利枢纽为一期工程。工程建成后由于出现水库严重淤积影响渭河下游的问题，三门峡水利枢纽被迫改变原规划设计的开发任务和运用方式，进行两次工程改建，增大泄流排沙能力，这是由于对黄河泥沙问题的认识和对处理泥沙不当造成的结果。

小浪底水利枢纽工程处在控制黄河下游水沙的关键部位，工程规划所涉及的问题相当复杂。小浪底工程如何能避免三门峡工程所出现的问题，水库能否长期保持有效库容，能否发挥巨大的防洪减淤效益，这是人们关注的首要问题；由于汛期黄河含沙量大，小浪底工程不能蓄水，非汛期才能蓄水，工程建成后能否发挥供水、灌溉、发电等兴利作用，也是国内许多专家关心的问题。小浪底工程规划，既要研究几乎全部黄河流域的径流、泥沙、洪水特性，又要研究流域经济社会发展变化趋势；既要研究历史上的水文、泥沙、洪水变化情况，又要预测人类活动，特别是水利水保工程对未来水文情势的影响；既要研究工程本身的规划问题，尤其是工程泥沙问题，又要研究黄河下游防洪工程体系的联合调度问题；既要研究防洪、防凌、减淤问题，又要研究下游引黄灌溉、城市供水、发电等综合利用问题。这些问题交织在一起，互相影响，使得工程规划具有特殊的复杂性。加之小浪底坝段工程地质条件复杂，使工程的规划设计任务艰巨，反复论证，不断修改补充，经过几十年的不断攻关，艰苦努力，最终获得国务院的批准建设。

二、工程规划的长期性

小浪底工程规划经历了复杂、曲折的变化过程，不断深化发展。远从1954年黄河综合利用规划开始，直至小浪底工程开工，历时40余年，大致可分为六个阶段：

(1)第一阶段，1954～1960年。1954年底提出的《黄河综合利用规划技术经济报告》(以下简称“1954年黄河规划”)，拟定小浪底水利枢纽是以发电为主的径流电站。1958年提出《小浪底水利枢纽设计任务书》，拟定小浪底枢纽以发电为主，综合利用，合并小浪底、八里胡同为一级开发。1960年5月《小浪底水利枢纽选坝报告》，确定小浪底枢纽的开发任务，以发电为主，结合防洪、航远、灌溉和供水，正常高水位为280m。

(2)第二阶段，1969～1974年。提出《黄河三秦干流河段规划》及小浪底工程规划设计报告。本阶段在三小间主要进行一级和二级开发方案的比较论证，推荐小浪底高坝水库一级开发方案，以发挥防洪、防凌、减淤、灌溉、发电等综合利用效益。鉴于小浪底高坝一次建成工程量大、投资多，且近期只需要防洪库容36亿m^3，故结合地质条件，选择青石嘴坝址一级开发方案，正常蓄水位265m，原始库容91.5亿m^3，采取分期加高实施。第一期工程，水库正常蓄水位230m，原始库容38.5亿m^3，初期有效库容36亿m^3，后期有效库容30亿m^3，基本解决下游防洪、防凌问题，并有灌溉、发电综合利用效益，不考虑下游减淤问题。

(3)第三阶段，1975～1981年。首次明确提出主要从下游减淤出发，小浪底工程修建高坝，开发任务为防洪、防凌、减淤、灌溉、发电，综合利用。进行了水库一次抬高水位蓄水拦沙运用和逐步抬高水位拦粗(沙)排细(沙)运用方案比较。选择最高蓄水位275m，原始库容126.5亿m^3。为了提高水库初期运用的发电效益，推荐水库建成后一次抬高水位至250m的高水位蓄水拦沙运用方案。1981年水利部组织审查讨论，审查认为，小浪底工程的开发任务应以防洪、减淤为主，要采取逐步抬高主汛期水位拦沙和调水调沙运用方案，并提出水库运用初期不考虑发电的意见。这一阶段先后提出小浪底水库工程规划报告和规划要点报告，进行小浪底水库与桃花峪水库和龙门水库的方案比较论证。

(4)第四阶段，1982～1984年。在此阶段进行小浪底水利枢纽工程可行性研究，于1984年2月提出《黄河小浪底水利枢纽可行性研究报告》，报请国家审查。提出工程的开发任务为：以防洪(包括防凌)、减淤为主，兼顾供水、灌溉和发电。研究了265m、270m、275m三个不同最高蓄水位方案的各项指标，对不同蓄水位方案的死水位、汛期限制水位、滩面高程、泄流规模、有效库容、拦沙库容、减淤效益、装机容量、保证出力、年发电量、淹没损失、工程量、总投资、经济效益等进行比较，进一步论证坝址处单薄分水岭的处理措施，推荐最高蓄水位275m方案。由于一次建成方案投资多、工期长，为减少国家近期投资，早日解决下游洪水威胁，于1984年6月提出《黄河小浪底水利枢纽可行性研究〈补充〉报告》(分期施工方案)。对分期施工的初期最高蓄水位245m、250m、255m三个方案进行比较，研究各方案的设计水位指标、滩面高程、有效库容、拦沙减淤效益、发电效益、淹没损失、工程量、总投资、经济效益等。推荐初期最高蓄水位250m方案，作为小浪底工程初期规模。水利电力部于1984年8月对可行性研究报告组织了审查，审查意见指出，工程最终规模应力争达到可行性报告中推荐的最高蓄水位275m方案。整个工程分两期进行。

为减少初期移民也有利于提高减淤效果,应研究适当降低汛期运用水位的合理性,水库运用水位根据需要逐渐提高。

(5)第五阶段,1985~1988年。在此阶段进行小浪底水利枢纽工程设计任务书的研究和初步设计。提出设计任务书上报水利电力部和国家计委,国家计委于1986年12月组织审查,以计农[1987]52号文《关于审批黄河小浪底水利枢纽工程设计任务书的请求》呈报国务院,并以计农[1987]177号文通知水电部,上述请示已经国务院领导批准,要求进行小浪底水利枢纽工程初步设计。同意设计任务书确定的工程开发任务应以防洪(包括防凌)、减淤为主,兼顾供水、灌溉、发电等综合利用,同意设计任务书确定的水库运用方式和工程总体布置,按最高蓄水位275m方案进行设计,长期有效库容约50亿m^3,装机1 560MW,泄洪、排沙、发电引水隧洞等建筑物集中布置在左岸。1988年3月提出《黄河小浪底水利枢纽初步设计报告》,报请国家审查。初步设计报告包括有《水文气象》、《工程规划》、《经济评价》等13篇专题报告及3个附件报告。

(6)第六阶段,1989~1996年。在此阶段进行小浪底水利枢纽工程招标设计阶段和技术设计阶段的工程规划。1988年3月提出初步设计报告后,接着进行招标设计阶段的工程规划,对小浪底工程的防洪、防凌、减淤、供水、灌溉、发电等作用和效益进行了大量的补充工作,提出很多专题报告,总装机容量扩大为1 800MW,论证了一次完成装机1 800MW的经济合理性。由于规划工作基础扎实,1993年通过世界银行贷款立项的正式评估,并为工程的顺利建成打好基础。

三、工程规划的流域性

径流、泥沙、洪水分析计算成果是工程规划的基础,由于小浪底工程位于控制黄河水沙的关键部位,必须对黄河流域的径流、泥沙、洪水进行分析计算,才能推求工程规划所要求的设计径流、洪水和泥沙。

(一)关于设计径流

为了计算小浪底水利枢纽工程设计水平年的入库径流量,先后研究了黄河主要干支流控制站1919~1975年共56年和1919~1989年共70年长系列的天然径流。在对全流域的生活、生产用水、黄河输沙用水、外流域用水等要求进行分析研究的基础上,1984年提出《黄河流域2000年水平河川水资源量的预测》、《黄河水资源开发利用预测》、《黄河流域水资源开发利用预测补充说明(各省(区)分配意见)》报水电部。1987年国务院以国办发[1987]61号文批转了南水北调生效前的黄河可供水量分配方案。

根据黄河可供水量分配方案,研究了干流龙羊峡、刘家峡水库径流调节运用方式,提出各河段干支流沿黄用水及向山西能源基地、河北、天津和青岛等流域外的供水等规划意见;通过全流域干支流水资源供需平衡计算,提出干流龙羊峡、刘家峡、兰州、安宁渡、石嘴山、河口镇、吴堡、龙门、华县、三门峡、小浪底、花园口、艾山、利津及主要支流汾河河津、渭河华县、北洛河洑头、伊洛河黑石关、沁河武陟等站2000年设计水平(南水北调生效前)的1919~1975年系列逐年各月的径流过程,作为工程规划设计的依据。

(二)关于洪水

防洪是小浪底工程的首要任务,坝址设计洪水和坝址下游河段的设计洪水是分析水库防洪作用、论证水库防洪库容的基础。在防洪论证中需要考虑花园口以上流域不同洪水组成情况，以便研究干、支流水库联合运用的合理调度方式。为此，小浪底的设计洪水分析，不但需要研究三门峡以上流域的暴雨洪水特性、设计洪水及干流已建的龙羊峡、刘家峡等水库和上游引黄灌溉对洪水的影响，还要研究三小间、小花间及小浪底、故县、陆浑到花园口无控制区间和伊洛河、沁河等区域的设计洪水，研究分析三门峡以上及三门峡以下的洪水遭遇的问题。

（三）关于泥沙

小浪底水库的泥沙研究，涉及黄河全流域的泥沙特性分析，包括河口镇以上，河龙间、渭河、泾河、洛河、汾河、三门峡水库运用、三小间、伊洛河、沁河等各方面，依据1919～1995年实测长系列（其中可行性研究阶段分析了1919～1975年系列），分析研究各个时期黄河水沙变化特点；考虑自然水沙条件和人类活动影响与水库和河道冲淤变化的关系，建立黄河上游河口镇以上、黄河中游河龙间、龙门、渭河咸阳、泾河张家山、北洛河洑头、渭河华县、汾河河津、华县至潼关河段、龙门至潼关河段、三门峡库区的冲淤、小浪底、伊洛河黑石关、沁河武陟站的水沙关系，分析计算上述各站1919～1995年长系列历年逐月和汛期逐日的流量、含沙量、泥沙组成等，最后得出小浪底水库工程规划应用的设计水沙条件，各种类型洪水，各种频率洪水的龙门、华县、河津、洑头、潼关、三门峡、小浪底、黑石关、武陟等站的洪水沙量及水沙过程。

四、工程规划的综合性

小浪底水利枢纽工程是多目标开发的综合利用工程，其工程规划涉及到防洪、防凌、减淤、供水、灌溉、发电等方面的分析论证工作。各开发目标之间相互影响、相互制约，具有很强的系统性和综合性。枢纽工程规划的原则是在充分发挥防洪、防凌、减淤作用的前提下，提高供水、灌溉、发电等兴利效益。防洪方面，要研究与三门峡、陆浑、故县等水库的联合防洪运用方式，同时要研究和三门峡水库的联合防凌运用方式；减淤方面，要结合下游河道的泥沙冲淤特性，研究水库的拦沙和调水调沙运用方式、水库泥沙淤积变化过程；供水、灌溉方面，要研究水库的径流调节运用方式，使出库径流适应下游沿黄城市及引黄灌区的需水要求。在满足防洪、防凌、减淤、供水、灌溉等要求的前提下，利用出库径流发电，研究电站在电网中的日运行方式和作用，以及合理的装机规模。

五、工程规划的完整性

小浪底水利枢纽工程初步设计报告提出后，一方面为国家计委批准小浪底工程初步设计而进行补充工作，另一方面又为世界银行贷款立项的评估进行工程规划设计的补充工作，形成了小浪底水利枢纽工程招标设计的工程规划完整的工作内容。

（一）招标设计阶段主要规划工作内容

招标设计阶段主要规划工作内容如下：

（1）招标设计阶段工程规划的水文、泥沙、径流变化的系统论证分析。

（2）进一步研究小浪底工程的防洪、减淤、防凌、供水、灌溉、发电等综合利用经济效益，较初步设计有更大的提高。

(3)工程规划的水文、泥沙、径流条件及其对小浪底工程经济效益的敏感性分析,考虑了各种影响因素,论证小浪底工程效益。

(4)施工期施工围堰溃坝洪水分析计算,及溃坝洪水对花园口以上和以下的洪水影响和应急处理措施。

(5)水库拦沙和调水调沙运用条件变化后的水电站装机规模的论证分析,装机容量由1 560MW扩大为1 800MW的经济合理性分析,以及一次性装机1 800MW的论证分析。

(6)水库调水调沙和发电调峰运用相结合的运行方式研究;在不影响水库减淤效益的前提下,扩大小浪底灌溉效益和发电效益的水库综合运用研究,充实完善水库调度图。

(7)水库拦沙和调水调沙运用提高黄河下游艾山以上河段和艾山以下河段减淤效益的研究和减淤经济效益分析;进行6个50年代表系列不同水沙组合的减淤效益的敏感性分析计算与论证。与初步设计相比,在不考虑非汛期人造洪峰清水冲刷下游河道条件下,减淤效益有进一步提高,尤其对艾山以下山东河段的减淤效益有明显提高。

(8)水库调节期将人造洪峰冲刷下游河道的水量用于扩大下游灌溉面积,下游灌溉按生产函数进行优化调节,比初步设计的灌溉效益有显著提高。

(9)水库初期防洪效益分析计算,研究10月份的分期洪水并调整防洪库容;增加调节期蓄水量,提高综合利用效益。

(10)枢纽泄洪排沙系统和水电站调度运用方式研究,配合水库调度计算机控制系统研究。

(11)小浪底水库运用对焦枝铁桥和京广铁桥影响的论证分析和模型试验研究,为铁道部门考虑小浪底水库运用后对铁桥影响提供研究成果。

(12)进行小浪底水利枢纽进水口工程泥沙科学试验研究及进水口工程泥沙设计研究,研究进水塔防沙防淤堵措施;配合小浪底水电站水轮机主要技术参数优选("八五"国家重大技术装备科技攻关),进行小浪底电站过机泥沙分析研究。

(13)进行小浪底施工期连地滩砂石料场生产防护方案及对料场下游河道冲刷、河势变化影响和防护方案措施的模型试验研究。

(14)小浪底水利枢纽工程财务分析,包括小浪底工程调整概算的工程效益分析,枢纽财务评价、电价分析、水电站还贷能力、一次性装机1 800MW的财务分析等。

(15)进行小浪底工程截流和导流期的洪水和泥沙淤积分析计算,研究三门峡水库控制运用方案及其影响。

(16)配合小浪底库区淹没影响调查和移民安置规划设计,复核洪水淤积和回水计算成果,进行坝区支沟洪水的研究与计算。

(17)与加拿大CYJV联合编写了《小浪底工程简要报告》(英文),提供水文、泥沙、径流、气象、水库运用方式、水库防洪、减淤、灌溉效益、发电效益、经济分析、财务分析等计算研究成果,报告呈送世界银行进行贷款立项评估。

据不完全统计,在1988年3月初步设计报告提出后至1996年,工程规划各专业提出的专题报告有42个。

(二)世界银行评估要求的规划工作内容

小浪底工程的经济效益是世界银行贷款评估的重点之一。为了满足世界银行在

1988～1995年对小浪底水利枢纽贷款进行考察、审查和评估工作需要，提供有关资料和补充分析工作，主要有：

(1)替代方案补充论证。按世界银行贷款立项评估要求，对小浪底工程的防洪、减淤、防凌等作用的替代方案进行了深入的研究，以论证分析小浪底水利枢纽的经济效益。

(2)防洪效益补充论证。世界银行对小浪底水库防洪经济效益的分析成果，要求必须重新进行下游两岸保护区和北金堤滞洪区、东平湖分洪区、中原油田、黄河滩区及两岸县、乡、村等的社会经济状况进行实地调查。按照世界银行要求的项目逐一落实，取得1990～1991年的实际社会经济指标，为小浪底水库防洪经济效益的分析计算提供新的依据。

(3)灌溉效益补充论证。关于小浪底水库的灌溉效益，世界银行评估时要求重新对下游引黄灌溉地区进行作物调查以及灌溉方式、灌溉制度、引黄灌溉规模和井灌规模及地下水资源等进行实地调查研究，并对各种作物产量、作物的市场价格进行调查研究。要求利用农作物水分生产函数进行优化灌溉，按照世界银行提出的灌溉制度，研制了优化灌溉的计算模型，结合黄河下游灌区的实际情况，进一步研究了小浪底水库的灌溉效益。

(4)减淤效益补充论证。关于小浪底水库对黄河下游河道的减淤效益，世界银行要求以设计水平6个50年不同代表的水沙系列的水沙条件进行水库和下游的泥沙冲淤分析计算，以检验不同水沙条件下的减淤效益和水库运用水位及淤积过程，要求采用不同于黄委会设计院的泥沙冲淤计算方法(如采用长江三峡水库对长江中、下游河道的泥沙冲淤计算数学模型)进行黄河下游河道的泥沙冲淤计算，以检验不同计算方法小浪底水库对黄河下游河道的减淤效益。为此，又请长江科学院、武汉水利电力大学、中国水利水电科学研究院及黄委会水科院等四家采用各自的水动力学数学模型，分析论证小浪底水库的淤积过程和黄河下游的冲淤过程及其减淤效益。各家计算获得了同黄委会设计院相近的结果，经世界银行专家组和代表团的审查、预评估和终评估，认为小浪底水库的减淤效益分析计算成果是合理可靠的。

(5)发电效益补充论证。世界银行对小浪底水电站的发电效益的成果，要求按小浪底水库设计水平6个50年代表系列逐年逐月逐日进行小浪底发电流量、发电水头、发电效益的计算，经加拿大专家计算，与黄委会设计院计算结果进行对比。计算中考虑黄河多泥沙的特点，为安全正常发电运行，扣除了排沙水量及避开高含沙量短时间停机的影响，按水库调水调沙运用进行电能计算。世界银行评估认为，小浪底电站发电效益分析计算成果是可靠的。

(6)水库综合利用效益的计算复核。世界银行对小浪底水库的防洪、防凌、减淤、供水、灌溉、发电等综合利用经济效益进行了研究，提出水库综合运用调度图，进行设计水平1919～1975年56年代表系列的径流调节计算，并按丰水、平水、枯水时段为开头的不同系列，要求采用世界银行推荐的经济效益计算模型进行计算，包括利用北京水利电力经济研究所的电源优化扩展规划模型和加拿大专家的经济分析模型进行计算。

(7)世界银行二期贷款评估。继1993年通过世界银行一期贷款评估之后，于1996年又开展了世界银行二期贷款的材料准备工作。在一期贷款评估报告的基础上，根据最新资料，对小浪底工程的防洪、防凌、减淤、供水、灌溉、发电等综合利用效益进行了复核计算，提出经济分析报告，于1997年通过世界银行二期贷款评估。

以上这些计算研究成果，内容丰富，符合世界银行的要求，与国际接轨。因此，在世界银行贷款的预评估、评估中顺利通过。

第二节 小浪底水利枢纽的开发背景

为了解决黄河下游长期面临的洪水威胁、泥沙淤积和水资源供需矛盾等问题，自“1954 年黄河规划”直至小浪底工程开工的 40 余年，黄委会与国内有关单位通过大量的研究、方案比较，对小浪底工程建设的必要性进行了充分的论证，最终得出的结论是小浪底工程是黄河下游防洪减淤兼顾兴利的最优方案。正因为如此，党中央、国务院批准兴建小浪底水利枢纽工程。

一、黄河下游洪水灾害及其严重影响

黄河下游是举世闻名的“地上悬河”，洪水危害极其严重，历来为世人所瞩目。从公元前 602 年(周定王五年)黄河洪水决溢有记载算起，到 1938 年花园口扒口的 2 500 多年中，决溢的年份有 543 年；一年中甚至一场洪水之内多次决溢，决溢泛滥的总次数达 1 590 余次；重要改道 26 次，经过了六、七次大的变迁。涉及范围北抵天津，南抵江淮，洪泛区包括冀、鲁、豫、皖、苏 5 省的黄淮海平原，纵横 25 万 km^2，给人民生命财产带来巨大灾难。

现行河道东坝头以上行河历史已近 500 年，东坝头以下行河已有 140 多年。在以上行河时期内，较大的堤防决口 114 次，洪泛地区北达卫河、金堤河、徒骇河，南抵淮河及小清河。在目前地形地物条件下，黄河洪泛可能影响范围涉及冀、鲁、豫、皖、苏 5 省的 24 个地(市)所属的 110 个县(市)，总面积 12 万 km^2，耕地 1.1 亿亩，人口 8 755 万(见表 6-2-1)。就一次决溢而言，向北最大影响范围 3.3 万 km^2，向南最大影响范围 2.8 万 km^2。

表 6-2-1 黄河下游不同河段堤防决溢洪水波及范围

决溢堤段		泛区面积(km^2)	泛区范围	涉及主要城市及其他设施
南岸	郑州—开封	28 000	贾鲁河、沙颍河与惠济河、涡河之间	开封市、陇海铁路(郑州—兰考)
	开封—兰考	21 000	涡河与沱河之间	开封市、陇海铁路(郑州—兰考)、淮北煤田
	兰考—东平湖	12 000	高村以上决口波及万福河与明清故道间，并邳苍地区；高村以下决口，波及菏泽、丰县一带及梁济运河、南四湖，并邳苍地区。两处决口，泛区面积相近	徐州市，津浦(徐州—滕州)、新菏铁路、京九铁路、兖济煤田
	济南以下	6 700	沿小清河两岸漫流入海	济南少部分地区，胜利油田南岸

续表 6-2-1

决溢堤段		泛区面积（km^2）	泛区范围	涉及主要城市及其他设施
北岸	沁河口—原阳	33 000	北界卫河、卫运河、漳卫新河，南界陶城铺以上为黄河，以下为徒骇河	新乡市，京广（郑州—新乡）、津浦（济南—德州）、新菏铁路、京九铁路、中原油田
	原阳—陶城铺	8 000～18 500	漫天然文岩渠流域和金堤河流域；若北金堤失守，漫徒骇河两岸	新菏铁路、津浦（济南—德州）铁路、京九铁路、中原油田、胜利油田北岸
	陶城铺—津浦铁路桥	10 500	沿徒骇河两岸漫流入海	津浦铁路（济南—德州）、胜利油田北岸
	津浦铁路桥以下	6 700	沿徒骇河两岸漫流入海	胜利油田北岸

黄河下游两岸平原人口密集，城市众多，有郑州、开封、新乡、濮阳、济南、菏泽、聊城、德州、滨州、东营以及徐州、阜阳等大中型城市，有京广、津浦、陇海、新菏、京九等铁路干线以及很多公路干线，还有正在迅速发展的中原油田、胜利油田、兖济煤田、淮北煤田等能源工业基地，以及正在加速发展的黄淮海平原农业综合开发区。黄河一旦决口，势必造成巨大灾难，甚至可能打乱整个国民经济的部署和发展进程。据初步估算，如果北岸原阳以上或南岸开封上下堤段发生决口泛滥，直接经济损失将达到近千亿元（按 1995 年价格水平计算）。除直接经济损失外，黄河洪灾还会造成十分严重的后果，大量铁路、公路及生产生活设施、引黄灌排渠系都将遭受毁灭性破坏，造成群众大量伤亡、泥沙淤塞河渠、良田沙化等，对经济社会发展和生态环境将造成长期的不利影响。黄河安危事关重大，进一步提高防洪能力，减轻洪水威胁，是一项十分紧迫的任务。

二、黄河下游治理开发面临的主要问题

1946 年人民治黄以来，特别是新中国成立以后，党和国家对黄河治理开发十分重视，随着我国大江大河的第一部综合治理规划——《黄河综合利用规划技术经济报告》的实施，全面开展了黄河的治理开发，保障了人民生命财产安全，促进了经济发展和社会进步，改善了生态环境。尤其在黄河下游，对两岸 1 371.2km 的临黄大堤先后进行了 3 次加高培厚，加强了河道整治工程和险工工程建设（截至 20 世纪 80 年代末），建成了三门峡、陆浑、故县水库，初步形成上拦下排、两岸分滞的防洪工程体系，取得了连续 50 多年伏秋大汛不决口的安澜局面；兴建了向两岸海河、淮河平原地区供水的引黄涵闸 90 座、提水站 31 座，设计引水能力达 3 900m^3/s，控制灌溉面积 233.3 万 hm^2，在很大程度上改善了下游沿黄人民的生活、生产条件，促进了国民经济的发展。

由于黄河的洪水泥沙还没有得到有效控制，黄河下游仍面临着以下两个亟待解决的问题。

（一）洪水威胁依然是心腹之患

黄河下游防洪的严重性，在于洪水含沙量大，河道冲淤变化剧烈，河床不断淤积抬高。

根据黄河下游水文站的观测资料,1950~1996 年下游河道共淤积泥沙 90 亿 t,与 1950 年相比,河床普遍抬高 2~4m,河床高出背河地面 4~6m,局部河段高出 10m 以上。由于河床不断淤积抬高,同流量水位逐步升高。特别是近十几年来,由于汛期没有大水,主河槽淤积加重,大部分河段 3 000m^3/s 流量的水位年平均升高 0.1m,加重了下游防洪的困难。“悬河”形势进一步加剧,漫滩概率增多,河势游荡多变,主流摆动频繁,常形成“横河”、“斜河”、“滚河”,主流直冲大堤,严重危及堤防安全,即使中常洪水也存在着决口危险。为了防洪安全,要不断加高大堤,这不但会给国家和沿河人民带来沉重负担,而且随着河床和大堤的不断抬高,下游决口的危险性更大。

黄河下游河道长 786km,依靠两岸 1 371km 的堤防束水行洪。两岸堤防按 1958 年花园口实测洪峰流量 22 000m^3/s 设防,在小浪底建成前,仅相当于 60 年一遇。近 200 多年来,黄河下游花园口站出现过 4 次超过 22 000m^3/s 的大洪水。从气象成因分析看,造成淮河“75·8”大水的暴雨有可能发生在三花间,使花园口出现 45 000m^3/s 以上的特大洪水。从洪水来源看,三花间的暴雨洪水(简称“下大洪水”)对下游两岸广大地区的安全威胁更大。在小浪底水库建成前,已有的干支流水库还不能控制“下大洪水”,防洪工程体系不完善,防洪能力偏低。按照已有的防洪设施的防洪能力,当花园口发生 10 000m^3/s 以下的洪水,主要靠河道排洪入海;10 000~15 000m^3/s 的洪水,利用干支流水库工程并根据洪水情况确定是否运用东平湖分洪,控制艾山下泄流量不超过 10 000m^3/s;出现 15 000~22 000m^3/s 的洪水,利用干支流水库控制洪水和东平湖分洪,可使艾山下泄流量不超过 10 000m^3/s,但全河段防洪十分紧张,存在较大风险;当出现超过 22 000m^3/s 的大洪水时,只能采取牺牲局部保全局的措施,相机运用北金堤滞洪区等临时分洪。且使用滞洪区分洪,必将使滞洪区内的人民生命财产及中原油田受到分滞洪水的威胁。此外,黄河下游滩区总面积3 965km^2,耕地 25 万 hm^2,居住人口 178 万,靠一水一麦维持生计,由于河道淤积,洪水经常漫滩,安全问题也很突出。

黄河下游除了汛期洪水威胁严重外,冬季凌汛期冰坝堵塞,易于造成堤防决溢灾害。历史上凌汛决口频繁,新中国成立后,1951 年和 1955 年也曾在河口地区两次决口。三门峡水库运用后,每年可提供 18 亿 m^3 的防凌库容,情况有所缓和,但龙羊峡水库蓄水运用后,非汛期水量增加,三门峡现有防凌库容不能满足下游防凌要求,下游山东河段的南展、北展工程要承担分凌任务,分凌区的人民生命财产也会受到严重威胁。

(二)水资源供需矛盾日益突出

1949 年新中国成立以来,黄河下游引黄灌溉从无到有,至 1990 年下游引黄灌溉面积已达到 233 万 hm^2,对促进河南、山东两省农业发展作出了巨大贡献。特别是 80 年代以来,下游沿黄城市发展较快,城市供水的要求也越来越大。据统计,1983~1990 年,黄河下游年平均引黄水量达 108.5 亿 m^3,其中灌溉用水量为 97 亿 m^3,占下游引黄总用水量的 89.4%。引黄灌溉用水主要集中在 3~6 月份,而此时正是黄河的枯水季节。由于黄河水少沙多,径流年内分配极不均匀,干流调节能力不足,特别是中游河段缺乏调节工程,加上黄河水资源没有统一调度和控制使用等原因,在黄河枯水季节下游河道经常断流。1972~1998 年的 27 年中,有 21 年下游出现断流,累计达 1 050 天。1990~1998 年,几乎年年断流,且历时增加、河段延长。1997 年情况最为严重,距河口最近的利津断面全年断流达226天，断流河段曾上延至河南开封附近。黄河水资源供需矛盾加剧，造成下游的频繁断流、河道生态环境恶化、水质污染加重，对河口地区的湿地和生物多样性构成严重威胁。因此，在黄河中游兴建调节水库，合理利用黄河水资源、缓解水资源供需矛盾和断流影响已刻不容缓。

除了上述两方面的问题外，由于河南电网基本为纯火电系统，随着国民经济的发展，缺电严重，且由于系统中峰谷差越来越大，调峰问题日益突出，造成电网拉闸限电频繁，对人民生活和经济发展造成严重影响。河南省黄河干流水能资源占全省可开发水能资源的75%以上，且地处负荷中心，合理开发利用黄河水能资源对促进地区国民经济发展具有显著的经济意义。

三、小浪底水利枢纽开发的必要性论证

为了解决黄河下游面临的洪水威胁严重、水资源供需矛盾突出等问题，自1975年以来至1988年小浪底工程初步设计期间，对各种可能的替代方案，诸如开辟新河道（大改道）、加高大堤、温孟滩和小北干流放淤、引汉刷黄、增加三门峡蓄水以及修建龙门、小浪底、桃花峪水库工程等方案做了长期的论证和比选工作，最后推荐小浪底工程作为黄河下游防洪减淤并兼顾兴利的首选方案。

（一）黄河下游加高堤防防洪方案

该方案提出不再增建干支流水库，黄河下游防洪单纯依靠加高堤防，并以防御花园口千年一遇洪水作为其设计标准。

根据南水北调工程生效前的设计水平，采用1950～1975年25年水沙系列轮番计算，50年内下游河道共淤积泥沙189.5亿t，年平均淤积3.79亿t，黄河下游河道淤积抬高4m左右，按防御花园口千年一遇洪水（与1984年设防水位比较），水位升高5～6m，整个黄河下游堤防要普遍加高4～6m，工程投资初估70亿～80亿元（1980年初价格水平，下同）。

从黄河下游防洪的总体安排考虑，大力加固堤防是一个重要的工程措施。但是，单靠大堤很难保证防洪安全，下游堤防是历史上形成的，新中国成立前堤防单薄残缺、千疮百孔、獾洞狐穴、碉堡战壕等隐患暗藏堤身。新中国成立后经过锥探灌浆、培修加固，堤防质量大为提高，但由于堤线长、隐患多，遇较大洪水仍然险象丛生。如1958年洪水，出险达1 400多坝次；1976年洪水不大，仍出险1 879坝次；1982年洪水，花园口洪峰流量15 300m^3/s，小于1958年洪水，但下游有400km河段洪水位高出1958年水位1～2m，沿河出险1 079坝次。据1981年调查资料，堤身薄弱残缺，裂缝、险患等共有19处，计128km，可顺堤行洪堤段350km，可能渗水管涌堤段74km。历年防汛都是依靠数十万以至上百万军民日夜奋战抢救，才使黄河下游安澜几十年。

同时，如不尽快采取措施减缓下游河道淤积，即使不考虑提高防洪标准，下游堤防10年左右需加高一次，修堤负担已经十分繁重。根据黄河下游第四期堤防加高加固设计，概算投资30亿元。随着堤防日益加高，不但工程越来越艰巨，投资越来越大，而且危险也将与日俱增，防汛更为困难，两岸渗水影响加剧，涝洼盐碱面积将进一步扩大，入黄平原河道（天然文岩渠、金堤河等）排水和滞洪区退水需要另寻出路，沿河引黄涵闸及铁路公路大桥

都要进行改建。总之,如果采取单纯加高大堤防洪方案,“地上悬河”将愈加险恶,下游防洪局面将更为恶化。

(二)开辟黄河下游分洪道方案

为了缓和黄河下游河道泄量上大下小的矛盾,有关单位提出了开辟黄河下游分洪道方案,并于1977年提出了初步工程规划。

鉴于黄河特大洪水经北金堤滞洪区和东平湖调蓄后,下泄流量尚有14 000m^3/s。因此,该方案提出自山东陶城铺以下黄河北岸修筑一条新堤,连同原河道两岸大堤形成“三堤两河”,新堤与黄河北堤之间作分洪道。分洪规模定为5 000m^3/s,使陶城铺以下原河道仍按10 000m^3/s控制,以此加大陶城铺以下的泄量,改变防洪被动局面。一般洪水利用现河道排洪,新堤作为第一道防线;特大洪水时,可以增大洪水出路。将来随着原河道逐渐淤高,还可将分洪道改为主河道。

经过实地勘测研究和方案比较,分洪道线路选定黄河北岸直流入海方案,结合上下河段的实际情况,拟定分洪道的宽度5km左右。占用耕地10.3万hm^2,影响居民93万人(1977年统计数),区内有滨州市(原称北镇)和济阳、利津两座县城以及胜利油田的部分产区。分洪道新堤长386km,为保持沿岸灌区引水和农田排水,新堤上需建引黄涵闸25座,引水规模544m^3/s,排涝涵闸35座,排水能力1 442m^3/s。陶城铺附近修建拦河枢纽及分洪闸。主要工程量包括筑堤土方1.5亿m^3,修筑村台土方2.9亿m^3,排灌渠系调整土方0.7亿m^3,连同其他建筑工程总土方量5.4亿m^3,石方600多万m^3,混凝土工程55万m^3。据初步估计,分洪道工程投资费用将超过40亿元(1977年价格水平)。

分洪道方案的主要问题是:第一,不能解决陶城铺以上堤防的安全问题,遇特大洪水花园口洪峰流量达40 000m^3/s,远远超过现有工程防御能力,需要另寻措施解决;第二,分洪道仍然是一条地上河,分洪5 000m^3/s时,新堤附近水深5m左右,而且分洪道地面南高北低,一旦运用,势必顺堤行洪,新修土堤,难抗冲刷,防汛抢险极为困难。同时,原河道北堤将两面临水,防守更为困难,实际上,开辟分洪道将使下游防洪战线更长,防汛负担也更重;第三,淹没影响严重,难于妥善安排。分洪道工程涉及近百万人口,需搬迁一市两县城区,围护几个油田,安置挖压占地3万hm^2和20多万移民等,问题都很大,一旦运用,仍有很大损失;第四,投资大,效益小。分洪道工程投资巨大,平时又不能利用,工程建成后可能长期见不到效益,而经常费用和影响损失不小。

总之,兴建分洪道工程,对扩大下游排洪出路有一定好处,但并不能解决黄河下游的洪水威胁和河道淤积问题,陶城铺以上重要防洪河段的洪水威胁并未减轻,运用北金堤滞洪区分洪存在的问题依然存在,下游河道仍将继续淤积,堤防还要不断加高,下游防洪局面与单纯加高堤防方案基本相同。综合分析,在下游开辟分洪道方案,近期不宜考虑。

(三)黄河下游大改道方案

鉴于黄河下游目前的防洪形势十分严峻,而黄河洪水泥沙的有效控制又非易事,一些专家建议黄河下游需另辟新河以避免现行河道决口所带来的巨大损失。

(1)一种意见主张以目前黄河北堤为南堤,另建北堤,加大泄量,新黄河按46 000m^3/s洪水设计,从秦厂到河口新修黄河主槽宽3km,平均深1.5m,两岸滩地宽3km,漫滩行洪水深3m,河长700km,需挖土方30亿m^3,筑堤土方7 000万m^3。

(2)另外一种意见认为,新黄河以通过流量 46 000m^3/s 和 55 000m^3/s 为原则,可先将上述"三堤两河"方案自陶城铺上延至夹河滩,当现行河道不能行水时另走新河道。主张新河西起京广铁桥附近的何营,东至套尔河,长 579km。按河宽 8km(槽宽 3km,两岸滩宽各 2.5km),大堤高 5m,顶宽 10m 设计,需挖土方 21.7 亿 m^3,筑堤土方 1.39 亿 m^3,石方 305 万 m^3,移民 213 万人。

(3)黄委会对大改道方案的研究本着流路短、比降大,尽量走盐碱低洼荒地,经济损失小,河道寿命长的原则,考虑尽量利用原河道北堤作为新河道南堤,以减少工程量,并避开对中原油田开发的影响。按照上述精神,新河拟自河南省武陟县何营至濮阳渠村闸平行现河道左岸大提,需修新河北堤,渠村以下新河离开现河向东北,两岸修堤至濮阳城东穿过金堤河,以北金堤为新河南堤,另修新北堤。到山东陶城铺附近又离开金堤河向东北,两岸修堤,经聊城、东阿、齐河、禹城、临邑、商河、惠民、阳信、沾化至无棣县套尔河入海,新河长 550km。新河按 46 000m^3/s 流量设计,考虑现行河道槽蓄作用,估计到陶城铺洪峰为 32 000m^3/s,参考 1958 年花园口洪水平均流速 2m/s,按平均水深 2.3 m 计算,陶城铺以上河宽需 10km,陶城铺以下需 7km。据估计,该方案大堤土方、险工护滩工程、引黄涵闸、桥梁、移民补偿费 5 项投资需 250 亿元以上。

上述三种改道方案均不同程度地存在下列问题:首先,大改道方案不能根本解决黄河下游的防洪问题。根据黄河历史改道经验,改道后由于新修堤防险工根石不固,在改道后 10~30 年防洪安全没有把握。特别是新河道自然地势南高北低,一旦过水,北岸新堤靠溜,防洪形势尤为紧张,安全更难保证。而且,在没有彻底解决黄河泥沙问题之前,一定时期后还要像目前大堤一样,定期加高。因此,改道并非一劳永逸。其次,新中国成立以来,黄河下游两岸工农业生产发展迅速,农业基地也已形成,大改道方案将会打乱黄河下游现有的灌溉系统、排水系统和交通通信体系,严重影响黄淮海平原工农业经济的正常发展。再者,黄河下游地区人口稠密,暂且不说大改道方案工程量巨大,单就 200 万~250 万人口的安置问题就已构成了十分复杂的社会问题,更何况该方案耗费投资达 250 亿元以上(未计入灌溉、排水、交通、通信系统的恢复、调整和改造费用),而且,改道后对现有河道将会带来不利的环境影响。因此,近期内黄河下游不宜采取大改道方案。

(四)扩大东平湖滞洪区蓄洪量方案

东平湖滞洪区位于黄河下游由宽河道进入窄河道的转折点,在下游防洪工程体系中占有重要地位,布局比较合理,防洪效果显著。当花园口出现洪峰流量 22 000m^3/s 的大洪水时,经过东平湖分洪,控制山东河段下泄流量不超过 10 000m^3/s,可以保证艾山以下河道防洪安全。

该湖区为黄河、大汶河汇集形成的天然湖泊,遇黄河大洪水或大汶河大洪水时,可起到自然滞洪作用。1958 年大水后,将老湖区和新湖区改建为滞洪区,湖区总面积 627 km^2,其中老湖区 209km^2、新湖区 418km^2,水位 46.0m(大沽高程)时总库容 39.8 亿 m^3,老湖、新湖分别为 11.9 亿 m^3、27.9 亿 m^3。1963 年经国务院批准蓄水位 44.0m,特殊情况可抬高到 44.5m(相应库容 30.5 亿 m^3),根据黄河、大汶河遭遇情况,按大汶河来水加水库底水共 13.0 亿 m^3 作为垫底库容,因此可担负黄河分洪量 17.5 亿 m^3。

东平湖滞洪区蓄洪能力能否扩大要视黄河、大汶河洪水遭遇情况和提高蓄水位后的安全情况而定。根据组合频率分析,黄河出现千年一遇洪水时,大汶河洪水可能出现的概率约为10年一遇,其12日洪量为9亿 m^3,此时黄河大于10 000m^3/s洪水的时间为34天,在此34天时间内大汶河的来水总量为11亿 m^3,当黄河出现300年一遇洪水时,黄河大于10 000m^3/s的时间为28天,在此28天内大汶河来水总量为9亿 m^3,再考虑水库垫底库容4亿 m^3,则允许黄河的分洪量为17.5亿 m^3。扩大东平湖滞洪区蓄洪量的途径是抬高蓄水位,但由于坝基地质情况十分复杂,水库围坝施工质量较差,1960年蓄水运用后围坝普遍渗水出险,全围坝发生渗水段长48.6km,漏洞9个,管涌12 922个,坝身裂缝11 087.6m,石护坡坍塌蛰陷48 420m^2。到1980年,湖西坝基管涌渗水原因尚未查清,所采取的加固措施能否达到预期目的,难以断定。因此,抬高蓄水位到46m的安全问题尚无把握。为安全计,东平湖滞洪区蓄洪水位仍以不超过44.5m为宜,允许黄河分洪17.5亿 m^3。

(五)增大三门峡水库防凌及拦蓄洪水作用

1. 增大三门峡水库防凌任务的研究

关于利用三门峡水库配合黄河下游防凌问题,1965年以来一直遵照国务院[65]国农办字426号文批示"凌汛水位不超过326m"、"在确保防凌安全的原则下,尽量压低蓄水位和缩短蓄水时间,力争避免或减少因水库关闸蓄水所引起的不利影响"。

三门峡水库担负防凌任务以来,使黄河下游凌汛得到缓和,但由于防凌库容偏小,相应326m蓄水位仅有18亿 m^3,使不少年份凌汛仍处紧张状态。在龙羊峡、刘家峡两库运用后,凌汛期三门峡入库流量将由原来最大700m^3/s增加到1 200m^3/s,防凌库容需要35亿~40亿 m^3,远非三门峡水库326m水位相应18亿 m^3 库容所能解决的,因而黄河防凌问题成为亟待解决的问题之一。鉴于此,有专家提出要补充突破三门峡凌汛限制水位326m的规定,由三门峡水库全部承担黄河下游防凌任务,该方案是否可行,分析研究如下。

根据近期水平的来水条件,上游考虑龙羊峡、刘家峡的调蓄作用,三门峡水库全部承担防凌任务后,计算表明,最大防凌库容为35亿 m^3,采用1950~1975年25年的计算系列中,超过326m防凌水位达16年之多,更为严重的是,1966~1971年连续6年防凌水位回水超过或直接影响潼关的情况下,潼关河床高程(1 000m^3/s水位)最高可比1980年抬升3m,虽经汛期下降水位冲刷,一般也不能恢复到1980年水平。少数年份,防凌水位不超过326m,并在汛期遭遇到有利的来水来沙,潼关高程可以恢复到1980年水平。总的情况是,潼关河床将比1980年稳定抬升1.5m左右,相当于恢复到1970年三门峡改建前的水平。这意味着三门峡水库改建泄流规模将使潼关高程下降的好处前功尽弃。同时,潼关河床抬高后,不但会增加黄河顶托倒灌渭河淤积并形成拦门沙的机会,而且将会使拦门沙从主槽扩大到滩面,给拦门沙的冲开带来了不利因素,使渭河的过洪能力显著减小,从而加重淹没灾害的影响。再者,若以330m防凌水位作为控制条件,则三门峡潼关以下库区内将有66座扬水站需要改建,而且水库岸坡防护范围扩大,工程量大非短期所能完成。潼关高程的稳定上升,将使潼关作为局部侵蚀基准面的卡口,对以上河流造成溯源淤积,潼关以下河段也将重新塑造新河床,三门峡水库的有效库容将相应减小,渭河下游河道淤积上延,防洪负担加重,以及沼泽盐碱地都将相应增加。由此看来,三门峡水库全部承担下游防凌任务的问题很多，不宜采用。

2. 增大三门峡水库拦蓄洪水作用分析

按照“四省会议”精神，在小浪底工程建成前，黄河下游防洪调度拟定三门峡水库的防洪运用方式为“上大洪水”时采取“先敞泄、后控泄”的运用方式。即当发生“上大洪水”时，先敞开全部闸门泄洪，自然滞洪蓄水，但滞洪期间已蓄水量不立即泄放，延迟至下游退落到 10 000m^3/s 以下再开始泄放，与区间来水凑泄花园口 10 000m^3/s。对“下大洪水”，当预报花园口流量上涨可能超过 12 000m^3/s 时，即开始关闭部分泄水孔；当预报花园口流量可能超过 22 000m^3/s 时，全部关闭其余泄洪设施。洪峰过后，按与区间来水凑泄 10 000m^3/s控制运用。

为了提高三门峡水库拦洪作用，曾研究过洪水期间不发电、增加闸门启闭设备和进一步提前关门等三种措施方案。研究结果表明，采取上述三种措施后，当发生百年一遇“下大洪水”时，与原运用方式相比，三门峡水库的蓄洪量仅增加 3.2 亿～4.7 亿 m^3，花园口 10 000 m^3/s 以上的洪量减少 2.7 亿～4.0 亿 m^3，洪峰流量减少 1 770～4 120m^3/s，使 1958 年型洪水花园口洪峰流量由 25 780m^3/s 削减至 21 730m^3/s，使黄河下游防洪能力提高到略大于百年一遇的标准。但必须指出，这种运用方式，使三门峡水库关门的机遇极为频繁(近 3 年一次)，加重库区淤积。

研究认为，当时所采用的三门峡水库的防洪运用方式，不论对“上大洪水”或“下大洪水”而言，已经较充分地发挥了三门峡水库的作用。近期采取洪水期不发电是可行的，积极进行一门一机建设也是必要的，两者对进一步发挥三门峡水库的防洪作用是有利的，但削减下游洪峰、洪量的作用有限。进一步提前关门的作用不大，而对保持三门峡库容以备必要时防御特大洪水的作用以及库区的影响都很不利，与“上保西安、下保黄河下游”、“两个确保”的原则矛盾太大，故不宜采用。

(六)兴建黄河中游干流工程方案

1. 桃花峪滞洪工程

桃花峪滞洪工程是黄河中游干流的最末一个梯级。坝址在京广铁路桥上游 12km，沁河在坝下汇入。从控制洪水的角度看，桃花峪工程位置比较优越，能同时控制黄河干流和伊洛河的洪水。因此，在拦洪库容相同的条件下，削减下游洪峰的作用比其他干流水库大。但由于库区淤积和淹没影响问题，工程规模及防洪作用受到一定限制，难以充分发挥集中控制洪水的优势。为了减少泥沙迅速淤占库容，并力求避免大量淹没良田和影响洛阳市，工程壅水位不宜超过 114m，总库容 45 亿 m^3，设计防洪库容仅 32 亿 m^3，只能控制特大洪水，常遇洪水不宜滞洪，平时也不能蓄水，因而不能减轻下游常遇洪水和凌汛的威胁，也难以发挥兴利效益。主要建筑物包括：拦河闸长 2km，泄洪能力 22 000m^3/s，拦河土坝长 3.9km，北岸顺河土坝长 61.5km。主要工程量为：筑坝土方 5 400 万 m^3，混凝土工程 108 万 m^3，砌石工程 400 万 m^3。工程总投资 18.3 亿元。库区现有耕地 2.6 万 hm^2，居民 8.8 万人。桃花峪水库在自然条件下处于淤积状态，年平均淤积量约 0.4 亿 m^3，工程有效使用年限约 35 年，如遇大洪水滞洪运用，库容损失更快，工程建成后，维持不了多长时间，下游防洪又需另谋对策，由于不能拦调泥沙，下游河道仍将继续淤积，堤防还要定期加高。估计 30 年内下游总投资将超过 50 亿元。此外，在拦洪运用时，库区群众迁安很难落实,北岸围坝长61km,两面临水,防汛抢险也很困难,有许多问题需要深入研究。因此,从下游防洪、减淤及水资源利用等综合考虑,桃花峪滞洪工程方案在近期内不宜采用。

2. 龙门水利枢纽

龙门水利枢纽位于晋陕峡谷的末端,为黄河干流七大控制性骨干工程之一。经过长期勘测研究,坝址选在万宝山,下距禹门口约30km。龙门水库控制黄河中游三大洪水来源区之一,防洪运用可减轻三门峡水库的蓄洪量,减少库区淤积、库容损失和淹没损失,也可以减轻黄河下游部分防洪负担。龙门水库正常蓄水位590m方案,初期拦沙运用,拦沙97.5亿t,能分别减少禹门口至潼关河段以及黄河下游河道泥沙淤积20亿t和45亿t,相当于黄河下游11年左右不淤积抬高,龙门水库可供水渭北、晋南高塬缺水地区,远景扩灌面积可达73.3万hm^2。发电装机2 100MW,年平均发电量79.5亿kW·h,全部工程土石方8 715万m^3,混凝土197万m^3,钢材15万t,工程总投资43.14亿元。

由于龙门水库位于三门峡以上,主要是减轻小北干流、三门峡库区淤积及防洪负担,水库拦沙对减缓下游河道淤积有相当作用,对削减黄河下游洪水的作用有限。

3. 小浪底水利枢纽

小浪底水利枢纽位于黄河中游最后一个峡谷段的下口,控制黄河流域面积的92.3%和几乎全部的泥沙,下游为黄淮海平原,处于承上启下的重要位置,对综合解决黄河下游防洪、减淤以及水资源开发利用问题都具有突出的作用。

小浪底水库长期有效库容51亿m^3,与已建的三门峡、陆浑、故县等干支流骨干防洪水库联合运用,可将花园口断面千年一遇洪峰流量由42 100m^3/s削减至22 600m^3/s,使下游堤防工程的防洪标准由目前的60年一遇提高到近千年一遇;可将百年一遇洪水由29 200m^3/s削减至15 700m^3/s,显著减轻黄河下游的洪水威胁;还可拦蓄特大洪水,对特大洪水有了较为可靠的对策。在下游封河期间 ,水库结合防凌蓄水,配合三门峡水库控制下泄不超过300m^3/s,可以基本解决下游凌汛威胁。

水库总拦沙量约100亿t,可减少下游河道淤积76亿t,相当于下游河道20年不再淤积抬高,少加高两次大堤。

水库非汛期调蓄水量20亿～40亿m^3,增补下游工农业枯水季节用水,可使沿黄两岸100万hm^2引黄灌区保证率由目前的32%提高到75%,平均增加保灌面积40万hm^2;沿黄城市工业和人民生活用水,以及中原油田、胜利油田用水都将更有保证。

枢纽电站装机容量1 560MW(原初步设计),年平均发电量51.1亿kW·h,电站靠近华中电网,担负河南电力系统的调峰任务,可改善电力系统的运行条件,较好地满足各部门对电力的需求。全部工程土石方10 186万m^3,混凝土270万m^3,钢材24万t,工程总投资约43亿元。

(七)利用黄河滩区放淤方案

为了缓解下游河道淤积抬高速度,寻求处理泥沙的途径,有关单位结合龙门和小浪底水库工程建设,研究过利用禹门口至潼关河段的宽滩放淤(简称小北干流滩区放淤方案)及利用白坡至桃花峪河段宽滩放淤(简称温孟滩放淤方案)两个方案。

1. 小北干流滩区放淤方案

禹门口至潼关河段,沿河两岸滩地面积约600km^2,连片宽滩集中分布在河道下段。

放淤工程拟与龙门水库相配合,在龙门水库建成后实施。规划拟定在禹门口附近修建壅水枢纽,枢纽两侧设放淤闸,引黄流量 500m³/s(其中左岸 200m³/s,右岸 300m³/s),输水干渠长 50～70km,结合河道整治规划统一安排,放淤范围包括禹门口到朝邑、韩阳 332m 高程以上的滩区,总放淤面积 566km²,共分 9 块,淤区临河建防洪围堤,围堤内布置条渠,根据水沙条件,自上而下逐区逐条相机放淤,淤区纵比降采用 1/5 000,平均淤积厚度 24m,可容纳泥沙 180 亿 t。按龙门水库调节后的水沙资料估算,平均每年放淤 2.95 亿 t,禹潼河段每年减淤 0.69 亿 t,黄河下游每年减淤 1.38 亿 t,滩区放淤运用时间为 61 年,黄河下游可减淤 84.2 亿 t。

据估算,放淤工程包括进退水闸、输沙渠、淤区围格堤及入黄支流改道交叉工程等,共计土方 4 亿 m³、石方 44 万 m³、混凝土 61 万 m³、钢材 2 378t,连同移民搬迁等项费用,总投资约 42 亿元(不包括禹门口枢纽分摊投资),放淤区现有耕地近 3.33 万 hm²,需搬迁居民 12.5 万人(包括部分三门峡库区返迁人口)。放淤期间,淤区水深沙厚,难以耕作利用,虽然采用分区放淤办法,但由于放淤时间长达 61 年,滩区生产损失仍然很大,实际影响人口达 22 万。

2. 温孟滩放淤方案

淤区范围西起白坡镇,东至沁河口,南临黄河控导工程规划线,北界自西向东为老蟒河、孟县黄河大堤和新蟒河,总面积 294km²。

该方案的研究以小浪底水库工程的兴建为前提。由小浪底水库左岸排沙洞引水,并受水库控制相机放淤。最大放淤流量 500m³/s,经过输水渠道(长约 20km),于白坡村东进入淤区。温孟滩放淤量 165 亿 t,年平均放淤量按 3.3 亿 t 计,则淤区可使用 50 年,减少黄河下游河道淤积量 111 亿 t。

放淤工程包括输水渠道、进退水闸、围堤、公路改线、蟒河改道等,连同移民迁安等项费用,总投资 22 亿元。淤区内现有耕地 2.7 万 hm²,多为高产良田,区内居民较少,但由于耕地淹没而影响的人口达 30 万,淹没影响和损失也比较大,同时淤区高出北岸地面,可能发生严重的浸没影响。

总体来看,黄河滩区放淤,虽然有一定的减淤效果,但工程投资较多,牵涉问题比较复杂,可以作为长远减淤措施,在干流水库修建使洪水得到进一步控制后才能实现,不能解决黄河下游近期防洪减淤的急迫问题。

(八)小浪底工程是黄河下游防洪减淤兼顾兴利的最优方案

小浪底工程是三门峡以下惟一能够取得较大库容的控制性工程,处在控制黄河下游水沙的关键部位,也是惟一能够担负下游防洪、防凌、减淤,兼顾工农业供水、发电的综合性水利枢纽,具有优越的自然地理优势和重要的战略地位。

中国国际工程咨询公司于 1986 年底关于《黄河小浪底水利枢纽工程评估报告要点》中指出:“黄河是一条多泥沙河流。解放前,悬河危堤,洪患不绝,始终处在三年两决口的局面。解放后,对黄河进行了大力综合治理,修堤筑坝,蓄洪分洪,确保了三十多年伏秋大汛不决口,但为了防御突发性洪水,保障下游防洪建设,进一步完善和加强下游防洪体系,仍是治黄重要战略任务,这次评估,为了研究小浪底与其他措施的关系,对中上游水土保持、修建桃花峪水库、龙门水库、小浪底水库、滩区放淤,引汉刷黄、分流放淤、开辟下游分洪道、大改道等方案和设想,都进行了比较论证。水土保持是积极的,但要长期才能见大效,应和其他治黄措施同时进行,坚持不懈;滩区放淤是处理黄河泥沙的一个重要出路,但其上游必须先有大坝,才能抬高泄流放淤水位;至于引汉刷黄、分流放淤、开辟下游分洪道、大改道等方案和设想,由于工程浩大、问题复杂,需要进一步研究。所有这些措施,不论哪个方案,其上游都需要有能够控制洪水、调节水沙的工程与之配合。建设龙门、桃花峪水库,前者拦洪拦沙库容虽大,但位置偏上,对下游防洪减淤作用较小;后者虽在小浪底下游,但地处平原,没有拦沙库容,且要淹没部分高产农田。小浪底水库位于三门峡以下130km处,是黄河干流上最后一个峡谷水库,防洪(防凌)减淤作用远较龙门、桃花峪水库优越。因此,兴建小浪底水库是其他方案难以代替的关键性工程。"

小浪底库区为峡谷河段,有利于保持较大的长期有效库容,可以长期发挥拦沙和调水调沙减淤作用和兴利除害的效益。防洪运用比较主动可靠,不仅可以拦蓄特大洪水,还可以根据下游防洪需要适当滞蓄需控洪水(12 000m^3/s以下),这是其他工程措施所不能比拟的。

小浪底水库拦沙和调水调沙,能够较快地减缓下游河道淤积,发挥较大的减淤作用,与其他减淤措施相比,在减淤效果、减淤单位投资、影响人口等方面,小浪底工程都具有明显的优越性。

此外,小浪底水利枢纽在保证下游防洪、满足下游减淤的前提下,尽可能地调节径流,为下游工农业增加可利用的水源,缓解断流影响,发电调峰还可以改善河南电网的供电条件。

综上所述,小浪底水利枢纽是近期黄河下游防洪减淤工程中的最优方案,应优先建设。

第三节 工程开发任务和主要作用

一、工程开发任务

根据黄河下游治理面临的突出问题,本着除害兴利结合、防洪抗旱并举的原则,小浪底水利枢纽的开发任务是以黄河下游防洪(包括防凌)、减淤为主,兼顾供水、灌溉、发电,除害兴利,综合利用。

(1)防洪、防凌。在防洪方面,小浪底水库担负的任务为:①显著提高下游防洪能力,千年一遇及以下洪水不再使用北金堤滞洪区,百年一遇洪水仅东平湖老湖区分洪,东平湖新湖区不使用;②根据下游防洪需要适当滞蓄需控洪水(12 000m^3/s以下),减轻下游防洪负担;③减轻三门峡水库防洪运用的负担,对三门峡以上洪水缩短高水位运用历时,对三门峡以下洪水减少蓄洪运用概率,百年一遇以下洪水不用三门峡水库防洪。

在防凌方面,与三门峡水库联合运用,共需防凌库容35亿m^3,其中小浪底水库20亿m^3。小浪底水库首先进行防凌运用,不足时三门峡水库补充。

(2)减淤。小浪底水库修建高坝的主要任务,就是要利用巨大的库容拦沙和调水调沙运用,为下游河道减淤。

(3)供水和灌溉。小浪底水库进行径流调节,使黄河下游来水适应工农业用水要求,为下游引黄灌溉与城镇生活、工业用水增加可利用的水源,缓解断流影响。

(4)发电。小浪底水电站的供电范围为河南电网,担负以火电为主的河南电网的调峰任务,水电站装机 1 800MW,发挥巨大的发电效益。

二、工程的战略地位及其在治黄中的重大作用

小浪底水利枢纽位于黄河中游最后一个峡谷的出口,上距三门峡水库 130km,下游是黄淮海平原,处在控制黄河水沙的关键部位,和龙羊峡、刘家峡、大柳树(规划)、碛口(规划)、古贤(规划)、三门峡等干流水利枢纽一起组成黄河水沙调控体系的七大骨干工程。小浪底水利枢纽建成后以其控制黄河水沙的优越的地理位置及其巨大的库容,必将在黄河治理开发中发挥巨大的防洪、防凌、减淤、供水、灌溉、发电作用。

(一)防洪

黄河下游河道为“地上悬河”,河床不断淤积升高,河道排洪能力不断减小,堤防不断加高,洪水威胁日益严重。小浪底水库建成后,可长期保持有效库容 51 亿 m^3,其中防洪库容 40.5 亿 m^3。小浪底水库与三门峡、陆浑、故县水库等四库联合防洪运用,比仅有三门峡、陆浑、故县等三库联合防洪运用有更大的防洪作用。

(1)对于千年一遇洪水,可使花园口站的洪峰流量由三库作用后的 34 420m^3/s 削减至 22 600m^3/s,只用东平湖滞洪区分洪,不使用北金堤滞洪区。

(2)对于百年一遇洪水,可使花园口洪峰流量由三库作用后的 25 780m^3/s 削减至 15 700m^3/s,孙口洪峰流量为 13 140m^3/s,仅用东平湖老湖区分洪即可满足陶城铺以下安全流量的要求。

(3)对于万年一遇洪水,可使花园口洪峰流量由三库作用后的 41 710m^3/s 削减至 27 350m^3/s,花园口至高村河段行洪的安全程度有较大提高,北金堤滞洪区分洪 6.6 亿 m^3,东平湖分洪 17.5 亿 m^3 即可。

(4)对出现几率较大的中常洪水,根据下游防洪情势需要可利用小浪底水库适当控泄,保障防洪安全。小浪底水库可以控制花园口 5 年一遇洪峰流量不超过 8 000m^3/s,减小滩地淹没损失。

(5)减轻三门峡水库蓄洪运用几率和蓄洪负担,可减少三门峡水库黄河库区和渭河库区的洪水淤积。对三门峡以下发生的大洪水,三门峡水库控制运用的几率由 10 年一遇减少到百年一遇。百年一遇蓄洪量由 14.7 亿 m^3 减少到 1.96 亿 m^3,千年一遇蓄洪量由 34.75 亿 m^3 减少到 16.87 亿 m^3,万年一遇蓄洪量由 48.24 亿 m^3 减少到 30 亿 m^3。对三门峡以上发生的大洪水,使三门峡水库先敞泄滞洪后控泄运用,缩短高水位蓄洪运用的时间,减少潼关以上渭河下游和黄河小北干流的淤积量。

(二)防凌

黄河下游河道每年冬春之交,上段已开河而下段仍继续封冻,致使冰块壅塞,形成冰坝,引起水位骤升,危及堤防安全。新中国成立前凌汛决口频繁,1951 年和 1955 年河口地区两次凌汛决口。利用三门峡水库控制凌汛期流量收到了良好的效果,但由于受到潼关河床高程的制约,一般情况下,要限制防凌蓄水位不超过 326m,防凌调蓄库容只能提供 18 亿 m^3,山东河段凌汛威胁仍未解除。由于黄河上游刘家峡水库和龙羊峡水库的调节运用,增大了非汛期的来水流量,下游防凌需库容 35 亿 m^3,其中小浪底水库承担 20 亿

m^3、三门峡水库承担 15 亿 m^3。

根据设计水平 1950～1975 年系列的调节计算，不修建小浪底水库，25 年中除去未封冻的 2 年外，其余 23 年三门峡水库均需要投入防凌运用，最高蓄水位达 329m，并且齐河北展分凌区需分凌 8 次，垦利南展分凌区需分凌 3 次。小浪底水库修建后，与三门峡水库联合防凌运用，不但可以避免下游山东河段两个展宽区的防凌，而且三门峡水库在该 25 年系列中也只有 5 年投入防凌运用，最高蓄水位 324m。这样，不但避免了下游分凌区的淹没损失，减轻了三门峡水库防凌运用的负担，还大大提高了下游安全防凌的可靠性。

（三）减淤

黄河下游防洪问题的症结在于大量泥沙持续强烈淤积抬高河床，河道排洪能力不断降低，防洪大堤不断加高，堤防存在“漫决、溃决、冲决”的危险（包括凌汛决口），对两岸广大地区的安全造成严重威胁。小浪底水库正常蓄水位 275m，总库容 126.5 亿 m^3，在水库后期蓄清排浑和调水调沙运用，能够保持高滩深槽平衡形态的有效库容 51 亿 m^3 可以长期运用，其中 41 亿 m^3 滩库容供防洪、防凌和供水、灌溉、发电等调蓄运用，10 亿 m^3 槽库容供主汛期调水调沙和多年调沙运用，长期使下游河道减淤。在水库初期“拦沙和调水调沙”运用，最大有 80 亿 m^3 库容（已扣除库区支流河口拦沙坎淤堵的 3 亿 m^3 无效库容）可供拦沙和调水调沙运用，与三门峡水库现状方案相比，可以使黄河下游获得巨大的减淤作用。

经过 2000 年设计水平 6 个 50 年代表系列计算，对下游河道的减淤作用主要表现在：

（1）水库运用 50 年，按 6 个 50 年代表系列平均计算，水库拦沙 101.7 亿 t，下游全断面减淤 78.8 亿 t，全断面相当不淤年数不少于 20 年，拦沙减淤比为 1.3:1。

（2）小浪底水库运用可对全下游河道产生减淤作用。下游艾山以上河段和艾山以下河段的减淤基本上是同步的，只是表现方式有差异。在艾山以上河段，一般为河槽先连续冲刷后连续回淤，均为较和缓地进行，避免大冲大淤和大量塌滩；在艾山以下河段，一般为河槽连续微冲微淤，相对平衡，滩地很少坍塌。按 6 个 50 年代表系列平均计算，水库初期运用前 20 年，艾山以上和艾山以下河段，基本不淤积；水库后期运用，黄河下游河道仍继续减淤，比三门峡水库现状方案，年平均减淤 0.3 亿～0.4 亿 t。

（3）小浪底水库在初期运用前 15 年，按 6 个 50 年代表系列年平均计算，进入河口河段的泥沙量减少 35.4 亿 t，年平均减少 2.36 亿 t，将很大程度地减缓河口的淤积延伸，有利于河口流路较长时间地延长行水年限。而且由于水库调水调沙运用，利用大水输沙也可以增加进入深海区域的泥沙量，对减缓河口延伸也是有作用的。

（4）在小浪底水库初期拦沙和调水调沙运用的 20～28 年内，可以保持下游河槽冲淤交替相对不抬高和滩地大量减淤，保持与提高了下游河道排洪能力，为下游防洪安全提供了保障，在 20 年内或略长的时段内可以基本不加高大堤。如果没有小浪底水库，则在 2000 年设计水平的水沙条件下，三门峡水库现状方案，将使黄河下游年平均淤积 3.79 亿 t，与三门峡建库前 1950～1960 年下游年平均淤积 3.8 亿 t（含东平湖淤积）相当，需要平均每 10 年加高一次大堤。

（四）供水和灌溉

黄河下游引黄地区跨黄、淮、海三大流域，涉及豫、鲁两省 21 个地市 83 个县。由于黄河中游干流缺乏调节工程，下游地区在枯水季节水量不足，甚至出现断流，对工农业生产、城市生活、生态环境造成极其不利的影响。

小浪底水库生效后，下游城市生活及工业用水可以完全满足，并满足向青岛补水，向河北、天津调水 20 亿 m^3；黄河来水经调节后更好地适应引黄灌溉要求，多年平均可使花园口断面 3～6 月来水量由无小浪底水库条件下的 66.3 亿 m^3 增加到 87.9 亿 m^3，增加可利用的径流量 21.6 亿 m^3，中等枯水年份保证利津断面最小流量不小于 50 m^3/s，缓解断流影响。

(五)发电

河南电力系统几乎为一个纯火电系统，调峰问题一直突出。小浪底水利枢纽地处河南电网负荷中心，电站投运后将显著改善电网的运行条件，提高电网的调峰能力。

小浪底水电站装机 6 台，总装机容量 1 800MW。保证出力在水库运行前 10 年为 283.9MW，10 年后为 353.8MW；多年平均发电量在水库运行前 10 年为 45.99 亿 kW·h，10 年后为 58.51 亿 kW·h；年平均可节约标准煤 155 万～192 万 t，减轻环境污染。小浪底水电站规模大，调节性能好，可以承担电网的调峰任务，在下游西霞院反调节工程建成后调峰作用更大。扣除 1 台常年检修容量后，小浪底水电站可承担电网的调峰容量，在水库运行的前 10 年为 1 200～1 500MW，10 年后为 1 400～1 500MW，将缓解电网调峰容量不足带来的一系列问题，弥补火电机组承接负荷慢的缺点，提高电网的供电质量。

第四节　工程规划的主要指标

经过多年的规划论证和可行性研究、初步设计、招标设计阶段的规划设计工作，小浪底水利枢纽的主要规划指标如下：

小浪底坝址控制流域面积 694 155km^2，占黄河花园口站流域面积 730 036km^2 的 92.3%。坝址多年平均天然径流量 504 亿 m^3，占黄河多年平均天然径流量 580 亿 m^3 的 86.9%，占花园口断面多年平均天然径流量的 90%；扣除坝址以上生活、生产耗水量及大中型水库蒸发渗漏损失水量后，设计水平年多年平均净入库水量 277.1 亿 m^3。坝址实测最大洪水流量 22 000m^3/s，千年一遇设计洪峰流量 40 000m^3/s，12 日洪量 139 亿 m^3；万年一遇校核洪峰流量 52 300m^3/s，12 日洪量 172 亿 m^3。坝址实测多年平均输沙量 13.51 亿 t，考虑坝址以上水利水保措施拦沙作用，设计水平多年平均输沙量 12.75 亿 t。按 1919～1960 年黄河年平均来沙 16 亿 t(接近自然情况)比较，则设计水平年多年平均来沙量减少 3.25 亿 t，这是黄河 1960 年以来开展水土保持工程后的多年平均减少入黄河泥沙的效益。小浪底设计水平年来水来沙条件考虑了保持现状黄河水土保持工程的多年平均减少入黄河泥沙 3.25 亿 t 的效益，是留有余地的，对水库设计是安全的。

小浪底水库为不完全年调节水库，最大坝高 160m，坝顶高程 281m，正常蓄水位 275m，正常死水位 230m(水库初期运用死水位 205m)，主汛期(7～9 月)限制水位 254m，千年一遇设计洪水位 274m，万年一遇校核洪水位 275m；相应原始总库容 126.5 亿 m^3，其中水库永久性拦沙库容 72.5 亿 m^3，考虑因库区支流河口拦门沙坎淤堵支流无效库容 3 亿 m^3；水库有效库容 51 亿 m^3，其中库区滩库容 41 亿 m^3，槽库容 10 亿 m^3，供水库主汛期调水调沙运用，防洪库容 40.5 亿 m^3，为滩库容供防洪运用，在凌汛期预留防凌库容 20

亿 m^3。

小浪底水电站装机 6 台,总装机容量 1 800MW,额定水头 112m,单机额定引水流量为 $296m^3/s$。水库建成后采取逐步抬高主汛期(7～9 月)水位而调节期(10 月～来年6 月)高水位蓄水运用方式,最大水头在水库运用前 10 年为 128.92m,10 年后为 138.92m;最小水头在水库运用前 10 年为 65.79m,10 年后为 90.79m;平均水头在水库运用前 10 年为 100.34m,10 年后为 119.41m;保证出力在水库运用前 10 年为 283.9MW,10 年后为 353.8MW;多年平均发电量在水库运用前 10 年为 45.99 亿 kW·h,10 年后为 58.51 亿 kW·h;装机利用小时在水库运用前 10 年为 2 560h,10 年后为 3 250h。

水库最高蓄水位 275m 时最大泄流能力 16 $821m^3/s$;校核洪水位 275m 时最大泄流量为 13 $900m^3/s$;设计洪水位时最大泄流量为 13 $480m^3/s$;正常死水位 230m 时最大泄流量为 8 $048m^3/s$,非常死水位 220m 时最大泄流量为 6 $769m^3/s$。

水库最高蓄水位 275m 的最大泄流能力,考虑了上游三门峡水利枢纽可能进一步改建增大泄流能力的适应性,并考虑了水库非常情况下紧急泄空蓄水量的泄流能力的需要,因而留有安全余地。

第七章　工程规模研究

综合利用水利枢纽的工程规模一般是指水库的特征水位(如正常蓄水位、死水位、汛期限制水位、设计洪水位、校核洪水位等)、总库容及其分配、泄流规模、装机容量及台数,其中正常蓄水位、装机容量是水利枢纽规划设计的主要参数,因为它在很大程度上决定着水利枢纽的规模、费用、淹没及效益等其他特征。小浪底水利枢纽位于多沙的黄河干流上,水库经过约30年的初期拦沙运用形成高滩深槽的冲淤平衡形态,工程规模的论证考虑了水库在不同运用时期的库容、效益变化,这一点和一般的少沙河流是不同的。尤其是正常蓄水位、死水位、汛期限制水位的选择,往往要通过大量方案的水利计算、水库及下游河道泥沙冲淤计算、洪水调节计算、水工建筑物布置、工程量及投资计算、技术经济分析等工作内容,最后综合多方面的因素、兼顾各方面利益确定工程规模。有关小浪底水库的水利计算、泥沙冲淤计算、洪水调节计算等见其他章节。

第一节　水库正常蓄水位论证与选定

正常蓄水位是指水库在正常运用的情况下,满足设计的兴利要求在开始供水时应蓄到的高水位。正常蓄水位是水库设计中一个最重要的指标,它决定着建筑物的规模、效益、淹没、投资及其他有关指标。水库正常蓄水位的选择,应根据国民经济有关部门的要求、工程建设条件、水库淹(浸)没损失、水利资源利用情况,拟订不同方案,综合分析比较确定。小浪底水库正常蓄水位,是在三门峡至小浪底河段梯级开发方案比选的基础上,通过对4个正常蓄水位方案265m、270m、275m、280m的综合比较,最后选定正常蓄水位为275m。

一、河段梯级开发规划

三门峡至小浪底河段,河段长131km(按河槽中心线距离),落差145m,平均比降11‰,是黄河干流最后一个峡谷河段,具备兴建高坝大库的库容条件。在1954年的《黄河综合利用规划技术经济报告》中,受当时勘测资料及坝工技术条件的限制,认为在砂页岩地区不能修建40m以上的混凝土坝,修建土石坝则河谷狭窄、洪峰流量大,施工导流及泄洪建筑物布置困难,因而在该河段布置了任家堆、八里胡同、小浪底3座梯级工程。由于《黄河综合利用规划技术经济报告》中选定三门峡水利枢纽为黄河下游防洪的关键枢纽工程,因此拟定三门峡至小浪底河段的开发任务主要是发电,任家堆、八里胡同、小浪底3座梯级工程的正常蓄水位分别为280m、232m、163m,总库容21.1亿m^3,其中小浪底水库的总库容仅为2.4亿m^3,最大水头27m,为径流式水电站。1958年曾提出将小浪底、八里胡同并级开发,1960年提出小浪底水利枢纽的开发任务是以发电为主,结合防洪、航运、灌溉和供水,正常蓄水位280m。

三门峡水利枢纽1960年9月15日开始蓄水运用,在1960年9月15日至1962年

3月期间,库水位保持在330m以上的时间达200天,最高蓄水位332.58m,渭河回水至赤水附近,距坝约187km,黄河回水距坝约152km,大量泥沙淤积在库内,水库排沙比仅约7%,入库泥沙约93%淤积在库内,330m高程以下淤积泥沙15.4亿m^3,潼关站流量1 000m^3/s的水位抬高4.4m,并在渭河口形成拦门沙,渭河下游泄洪能力迅速降低,两岸地下水位抬高,水库淤积末端上延,两岸农田受浸没,土地盐碱化面积增大。为了减缓水库淤积和渭河下游洪涝灾害,三门峡水库运用方式由蓄水拦沙改为滞洪排沙,于1962年3月20日蓄水运用结束,敞开闸门泄流。水库运用方式改变后,库区淤积有所减缓,由于水库泄流规模小,入库泥沙仍有60%以上淤积在库内,渭河下游和小北干流淤积继续发展。1964年12月周恩来总理主持召开了治黄会议,讨论三门峡水库改建与运用方式的问题,决定三门峡工程改建,增大水库泄流规模。工程改建的原则是"在确保西安、确保下游的前提下,合理防洪、排沙放淤、径流发电"。三门峡水利枢纽于1966~1968年完成第一期工程改建,于1970~1973年完成第二期工程改建,达到315m水位泄量10 000m^3/s,并实行蓄清排洪运用,因此黄河洪水、泥沙要进入下游。为了解决下游防洪、防凌、减淤、灌溉等问题,黄委会于1970年7月提出的《黄河三秦干流河段规划》,推荐三门峡至小浪底河段采用小浪底高坝一级开发方案,明确小浪底水利枢纽的开发任务为防洪、防凌、减淤、灌溉、发电等综合利用。

1975年8月上旬,淮河流域发生了一场罕见的特大暴雨,给国民经济和人民生命财产带来了严重损失,类似暴雨1963年8月在海河流域亦曾出现。黄河处于海河、淮河两大水系之间,据气象资料分析,这样的暴雨完全有可能降落到三门峡以下的黄河流域,这一严重的现实,引起人们对黄河洪水的重新认识。1975~1976年,在编制黄河下游防洪规划中,根据历年规划研究成果,对三门峡至小浪底河段进行了小浪底一级开发,小浪底、任家堆二级开发和小浪底、八里胡同、任家堆三级开发方案的经济比较,三个方案的主要技术经济指标见表7-1-1。比较结果表明,小浪底是三门峡以下黄河干流惟一可获得大库

表7-1-1　　三门峡至小浪底河段开发方案主要指标

项　目	单位	小浪底 一级开发	小浪底、任家堆 二级开发	小浪底、八里胡同、任家堆 三级开发
正常蓄水位	m	275	230、275	160、230、275
总库容	亿m^3	112.0	49.3	15.8
有效库容	亿m^3	38.0	36.5	5.3
防洪库容	亿m^3	38.0	36.0	—
防凌库容	亿m^3	38.0	26.0	—
装机容量	万kW	150.0	140.0	150.0
年发电量	亿kW·h	65.2	57.6	60.0
总投资	亿元	16.5	17.2	13.9

注:1.本表系1976年规划阶段成果。

2.小浪底库容为青石嘴坝址。

容的水库,在小浪底修建高坝一级开发(青石嘴坝址),总库容112亿m^3,可以较好地解决下游防洪、防凌、减淤的迫切问题,并可进一步调节径流,发挥供水、灌溉、发电等综合利用效益,做到除害与兴利并举。虽然二级开发方案的有效库容和一级开发方案接近,但拦沙

库容较小,减淤作用较小,且河段水能资源没有充分利用,投资最高。三级开发方案库容太小,虽然投资较小,但不能满足下游防洪、防凌、减淤及径流调节要求。通过综合比较,规划选定小浪底一级开发方案。

关于小浪底一级开发修建高坝的技术可能性和经济合理性,除了对坝址北岸的单薄分水岭进行工程措施处理后满足要求外,还要考虑涉及水库泥沙的两个关键性的问题,即小浪底水库的平衡比降和小浪底水库的减淤作用。它是决定小浪底水库工程规模的主要因素。

(一)关于小浪底水库平衡比降

有专家曾研究三门峡至小浪底河段的开发方案,在其所著的《任家堆水库的平衡比降》中提出:"分析狭窄河道的平衡比降,须考虑边壁糙率、形态糙率和碛石滩的影响,这是峡谷型水库比降增大的原因。"他认为三门峡至小浪底河段,天然河道比降11‰,支流汇入的卵石和粗沙堆积影响,造成了许多碛的存在,峡谷型水库糙率系数为0.03,比降要陡,建议采用比降8‰作为规划设计的依据,小浪底死水位以170m为宜,小浪底只能建中坝,正常蓄水位为230m,在上游再建任家堆径流电站。因此提出"值得研究的一个问题是,三门峡—小浪底峡谷河段是一级开发还是多级开发的问题"。

黄委会设计院分析认为,小浪底水库拦沙淤积后糙率系数将大大减小,库区不会形成碛石滩,坝前至尾部4个河段,糙率系数分别为0.013、0.014、0.017、0.022,比降分别为2.0‱、2.9‱、3.5‱、6‱,平均比降约为3.3‱。在三门峡至小浪底河段可以一级开发,小浪底修建高坝,选择死水位为230m,最高蓄水位275m,不影响三门峡枢纽坝下正常尾水位。

(二)关于小浪底水库减淤作用

有专家曾分析认为,小浪底水库若修高坝,最高蓄水位275m,总库容126.5亿m^3(选定的小浪底三坝址库容),其中支流库容为40.8亿m^3,水库拦沙,在支流河口形成高拦门沙坎后,支流拦沙库容有很大部分不能拦沙,也不能调节径流运用,因此小浪底水库有效拦沙量将大为减少;同时小浪底水库是由空库造滩造床,要拦很大一部分在下游不淤积的细泥沙,水库拦沙减淤效益将大为减小。因此,小浪底水库不应修建高坝,主张修建中坝,防洪蓄水位240m,正常蓄水位230m,在上游修建任家堆径流电站,三小间为二级开发,为了黄河下游减淤,可在温孟滩放淤。

黄委会设计院分析认为,为了防止上述情况出现,充分发挥水库拦沙库容的拦沙减淤效益,采取小浪底水库降低初期运用起调水位,逐步抬高主汛期水位,控制低壅水调蓄水量不大于3亿m^3,提高排沙比,进行大水输沙、拦粗排细的拦沙和调水调沙运用,可以延长水库初期拦沙运用时间,做到库区支流主要为干流浑水明流倒灌淤积,部分为异重流倒灌淤积,与干流基本上同步逐渐淤高,可以使库容充分拦沙,可以做到水库多拦粒径大于0.025mm的粗泥沙,多排粒径小于0.025mm的细泥沙,提高拦沙减淤作用。

综上分析,在三小间进行一级开发,在小浪底修建高坝大库,发挥拦沙和调水调沙减淤作用,在技术上是可行的,在经济上是合理的。

二、小浪底水库正常蓄水位方案拟定

小浪底水库位于多沙河流上,为了能够长期保持有效库容,水库在初期"拦沙和调水调沙"运用完成后进入后期"蓄清排浑和调水调沙"运用。在主汛期来沙集中时段除根据水情必要时拦洪运用外,一般情况下,拦蓄小于 2 000m³/s 的平水,按 800m³/s 下泄,控制低壅水;泄放 2 000～8 000m³/s 的大水,敞泄排沙;大于 8 000m³/s 的洪水,分级控制,分别按 8 000～10 000m³/s 下泄,滞蓄洪水运用。非汛期来沙较少,可以高水位蓄水调节,按照防凌、供水、灌溉和发电的要求放水。水库初期和后期运用方式是相同的,只是前者水库拦沙淤积,后者水库冲淤平衡。小浪底水库的正常蓄水位是指水库在后期的正常运用期的调节期(10 月～来年 6 月),为满足供水、灌溉、发电等兴利要求应蓄到的最高蓄水位。影响小浪底水库正常蓄水位的主要因素有各部门对有效调节库容的要求、水库拦沙减淤作用、坝址及库区的地形地质条件、库区淹没和浸没情况、上下游梯级的衔接关系、水资源利用程度等。对小浪底水利枢纽来说,其正常蓄水位上受三门峡水电站尾水位的限制,下受坝址左岸单薄分水岭地形地质条件的制约。

三门峡坝下平均河底高程为 275.7m,从充分利用河段水力资源及发挥水库拦沙减淤效果的观点考虑,三门峡、小浪底两枢纽工程应当衔接。根据三门峡坝下尾水水位流量关系分析成果,坝下流量分别为 1 000m³/s、2 000m³/s 时,水位分别为 279.1m 和 280.6m。三门峡水电站装机容量 400MW,非汛期最大发电流量 1 455m³/s,相应尾水位为 279.8m。为了和三门峡水电站尾水位衔接,在不影响三门峡电站发电效益的前提下,小浪底水库的正常蓄水位最高不超过 280m。在小浪底水利枢纽可行性研究阶段(1983～1984 年),拟订了 265m、270m、275m、280m 四个正常蓄水位方案,进行技术经济综合比较。各方案的主要技术经济指标见表 7-1-2。

表 7-1-2　　小浪底水库正常蓄水位方案比较

项目		正常蓄水位方案指标			
		265m	270m	275m	280m
水位(m)	死水位	215	221.5	230	234
	汛期限制水位	215～234.5	221.5～241	230～250	234～253.5
库容(亿 m³)	总库容	101.54	113	126.5	140
	有效库容	55.0	55.0	55.4	55.0
	槽库容	34.0	33.5	30.6	31.8
发电效益	装机容量(万 kW)	140	160	180	190
	保证出力(万 kW)	26.3	28.1	29.8	31.1
	年发电量(亿 kW·h)	61.9	66.2	69.5	72.2
拦沙减淤效益	拦沙库容(亿 m³)	43.1	53.7	65.7	79.8
	减淤年数(年)	11	14	17	21
淹没人口(万人)		10.08	10.59	12.0	—
经济指标	总投资(亿元)	24.4	24.9	25.7	—
	投资相差(亿元)	0.5	0.8	—	
	减淤相差(亿 t)	0.237	0.82	—	
	发电量差(亿 kW·h)	4.3	3.2	2.7	

注:本表主要采用原初步设计要点报告。

三、正常蓄水位选择

在小浪底水利枢纽可行性研究阶段,采用定性和定量相结合的方法,对四个正常蓄水位方案从防洪减淤、灌溉供水、发电等方面进行综合比较,最终选择正常蓄水位为275m。

(一)水库淤积末端影响分析

对多沙河流上梯级工程的衔接问题,除了研究水库正常运用期汛期造床流量和常流量(汛期平均流量)、非汛期最高蓄水位运用时的淤积末端对上游枢纽工程的尾水位影响外,还要研究水库在初期“拦沙和调水调沙”运用形成高滩高槽时的淤积末端和水库在特大洪水(根据上级水电站及其他工程的设防标准相应的特大洪水)防洪运用时的淤积末端对上游枢纽工程坝下尾水位的影响问题,只有在各种运用条件下水库淤积末端都不影响上游枢纽工程的坝下尾水位,才能满足水库安全运用的设计条件。

根据水库泥沙冲淤计算分析成果,正常蓄水位275m方案,考虑正常运用期死水位230m运用下的输沙平衡河床纵剖面,并考虑了20年的尾部段推移质泥沙淤积条件下,水库淤积末端距三门峡坝下尚有3.5km,河底高程267.8m,汛期造床流量(4 220m^3/s)水位为273.3m,不影响三门峡坝下尾水位(282.9m);经分析汛期常流量的水位也不影响三门峡坝下尾水位(280m)。

对于非汛期最高蓄水位275m方案的淤积末端对三门峡枢纽工程的尾水位影响问题,主要分析的结果是:在三门峡水库非汛期蓄水拦沙(蓄水位315m)与小浪底水库联合运用条件下,2000年设计水平年非汛期(11月～来年6月)小浪底入库沙量多年平均为0.51亿t(1919～1975年56年),一般年份均小于1亿t,其中大于1亿t(1.05亿～1.45亿t)的有5年,该时段的入库泥沙颗粒组成较细,将有70%左右淤积在水库尾部段或上段,形成三角洲体淤积;调节期10月～来年6月小浪底水库平均淤积0.93亿t,其中水库上段三角洲淤积0.74亿t,三角洲淤积体末端距三门峡大坝约500m,1 000m^3/s流量水位278.3m,不影响三门峡坝下正常尾水位(1 000m^3/s流量水位279.1m);即使遇丰沙年份,在调节期最大淤积2.3亿t,其中水库中、上段淤积1.61亿t,但由于3～6月水库加大泄水供下游灌溉,库水位实际上已低于275m,故非汛期正常蓄水位275m,水库中、上段三角洲淤积物将有部分下移,调蓄运用不影响三门峡坝下正常尾水位。

对于水库在初期“拦沙和调水调沙”运用形成高滩高槽时的淤积末端和水库在特大洪水(根据上级水电站及其他工程的设防标准相应的特大洪水)防洪运用时的淤积末端对三门峡枢纽工程坝下尾水位的影响问题,主要分析的结果是:正常蓄水位275m方案对三门峡枢纽工程坝下尾水位没有影响(详见第八章第二节)。同样分析结果表明,正常蓄水位270m、265m方案在各种运用条件下对三门峡坝下尾水位也没有影响。但正常蓄水位280m方案,在非汛期蓄水运用时,对三门峡坝下尾水位已产生一定的影响,但还不致影响电站的安全运行。

(二)综合技术经济比较

各方案通过调整死水位及滩面高程,可以保持同样的有效库容,因此防洪、灌溉、供水和防凌作用是相同的,效益上的差别主要是拦沙减淤和发电。正常蓄水位280m方案,水库永久性拦沙库容最大,达79.8亿m^3;265m方案水库永久性拦沙库容最小,只有43亿

m^3;随着正常蓄水位抬高,拦沙库容增大,下游减淤量及相当不淤积的年数也增大。发电效益,随着正常蓄水位的抬高,保证出力、年发电量及装机容量都随之增大,不同方案年平均发电量相差2.7亿~4.3亿kW·h。

从工程量、投资方面比较,265m、270m、275m三个方案泄流部分工程量相差不大,其差别主要是大坝填筑工程量,各方案相差300万~350万m^3,总投资相差0.5亿~0.8亿元。若仅考虑年发电经济效益差值进行抵偿,抵偿年限为2~4年(在1980年代初,我国常用抵偿年限法进行方案间的经济比较,目前常用的方法有年费用法、差额投资内部收益率法等),小于当时规范规定的抵偿年限(10年),说明正常蓄水位高的方案在经济上是有利的;同时正常蓄水位每降低5m,水库拦沙量减少10亿~15亿m^3。从水库淹没损失比较,因小浪底水库系峡谷型水库,淹没损失大部分集中在250m高程以下,不同方案淹没人口相差0.5万~1.4万人。280m方案虽然综合利用效益大,但涉及到坝址北岸单薄分水岭的地基处理问题,从工程地质观点看,该方案是不可取的。

综上所述,正常蓄水位280m方案虽然拦沙、发电效益优越,但北岸单薄分水岭地基处理问题较突出,且淤积末端回水对三门峡尾水位有一定影响,应予放弃。正常蓄水位265m、270m方案与275m方案比较,工程量及投资减少有限,拦沙及发电效益也有一定减小,而且在河段开发上少利用5~10m落差。考虑小浪底水利枢纽处在控制黄河水沙的关键部位,对防洪、减淤、灌溉供水、发电等可以起到重大作用,同时考虑到多沙河流泥沙问题的复杂性,在库容选择上应留有较大余地,在不影响三门峡枢纽安全运行的前提下,应尽量使库容大一些,除了满足综合利用外,预留一部分库容,在汛期适当调节水沙,减少机组磨损,并能充分发挥水库对下游的减淤作用,因此最终选定小浪底水库的正常蓄水位为275m。

第二节 死水位及泄流规模的论证与选定

一、死水位

死水位指的是水库初期拦沙运用完成后,库区形成高滩深槽相对稳定的形态,进入后期正常运用时期“蓄清排浑和调水调沙”运用的最低运用水位。死水位的确定要以能够形成并长期保持满足防洪和调水调沙及兴利调节所需要的有效库容为条件,并且在水库死水位下形成的主汛期输沙平衡河床纵剖面淤积末端不影响三门峡坝下正常水位。

小浪底水库为了形成和保持51亿m^3有效库容,采用正常死水位230m,主汛期限制水位254m,控制坝前滩面高程254m,可以满足上述要求。主汛期在槽库容内调水调沙运用,运用水位在230~254m之间变化,平均水位245m,在调沙周期内,槽库容内冲淤相对平衡。当遇50年一遇以上洪水时,水库防洪运用,洪水泥沙上滩淤积,则将滩地淤高,使滩库容减小。经计算,当发生1933年型千年一遇或万年一遇洪水时,小浪底水库与三门峡水库联合防洪运用,并考虑三门峡工程再改建,增大泄洪能力,水位(335m)泄量15 000m^3/s的条件,在此情况下,小浪底水库千年一遇洪水坝前滩面高程由254m升至257m,有效库容减小为47.2亿m^3;万年一遇洪水坝前滩面高程由254m升至258m,有效库容减小为46.1亿m^3。此时将水库死水位降至非常死水位220m,增大槽库容,有效库容又增为52亿m^3,可供长期运用。

二、泄流规模

(一)最高蓄水位泄量

考虑三门峡水库工程可能再增建扩大泄流能力,其最大下泄流量增大为15 000m^3/s(小浪底工程开工前泄流能力约13 700m^3/s)的可能性,加上三小间洪水汇流,并为水库遇非常情况紧急泄空蓄水量留有安全余地,选定小浪底水库最高蓄水位275m的最大泄流量约为17 000m^3/s。

(二)死水位泄量

为了满足小浪底水库排沙保持有效库容和调水调沙对下游减淤的要求,死水位泄流规模应该考虑:①水库利用冲刷能力大的5 000～6 000m^3/s流量冲刷排沙,而下游接近平滩流量5 000～6 000m^3/s时输沙能力也最大,可以输沙减淤;②对来水6 000～8 000m^3/s的洪水不滞洪削峰,造成下游淤滩刷槽;③对来水大于8 000m^3/s的洪水滞洪削峰,以利下游防洪安全。因此,选定水库正常死水位230m的泄量为8 000m^3/s,非常死水位220m的泄量为7 000m^3/s,大于下游河道一般的平滩流量,并适应小浪底水库初期拦沙运用下游河床冲刷下切,平滩流量增大至7 000～8 000m^3/s的变化。

(三)水库主汛期限制水位泄量

水库主汛期限制水位的设置及其泄量要满足以下互为关联的三条要求:

(1)小浪底水库在初期拦沙和调水调沙运用中,在不影响三门峡坝下正常尾水位和预留防洪库容及兴利调节库容条件下,尽量淤高库区滩地和河床,形成高滩高槽,形成80亿m^3拦沙库容,以多拦泥沙;此后,在降低水位冲刷下切河床形成高滩深槽平衡形态后,保留永久性拦沙容积72.5亿m^3,扣除支流因河口拦沙坎淤堵的无效库容3亿m^3后,在库区滩地以下形成10亿m^3槽库容供调水调沙运用,在库区滩地以上有41亿m^3滩库容供特大洪水防洪和兴利调节运用。

(2)水库运用不影响三门峡枢纽坝下正常尾水位,满足小浪底水库最高蓄水位275m至正常死水位230m之间有效库容51亿m^3的条件。选定小浪底水库主汛期限制水位为254m,控制坝前滩面高程254m。

(3)要求水位254m的泄流能力应满足50年一遇以下洪水不上滩淤积的要求,在利用一部分槽库容调洪的条件下,经过调洪计算,要求水库主汛期限制水位254m的泄流量为11 200m^3/s,可以满足要求。水库主汛期限制水位254m,也就是水库主汛期拦沙和调水调沙的最高运用水位,是保障水库预留特大洪水防洪库容的防洪限制水位。在此泄流规模条件下,以坝前滩面高程为254m的库区滩地和滩地以上库容,有相当长时期的相对稳定。

(四)水库初期运用起调水位泄量

水库初期拦沙运用第一阶段,按平均水沙条件,在起调水位205m蓄水拦沙和调水运用大约要经历3年,对下游河道有较大的影响。为了满足合理调水,有较大流量冲刷下游河道,提高下游河道减淤效益的要求,水库初期运用起调水位205m的泄量应有一定的规模,应与三门峡水库汛期排沙运用水位305m泄流量5 000m^3/s的规模相同,避免削减中水流量变成平水下泄发生上冲下淤的不利影响。

小浪底水利枢纽泄水建筑物布置根据上述特征水位的泄量要求，枢纽工程招标设计确定的水库库容和泄流能力见表 7-2-1。

表 7-2-1　　小浪底水库库容与泄流能力

水位(以黄海为基面)(m)	190	200	205	220	230	245	254	260	265	270	275
原始库容(亿 m^3)	9.0	13.9	17.1	29.6	40.8	62.0	78.2	90.5	101.5	114.0	126.5
有效库容(亿 m^3)					0.14	3.6	10	17.6	26.5	37.5	51.0
泄流能力(m^3/s)(不含机组)	1 119	4 431	4 930	6 769	8 048	10 100	11 200	11 920	13 153	14 850	16 821

注：小浪底水文站水位为大沽高程系统，换算关系为：$H_{黄海} = H_{大沽} - 0.571m$。电站 6 台机组，每台机组引水流量约 $300m^3/s$，未计入水库泄流能力。

第三节　防洪特征水位

小浪底水库的主要任务是防洪(包括防凌)、减淤，与三门峡、陆浑、故县等干支流水库联合防洪运用，并利用东平湖分洪，使黄河下游防洪标准在一定时期内提高到千年一遇，使千年一遇以下的洪水不再使用北金堤滞洪区，对常遇洪水也能减轻防汛负担。水库防洪特征水位主要是指承担防洪防凌任务所要求的水位，包括汛期限制水位、设计洪水位、校核洪水位、防洪高水位和防凌限制水位等。

一、汛期限制水位和防凌限制水位

(一)汛期限制水位

水库在汛期洪水未到前允许蓄水的上限水位，称为汛期限制水位(亦称防洪限制水位)。这个水位以上的库容是作为滞蓄洪水的库容，只有发生洪水时，为了滞洪，水库水位才允许超过防洪限制水位，当洪水消退时，如汛期未过，水库应尽快泄洪，使水库水位迅速回落到防洪限制水位。在进行水库设计时，通常应根据洪水特性和水文预报条件，尽可能地把防洪限制水位定在正常蓄水位之下，腾出部分兴利库容以容纳洪水，并在汛末拦蓄部分洪水以蓄满兴利库容。在这种情况下，防洪限制水位与正常蓄水位之间的库容称为防洪与兴利结合库容或重复库容，兼作防洪与兴利之用，以减小专门的防洪库容。当正常蓄水位一定时，汛限水位越高，水库在汛期蓄水越多，这对兴利是有利的。但汛限水位越高，在泄流规模一定时，要求水库的设计洪水位、校核洪水位越高，相应大坝的工程量增加，投资增加，同时水库汛期回水淹没损失增大。一般而言，汛限水位的选择，要综合考虑水库的有效库容要求、防洪要求(包括水库下游及大坝本身)、兴利效益、泄流能力、水库淹没等因素，通过技术经济比较选定。

小浪底水库位于多沙河流上，汛期限制水位的选择，除了考虑上述因素外，还要考虑水库汛期调水调沙要求、汛期回水淤积影响及洪水特性。为了不影响上游三门峡水利枢纽的安全运行，水库最高滞洪水位以不超过 275m 为宜，选定的正常运用死水位为 230m，水库有效库容为 51 亿 m^3。根据黄河洪水特点，主汛期洪水为 7～9 月，后期洪水为 10 月上半月。根据三门峡、小浪底、陆浑、故县四库联合防洪调节计算，小浪底水库主汛期万年一遇洪水所需的最大调洪库容为 40.5 亿 m^3，10 月上半月万年一遇洪水所需的最大调洪库容为 25 亿 m^3。为了充分发挥小浪底水库的综合利用作用，设计中对主汛期和后汛期的限制水位进行了分析论证。

1. 主汛期限制水位

水库主汛期拦沙和调水调沙运用，要预留防洪库容 40.5 亿 m^3，使其不受泥沙淤积影响，以供防洪运用和在非汛期调节径流兴利运用。

同时，主汛期限制水位还有另一个要求，即水库百年一遇、千年一遇和万年一遇洪水防洪运用时，在此限制水位起始调洪，要求库区的洪水泥沙淤积和回水曲线均不影响三门峡坝下河床断面和自然洪水位。

根据上述的要求，经计算选定水库主汛期限制水位为 254m，既满足预留 41 亿 m^3 库容的要求，又满足洪水泥沙淤积和水库回水不影响三门峡坝下河床断面和自然洪水位的要求。汛限水位(254m)和死水位(230m)之间的 10 亿 m^3 有效槽库容，供主汛期水库调水调沙之用。

2. 10 月上半月限制水位

小浪底水库 10 月份提前蓄水，增大水库调蓄水量和发电水头，提高供水、灌溉和发电效益，同时不影响下游河道减淤效益。但在 10 月上半月有后期洪水，要预留防御后期万年一遇洪水的防洪库容 25 亿 m^3，故要求限制蓄水位运用。按水库后期正常运用时期的有效库容 51 亿 m^3 的条件，在 10 月上半月预留 25 亿 m^3 防洪库容的限制蓄水位为 265m，10 月 16 日以后水库蓄水位可抬高到 275m。

(二)防凌限制水位

黄河下游冰期防凌，需要小浪底水库和三门峡水库联合防凌运用，在黄河上游龙羊峡水库和刘家峡水库的调节运用下，为了黄河下游山东河段的防凌，经调节计算，需要的防凌库容为 35 亿 m^3，其中小浪底水库承担 20 亿 m^3、三门峡水库承担 15 亿 m^3，这种联合防凌蓄水对两个水库都有利。水库 1～2 月为下游防凌蓄水运用，因此在 12 月底要预留防凌库容 20 亿 m^3，防凌限制水位为 267m。

二、设计洪水位和校核洪水位

当发生大坝设计标准洪水时，从防洪限制水位经水库调节洪水后达到的坝前最高水位称为设计洪水位。当发生大坝校核标准洪水时，从防洪限制水位经水库调节洪水后达到的坝前最高水位称为校核洪水位，它至防洪限制水位之间的库容称为调洪库容。当水库下游有防洪要求时，下游防洪要求的设计洪水从防洪限制水位经水库调洪后所达到的坝前最高水位，称为防洪高水位，它至防洪限制水位之间的库容称为防洪库容。

小浪底水库主要承担黄河下游防洪任务，并使下游防洪标准在一定时期内提高到千年一遇。小浪底水库的设计洪水标准为千年一遇，校核洪水标准为万年一遇(或可能最大洪水)。对于千年一遇洪水，经小浪底、三门峡、陆浑、故县四水库联合防洪运用后，可使花园口站的洪峰流量由三库(三门峡、陆浑、故县水库)作用后的 34 420m^3/s 削减至

22 600m^3/s。黄河下游堤防的设防流量为花园口站 22 000m^3/s,小浪底工程建成后,该设防流量的重现期接近千年一遇。因此,小浪底水库的设计洪水标准和下游防洪要求的设计洪水标准基本一致,设计洪水位和防洪高水位基本一致。

小浪底水库的防洪库容也就是非汛期的蓄水调节库容,两者完全可以重复利用。根据不同典型和不同组合的洪水,经调洪计算的结果表明,小浪底水库与三门峡、故县、陆浑三水库联合防洪运用,小浪底水库需要的最大调洪库容,以花园口、三花间、三小间同频率洪水控制(接近 1958 年洪水原典型情况),千年一遇设计洪水的调洪库容为 38.2 亿 m^3,万年一遇校核洪水的调洪库容为 40.5 亿 m^3。小浪底水库后期正常运用时期有效库容 51 亿 m^3,其中滩面高程 254m 以下的 10 亿 m^3 槽库容供主汛期调水调沙和多年调沙运用。为安全计,考虑槽库容完全不参与特大洪水调洪运用,则防洪起调水位为 254m,在此条件下,千年一遇设计洪水位为 274m,万年一遇校核洪水位为 275m。若考虑槽库容淤积 5 亿 m^3,另有 5 亿 m^3 库容参与调洪运用,则防洪起调水位为 248m,在此条件下,千年一遇设计洪水位为 272.3m,万年一遇校核洪水位为 273m。若考虑槽库容 10 亿 m^3 未被泥沙淤积,完全参与调洪,防洪起调水位为 230m,则千年一遇设计洪水位为 270.3m,万年一遇校核洪水位为 271.3m。可行性研究阶段采用后者,而初步设计阶段采用中者,在招标设计阶段则采用前者,留有余地。

第四节 小浪底水电站装机容量选择

小浪底水利枢纽位于黄河中游干流的下部,坝址左岸为河南省济源市,右岸为河南省孟津县。坝址上距三门峡水电站 131km,距郑州市、洛阳市直线距离分别为 118km、40km。小浪底水电站靠近河南电网的负荷中心,建成后将是河南电网装机规模最大、调峰能力最强的常规水电站。小浪底水电站装机容量选择,主要考虑工程本身的技术经济特性、河南省电网的负荷特性、电源结构及设计水电站在电网中承担的任务和作用等。

一、装机容量选择方法

(一)论证水电站的供电范围

根据《水利水电工程动能设计规范》(中华人民共和国行业标准 DL/T5015—1996)(以下简称《规范》)要求,设计水电站的供电范围,应根据地区能源资源、电力系统发展规划,水电站的规模及其在电力系统中的作用分析或论证确定。在不改变系统主网架规划的情况下,水电站供电范围可考虑为其所在的电力系统。

当设计水电站规模较小,且所在地区分网电力、电量基本可独立平衡时,供电范围可局限在该地区分网。

当设计水电站规模较大,有多余电力、电量外送,或与邻近系统在电源构成、水文特性、水库调节性能等有很大差别,可以取得联网效益时,其供电范围应根据不同方案的效益及费用,通过经济比较确定,必要时还应提出联网各方的财务效益和费用分配的建议。

(二)选择设计水平年和设计保证率

根据《规范》,水电站的设计水平年,应根据电力系统的能源资源、水火电比重与设计水电站的具体情况论证确定。可采用第一台机组投入后的5～10年，也可经过逐年电力、电量平衡，通过经济比较，在选择装机容量的同时一并选择。

水电站的设计保证率，应根据水电站所在电力系统的负荷特性、系统中的水电比重、河川径流特性、水库调节性能、水电站的规模及其在电力系统中的作用，以及设计保证率以外时段出力降低程度和保证系统用电可能采取的措施等因素，当电力系统中水电容量比重分别为小于25%、25%～50%和大于50%时，其水电站设计保证率分别取80%～90%、90%～95%和95%～98%。

当系统内有多座水电站时，应按水电站群统一选择设计保证率。选择设计保证率时，保证率以外特枯水年份水电站(群)的出力与电量不足的部分，可用系统火电站全部事故备用容量的50%弥补，否则应提高设计保证率。

(三)装机容量方案拟订

装机容量方案拟订应根据设计水平年水电站电能指标，按设计枯水年各月的平均出力进行电力电量平衡，计算该水电站可为电力系统提供的最大峰荷容量，并考虑承担电力系统的备用容量和电站的检修备用容量，确定水电站装机容量选择的范围。在以上分析成果的基础上，拟订不同的装机容量方案进行比较分析。在初步设计阶段，主要是按照可行性研究阶段对装机容量选择成果和审查意见要求，对装机容量的成果进行复核，既可以就可研阶段的各比较方案进行复核，也可在前阶段推荐方案上下拟订若干方案进行复核。

(四)各装机容量方案的电力电量平衡

电力电量平衡的目的，一方面是分析各装机容量方案的容量、电量利用情况，另一方面是分析各装机容量方案在电力系统中替代容量、电量效益。在电力电量平衡时，要求全电力系统在电力、电量和调峰能力方面都达到供需平衡。

(五)装机容量经济比较

根据各装机容量方案丰、平、枯代表年的电力、电量、调峰能力平衡成果，计算各方案在电力系统中的容量效益和电量效益，考虑各方案的投资，进行装机容量经济比较，计算各方案的总费用(也可只计算各方案不同因素的差别费用)，取费用最小者为选定的方案。也可计算各方案间的差额投资经济内部收益率，当方案间差额投资经济内部收益率大于社会折现率时取效益较大的方案，反之取效益较小的方案。

(六)装机容量选择

在装机容量选择时，不仅要考虑装机容量经济比较结论，在经济合理的原则下，应协调上、下梯级电站的引用流量，必要时还要进行不同方案的财务分析，分析各方案的财务合理性。

在综合以上分析结论的基础上选定电站的装机容量。

二、小浪底水电站的供电范围、设计水平年和设计保证率

河南电网是华中电网的重要组成部分，地处华中电网的北端。目前，河南电网和华中电网以两回220kV线路和一回500kV线路相联结，随着与华中网交换电量增加，将有二至三回的500kV线路相联。目前，华中电网已形成北起河南安阳，南至湖南郴州，南北长1 400km，包括华中四省(河南、湖北、湖南、江西)的大电网，小浪底水电站位于华中电网

的西北端。河南电网已经形成了500kV和220kV线路为主的输电网络,目前220kV线路可以向河南省各地市供电。

(一)华中四省能源分布

华中四省的常规能源主要是水电和煤炭,其次是石油,能源分布特点是"南水北煤"。四省可能开发的水力资源51 970MW(按单站容量500kW以上计,下同),年发电量2 285亿kW·h,湖南、湖北两省按电量计占84%。河南省可能开发的水力资源2 930MW,年发电量112亿kW·h,容量和电量分别占四省的5%和6%。四省煤炭资源较少,其中80%以上分布于河南省。2001年底河南省已探明煤炭储量228.67亿t,主要集中在京广线以西交通发达的鹤壁、安阳、焦作、义马、郑州、禹州、平顶山等矿区,2001年全省原煤产量8 448万t。华中四省石油资源不多,主要分布于河南省南阳地区的南阳油田和濮阳市的中原油田,探明两大油田石油地质储量合计为82 523万t,2001年生产原油566.57万t。河南省的煤炭、石油储量分别占华中四省总和的81%和87%。

(二)电源开发规划

根据华中电网四省的能源分布特点,华中电网规划确定河南是火电基地,湖北、湖南两省西部是以三峡水电站为主体的水电基地。从长远预测来看,华中电网能源短缺,不但需要从山西、陕西煤炭大省购进煤炭和火电,还需要从西南地区购入水电。

(三)小浪底水电站的供电范围

小浪底水电站距河南省的主要用电城市郑州、洛阳、焦作、新乡较近,基本位于河南电网的负荷中心。河南省常规水电资源少,主要为黄河干流上的三门峡水电站、小浪底水电站和西霞院水电站,电网以火电为主。河南省的负荷中心位于河南省的北部,远离华中电网的水电基地。小浪底水电站调节库容和装机规模大,调峰能力强,是河南省的理想调峰电源,因此确定其供电范围为河南省,建成后主要承担河南省电网的调峰任务。在小浪底水利枢纽的初步设计阶段,考虑到小浪底水库淹没涉及到山西省的3个县,为改善移民地区生产和生活条件,并本着集资办电的意向,曾研究过向山西省供电的方案。随着研究工作的逐步深入,经与山西省有关部门协商,最终确定小浪底水电站全部向河南电网供电。

(四)设计水平年

小浪底水利枢纽原预计2001年建成生效(实际上2001年底全部建成),水库采用逐步抬高主汛期运用水位的运用方式,初期运用水位较低,随着水库的淤积,水库主汛期运用水位逐步抬高,预计2010年左右水电站基本达到设计指标。根据《规范》规定,设计水平年可采用第一台机组投入后的5～10年,根据小浪底水电站具体情况,其设计水平年采用2005年,并以2010年进行复核。

(五)设计保证率

河南电力系统煤炭资源丰富,水电资源较少,电源建设以火电为主,境内较大规模的水电站仅有三门峡水电站(400MW)、小浪底水电站(1 800MW)和西霞院水电站(140MW)。根据河南省电力发展规划,即使上述水电站全部建成生效,其装机容量也仅占2005年河南电网总装机容量的10%左右。根据《规范》规定,水电站设计保证率可取80%～90%。因此,小浪底水电站的设计保证率取90%。

三、小浪底装机容量论证时依据的电力发展规划

（一）1989 年河南电网概况

河南电网以火电为主。1989 年，全省总装机容量 5 651.1MW（按单站 500kW 以上计），全省年用电量 328.42 亿 kW·h，其中本省发电量 299.9 亿 kW·h，净购外省电量 28.04 亿 kW·h。1989 年，全省水电装机 393MW，占总容量的 5.2%，除三门峡（装机容量 250MW）和故县（装机容量 60MW）两座大、中型水电站外，其他均为小水电站，单站容量达到 10MW 的仅 3 座。

1989 年全省最高发购电负荷约为 4 700MW，年发购电量 328.42 亿 kW·h（其中从省外净购入 28.04 亿 kW·h），电网统调部分最高发电负荷为 3924MW。由于河南省电力建设落后于国民经济的发展速度，形成缺电严重的局面，1989 年电网日均拉闸限电 300 次，日均缺电 560MW，估算仅统调部分缺电力 1 400MW，缺电量达 50 亿 kW·h，严重影响了全省工农业生产和人民生活。由于电网缺乏调节性能好的水电站，调峰问题突出，1989 年电网最大峰谷差 1 140MW，而当时火电调峰能力有限，湖北水电也无能力给河南电网调峰，迫使电网 125MW 火电机组启停调峰。

河南电网与华中电网的主要送电方式是丰水期华中电网向河南电网送水电，送电容量超过 1 000MW；枯水期河南电网向华中电网送火电，因此枯水期是河南电网供电最紧张的时间。

（二）负荷预测

河南省电力设计院 1989 年以[89]豫电设院第 131 号文，提出了不同水平年的河南电力负荷预测资料（见表 7-4-1～表 7-4-4）。根据国民经济的发展需要和电力建设的可能速度，作了高、低两个方案的预测值。为了使小浪底水电站装机容量论证的前提条件更加可靠，设计中采用低方案的负荷预测值。

表 7-4-1　　河南省不同水平年负荷预测

水平年	低方案		高方案	
	最大发电负荷（MW）	年发购电量（亿 kW·h）	最大发电负荷（MW）	年发购电量（亿 kW·h）
1995 年	7 420	473.7	8 220	521.0
2000 年	11 150	725.0	12 600	820.0
2005 年	14 682	925.0	16 620	1 047.0
2010 年	19 081	1 164.0	21 590	1 317.0
2015 年	24 182	1 451.0	27 350	1 641.0

表 7-4-2　　河南电网不同水平年年最大负荷预测　　（%）

水平年	月份											
	1	2	3	4	5	6	7	8	9	10	11	12
1995 年	88	81	95	93	94	92	90	83	89	94	100	96
2000 年	90	83	95	96	94	90	87	84	92	96	100	98
2005 年	90	85	95	96	95	93	90	87	93	97	100	98
2010 年	90	86.5	95	96	95	93	90	89	93	97	100	98

表 7-4-3 河南电网不同水平年负荷特征值(低方案)

水平年	季节	最大发购电负荷(MW)	日负荷率 γ	日最小负荷率 β	峰谷差(MW)
1995 年	冬	7 420	0.88	0.74	1 929
	夏	6 159	0.86	0.70	1 848
2000 年	冬	11 150	0.86	0.72	3 122
	夏	9 366	0.84	0.68	2 997
2005 年	冬	14 682	0.84	0.69	4 551
	夏	12 773	0.82	0.67	4 215
2010 年	冬	19 081	0.83	0.68	6 106
	夏	16 982	0.81	0.66	5 774

注:冬季以 11 月为代表,夏季以 8 月为代表。

表 7-4-4 河南电网典型日负荷 (%)

时间(h)	1995 年		2000 年		2005 年		2010 年	
	冬	夏	冬	夏	冬	夏	冬	夏
1	78	78	76	76	72	72	72	72
2	77	74	74	71	71	69	70	68
3	76	72	73	69	70	68	69	67
4	74	70	72	68	69	67	68	66
5	77	72	75	70	72	70	72	70
6	72	76	80	73	77	75	77	75
7	92	85	89	86	74	71	74	71
8	90	84	87	83	86	80	86	80
9	95	91	93	87	90	86	90	86
10	96	93	95	93	95	91	95	91
11	95	93	94	92	92	89	92	89
12	90	90	89	87	87	84	87	84
13	82	82	80	78	77	74	77	74
14	84	85	84	81	83	78	83	78
15	88	89	89	86	90	85	90	85
16	93	92	91	90	92	88	92	88
17	94	93	88	92	88	92	88	92
18	95	91	95	88	92	87	92	87
19	100	93	100	93	100	92	100	92
20	98	95	97	95	97	96	97	96
21	96	100	93	100	94	100	94	100
22	90	97	88	96	89	97	89	97
23	88	95	86	90	83	90	83	90
24	83	85	80	81	80	82	80	82
日负荷率 γ	88	86	86	84	84	82	83	81
日最小负荷率 β	74	70	72	68	69	67	68	66

(三)河南电网电源发展规划

河南省具有煤炭资源丰富、交通发达及紧靠山西能源基地等有利条件,因此河南电力开发的主要方针就是大力发展坑口、路口燃煤火电电厂,把河南省建成火电基地。今后将在郑州、义马、平顶山、永夏一带重点发展坑口电站,在豫南、豫北、豫西的宁西线、侯月线、太焦线、陇海线入河南处及焦枝沿线,利用北煤南运、西煤东送,建设大型路口电厂。在南水北调沿线,有配套供水设施及煤运条件的地区,建设一批沿线电厂。根据国内制造能力及本省电力建设进度,"九五"期间建设的火电机组单机容量以国产引进型300MW为主,2000年之后除供热机组外,原则上不上300MW机组,分别以600MW、600～1 000MW机组为主。

四、径流调节计算成果

径流调节计算是水利水电枢纽工程正常蓄水位、死水位、汛期限制水位、电能指标确定(包括发电量、出力过程、保证出力、特征水头等)、装机容量选择等工作内容的重要基础。小浪底水利枢纽工程位于多沙河流上,水库蓄水后,在不同运用时期的运用水位、运用方式、库容曲线不同,径流调节计算时要考虑这些条件的变化。

(一)水库调节运用方式

小浪底水库运用分初期"拦沙和调水调沙"运用和后期"蓄清排浑调水调沙"运用两个时期。初期运用又分3个阶段:①水位205m蓄水拦沙和调水运用,主汛期水位205～215m,运用约3年;②逐步抬高主汛期水位拦沙和调水调沙运用,由水位205m逐步抬高至254m,运用12～13年;③逐步形成高滩深槽拦沙和调水调沙运用,库水位在230～254m升降变化,运用12～13年。初期运用历时约28年后,转入后期运用时期,主汛期调水调沙,在槽库容内进行,库水位在230～254m变化,平均运用水位245m。无论在初期和后期,调节期均为高水位蓄水调节径流运用。关于水库运用方式,详见第八章和第十三章,不再赘述。

1.汛期7～9月份调水调沙运用

在小浪底水库初步设计阶段和招标设计阶段,根据下游河道的输沙和冲淤特点,制定水库的日调节运用原则如下:

(1)当入库流量$Q_{入}<400m^3/s$时,水库相机补水,使出库流量$Q_{出}=400m^3/s$。

(2)当入库流量$400m^3/s\leqslant Q_{入}\leqslant 800m^3/s$时,使$Q_{出}=Q_{入}$。

(3)当入库流量$800m^3/s<Q_{入}\leqslant 2\,000m^3/s$时,使$Q_{出}=800m^3/s$,水库蓄水,如果水库蓄水量超过3亿$m^3$,泄水造峰,使$Q_{出}$等于或小于$5\,000m^3/s$,直至水库蓄水量为1亿$m^3$。

(4)当入库流量$2\,000m^3/s<Q_{入}\leqslant 8\,000m^3/s$时,使$Q_{出}=Q_{入}$。

(5)当$Q_{入}>8\,000m^3/s$,按$Q_{出}=8\,000m^3/s$滞洪运用。

2.汛期发电水量分配

小浪底水库主汛期调水调沙减淤运用,要统筹发电引水流量和泄流排沙流量,并按泄水孔口防淤堵和电站防沙要求,进行泄水建筑物调度运行。根据发电和泄水排沙的分流

比,按下列方式计算发电流量:

(1)当出库流量 $Q_{出} \leqslant 400m^3/s$ 时,发电流量 $Q_{电} = Q_{出}$,排沙流量 $Q_{排沙} = 0$。

(2)当 $400m^3/s < Q_{出} \leqslant 600m^3/s$ 时,$Q_{电} = 400m^3/s$,$Q_{排沙} = Q_{出} - Q_{电}$。

(3)当 $600m^3/s < Q_{出} \leqslant 2\ 150m^3/s$ 时,$Q_{电} = 0.7 \times Q_{出}$,$Q_{排沙} = Q_{出} - Q_{电}$。

(4)当 $Q_{出} > 2\ 150m^3/s$ 时,$Q_{电} = 1\ 500m^3/s$,$Q_{排沙} = Q_{出} - Q_{电}$。

(5)当 $Q_{出} > 2\ 150m^3/s$ 时,$Q_{电} = 1\ 500m^3/s$(5 台机组发电运行,1 台机组检修)。

同时,实际被引用的发电流量,还受机组预想出力的限制。

3.防凌运用

根据防凌运用方式(详见第十二章“水库防凌作用研究”部分),要求小浪底水库在封冻前均匀下泄 500~700m³/s 的大流量,使下游封河后形成较高冰盖。当下游封河后,水库控制花园口流量 300m³/s,可基本解除凌汛威胁。根据 1950 年以来最严重的凌情分析,需要防凌库容 35 亿 m³,由小浪底水库承担 20 亿 m³,三门峡水库承担 15 亿 m³,使用时先使用小浪底水库,后使用三门峡水库,以减少三门峡水库的淤积。防凌运用要求三门峡水库、小浪底水库在封河前预留相应的防凌库容。

4.调节期运用原则

小浪底水库在调节期要满足综合利用各部门的需要,不仅要满足工农业用水需要,还要满足凌汛期防凌对流量的控制要求。农业灌溉用水和冀、津用水引水保证率为 75%,保证率以外的年份,农业用水减少 2 成,冀、津用水减少 2~4 成。丰水年份,农业用水增加 4 成。6 月末小浪底水库一般留水 10 亿 m³,供 7 月上旬抗旱使用。

在小浪底水库初步设计阶段,还研究了非汛期人造洪峰冲刷下游河道。丰水年份,在满足综合利用用水的条件下,如果水量有富余,结合腾空防凌库容和防洪库容,下泄 4 000~5 000m³/s,需造峰水量 17 亿~22 亿 m³,如果水量不能满足要求,则在腾空库容时期均匀下泄。由于黄河水资源供需矛盾十分突出,在招标设计及以后的研究工作过程中,没有再考虑非汛期人造洪峰。

(二)基本资料

小浪底水利枢纽水利水能计算的基本资料包括入库径流、坝下支流入黄水量、下游引黄地区需水要求、库容曲线、水位流量关系曲线、水轮机有关参数、水库特征水位等。

1.入库径流

三门峡水文站为小浪底水库的入库站,天然年径流量 498.4 亿 m³(1919 年 7 月~1975 年 6 月水文系列,下同),三小间天然年径流量 5.6 亿 m³,由此推得小浪底坝址天然年径流量为 504 亿 m³。

根据黄河水资源利用规划,2000 年设计水平年(南水北调生效前)三门峡以上工农业需耗用黄河水量 222.4 亿 m³,三小间需耗水量 3.8 亿 m³。

考虑设计水平年坝址以上的龙羊峡、刘家峡、三门峡等干流水库及支流大中型水库的调节作用,按 1919~1975 年系列逐河段水量供需平衡计算,推求小浪底坝址设计水平年多年平均来水量为 278.4 亿 m³,扣除库区年蒸发渗漏损失 1.34 亿 m³ 后,小浪底水库年平均净入库水量为 277.1 亿 m³。不同保证率净入库水量见表 7-4-5,入库流量保证率曲线如图 7-4-1 所示。

表 7-4-5　　小浪底水库设计水平年净入库水量

保证率(%)	典型年(年)	典型年来水量频率(%)		典型年水量(亿 m^3)		
		全年	10 月～来年 6 月	全年	10 月～来年 6 月	7～9 月
50	1948～1949	52.6	50.9	251.1	140.7	111.0
75	1957～1958	80.7	75.4	171.0	109.0	62.0
90	1929～1930	89.5	91.2	141.8	88.3	53.5
多年平均				277.1	153.8	123.3

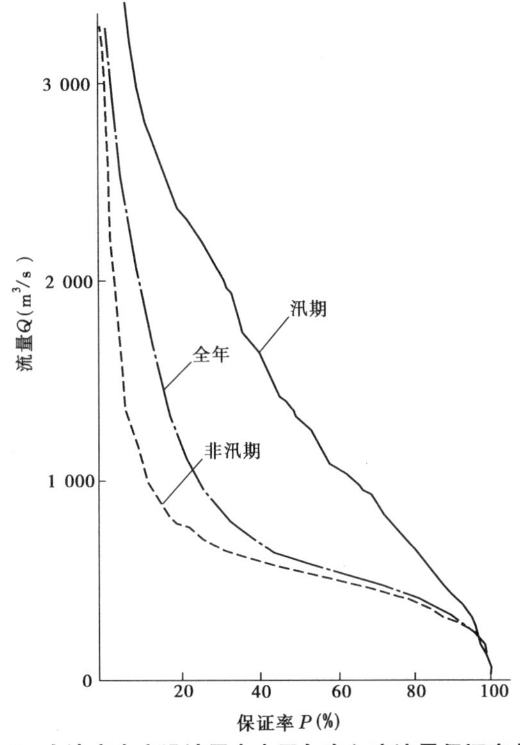

图 7-4-1　小浪底水库设计用水水平年净入库流量保证率曲线

2. 伊洛河、沁河来水量

小浪底—花园口区间主要支流有伊洛河和沁河，天然年径流量合计为 51.0 亿 m^3。设计水平年年平均入黄水量 33 亿 m^3，保证率为 75% 的年份为 19 亿 m^3，其中 10 月～来年 6 月为 9 亿 m^3。

3. 库容曲线

小浪底水库正常蓄水位 275m 以下原始库容 126.5 亿 m^3，水库初期拦沙运用，泥沙在库区逐步淤积，不同运用阶段库容曲线不同，如图 7-4-2 所示。在水库后期(正常运用期)最大调节库容 51 亿 m^3，其中主汛期防洪限制水位 254m 以上 41 亿 m^3 滩库容供防洪和兴利调节运用，以下为槽库容 10 亿 m^3，供调水调沙运用。槽库容年内有冲淤变化，在多年调沙周期内冲淤平衡。水库平均调节库容采用 46.5 亿 m^3。

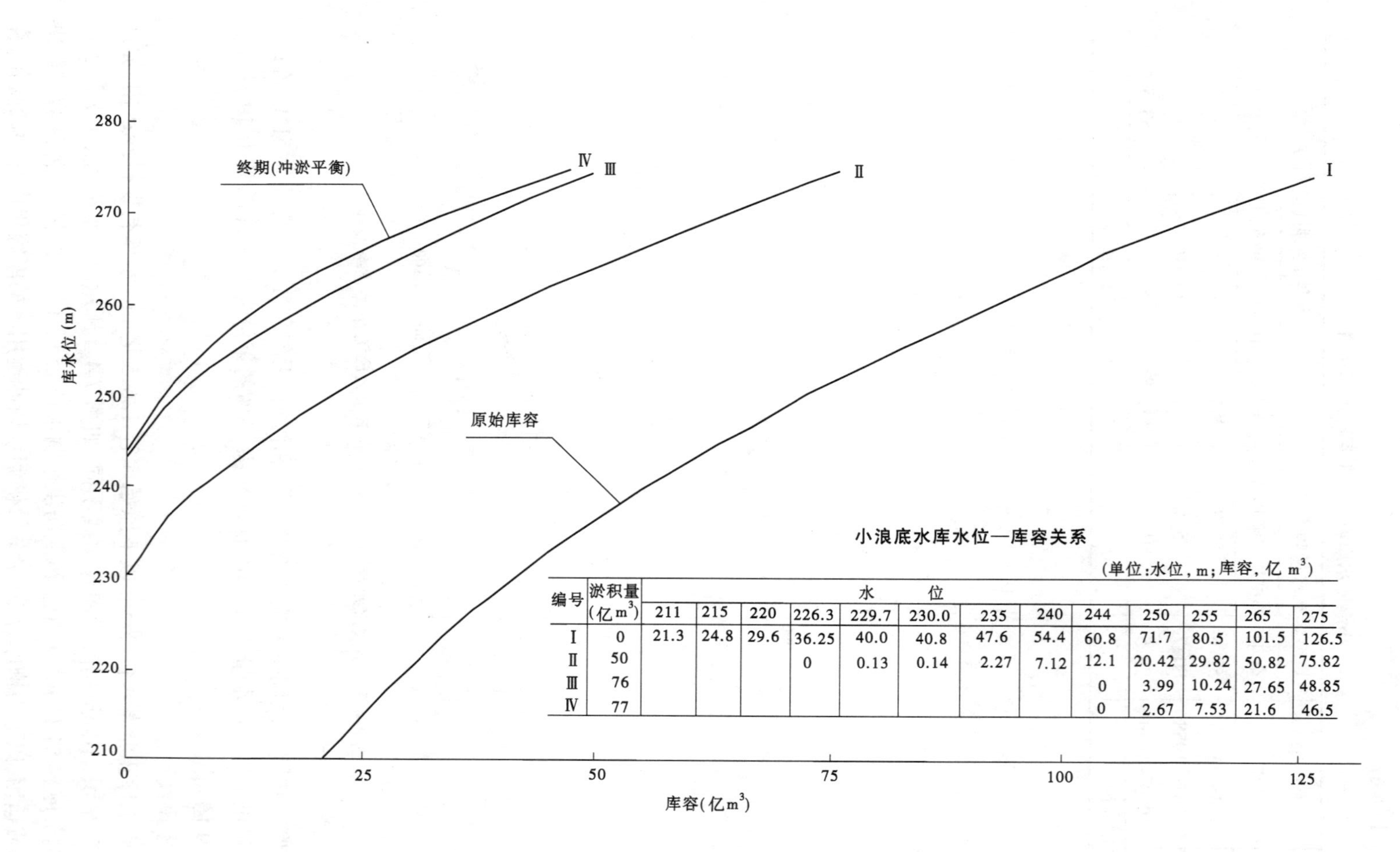

小浪底水库水位—库容关系

(单位:水位, m; 库容, 亿 m³)

编号	淤积量(亿 m³)	水位												
		211	215	220	226.3	229.7	230.0	235	240	244	250	255	265	275
Ⅰ	0	21.3	24.8	29.6	36.25	40.0	40.8	47.6	54.4	60.8	71.7	80.5	101.5	126.5
Ⅱ	50				0	0.13	0.14	2.27	7.12	12.1	20.42	29.82	50.82	75.82
Ⅲ	76									0	3.99	10.24	27.65	48.85
Ⅳ	77									0	2.67	7.53	21.6	46.5

图 7-4-2　小浪底水库不同淤积量库容曲线

4.发电尾水位—流量关系曲线

小浪底水电站两机共用1条发电尾水明渠,即6台机3条尾水明渠。尾水明渠与大河之间用防淤闸相隔,机组停止发电时,关闭防淤闸,防止大河水倒灌淤积尾水明渠。发电尾水位不但与机组泄量有关,而且与大河流量有关。考虑小浪底水电站为调峰运用而进行简化处理,可按单机和双机满发考虑。

5.库损水量(蒸发及渗漏损失水量)

小浪底水库7~9月防洪和调水调沙运用,库水位较低,平均库损流量按$2m^3/s$计,其他月份库水位较高,平均库损流量按$5m^3/s$计,年库损水量1.34亿m^3。

6.供水和发电设计保证率

工业和城市生活用水保证率不低于95%,农业灌溉和冀、津引水保证率75%,枯水年份,豫、鲁农业减少1~2成,冀、津引水一般减少2成,特枯年份降低4成。

根据《规范》规定,电网中水电比重25%以下时,水电站设计保证率可取80%~90%。小浪底水电站容量大,在河南电网中地位重要,据此发电保证率采用90%。

7.水轮机和机组出力系数

在小浪底水电站机组型号正式确定以前,在水能计算时按HLA253－LJ－600水轮机考虑。采用额定水头112m,单机过水能力$300m^3/s$,水轮机额定出力306MW,水轮发电机组额定出力300MW,考虑到过机水流含沙量相对较大,机组磨蚀相对较重,因此水轮发电机组综合出力系数(其值为$9.81\times\eta_{水}\times\eta_{电}$,$\eta_{水}$为水轮机效率,$\eta_{电}$为发电机效率)采用较低的数值8.2。水轮机运转特性曲线如图7-4-3所示。

8.水头损失

根据小浪底水电站发电输水系统设计方案,水头损失按下式计算:

$$\Delta h = Kq^2 \tag{7-4-1}$$

式中　Δh——水头损失,m;

K——系数,由输水建筑物具体布置计算;

q——单机过水流量,m^3/s。

为计算简单,K值用各机组的平均值,$K=2.804\times10^{-5}$。

9.计算时段

10月~来年6月调节期计算以月为时段,主汛期7~9月水库调水调沙运用,以日为调节时段。在长系列计算时,为了计算方便,全年都以月为时段,然后根据两种计算时段(7~9月的月和日)的电能指标关系,将7~9月份以月为时段计算的电能指标加以修正。

(三)计算条件

1.正常蓄水位

在小浪底水利枢纽可行性研究阶段研究比较了275m、270m和265m三个正常蓄水位方案,选定正常蓄水位为275m。在招标设计阶段,考虑分期实施水库移民,限制水库前10年最高蓄水位为265m,后10年为275m。

2.主汛期限制水位

小浪底水库的主要任务是防洪和减淤,长期有效库容51亿m^3。在主汛期要预留41亿m^3的滩库容供大洪水防洪运用,同时利用10亿m^3左右的槽库容进行调水调沙,减少

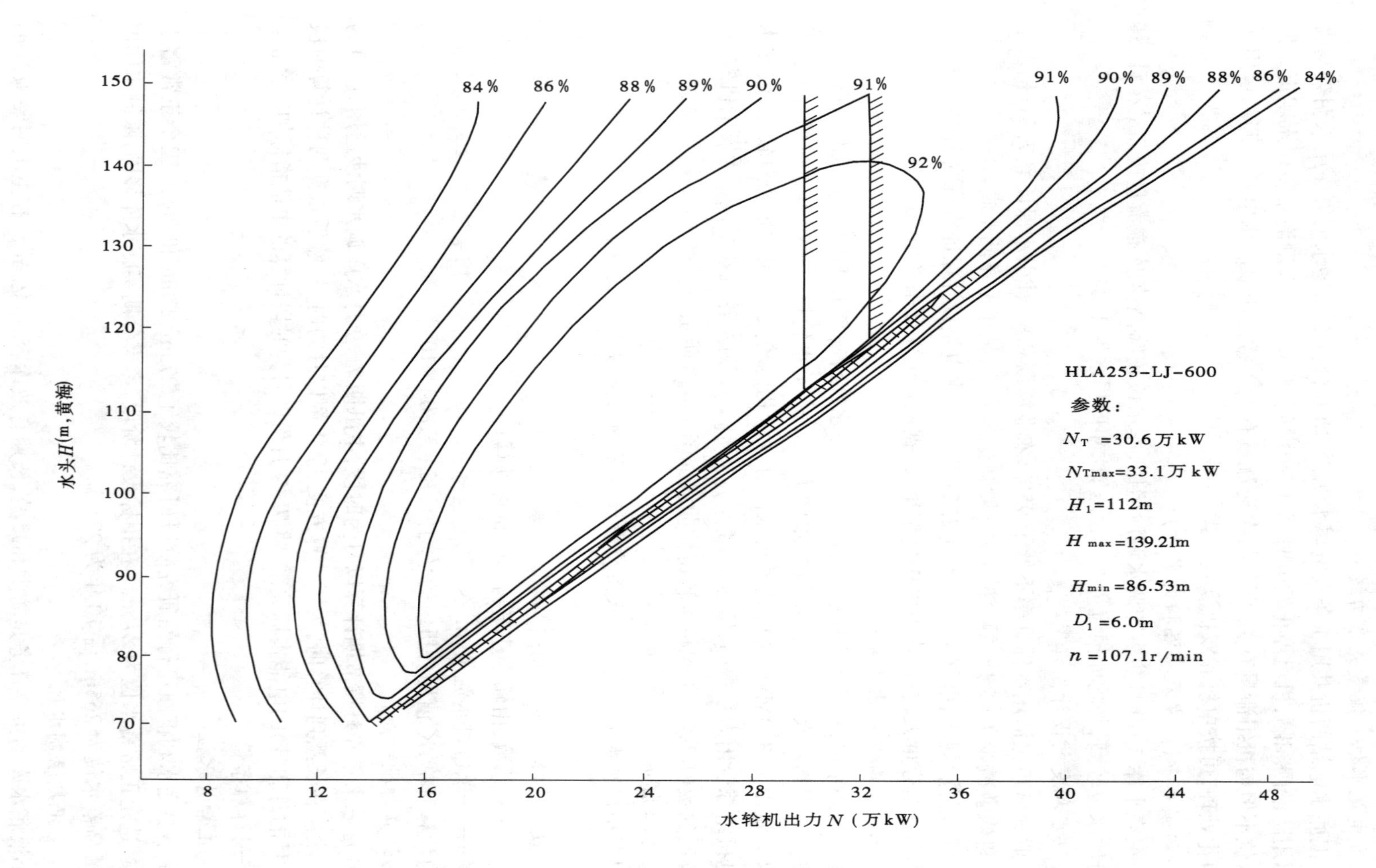

图 7-4-3 小浪底水电站水轮机运转特性曲线

下游河道淤积。确定正常运用期主汛期限制水位为254m，可满足水库防洪和调水调沙对库容的要求。

3. 正常运用期死水位和主汛期调水调沙运用水位

小浪底水库后期正常死水位230m，水库淤积末端不影响三门峡坝下尾水位。主汛期水库调水调沙运用在相应于坝前滩面高程254m以下的10亿m^3槽库容内进行，库水位在230～254m间变化，主汛期平均水位245m。

4. 水库起始运用起调水位

为了充分发挥小浪底水库对泥沙的拦粗排细作用，提高下游河道减淤效益和减少清水冲刷的不利影响，选定水库起始运用水位为205m。

(四)径流调节计算模型(理想调节)

小浪底水电站为华中电网中的骨干调峰电站。华中电网的水电主要集中于湖北、湖南两省的西部。根据小浪底水电站的情况，水库是在满足防洪、防凌、减淤及供水、灌溉等综合利用的条件下相机发电，发电受到的制约因素多，不宜作补偿电站。即使参加跨流域补偿调节，也是个被补偿电站，故在小浪底水电站的调节计算中，不考虑跨流域补偿调节。对于水库初期运用阶段，采用理想调节的径流调节计算方法。

1. 目标函数

由于小浪底水利枢纽径流调节不考虑跨流域水电站的联合补偿，因此其径流调节的目标函数就是在满足综合利用各部门(包括防洪、防凌、供水、灌溉等)用水要求的前提下，使水电站的保证出力N_p最大，即：

$$F = \max\{N_p\} \tag{7-4-2}$$

2. 约束条件

1)水库下泄流量约束

调水调沙下泄流量约束详见第十三章“水库减淤作用研究”，在此不再赘述。

(1)凌汛期下泄流量约束：

封河期流量　$Q_{出} \geqslant Q_{L_{min}}$

稳封期流量　$Q_{出} \leqslant Q_{L_{max}}$

开河期流量　$Q_{出} \leqslant Q_{K_{max}}$

式中，$Q_{L_{min}}$、$Q_{L_{max}}$、$Q_{K_{max}}$分别为黄河下游河道封河期最小封河流量、稳封期冰盖下安全泄量和开河期允许最大泄量。$Q_{L_{max}}$、$Q_{K_{max}}$受多种因素影响，不仅与$Q_{L_{min}}$的大小有关，而且与气温、河道地形条件等有关，且$Q_{L_{max}}$还随时间因素而变化。关于$Q_{L_{min}}$、$Q_{L_{max}}$、$Q_{K_{max}}$的取值详见第十二章“水库防凌作用研究”部分。

(2)灌溉供水流量约束，即水库在考虑水库以下区间来水的条件下，下泄流量要满足灌溉供水用水要求，即$Q_{出} \geqslant Q_{用水} - Q_{区间}$。

(3)汛期排沙流量约束：见本节水库调节运用方式。

2)电站发电流量约束

电站发电流量约束条件：

$$Q_{k\min} \leqslant Q_{fk} \leqslant Q_{\max} \tag{7-4-3}$$

式中　Q_{fk}——电站 k 时段的发电流量；

$Q_{k\min}$——k 时段的最小下泄流量(包括防洪、调水调沙、防凌、供水等综合利用用水要求)；

$Q_{\max}$——电站的最大过机流量。

3)库容约束

库容约束条件：

$$V_s \leqslant V_k \leqslant V_{k\max} \tag{7-4-4}$$

式中　V_k——k 时段水库的蓄水库容；

V_s——死水位或最低消落水位所对应的库容；

$V_{k\max}$——k 时段水库允许蓄水的库容上限。

4)出力约束

出力约束条件：

$$N_k = A \times Q_{fk} \times H_k$$

$$N_{\min} \leqslant N_k \leqslant N_{yk} \tag{7-4-5}$$

式中　N_k——k 时段的出力；

A——综合出力系数，$A = 9.81 \times \eta_{水} \times \eta_{电}$；

$N_{\min}$——电站最小出力要求；

N_{yk}——k 时段预想出力。

3.水量平衡方程

水量平衡方程可表示为：

$$V_k = V_{k-1} + Q_k - Q_{fk} \tag{7-4-6}$$

式中　Q_{fk}——k 时段水库出库流量；

Q_k——k 时段净入库流量，已扣除水库上游的工农业用水和蒸发渗漏损失；

V_k、V_{k-1}——k 时段初、末的库容。

(五)水库调度图

为了使电能指标计算成果更加可靠，采用长系列调度图操作计算进行小浪底水库正常运用期的径流调节计算。

调度图编制方法和成果见第十四章“小浪底水库供水灌溉作用”，在此不再赘述。初步设计阶段小浪底水库调节期的调度图共分 7 个区，自下而上依次为降低出力区、降低供水区、保证供水区、蓄水准备造峰区、4 000m^3/s 流量造峰区、5 000m^3/s 流量造峰区和防凌区。各区的调度原则如下：

(1)降低出力区。电站发保证出力的 80%，工业用水全部满足，冀、津供水 7 折，豫、鲁农业相机供水。

(2)降低供水区。电站出力不小于保证出力，向冀、津 9 折供水，豫、鲁农业 7.5 折供水，月平均下泄流量保证在 300m^3/s 左右。

(3)保证供水区。各种用水均全额满足，且要求日平均最小泄量不小于 300m^3/s。

(4)蓄水准备造峰区。在满足补水灌区用水要求后，蓄存多余水量准备造峰。

(5)人造洪峰区。根据蓄水情况,以 4 000～5 000m^3/s 流量造峰,造峰后保证正常供水。

(6)防凌区。12 月底预留 20 亿 m^3 防凌库容供来年 1～2 月水库防凌控泄蓄水。

初步设计完成以后,在优化设计和招标设计阶段,又对水库调度图进行了调整,取消了人造洪峰区,其他与初步设计报告基本相同。

(六)径流调节计算成果

1. 保证出力

由于受综合利用用水过程的制约,小浪底水电站的年内出力过程变化较大,因此其保证出力需按设计枯水年的出力和电网的负荷特点综合分析确定。

小浪底水电站的设计枯水年选用 1929～1930 年典型,其年水量频率为 89.5%,调节期水量频率为 91.2%,都接近设计保证率(P=90%)。由于调节期来水少,不能全部满足下游城乡生活和工农业用水要求(花园口以下为 105.5 亿 m^3),故农业用水要折减,豫、鲁农业用水按降低 2 成考虑,冀、津引水折减 2.5 成。

根据 1989 年负荷预测成果,设计水平年河南电网负荷最高的月份是 11 月、12 月,由于小浪底水电站的电能占电网的比重不大,计入水电出力后,火电出力最大的月份仍是 11 月、12 月,因此可以把小浪底水电站 11 月、12 月份的出力作为保证出力;从另一方面看,电网中水电比重小,其出力大的月份可以多替代火电检修设备的出力,可以用电站调节期的平均出力作为保证出力。经综合分析,电站 11 月、12 月份的平均出力、调节期的平均出力和虚拟枯水年(各月来水量频率都等于设计保证率)的调节期平均出力,三者的数值基本相同,而且水库的各个运用阶段都是如此(见表 7-4-6),因此以电站调节期的平均出力作为电站的保证出力。水库运用 10 年以后电站各个运用阶段的保证出力基本一样,为 350MW 左右。

表 7-4-6　小浪底水电站各运用阶段保证出力成果　(单位:万 kW)

运用阶段和枯水年		月出力										
		10	11	12	1	2	3	4	5	6	10月～来年6月	11～12月
1～3年	设计枯水年	18.2	30.2	19.3	19.7	20.2	36.5	35.2	18.8	23.2	24.6	24.8
	虚拟枯水年	15.3	28.6	21.3	22.3	23.0	35.0	33.8	21.2	23.6	24.9	25.0
4～10年	设计枯水年	23.12	37.6	24.1	24.4	24.9	44.8	43.0	23.9	29.3	30.7	30.9
	虚拟枯水年	19.1	35.8	25.8	27.3	28.0	43.5	42.3	25.4	29.2	30.7	30.8
11～14年	设计枯水年	26.4	42.5	27.3	27.6	28.0	50.3	49.7	27.4	33.5	34.7	34.9
	虚拟枯水年	21.6	40.7	28.7	30.2	31.2	49.2	48.2	29.0	33.5	34.7	34.7
15～28年	设计枯水年	26.7	42.8	27.5	27.8	28.2	50.7	50.1	27.7	33.9	35.1	35.0
	虚拟枯水年	21.8	41.1	28.8	30.4	31.4	49.5	48.7	29.4	33.9	35.0	35.0
28年以后	设计枯水年	26.8	43.2	27.8	28.2	28.7	51.6	50.6	27.8	33.9	35.4	35.5
	虚拟枯水年	22.0	41.3	29.4	31.0	32.0	50.2	48.8	29.4	33.9	35.3	35.4

2.发电量及水头指标

招标设计阶段,小浪底水电站装机6×300MW方案(按常年有1台机组检修考虑)的电能指标见表7-4-7。水库正常运用期的电能指标按调度图操作计算,其他运用阶段按理想调节计算。将主汛期7~9月份按月为时段计算的发电量乘以0.94,作为考虑水库调水调沙日调节的影响,与非汛期电量相加作为年发电量。从表7-4-7看,电站运行10年后各个阶段的电能指标相差不大。

表7-4-7 小浪底水电站电能指标(招标设计阶段成果)

年序(年)		1~3年	4~10年	11~14年	15~28年	>28年
水库运用阶段		蓄水拦沙	逐步抬高		淤滩刷槽	正常运用
最高运用水位(m)		265	265	275	275	275
主汛期平均水位(m)		212	230	246	248	246
最大水头(m)		131.67	131.67	141.67	141.67	141.67
最小水头(m)		67.91	72.91	92.91	92.91	92.91
平均水头(m)	全年	88.46	104.31	117.23	118.35	120.63
	汛期	75.73	93.98	108.87	110.62	108.85
	非汛期	92.50	108.82	121.17	122.03	125.96
保证出力(万kW)		24.8	30.9	34.9	35.0	35.4
年发电量(亿kW·h)		37.19	51.45	58.62	59.17	59.48

注:水库运用4~10年最高运用水位265m,是分期移民水位限制,实际上有所提前。

(七)招标设计与初步设计电能指标比较

初步设计阶段以水库正常运用期的电能指标作为电站的代表指标,并以此作为装机容量选择的依据。初步设计阶段确定小浪底电站装机6台,单机容量260MW,总装机容量1 560MW,选择HLA253水轮机,额定水头107.5m。水库正常运用期保证出力287MW,年发电量51.1亿kW·h,平均水头113.5m。与表7-4-7中水库正常运用期(第28年以后)的电能指标相比,显然初步设计的电能指标小。其主要原因是:首先,初步设计和招标设计的电能计算对水库主汛期的运用水位考虑不同,初步设计的正常运用时期电能计算,按水库主汛期在死水位230m运用计算。随着研究的深入,由于水库主汛期调水调沙运用,水库库水位在正常死水位230m至防洪限制水位254m之间变化,主汛期平均库水位为245m,招标设计按此主汛期库水位变化特性计算电能。其次,单机容量由260MW提高到300MW,对发电指标也有影响。

此外,对保证出力的统计方法也不同。初步设计采用设计枯水年($P=90\%$)12月~来年2月份的平均出力作为保证出力,其值为287MW;如果也同招标设计采用调节期的平均出力作为保证出力,其值则为335MW,与招标设计计算的保证出力354MW相比,仅小19MW。

五、可行性研究和初步设计阶段装机容量论证成果

1984年的可行性研究和1988年的初步设计,根据坝址处的地形地质条件,都曾经拟

订装机5台、6台、7台方案，采用尽量大的单机容量，选用HLA253水轮机，水轮发电机组单机容量都是260MW。可行性研究报告采用的额定水头85.6m，水轮机标称直径6.3m，水轮机最大过水能力349m³/s。初步设计报告采用的额定水头107.5m。水轮机标称直径6.0m，水轮机最大过水能力277m³/s。1988年初步设计报告比较了装机5台、6台、7台方案，计算结果表明，装机7台方案总装机容量1 820MW的电力电量全部可以被河南电力系统利用，经济比较结果都是7台机方案最经济，但是限于坝址的具体地形地质条件，最后推荐装机6台方案，总容量1 560MW。

初步设计时按水库正常运用期的水能指标选择水轮机，由于采用水库主汛期死水位230m为计算水位，没有采用主汛期调水调沙运用水位计算，使计算的水能指标偏低，保证出力约偏低19MW，因此适当提高单机容量是经济合理的。

六、扩大单机容量的经济合理性分析

（一）扩大单机容量增加的发电效益

小浪底水电站额定水头由107.5m提高到112m，单机容量由260MW提高到300MW，电站总容量由1 560MW提高到1 800MW，在考虑常年有1台机组处于检修状态的条件下，电站增加的年发电量，前3年平均为1.34亿kW·h(其中第1年为1.78亿kW·h)，第4～10年为1.16亿kW·h，10年以后为1.18亿kW·h。见表7-4-8。

表7-4-8　　小浪底水电站扩大单机容量电能指标增加值

项目	前3年	第4～10年	10年以后	说明
发电量增加值(亿kW·h)	1.34	1.16	1.18	可调出力为设计枯水年平均值或调节期平均值
其中：调节期	0.58	0.31	0.55	
可调出力增加值(MW)	79	136	195	
其中：调节期	81	139	200	

（二）扩大单机容量的经济合理性

在机组台数不变的条件下，提高单机容量增加的投资很少。按1988年的物价水平，6台机单机容量从260MW提高到300MW，增加的投资为1 691.5万元，其中机电设备部分占48.7%，土建部分占51.3%。增加的这部分投资，如果用于修建火电厂，仅能增加火电装机10MW，如果用于小浪底水电站提高单机容量，却能增加装机240MW，相应的补充千瓦投资仅70.5元，补充每度电投资仅0.14元。第一年增加的发电收入(按1988年上网电价0.1元/(kW·h)计算为1 780万元)就可以偿还扩机投资。显然，仅从增加的发电收入来说，把单机容量由260MW提高到300MW也是经济合理的。

七、装机容量分析论证(优化设计和招标设计阶段)

在小浪底水利枢纽初步设计报告完成以后的设计工作中，水电站的装机容量分析论证按两种情况：一是不考虑抽水蓄能电站的影响；二是考虑抽水蓄能电站的影响。考虑的常规水电站有小浪底、三门峡、故县水电站，与初步设计相同，故县水电站因其担负下游工农业用水任务,在其坝下反调节水库修建前,没有考虑其调峰作用。小浪底水电站装机容量分析论证比较了 5×300MW、6×300MW、7×300MW 三个装机容量方案。

(一)电力电量平衡

进行电力电量平衡的目的,就是通过设计水平年典型日负荷平衡,对已建、在建和规划建设的水电站(包括设计水电站)进行近似的负荷分配,确定水电站工作容量、备用容量、空闲容量以及相应的调峰容量,校核设计水电站的容量利用情况,并进一步确定火电站工作容量、年发电量以及需要的调峰容量。通过不同装机容量方案的电力电量平衡,可以分析各方案在电力系统中的替代容量、电量作用和效益,为装机容量经济比较提供依据。

1.电力电量平衡的基本条件

1)负荷预测资料

河南电网设计水平年负荷预测资料详见本章第一节。

2)容量安排

根据《规范》,并参考河南电网的具体情况,电网的负荷备用采用最大负荷的 3%,事故备用采用最大负荷的 10%,除小浪底水电站承担部分负荷备用容量外,电网大部分负荷备用和全部事故备用容量由火电站承担。

3)机组检修

火电机组的检修备用容量,近期按每台机每年两个月,远景按 1.5 个月考虑。三门峡水电站装机单机 50MW 机组,按 1 台机常年大修考虑;扩装的单机 75MW 机组,由于 7～10 月份不发电,可以安排检修。小浪底水电站按 1 台机常年处于大修考虑。

2.无抽水蓄能电站时电力电量平衡成果

河南省常规水电资源少,负荷中心又远离华中电网的水电基地,为了解决河南电网的调峰问题,除了兴建小浪底水电站调峰、调频外,随着系统的负荷增长,峰谷差的增大,还需要建设抽水蓄能电站承担调峰任务和担负旋转备用。由于当时河南电网的抽水蓄能电站处在规划选点阶段,其建成生效无法确定,因此在电力电量平衡时以没有抽水蓄能电站的方案为主进行分析。对小浪底不同的装机容量方案,分别进行河南电网 2001 年、2005 年和 2010 年的电力电量平衡。

从电力电量平衡成果看,不同装机容量方案的电力电量均可以被河南电网利用,由于河南电力系统的水电站容量较小,电网的大部分调峰任务仍需要火电站承担。河南电网 2005 年水平枯水年电力电量平衡成果见表 7-4-9。以装机 6 台 300MW 方案为例(在 1989～1995 年设计论证过程中,曾考虑 1 台机供电山西,以后设计工作中不再考虑),2001～2010 年,在系统负荷图上,小浪底水电站最高工作位置以上,平均有 669～1 219MW的尖峰负荷有火电站承担。

3.有抽水蓄能电站时的电力电量平衡

在 1990 年的《黄河小浪底水利枢纽发电系统优化设计报告》和 1991 年的《黄河小浪底水利枢纽扩机增容报告》中,分析了建设抽水蓄能电站对小浪底水电站容量电量利用的影响。根据河南省抽水蓄能电站规划选点的初步意见,选择宝泉抽水蓄能电站作为先期开发的工程,电站平均毛水头 487m,初步规划装机容量 4×300MW,并假定其以最快的速度设计和施工,在2001年全部建成,2002年全部投产。在电力电量平衡时,按承担

表 7-4-9 2005 年河南电力系统设计枯水年电力电量平衡成果

（无宝泉抽水蓄能电站）

（单位：万 kW）

项目		1月	2月	3月	4月	5月	6月	7月	8月	9月	10月	11月	12月
系统	最大负荷	1 321.4	1 248.0	1 394.8	1 409.5	1394.8	1 365.4	1 321.4	1 277.3	1 365.4	1 424.2	1 468.2	1 438.8
	平均负荷	1 019.1	9 62.5	1 075.8	1 087.1	1 075.8	1 053.1	1 019.1	985.1	1 053.1	1 098.4	1 132.6	1 109.7
	负荷备用	39.6	37.4	41.8	42.3	41.8	41.0	39.6	38.3	41.0	42.7	44.0	43.2
	事故备用	132.1	124.8	139.5	141.0	139.5	136.5	132.1	127.7	136.5	142.4	146.8	143.9
	检修备用	301.5	388.7	225.5	203.4	211.6	246.7	271.7	318.0	220.6	161.2	135.1	166.6
	必需容量	1 794.6	1 798.9	1 801.6	1 796.2	1 787.7	1 789.6	1 764.8	1 761.3	1 763.5	1 770.5	1 794.1	1 792.5
	受阻容量	15.6	11.3	8.6	14.0	22.5	20.6	45.4	48.9	46.7	39.7	16.2	17.7
	装机容量	1 810.2	1 810.2	1 810.2	1 810.2	1 810.2	1 810.2	1 810.2	1 810.2	1 810.2	1 810.2	1 810.2	1 810.2
三门峡	预想出力	32.0	33.5	34.5	34.8	34.8	33.2	17.4	16.5	17.0	17.2	31.0	32.1
	工作容量	32.0	33.5	34.5	34.8	34.8	33.2	17.4	16.5	17.0	17.2	31.0	32.1
	检修备用	5.0	5.0	5.0	5.0	5.0	5.0	20.0	20.0	20.0	20.0	5.0	5.0
	必需容量	37.0	38.5	39.5	39.8	39.8	38.2	37.4	36.5	37.0	37.2	36.0	37.1
	受阻容量	3.0	1.5	0.5	0.2	0.2	1.8	2.6	3.5	3.0	2.8	4.0	2.9
	平均出力	10.8	10.8	14.3	8.5	8.7	7.5	9.5	16.5	13.4	11.5	11.5	8.6
	装机容量	40.0	40.0	40.0	40.0	40.0	40.0	40.0	40.0	40.0	40.0	40.0	40.0

续表 7-4-9

项目		1月	2月	3月	4月	5月	6月	7月	8月	9月	10月	11月	12月
小浪底	预想出力	107.4	110.2	111.9	106.2	97.7	101.2	92.2	89.6	91.3	98.1	107.9	105.2
	工作容量	97.4	100.2	101.9	96.2	87.7	91.2	82.2	79.6	81.3	88.1	97.9	95.2
	负荷备用	10.0	10.0	10.0	10.0	10.0	10.0	10.0	10.0	10.0	10.0	10.0	10.0
	事故备用	0	0	0	0	0	0	0	0	0	0	0	0
	检修备用	30.0	30.0	30.0	30.0	30.0	30.0	30.0	30.0	30.0	30.0	30.0	30.0
	必需容量	137.4	140.2	141.9	136.2	127.7	131.2	122.2	119.6	121.3	128.1	137.9	135.2
	受阻容量	12.6	9.8	8.1	13.8	22.3	18.8	27.8	30.4	28.7	21.9	12.1	14.8
	平均出力	19.5	19.9	35.8	35.1	19.1	23.4	23.0	39.5	24.3	18.5	30.1	19.3
	装机容量	150.0	150.0	150.0	150.0	150.0	150.0	150.0	150.0	150.0	150.0	150.0	150.0
火电站	工作容量	1 192.0	1 114.3	1 258.4	1 278.5	1 272.3	1 241.0	1 221.8	1 181.2	1 267.1	1 318.9	1 339.3	1 311.5
	负荷备用	29.6	27.4	31.8	32.3	31.8	31.0	29.6	28.3	31.0	32.7	34.0	33.2
	事故备用	132.1	124.8	139.5	141.0	139.5	136.5	132.1	127.7	136.5	142.4	146.8	143.9
	检修备用	266.4	353.7	190.5	168.5	176.6	211.7	236.6	283.0	185.6	126.2	100.0	131.7
	必需容量	1 620.2	1 620.2	1 620.2	1 620.2	1 620.2	1 620.2	1 620.2	1 620.2	1 620.2	1 620.2	1 620.2	1 620.2
	受阻容量	0	0	0	0	0	0	0	0	0	0	0	0
	平均出力	988.8	931.8	1 025.7	1 365.9	1 048.0	1 022.2	986.6	929.1	1 015.4	1 068.4	1 098.8	1 081.8
	装机容量	1 620.2	1 620.2	1 620.2	1 620.2	1 620.2	1 620.2	1 620.2	1 620.2	1 620.2	1 620.2	1 620.2	1 620.2

100MW 的备用考虑,机组检修时间按每台机每年平均 1 个月,安排在 12 月～来年 3 月。在扩机增容报告中,由于抽水蓄能电站处于规划选点阶段,其典型日负荷平衡按砍平头的方法进行计算,即抽水蓄能电站的工作位置在负荷图的最尖峰位置,工作位置的上限与最高负荷相等。

根据河南电网不同水平年负荷曲线和各类电站的出力过程、检修、备用安排,考虑抽水蓄能电站先期投入,进行各枯水年、中水年电力电量平衡,不同装机方案容量、电量利用情况见表 7-4-10。有抽水蓄能电站方案 2005 年河南电网电力电量平衡成果见表 7-4-11。

表 7-4-10　小浪底水电站不同装机容量方案容量、电量利用情况

年份	5 台机		6 台机		7 台机	
	可调出力(MW)	发电量(亿 kW·h)	可调出力(MW)	发电量(亿 kW·h)	可调出力(MW)	发电量(亿 kW·h)
1999	31.30	30.15	31.30	30.15	31.30	30.15
2000	69.32	37.60	69.32	37.60	69.32	37.60
2001	76.00	38.50	95.00	40.45	114.00	41.95
2002	82.20	39.80	102.75	42.00	123.30	43.25
2003	88.00	41.70	110.00	44.00	132.00	45.35
2004	93.60	43.70	117.00	46.00	140.40	47.40
2005	99.28	45.65	124.10	48.00	148.92	49.50
2006	104.00	47.45	131.00	50.00	157.20	51.60
2007	110.60	49.49	133.25	52.00	165.90	53.60
2008	116.20	51.50	145.25	54.00	174.30	55.70
2009	118.72	52.60	146.40	55.15	170.08	56.90
2010	119.04	52.85	148.80	55.40	178.56	57.25
2011	119.40	53.15	149.25	55.70	179.10	57.50
2012	119.60	53.40	149.60	56.00	179.52	57.75
2013	119.60	53.48	149.60	56.18	179.52	57.99

从电力电量平衡成果可以看出,小浪底电站若装机 5×300MW,其电力电量在不同年份均可被电网利用;装机 6×300MW 方案在 2001～2005 年有一部分容量空闲,2010 年则没有空闲,见表 7-4-10。6 台机方案的空闲容量,是在规定小浪底水电站 2001 年担任 50MW 负荷备用、2005 年担任 100MW 负荷备用条件下的空闲,其实在河南电网中大部分负荷备用要火电担任的情况下,水电的空闲容量可以转而担任电网的负荷备用,这对电网运行是有利的,并不会真的空闲。

需要说明的是,上述电力电量平衡分析结果是在考虑小浪底供河南电网 5 台机、供山西电网 1 台机的前提下得出的。在上述成果完成以后,又研究了小浪底水电站的 6 台机全部供河南电网的方案,对于 6 台机的容量是否能完全被河南电网利用,其答案也是肯定的。根据 1997 年河南省电力工业局的负荷预测成果,2005 年、2010 年低方案河南电网最大负荷分别达到 16 800MW 和 23 300MW,比原设计采用的两个水平年最大负荷分别高 2 120MW和 4 220MW,其中峰荷分别高 2 020MW 和 3 480MW。

表 7-4-11　　2005 年枯水年河南电网电力电量平衡(有抽水蓄能方案)　　(单位:万 kW)

项目		1月	2月	3月	4月	5月	6月	7月	8月	9月	10月	11月	12月
系统	最大负荷	1 321.4	1 248.0	1 394.8	1 409.5	1 394.8	1 365.4	1 321.4	1 277.3	1 365.4	1 424.2	1 468.2	1 438.8
	平均负荷	1 019.1	962.5	1 075.8	1 087.1	1 075.8	1 053.1	1 019.1	985.1	1 053.1	1 098.4	1 132.6	1 109.7
	负荷备用	39.6	37.4	41.8	42.3	41.8	41.0	39.6	38.3	41.0	42.7	44.0	43.2
	事故备用	132.1	124.8	139.5	141.0	139.5	136.5	132.1	127.7	136.5	142.4	146.8	143.9
	检修备用	293.0	369.2	222.0	197.8	208.1	243.2	283.2	329.5	232.1	172.7	131.6	163.1
	必需容量	1 786.1	1 779.4	1 798.1	1 792.7	1 784.2	1 786.1	1 776.3	1 772.8	1 775.0	1 782.0	1 790.6	1 789.0
	受阻容量	15.6	11.3	8.6	14.0	22.5	20.6	30.4	33.9	31.7	24.7	16.1	17.7
	空闲容量	5.0	16.0	0	2.1	0	0	0	0	0	0	0	0
	装机容量	1 806.7	1 806.7	1 806.7	1 808.8	1 806.7	1 806.7	1 806.7	1 806.7	1 806.7	1 806.7	1 806.7	1 806.7
抽水蓄能电站	预想出力	90.0	90.0	90.0	120.0	120.0	120.0	120.0	120.0	120.0	120.0	120.0	90.0
	工作容量	90.0	90.0	90.0	110.0	110.0	110.0	110.0	110.0	110.0	110.0	110.0	90.0
	检修备用	30.0	30.0	30.0	0	0	0	0	0	0	0	0	30.0
	事故备用	0	0	0	10.0	10.0	10.0	10.0	10.0	10.0	10.0	10.0	0
	必需容量	120.0	120.0	120.0	120.0	120.0	120.0	120.0	120.0	120.0	120.0	120.0	120.0
	装机容量	120.0	120.0	120.0	120.0	120.0	120.0	120.0	120.0	120.0	120.0	120.0	120.0
三门峡	预想出力	32.0	33.5	34.5	34.8	34.8	33.2	17.4	16.5	17.0	17.2	31.0	32.1
	工作容量	32.0	33.5	34.5	32.7	34.8	33.2	17.4	16.5	17.0	17.2	31.0	32.1
	检修备用	5.0	5.0	5.0	5.0	5.0	5.0	20.0	20.0	0.0	20.0	5.0	5.0
	必需容量	37.0	38.5	39.5	39.8	39.8	38.2	37.4	36.5	37.0	37.2	36.0	37.1
	受阻容量	3.0	1.5	0.5	0.2	0.2	1.8	2.6	3.5	3.0	2.8	4.0	2.9
	空闲容量	0	0	0	2.1	0	0	0	0	0	0	0	0
	平均出力	10.8	10.8	14.3	8.5	8.7	7.5	9.5	16.5	13.4	11.5	11.5	8.6
	装机容量	40.0	40.0	40.0	40.0	40.0	40.0	40.0	40.0	40.0	40.0	40.0	40.0

续表 7-4-11

项目		1月	2月	3月	4月	5月	6月	7月	8月	9月	10月	11月	12月
小浪底	预想出力	107.4	110.2	111.9	106.2	97.7	101.2	92.2	89.6	91.3	98.1	107.9	105.2
	工作容量	62.8	56.8	96.9	81.6	59.7	66.2	77.2	74.6	76.3	72.7	83.5	65.2
	负荷备用	39.6	37.4	15.0	24.6	38.0	35.0	15.0	15.0	15.0	25.4	24.4	40.0
	检修备用	30.0	30.0	30.0	30.0	30.0	30.0	30.0	30.0	30.0	30.0	30.0	30.0
	必需容量	132.4	124.2	141.9	136.2	127.7	131.2	122.2	119.6	121.3	128.1	137.9	135.2
	受阻容量	12.6	9.8	8.1	13.8	22.3	18.8	27.8	30.4	28.7	21.9	12.1	14.8
	空闲容量	5.0	16.0	0	0	0	0	0	0	0	0	0	0
	平均出力	19.5	19.9	35.8	35.1	19.1	23.4	23.0	39.5	24.3	18.5	30.1	19.3
	装机容量	150.0	150.0	50.0	150.0	150.0	150.0	150.0	150.0	150.0	150.0	150.0	150.0
火电站	工作容量	1 136.6	1 067.7	1 173.4	1 185.2	1 190.3	1 156.0	1 116.8	1 076.2	1 162.1	1 224.3	1 243.7	1 251.5
	负荷备用	0	0	26.8	17.7	3.8	6.0	24.6	23.3	26.0	17.3	19.6	3.2
	事故备用	132.1	124.8	139.5	131.0	129.5	126.5	122.1	117.7	126.5	132.4	136.8	143.9
	检修备用	228.0	304.2	157.0	162.8	173.1	208.2	233.2	279.5	182.1	122.7	96.6	98.1
	必需容量	1 496.7	1 496.7	1 496.7	1 496.7	1 496.7	1 496.7	1 496.7	1 496.7	1 496.7	1 496.7	1 496.7	1 496.7
	装机容量	1 496.7	1 496.7	1 496.7	1 496.7	1 496.7	1 496.7	1 496.7	1 496.7	1 496.7	1 496.7	1 496.7	1 496.7

根据1997年黄委会设计院完成的《河南省宝泉抽水蓄能电站可行性研究报告》(等同于初步设计),2005年水平小浪底、宝泉两电站投入河南电网的容量分别为1 800MW和1 200MW。电力电量和调峰容量平衡结论表明,两电站的装机容量都是河南电网所必需的,二者均不会产生空闲,均能充分发挥其容量作用。因此,经各方面协商,最终确定小浪底水电站供电范围全部为河南电网。

(二)装机容量经济比较

1.无抽水蓄能电站方案

1)小浪底水电站资料

根据初步安排,小浪底电站1993年正式开工,1999年有2台机组发电,2000年4台机组发电,2001年全部机组投入运行。水电站年运行费取投资的3%。

2)替代火电资料

采用凝气式火电站作为替代电站,单位千瓦投资采用1 930元(河南电力设计院1990年资料),标准煤耗采用320g/(kW·h),标准煤价92元/t。水火电容量可比系数采用1.1,电量可比系数采用1.05。火电站年运行费按投资的4.5%(不含燃料费)。火电施工期按4年计算,各年投资比例按0.24、0.29、0.24和0.23分配。

3)经济比较

按照《建设项目经济评价方法和参数》的有关规定进行经济比较,其方法不再赘述,社会折现率取10%。以装机7×300MW方案的电力电量效益为准,其他方案不足的部分由替代火电补齐,将各方案的投资和费用等支出,折现到施工期初,进行经济比较。水电站的水工建筑物的经济使用年限按50年计,水电站的机电设备和火电站按25年计,寿命终止前进行更新。

装机5台、6台、7台方案的总折现费用分别为184 412万元、153 139万元和123 105万元,以装机7台方案的总折现费用最小。社会折现率取12%时,经济比较的结论相同。不同装机方案经济比较成果见表7-4-12。

2.有抽水蓄能电站方案

根据当时的物价水平和有关参数规定进行经济比较,即使假定6台机方案有部分容量空闲,按5台、6台方案提供相同的电力电量效益(5台机方案不足的部分用替代火电补齐),则其折现总费用分别为114 770万元和92 899万元,6台机方案仍比5台机方案经济合理。经济比较结果表明,在考虑有1 200MW抽水蓄能电站投入的条件下,小浪底水电站装机6×300MW仍是经济合理的。

(三)基于电源优化扩展规划装机容量论证

由于常规方法在论证水电站的装机容量时,采用火电站作为替代方案,该种方法对于以火电站为主的电力系统还是基本合理的,但对于备选电源种类较多的电力系统则有一定的局限性,主要是因为没有寻求最优的替代方案。世界银行在评估小浪底水电站装机规模时,要求从电力系统电源优化扩展规划的角度来论证小浪底水电站经济合理的装机容量及发电经济效益。为此,1990年北京水利电力经济研究所(以下简称“电经所”)对河南电网电源扩展进行优化分析,以论证小浪底水电站装机6×300MW的经济合理性。

1990年电经所开发研制的“电力系统电源优化扩展规划”软件包,即GESP(Generator

表 7-4-12 小浪底不同装机方案经济比较成果 （单位：万元）

计算年序	5台机					6台机					7台机	
	设计水电		替代火电			设计水电		替代火电			设计水电	
	投资	运行费	投资	运行费	燃料费	投资	运行费	投资	运行费	燃料费	投资	运行费
1	2 337.5					2 805.3					3 277.8	
2	4 042.3					4 850.6					5 659.8	
3	5 266.3					6 317.8					7 370.3	
4	7 768.1					9 318.2					10 072.9	
5	15 439.8					18 520.4					21 606.6	
6	27 936.9		19 361.8			33 529.6		9 680.9			39 121.3	
7	23 449.5		24 975.0			28 142.3		12 487.5			32 030.3	
8	12 223.7	439.0	22 747.9			14 674.9	439.0	11 374.0			17 113.0	439.0
9	11 275.3	877.9	23 346.6			13 530.8	877.9	11 673.3			15 707.0	877.9
10	0	1097.4	6 162.2	2 420.2	1 099.8	0	1 316.9	3 001.1	1 210.1	478.2	0	1 536.4
11	0	1 097.4	5 997.5	2 617.7	1 099.8	0	1 316.9	2 990.7	1 308.8	398.5	0	1 536.4
12	0	1 097.4	5 991.1	2 802.4	1 163.5	0	1 316.9	2 995.6	1 401.2	430.4	0	1 536.4
13	0	1 097.4	6 005.1	2 980.7	1 179.5	0	1 316.9	3 002.6	1 490.4	446.3	0	1 536.4
14	0	1 097.4	5 191.2	3 161.6	1 227.3	0	1 316.9	2 595.6	1 580.8	478.2	0	1 536.4
15	0	1 097.4	3 700.0	3 337.4	1 322.9	0	1 316.9	1 050.0	1 668.7	510.1	0	1 536.4
16	0	1 097.4	2 199.4	3 522.1	1 322.9	0	1 316.9	1 099.7	1 761.0	510.1	0	1 536.4
17	0	1 097.4	878.9	3 700.4	1 338.9	0	1 316.9	439.5	1 850.2	541.9	0	1 536.4
18	0	1 097.4	256.0	3 780.6	1 370.8	0	1 316.9	128.0	1 090.3	557.9	0	1 536.4
19	0	1 097.4	159.2	3 790.8	1 386.7	0	1 316.9	79.6	1 095.4	509.7	0	1 536.4
20	0	1 097.4	68.4	3 802.3	1 402.6	0	1 316.9	34.2	1 901.2	573.8	0	1 536.4
21	0	1 097.4	0	3 811.2	1 437.7	0	1 316.9	0	1 905.6	577.0	0	1 536.4
22	0	1 097.4	0	3 811.2	1 437.7	0	1 316.9	0	1 905.6	577.0	0	1 536.4
23	0	1 097.4	0	3 811.2	1 437.7	0	1 316.9	0	1 905.6	577.0	0	1 536.4
⋮	⋮	⋮	⋮	⋮	⋮	⋮	⋮	⋮	⋮	⋮	⋮	⋮
59	0	1 097.4	0	3 811.2	1 437.7	0	1 316.9	0	1 905.6	577.0	0	1 536.4
折现费用	71 412.5	17 131.8	66 531.4	23 313.5	6 022.3	85 648.7	20 177.7	33 265.7	11 656.8	2 390.2	99 881.5	23 223.6
水火电总折现费用		184 412				153 139					123 105	

of Electric System Planning 的缩写)模型,已通过有关部门鉴定。该模型的基本情况和采用的基本参数详见第十五章“小浪底水电站在电网中的作用和效益”。GESP 模型在研究小浪底水电站的装机容量和发电经济效益时,其基本做法是:把河南电网“1989 年已运行的电厂及到 1994 年底为止新增加的电源,均认为是电力系统的固有电源”。三门峡水电站扩机 2×75MW 的部分列为固有电源。根据各个电站的建设和投资条件,拟定从 1995 年开始各个电站最早可能投入的时间,按照同等满足系统的负荷需要、电网总费用支出最小的原则,研究在不同条件下小浪底水电站投入的最佳时间。

对于北京水利电力经济研究所的优化成果,世界银行除了要求补充论证燃油电站作为替代电站外,没有提出其他不同意见,但燃油机组不符合中国的国情。

1. 小浪底水电站的经济合理性

根据各电站的最早可能投入时间和电网总费用支出最小的原则,计算结果表明,小浪底水电站安排的投产顺序是:1999 年投入 600MW,2000 年投入 600MW,2001 年投入 456MW,2002～2003 年投入 144MW,共计 1 800MW(由于优化模型采用的是线性规划模型,故出现装机容量不是整台投入的结果);宝泉抽水蓄能电站安排的投产顺序是:2001 年投入 600MW,2002～2003 年投入 600MW。优化扩展规划模型计算的两电站最优投产时间与当时假定的这些电站最早可能的投入时间一致。首先,如果没有小浪底水电站而仅有宝泉抽水蓄能电站,电网的总费用支出要增加 14.3 亿元(与有小浪底水电站相比)。其次,还分别分析了小浪底电厂投资增加 20%、社会折现率由 10%提高到 12%、2000 年前电网最大负荷下降 2.5 个百分点等方案,在分别考虑上述因素变化的情况下,也不影响小浪底电站的最早投入时间。

电源扩展优化分析成果表明,以河南电网的总费用支出最小为原则,小浪底电站装机 1 800MW 的最佳投产时间与设计最早投产时间(1999 年)相同,也即小浪底电站装机 1 800MW在经济上是合理的。

2. 小浪底水电站装机容量分析

GESP 模型对小浪底装机 5×300MW、6×300MW 和 7×300MW 三个方案进行了研究。5 台机、7 台机方案分摊大坝的投资同 6 台机方案,仍为 15.37 亿元。5 台机的补充千瓦投资(主要指引水发电系统投资)及单位千瓦输电线工程投资同 6 台机方案,分别为 824 元/kW 和 327 元/kW,5 台机电站总投资为 27.73 亿元(包括分摊大坝投资,不包括输电线投资)。研究结果表明,三个装机容量方案的最优装机进度与设计投产进度相同,即从电力系统费用最小的原则考虑,三个装机方案均是经济合理的。三个装机方案电力系统的总费用现值见表 7-4-13。

表 7-4-13　　小浪底水电站不同装机容量方案时河南电网总费用现值

装机方案	总费用现值(亿元)	与 6×300MW 的差值(亿元)
5×300MW	502.8	2.61
6×300MW	500.19	0
7×300MW	498.3	−1.89

从各方案电源优化的目标函数(即规划期电源建设和生产运行的最小总费用现值)可以看出,以装机7台方案的总费用最小。

3. 宝泉抽水蓄能电站对小浪底电站的影响分析

分别对有、无抽水蓄能电站进行河南电网电源优化扩展规划研究(均将小浪底水电站作为备选电源),研究结果表明,抽水蓄能电站的投入与否对小浪底水电站的装机进度基本上没有影响,小浪底水电站的最优投产时间与设计投产计划完全相同。从小浪底水电站的容量利用情况看,无抽水蓄能电站时,小浪底水电站在2001年可被系统利用的工作容量为880MW,比有抽水蓄能电站时增加310MW。但到2003年及其以后,有、无抽水蓄能电站时小浪底水电站可被系统利用的工作容量没有差别。

GESP模型还对抽水蓄能电站的最优投产时间进行了研究,将抽水蓄能电站的投产时间提前2年,即1999年投入2×300MW,2000年投入4×300MW。与基本方案(宝泉2002年全部投入)相比,小浪底水电站的装机进度保持不变,抽水蓄能电站的最优投产时间与设计进度相同,且该方案的系统总折现费用比基本方案减少了3.91亿元(贴现到1995年的现值)。该结果表明,由于河南电网缺乏调峰容量,即使宝泉提前投入,不仅对小浪底水电站的容量效益和投产进度没有影响,而且对系统的运行更有利。从电源优化扩展规划角度分析,宝泉抽水蓄能电站也应该尽早建设。

(四)装机容量选择的结论

综合以上的分析表明,小浪底水电站单机容量由260MW提高到300MW,电站的总装机容量由1 560MW扩大到1 800MW,其扩机增加电力电量全部可以被电网利用,而且在经济上是合理的,扩机增加的发电量收入,第一年就可以收回扩机增加的投资。对于小浪底装机5×300MW、6×300MW、7×300MW三个方案,无论常规方法的经济比较成果,还是电源优化扩展规划成果,都表明6×300MW方案具有经济合理性,故选定小浪底水电站装机容量为1 800MW。

八、小浪底水电站的装机程序

小浪底水电站装机容量总计1 800MW,装机规模较大,因此需要研究比较小浪底分期装机和一次完成装机的经济性、合理性。

(一)电站一次性装机和分期装机的电能指标比较

在1994年计算了一次性装机(即2000年、2001年和2002年分别有2台、4台、6台机组投运)和分期装机(即2000年、2001年分别投运2台、4台,后2台机组分别推迟5年、10年、15年、20年,生效时间分别为2007年、2012年、2017年和2022年四种情况)的电能指标。见表7-4-14。

与一次性装机方案比较,若后2台机组推迟5年装机,则5年间损失发电量41.47亿kW·h,可调出力每年平均减少376MW;若后2台机组推迟10年装机,则总发电量减少88.0亿kW·h,可调出力每年平均减少406MW;若后2台机组推迟15年装机,则总发电量减少139.2亿kW·h,可调出力每年平均减少435MW;若后2台机组推迟20年装机,则总发电量减少190.8亿kW·h,可调出力每年平均减少450MW。

通过前述的电力电量平衡成果,小浪底水电站的供电容量、电量均可以被电力系统利用。

表 7-4-14　小浪底水电站不同装机进度时各运用阶段电能指标

年序	年份	一次装机 6 台		后 2 台推迟 5 年		后 2 台推迟 10 年		后 2 台推迟 15 年		后 2 台推迟 20 年	
		可调出力（万 kW）	发电量（亿 kW·h）	可调出力（万 kW）	发电量（亿 kW·h）	可调出力（万 kW）	发电量（亿 kW·h）	可调出力（万 kW）	发电量（亿 kW·h）	可调出力（万 kW）	发电量（亿 kW·h）
1	2000	27.31	25.94	27.31	25.94	27.31	25.94	27.31	25.94	27.31	25.94
2	2001	54.39	35.07	54.39	35.07	54.39	35.07	54.39	35.07	54.39	35.07
3	2002	81.93	41.94	54.39	35.07	54.39	35.07	54.39	35.07	54.39	35.07
4～7	2003～2006	120.57	51.45	80.53	42.75	80.53	42.75	80.53	42.75	80.53	42.75
8～10	2007～2009	120.57	51.45	120.57	51.45	80.53	42.75	80.53	42.75	80.53	42.75
11～12	2010～2011	146.77	58.62	146.77	58.62	97.98	48.5	97.98	48.5	97.98	48.5
13～14	2012～2013	146.77	58.62	146.77	58.62	146.77	58.62	97.98	48.5	97.98	48.5
15～17	2014～2016	148.45	59.17	148.45	59.17	148.45	59.17	98.94	48.85	98.94	48.85
18～22	2017～2021	148.45	59.17	148.45	59.17	148.45	59.17	148.45	59.17	98.94	48.85
23～28	2022～2027	148.45	59.17	148.45	59.17	148.45	59.17	148.45	59.17	148.45	59.17
29～	2028～	146.42	59.35	146.42	59.35	146.42	59.35	146.42	59.35	146.42	59.35

(二)经济比较

1. 两台机组推迟生效时损失的发电效益估算

在进行经济比较时,社会折现率取 12%;时间价值折算的基准点为工程开工的第一年初。替代火电单位千瓦投资取 2 430 元;经济使用年限取 25 年,达到经济使用年限后,火电站进行更新,更新投资取 70%;火电调峰标准煤耗取 380g/(kW·h),标准煤影子价格取 105.2 元/t。火电站年运行费按投资的 4.5% 计取。各方案发电效益损失估算见表 7-4-15。可以看出,推迟后两台机组投产时各方案的发电效益现值均比一次性装机的发电效益现值小。

表 7-4-15　　小浪底水电站推迟两台机组投运时发电效益损失估算　　(单位:亿元)

方案		容量效益	节省火电燃料费	节省火电运行费	合计	发电效益年值
各方案发电效益现值	一次性装机方案	19.41	7.02	5.37	31.80	9.48
	推迟 2 年	17.87	6.84	4.94	29.65	8.84
	推迟 5 年	16.14	6.61	4.46	27.21	8.11
	推迟 10 年	14.28	6.35	3.95	24.58	7.33
	推迟 15 年	13.23	6.19	3.66	23.08	6.88
	推迟 20 年	12.63	6.09	3.49	22.21	6.62
各方案发电效益损失值	推迟 2 年	1.54	0.18	0.43	2.15	0.64
	推迟 5 年	3.27	0.41	0.91	4.59	1.37
	推迟 10 年	5.13	0.67	1.42	7.22	2.15
	推迟 15 年	6.18	0.83	1.71	8.72	2.60
	推迟 20 年	6.78	0.93	1.88	9.59	2.86

2. 各方案节省投资的时间价值分析

根据有关估算资料及小浪底工程利用出口信贷资料分析,小浪底水利枢纽 6 台水轮机(包括附件等)及安装工程 1993 年价格水平的投资费用共计 9 526.42 万美元,按 1993 年底的外汇比率(1 美元兑换 8.8 元人民币),两台水轮机机组投资相当于 2.794 4 亿元,两台发电机组投资合计为 1.547 0 亿元,水轮发电机组投资合计为 4.341 5 亿元(为国外采购价格,已考虑了从订货到交货的时间价值,可视为 2001 年的一次性投资)。两台机组推迟投入,即将该投资从 2001 年向后推迟。计算 5 个方案的投资费用现值与一次性装机的投资费用现值的差值,即为推迟装机节省的投资费用价值。结果见表 7-4-16。

表 7-4-16　　小浪底电站推迟两台机组投产节省投资价值估算　　(单位:亿元)

方案	一次性装机方案	推迟 2 年	推迟 5 年	推迟 10 年	推迟 15 年	推迟 20 年
投资现值	1.565 6	1.248 1	0.888 4	0.504 1	0.286 0	0.162 3
差值	0	0.317 5	0.677 2	1.061 5	1.279 6	1.403 3

3.经济比较

将推迟机组投入各方案的节省投资现值与损失发电效益现值进行对比分析,可以看出推迟机组投产是不经济的,即推迟机组投产所节省的资金价值远小于因此造成的发电效益损失值,且推迟的时间越长,发电效益损失越大,方案越不经济。

(三)不同方案的财务分析

1.财务分析基本条件

在进行清偿能力分析时,计算期取24年(即从开工至2017年);在进行盈利能力分析时计算期取57年(建设期7年+运行期50年)。

按1993年价格水平,小浪底工程固定资产投资为160.50亿元,其中外汇为7.77亿美元。按内外资物价总水平上涨率6%和4.6%,并考虑外汇风险,工程动态总投资为247.54亿元(包括建设期利息、承诺费及手续费)。

2.各方案财务分析

小浪底水电站的发电收入是偿还世界银行贷款及出口信贷的惟一可靠来源。小浪底水电站两台机组推迟安装,虽然推迟了4.341 5亿元(静态投资)投资的投入时间,但同时也减少了主要还款期的发电量。财务分析表明,当两台机组投运时间分别推迟2年、5年、10年时,电价分别上升0.018元/(kW·h)、0.047元/(kW·h)、0.083元/(kW·h),这将使上网电价偏高,对偿还贷款不利。

如果维持小浪底的上网电价不变,而世界银行贷款及出口信贷的还款期、宽限期、利率等均已确定,由于推迟两台机组投运方案的发电收入减少,为了满足贷款偿还要求,必然要求由政府拨款弥补资金缺口(由于小浪底水利枢纽为综合利用工程,其工程的全部运行成本均由发电收入承担)。由财务分析表明,两台机组推迟2年投运方案,政府拨款需增加11.0亿元;推迟5年,政府拨款需增加29.0亿元;推迟10年,政府拨款需增加62.0亿元。

(四)装机程序选择结论

(1)由于土建工程已经招标开工无法变动,推迟两台机组安装,仅能减少机组投资和相应的安装费用及配套费用计4亿~5亿元。

(2)国民经济分析表明,小浪底水电站推迟装机所节省的投资,远小于损失的发电效益,因此分期装机在经济上是不合理的。

(3)从工程财务生存能力分析,推迟两台机组的安装时间,虽对错开投资高峰有一定的作用,但由于大幅度减少了初期的财务收入,影响工程还贷,在上网电价确定的条件下,需要增加国家拨款弥补资金不足。

(4)如果分期施工,电站厂房和引水发电系统都布置在左岸洞群中,重新开挖爆破对工程影响较大,而且施工队伍两次进场,机组招标订货也要分两次进行,将会增加工期和投资。

(5)水库运用初期,由于水库蓄水拦沙运用,过机水流含沙量较小,对于水轮机运行比较有利,一次性完成装机能较好地利用这一有利时机多发电。

综上所述,小浪底水电站不宜分期装机,因此选择一次性完成装机方案。

九、关于小浪底水电站发电的专门问题

(一)汛期安全发电问题

1. 发电水量和调节库容问题

南水北调生效前设计水平的1950～1975年系列,小浪底水库主汛期7～9月份净入库流量多年平均为1 560m³/s,$P=90\%$的年份为678m³/s。主汛期各月来水相应于保证率为90%时的流量平均为508m³/s(见表7-4-17),均大于调节期的平均流量377m³/s。小浪底水库主汛期采用调水调沙的运用方式,根据6个50年代表系列(以设计水平1919～1975年系列基础,采用不同丰、平、枯水段开头)的计算成果进行统计分析,汛期日出库流量400m³/s的保证率为90%。这表明小浪底水电站主汛期发电的水量是有保证的。

表7-4-17　小浪底水库不同情况下主汛期来水流量　(单位:m³/s)

项　目	7月	8月	9月	平均
多年平均	1 126	1 826	1 740	1 560
$P=90\%$设计枯水年	426	1 000	609	678
$P=90\%$经验频率	399	529	596	508
$P=90\%$的日出库	—	—	—	400

小浪底水库主汛期有10亿m³调水调沙槽库容,一般情况下库内调蓄水量2亿～3亿m³,可以调节各日之间的来水不均,如果以连续来水流量为0、水库补水发电流量400m³/s的规模下泄,单是水库中的蓄水,就可以维持7天左右。因此,小浪底水库主汛期发电,水量和调节库容都是有保证的。

2. 安全发电问题

黄河水流的含沙量之大举世闻名,小浪底水电站实测最大含沙量达981kg/m³。在中游主汛期洪水期间,不仅来水含沙量大,而且夹杂大量污物、杂草,需要及早有准确的预报,使小浪底水库及水电站调度和电网早做准备,不仅需要制定启用相应的措施处理污物,而且在遭遇特大含沙量时,电站还需要短时间停机排沙,否则可能影响其安全发电。小浪底水电站上距三门峡水文站130km,距潼关站245km,其间无大支流汇入,小浪底水库的洪水、泥沙主要来自潼关以上。当其以上出现洪水和洪峰时,潼关、三门峡站可以及时发出水情、沙情的测报,并在潼关以上的龙门、华县、河津、洑头四站提前发出预报,小浪底水库有时间可以做好洪水和泥沙的调度准备工作,从而保证水电站正常发电,不会突然停机。如果短时间泥沙和草污特别大,需要暂时停止发电,则可提前1天以上通知电网,使电网有时间做好调整供电安排,或要求华中电网临时增加供电。因此,小浪底水电站汛期是可以安全发电的。

3. 减少过机水流含沙量问题

小浪底水库年内调节来水,多年内调节泥沙。为了减少过机水流含沙量,小浪底水电站从水库运用和水工布置两方面采取了措施。

在水库运用方面,结合对下游河道减淤作用,水库在主汛期采用调水调沙运用方式,

利用10亿m^3槽库容调节水沙。根据黄河三门峡水库和小浪底水库下游的入黄支流的具体来水条件，使出库流量两级分化，小流量下泄期间，水库的排沙洞关闭，出库含沙量较小，大流量下泄期间，出库含沙量较大，利用排沙洞排沙，以降低过机含沙量。在主汛期7～9月份平水期，形成低壅水，使粗沙淤于库区，并可形成坝区异重流，使异重流泥沙通过排沙洞泄出，从而使过机含沙量和粗泥沙都明显减少（详见第十三章“水库减淤作用研究”）。

在水工布置方面，小浪底水库采用泄洪排沙洞和发电洞集中而分层布置方案，发电洞在底层泄洪排沙洞之上15～20m。在发电洞之上，有明流泄洪洞，根据小浪底进水塔浑水整体模型试验和三门峡、刘家峡等已建水库的运用资料，小浪底进水塔的布置形式可以使过机含沙量减少，从而减缓泥沙对水轮机的磨损，有利于主汛期正常发电（详见第八章）。

（二）小浪底水电站调峰对下游流量和水位的影响

小浪底水电站为河南电网的骨干调峰电站，其调峰运用时电站发电流量时断时续，最大流量可达1 500m^3/s，最小为0，将在水库下游形成非稳定流态，并可能影响河道的流量和水位。小浪底下距花园口128km，其间有伊洛河和沁河汇入。小浪底坝下游15km有王庄引黄闸和坝下游22km处的吉利区白坡引水，引水规模相对都较小。花园口以上的京广铁路桥西侧，有白马泉、武嘉和人民胜利渠引水闸，引水闸距黄河岸边2～3km。

1.实测资料分析

主要借助三门峡水库两次不稳定出流在下游演变过程的实测资料，分析小浪底水电站调峰运行对花园口及其以下的影响。

1968年2月，三门峡水库为了下游防凌而控泄运行。当时三门峡水库利用深孔泄水，每孔下泄流量为400 m^3/s左右。三门峡水库以时开时关的方式控制下泄流量，有时开1孔，有时开2孔，有时全部关闭，最大泄量813m^3/s，形成不稳定出流过程，三门峡、小浪底和花园口三断面的相应水位—流量过程线如图7-4-4、图7-4-5所示。这段时间伊洛河和沁河来水相对稳定，平均流量约为70m^3/s，对黄河干流水流运动影响很小，能够清楚地反映三门峡水库的不稳定出流在下游河道的演变过程，反映水库不稳定出流在下游的影响程度。

1989年7月7～15日，在三门峡水库进行了日调节模拟试验。调峰运行期三门峡最大泄量2 660m^3/s，最小泄量19m^3/s。三门峡水库下泄流量在演进过程中，遇上伊洛河来小洪水汇入，扣除伊洛河来水影响后，也可以看出花园口的流量过程就已基本上不受三门峡水库不稳定出流的影响，已基本上坦化。在其他日调节调峰运行中，亦是三门峡水库不稳定出流至花园口已坦化，流量平稳。

根据上述三门峡水库两次日调节运用的不稳定出流及下游河道的水流运动特点，可以得出以下几点认识：

（1）基流及洪水流量大，水流传播时间短。由1989年7月的资料得出，小浪底基流80～180m^3/s时，洪峰流量2 300m^3/s传播到花园口的时间为15h；洪峰流量1 440～1 800m^3/s传播到花园口的时间为20h。由1968年2月的资料得出，小浪底基流为400m^3/s时，峰值流量为700m^3/s，传播到花园口的时间为20h；基流为80m^3/s左右时，峰值流量400m^3/s传播到花园口的时间为29h。

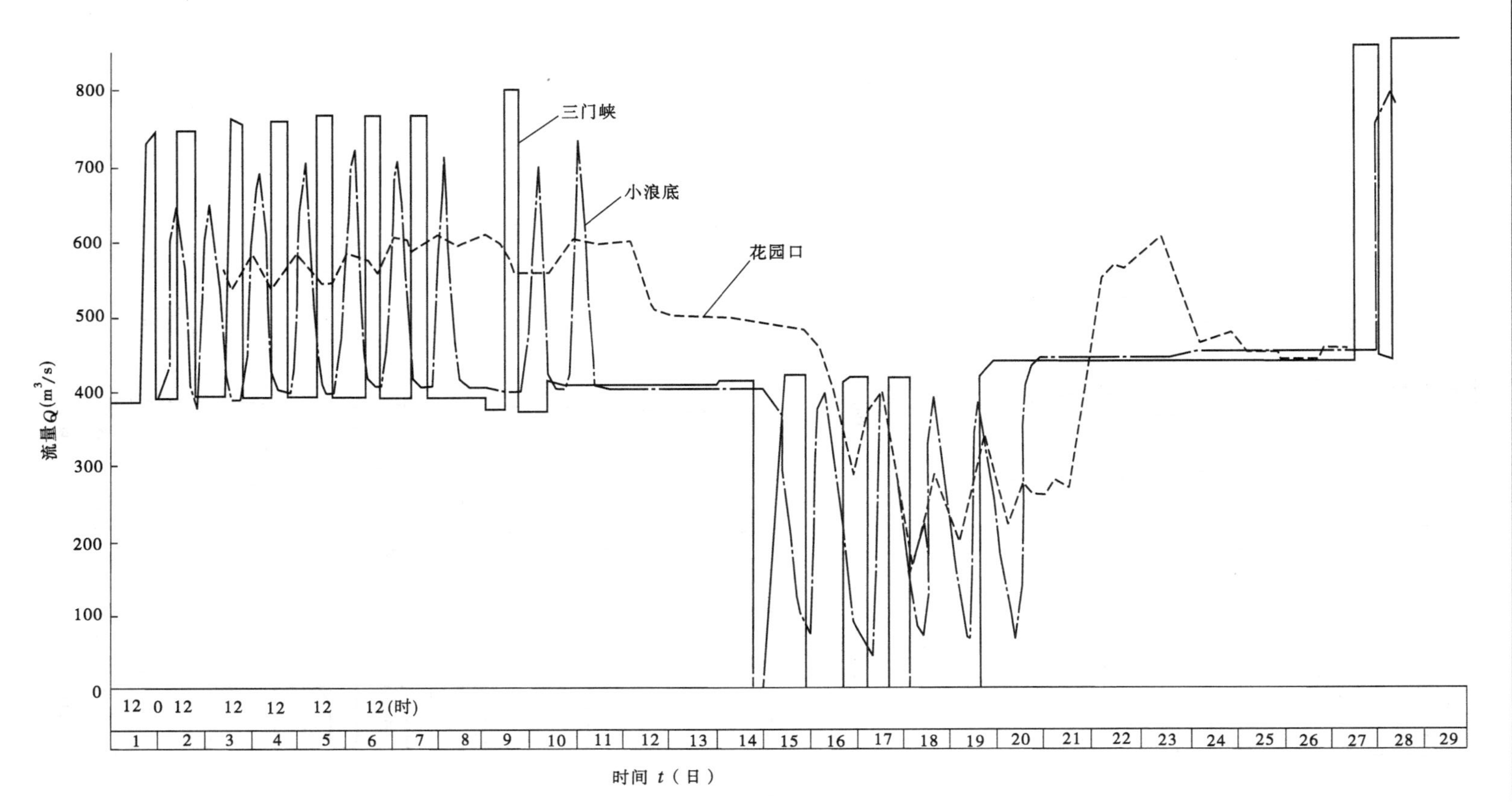

图 7-4-4 1968 年 2 月三门峡、小浪底、花园口断面流量过程线

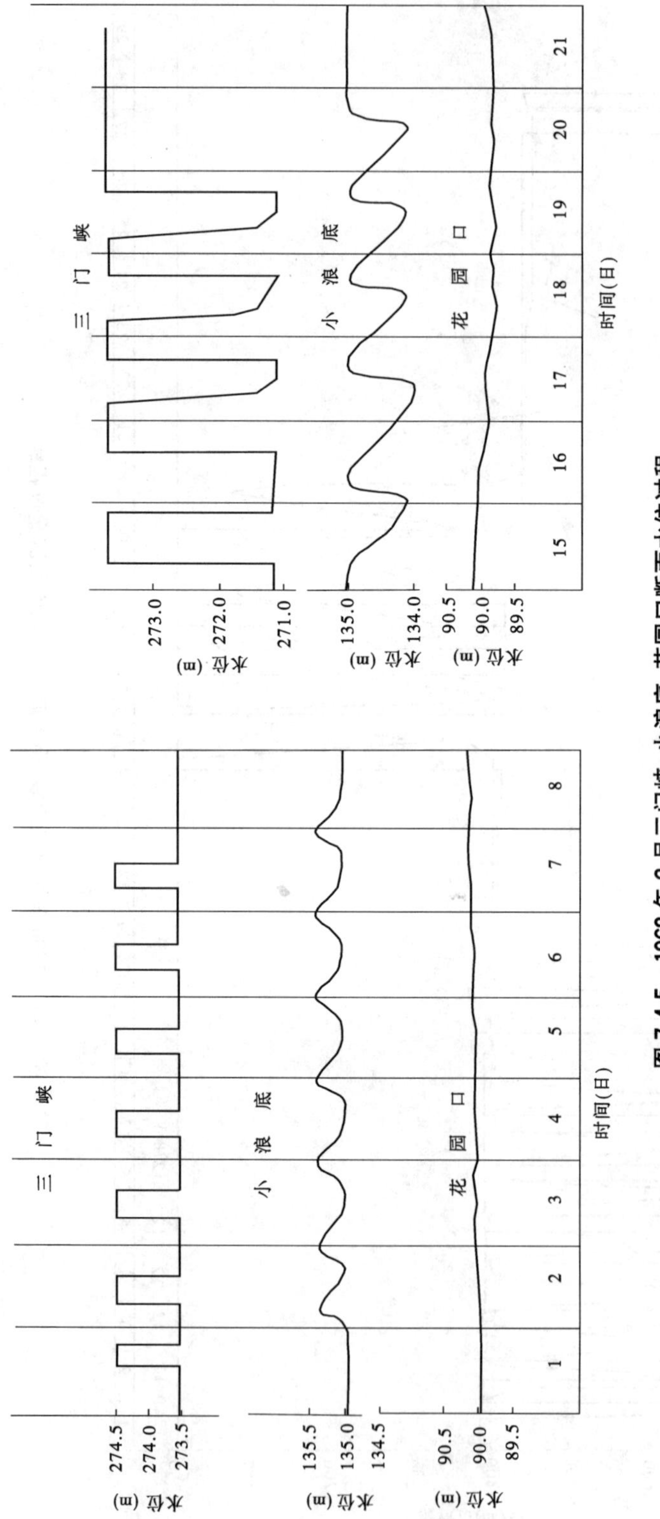

图7-4-5　1968年2月三门峡、小浪底、花园口断面水位过程

(2)流量变化对花园口的水位影响很小。1968 年 2 月 1～8 日，花园口流量 540～620m³/s，水位为 89.95～90.17m，水位变幅 0.22m；2 月 15～21 日，流量 180～505m³/s，水位为 89.77～90.10m，水位变幅为 0.33m。即流量从 180m³/s 到 620m³/s，水位变幅仅 0.4m。

(3)河道槽蓄作用使不稳定流不断坦化。由图 7-4-4 反映出，当小浪底流量在 400～700m³/s 之间变化，1 日内峰谷流量各出现 1 次时，花园口最大流量 520～550m³/s，最小 500m³/s 左右(已扣除支流伊洛河和沁河水量)，花园口流量过程已相当平缓。

2.小浪底水电站调峰运行对下游流量和水位影响分析

小浪底—花园口河段长约 128km，河道比降自上而下沿程急剧减小，从 9‱逐步减少为 5‱、3.5‱、2.1‱，河床宽、浅、散、乱，槽蓄作用大，水流速度减小较多。小浪底水电站枯水期调峰运行时，日平均下泄流量较小，电站在尖峰负荷运行，最大泄量1 500m³/s，最小泄量为 0，断流 9h 左右。小浪底水电站上距三门峡水文站 131km，该河段比降较大，水流速度快，槽蓄作用小，1968 年三门峡水电站的下泄流量由 435m³/s 突然断流 10h(与小浪底调峰断流时间大体相当)，28h 后小浪底出现最小流量 85m³/s。与三门峡—小浪底河段相比，小浪底—花园口河段槽蓄作用大，水流速度慢，水流坦化作用强，当小浪底调峰断流 9h 时，即使断流前流量也为 435m³/s，花园口的最小流量也应比 85m³/s 大得多，且水流传播时间会更长。

从实测资料分析可以得出，小浪底调峰运行时，花园口不会断流，最小流量不会小于 200m³/s，花园口断面的水位变幅在 0.4m 以内，从引水流量和水位方面，对花园口以下引水不会有什么影响。但小浪底调峰运用将对坝下至花园口河段的工农业引水、水质和河道生态环境造成较大的影响，需要采取一些措施，如尽快兴建西霞院反调节水库，对小浪底下泄的不稳定流进行反调节，或者由小浪底水库泄放 200～300m³/s 基流，以保证引水。

(三)小浪底水电站调峰运行方式

小浪底水电站是一座大型常规水电站，担负河南电网的调峰任务。电站装机容量 1 800MW，是保证出力的 5 倍，是多年平均出力的 3 倍。常规调峰水电站的运行特性不同于火电站(一般基荷运行，调峰能力有限)，也不同于抽水蓄能电站(这类电站由于自身的特性，每天的运行小时数非常明确)，受来水、来沙、下游减淤及下游用水要求等制约，其各月之间的发电量差别很大(受调节库容制约，径流电站各日之间的发电量也差别很大)。为了充分利用水资源和发挥水电机组的优越性(启停快，运用灵活)，它每天的运行小时数因各日发电量的不同而不同。总的来说，日发电量少时，电站担负的峰荷多，运行小时数少；反之电站担负的基荷多，运行小时数多。对于小浪底水电站，在冬季和来水较枯时期，电站的日平均出力较小，日平均运行 13～15h，一般在上午 8～12 时和下午 14～22 时工作，22 时以后关机停止发电；在电站出力大的月份，为了避免发生弃水，最大发电时间日运行 24h，在丰水期一般基荷发电。因此，可以认为电站的日运行小时数一般在 13～24h 之间变化。小浪底水电站在年内大部分时间处于调峰运行状态，仅在洪水期、调水调沙大流量下泄期以及丰水年份的灌溉高峰期以基荷位置运行。

十、小浪底调峰运行对小花河段的影响及对策措施

(一)小浪底电站调峰发电下泄水流特点

小浪底电站进行调峰运用时,其下泄流量为不稳定流,日内最大下泄流量1 500m^3/s,最小下泄量为0。平均1日内断流小时数,5个典型年(丰、较丰、平、偏枯和枯水年)平均为7.4h,90%年份为10.9h,断流时间一般发生在0～8时和12～15时,断流河段长度30～50km。小浪底断面平均1日内小于200m^3/s的小时数,5个典型年平均为8.6h,90%年份分别为13.1h(见表7-4-18)。王庄和白坡引水口处90%年份1日内断面流量小于200m^3/s的小时数为12.6h,小浪底移民安置区为9.8h,郑州铝厂第三水源和李村电灌站处为5.7h,邙山提灌站和人民胜利渠处为4.4h。可见小浪底水利枢纽下泄的不稳定流将使下游河段的流量过程发生明显的变化。

表7-4-18　　小浪底调峰运用时下游各断面流量特征(1日内小时数)

代表年	断面	全年平均(m^3/s)						10月～来年6月平均(m^3/s)					
		断流	<100	<150	<200	<250	<300	断流	<100	<150	<200	<250	<300
$P=90\%$年份	小浪底坝下	10.9	11.3	12.5	13.1	13.9	14.4	11.8	12.1	12.3	12.9	13.9	14.4
	王庄闸	6.7	9.8	11.2	12.6	13.3	13.6	7.3	10.4	11.3	12.7	13.2	13.6
	小浪底移民安置区	3.6	6.3	7.8	9.8	11.2	12.0	4.1	6.8	8.1	10.0	11.1	12.0
	李村、郑州铝厂第三水源	0	3.1	4.4	5.7	7.2	8.5	0	4.1	5.3	6.6	8.1	9.3
	邙山提灌站	0	1.8	3.5	4.4	5.9	7.3	0	2.4	4.7	5.6	7.0	8.6
$P=75\%$年份	小浪底坝下	8.8	9.9	10.3	10.5	11.1	11.3	6.2	6.3	6.8	7.0	7.0	7.0
	王庄闸	5.6	7.8	8.5	10.0	10.7	10.9	6.6	9.2	10.0	11.9	12.6	12.9
	小浪底移民安置区	2.9	5.3	6.5	7.3	8.7	9.3	3.4	6.2	7.6	8.4	10.2	10.9
	李村、郑州铝厂第三水源	0	3.3	4.2	5.0	6.3	7.3	0	3.9	5.1	5.9	7.4	8.3
	邙山提灌站	0	1.8	3.6	4.1	5.5	6.6	0	2.2	4.3	4.9	6.4	7.7
5个典型年平均	小浪底坝下	7.4	7.9	8.4	8.6	9.1	9.4	9.0	9.6	10.0	10.3	10.7	11.0
	王庄闸	4.5	6.6	7.2	8.0	8.5	8.9	5.5	8.0	8.6	9.5	10.0	10.5
	小浪底移民安置区	2.2	4.1	5.2	6.0	6.9	7.6	2.8	5.0	6.2	7.1	8.1	8.9
	李村、郑州铝厂第三水源	0	1.8	2.9	3.7	4.6	5.3	0	2.4	3.7	4.6	5.7	6.4
	邙山提灌站	0	1.0	2.1	2.9	3.9	4.7	0	1.4	2.7	3.7	4.8	5.8

(二)调峰不稳定流对小花河段产生的不利影响

小浪底调峰运用的不稳定流演进到花园口断面后,流量过程基本平稳,对花园口以下河段基本没有影响,但对小浪底至花园口河段将产生一定的不利影响。

1. 对下游河道水质和生态环境产生不利影响

1990年以来,随着小浪底至花园口河段沿岸地区地方工业的快速发展,河段水质污

染日趋严重，近年来不断发生污染事件。根据黄河流域水资源保护局1999年12月编制的《黄河干流纳污量调查报告》，1998年该河段废污水入黄量为0.47亿t，其中工业废水0.36亿t、生活污水0.11亿t。由于该河段两岸有洛阳市吉利区、郑州市、新乡市等城市用水，为保证河道水质和生态环境保护要求，须保证黄河河道200m³/s以上的流量。因此，小浪底下泄流量较小时，会造成该河段水质更加恶化，给两岸城镇居民饮用水质带来不利影响。

黄河由西流入孟津县白鹤镇霞院村后，由峡谷进入平原，河床变宽，水流变缓，河床淤积，河道多变，形成大面积的水域滩涂。1995年经河南省政府批准设立孟津黄河湿地自然保护区，总面积8 400hm²，保护对象是湿地水禽及野生动植物资源。由于绝大部分水禽主要集中在面积较大的河岸滩地和河心岛，这些地方在秋冬河水流量变小时露出，形成水禽聚集点。小浪底调峰运用时，下泄流量忽大忽小，不仅水流经常淹没水禽栖息地，而且下游河道将产生冲刷和坍塌，一些嫩滩、河心岛将不复存在，影响水禽的栖息和繁殖。

2.不稳定流将对工农业引水造成不利影响

为了满足工农业生产和人民生活用水需要，自20世纪50年代开始，在小花河段两岸陆续兴建了引(提)黄工程40余处，设计灌溉面积约14.24万hm²，设计总引水能力150m³/s，实际需引流量98m³/s左右。本河段现状引黄工程大多数兼有城乡供水任务，工业、人民生活年均供水量约4亿m³，如邙山提灌站是郑州市柿园水厂的主要水源工程，其年供水量占郑州市总供水量的60%；人民胜利渠向新乡市的供水量占新乡市总供水量的50%，郑州铝厂第三水源是郑州铝厂和上街区生活用水的惟一水源，因此这些引黄工程在区域范围内的人民生活和工农业发展中有重要地位。根据对引黄工程的引水条件的分析，在基本满足引黄工程引水条件的前提下，要求河道的流量为200～300m³/s。小浪底水库投入运行后下泄的不稳定流，将减少该河段原有工农业引水量的30%～50%，将对小花河段工农业的正常引水造成严重影响。

3.不稳定流还可能对河道整治工程安全带来不利影响

黄河干流在小浪底坝下8km处(焦枝桥下)，突然扩展为宽3～4km的宽浅河道，再往下游两岸堤距一般为5～10km，最宽达24km，河中沙洲密布，形成多汊性河道，高村以上河段属典型的游荡性河道。目前，在黄河小浪底以下的河道上修建了险工135处，坝、垛和护岸5 279道；控导护滩工程212处，坝、垛4 100道，这些工程有效地减小了主流的游荡摆动范围，但大部分工程未经大洪水的考验，根石埋深较浅。河道整治工程出险主要是水流顶冲坝垛根石，引起工程基础坍蹋。小浪底调峰运用时，将会使河道水流流量短时间内剧烈变化，不仅引起水流对工程的水压力、水流顶冲作用和河岸渗透压力的不断变化，而且会造成水流直接淘刷工程的根石部位，可能会导致小浪底至花园口河段的河道整治工程破坏，影响黄河的防洪安全。

(三)解决不稳定流的措施——建设西霞院工程的必要性

黄河干流三门峡至花园口河段长258.8km，在1997年4月提出并通过国家计委和水利部组织审查的《黄河治理开发规划纲要》中，在该河段布置了小浪底、西霞院和桃花峪三个梯级工程。由于小浪底水利枢纽正常运用时，其调峰发电时下泄的不稳定流将对沿河两岸的工农业引水、河道水质和生态环境、河道整治工程安全等造成一定的不利影响。从最大发挥小浪底工程的综合利用效益方面分析，其最经济合理的解决措施就是建设西霞院反调节水库。西霞院水利工程作为小浪底水利枢纽的配套工程，对小浪底下泄的不稳定流进行反调节，消除不稳定流对下游造成的各方面不利影响，因此西霞院水利工程和小浪底水利枢纽是实现水资源科学利用、优化配置所不可分割的整体。如果没有西霞院水利工程，小浪底水利枢纽就难以充分发挥综合利用功能，不利于经济、社会、环境的可持续发展。

西霞院水利工程位于小浪底水利枢纽下游约16km，正常蓄水位134m，汛期限制水位131m，有效调节库容0.452亿m^3。建设西霞院水库与小浪底水利枢纽联合运行，不仅有利于改善下游河道的水质和生态环境，满足下游河段的工农业引水要求，保证河道整治工程安全，从而消除小浪底下泄的不稳定流对下游造成的不利影响，具有很大的社会效益，而且可以保证小浪底水电站按设计方式进行运用。如果小浪底水利枢纽已建成生效，为保证枢纽按设计要求运行，尽快建设西霞院水利工程对小浪底下泄流量进行反调节，不仅十分必要，而且非常迫切。

第八章　水库泥沙及影响分析

第一节　水库调节库容的要求

小浪底水库的开发任务为“以防洪(包括防凌)、减淤为主,兼顾供水、灌溉和发电,除害兴利,综合利用”。保持水库长期有效库容是进行综合利用的条件。为了减少黄河下游河道的淤积,又需要有很大的拦沙库容。

一、防洪库容

小浪底水库与三门峡水库联合防洪运用中,既要发挥三门峡水库的防洪作用,又要尽量减轻三门峡水库的防洪运用负担。小浪底水库和三门峡水库联合防洪运用原则为:首先利用小浪底水库拦洪,洪水退落后,最后泄空小浪底水库,减少三门峡水库的拦洪量。防洪运用计算结果表明,小于百年一遇洪水时,小浪底水库单独承担防洪任务,三门峡水库按敞泄运用;大于百年一遇洪水,三门峡水库配合小浪底水库防洪运用,即按小浪底水库泄量控制其泄洪。万年一遇洪水的调洪计算结果,三门峡水库最大调洪库容为53亿m^3(1933年型洪水);小浪底的最大调洪库容为40.5亿m^3(1958年型洪水)。因此,小浪底水库主汛期(7～9月)要确保40.5亿m^3的防洪库容。

二、防凌库容

小浪底水库与三门峡水库联合防凌运用,在发挥三门峡水库的防凌作用同时,也要尽量减轻它的防凌运用负担。经分析研究,在黄河上游龙羊峡水库、刘家峡水库调节作用下,黄河下游需要35亿m^3防凌库容,小浪底水库首先承担20亿m^3,必要时三门峡水库承担15亿m^3,运用的机遇大为减少。

三、调水调沙库容

按1919年7月～1997年6月实测资料统计,小浪底水文站年均水量399.4亿m^3,年均输沙量13.39亿t。小浪底水库控制进入黄河下游河道泥沙的98.1%、水量的90.5%,是调节黄河下游水沙的关键工程。水库初期拦沙运用可以大量减少进入黄河下游的泥沙,使下游河道获得巨大的减淤效益。在水库初期拦沙运用中需要进行调水调沙,以提高下游河道的减淤效益,并防止和减少下游河道坍滩展宽和上冲下淤的负面影响;在水库初期拦沙完成进入正常运用时期后,水库“蓄清排浑”运用,为持续发挥对下游减淤作用,需要进行调水调沙和多年调沙运用。因此,小浪底水库需要有一定规模的调水调沙库容。为了合理地选择调水调沙库容的规模,选用2000年设计水平1950～1975年翻番的水沙系列,对水库正常运用时期的调水调沙库容10亿m^3、15.2亿m^3、27亿m^3(相应死水位为 230m、220m、205m)方案进行水库和下游河道泥沙冲淤计算。结果表明,黄河下游 50 年减淤量分别为 84.6 亿 t、87.0 亿 t 和 92.1 亿 t。在基本满足调水调沙要求条件下,为照顾发电效益,选择正常死水位 230m,调水调沙库容 10 亿 m^3 方案,必要时降低至非常死水位 220m,调水调沙库容 15 亿 m^3。

四、兴利库容

小浪底水库要进行供水、灌溉、发电综合利用,需要有调节径流的兴利库容。小浪底水库主汛期调水调沙,调节期调节径流。在主汛期,可以利用调水调沙库容满足兴利要求;在调节期,利用防洪库容进行高水位蓄水,调节径流以满足兴利要求。径流调节计算表明,在 2000 年设计水平来水条件下,非汛期利用防洪库容进行兴利调节可以满足要求。

按照小浪底水库正常运用期 51 亿 m^3 有效库容的分布特点,分布在高程 254m 以上的滩库容有 41 亿 m^3,在高程 254m 以下的槽库容为 10 亿 m^3。为了确保滩库容(防洪库容)不受主汛期调水调沙(包括调控普通洪水)的泥沙淤积影响,主汛期调水调沙(包括调控普通洪水)运用在防洪限制水位 254m 以下的槽库容内进行。

五、拦沙库容

小浪底水库最高蓄水位 275m,原始总库容 126.5 亿 m^3,要求水库后期运用保持长期有效库容 51 亿 m^3,其余 75.5 亿 m^3 库容分为永久性拦沙库容 72.5 亿 m^3 和支流河口拦门沙坎淤堵的支流无效库容 3 亿 m^3。库区支流多,支流库容大(40.7 亿 m^3),而支流水沙量甚少,支流拦沙库容的泥沙淤积靠干流倒灌淤积来完成,而干流倒灌淤积支流,在支流河口段形成具有拦门沙坎的倒锥体淤积形态。支流河口段拦门沙坎淤堵支流库容的大小与水库初期拦沙运用方式关系密切。据已建官厅、刘家峡、三门峡等水库实测资料,若采取一次抬高水位和主汛期高水位蓄水拦沙运用方式,库区支流为深水区异重流倒灌淤积,则支流河口段拦门沙坎高,倒锥体坡陡,淤堵支流库容多,有效拦沙库容减小;若采取逐步抬高主汛期水位拦粗(沙)排细(沙)的拦沙和调水调沙运用方式,库区支流主要为浅水区浑水明流倒灌淤积,和低壅水异重流倒灌淤积,基本上与干流同步淤高,则支流河口段拦门沙坎低,倒锥体坡缓,淤堵支流库容小,有效拦沙库容增大。

通过水库拦沙来减少下游河道淤积是极重要的,也是最有效的途径。因此,要尽可能多地使水库拦沙库容成为有效拦沙库容。

按小浪底水库初期拦沙运用采取逐步抬高主汛期水位拦粗(沙)排细(沙)的拦沙和调水调沙运用方式,对库区支流淤积形态进行了分析计算,算得无效库容为 3 亿 m^3。小浪底水库初期拦沙运用,在库区淤积形成高滩高槽形态时,有效拦沙容积为 80 亿 m^3,剩余有效库容为 43.5 亿 m^3,仍满足防洪、防凌、调水和兴利库容的要求;在库区冲刷形成高滩深槽形态时,有效拦沙容积为 72.5 亿 m^3,剩余有效库容为 51 亿 m^3,可满足防洪、防凌、调水调沙减淤和兴利库容的要求。

六、库容的分配

综上分析,小浪底水库库容的分配为:①总原始库容 126.5 亿 m^3,其中干流原始库容

85.8 亿 m³,占 67.8%;支流原始库容 40.7 亿 m³,占 32.2%。②水库总有效库容 51 亿 m³,其中干流有效库容 34.9 亿 m³,占 68.4%;支流有效库容 16.1 亿 m³,占 31.4%。③水库初期拦沙运用的最大拦沙容积为 80 亿 m³,水库后期运用的永久性拦沙容积为 72.5 亿 m³,其中干流拦沙容积 50.9 亿 m³,占 70.2%;支流拦沙容积 21.6 亿 m³,占 29.8%。④支流河口拦沙坎淤堵库容 3 亿 m³。⑤水库总有效库容 51 亿 m³,其中滩库容 41.0 亿 m³,包括库区干支流滩库容,占 80.4%,供防洪调节(40.5 亿 m³)和兴利调节(41 亿 m³)运用;槽库容 10 亿 m³,占 19.6%,全部为库区干流槽库容,供主汛期调水调沙和多年调沙运用。不考虑库区支流洪水冲开拦门沙坎时出现的槽库容的使用,因调水调沙运用中经常淤塞。小浪底水库原始库容和面积曲线见图 8-1-1。

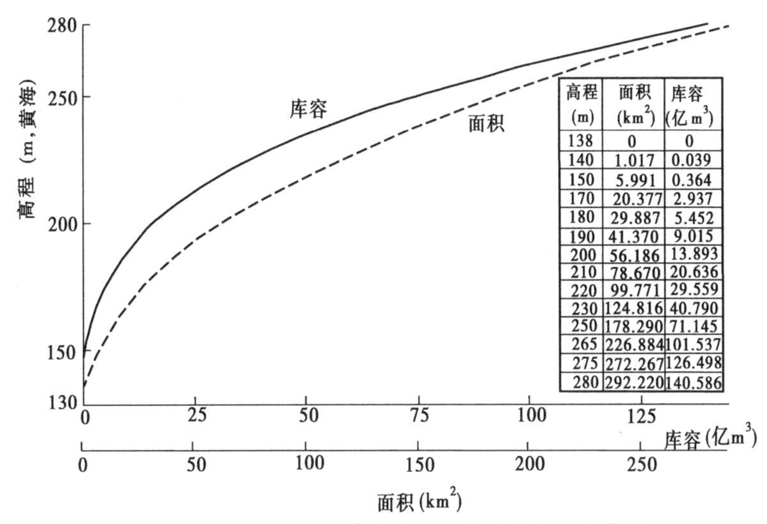

高程(m)	面积(km²)	库容(亿m³)
138	0	0
140	1.017	0.039
150	5.991	0.364
170	20.377	2.937
180	29.887	5.452
190	41.370	9.015
200	56.186	13.893
210	78.670	20.636
220	99.771	29.559
230	124.816	40.790
250	178.290	71.145
265	226.884	101.537
275	272.267	126.498
280	292.220	140.586

图 8-1-1　小浪底水库原始库容和面积曲线

第二节　水库淤积形态

一、库区干流淤积形态计算方法

水库淤积纵剖面一般呈下凹形,有多级坡降,从库尾至坝前坡降沿程变小,淤积物组成沿程变细。水库淤积纵剖面形态及其坡降大小受来水来沙条件、天然河谷形态、河床阻力、岸壁阻力、河流侵蚀基准面升高等因素影响。

小浪底水库与三门峡水库紧相连接,水沙条件基本相同,故其河床淤积纵剖面的形成将类似三门峡水库潼关以下库区;所不同的主要是砂卵石推移质在水库尾部段的淤积以及水库上半段狭谷河段,两岸边壁糙率对淤积比降的影响。

除三门峡水库外,还分析了黄河干、支流上的盐锅峡、青铜峡、天桥、巴家嘴等水库以及其他多沙河流的官厅、闹德海等水库的淤积形态资料,见表 8-2-1。

综合分析已建水库淤积形态,建立了水库淤积形态计算方法,以此计算分析小浪底水库的淤积形态是可靠的。

表 8-2-1　　已建水库淤积形态特征

项目		三门峡(潼关以下)		青铜峡			盐锅峡		三盛公	官厅(三角洲)			闸德海水库	巴家嘴水库	刘家峡(三角洲)
		悬移质淤积段		悬移质淤积段		推移质淤积段	悬移质淤积段	推移质淤积段	悬移质淤积段	悬移质淤积段		推移质淤积段	悬移质淤积段	悬移质淤积段	悬移质淤积段
		下段	上段	下段	上段					下段	上段				
库段长度(km)		60	65	17.2	5.0	6.0	22	6.6	30	9.8	4.3	6.0	18.5	12.5	22
河槽比降(‰)		1.7	2.3	1.7	3.2	6.6	1.7	4.6	1.5～1.7	2.0	2.8	8.8	6.8	3.6	4
河床质中数粒径 D_{50}(mm)		0.084	0.124	0.081	0.175	夹砾卵石	0.072	0.384	0.070～0.095	0.098	0.15	粗砂夹砾卵石	0.077	0.254	
造床流量河槽	造床流量(m^3/s)	6 410		4 500			3 500		5 320	542			274	205	4 460
	水面宽(m)	515	730	450			450		540	270			220	168	400
滩地比降(‰)		1.1		1.0			1.0			2.0			3.5	2.2	
汛期平均	Q(m^3/s)	2 140		1 200			955		1 690	49.3			12.4	6.5	1 310
	ρ(kg/m^3)	56		6.3			0.41		5.8	28.4			38.8	356	4.2
	d_{50}(mm)	0.034		0.037			0.025		0.022	0.029			0.044	0.031 0	0.05
水下边坡系数 m		20		20			10		15	15			6	5	13
水上边坡系数 m		8		10			6		7	7			5	4	5

注：三门峡水库潼关以下库段长度是按河槽中心线距离量算的。

(一)河床和滩地纵比降计算方法

1. 按来水来沙条件和河床边界条件的综合影响计算输沙平衡河床纵比降

(1)水流连续公式:

$$Q = BhV \tag{8-2-1}$$

(2)水流阻力公式:

$$V = \frac{1}{n}h^{2/3}i^{1/2} \tag{8-2-2}$$

(3)水流挟沙力公式:

$$\rho = K\left(\frac{V^3}{gh\omega}\right) \tag{8-2-3}$$

由以上三式联解得:

$$i = K'\frac{Q_{s出}^{0.5}\omega^{0.5}n^2}{B^{0.5}h^{1.33}} \tag{8-2-4}$$

为了计算简便,将 $\omega = f(d_{50}^2)$ 代入式(8-2-4)得:

$$i = K_0\frac{Q_{s出}^{0.5}d_{50}n^2}{B^{0.5}h^{1.33}} \tag{8-2-5}$$

式中　Q——流量,m^3/s;

$Q_{s出}$——出库输沙率,t/s;

d_{50}——悬移质泥沙中数粒径,mm;

B、h——河槽水面宽及平均水深,m;

n——曼宁糙率系数。

式(8-2-5)中,K_0 为经验系数。根据实际资料分析,K_0 与汛期平均来沙系数$(\rho/Q)_入$成反比关系。来沙系数为来水含沙量与来水流量之比,单位为 $kg \cdot s/m^6$。$K_0 \sim (\rho/Q)_入$关系见表 8-2-2。要用实测资料验证,根据实际情况调整。需要指出的是,若水库汛期(排沙期)排全年泥沙,则来沙系数要用汛期(排沙期)出库含沙量与流量之比计算,汛期出库输沙率用全年来沙量除以汛期(排沙期)时间秒数求得,即汛期(排沙期)要将来沙排出,还要将非汛期蓄水拦沙留下的淤积物冲刷排出,以保持年内泥沙冲淤平衡。

表 8-2-2　　经验系数 K_0 与来沙系数$(\rho/Q)_入$关系

$(\frac{\rho}{Q})_入$	<0.001	0.001~0.004	0.004~0.007	0.007~0.01	0.01~0.04	0.04~0.10	0.10~0.20	0.20~0.40	0.40~0.60	0.60~1.4	1.4~2.8	2.8~6.2	6.2~10
K_0	980	840	510	310	176	140	112	84	62	45	34	22	17

2. 按侵蚀基准面升高的影响计算输沙平衡河床纵比降

侵蚀基准面上升愈高,影响范围愈远,沿程泥沙淤积的水力分选作用愈显著,河床纵比降沿程变化也愈显著。

(1)根据三门峡水库及盐锅峡、青铜峡、官厅等水库资料,河床纵比降沿程变化与河床淤积物组成沿程变化有同步关系。对于水库河床纵剖面比降沿程变化有以下计算式:

对于淤积物颗粒较粗的河床

$$i = i_0 e^{-0.022L_1 - 0.010\,9L_n} \tag{8-2-6}$$

对于淤积物颗粒较细的河床

$$i = i_0 e^{-0.032\,2L_1 - 0.012\,6L_n} \tag{8-2-7}$$

式中 L_1——水库尾部段长度,计算断面位于尾部段内时,为距尾部段起始断面距离,计算断面位于尾部段外时,为尾部段长度,km;

L_n——起始断面距水库尾部段起始断面的距离,无论计算断面位于尾部段内外,km;

i_0——库区原河道平均比降。

所谓淤积物颗粒较粗,是指受砂卵石或粗沙推移质淤积影响较大;所谓淤积物颗粒较细,是指受砂卵石或粗沙推移质影响较小。

(2)从侵蚀基准面升高对库区河床悬移质淤积物组成的影响来计算比降,有以下关系:

$$i = 0.001D_{50}^{0.7} \tag{8-2-8}$$

式中 D_{50}——床沙的中数粒径,mm。

(3)从河流纵剖面上下河段比降相关关系来计算比降:

$$i_{下} = 0.054i_{上}^{-0.67} \tag{8-2-9}$$

3.库区滩面淤积比降

滩面比降与水库运用的造滩水流条件有关,若主要是滞洪运用淤积形成滩地,与滞洪流量有关;若主要是主汛期拦沙淤积形成滩地,与主汛期造滩平均流量有关。分析实际资料,可以得出下面的计算公式:

$$i_{滩} = \frac{50 \times 10^{-4}}{\overline{Q}_{洪}^{\ 0.44}} \tag{8-2-10}$$

式中 $\overline{Q}_{洪}$——滞洪淤积造滩洪峰平均流量,或为主汛期拦沙淤积造滩平均流量,m^3/s。

(二)河床纵剖面形态计算

1.水库淤积长度

水库淤积长度为:

$$L_{淤} = 0.485\left(\frac{H_{淤}}{i_0}\right)^{1.1} \tag{8-2-11}$$

式中 $L_{淤}$——水库淤积长度,m;

$H_{淤}$——坝前(坝区大漏斗域进口断面)淤积厚度或侵蚀基准面上升高度,m;

i_0——库区原河道平均比降。

2.库区分段淤积物中数粒径和分段库长关系

库区河床淤积物组成与水库侵蚀基准面升高有密切关系,受水力分选作用影响,库区由上而下淤积物沿程变细。

坝前段河床和滩地淤积物中数粒径按下式计算:

$$\lambda_D = \frac{D_1}{D_0} = 0.059 \times 10^{-4}\,\frac{1}{(i_0)^{1.86}(H_{淤})^{1.14}} \tag{8-2-12}$$

式中　D_1——坝前段河床或滩地淤积物中数粒径，mm；

D_0——原河道河床或滩地淤积物中数粒径，mm。

根据三门峡、盐锅峡、青铜峡、官厅等水库资料，淤积物和分段库长关系如表 8-2-3 所示。

表 8-2-3　水库分段淤积物和分段库长关系

库段项目	悬移质淤积段			推移质淤积段
	坝前段	第二段	第三段	尾部段
淤积物中数粒径 D_{50}(mm)	D_1（按式(8-2-12)计算）	$D_2=1.34D_1$	$D_3=1.11D_2$；$D_3=1.54D_2$	$D_{尾}=(0.5\sim0.6)D_0$
库段长度(km)	$L_1=0.26L_{淤}$	$L_2=0.26L_{淤}$	$L_3=0.48L_{淤}$；$L_3=0.36L_{淤}$	$L_4=0.12L_{淤}$

表 8-2-3 中：对于尾部段为悬移质泥沙淤积的水库，第三段即为尾部段，其淤积物 $D_3=1.11D_2$，库段长度为 $L_3=0.48L_{淤}$。对于尾部段主要为推移质淤积的水库，第三段为悬移质淤积物，$D_3=1.54D_2$，库段长度 $L_3=0.36L_{淤}$；第四段为水库尾部段（推移质淤积段），$D_{尾}=(0.5\sim0.6)D_0$，库段长度 $L_4=0.12L_{淤}$。

3. 河床淤积物中数粒径沿程变化计算

根据三门峡、盐锅峡、青铜峡、官厅等水库河床淤积物实测资料，可得河床淤积物中数粒径沿程变化的计算公式。

(1)对于推移质淤积的水库尾部段计算：

$$D_i = D_a e^{-0.0422L_i} \tag{8-2-13}$$

式中　D_i——距尾部段起始断面距离 L_i(km)处的淤积物中数粒径，mm；

D_a——尾部段起始断面原河床淤积物中数粒径，mm。

(2)对于悬移质泥沙淤积的沙质河床计算：

$$D_i = D_a e^{-0.0109L_i} \tag{8-2-14}$$

式中　D_i——距水库悬移质泥沙淤积的沙质河床起始断面距离 L_i(km)处的淤积物中数粒径，mm；

D_a——水库悬移质泥沙淤积的沙质河床起始断面淤积物中数粒径，mm。

(三)库区糙率计算

库区糙率计算有多种方法，根据小浪底水库具体情况，主要方法有以下三种：

(1)库区综合糙率系数要考虑河床淤积物和河谷形态的影响，在狭谷段还要考虑岸壁糙率影响。

根据已建水库的实测水面线、河床断面形态、河床组成、河谷平面形态和岸壁组成，推求得到不同库段的综合糙率计算关系，见表 8-2-4。

表 8-2-4 综合糙率系数计算$\left(n=-a\lg\frac{B}{h}+b\right)$关系(非壅水和壅水)

宽深比	河床组成					
	细沙河床	中沙河床	粗沙河床	粗沙夹少量细砾	粗沙夹少量砾卵石	细颗粒砂卵石河床
$\frac{B}{h}<135$	$a=0.0267$ $b=0.0700$	$a=0.0285$ $b=0.0747$	$a=0.0305$ $b=0.0800$	$a=0.0325$ $b=0.0853$	$a=0.0345$ $b=0.0906$	$a=0.0365$ $b=0.0959$
$\frac{B}{h}\geqslant135$	$n=0.013$	$n=0.014$	$n=0.015$	$n=0.016$	$n=0.017$	$n=0.021$

(2)方宗岱等分析黄河上、中、下游干流河段水文站断面(多数为沙质河床)的糙率系数与河槽形态的资料,建立综合糙率系数计算式:

$$n=\frac{0.0507}{\left(\frac{\sqrt{B}}{h}\right)^{0.61}} \tag{8-2-15}$$

(3)豪登-爱因斯坦式:

$$n=\left(\frac{P_s n_s^{3/2}+P_w n_w^{3/2}}{P}\right)^{2/3} \tag{8-2-16}$$

式中 n——综合糙率系数;

n_s——河床糙率系数,沙质河床糙率系数按 $n_s=0.052D_{50}{}^{1/6}$计算,砂卵石河床糙率系数按 $n_s=0.051D_{50}{}^{1/6}$计算;粒径 D 的单位为 m;

n_w——岸壁糙率;小浪底库区干流河谷岸壁主要为山岩石壁,上半库段为狭谷,下半库段为宽谷,局部狭窄,较平整,少林草。经河、库实测资料验证计算,得分级岸壁糙率,一般分五级:$(B/h)<30$,取 $n_w=0.10$;$(B/h)<50$,取 $n_w=0.06$;$(B/h)<80$,取 $n_w=0.03\sim0.04$;$(B/h)<110$,取 $n_w=0.02$;$(B/h)<135$,取 $n_w=n_s$;$(B/h)>135$,不考虑岸壁糙率;

P_s、P_w、P——河床湿周、岸壁湿周、总湿周长度,m。

(四)河槽形态计算

库区淤积形态,从横断面上看,具有高滩深槽的特征,它由明渠河槽和调蓄河槽两部分组成,明渠河槽为水库河道性水流河槽,调蓄河槽为水库调水调沙及滞洪、蓄水的壅水水流河槽。

1. 明渠河槽

(1)对于库区由悬移质泥沙淤积形成河槽和滩地的新河道,统计分析冲积河流水库和河道的资料,可以自由变化的河道,河槽水力要素按下列概化式计算:

$$\left.\begin{aligned} B&=38.6Q^{0.31}\\ h&=0.081Q^{0.44}\\ A&=3.12Q^{0.75}\\ v&=0.32Q^{0.25}\end{aligned}\right\} \tag{8-2-17}$$

如果受到河谷一定的影响,水面宽受到一定的约束,不能完全自由变化,则在保持式(8-2-17)中过水断面面积与流量关系和流速与流量关系不变的条件下,调整水面宽和水深,使河槽变窄深,具体的调整变化,依水面宽受约束程度不同而异。例如:河谷宽小于式(8-2-17)计算造床流量河宽的 1.4 倍,水面宽受一定约束影响时,$B=36.5Q^{0.31}$,$h=0.085Q^{0.44}$;河谷宽小于式(8-2-17)计算造床流量河宽的 1.2 倍,水面宽受较大约束影响时,$B=34.9Q^{0.31}$,$h=0.089Q^{0.44}$;河谷宽小于式(8-2-17)计算造床流量河宽的 1.0 倍,水面宽受更大约束影响时,$B=29.8Q^{0.31}$,$h=0.105Q^{0.44}$;当水面宽完全受河谷限制,则水面宽等于河谷宽,按流量过水面积相同而增大水深。

(2)对于河谷狭窄库尾的砂卵石推移质淤积的河床,河槽水力要素按下列式计算:

$$\left.\begin{aligned} B &= 24.8Q^{0.28} \\ h &= 0.304Q^{0.33} \\ A &= 7.54Q^{0.61} \\ v &= 0.133Q^{0.39} \end{aligned}\right\} \tag{8-2-18}$$

2. 调蓄河槽

调蓄河槽系自造床流量塑造的明渠河槽水面宽度处向上起岸坡,两岸岸坡平均采取 1∶5(竖∶横),直至滩面。

3. 造床流量计算

(1)钱意颖等统计冲积河流的平滩流量与汛期平均流量的关系,求得以平滩流量表示的造床流量的计算式:

$$Q_{造} = 7.7\overline{Q}_{汛}{}^{0.85} + 90\overline{Q}_{汛}{}^{0.33} \tag{8-2-19}$$

(2)根据已建水库明渠河槽实测资料,得到造床流量与汛期平均流量的关系式:

$$Q_{造} = 56.3\overline{Q}_{汛}{}^{0.61} \tag{8-2-20}$$

二、库区支流淤积形态计算方法

小浪底库区支流来水来沙很少,只有短时间暴雨洪水,因此库区支流的泥沙淤积主要是干流倒灌支流淤积。倒灌淤积形态有两个特点,一是在支流河口段形成拦门沙坎及其倒锥体淤积形态,这是干流倒灌支流的泥沙水力分选作用及水流阻力作用产生的结果;二是在倒锥体以远的支流回水区形成接近水平的淤积。

(一)倒锥体淤积坡降计算

倒锥体淤积坡降与淤积物组成和口门淤积厚度等有关,根据三门峡、官厅、刘家峡等水库及长江某盲肠河道的资料,倒锥体坡降与淤积物中数粒径的关系见表 8-2-5。

由表 8-2-5 中资料所示,建立倒锥体坡降计算式为:

$$i_{倒} = 1.42D_{50}{}^{1.64} \tag{8-2-21}$$

式中　D_{50}——淤积物中数粒径,mm。

当 $D_{50}<0.008$mm 时,取 $i_{倒}=6‱$。

倒灌淤积的拦沙坎愈高,在倒锥体淤积区域内,更多泥沙和较粗泥沙更易在近处落淤,较远区域的泥沙淤积较少,且淤积颗粒较细。故倒灌淤积的拦沙坎愈高,倒锥体淤积区淤积物中数粒径愈粗,倒锥体淤积坡降愈大。

表 8-2-5 倒锥体坡降与淤积物中数粒径关系

项目	三门峡水库	官厅水库	长江	刘家峡水库洮河倒灌干流		
	南涧河	妫水河	某盲肠河道	倒锥体上段	倒锥体下段	平均值
淤积物中数粒径 D_{50}(mm)	0.035	0.014	0.040	0.023	0.012	0.016
倒锥体坡降(‰)	65	13.8	75	28.6	9.9	15.2

(二)倒锥体淤积高差计算

倒锥体淤积高差是指倒锥体以下支流内淤积面低于支流河口拦门沙坎淤积面的高差,支流河口淤积面与干流淤积滩面基本相平(干流狭谷段无滩,则与干流淤积河底基本相平)。由表 8-2-5 的水库和河道资料,得到主要为异重流倒灌淤积形成的支流河口段倒锥体淤积高差的计算式:

$$\Delta H_{倒} = 2.51 H_{口门淤}^{0.28} \tag{8-2-22}$$

式中 $\Delta H_{倒}$——支流内淤积面与支流河口拦沙坎淤积面的高差,m;

$H_{口门淤}$——支流河口淤积厚度,m。

主要为浑水明流倒灌淤积形成的倒锥体淤积高差,要比主要为异重流倒灌淤积形成的倒锥体淤积高差小。官厅水库妫水河为干流异重流倒灌淤积,三门峡水库南涧河主要为干流浑水明流倒灌淤积,故南涧河的倒锥体淤积高差比妫水河小。因此,对于主要为浑水明流倒灌淤积形成的倒锥体淤积高差的计算,则为:

$$\Delta H_{倒} = 1.25 H_{口门淤}^{0.28} \tag{8-2-23}$$

(三)库区支流淤积平衡形态计算

1. 支流拉槽冲刷计算

水库逐步抬高主汛期水位拦沙淤积抬高阶段,库区干、支流均为全断面平行淤高。水库降低水位冲刷下切干流河槽后,遇支流洪水亦将逐渐冲刷下切支流河槽,使支流来水畅流入干流。

对于库区支流河槽的冲刷下切,用官厅水库降低水位冲刷的资料,得到如下计算式:

$$\Delta h_{冲} = 0.375 \times 10^{-4} \left(\frac{Qi}{D_{50}}\right)^{0.52} \tag{8-2-24}$$

式中 $\Delta h_{冲}$——支流河口拦沙坎断面平均冲刷下切强度,m/d;

Q——流量,m^3/s;

i——水面比降;

D_{50}——河床淤积物中数粒径,mm。

2. 支流河槽形态计算

库区支流天然河床为砂卵石河床,水库拦沙淤积后塑造为沙质河床的明渠河槽,河槽水力要素按下列式计算:

(1)较大支流(造床流量 $100m^3/s$ 以上)

$$\left.\begin{aligned} B &= 25.8Q^{0.31} \\ h &= 0.121Q^{0.44} \\ A &= 3.122Q^{0.75} \\ v &= 0.32Q^{0.25} \end{aligned}\right\} \tag{8-2-25}$$

(2)较小支流(造床流量 100m³/s 以下)

$$\left.\begin{aligned} B &= 14.19Q^{0.31} \\ h &= 0.22Q^{0.44} \\ A &= 3.122Q^{0.75} \\ v &= 0.32Q^{0.25} \end{aligned}\right\} \tag{8-2-26}$$

支流造床流量塑造的明渠河槽以上为调蓄河槽,调蓄河槽边坡系数亦为 5。

3. 支流淤积比降计算

库区支流淤积比降,是指水库长期运用后支流逐渐形成与自身来水来沙条件相适应的输沙平衡纵剖面比降。它由两部分构成,支流库区尾部段形成砂卵石推移质淤积段,其以下为悬移质淤积段。

支流库区尾部段砂卵石推移质淤积比降按原河床比降的 0.3 倍计算。悬移质淤积段比降按以下关系计算,其相应关系如图 8-2-1 所示。

$$\lambda_i = \frac{i}{i_0} = f(i_0^{0.56} H_{淤}^{0.68}) \tag{8-2-27}$$

式中　i_0——原河道比降;

i——淤积比降;

H——支流河口淤积厚度,m。

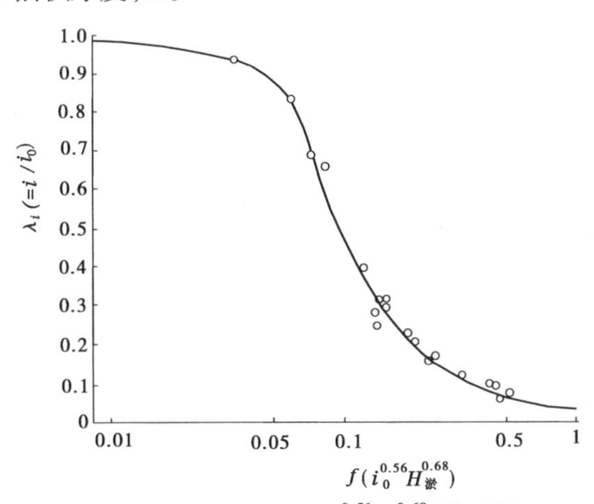

图 8-2-1　$\lambda_i(=i/i_0) \sim f(i_0^{0.56}H_{淤}^{0.68})$关系图

第三节　水库淤积形态设计

水库初期运用拦沙完成后,进入后期正常运用时期,达到悬移质输沙平衡。砂卵石推移质都分别淤积在库区干支流尾部段。水库淤积形态主要是由库区悬移质淤积平衡形态和库尾段砂卵石推移质淤积形态两部分组成。

一、淤积形态设计条件

淤积形态设计条件应满足以下几个方面。

(1)设计水沙条件。水库非汛期蓄水拦沙,汛期调水调沙,在多年调沙的周期内保持库区冲淤平衡。库区冲淤平衡形态取决于汛期水沙条件,在 2000 年设计水平 6 个 50 年系列中,选择比 6 个 50 年系列汛期平均值较小的汛期平均流量、较大的汛期平均含沙量及较小的造床流量作为设计水库冲淤平衡形态的水沙条件,见表 8-3-1。

表 8-3-1　冲淤平衡形态设计水沙条件

设计条件	流量 (m^3/s)	含沙量 $\rho_{出}$ (kg/m^3)	输沙率 $Q_{s出}$ (t/s)	悬移质泥沙中数粒径 $d_{50出}$ (mm)
较小汛期平均流量	1 240	102	126	0.041
较小造床流量	4 220	200	844	0.034

注:表中泥沙中数粒径系粒径计法分析成果。如用吸管法(光电仪法)分析泥沙颗粒级配则按换算关系计算。

(2)库区新河道侵蚀基准面高程为水库正常死水位 230m,主汛期限制水位 254m(防洪限制水位)。

(3)水库正常运用期形成高滩深槽平衡形态,坝前滩面平均高程 254m,坝前(冲刷漏斗域进口)河底平均高程 226.3m。

(4)考虑水库尾部段形成推移质淤积 200 年的淤积体,在近期则余地较大。

二、库段划分和库段特征

(一)库段划分

在汛期正常死水位 230m 运用下,各库段河谷约束水流情况见表 8-3-2。

表 8-3-2　水库运用水位 230m 时河谷约束水流情况

流量级 (m^3/s)		项目	库段					
			坝前段	八里胡同段	石渠段	垣曲段	安窝段—槐中村段	尾部段(砂卵石河床)
自然河谷		库段长度(km)	30	4.1	24.2	14	40.5	15
		河谷宽度(m)	1 230	352	790	1 180	415	320
水库冲淤平衡河槽	1 240(汛期平均流量)	水面宽(m)	350	350	350	350	350	320
		平均水深(m)	1.86	1.86	1.86	1.86	1.86	2.04
		过水面积(m^2)	651	651	651	651	651	651
	4 220(造床流量)	水面宽(m)	510	352	510	510	415	320
		平均水深(m)	3.2	4.64	3.2	3.2	3.93	5.1
		过水面积(m^2)	1 632	1 632	1 632	1 632	1 632	1 632

注:尾部砂卵石河槽岸坡按 1:5 计。水面宽受河谷限制,则加大水深。

在造床流量条件下，安窝段以上有河谷约束水流的影响，而近坝段有八里胡同约束水流。三门峡大坝至小浪底大坝河段长 131.1km（河槽中心线），砂卵石河床，平均坡降 11‱。水库死水位 230m，汛期平均流量 1 240m^3/s 和造床流量 4 220m^3/s 的自然河道水位分别为 135.74m 和 137.88m，二者平均为 136.81m。按此条件计算，水库侵蚀基准面分别升高 94.26m 和 92.12m，平均为 93.19m，此即水库形成新平衡河床纵剖面的坝前淤积厚度。按式(8-2-11)计算水库淤积长度分别为 129.4km 和 126.2km，平均为 127.8km。按表 8-2-3 中的分段库长关系，计算 4 个库段分段长度各为 33.23km、33.23km、46.0km、15.34km。

根据表 8-3-2 所示河谷约束水流的情况，结合上述计算结果，将库区分成 4 个库段，即坝前至八里胡同段，库段长 33km；八里胡同至垣曲段，库段长 33km；垣曲至槐中村段，库段长 46.6km；尾部段，库段长 15km。水库冲淤平衡河床纵剖面长度平均为 127.6km。

（二）分段淤积物中数粒径和分段综合糙率系数

小浪底水库自然河床为砂卵石组成，覆盖层深，上游段自然河床淤积物中数粒径与坝址段自然河床淤积物中数粒径基本相同，为 $D_{50}=10\sim12$mm。采用可动层平均中数粒径 $D_{50}=8\sim10$mm，作为库区自然河床砂卵石淤积物平均中数粒径代表。自然滩地淤积物平均中数粒径采用 $D_{50}=7\sim9$mm 作为代表。在推移质淤积段以下的悬移质淤积段的沙质河床起始断面的粗泥沙淤积物平均中数粒径，参考青铜峡、盐锅峡、官厅等水库资料，并结合黄河中游府谷河段、龙门河段粗泥沙淤积物情况，淤积物中数粒径 $D_{50}=0.30\sim0.36$mm，小浪底水库位于三门峡水库下游，采用 0.36mm。库尾推移质淤积物和库区悬移质淤积段的分段淤积物中数粒径的计算是分别采用表 8-2-3 中的分段淤积物计算方法和式(8-2-12)～式(8-2-14)计算的，综合结果如下：

(1)坝前段：$D_{50}=0.096\sim0.107$mm；

(2)第二段：$D_{50}=0.128\sim0.154$mm；

(3)第三段：$D_{50}=0.197\sim0.241$mm；

(4)尾部段：$D_{50}=4.95\sim6.68$mm。

库区分段综合糙率系数，分两级流量考虑，即 4 200m^3/s 以下流量和 4 200m^3/s 以上流量。分别采用表 8-2-4 中方法和式(8-2-15)及式(8-2-16)计算，经综合分析，小浪底水库各库段的综合糙率系数和淤积物中数粒径如表 8-3-3 所示。

表 8-3-3　库区分段淤积物及分段综合糙率

项目		库段			
		坝前段	第二段	第三段	尾部段
库段长度(km)		33.3	33.3	46.1	15.3
河床淤积物中数粒径(mm)		0.105	0.141	0.219	5～7
综合糙率系数 n	$Q<4\ 200m^3/s$	0.012	0.014	0.015	0.021
	$Q\geq4\ 200m^3/s$	0.013	0.015	0.018	0.026

三、库区干流冲淤平衡纵剖面形态设计

小浪底水库上半段62km河谷狭窄,河谷宽320~420m,不能形成高滩地,小水时有犬牙交错小边滩出现,流量较大时即被冲刷;水库下半段69km,河谷较宽阔,河谷宽800~1 400m,除八里胡同(4km长)狭谷段无滩地外,其他库段形成高滩地,主要由水库逐步抬高主汛期水位拦沙和调水调沙运用逐步淤高形成高滩高槽,水库滞蓄洪水淤积时会加快滩地的淤高。在此造滩条件下库区滩地淤积物中数粒径和滩地纵比降,分别按式(8-2-12)和表8-2-3方法及式(8-2-8)计算。这样计算得,坝前段和第二段滩地淤积物中数粒径分别为0.07mm和0.093mm,滩地比降分别为1.55‰和1.9‰,两者接近,取平均值,水库下半段滩地淤积物平均中数粒径0.081mm,滩地平均比降1.7‰;按主汛期逐步抬高水位拦沙和调水调沙造滩平均流量2 300m³/s计算,用式(8-2-10)计算,滩地比降$i=50\times10^{-4}/\overline{Q}^{-0.44}=1.7‰$。因此,采用小浪底水库下半段库区滩地纵比降为1.7‰。

库区干流河床冲淤平衡河床纵剖面比降分别按式(8-2-6)~式(8-2-9)综合算得:坝前段,$i=1.75‰\sim2.17‰$;第二段,$i=2.54‰\sim2.66‰$;第三段,$i=3.45‰\sim4.40‰$;第四段,$i=5.63‰\sim8.3‰$。

按式(8-2-5)的水流输沙的水力条件和水流阻力条件综合影响计算汛期平均流量和造床流量下河床冲淤平衡纵剖面比降,见表8-3-4。坝前段,比降2.06‰~2.20‰;第二段,比降2.96‰~2.93‰;第三段,比降3.39‰~3.58‰;第四段,比降6.15‰~5.99‰。

表8-3-4 小浪底水库干流冲淤平衡河床纵剖面比降计算($i=K_0\dfrac{Q_{s出}^{0.5}d_{50}n^2}{B^{0.5}h^{1.33}}$)

流量(m³/s)	库段	长度(km)	K_0	$Q_{s出}$(t/s)	n	d_{50}(mm)	B(m)	h(m)	计算i(‰)	采用i(‰)
1 240(汛期平均)	第一段	33	140	126	0.012	0.041	350	1.86	2.06	2.0
	第二段	33	140	126	0.014	0.041	350	1.86	2.96	2.9
	第三段	46.6	140	126	0.015	0.041	350	1.86	3.39	3.5
	第四段	15	140	126	0.021	0.041	320	2.04	6.15	6.0
4 220(造床流量)	第一段	33	140	844	0.013	0.034	510	3.2	2.20	2.0
	第二段	33	140	844	0.015	0.034	510	3.2	2.93	2.9
	第三段	46.6	140	844	0.018	0.034	420	3.9	3.58	3.5
	第四段	15	140	844	0.026	0.034	320	5.1	5.99	6.0

注:第一段为坝前段,第四段为库尾推移质淤积段。

综上计算分析,设计采用的小浪底水库干流冲淤平衡河床和滩地纵剖面形态见图8-3-1及表8-3-5。坝前段33km,河床纵比降2‰;第二段33km,河床纵比降2.9‰;第三段46.6km,河床纵比降3.5‰;尾部砂卵石推移质淤积段15km,河床纵比降6‰。全库区平均河床纵比降3.25‰,第一及至第二段平均滩地纵比降1.7‰。

表8-3-5所示是主汛期造床流量4 220m³/s的平均河槽的河底纵剖面和逐步抬

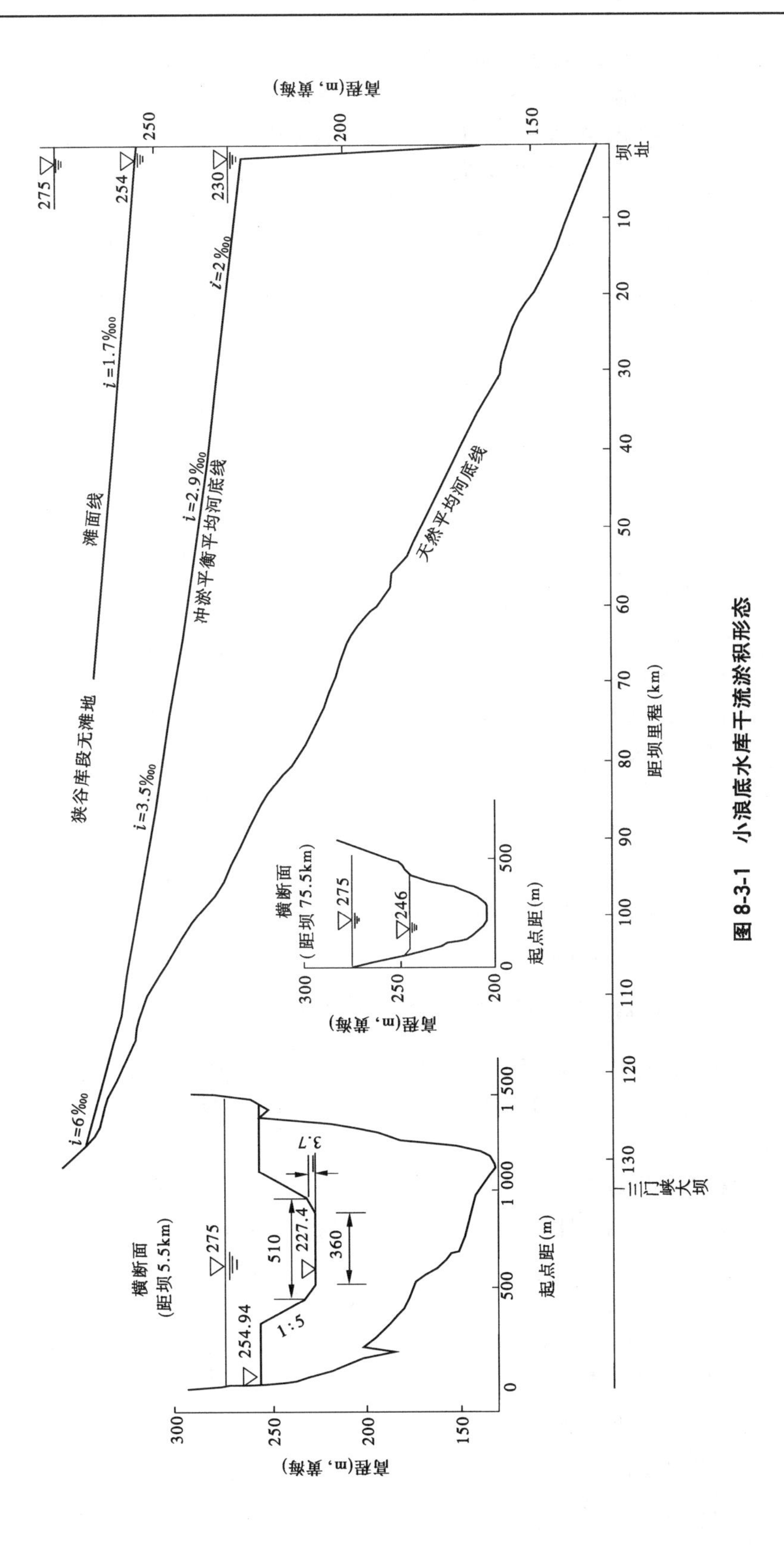

图 8-3-1　小浪底水库干流淤积形态

高主汛期水位拦沙和调水调沙运用淤积造滩的滩地纵剖面，它相应于水库正常运用期死水位230m和主汛期限制水位254m的干流淤积平衡纵剖面形态。

表8-3-5 小浪底水库干流冲淤平衡河床纵剖面形态设计（正常死水位230m；高程系统：黄海）
（按造床流量 $Q=4\ 220m^3/s$ 计算）

库段	坝前段		第二段		第三段		尾部段		三门峡坝下尾水断面
库段长度(km)	33.0		33.0		46.6		15.0		（自然河道）
滩地纵比降(‰)	1.7		1.7		无滩		无滩		
河底纵比降(‰)	2.0		2.9		3.5		6.0		
距坝里程(km)	0	33.0	33.0	66.0	66.0	112.6	112.6	127.6	131.1
水位(m)	230.0	236.6	236.6	246.2	246.2	263.3	263.3	273.3	282.9
河底高程(m)	226.3	232.9	232.9	242.5	242.5	258.8	258.8	267.8	277.4
滩面高程(m)	254.0	259.6	259.6	265.2	265.2	无滩	无滩	无滩	

注：1.水库狭谷段小水时有犬牙交错边滩。

2.三门峡大坝距小浪底大坝131.1km，按河槽长度量算。

3.按造床流量 $4\ 220m^3/s$ 计算河槽形态，狭谷段水面宽受河谷限制，则加大水深满足过水断面面积要求。

4.表中水深为采用梯形断面的水深。

小浪底水库正常死水位230m运用的冲淤平衡河床纵剖面长度127.6km，末端尚距离三门峡尾水断面3.5km，而且水库尾部段的砂卵石推移质淤积段长度15km，是按200年以上累积堆积发展的结果，是远景状态。因此，水库正常运用期完全可以利用槽库容在主汛期进行调水调沙运用，主汛期运用水位在230～254m之间变化，不会影响三门峡尾水位。小浪底水电站初步设计装机1 560MW，招标设计（技术设计）扩增为1 800MW，其主要根据是水库主汛期调水调沙运用水位在230～254m间变化，平均运用水位为245～246m，比死水位230m运用提高了发电水头，可以扩大装机规模。

四、库区干流冲淤平衡河床纵剖面形态论证

采用中国水利水电科学研究院韩其为院士研究的水库平衡形态计算方法，对小浪底水库淤积平衡纵剖面形态进行分析计算，与小浪底水库干流淤积纵剖面形态设计相对比，结果是近似的。

（一）水库相对平衡坡降

当满足输沙纵向平衡条件时，水库相对平衡坡降计算公式为：

$$J_k = 3.37 \times 10^{-6} \frac{n_1^2 B_1^{0.5} \omega^{0.83} W_s^{0.77}}{Q_1^{1.27} T^{0.77}} \tag{8-3-1}$$

式中 J_k——水库相对平衡坡降；

n_1——曼宁糙率系数；

B_1——第一造床流量水面宽，m；

ω——泥沙沉速，m/s；

Q_1——第一造床流量，m^3/s；

W_s——水库排沙期输沙量，亿 t；

T——排沙期天数。

1. 第一造床流量

如果坡降相同，用一个固定流量代替变动流量过程，可达到输走同样来沙的效果，则这一固定流量即可称为第一造床流量。计算公式为：

$$Q_1 = \left(\sum \frac{Q_i^2 t_i}{T} \right)^{\frac{1}{2.5}} \tag{8-3-2}$$

式中　Q_i——分级流量，m^3/s；

t_i——分级流量出现天数；

T——排沙期天数，$T = \sum t_i = 92$ 天（小浪底水库排沙期为主汛期 7～9 月）。

将小浪底水库主汛期入库流量过程代入式（8-3-2），得 $Q_1 = 2\ 286 m^3/s$。

2. 输沙量 W_s

排沙期应排走的沙量为：

$$W_s = \lambda_1 (W_{s.0} - W_{s.1}) + (W_{s.1} - \lambda_2 W_{s.1}) \tag{8-3-3}$$

式中　$W_{s.0}$——多年平均悬移质来沙量，亿 t；

$W_{s.1}$——排沙期的来沙量，亿 t；

λ_1——蓄水期水库泥沙淤积百分数；

λ_2——排沙期水库泥沙淤积百分数。

小浪底水库调节期蓄水运用，泥沙全部淤积，$\lambda_1 = 1$，$\lambda_1(W_{s.0} - W_{s.1})$为蓄水期淤积量，这部分淤积量应在排沙期冲走。排沙期入库泥沙应全部排出，$\lambda_2 = 0$。则排沙期 7～9 月应排走的沙量即为小浪底水库多年平均悬移质来沙量，按设计水平 1950～1975 + 1950～1975年系列，$W_{s.0} = 13.35$ 亿 t。

3. 糙率系数 n

水库综合糙率系数要考虑河床淤积物和河谷形态的影响，在狭谷段要考虑岸壁糙率。

河床糙率系数采用下式计算：

$$n_1 = \frac{D^{\frac{1}{6}}}{6.5\sqrt{g}} \left(\frac{h}{D} \right)^{\frac{1}{6} - \frac{1}{4 + \lg\left(\frac{h}{D}\right)}} \tag{8-3-4}$$

式中　n_1——河床糙率；

h——平衡水深，m；

D——河床质泥沙中数粒径，mm；

$\left(\frac{h}{D} \right)^{\frac{1}{6} - \frac{1}{4 + \lg\left(\frac{h}{D}\right)}}$——沙波影响项，若不考虑沙波，$n_1 = 0.049 D^{\frac{1}{6}}$。

边壁糙率，峡谷段 $n_w = 0.10$，非峡谷段 $n_w = 0.025 \sim 0.06$。

用前述豪登－爱因斯坦公式计算综合糙率系数，其余各项同设计条件。算得库区四段平衡比降见表 8-3-6。

（二）计算结果比较

上述结果与设计值相比，第一段的比降和设计值相同，第二段、第三段的比降比设计值小，第四段的比降比设计值大，全库区平均比降3.08‱与设计全库区平均比降3.25‱相近，经过不同方法计算检验，可见设计的水库干流淤积平衡河床纵剖面形态是合理的。

表 8-3-6　小浪底水库干流淤积平衡河床纵剖面比降计算

河段	长度(km)	W_s(亿t)	Q(m^3/s)	T(d)	n	B(m)	ω(m/s)	D_{50}(mm)	J_k(‱)
第一段	33.3	13.35	2 286	92	0.011 8	424	0.000 41	0.105	2.0
第二段	33.0	13.35	2 286	92	0.013 3	424	0.000 41	0.141	2.6
第三段	46.6	13.35	2 286	92	0.015 1	350	0.000 41	0.217	3.0
第四段	15.0	13.35	2 286	92	0.024 7	250	0.000 41	5.0	6.8

注：第一、二段河槽宽度按公式 $B=38.6Q^{0.31}$ 计算，第三、四段为实际狭窄河谷宽度。

五、水库淤积末端的影响分析

以上说明了小浪底水库后期即正常运用时期在正常死水位230m运用下的输沙平衡河床纵剖面，在考虑了200年的尾部段推移质淤积条件下，水库淤积末端距三门峡坝下尚有3.5km，不影响三门峡坝下水位。但是，水库在初期“拦沙和调水调沙”运用时期和在后期“蓄清排浑和调水调沙”运用，需要研究水库在形成高滩高槽时的淤积末端对三门峡坝下水位的影响问题；需研究水库在调节期最高蓄水位运用时的淤积末端对三门峡坝下水位的影响问题；需要研究水库在特大洪水(万年一遇洪水)防洪运用时的淤积末端对三门峡坝下水位的影响问题。只有在这些运用下水库淤积末端都不影响三门峡坝下水位，才满足小浪底水库安全运用的设计条件。

(一)水库调节期最高蓄水位的淤积末端影响分析

2000年设计水平1919～1975年56年系列，龙门、华县、河津、洑头四站非汛期平均来沙量1.36亿t，其中有25年(概率45%)来沙大于1.33亿t，年平均2.03亿t；有9年(概率16%)来沙大于2亿t，年平均2.75亿t；有6年(概率11%)来沙大于2.6亿t，平均3.02亿t。龙门至潼关河段非汛期平均0.45亿t。因此，三门峡水库非汛期平均入库沙量1.81亿t(潼关)，平均来沙大于等于2.48亿t的概率为45%，平均来沙大于等于3.2亿t的概率为16%，平均来沙大于等于3.47亿t的概率为11%。在三门峡水库非汛期315m水位(2月防凌运用时蓄水位高于315m)蓄水拦沙运用条件下，小浪底水库非汛期来沙量显著减少，平均来沙量0.51亿t，来沙量1.0亿～1.47亿t的有6年，来沙量0.50亿～0.90亿t的有20年，30年非汛期来沙量小于0.5亿t。小浪底水库非汛期高水位蓄水运用来沙全部淤积在水库；10月份提前蓄水拦沙，10月份的平均淤积0.4亿～0.5亿t，最大淤积1.4亿～1.5亿t。故小浪底水库调节期10月～来年6月平均淤积0.93亿t，最大淤积2.3亿t。在调节期淤积的泥沙70%～80%淤积在水库上段，形成三角洲淤积体，其余20%～30%淤积在水库中、下段，形成带状淤积体。经计算，水库调节期平均淤积和最大淤积时允许的最高蓄水位的淤积末端特征见表8-3-7。

由表8-3-7计算可知，在调节期平均淤积0.93亿t情况下，水库最高蓄水位275m淤积末端不影响三门峡坝下尾水位；在调节期最大淤积2.3亿t情况下，水库最高蓄水位273m淤积末端也不影响三门峡坝下尾水位。小浪底水库调节期最高蓄水位275m一般

表 8-3-7　小浪底水库正常运用期调节期蓄水运用淤积三角洲形态特征

三门峡水库非汛期运用条件	小浪底水库允许最高蓄水位高程(m)	小浪底水库调节期淤积分布			小浪底水库下半段滩地		小浪底水库淤积三角洲形态特征值					小浪底水库淤积末端特征			三门峡坝下尾水位(1000m³/s)
		总淤积量(10月～来年6月)	三角洲部位淤积量	三角洲以下淤积量	滩地末端高程	滩地末端距坝里程	顶点高程	顶点距坝里程	顶点距库区滩地里程	三角洲淤积比降		淤积末端距坝里程	淤积末端河底高程	淤积末端水位(1000m³/s)	
										顶坡	前坡				
		(亿 t)	(亿 t)	(亿 t)	(m)	(km)	(m)	(km)	(m)	(‰)	(‰)	(km)	(m)	(m)	(m)
水位 315m 蓄水运用	275	0.93	0.74	0.19	265.22	66	272.2	106.7	40.7	1.3	27	130.5	275.3	278.3	279.1
	273	2.3	1.61	0.69	265.22	66	270.2	92.7	26.7	1.3	27	130.4	275.1	278.1	279.1
敞泄排沙	273	2.3	1.61	0.69	265.22	66	270.2	92.7	26.7	1.3	27	130.4	275.1	278.1	279.1
	270	3	2.16	0.84	265.22	66	267.2	80	14	1.3	27	130.4	275.1	278.1	279.1
	265	3.7	2.66	1.04	265.22	66	262.2	66	0	1.3	27	130.4	275.1	278.1	279.1
	263	4	2.9	1.1	265.22	66	260.2	55	-11*	1.3	27	130.4	275.1	278.1	279.1

注：表中 * 表示淤积三角洲顶点推进到库区滩地末端下游 11km。

发生在2～4月份，而累计最大淤积量在6月份，此时库水位已开始下降。所以，水库在调节期最大淤积量时的蓄水位不是最高，不影响水库的正常调蓄运用。

需要指出的是，如果三门峡水库非汛期不按315m水位蓄水拦沙与小浪底水库联合运用，而采取敞泄排沙，则小浪底水库调节期的淤积大量增加，为了不影响三门峡坝下河床和水位，要求三角洲泥沙淤积不损失滩库容，就要较大幅度降低小浪底水库非汛期蓄水位，如表8-3-7所示。三门峡水库与小浪底水库组成洪水泥沙调控系统，联合运用有利于两个水库发挥效益，应当坚持。

（二）水库拦沙和调水调沙运用高滩高槽淤积末端影响分析

小浪底水库初期逐步抬高主汛期水位"拦沙和调水调沙"运用，形成高滩高槽时，坝前滩面高程为254m，河底高程为250m。由于水库采取逐步抬高主汛期水位拦沙和调水调沙运用，水库淤积是由下而上和由低而高逐步向上游延伸，干、支流基本上同步淤高，泥沙水力分选距离向上游延伸，使库区淤积物沿程变细，比降沿程变小。在抬高水位至254m，侵蚀基准面抬高117.9m，淤积形成高滩高槽，坝前滩面高程254m、河底高程250m的持续时间不很长的条件下，按式(8-2-12)和表8-2-3计算水库分段淤积物，按式(8-2-8)计算分段比降。河床淤积物尚未粗化，淤积纵剖面比降未调整增大，而且水库尾部段推移质泥沙被悬移质淤积物覆盖，淤积比降变小，在此淤积形态条件下，水库淤积末端对三门峡坝下水位无影响，见表8-3-8。表8-3-8中，无论是将库区分四段计算，还是概化为水库上段和水库下段计算，结果相同。

表8-3-8　水库拦沙形成高滩高槽淤积纵剖面形态

（按造床流量 $Q=4\,200m^3/s$ 计算）

项目		下段		上段		三门峡坝下
		坝前段	第二段	第三段	尾部段	
滩槽淤积物及比降	库段长度(km)	34.6	34.6	47.2	14.6	
	河床淤积物中数粒径(mm)	0.070	0.093	0.130	0.164	
	河段平均中数粒径(mm)	0.081		0.138		
	河床纵比降(‰)	1.55	1.90	2.40	2.82	
	河段平均比降(‰)	1.70		2.50		
	滩地淤积物中数粒径(‰)	0.081		无滩地		
	滩地纵比降(‰)	1.70				
水位及滩槽高程	距坝里程(m)	0	69.2	69.2	131.0	131.1
	水位(m)	254.0	265.76	265.76	282.71	282.90
	河底高程(m)	250.0	261.76	261.76	277.21	277.40
	水深(km)	4.0	4.0	4.0	5.5	5.5
	滩面高程(m)	254.0	265.22	无滩地(小水有边滩)		

注：在狭谷段水位升高、水深增大。

需要指出的是，水库在初期阶段的拦沙和调水调沙运用如果采用高水位蓄水拦沙运用方式,则水库形成三角洲淤积形态,在水库上段狭谷段,淤积比降增大,将泥沙向下游输送,随着三角洲洲头向前推进,河床粗化向前推进,三角洲洲面比降调整增大,洲面升高,淤积末端上延。要使三门峡坝下水位不受淤积影响,就需要降低水库主汛期拦沙运用水位,必须控制在240m高程以下,这样要大量减少水库拦沙库容;此外,库区支流河口拦门沙坎升高、倒锥体淤积高差增大,就大量减少支流拦沙库容。综合二者影响,水库拦沙库容将减少25亿m^3,严重地影响下游减淤效益,应当避免。

(三)特大洪水防洪运用时的淤积末端影响分析

对1933年型万年一遇洪水(来沙量最大)小浪底水库防洪运用的淤积末端影响进行了检验。计算的前提条件是:

(1)按正常运用期死水位230m、坝前滩面高程254m的高滩深槽形态有效库容51.0亿m^3计算,其中254m高程以上41亿m^3滩库容,供防洪运用,254m高程以下10亿m^3槽库容,供调水调沙和多年调沙运用,考虑水库特大洪水防洪运用时此槽库容不参与调洪计算,因此水库防洪运用的起调水位为254m。

(2)与三门峡水库联合防洪运用,由三门峡水库泄洪加区间洪水,小浪底水库洪水流量为15 000m^3/s。

考虑最大入库洪水流量和坝前最高蓄洪水位时的水库淤积形态推算水库回水曲线,计算结果见表8-3-9。水库回水曲线末端水位290.22m与三门峡坝下断面的同流量洪水位290.2m衔接,不造成对三门峡坝下洪水位抬高的影响。同时还要指出的是,三门峡水利枢纽原设计尾水平台和进厂铁路、公路按百年一遇泄洪流量为12 800m^3/s的设计洪水位289.1m(大沽为290.3m)修建,当出现洪峰流量15 000m^3/s时,坝下洪水位将超过已建尾水平台和进厂铁路及公路设防水位1.1m,因此需要考虑防洪保护措施。

表8-3-9　小浪底水库特大洪水(万年一遇)防洪运用洪水位计算

库段	断面	地名	距坝里程(m)	计算流量(m^3/s)	水面比降(‰)	水位(m,黄海)	三门峡坝下自然洪水位(m,黄海)
	1	坝上	0	15 100		275	290.2
1					0.6		
	2	八里胡同	31 950			276.92	
2					0.73		
	3		75 870			280.13	
3					1		
	4	任家滩	93 090			281.85	
4					1.58		
	5		99 950			282.93	
5					1.8		
	6		107 850			284.35	
6					2		
	7		117 000			286.18	
7					2.5		
	8		124 570			288.07	
8					3.3		
	9	三门峡水文站	130 370			289.98	
9					3.3		
	10	三门峡尾水断面	131 090			290.22	

三门峡坝下水位流量关系见表 8-3-10。

表 8-3-10　　三门峡坝下水位流量关系

流量 (m^3/s)	200	500	1 000	2 000	3 000	4 000	5 000	8 000	10 000	12 000	13 000	15 000
水位 (m,黄海)	277.2	278.2	279.1	280.6	281.7	282.7	283.7	286.3	287.7	288.7	289.2	290.2

(四)水库主汛期调水调沙平均运用水位淤积末端影响分析

水库正常运用时期,主汛期在坝前滩面高程 254m 以下的槽库容内调水调沙,最低水位为正常死水位 230m,最高水位为主汛期限制水位 254m,平均水位 245m。调水调沙运用水库水位升降变化、河床冲淤交替发生。在平均水位 245m 运用下,侵蚀基准面升高 108.19m,沿程水力分选亦明显,河床淤积物沿程变细,淤积比降沿程变小。按式(8-2-12)和表 8-2-3 计算水库分段淤积物,按式(8-2-8)计算分段比降。表 8-3-11 所示为主汛期调水调沙平均运用水位 245m 淤积纵剖面形态特征,尾部段悬移质泥沙淤积覆盖砂卵石推移质淤积,河床比降变小,淤积末端不影响三门峡坝下水位。

表 8-3-11　　水库主汛期调水调沙运用平均水位 245m 河床淤积纵剖面
(按造床流量 $Q=4\ 200m^3/s$ 计算)

项目	距坝里程(km)					
	0	33	66	112.8	130.5	131.1 (三门峡尾水)
河床淤积物中数粒径 (mm)	0.086	0.130	0.180	0.242		8~10
河槽淤积比降(‰)	1.80	2.40	3.00	3.70		
河底平均高程(m)	241.30	247.24	255.16	269.20	275.75	277.40
水位(m,黄海)	245.00	250.94	258.86	273.70	281.25	282.90

六、库区干流横向淤积形态

建库以后,库区将形成新河道,其河道横断面形态与水力要素及河床边界条件有关。造床流量是设计明渠河槽的主要依据。设计水平年汛期平均流量 1 240m^3/s,按式(8-2-19)和式(8-2-20)计算造床流量为 4 220m^3/s。

造床流量明渠河槽水面宽 510m,平均水深 3.2m,采用水下边坡为 1:20,由此得梯形断面水深 3.7m,河底宽 360m。

在造床流量明渠河槽以上为调蓄河槽,水上岸坡采用 1:5,直至库区滩面。

在狭谷库段,实际的河谷宽度小于设计河槽宽度,则按实际河谷断面计算河槽。

水库正常死水位 230m、主汛期限制水位 254m、正常蓄水位 275m 的高滩深槽平衡形态的宽阔段横断面和峡谷段横断面如图 8-3-1 所示。在坝前横断面(冲刷大漏斗进口)主汛期限制水位 254m,滩面高程 254m,死水位 230m,河槽宽 510m,以下槽深 3.7m,河底高程 226.3m,水下边坡 1:20,河底宽 360m;死水位 230m 以上槽深 24m,水上边坡 1:5,直至滩面,在 254m 高程河槽宽 750m。

三门峡水库潼关至大坝库段的河槽形态见表 8-3-12,老灵宝以下至坝前(断面 CS1～CS24)的 46.42km 库段的河槽形态与小浪底水库 69km 以下库段的河槽形态相类似,表明小浪底水库下段设计的河槽形态符合实际:在小浪底水库 69km 以上的峡谷段约束水流,河谷宽小于河槽宽,按实际河谷断面计算。

表 8-3-12　三门峡水库(潼关至大坝)河槽形态特征

库段	库段长度(km)	汛期常水位(m)	汛期常水位水面宽(m)	汛期常水位以上滩高(m)	水下平均边坡系数	平滩河槽平均宽度(m)
CS1～CS24	46.42	305.5～312.3	515	12～9	7～15	866
CS25～CS33	31.69	313～319.5	585	9～6	15～50	1 433
CS34～CS38	17.96	320.5～325	1 090	6～4	15～23	1 540
CS39～CS41	6.08	325.5～327	517	4～3	3～5	1 107

注:三门峡水库 1964 年汛期滞洪淤积形成库区滩地。坝前滩面高程约 317.5m,降低水位冲刷下切河槽后形成高滩深槽。

七、库区支流淤积形态设计

(一)水库拦沙期支流淤积形态

库区支流淤积形态计算的条件为:水库采取逐步抬高主汛期水位拦沙和调水调沙运用方式;库区支流水沙甚少,主要为干流倒灌淤积。

库区支流河口段为倒锥体淤积形态,在干流有滩地库段,支流河口淤积面与干流淤积滩面相平,在干流无滩地库段,支流河口淤积面与干流河底相平。河口淤积形成拦门沙坎,河口段形成倒锥体淤积形态与支流内水平淤积面相接。淤积物中数粒径 0.022mm(采用刘家峡水库洮河河口段,官厅水库妫水河河口段,三门峡水库南涧河河口段淤积物中数粒径平均值),按式(8-2-21)和式(8-2-23)计算支流河口段倒锥体淤积形态的倒坡比降为 26‰,倒锥体淤积面高差为 4.0～4.8m 不等。水库拦沙期库区支流淤积形态特征见表 8-3-13。

水库拦沙期畛水淤积形态见图 8-3-2,其他支流也有类似形态。

由表 8-3-13 可见支流因干流倒灌淤积形成河口段拦门沙坎而淤堵的库容,共计 3 亿 m^3。

(二)水库正常运用期支流河口段冲刷下切

在小浪底水库初期拦沙运用阶段,库区支流河口段拦门沙坎倒锥体以外为水平淤积,没有河槽。水库降低水位冲刷下切干流河床形成高滩深槽后,支流经过多年洪水又将逐渐冲刷下切支流河口段拦门沙坎倒锥体淤积体,形成与库区干流水位相适应的顺水流向的河床纵剖面,使支流来水畅流入干流,但又会因水库主汛期调水调沙运用升高水位时而再次淤堵支流,如此反复,使支流河口段虽有时冲开然而却难以得到保持。

表 8-3-13　小浪底水库拦沙期库区主要支流淤积形态特征

支流	距坝里程(km)	河口原河底高程(m)	原河道比降(‱)	河口淤积面高程(m)	河口淤积厚度(m)	倒坡比降(‱)	支流内淤积面高程(m)	倒锥体淤积面高差(m)	倒锥体内死水容积(亿 m³)
大峪河	3.9	140	100	254.7	114.7	26	250	4.70	0.42
白马河	10.4	146		255.8	109.8	26	250.35	4.65	0.08
畛水	18	152	56	257.1	105.1	26	252.5	4.60	1.26
石井河	22.7	160	120	257.9	97.9	26	253.4	4.50	0.19
东洋河	31.3	164	92	259.3	95.3	26	254.8	4.50	0.28
高沟	33.1	165		259.6	94.6	26	255.1	4.50	0.06
西阳河	41.3	175	106	261.0	86.0	26	256.6	4.40	0.17
太涧河	43.6	178.6		261.4	82.8	26	257.1	4.30	0.10
东河	57.6	193.8	120	263.8	70.0	26	259.7	4.10	0.18
亳清河	57.7	193.9	72	263.8	69.9	26	259.7	4.10	0.18
板涧河	65.9	205	126	265.2	60.2	26	261.3	3.90	0.08

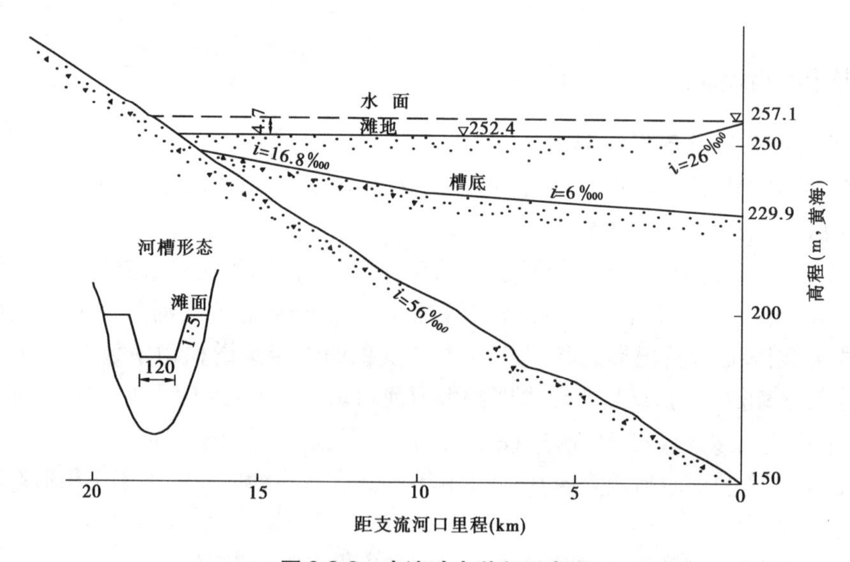

图 8-3-2　支流畛水淤积形态图

对于支流河口段拦门沙坎的冲刷下切，利用官厅水库降低水位冲刷滞洪淤积物的资料得到的计算式(8-2-24)进行计算。

按支流河口淤积物中数粒径 $D_{50}=0.022$mm，水流平均冲刷比降 $i=8‱$，用畛水、东洋河、亳清河 3 条有实测洪水的资料，以丰水、平水和枯水 3 个典型年的汛期场次洪水，用各场洪水的平均流量进行冲刷下切计算。计算结果见表 8-3-14，综合 3 条主要支流系列年洪水过程，算得需要冲刷年数为 6 年。

表 8-3-14 库区主要支流淤积后冲刷下切计算(水库正常死水位 230m 条件)

支流	支流淤积情况			河口冲刷下切深度(m)			需要冲刷年数(年)
				典型年汛期			
	河口淤积面高程(m)	河口设计河底高程(m)	河口淤积厚度(m)	1958 年	1964 年	1967 年	
畛水	257.1	229.9	27.2	6.2	7.6	5.0	6
东洋河	259.3	232.5	26.8	7.0	8.8	5.6	6
亳清河	263.8	240	23.8	7.0	8.6	4.3	6

(三)库区支流远期淤积平衡形态

(1)小浪底库区支流的远期淤积平衡比降在悬移质淤积段按式(8-2-4)计算,在推移质淤积段按原河床比降的 0.3 倍计算,见表 8-3-15。计算表明,除位于水库干流尾部段的支流外,库区支流的砂卵石推移质只在支流回水区尾部段淤积,经估算,库区支流砂卵石 200 年也不能进入干流。

表 8-3-15 库区主要支流淤积比降(远期淤积平衡时)

项目	大峪河	白马河	畛水	石井河	东洋河	高沟	西阳河	太涧河	东河	亳清河	板涧河
推移质淤积比降(‱)	30	56.5	16.8	36	27.6	66	31.8	48	36	21.6	37.8
悬移质淤积比降(‱)	6	9.4	6	6	6	11	6	8	6	6	6.3

(2)库区支流远期平衡河槽形态,亦为高滩深槽形态,由造床流量明渠河槽和明渠河槽以上的调蓄河槽组成,直至滩面,无滩地的则为自然河谷断面形态。支流造床流量按式(8-2-19)和式(8-2-20)计算,分析选取较小值。明渠河槽形态较大支流按式(8-2-25)计算,$B=120$m,$h=1.2$m;较小支流按式(8-2-26)计算,$B=50$m,$h=0.9$m。调蓄河槽从造床流量明渠河槽水面宽处起岸坡(1:5)至滩面,无滩河段按河谷断面。由于水库调水调沙运用,水位升降变化,经常淤塞支流河槽,不能有效利用,因此设计中不考虑支流槽库容的应用,留有余地。

第四节 有效库容变化

一、库容分布特点

小浪底水库最高蓄水位 275m,水库面积 272.3km^2,其中支流库区面积 110.4km^2,占水库总面积的 40.5%;原始库容 126.5 亿 m^3,其中支流库容 40.8 亿 m^3,干流库容 85.7 亿 m^3,见图 8-4-1 及表 8-4-1。

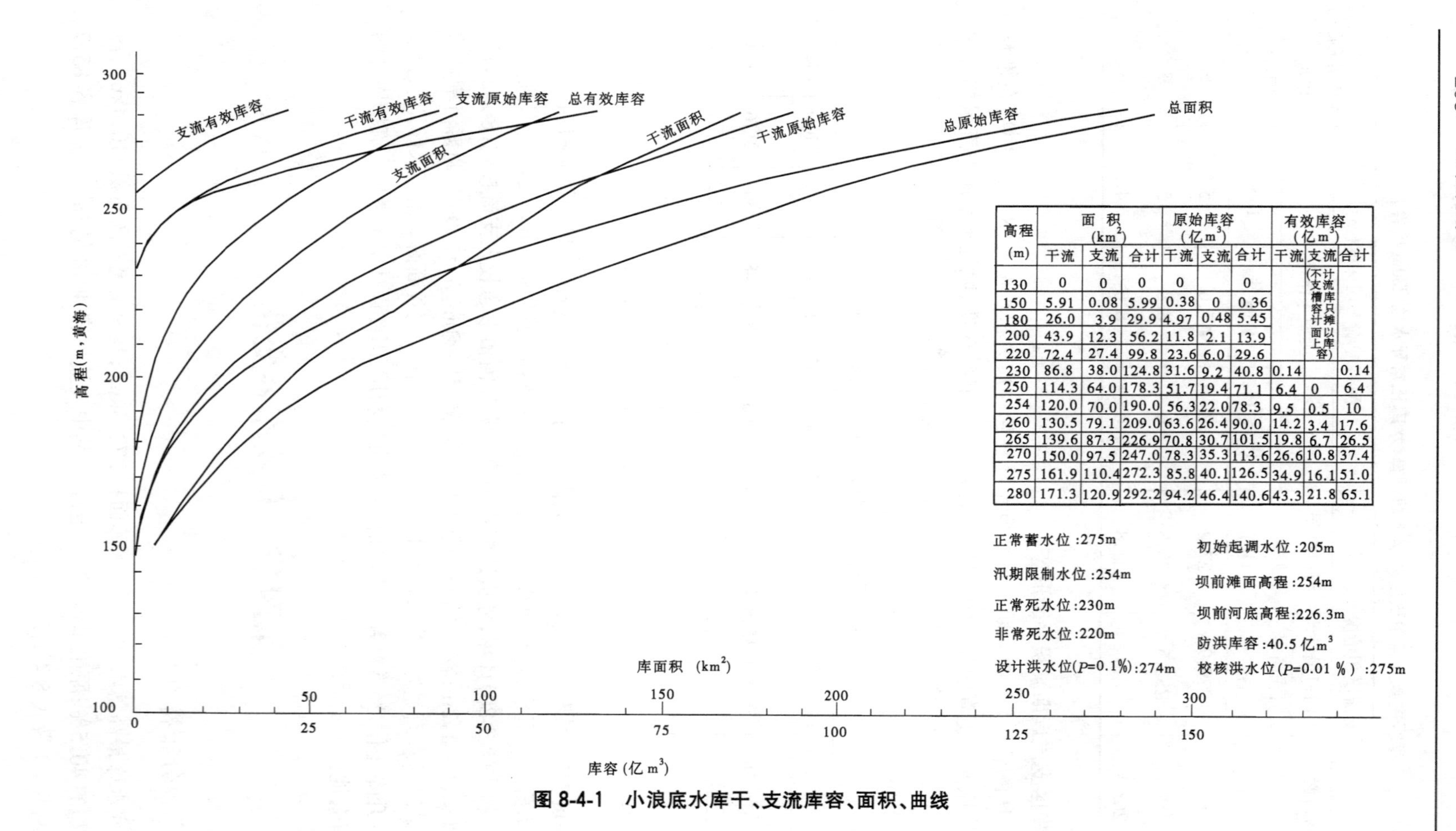

高程	面积 (km^2)			原始库容 (亿 m^3)			有效库容 (亿 m^3)		
(m)	干流	支流	合计	干流	支流	合计	干流	支流	合计
130	0	0	0	0		0		(不计支流槽库容只计滩面以上库容)	
150	5.91	0.08	5.99	0.38	0	0.36			
180	26.0	3.9	29.9	4.97	0.48	5.45			
200	43.9	12.3	56.2	11.8	2.1	13.9			
220	72.4	27.4	99.8	23.6	6.0	29.6			
230	86.8	38.0	124.8	31.6	9.2	40.8	0.14		0.14
250	114.3	64.0	178.3	51.7	19.4	71.1	6.4	0	6.4
254	120.0	70.0	190.0	56.3	22.0	78.3	9.5	0.5	10
260	130.5	79.1	209.0	63.6	26.4	90.0	14.2	3.4	17.6
265	139.6	87.3	226.9	70.8	30.7	101.5	19.8	6.7	26.5
270	150.0	97.5	247.0	78.3	35.3	113.6	26.6	10.8	37.4
275	161.9	110.4	272.3	85.8	40.1	126.5	34.9	16.1	51.0
280	171.3	120.9	292.2	94.2	46.4	140.6	43.3	21.8	65.1

图 8-4-1 小浪底水库干、支流库容、面积、曲线

表 8-4-1　　小浪底水库面积和库容特征

项目		高程(m,黄海)											
		130	190	205	220	230	245	254	260	265	270	275	280
面积(km^2)	干流	0	34.5	50.4	72.4	86.8	107.5	120	130	139.6	150.1	161.9	171.3
	支流	0	6.9	14.6	27.4	38.0	57.5	69.0	77.0	87.3	101.9	110.4	120.9
	合计	0	41.4	65.0	99.8	124.8	165.0	189.0	207.0	226.9	252.0	272.3	292.2
库容(亿 m^3)	干流	0	7.6	14.3	23.6	31.6	46.2	56.5	64.0	70.8	75.5	85.7	94.2
	支流	0	1.4	2.8	6.0	9.2	15.8	21.7	26.5	30.7	38.5	40.8	46.4
	合计	0	9.0	17.1	29.6	40.8	62.0	78.2	90.5	101.5	114.0	126.5	140.6

由表 8-4-1 可以看出:①在水库初期运用起调水位 205m,原始库容 17.1 亿 m^3,占总库容的 13.5%;在水位 230m,原始库容 40.8 亿 m^3,占总库容的 32.25%;在主汛期限制水位 254m,原始库容 78.2 亿 m^3,占总库容的 61.8%;在初期移民限制水位 265m,原始库容 101.5 亿 m^3,占总库容的 80.2%。②水位 275m,支流库容 40.8 亿 m^3,占总库容的 32.25%;在初期运用起调水位 205m,支流库容 2.8 亿 m^3,占总库容的 16.4%;在水位 230m,支流库容 9.2 亿 m^3,占总库容的 7.3%;在主汛期限制水位 254m,支流库容21.7 亿 m^3,占总库容的 27.75%;在初期移民限制水位 265m,支流库容 30.7 亿 m^3,占总库容的 30.29%。

小浪底库区支流库容大,而回水较短,在水库下半段的 7 条大支流共有库容 37.84 亿 m^3,占支流总库容的 93%,其中近坝段 31km 的 4 条大支流共有库容 30.24 亿 m^3,占支流总库容的 74.3%,而畛水库容 17.5 亿 m^3,占支流总库容的 42.9%。需要充分有效地利用支流库容,防止出现支流河口段拦门沙坎过高淤堵大量库容。库区主要支流库容如表 8-4-2所示。

表 8-4-2　　小浪底库区主要支流库容及回水长度

支流	距坝里程(km)	天然河口高程(m)	汛期水位(m)	230m 水位回水长度(km)	275m 水位回水长度(km)	275m 水位原始库容(亿 m^3)
大峪河	3.9	140	230.7	9.3	12.3	6.02
白马河	10.4	146	232	5.0	7.6	0.91
畛水	18.0	152	233.4	14.5	21.3	17.5
石井河	22.7	160	234.3	6.8	10.3	3.62
东洋河	31.3	164	236	7.9	11.7	3.10
高沟	33.1	165	236.4	3.3	5.0	0.69
西阳河	41.3	175	239	5.5	9.4	2.18
太涧河	43.6	178.6	239.4	4.4	5.8	0.58
东河	57.6	193.8	243	4.8	7.2	3.21
亳清河	57.6	193.8	243.5	6.8	11.1	2.21
板涧河	65.9	205	246	3.3	5.5	0.58

二、有效库容变化

(一)可供长期运用的有效库容

根据水库运用的淤积过程和淤积形态分析计算,预估水库在28年拦沙运用完成,形成高滩深槽平衡形态后的总有效库容为51亿m^3(不含支流河床下切后的槽库容),其中干流有效库容34.9亿m^3,支流有效滩库容16.1亿m^3,在主汛期限制水位254m高程以下10亿m^3槽库容全部为干流槽库容,见表8-4-3及图8-4-1。其计算条件如下:

表8-4-3 小浪底水库长期有效库容计算

库容(亿m^3)	正常死水位(m)	坝前滩面高程(m)	坝前河底高程(m)	水位(m,黄海)								
				220	230	240	250	254	260	265	270	275
原始库容				29.6	40.8	54.4	71.1	78.2	90.5	101.5	114	126.5
总有效库容	230	254	226.3	0	0.14	1.70	6.40	10.0	17.6	26.5	37.5	51.0
干流有效库容					0.14	1.70	6.4	10.0	14.2	19.8	26.6	34.9
支流有效库容								0	3.4	6.7	10.9	16.1

(1)以水库最高蓄水位275m、正常死水位230m、主汛期限制水位254m为控制水位,相应的坝前(大漏斗进口断面)河底高程226.3m,坝前滩面高程254m为河床和滩地基准面,形成库区干流高滩深槽平衡形态的横断面、纵向河底线和滩面线;在距坝69km以下的干流宽河谷库区为高滩地(其中八里胡同4km无滩地)深河槽,在距坝69km以上干流窄河谷库区无高滩地,为自然河谷形态;小水时河槽出现犬牙交错边滩,但在较大流量(2 000m^3/s以上)时即被水流冲刷。

(2)库区支流,只计算相应于支流河口淤积滩面高程上的库容。

(3)库区干流槽库容由造床流量明渠河槽库容和调蓄河槽库容两部分组成。造床流量明渠河槽上宽510m,底宽360m,水深3.7m,水下边坡系数$m=20$;调蓄河槽在造床流量明渠河槽水面宽处两边向上起坡直至滩面,调蓄河槽水上边坡系数$m=5$。在狭谷段,实际河谷宽度小于设计河槽宽度,按实际河谷断面形态计算。

(二)水库防洪运用有效库容变化

在水库初期拦沙运用时期,如发生大洪水,水库防洪运用的淤积,只是加快了水库初期拦沙运用淤积过程,不影响水库长期运用的有效库容。

当水库初期拦沙运用完成形成高滩深槽后,转入后期即正常运用时期"蓄清排浑、调水调沙"运用,只在库区滩面以下的槽库容内发生泥沙冲淤变化,在年内或多年内冲淤相对平衡。要控制一般洪水在槽库容内调控滞蓄运用,不上库区滩地淤积,滩面不再淤高,槽库容内淤积物在洪水后降低水位逐渐冲刷出库。小浪底水库泄流规模大,主汛期限制水位254m亦即库区平滩水位的泄洪能力可达11 200m^3/s,对于50年一遇1933年"上大洪水",上有三门峡水库滞洪运用,小浪底入库洪水流量减小,利用一定的槽库容调洪,一般不上滩滞蓄洪水淤积;对于50年一遇1958年"下大洪水",洪水含沙量小,即使短时间上滩滞蓄洪水泥沙淤积亦少。因此,如不发生 50 年一遇以上洪水,水库有效库容将长期保持相对稳定。

如遇特大洪水防洪运用,库区淤积损失库容也不很严重,例如 1933 年型万年一遇洪水,考虑龙羊峡水库、刘家峡水库调节作用,洪水期黄河上游来流日平均减少 2 000m^3/s,但黄河上游含沙量小,减少洪水的沙量很少。龙门、华县、河津、洑头四站合计,45 日洪水期输沙量 83.8 亿 t。三门峡水库先敞泄后控泄运用,三门峡库区(含潼关以上)淤积 52.58 亿 t,粗泥沙也大量淤积,小浪底入库洪水泥沙量大量减少,泥沙颗粒变细,防洪运用期间库区淤积 14.22 亿 t,其中,滩地淤积 6.82 亿 t,按淤积土干容重 1.3t/m^3 计算,滩库容损失 5.24 亿 m^3;槽库容淤积 7.4 亿 t,在洪水后降低水位可以逐渐被冲走。考虑滩库容损失 5.2 亿 m^3 后不能恢复,有效库容仍有 45.8 亿 m^3。此时,将死水位降至 220m,增大槽库容,仍获得有效库容 52 亿 m^3,满足保持水库长期有效库容 51 亿 m^3 的要求。

(三)水库运用 30 年有效库容变化

在水库建成后,从开始运用起,库区即发生泥沙淤积,逐渐损失库容,直至 28 年后水库拦沙运用完成,库区形成高滩深槽平衡形态,保持长期有效库容 51 亿 m^3。表 8-4-4 列出水库运用 30 年每 5 年的有效库容变化。这是按水库逐步抬高主汛期水位拦沙和调水调沙运用,经 2000 年设计水平 6 个 50 年代表系列水沙条件计算的淤积发展的平均情况。

表 8-4-4　小浪底水库运用 30 年有效库容变化(平均情况)　(单位:亿 m^3)

运用年	库容	高程(m)											
		210	220	226	230	240	245	250	254	260	265	270	275
0	原始	20.5	29.6	36.0	40.8	54.0	62.0	71.2	78.2	90.5	101.5	114	126.5
5	有效	0	2.4	6.5	10.0	24.1	32.7	40.8	48.0	59.9	71.2	82.7	96.2
10	有效			0	0.14	7.1	13.6	20.4	27.6	39.5	50.8	62.8	75.8
15	有效					0	0.64	5.1	10.0	18.7	27.6	39.5	53.0
20	有效				0	0.40	1.0	6.7	11.4	21.1	29.0	37.8	47.9
30	有效			0	0.14	1.7	3.6	6.4	10.0	17.6	26.5	37.5	51.0

注:表中有效库容不含库区支流河口拦门沙淤堵的库容。

(四)小浪底工程截流后施工期度汛调洪库容

小浪底工程施工期度汛,按 1997 年 11 月初截流后(实际截流日期 1999 年 10 月 28 日)的第一年、第二年、第三年考虑。因此,需要设计施工期 1998 年、1999 年、2000 年的度汛调洪库容曲线。在截流前,采用水库原始库容曲线。截流后从截流之日起连续计算库区淤积,修改库容曲线,供度汛调洪计算应用。

1.截流后度汛调洪库容设计条件

截流后第一年汛期度汛的调洪库容,应考虑第一年汛期洪水到来前的淤积量的库容曲线,供第一年百年一遇设计洪水到来时的调洪计算运用。如果第一年汛期不发生设计洪水,则考虑第一年的库区淤积量加上第二年汛期洪水到来前的淤积量的库容曲线,供第二年汛期三百年一遇设计洪水到来时的调洪计算应用。如果第二年汛期不来三百年一遇设计洪水,则累计计算前两年的库区淤积量加上第三年汛期洪水到来前的淤积量的库容曲线,供第三年汛期三百年一遇设计洪水到来时的调洪计算应用。

为安全起见,选用平水丰沙含沙量高的 1977 年实测水沙条件作为 1998 年、1999 年来水来沙条件,2000 年则按设计水平 1950 年水沙条件,水库蓄水运用,控制汛期水位 205m,以此专门设计洪水前的泥沙淤积量,据以设计各年度汛的调洪库容曲线。1977 年小浪底水文站水量为 326 亿 m^3,年沙量为 20.8 亿 t,7 月初、8 月初两场高含沙洪水,8 月出现流量 9 870m^3/s,含沙量 941kg/m^3 和流量 10 100m^3/s、含沙量 843kg/m^3。故按 1977 年水沙条件计算 1998 年、1999 年淤积量是留有余地的,是安全的。

2. 截流后库区淤积计算

(1)截流后第一年汛期洪水前:至 1998 年 7 月 8 日淤积末端高程 180m,干流回水倒灌淤积支流损失库容 0.43 亿 m^3,干流滩地淤积损失库容 0.31 亿 m^3,合计损失库容 0.74 亿 m^3,以此修改库容曲线进行调洪。干流河槽内的滞洪淤积物在落峰后又被冲刷出去。

(2)截流后第二年汛期洪水前:至 1999 年 7 月 15 日累计淤积 2.1 亿 m^3(含第一年),淤积末端高程 195m,以此修改库容曲线进行调洪。河槽内的淤积物落峰后又被冲刷出去。

(3)截流后第三年汛期洪水前:按 2000 设计水平年 1950 年水沙条件,汛期控制205m水位拦沙和调水运用,洪水到来前累计淤积 3.5 亿 m^3(含前两年),淤积末端高程 230.6m,以此修改库容曲线进行调洪。

3. 截流后度汛期调洪库容曲线设计

按上述计算条件计算的截流后施工期度汛调洪库容曲线如表 8-4-5 所示。需要指出的是,表 8-4-5 列出的各年度汛调洪库容曲线,考虑施工期淤积偏多,用于调洪计算,对考虑度汛安全措施有利。

表 8-4-5 小浪底截流后施工期度汛调洪库容曲线

时间(年)	库容	高程(m)											
		140	150	160	170	180	190	200	210	220	225	230	240
淤积前	原始库容	0.04	0.36	1.35	2.94	5.45	9.02	13.9	20.5	29.6	34.7	40.8	54.0
1998	度汛调洪	0.04	0.36	1.25	2.70	4.71	8.28	13.16	19.86	28.86	34.10	40.06	53.26
1999	度汛调洪	0	0.01	0.1	1.24	3.57	6.99	11.8	18.5	27.5	32.7	38.7	51.9
2000	度汛调洪	0	0	0	0.41	2.73	6.13	10.8	17.4	26.3	31.4	37.3	50.5

4. 水库初始运用库容曲线设计

设计水库初始运用库容曲线,只考虑 1998 年、1999 年两年中一年类似 1977 年平水丰沙年、另一年类似 1989 年以来的小水小沙年的水沙条件,在 1998 年、1999 年泄流能力的滞洪排沙运用下,两年淤积损失库容 1.04 亿 m^3,淤积主要分布在 195m 高程以下的近坝区支流河口段和干流边岸滩区,河槽的滞洪淤积物在落峰后又被冲刷出库。因此,水库投入初始运用的库容曲线为 200m 高程以下的原始库容减少 1.04 亿 m^3,200m 高程以上的原始库容不变。

三、长期保持有效库容的条件分析

（一）三门峡水库实践经验和小浪底水库有利条件分析

三门峡水库1973年12月蓄清排浑运用以来，潼关以下库区库容相对稳定，变化不大，如330m高程以下的汛前库容，1981年6月为30.09亿m^3，1989年6月为30.23亿m^3，2002年6月为29.60亿m^3；汛后库容，1977年11月为30.3亿m^3，1990年10月为30.45亿m^3，1993年10月为30.67亿m^3，2002年10月为29.41亿m^3。综合可见，20余年在330m高程（潼关滩面高程330m）以下仅减少库容0.63亿～0.89亿m^3。

即使经过高含沙量洪水的1977年，库容略有减少，但在正常变化范围之内，330m高程以下库容1977年5月为31.06亿m^3，10月为30.30亿m^3，减少0.76亿m^3，但至1979年10月，已恢复到31.24亿m^3。

小浪底水库与三门峡水库相比，具有保持库容更有利的条件：①小浪底水库泄流能力大。三门峡水库1974年以后汛期排沙运用水位305m泄流量4 530～5 450m^3/s，流量大于6 000m^3/s还要滞洪淤积（见表8-4-6）；而小浪底水库汛期死水位230m泄流量为8 050m^3/s（不含机组泄量），可以充分发挥大水冲刷的作用。②小浪底库区比三门峡库区河谷狭窄，水库上半段河谷更狭窄。③小浪底水库纵比降比三门峡水库大，小浪底库区天然河道比降11‱、冲淤平衡比降平均为3.3‱，而三门峡库区（潼关以下）天然河道比降3.8‱、冲淤平衡比降平均为2.1‱。因此，小浪底水库淤积后有较大的冲刷流量和冲刷比降来冲刷淤积物，能较快地恢复库容。④小浪底水库平滩水位的泄流量大，槽库容大，254m水位泄流量11 200m^3/s，槽库容10亿m^3，而三门峡水库平滩水位318m泄流量约10 000m^3/s，槽库容4亿m^3，三门峡水库蓄清排浑运用20多年来潼关以下滩库容基本上没有淤积损失，小浪底水库平滩水位泄流量大，槽库容大，且上游有三门峡水库滞洪淤积，下泄洪峰流量和沙量减小，小浪底水库洪水漫滩机会更少，50年一遇以下洪水也不上滩淤积。即使更大洪水上滩，因小浪底水库只在距坝69km以下的库段内有较窄滩地，河谷最宽阔的垣曲库段，滩地宽度也只有700～800m，洪水泥沙上滩淤积，滩库容损失也相对较少。

表8-4-6　三门峡水库潼关—大坝库区1974～1983年10年汛期各级流量冲淤情况

流量级（m^3/s）	输沙量（亿t）		潼关—大坝冲淤量（亿t）	各级流量冲淤量占总冲淤量（%）	各级流量排沙率（%）
	潼关	三门峡			
10年汛期总计	92.33	111.96	−19.63	−100	121.3
$Q<1\ 000$	2.93	3.51	−0.58	−2.9	119.8
1 000～2 000	17.32	23.58	−6.26	−31.9	136.1
2 000～3 000	26.91	32.18	−5.27	−26.9	119.6
3 000～4 000	17.29	23.8	−6.51	−33.2	137.7
4 000～5 000	9.93	13.39	−3.46	−17.6	134.8
5 000～6 000	5.52	7.06	−1.54	−7.8	127.9
$Q>6\ 000$	12.43	8.44	3.99	20.3	67.9

由上述小浪底水库的有利条件与三门峡水库的实践经验对比分析，说明小浪底水库正常运用期可以长期保持有效库容 51 亿 m^3。

(二)水库调水调沙运用保持有效库容条件分析

1. 一般水沙系列计算

从 2000 年设计水平 1919～1975 年 56 年系列中选择以不同丰水、平水、枯水时段在前的 6 个 50 年代表系列进行水库调水调沙运用的泥沙冲淤计算表明，水库可保持有效库容 51 亿 m^3 左右。水库正常运用期有 10 亿 m^3 的槽库容供调水调沙运用，对泥沙进行多年调节，实行“蓄清排浑、调水调沙”运用，多年冲淤平衡。比三门峡水库“蓄清排浑”运用，具有更高的调节泥沙的能力，对黄河下游减淤和水库综合运用效益都有提高作用。

2. 考虑特殊大沙年的方案计算

计算所采用 2000 年设计水平 1919～1975 年 56 年系列中，它包括有 1933 年丰水丰沙的高含沙洪水，再增加了实测的 1977 年平水丰沙的高含沙洪水。

1933 年高含沙洪水发生在水库正常运用期，由于 7～9 月控制库水位不超过限制水位 254m，水沙不上滩淤积，且泄流能力大，在涨峰过程中水库发生冲刷，在主峰时利用槽库容滞洪，落洪后冲刷滞洪淤积物，保持了有效库容 51 亿 m^3。

如果 1977 年高含沙洪水发生在正常运用期，在涨峰过程中水库是冲刷的，主峰时拦蓄高含沙洪水，落峰冲刷滞洪时的淤积物。

综上所述，由于小浪底水库泄流能力大，实行调水调沙和多年调沙运用方式，发挥大水排沙和冲刷作用，凡是大水大沙年的汛期，水库都是降低水位运用，从而冲刷比较多，为保持有效库容提供了保证条件。

需要指出的是，在水库滞洪和蓄水拦沙运用条件下，淤积物若具有抗冲性，就难于纵向冲刷下切和横向冲刷拓宽，阻碍水库拦沙淤积后的冲刷恢复槽库容的进程。三门峡水库 1970～1973 年的第二次工程改建中，出现一些库段的淤积物强抗冲性层，形成多级跌水。小浪底水库在初期和后期运用均采取逐步抬高主汛期水位控制低壅水拦沙和调水调沙的运用方式，增大水库拦沙时的排沙比，多拦粗沙、多排细沙，使淤积物较粗，减弱淤积物的抗冲性，以利于冲刷恢复槽库容，能够顺利地进行调水调沙和多年调沙运用。

第五节　泥沙冲淤计算方法

小浪底水库和三门峡水库联合运用，小浪底水库的防洪、防凌、减淤、供水、灌溉、发电等综合运用，是在和三门峡水库联合运用下进行的；小浪底水库的运用又可减少三门峡水库的防洪运用负担。因此，要进行两个水库联合运用下的泥沙冲淤计算，包括黄河龙门、渭河华县以下至黄河下游河口长距离的水库和河道系统的泥沙冲淤串联计算。为此，利用水库和河道实测资料，建立水库和河道泥沙冲淤计算方法，分述如下。

一、三门峡水库泥沙冲淤计算方法

(一)潼关以上库区干、支流河道泥沙冲淤计算方法

潼关以上库区干、支流河道泥沙冲淤计算方法如下所述：

(1)龙门、河津—潼关河段(黄河小北干流)输沙关系

$$Q_{s(龙\to潼)} = 7.87 \times 10^{-4}(Q_{龙+河}^{1.072} \cdot S_{龙+河}^{0.89}) \cdot b \tag{8-5-1}$$

式中　$Q_{s(龙\to潼)}$——由小北干流输送至潼关的输沙率,t/s;

$Q_{龙+河}$、$S_{龙+河}$——龙门和河津合计的流量(m^3/s)和含沙量(kg/m^3)(合计输沙率除以合计流量);

b——系数,非漫滩水流时,$b=1.0$;漫滩水流时,$b=0.8$。当河槽连续累计冲刷量大于4亿t时,要考虑河床冲刷粗化影响,修正系数b。

(2)华县、洑头—潼关河段(渭河、洛河下游)输沙关系

$$Q_{s(华\to潼)} = 6.7 \times 10^{-3}(Q_{华+洑}^{0.81} \cdot S_{华+洑}^{0.92}) \cdot b \tag{8-5-2}$$

式中　$Q_{s(华\to潼)}$——由渭河、洛河下游输送至潼关的输沙率,t/s;

$Q_{华+洑}$、$S_{华+洑}$——华县和河津合计的流量(m^3/s)和含沙量(kg/m^3)(合计输沙率除以合计流量);

b——系数,非漫滩水流时,$b=1.0$;漫滩水流时,$b=0.8$。

(二)潼关水位计算方法

依据1974年“蓄清排浑”运用以来的资料,建立潼关水位关系式如下:

$$H = A\lg Q + B + 0.36\sum \Delta W_s \tag{8-5-3}$$

式中　H——潼关水位,m;

Q——潼关流量,m^3/s;

$\sum\Delta W_s$——潼关以下库区平衡河槽内累积淤积量,亿m^3;

A、B——系数与常数,见表8-5-1。

表8-5-1　1974年潼关水位关系式中的系数、常数

时间	系数A	系数B
1974年5～7月	1.589 3	322.63
1974年8月～1975年1月	1.938 3	321.09
1975年2～4月	1.788 2	321.76

(三)水库壅水排沙计算方法

水库壅水排沙计算是指水库回水区即壅水库段的排沙计算,一般以壅水段出口断面输沙率与进口断面输沙率之比表示水库壅水段排沙能力,其排沙计算方法为“排沙比计算法”。用含沙量比表示排沙能力时,还要求出输沙率之比计算水库壅水段排沙。当水库壅水段上游自由河道段不长或冲淤变化小可忽略不计时,则可用入库站来水来沙条件代表水库壅水段进口水沙条件,否则要计算自由河道段泥沙冲淤作为水库壅水段进口水沙条件。水库汛期壅水排沙包含壅水明流排沙和壅水异重流排沙两种流态。为简化计算,统一在壅水排沙关系中区分壅水明流和壅水异重流的排沙条件计算排沙能力;水库非汛期壅水排沙只有壅水明流排沙一种流态。

1. 计算时段

汛期按日计算,非汛期按月计算。

2. 计算关系

库区无高滩深槽时，当 $Z=\left(\frac{V}{Q_{出}}\cdot\frac{Q_{入}}{Q_{出}}\right)\geqslant 1.8\times10^4$ 时，按壅水排沙计算，否则，按敞泄排沙计算；库区有高滩深槽时，当 $Z=\left(\frac{V}{Q_{出}}\cdot\frac{Q_{入}}{Q_{出}}\right)\geqslant 2.5\times10^4$ 时，按壅水排沙计算，否则，按敞泄排沙计算。水库壅水排沙计算公式为：

$$\eta = a\lg Z + b \tag{8-5-4}$$

式中 η——排沙比，当 $Q_{出}>Q_{入}$ 时，$\eta=Q_{s出}/Q_{s入}$；求出 Q_s 后，计算出库含沙量 $\rho_{出}=Q_{s出}/Q_{s入}$；当 $Q_{出}\leqslant Q_{入}$ 时，$\eta=\rho_{出}/\rho_{入}$；求出 $\rho_{出}$ 后，计算出库输沙率 $Q_{s出}=Q_{出}\cdot\rho_{出}$，计算排沙比 $\eta_{出}=Q_{s出}/Q_{s入}$。其中，$Q_{入}$、$Q_{出}$ 为计算时段平均入库和出库流量，m^3/s，$\rho_{入}$、$\rho_{出}$ 为入库、出库含沙量，kg/m^3，$Q_{s入}$、$Q_{s出}$ 为入库、出库输沙率，t/s；

Z——壅水指标，$Z=(\frac{V}{Q_{出}}\cdot\frac{Q_{入}}{Q_{出}})$，其中 V 为计算时段中蓄水容积，m^3；

a、b——系数、常数，在库区有高滩深槽库容形态和无高滩深槽库容形态的边界条件下，其值如表 8-5-2 所示。

表 8-5-2 三门峡水库汛期壅水排沙关系式的系数、常数值

时段	壅水指标		系数 a	常数 b
汛期（7～10 月）	库区有高滩深槽时	$Z>2.5\times10^4$ $Z<19\times10^4$	−0.824 6	4.626 5
		$Z\geqslant19\times10^4$	−0.080 2	0.703 4
	库区无高滩深槽时	$Z>1.8\times10^4$ $Z<15.2\times10^4$	−0.823 2	4.508 7
		$Z\geqslant15.2\times10^4$	−0.076 9	0.638 3
非汛期	按无高滩深槽	$Z>1.8\times10^4$	−0.823 2	4.508 7

注：非汛期壅水排沙，当 $Z>30\times10^4$ 时，取 $\eta=0$。

三门峡水库在潼关—大坝库段已形成高滩深槽库容形态，汛期壅水水位较低，按有高滩深槽时的壅水排沙计算；非汛期壅水水位高，按无高滩深槽时的壅水排沙计算。

三门峡水库汛期控制水位 305m 泄流排沙运用，当入库流量大于 305m 水位泄流规模时，进行调洪计算，滞洪运用。

（四）水库敞泄排沙计算

1. 汛期

汛期敞泄排沙按日计算。当判别壅水指标 $Z\leqslant2.5\times10^4$ 时，按敞泄排沙计算，计算公式为：

$$Q_{s出} = 1.15a\rho_{入}^{0.79}(Q_{出}\,i)^{1.24}/\omega_s^{0.45} \tag{8-5-5}$$

式中 i——库区水面比降，$i=(H_{潼}-H_{坝})/L$；其中 $H_{潼}$ 为潼关水位，m；$H_{坝}$ 为坝前水

位，m；L 为潼关至大坝库区长度，m；

ω_s——泥沙群体沉速，m/s，由潼关资料点绘 $(\omega_s/\omega)^{1/3} \sim \rho_入$ 关系和 $(\omega_s/\omega)^{1/3} \sim \rho_入/\omega_s^{1/2}$ 的关系，建立经验关系 $\rho_入 \sim \omega_s$ 曲线，由 $\rho_入$ 查得 ω_s，当 $\omega_s < 5\times10^{-4}$ m/s 时，取 $\omega_s = 5\times10^{-4}$ m/s；ω 为泥沙清水沉速，采用粒径计法颗粒级配的沉速值；

a——冲刷系数，由平衡河槽累积淤积量 $\sum\Delta V_s$ 和坝前河底高程升降幅度 Δh 确定，其中

$$\Delta h = H_{坝i} - H_{坝i-1} - 1.2(h_{坝i} - h_{坝i-1})$$

$h_坝$——坝区河道（大冲刷漏斗进口断面）正常水深，且

$$h_坝 = 1.2h$$

h——库区河道正常水深，且

$$h = 0.081Q^{0.44}$$

i——本时段；

$i-1$——上时段。

（1）当平衡河槽累积淤积量 $\sum\Delta V_s \geqslant 0.5$ 亿 m^3 时：①若 $\Delta h > 0$，$a = 1.05$；②若 $\Delta h \leqslant 0$，$a = 1 - 0.2\Delta h$，当 $a < 1.05$ 时，取 $a = 1.05$。

（2）当 $0 \leqslant \sum\Delta V_s < 0.5$ 亿 m^3 时：无论 Δh 为何值，$a = 1.00$。

（3）当 -0.5 亿 m$^3 \leqslant \sum\Delta V_s < 0$ 时：若 $\Delta h \leqslant 0$，$a = 0.95$；若 $\Delta h > 0$，$a = 1 - 0.1\Delta h$，当 $a < 0.9$ 时，取 $a = 0.9$。

（4）当 -0.5 亿 m$^3 > \sum\Delta V_s \geqslant -1$ 亿 m^3 时：若 $\Delta h \leqslant 0$，$a = 0.85$；若 $\Delta h > 0$，$a = 1 - 0.1\Delta h$，当 $a > 0.8$ 时，取 $a = 0.8$。

（5）当 $\sum\Delta V_s < -1$ 亿 m^3 时：若 $\Delta h \leqslant 0$，$a = 0.75$；若 $\Delta h > 0$，$a = 0.70$。

2. 非汛期

非汛期按月计算。当 $Z < 1.8\times10^4$ 时，按敞泄排沙计算，计算公式为：

$$\rho_出 = K_p(\rho_入/Q_入)^{0.84} Q_出 i \tag{8-5-6}$$

式中　K_p——敞泄排沙系数，其值与平衡河槽累积淤积量 $\sum\Delta V_s$ 有关，见表 8-5-3。

表 8-5-3　三门峡水库非汛期敞泄排沙系数 K_p 值

$\sum\Delta V_s$（亿 m^3）	K_p
>3.2	4 290
0.8~3.2	3 800
−0.8~0.8	3 300
<−0.8	2 950

（五）库区淤积分布计算方法

按全沙输沙率进行进、出库输沙计算后，进行库区泥沙冲淤量计算，并根据泥沙冲淤量，按水库淤积土干容重 1.3t/m^3 计算泥沙冲淤体积及淤积分布，修改计算过程中的库容

曲线,供下时段计算应用。

库区淤积分布按下式计算:

$$\Delta V_{sx} = \left(\frac{H_x - H_{min}}{H_{max} + \Delta H - H_{min}}\right)^m \cdot \sum \Delta V_s = B_x \cdot \sum \Delta V_s \tag{8-5-7}$$

式中　B_x——淤积分配比,为计算时段分布在相应于坝前平均水位 H_x 水平面以下的淤积量 ΔV_{sx} 与计算时段总淤积量 $\sum \Delta V_s$ 之比;

H_x——坝前平均水位,m;

H_{max}——已出现的坝前最高平均水位(含本时段),m;

H_{min}——库区冲淤分布最低平均高程,三门峡坝前取 $H_{min}=297$m;

ΔH——淤积末端高程与坝前最高水位的高差,m,三门峡水库 ΔH 值见表 8-5-4。

表 8-5-4　三门峡水库淤积末端高程与坝前最高水位的高差 ΔH 值

坝前平均最高水位(m)	ΔH(m)
<310	3
310~315	4
315~320	5
320~325	6
>325	7

分析水库资料,得指数 $m = 0.485n^{1.16}$;n 由库容形态方程决定:$\frac{\Delta V_x}{\Delta V_{max}} = \left(\frac{H_x - H_{min}}{H_{max} - H_{min}}\right)^n$;此处,$\Delta V_x$ 为库水位 ΔH_x 以下的库容,m^3;ΔV_{max} 为最高库水位 H_{max} 的库容,m^3;H_{min} 为零库容的高程,m。

(六)分组泥沙排沙计算方法

在用全沙排沙方法计算出库输沙率后,进行分组泥沙出库输沙率计算。

将泥沙分成粗沙($d>0.05$mm)、中沙($d=0.025\sim0.05$mm)、细沙($d<0.025$mm)三组。用潼关、三门峡 1963~1981 年资料及盐锅峡 1964~1969 年资料,建立分组泥沙出库输沙率关系式(采用粒径计分析法颗粒级配资料)。

1. 粗沙出库输沙率

(1)当全沙排沙比 $\left(\frac{Q_{s出}}{Q_{s入}}\right) \geqslant 1$ 时:

$$Q_{s出粗} = Q_{s入粗}\left(\frac{Q_{s出}}{Q_{s入}}\right)^{\frac{0.55}{P_{入粗}^{0.768}}} \tag{8-5-8}$$

(2)当全沙排沙比 $\left(\frac{Q_{s出}}{Q_{s入}}\right) < 1$ 时:

$$Q_{s出粗} = Q_{s入粗}\left(\frac{Q_{s出}}{Q_{s入}}\right)^{\frac{0.399}{P_{入粗}^{1.78}}}$$

(3)当全沙排沙比 $Q_{s出}/Q_{s入} \leqslant 0.05$ 时,取 $Q_{s出粗}=0$。

以上式中,$P_{入粗}=Q_{s入粗}/Q_{s入全}$。

2. 中沙出库输沙率

(1)当全沙排沙比 $\left(\dfrac{Q_{s出}}{Q_{s入}}\right) \geqslant 1.0$ 时:

$$Q_{s出中} = Q_{s入中}\left(\frac{Q_{s出}}{Q_{s入}}\right)^{\frac{0.02}{P_{入中}^{3.071}}} \tag{8-5-9}$$

(2)当全沙排沙比 $\left(\dfrac{Q_{s出}}{Q_{s入}}\right) < 1.0$ 时:

$$Q_{s出中} = Q_{s入中}\left(\frac{Q_{s出}}{Q_{s入}}\right)^{\frac{0.0145}{P_{入中}^{3.435}}} \tag{8-5-10}$$

以上式中,$P_{入中}=Q_{s入中}/Q_{s入全}$。

3. 细沙出库输沙率

$$Q_{s出细} = Q_{s出总} - Q_{s出粗} - Q_{s出中}$$

(七)计算方法验证计算

对上述三门峡水库的冲淤计算方法验算了1974～1981年8年汛期冲淤情况,结果见表8-5-5。从表中可以看出,验算结果良好,可应用于预测设计水平年水沙系列三门峡水库运用下的冲淤变化。

表8-5-5　　三门峡水库泥沙冲淤量计算方法验算　　(单位:亿t)

年份	7月		8月		9月		10月		合计	
	实测	计算	实测	计算	实测	计算	实测	计算	实测	计算
1974	−0.05	−0.28	−0.11	−0.16	0.04	0.02	−0.64	−0.26	−0.76	−0.68
1975	−1.58	−1.86	−0.35	−0.69	−0.36	0.01	0.07	0.21	−2.22	−2.33
1976	−0.93	−0.90	0.2	−0.27	−1.04	−0.56	−0.07	−0.04	−1.84	−1.77
1977	−0.12	−0.17	0.1	1.04	0.06	−0.44	0.05	−0.08	0.09	0.35
1978	−0.83	−0.84	−0.1	−0.07	−0.64	−0.96	0.08	0.05	−1.49	−1.82
1979	−0.61	−0.32	−0.41	−1.58	−0.25	−0.19	−0.13	0	−1.4	−2.09
1980	0.99	−1.29	−0.63	−0.72	−0.16	−0.11	0.09	0.07	−1.69	−2.05
1981	−0.83	−0.85	−0.29	−0.83	−0.8	−0.19	−0.65	−0.04	−2.57	−1.91
合计	−5.94	−6.51	−1.59	−3.28	−3.15	−2.42	−1.2	−0.09	−11.88	−12.3

二、小浪底水库泥沙冲淤计算方法

小浪底水库泥沙冲淤计算方法的基本模式是根据三门峡、青铜峡、盐锅峡、刘家峡、官厅等水库实测资料结合小浪底水库具体情况建立的。

(一)水库壅水排沙计算方法

小浪底水库的排沙方式包括壅水排沙和敞泄排沙两种类型。小浪底水库壅水排沙关系分初期(拦沙运用期)未形成高滩深槽库容形态和后期(正常运用期)已形成高滩深槽库容形态两种边界条件。水库汛期壅水排沙包含壅水明流排沙和壅水异重流排沙两种流态,统一在壅水排沙关系中区别条件计算;水库壅水排沙计算法同三门峡水库。

(二)水库敞泄排沙计算方法

小浪底水库汛期与非汛期采用相同于式(8-5-5)的敞泄排沙关系式:

$$Q_{s出} = 1.15a\rho_{入}^{0.79}(Q_{出}i)^{1.24}/\omega_{s}^{0.45}$$

敞泄排沙关系式中的系数 a 值见表 8-5-6。

表 8-5-6　　小浪底水库敞泄排沙关系式中 a 值

水库运用阶段	$Q(m^3/s)$	系数 a
拦沙期(未形成高滩深槽)	≤2 000	1.00
	>2 000	1.05
正常运用期(形成高滩深槽)	≤2 000	1.00
	2 000~3 000	1.05
	3 000~4 000	1.10
	>4 000	1.15

(三)进、出库泥沙粒径及泥沙沉速计算方法

1. 进、出库泥沙中数粒径计算

三门峡水库的潼关—大坝库区,以潼关站为入库站,三门峡站为出库站。小浪底入库泥沙,可不考虑三小间很少的泥沙,以三门峡出库泥沙作为小浪底入库泥沙。要计算潼关入库泥沙中数粒径,三门峡出库泥沙中数粒径,以三门峡出库泥沙中数粒径作为小浪底入库泥沙中数粒径(颗粒分析为粒径计法)。

1)三门峡水库潼关入库泥沙中数粒径的计算

潼关入库泥沙中数粒径按下式计算:

$$d_{50入} = \left\{\frac{S_{V入}}{2\left[1-\left(\frac{\omega_s}{\omega}\right)^{1/3}\right]}\right\}^2 \tag{8-5-11}$$

式中　$S_{V入}$——以体积比计的入库含沙量,kg/m^3;

ω_s——泥沙群体沉速,m/s;

ω——泥沙在清水中的沉速,m/s;

$d_{50入}$——入库泥沙中数粒径,mm。

根据实测资料，并按沙玉清公式 $\omega_s=\omega(1-0.5S_{V入}/\sqrt{d_{50}})^3$ 计算泥沙群体沉速，建立潼关断面的入库泥沙 $(\omega_s/\omega)^{1/3}\sim\rho_入$ 关系曲线及 $(\omega_s/\omega)\sim(\rho_入/\omega_s)^{1/2}$ 关系曲线，此处 $\rho_入$ 为以质量计的入库含沙量(kg/m³)。

由实测资料建立上述两条关系线后，便应用于预测计算。按预测的潼关入库含沙量 $\rho_入$ 查出 $(\omega_s/\omega)^{1/3}$，由 $(\omega_s/\omega)^{1/3}$ 查出 $\rho_入/\omega_s{}^{1/2}$，由此计算 ω_s，便得出潼关入库含沙量及相应的泥沙群体沉速。将 $\rho_入$ 换成 $S_{V入}$，并以此查出的 $(\omega_s/\omega)^{1/3}$ 代入式(8-5-16)，求出潼关入库泥沙中数粒径 $d_{50入}$。

2)三门峡出库泥沙中数粒径的计算

根据实测资料，建立下列计算关系：

(1)当潼关—大坝库区排沙比 $\eta=\left(\frac{Q_{s出}}{Q_{s入}}\right)\geqslant1.0$ 时

$$d_{50出}=d_{50入}\left(\frac{Q_{s出}}{Q_{s入}}\right)^{5.7\times10^{-8}/d_{50入}^{4.625}} \tag{8-5-12}$$

(2)当潼关—大坝库区排沙比 $\eta=\left(\frac{Q_{s出}}{Q_{s入}}\right)<1.0$ 时

$$d_{50出}=d_{50入}\left(\frac{Q_{s出}}{Q_{s入}}\right)^{107.3d_{50入}^{1.27}} \tag{8-5-13}$$

3)泥沙沉速计算

a. 泥沙清水沉速计算

根据潼关、三门峡站实测资料的混合沙清水平均沉速资料，得：

(1)当水温 $T=25\sim30$℃时

$$\omega=0.208d_{50}^{1.24} \tag{8-5-14}$$

(2)当水温 $T=20\sim25$℃时

$$\omega=0.21d_{50}^{1.3} \tag{8-5-15}$$

(3)其他水温条件下的混合沙平均沉速 ω，由实测资料建立相应的 $\omega=kd_{50}^n$ 关系求得：$T=15\sim20$℃时，$\omega=0.22d_{50}^{1.38}$；$T=10\sim15$℃时，$\omega=0.244d_{50}^{1.49}$；$T=5\sim10$℃时，$\omega=0.294d_{50}^{1.62}$；$T=0\sim5$℃时，$\omega=0.385d_{50}^{1.79}$。

b. 泥沙群体沉速计算

泥沙群体沉速可由沙玉清公式计算得到：

$$\omega_s=\omega(1-0.5S_{V入}/\sqrt{d_{50}})^3 \tag{8-5-16}$$

(四)库区淤积分布计算方法

库区淤积分布按式(8-5-7)计算。为了简化计算，参照三门峡水库潼关以下库区经验，根据小浪底水库形态和各阶段运用的淤积发展情况，采用淤积分配比 B_x 值为：初期拦沙运用第一阶段，$B_x=0.70$；以后 B_x 在 0.70～0.75 变化。计算淤积分布后，修改计算过程中的库容曲线，供下时段计算应用。

(五)分组泥沙排沙计算方法

小浪底水库分组泥沙出库输沙率计算方法与三门峡水库计算方法相同。

三、黄河下游河道泥沙冲淤计算方法

黄河下游河道冲淤计算方法的基本模式，是应用黄委会水利科学研究院在分析大量实测资料的基础上建立的计算模型，包括三门峡建库前及建库后黄河下游不同来水来沙条件不同河床变形的资料，范围广泛。结合小浪底水库运用的实际情况，分析在小浪底水库拦沙和调水调沙运用条件下黄河下游河道冲淤河槽水力几何形态的变化及对水流挟沙力产生的影响，进行计算参数补充，可以应用于小浪底水库不同运用阶段黄河下游河道的泥沙冲淤预测计算。

(一)下游河道泥沙冲淤计算方法的特点

(1)根据下游河道平面形态和河型的特点，将下游河道分为铁谢—花园口、花园口—高村、高村—艾山、艾山—利津四个河段。

(2)考虑破除生产堤，分滩地和河槽两部分。

(3)当来水流量小于平滩流量时，只进行河槽输水输沙计算，不考虑槽蓄作用，按稳定流计算。当来水流量大于平滩流量时，考虑槽蓄作用，进行漫滩洪水演进计算。

(4)洪水漫滩，进行水力学计算，确定滩地和主槽流量分配及滩、槽分流分沙和泥沙冲淤计算。

(5)计算的时间步长，汛期按日，非汛期按月。

(6)采用粒径计法泥沙级配分析成果。

(二)河槽输沙计算经验公式

下游河槽输沙计算经验公式见表 8-5-7。

表 8-5-7　下游各河段河槽输沙计算经验公式

时段	河　段	公　　式
汛期	铁谢—花园口	$Q_s = 0.000\,675Q^{1.257}e^{0.575}\rho^{0.349}e^{0.923\Sigma\Delta W_s}X_d^{0.833\,1}$
	花园口—高村	$Q_s = 0.000\,311\,5Q^{1.223}\rho^{0.781\,7}e^{0.020\,5\Sigma\Delta W_s}$
	高村—艾山	$Q_s = 0.000\,46Q^{1.131\,6}\rho^{0.920\,9}e^{0.020\,5\Sigma\Delta W_s}$
	艾山—利津	$Q_s = 0.000\,35Q^{1.122}\rho^{0.976}e^{0.038\,1\Sigma\Delta W_s}$
非汛期	铁谢—花园口	$W_s = 5.63\times10^{-14}[\ln(100W)]^{14.073}$
	花园口—高村	$W_s = 1.033\times10^{-13}[\ln(100W)]^{13.96}$
	高村—艾山	$W_s = 0.000\,82W^{1.14}\rho^{0.88}$
	艾山—利津	$W_s = 0.000\,36W^{1.3}\rho^{0.92}$

注：表中公式各字母的含义：Q_s 为计算河段出口断面输沙率，t/s；Q 为计算河段出口断面流量，m^3/s；ρ 为计算河段进口断面含沙量，kg/m^3；X_d 为计算河段进口断面粒径小于 0.05mm 之沙重占总沙重的百分数；$\Sigma\Delta W_s$ 为计算河段平衡河槽累积冲淤量，亿 t；W_s 为计算河段出口断面月沙量，亿 t,；W 为计算河段出口断面月水量，亿 m^3。

（三）河槽变形计算方法

1. 沿程各断面流量的推求

由下游河槽起始计算边界条件确定起始平滩流量 Q_0，当来水流量小于 Q_0 时，槽蓄量小，只进行河槽输沙计算。按稳定流计算，此时水量平衡方程为：

$$Q_2 = Q_1 + Q_{支} - Q_{引} \tag{8-5-17}$$

式中　Q_1、Q_2——计算河段进、出口断面流量，m^3/s；

$Q_{支}$——支流入汇流量，m^3/s；

$Q_{引}$——引水流量，m^3/s。

当来水流量大于 Q_0 时，槽蓄量大，需进行洪水演进计算，用马斯京根洪水演进公式计算：

$$Q_{22} = C_0 Q_{12} + C_1 Q_{11} + C_2 Q_{21} \tag{8-5-18}$$

式(8-5-18)中，流量的第一下标为断面号，第二下标为时段序号；C_0、C_1、C_2 为洪水演进系数，由下游实测洪水资料求得各计算河段洪水演进系数见表 8-5-8。

表 8-5-8　　下游各河段洪水演进系数

河段	C_0	C_1	C_2
铁谢—花园口	0.121	0.649	0.230
黑石关—花园口	0.033	0.806	0.161
花园口—高村	0.230	0.690	0.080
高村—孙口	0.131	0.478	0.391
孙口以下	0	1.0	0

2. 滩槽水力学计算

由洪水演进求得沿程各断面过流量后，若洪水漫滩，对漫滩洪水进行水力学计算，确定滩地和主槽流量分配及相应的水力因子。

由河道形态及水力参数以及初始滩槽高差 ΔH 进行滩槽分流计算。

$$Q = Q_p + Q_n = \frac{B_p J_p^{1/2}}{n_p}(H_n + \Delta H)^{5/3} + \frac{B_n J_n^{1/2}}{n_n} H_n^{5/3} \tag{8-5-19}$$

式中　Q——计算河段全断面过流量，m^3/s；

Q_p、Q_n——河槽及滩地过流量，m^3/s；

H_n——滩地水深，m；

B_p、B_n——河槽及滩地水面宽，m；

J_p、J_n——河槽及滩地纵比降；

n_p、n_n——河槽及滩地糙率；

ΔH——初始滩槽高差，计算中需不断调整，m。

由上式通过试算求得滩地水深 H_n，代入上式右边第二项求得滩地流量 Q_n，再由总

的流量中扣除 Q_n,即得河槽流量 Q_p。

3. 滩槽分沙计算

采用漫滩洪水实测资料分析确定河槽水流含沙量与入滩水流含沙量之比:高村以上宽浅河段,$K=\frac{\rho_p}{\rho_n}=1.5$;高村以下窄深河段:$K=\frac{\rho_p}{\rho_n}=2$。

已知进口断面输沙率 Q_s,则进口断面滩、槽输沙分配如下:

$$Q_s = Q_{sp} + Q_{sn} = Q_{sp}\left(1+\frac{Q_n}{KQ_p}\right) = CQ_{sp} \quad C = 1+\frac{Q_n}{KQ_p} \tag{8-5-20}$$

已知滩槽流量分配后,又知滩槽含沙量之比 K 值,C 已确定,由此求得进入河槽输沙率:$Q_{sp}=Q_s/C$;进入滩地输沙率:$Q_{sn}=Q_s\left(1-\frac{1}{C}\right)$。

经过漫滩淤积后,由滩地返回河槽的水流含沙量直接采用挟沙力公式 $\rho_n = 0.22\left(\frac{v_n^3}{gH_n\omega_n}\right)^{0.76}$计算,其中,$v_n$ 为滩地平均流速,m/s;ω_n 为滩地淤积物平均沉速:高村以上河段,$\omega_n=0.000\ 22$m/s;高村至艾山河段,$\omega_n=0.000\ 25$m/s;艾山至利津河段,$\omega_n=0.000\ 15$m/s。由此求得滩地返回河槽输沙率 $Q_{sn出}=Q_n\rho_n$。

将上述出口断面河槽流量 Q_p、进口断面河槽来水含沙量 ρ_p 等代入表 8-5-7 中河槽输沙计算经验公式,即得河段出口断面河槽输沙率 $Q_{sp出}$。

出口断面全断面输沙率为 $Q_{s出}=Q_{sp出}+Q_{sn出}$。

4. 滩、槽冲淤变形计算

由河段进出口断面滩槽输沙率求得河段滩槽冲淤量 ΔW_{sn}和 ΔW_{sp},由泥沙平衡方程式的差分式求得滩、槽冲淤厚度 ΔZ:

滩地淤积厚度

$$\Delta Z_n = \frac{\Delta W_{sn}}{A_n\gamma_0} \tag{8-5-21}$$

河槽冲淤厚度

$$\Delta Z_p = \frac{\Delta W_{sp}}{A_p\gamma_0} \tag{8-5-22}$$

式中 A_n、A_p——滩地、河槽面积;

γ_0——淤积土干容重,采用 1.4t/m^3。

(四)计算方法验证计算

采用 1969 年 7 月~1989 年 6 月的实测三门峡、黑石关、武陟水沙过程进行冲淤计算方法的验算,结果见表 8-5-9。由验算可见,下游河道汛期、非汛期和全年冲淤量的计算结果与实测过程符合较好。

在小浪底水库运用后,下游河道因冲刷和减淤作用,将发生河床形态调整,比无小浪底水库时的下游河道宽、浅、散、乱河床,平均挟沙力提高了 3.75%(粗估)。因此,在下游河道河槽输沙公式中引入挟沙力调整系数 1.037 5,应用于小浪底水库运用后的下游河槽输沙计算。

表 8-5-9　　黄河下游河道泥沙冲淤计算方法验算

年份	汛期冲淤量		非汛期冲淤量		合计	
	计算	实测	计算	实测	计算	实测
1969	5.75	6.07	0.61	1.10	6.36	7.17
1973	24.86	24.88	0.18	0.16	25.04	25.04
1977	37.37	40.39	-4.20	-4.71	33.17	35.68
1981	49.87	49.66	-7.32	-8.08	42.55	41.58
1985	52.51	51.87	-11.9	-11.73	40.61	40.14
1988	60.97	60.98	-13.17	-13.22	47.80	47.76

第六节　水库防洪运用泥沙冲淤计算

一、水库防洪运用泥沙冲淤计算条件

水库防洪运用泥少冲淤计算条件：

(1)小浪底水库与三门峡水库联合防洪运用，对 1933 年“上大洪水”，三门峡水库先敞泄后控泄运用(即先敞泄滞洪，达最高蓄洪水位后，按小浪底水库泄流量控泄)，小浪底水库控制下游洪水运用；对 1958 年“下大洪水”，百年一遇以下(含百年一遇)洪水，三门峡水库敞泄滞洪，小浪底水库防洪运用，百年一遇以上洪水，三门峡水库和小浪底水库联合防洪运用。

(2)考虑黄河上游龙羊峡水库和刘家峡水库的调节作用，经计算日平均减少洪水期基流量 2 000m^3/s，但洪水期来沙量减少很小，可忽略不计。

(3)小浪底水库防洪运用泥沙冲淤计算是由龙门、华县、河津、洑头四站洪水泥沙算起，经三门峡水库防洪运用的潼关以上库区和潼关以下库区的泥沙冲淤计算，由三门峡水库下泄洪水、泥沙进入到小浪底水库，加上三小间洪水，进行小浪底水库防洪运用的泥沙冲淤计算。

二、三门峡水库防洪运用泥沙冲淤计算

(一)计算方法

三门峡水库防洪运用泥沙冲淤计算考虑了三部分：四站至潼关河段；潼关至三门峡库段；回水超过潼关后潼关以上壅水区淤积量的计算，修正潼关断面输沙率。

1. 四站—潼关河段冲淤计算方法

四站—潼关河段包括黄河小北干流及渭河、洛河下游河段。计算方法包括黄河小北干流及渭河、洛河下游两部分，基本形式为：由黄河小北干流输送至潼关断面的输沙率和由渭河华县站和北洛河洑头站输送至潼关断面的输沙率，组成潼关断面总输沙率。

(1)黄河龙门—潼关：

$$Q_{s潼1} = K_1 Q_{龙河}^{\alpha_1} \rho_{龙河}^{\beta_1} \tag{8-6-1}$$

(2)华县、洑头—潼关:

$$Q_{s潼2} = K_2 Q_{华洑}^{\alpha_2} \rho_{华洑}^{\beta_2} \tag{8-6-2}$$

(3)潼关:

$$Q_{s潼} = Q_{s潼1} + Q_{s潼2} \tag{8-6-3}$$

式中 $Q_{龙河}^{\alpha_1}$、$\rho_{龙河}^{\beta_1}$——龙门加河津的合成流量及含沙量;

$Q_{华洑}^{\alpha_2}\rho_{华洑}^{\beta_2}$——华县加洑头的合成流量及含沙量;

K_1、K_2、α_1、α_2、β_1、β_2——系数及指数,由实测资料确定。

2. 潼关—三门峡库区洪水泥沙冲淤计算方法

潼关至三门峡库区防洪运用排沙方式分壅水排沙及敞泄排沙两种。

1)水库壅水排沙关系

考虑到三门峡水库和小浪底水库上下相联且联合防洪运用,而洪水含沙量大、泥沙颗粒粗,要考虑含沙量对水库排沙能力的影响、泥沙组成在水库防洪运用中的变化、含沙量对浑水容重的影响及含沙量对泥沙沉速的影响等。因此,水库防洪运用的壅水排沙关系采用比较复杂的形式。

a. 库区有高滩深槽时

(1)当$\left(\frac{\gamma_m}{\gamma_s-\gamma_m}\cdot\frac{Q_出}{V}\cdot\frac{1}{\omega_s}\right)\geqslant 5\times10^{-4}$时:

$$\eta = \frac{\rho_出}{\rho_入}\left(或\frac{Q_{s出}}{Q_{s入}}\right) = 0.466\ 2\lg\left(\frac{\gamma_m}{\gamma_s-\gamma_m}\cdot\frac{Q_出}{V}\cdot\frac{1}{\omega_s}\right)+1.738\ 9 \tag{8-6-4}$$

(2)当$\left(\frac{\gamma_m}{\gamma_s-\gamma_m}\cdot\frac{Q_出}{V}\cdot\frac{1}{\omega_s}\right)< 5\times10^{-4}$时:

$$\eta = \frac{\rho_出}{\rho_入}\left(或\frac{Q_{s出}}{Q_{s入}}\right) = 0.100\ 1\lg\left(\frac{\gamma_m}{\gamma_s-\gamma_m}\cdot\frac{Q_出}{V}\cdot\frac{1}{\omega_s}\right)+0.530\ 4 \tag{8-6-5}$$

b. 库区无高滩深槽时

(1)当$\left(\frac{\gamma_m}{\gamma_s-\gamma_m}\cdot\frac{Q_出}{V}\cdot\frac{1}{\omega_s}\right)\geqslant 3.8\times10^{-3}$时:

$$\eta = \frac{\rho_出}{\rho_入}\left(或\frac{Q_{s出}}{Q_{s入}}\right) = 0.470\ 9\lg\left(\frac{\gamma_m}{\gamma_s-\gamma_m}\cdot\frac{Q_出}{V}\cdot\frac{1}{\omega_s}\right)+1.339\ 7 \tag{8-6-6}$$

(2)当$\left(\frac{\gamma_m}{\gamma_s-\gamma_m}\cdot\frac{Q_出}{V}\cdot\frac{1}{\omega_s}\right)< 3.8\times10^{-3}$时:

$$\eta = \frac{\rho_出}{\rho_入}\left(或\frac{Q_{s出}}{Q_{s入}}\right) = 0.099\ 7\lg\left(\frac{\gamma_m}{\gamma_s-\gamma_m}\cdot\frac{Q_出}{V}\cdot\frac{1}{\omega_s}\right)+0.441\ 3 \tag{8-6-7}$$

式中 η——排沙比(当 $Q_出 \leqslant Q_入$ 时,$\eta=\frac{\rho_出}{\rho_入}$;当 $Q_出 > Q_入$ 时,$\eta=\frac{Q_{s出}}{Q_{s入}}$),为出库与入库的含沙量(kg/m^3)之比值或输沙率(t/s)之比值。

V——计算时段中蓄水容积,m^3;

γ_s、γ_m——泥沙和浑水容重，t/m³；

ω_s——泥沙群体沉速，m/s；

$Q_{出}$——出库流量，m³/s。

三门峡水库在潼关—大坝库区已形成高滩深槽库容形态，现状坝前滩面高程约318m，潼关滩面高程约330m，水库泄流能力已扩大。在水库蓄洪水位330m以下时，按库区有高滩深槽时壅水排沙计算。此时，库区淤积，滩槽淤高；库区冲刷，只冲槽，滩地不变化，仍有高滩深槽形态。在水库蓄洪水位高于330m后，在潼关以上库区的壅水区域，按无高滩深槽时壅水排沙计算。

关于水库排沙方式的判别指标：①在库区有高滩深槽库容形态的边界条件下，当$\left(\frac{\gamma_m}{\gamma_s-\gamma_m}\cdot\frac{Q_{出}}{V}\cdot\frac{1}{\omega_s}\right)\leqslant 0.026$时，为壅水排沙；否则为敞泄排沙。②在库区无高滩深槽的边界条件下，当$\left(\frac{\gamma_m}{\gamma_s-\gamma_m}\cdot\frac{Q_{出}}{V}\cdot\frac{1}{\omega_s}\right)\leqslant 0.19$时，为壅水排沙；否则为敞泄排沙。

2)水库敞泄排沙关系

水库敞泄排沙关系式如下：

$$Q_{s出} = K(\rho/Q_{入})^{0.7}(Q_{出}\, i)^2 \tag{8-6-8}$$

式中　$Q_{入}$——入库流量，m³/s；

ρ——入库含沙量，kg/m³；

i——库区平均水面比降；

K——系数，其值随库区河床前期淤积量的大小和坝前河床淤积面的升降幅度而变化。

3)库容修改计算

在水库调节过程中，随着库区淤积量的变化，其库容及分布情况也随之改变，因此在每一计算时段末，对库容曲线进行修改。

某级高程以下库容的修改值：

$$\Delta V_{si} = [(H_i - H_{min})/(H_{max} + \Delta H_i - H_{min})]^m \cdot V_{si} \tag{8-6-9}$$

式中　ΔV_{si}——某级高程以下库容修改值；

V_{si}——总库容修改值；

H_i——坝前水位；

H_{min}——坝前最低水位，一般取$H_{min}=297$m；

H_{max}——已出现的坝前最高水位，m；

ΔH_i——淤积末端高程与坝前最高水位的差值，m；

m——水库淤积分布指数，根据三门峡水库蓄水滞洪淤积资料得$m=2.74$。

4)滩槽淤积高程计算

当水库蓄洪水位高于库区滩面高程时，进行分滩槽淤积计算，同时计算滩槽淤积高程。以此来判别每个计算时段库水位是否高于当时的滩面高程，是否要分滩槽淤积计算。

3. 回水超过潼关后潼关断面输沙量的修正

当坝前水位超过潼关，在潼关以上回水区产生壅水，使排沙能力降低。在计算出四站—潼关河段淤积量的基础上,增加一项潼关以上壅水区淤积量的计算,从而对潼关断面的输沙量进行修正。

二、计算成果

三门峡库区冲淤计算包括四站至潼关河段及潼关至三门峡库段两部分,1933 年型百年一遇以上洪水淤积计算成果见表 8-6-1。潼关以上河段的淤积量包括了回水超过潼关的增淤量。

表 8-6-1 1933 年型百年一遇以上洪水三门峡库区冲淤计算成果(45 日)

频率(%)	沙量(亿 t)			淤积量(亿 t)			坝前最高水位(m)	河槽淤积(亿 t)		滩库容损失(亿 m^3)		
	四站	潼关	三门峡	四—潼	潼—三	全库		四—潼	潼—三	四—潼	潼—三	全库
1	49.00	40.64	36.50	8.36	4.14	12.5	325.33	4.13	0.74	3.02	2.43	5.45
0.1	67.09	54.55	42.18	12.54	12.37	24.91	330.75	5.93	3.79	4.72	6.13	10.85
0.01	83.83	60.15	38.12	23.68	22.03	45.71	334.45	8.01	9.81	11.19	8.73	19.92

注:表中“四”指“四站”,“潼”指“潼关”,“三”指“三门峡”。

从表 8-6-1 中可以看出,频率为 1%、0.1%及 0.01%的洪水,全库区淤积分别为 12.5 亿 t、24.91 亿 t 和 45.71 亿 t。百年一遇洪水坝前最高蓄水位 325.33m,千年一遇洪水坝前最高水位 330.75m,万年一遇洪水坝前最高水位达 334.45m。

频率为 1%、0.1%及 0.01%的洪水,全库区损失滩库容分别为 5.45 亿 m^3、10.85 亿 m^3 和 19.92 亿 m^3。

频率为 1%、0.1%及 0.01%的洪水留在全库河槽内的淤积物也相当多,分别为 4.87 亿 t、9.72 亿 t 和 17.82 亿 t,冲刷河槽内淤积物需要多年的汛期运用。

综上所述,如果发生 1933 年型百年一遇以上各等级洪水,对三门峡水库的淤积影响大,洪水愈大,影响愈大,形势严峻。

三、小浪底水库防洪运用泥沙冲淤计算

(一)计算方法

小浪底水库防洪运用泥沙冲淤计算方法分壅水排沙与敞泄排沙两种方式。

(1)壅水排沙关系与前述三门峡水库相同。

(2)敞泄排沙关系采用式(8-5-5):$Q_{s出} = 1.15 a\rho_{入}^{0.79}(Q_{出} i)^{1.24}/\omega_s^{0.45}$ 来计算,其中系数 a 值同表 8-5-6。

(二)计算成果

小浪底水库在正常运用时期 1933 年型百年一遇以上各频率洪水库区淤积量及滩库容损失量见表 8-6-2。

由表 8-6-2 可见,小浪底水库 1933 年型百年一遇洪水库区淤积 9.05 亿 t,其中在槽库容内淤积 6.52 亿 t、滩地淤积 2.53 亿 t;千年一遇洪水库区淤积 12.04 亿 t,其中槽库容内淤积 7.42 亿 t、滩地淤积 4.62 亿 t;万年一遇洪水库区淤积 14.32 亿 t,其中槽库容内淤

积 7.45 亿 t,滩地淤积 6.87 亿 t。

表 8-6-2　　1933 年型百年一遇以上洪水小浪底库区冲淤计算成果(45 日)

频率(%)	输沙量(亿 t)				淤积量(亿 t)		滩库容损失(亿 m^3)
	三门峡	三小间	小浪底入库	小浪底出库	全断面	河槽	
1	36.50	0.22	36.72	27.67	9.05	6.52	1.95
0.1	42.18	0.31	42.49	30.45	12.04	7.42	3.55
0.01	38.12	0.32	38.44	24.12	14.32	7.45	5.28

由于三门峡水库蓄洪,大量泥沙在三门峡水库淤积,排入小浪底水库的泥沙减少,颗粒组成较细,所以小浪底水库防洪控制运用的泥沙淤积量也少,小浪底水库 1933 年型百年一遇、千年一遇、万年一遇洪水的泥沙淤积损失滩库容分别为 1.95 亿 m^3、3.55 亿 m^3 和 5.28 亿 m^3。

因此,遇 1933 年型百年一遇洪水淤积损失滩库容 1.95 亿 m^3,在槽库容内淤积物冲刷后,小浪底水库仍有有效库容 49.05 亿 m^3,可以满足防洪、防凌、减淤、调水调沙运用的要求,满足调节期兴利库容调节径流的要求,不需要降低死水位。遇 1933 年型千年一遇洪水或万年一遇洪水淤积损失滩库容 3.55 亿 m^3 或 5.28 亿 m^3 后,水库有效库容分别减小为 47.45 亿 m^3 或 45.72 亿 m^3,可以满足防洪、防凌和兴利调节库容的要求,但是调水调沙库容减少了,此时可以将水库死水位分别降低至 225m 或 220m,满足保持有效库容 51 亿～52 亿 m^3 的要求。

四、水库防洪运用河槽淤积物的冲刷分析

三门峡水库和小浪底水库联合防洪运用后,百年一遇、千年一遇、万年一遇洪水在槽库容内的淤积量,三门峡水库分别为 4.87 亿 t、9.72 亿 t 和 17.82 亿 t,小浪底水库分别为 6.52 亿 t、7.42 亿 t 和 7.45 亿 t。三门峡水库潼关以上黄河小北干流库区和渭河、北洛河下游库区的河槽淤积物冲刷较慢,潼关以下河槽淤积物冲刷较快。在 2000 年设计水平的来水来沙条件下,控制非汛期低水位 310m 运用不增加淤积条件下,估计 2～3 年汛期可冲刷完百年一遇洪水河槽淤积物,而千年一遇洪水河槽淤积物要 5～6 年汛期冲完,万年一遇洪水河槽淤积物要 10 年以上汛期冲完,后遗症影响时间较长。小浪底水库经百年一遇、千年一遇、万年一遇洪水淤积后,坝前滩面分别淤高约 2m、3m、4m,滩面高程由 254m 分别升至 256m、257m 和 258m。由于河槽内淤积物颗粒组成比三门峡库区河槽淤积物较细,且洪水后降低水位幅度大,冲刷比降大,较易冲刷。但是,由于小浪底水库仍有足够大的库容满足调节运用要求,为了不使黄河下游河道加重淤积,要求小浪底水库控制在来水 2 000～2 500m^3/s 以上流量进行冲刷,控制冲刷强度,还要进行调水调沙,并对三门峡水库汛期 2 000m^3/s 以下流量冲刷来的淤积物进行拦截,等待 2 000～2 500m^3/s 以上流量冲刷出库,以利于下游河道输沙,所以延长了小浪底水库冲刷河槽淤积物恢复库容的时间。据估算,分别在 4～5 年主汛期、6～7 年主汛期和 10～11 年主汛期小浪底水库可冲刷恢复槽库容。

第七节 小浪底水库施工期洪水泥沙淤积计算

小浪底水库施工期发生洪水时,需要三门峡水库拦洪控制运用,需要分析遭遇大洪水时三门峡库区和小浪底库区的淤积量及库容损失。

一 、小浪底水库施工期度汛洪水标准

截流后第一年,按百年一遇洪水设计,围堰拦洪,堰顶高程 180m,限制水位 177.3m;截流后第二年,按三百年一遇洪水设计,按五百年一遇洪水校核,坝体拦洪,坝顶高程 200m,限制水位 195.4m;截流后第三年,按五百年一遇洪水设计,千年一遇洪水校核,坝体拦洪,坝顶高程 236m,限制水位 233m;截流后第四年,大坝建成,按工程设计条件度汛。需要指出的是,除截流后第一年按百年一遇洪水为设计度汛洪水标准外,施工期第二年至第四年的度汛洪水,是随坝体填筑高程的施工进展,可以实际达到的防洪能力,并非要求的施工期度汛洪水标准。

二、典型洪水及洪量、沙量设计

1933 年型洪水含沙量高、来沙量大,泥沙淤积对库区的影响大,因此选用 1933 年型洪水作为计算条件。

1933 年型洪水主要来自黄河河龙间和泾河、洛河、渭河。黄河上游龙羊峡、刘家峡两座水库,在洪水期能削减下游洪水基流,小浪底工程施工期洪水,考虑了龙羊峡、刘家峡两库的调节减洪作用。潼关断面各频率洪量见表 8-7-1。

表 8-7-1 潼关断面各频率洪水洪量(45 日)

洪水频率(%)	1	0.33	0.2	0.1
洪水水量(亿 m^3)	215.3	246.9	256.9	274.9

三门峡水库潼关断面各频率洪水沙量见表 8-7-2。

表 8-7-2 潼关断面各频率洪水沙量(45 日)

洪水频率(%)	1	0.33	0.2	0.1
洪水沙量(亿 t)	36.18	40.12	41.45	47.72

1933 年型洪水三小间来水量、来沙量少。从计算结果看,上述频率洪水三小间来水量为 3 亿~5 亿 m^3,来沙量为 0.13 亿~0.27 亿 t。

三、小浪底工程施工期度汛洪水水库泥沙淤积计算

(一)三门峡水库

三门峡水库又分潼关以上库区及潼关以下库区两部分。经计算,各频率洪水三门峡水库控制运用下的库区淤积量见表 8-7-3 及表 8-7-4。

表 8-7-3　　各频率洪水潼关以上库区淤积量(45日)

库区	频率(%)			
	1	0.33	0.2	0.1
黄河小北干流淤积(亿 t)	10.39	12.60	13.40	14.58
渭河、洛河下游淤积(亿 t)	2.44	3.60	4.00	4.79
潼关以上淤积(亿 t)	12.83	16.20	17.40	19.37

表 8-7-4　　各频率洪水潼关以下库区淤积量(45日)

频率(%)	年份	库区总淤积量(亿 t)	滩库容损失(亿 m^3)
1	小浪底工程截流后第一年	8.40	4.60
0.33	小浪底工程截流后第二年	14.00	7.10
0.2	小浪底工程截流后第二年	17.44	8.10
0.2	小浪底工程截流后第三年	10.50	6.60
0.1	小浪底工程截流后第三年	18.30	8.60

淤积在河槽内的泥沙会逐渐冲刷出库,而淤积在滩地上的泥沙使有效库容减小。

(二)小浪底水库

小浪底工程施工期各频率洪水在上游三门峡水库控制运用条件下的库区淤积量见表 8-7-5。

表 8-7-5　　各频率洪水小浪底库区淤积量

频率(%)	年份	库区淤积量(亿 t)
1	截流后第一年	1.42
0.33	截流后第二年	8.16
0.2	截流后第二年	7.06
0.2	截流后第三年	22.09
0.1	截流后第三年	21.18

四、三门峡水库控制运用泥沙淤积影响分析

小浪底工程施工期度汛,三门峡水库控制运用,要满足小浪底工程施工期度汛防洪要求,就必然增加三门峡水库的淤积。小浪底水库施工期度汛设计中,考虑了尽量减轻三门峡水库控制运用的负担以减少其库区淤积影响,比较了三门峡水库控制运用及正常运用两种条件下各频率洪水在库区的淤积情况。

对比结果表明,小浪底工程施工期三门峡水库控制运用,与三门峡水库正常运用时相比,各频率洪水使三门峡潼关以下库区滩地多淤积 2.86 亿~5 亿 t,相当于多损失滩地库

容2.0亿~3.6亿m^3,库区河槽淤积量也增加,洪水过后降低水位冲刷河槽淤积物的历时有一定的延长。

第八节 枢纽工程泥沙

一、坝前淤积高程、冲刷漏斗形态及库区淤积末端变化

按照小浪底水库初期运用起调水位205m逐步抬高主汛期水位拦沙和调水调沙运用方式,计算水库运用20年的坝前淤积高程、冲刷漏斗形态和淤积末端变化。计算方法是:

(1)按照水库锥体淤积形态为主体的逐年累积淤积量,确定相应于坝前淤积高程以下和以上的淤积分配比。

(2)按照上述分布在坝前淤积高程以下的淤积量,按原始库容曲线计算相应的坝前淤积高程H,并概化原始河床纵剖面后,以$L=0.81H-93.26$计算水平淤积长度L(按km计)。

(3)按淤积末端距坝里程$l=1.2L$计算淤积末端位置,按$Z=1.208l+114$计算淤积末端高程(按m计)。

(4)选取坝前冲刷漏斗平底段的长度为70m,选取孔板泄洪洞和排沙洞等底孔孔口前冲刷深度为2m,孔板泄洪洞和排沙洞进口高程175m,则孔口前冲刷平底段河底高程为173m。

(5)坝区大冲刷漏斗进口断面即为库区锥体淤积的顶点坝前断面,河槽深度$h=1.25h_k$,h_k为坝前平衡河槽深度,$h_k=4$m,则$h=5$m,即在逐步抬高主汛期水位拦沙时滩、槽同步淤高,冲刷漏斗进口断面的河底比坝前滩面低5m。

(6)求出坝区大冲刷漏斗总深度ΔH和大冲刷漏斗陡坡段平均比降i,由$l=\Delta H/i$算出冲刷大漏斗陡坡段长度l,由冲刷平底段长度和冲刷漏斗陡坡段长度求出坝区大冲刷漏斗总长度。

为研究坝前防渗铺盖的形成,选取水库淤积过程较慢的枯水段在前的2000年设计水平1919~1969年代表系列,计算初期运用20年坝前淤积高程、冲刷漏斗形态和库区淤积末端的变化见表8-8-1。

由表8-8-1可见,坝前滩面淤积高程:第5年为213.8m;第10年为223.4m;第15年为240.5m;第20年为246.6m。坝前冲刷平底段河底高程173m。河槽与滩面同步淤高,大漏斗进口断面的河底平均高程比坝前滩面高程低5m,大冲刷漏斗河槽宽度由坝前的350m到大冲刷漏斗进口断面的420m,逐渐变宽。

需要指出的是,对于水库初期拦沙运用淤积过程较快的来水来沙较多的2000年设计水平1950~1975+1950~1975年代表系列,坝前淤积高程第5年为211.5m、第10年为233m、第15年为239.9m、第20年为244.5m。考虑今后水沙变化枯水段出现较多,亦有平水、丰水时段出现较多可能,故设计水平1919~1969年系列和1950~1975+1950~1975年系列的坝前淤积高程和淤积末端变化过程具有反映不同水沙系列情况的特点。但是,由于设计水平采用的黄河来沙量总体偏多(留有余地),据此计算的水库淤积过程仍

表 8-8-1　小浪底水库初期拦沙和调水调沙运用坝前淤积高程、冲刷漏斗形态及库区淤积末端变化

（设计水平 1919～1969 年代表系列）

年序	累积淤积量（亿 m^3）	相应坝前滩面高程以下		相应坝前滩面高程以上		坝前滩面高程（m）	水平淤积长度（km）	淤积末端		漏斗平底段		漏斗陡坡段		漏斗进口断面	
		淤积分配（%）	淤积量（亿 m^3）	淤积分配（%）	淤积量（亿 m^3）			距坝里程（km）	高程（m）	长度（m）	河底高程（m）	平均坡度	河槽宽度（m）	河底高程（m）	距坝里程（m）
1	11.03	70	7.72	30	3.31	186.8	57.38	68.86	197.18	70	173	0.08	420	181.8	255.0
2	18.88	70	13.22	30	5.66	198.8	67.10	80.52	211.27	70	173	0.08	420	193.8	405.0
3	24.58	70	17.21	30	7.37	205.5	72.53	87.04	219.14	70	173	0.08	420	200.5	488.8
4	28.80	70	20.16	30	8.64	209.4	75.69	90.83	223.72	70	173	0.08	420	204.4	537.5
5	33.47	71.5	23.93	28.5	9.54	213.8	79.25	95.10	228.88	70	173	0.08	420	208.8	592.5
6	35.01	71.5	25.03	28.5	9.98	215.0	80.22	96.26	230.29	70	173	0.08	420	210.0	607.5
7	40.29	73	29.41	27	10.88	219.5	83.87	100.64	235.58	70	173	0.08	420	214.5	663.8
8	42.36	73	30.92	27	11.44	221.0	85.08	102.10	237.33	70	173	0.08	420	216.0	682.5
9	45.33	73	33.13	27	12.25	223.0	86.70	104.04	239.68	70	173	0.08	420	218.0	707.5
10	46.02	73	33.59	27	12.43	223.4	87.03	104.44	240.16	70	173	0.08	420	218.4	712.5
11	51.79	75	38.84	25	12.95	228.2	90.92	109.10	245.80	70	173	0.08	420	223.2	772.5
12	55.12	75	41.34	25	13.78	230.5	92.78	111.34	248.49	70	173	0.08	420	225.5	801.3
13	58.42	75	43.82	25	14.60	232.7	94.56	113.47	251.07	70	173	0.08	420	227.7	828.8
14	64.46	75	48.35	25	16.12	236.1	97.32	116.78	255.08	70	173	0.08	420	231.1	871.3
15	70.14	78	54.71	22	15.43	240.5	100.88	121.06	260.24	70	173	0.08	420	235.5	926.3
16	76.05	80	60.84	20	15.21	244.3	103.96	124.75	264.70	70	173	0.08	420	239.3	973.8
17	78.65	80	62.92	20	15.73	245.5	104.93	125.92	266.11	70	173	0.08	420	240.5	988.8
18	77.84	80	62.27	20	15.57	245.5	104.69	125.63	265.76	70	173	0.08	420	240.5	988.8
19	72.28	78	56.38	22	15.90	245.5	101.69	122.03	261.41	70	173	0.08	420	240.5	988.8
20	81.14	80	64.91	20	16.23	246.6	105.82	126.98	267.40	70	173	0.08	420	241.6	1 002.5

较快。将来黄河来沙量总体将要比设计采用的偏少,故水库实际淤积过程会较慢。

二、小浪底泄水排沙建筑物运用与坝区大冲刷漏斗作用分析

(一)小浪底泄水排沙建筑物运用特点

小浪底泄水排沙建筑物,包括3条排沙洞,进口高程175m,在水位205~275m时可泄流1 320~2 025m³/s;3条孔板泄洪洞,进口高程175m,在水位205~275m时可泄流3 426~5 093m³/s;3条高位明流泄洪洞,进口高程195~225m,在水位205~275m时可泄流376~6 433m³/s;另有溢洪道,水位265~275m时可泄流994~3 764m³/s。

水电站发电引水洞6条,4条引水洞进口高程195m,2条引水洞进口高程190m。装机6台,单机引水流量300m³/s,其中1台供轮流检修,5台机组引水流量1 500m³/s。

水库正常运用期,汛期7~9月水位在230~254m间变化,发电引水洞孔口位在相对深度0.61~0.70m至0.73~0.79m区域。

各泄水孔口的分流方式为:出库流量小于400m³/s时,关闭排沙洞,全部过机;出库流量400~600m³/s时,机组引水400m³/s,剩余由排沙洞分流;出库流量600~2 230m³/s,机组引水70%,剩余由排沙洞分流;出库流量大于2 230m³/s时,机组引水1 500m³/s,剩余由排沙洞、孔板泄洪洞、明流泄洪洞分流。

电站调峰发电运行,在一日内按电力系统要求担负调峰运行,最大累计日蓄水量1.2亿m³,水库主汛期低壅水调蓄水量2亿~3亿m³,有足够的库容进行日调节。

水库调水调沙减淤运用和电站调峰发电运行可以结合进行。即在来水流量小于2 200m³/s时,按电站调峰运行进行日调节,电站调峰的不稳定流向下游演进中,达到一定距离后形成符合下游花园口断面相对稳定的调水调沙减淤要求的水沙过程;在来水大于2 200m³/s时,电站5台机组满发,符合水库调水调沙泄放大水输沙减淤运用的调水要求。

水库调水调沙和电站调峰运行要在泄水孔口防淤堵和电站防沙的安全运行条件下进行。因此,要利用坝区大漏斗域的河床变形和调节水流泥沙运动的作用达到这一目的。

(二)坝区大冲刷漏斗域概念和形态特征

1.坝区大冲刷漏斗域的概念

坝区大冲刷漏斗域为水流由库区明渠流过渡到有压底孔泄流的水流流动域。坝区大冲刷漏斗域进口边界为水库明渠行近流末端,出口边界为底孔进口。坝区大冲刷漏斗域分孔口影响近场和孔口影响远域两部分。孔口影响近场,直接受有压孔口泄流作用影响;孔口影响远域,与孔口泄流作用有联系。在坝区大冲刷漏斗域能够在一定条件下形成异重流运动。

2.坝区大冲刷漏斗域基本形态特征

河床纵剖面形态,上部为水库淤积体近坝前坡段;中部为冲刷漏斗陡坡段;下部为进水塔群前小冲刷漏斗段,或为平底,或为锯齿状,或为顺水流向纵坡,或为逆水流向纵坡,随泄水底孔不同调度而变化。横断面形态,由坝区大冲刷漏斗域进口的河槽横断面向孔口前收缩水流的河槽横断面过渡,河底由宽而窄,槽深由浅而深,河槽边坡由缓而陡,槽型由单式河槽向复式河槽变化。

(三)坝区大冲刷漏斗域河床变形及水沙运动特点

为了研究小浪底水库日调节运用坝区大冲刷漏斗域河床变化及水沙运动特点，1989年7月7～14日在三门峡水库进行了日调节模拟试验，坝区大冲刷漏斗域河床变形及水沙运动方面的主要特点有以下几点。

1. 具有日调节流量两极分化能力

日调节模拟试验在库水位304～310m间进行，显示了在较低水位较小调节库容下日调节流量两极分化的能力，小则泄流为50m^3/s，大则泄流为1 140～2 320m^3/s。如7月13日，潼关入库日平均流量1 220m^3/s，比较均匀，出库最小流量为50m^3/s，较大流量为470～2 660m^3/s。

2. 调节库容小而调节水沙作用大

日调节运行使用的库容为0.3亿～1.1亿m^3，能够调节流量两极分化和坝区漏斗域泥沙冲淤部位，达到小水拦沙、大水排沙的目的，日调节期内基本平衡输沙。

3. 坝区大冲刷漏斗域可形成异重流

日调节运行中除个别时段为浑水明流输沙流态外，绝大部分时段可形成异重流运动。例如7月7～14日，完全形成异重流运动的有5天，日内交替出现异重流和浑水明流输沙流态的有3天。

试验结果分析表明，坝区大冲刷漏斗域异重流形成条件用壅水指标 V/Q(V 为蓄水容积，m^3；Q 为出库流量，m^3/s)判别为：$V/Q \geqslant 2.63 \times 10^4$s 形成异重流，$V/Q = 2.2 \times 10^4 \sim 2.6 \times 10^4$s 为异重流不稳定的过渡区，$V/Q < 2.2 \times 10^4$s 为浑水明流，见表8-8-2。

表8-8-2　三门峡水库日调节模拟试验坝区异重流形成条件(1989年7月7～14日)

库水位(m)	303.86	304.40	305.20	307.40	307.80	308	308.2	309.4
蓄水容积(亿m^3)	0.33	0.37	0.44	0.70	0.76	0.79	0.83	1.1
出库流量(m^3/s)	1 530	56	1 500	2 660	4 100	2 660	3 730	1 230
V/Q($\times 10^4$s)	2.157	66.1	2.93	2.63	1.85	2.97	2.22	8.94
流态	浑水明流	异重流	异重流	异重流	浑水明流	异重流	异重流、浑水明流	异重流

4. 清浑水交界面与孔口泄流的关系

坝区大冲刷漏斗域形成异重流运动时，清浑水交界面与孔口泄流有关。在异重流趋近上游隧洞(进口底坝高程290m)时，被隧洞泄流吸引，清浑水交界面在隧洞顶部附近，当下游底孔(进口底坝高程280m)泄流加大至远超过隧洞泄流时，异重流全部被底孔泄流吸引，隧洞水流变为清水。

5. 底孔分流少分沙多

调峰运行中，底孔(进口高程280m)含沙量为隧洞(进口高程290m)含沙量的2～4

倍。底孔分流 30%,隧洞分流 70%,底孔分流少而分沙多,见表 8-8-3。

表 8-8-3　　三门峡水库泄水孔口分流分沙特点(1989 年)

测时(月·日·时)	库水位(m)	坝区流态	泄量(m^3/s)			含沙量(kg/m^3)		输沙率(t/s)	
			出库	隧洞	底孔	隧洞	底孔	隧洞	底孔
7.13.10	309.47	异重流	1 200	840	360	20.9	64.5	17.6	23.2
7.13.12	309.46	异重流	1 230	870	360	4.0	15.8	3.48	5.7
7.13.15	308.86	异重流	2 000	1 300	700	6.34	15.1	8.24	10.6

6. 坝区大冲刷漏斗域流速、含沙量、泥沙颗粒垂向分布调整

坝区大冲刷漏斗域异重流和浑水明流的流速(v)、含沙量(ρ)和泥沙粒径 d_{50} 分布不同,见表 8-8-4。由表 8-8-4 看出:

表 8-8-4　　三门峡坝区漏斗域流速、含沙量、泥沙颗粒垂向分布特点(1989 年 7 月 7～14 日、8 月 21 日调节试验)

测时		7月13日 11:30′	7月13日 12:00′	7月13日 12:40′	8月21日 19:50′	8月21日 19:40′
断面位置		距坝 1 010m	距坝 1 010m	距坝 700m	距坝 700m	距坝 700m
垂线号		1	2	1	2	1
坝前水位(m)		309.46	309.46	309.40	308.00	308.00
流态		异重流	异重流	异重流	浑水明流	浑水明流
水深(m)		20.0	17.5	20.0	13.3	12.0
$Q_{洞}$	m^3/s	870	870	870		
$Q_{底}$		360	360	360		
$S_{洞}$	kg/m^3	12.0	4.0	5.0		
$S_{底}$		40.0	15.8	15.5		

相对水深(y/h)	v (m/s)	ρ (kg/m^3)	v (m/s)	ρ (kg/m^3)	v (m/s)	ρ (kg/m^3)	d_{50} (mm)	v (m/s)	ρ (kg/m^3)	d_{50} (mm)
0	0.07	0.16	0.13	0.16	0.09	0.16	0.009	1.48	16.7	0.013
0.2	0.05	0.24	0.18	0.24	0.27	0.24	0.011	1.20	21.7	0.011
0.4	0.19	0.44	0.26	0.54	0.35	0.54	0.009	0.81	23.7	0.012
0.6	0.33	1.12	0.26	2.50	0.26	2.04	0.008	0.42	24.8	0.014
0.8	0.06	2.61	0.26	18.5	0.29	5.73	0.008	0.46	28.5	0.016
1.0	0.06	208	0.29	33.3	0.74	150	0.017	0.77	31.8	0.011

注:表中 $y/h=0$ 处为水面,$y/h=1.0$ 处为河底。

(1)流速分布底部大上部小。由于底孔泄水作用,底部流速比上部大,愈近坝前,底部流速愈大,上部流速愈小。

(2)异重流和浑水明流的含沙量垂向分布不同。在异重流条件下,泥沙集中分布在底部,底部含沙量高达 150～330kg/m^3;相对深度 0.8 以上,含沙量很小;相对深度 0.4 以

上，含沙量为 0.16～0.54kg/m³，基本为清水。在浑水明流条件下，含沙量分布相对均匀。

(3)异重流和浑水明流的泥沙颗粒垂向分布不同。在异重流条件下，粗泥沙集中在底部，在相对深度 0.8 以上，泥沙很细；在浑水明流条件下，泥沙颗粒分布相对均匀。

7. 日调节运行可以防止淤堵

在调峰运行中，蓄水时关闭底孔数小时至十余小时，加大泄流时，开 1～3 个底孔泄流排沙，没有出现底孔淤堵情形。在日调节运行中底孔前淤积面高程趋向降低。例如，日调节试验前，1 号、2 号底孔门前淤积高程为 284.5～285m，淤高 4.5～5.0m，经过两天日调节调峰运行，底孔前淤积高程降至 280m 附近，底孔前淤积高程相对稳定，不出现淤高情形。

底孔开启后迅速过流，冲刷漏斗发展很快，向上游溯源冲刷，拓宽断面，降低河床，并将临近的未开启底孔前的淤积物冲走。例如 3 号底孔，8 日 20 时孔前淤积高程为 283.87m，在 9 日 4 时开启运用 2h 后关闭，8 时施测孔前淤积高程为 279.95m，测相邻未开启底孔的门前淤积高程，2 号为 282.07m，4 号为 282.14m，只有 1 号底孔前未受到冲刷。说明孔口泄流形成的横向漏斗，能够保护邻近的一定范围的孔口不被淤堵，对距离较远的孔口则影响不到。

调峰运行中，底孔前的淤积土颗粒很细，中数粒径为 0.018～0.037mm，淤积土干容重小，开启底孔时极易冲开过流，不发生淤堵。

在 7 月 7～14 日的日调节运用中，坝区大冲刷漏斗域为动态平衡。比较日调节试验开始时 7 月 7 日坝区地形与试验结束时 7 月 14 日的坝区地形可知，在日调节运行中坝区冲刷漏斗河床降低了，坝区冲刷漏斗范围扩大了，纵坡变缓，横向拓宽，扩大了坝区冲刷漏斗域的调节库容。

综上所述，在三门峡水库日调节模拟试验中，蓄水时段数小时至十余小时关闭底孔，加大泄量时仅开 1～3 个底孔分流 1/3，在日调节调峰运行中完全可以防止孔口淤堵；坝区大冲刷漏斗域形成异重流运动，显著减少了隧洞分流的泥沙，增大了底孔分流的泥沙，达到了减少过机泥沙的目的。

小浪底坝前水深远比三门峡坝前水深大，排沙洞和孔板泄洪洞进口位置低，泄流量大，坝区大冲刷漏斗域的上述调节水沙运动的作用会更加显著。

(四)小浪底坝区大冲刷漏斗域河床演变和调水调沙作用

统计分析已建水库坝区大冲刷漏斗域形态资料，建立计算坝区大冲刷漏斗域形态的经验关系，结合小浪底水库的实际情况，计算的坝区大冲刷漏斗域形态见表 8-8-5。计算考虑了两种条件：其一，水库正常运用期主汛期 7～9 月调水调沙运用平均水位 245m；其二，主汛期 7～9 月正常死水位 230m。

根据表 8-8-5 设计的坝区大冲刷漏斗域形态，在运用水位下的库容一般控制在 0.3 亿 m³，加上低壅水调节库容 3.0 亿 m³，调节库容为 0.3 亿～3.3 亿 m³，即水库主汛期低壅水时有调节库容 3.3 亿 m³，水库泄空时还有 0.3 亿 m³，坝区大冲刷漏斗域库容可供调节坝区大冲刷漏斗域水流泥沙运动使用。

三门峡水库 1989 年 7 月 7～14 日调节模拟试验表明，在坝区大冲刷漏斗域形成异重流的调节库容为 0.21 亿～1.07 亿 m³。而小浪底水库主汛期调水调沙运用有

0.3 亿～3.3 亿 m^3 库容，远比三门峡水库 1989 年 7 月 7～14 日的调节库容大，故小浪底水库在主汛期调水调沙和调峰发电运行中，坝区大漏斗域形成异重流的概率更大，可更有效地解决泄水孔口防淤堵和电站防沙问题。

表 8-8-5　　小浪底坝区大冲刷漏斗域形态设计(平均情况)

项目		漏斗分段				
		1	2	3	4	全区
条件 1(运用水位 245m，排沙洞进口高程 175m，洞前水深 72m)	冲刷漏斗纵坡降	0.382	0.085	0.055	0.009 5	0.054
	分段长度(m)	42	288	293	526	114 9
	漏斗深度(m)	18	25	16	5	64
	进口高程(m)	191	216	232	237	237
	进口水深(m)	54	29	13	8	8
	底部宽度(m)	75～100	100～150	150～200	200～250	75～250
	水面宽度(m)	350	350～400	400～450	450～500	350～500
	河槽边坡坡降	0.5～0.43	0.43～0.29	0.29～0.17	0.17～0.16	0.5～0.16
条件 2(运用水位 230m，排沙洞进口高程 175m，洞前水深 57m)	冲刷漏斗纵坡降	0.276	0.064	0.043	0.006	0.048
	分段长度(m)	46	302	297	333	978
	漏斗深度(m)	15	19	13	2	49
	进口高程(m)	188	207	220	222	222
	进口水深(m)	42	29	10	8	8
	底部宽度(m)	75～100	100～150	150～200	200～220	75～220
	水面宽度(m)	350	350～400	400～450	450～500	350～500
	河槽边坡坡降	0.4～0.34	0.34～0.23	0.23～0.13	0.13～0.12	0.4～0.12

注：进水塔前小漏斗(风雨沟冲刷坑)长度 250m，宽度 72m，孔前冲深 2m。

三、小浪底水电站过机泥沙特性与防沙措施

(一)问题的提出

黄河为多泥沙河流，2000 年设计水平 6 个 50 年代表系列小浪底平均入库沙量 12.5 亿 t，在三门峡水库蓄清排浑运用条件下，汛期沙量占 96%，汛期来水含沙量高，且挟带较多的粗颗粒泥沙(粒径大于 0.05mm 约占总来沙量的 25%)。因此，汛期影响机组正常运行的主要是泥沙问题。黄河上、中游已建水电站的实践表明，如能在枢纽工程布置上充分考虑水电站防沙要求，并进行合理的调度运用，水电站在汛期可以正常运用。

(二)小浪底泄水排沙建筑物和发电引水洞布置的防沙作用

在泄水排沙建筑物和发电引水洞的布置上，利用含沙量沿垂线分布上稀下浓，粒径沿垂线分布上细下粗的特点，尽量把发电引水洞布置于较高的位置。电站进水口下再设置排沙底孔，使较粗泥沙通过排沙洞排出，同时有利于在坝区形成较大的冲刷漏斗域，即使排沙洞短时间关闭，坝区大冲刷漏斗域也能起到截留粗沙的作用。坝区大冲刷漏斗域的大小与泄洪、排沙洞的高低和泄流规模的大小有关，泄洪、排沙洞较低，并且有较大的泄流

规模，则坝区大冲刷漏斗域较大，其为电站防沙的作用亦较大。

三门峡水库在1989～1991年汛期发电试验中，安排了有底孔泄流与无底孔泄流两种情况进行比较。从实测资料看出，无底孔泄流时机组分沙比为0.88，有底孔泄流时机组分沙比为0.76，过机含沙量有明显减少，见表8-8-6。

表8-8-6　三门峡水电站1991年8月19日～10月14日发电试验过机与出库含沙量

泄流运用情况	过机含沙量(kg/m^3)	出库含沙量(kg/m^3)	$S_{机}/S_{出}$
有底孔泄流21天	19.92	26.15	0.76
无底孔泄流36天	7.90	8.96	0.88

刘家峡水库的泄水道及排沙洞位置比机组进口高程低15m，泄水道泄流规模比较大，起泄洪排沙作用，排沙洞泄流规模虽小，亦有一定作用。开启了泄水道及排沙洞，形成较大范围的坝区冲刷漏斗。泄水道开启后的横向漏斗可减少1号～3号机组过机泥沙，排沙洞前的冲刷漏斗可减少5号机组的过机沙量。而4号机组进水口则在泄水道及排沙洞所形成的冲刷漏斗的影响范围之外，其过机沙量明显高于其他机组。

小浪底水利枢纽的泄水排沙建筑物布置考虑了防沙要求。所有泄洪、排沙、发电引水建筑物均集中布置于一字形排列的进水塔群，且分层布置于同一个进水立面上，低位的排沙洞和孔板泄洪洞进口高程为175m，以上15～20m处为发电引水洞。死水位230m时，水库总泄量8 048m^3/s，底部3条排沙洞总泄量1 608m^3/s，占死水位总泄量的1/5，3条孔板洞总泄量4 099m^3/s，占死水位总泄量的1/2，低位的排沙洞和孔板洞在死水位230m的泄量合计为5 707m^3/s，占死水位总泄量2/3多。

由于低位的泄洪洞、排沙洞泄流规模大，有利于在坝区形成较大范围的冲刷漏斗，能有效地减少过机泥沙，尤其是减少粗颗粒泥沙过机。

(三)坝区水流泥沙运动特性分析

小浪底水库各运用阶段的坝区水流泥沙运动特性及水电站过机泥沙主要特点如下。

1. 第一阶段——*初始运用起调水位205m蓄水拦沙和调水运用阶段*

当水库初始运用迅速将水位蓄至起调水位205m(发电最低水位)后，坝前水位比建坝前升高70m，在水位205m以下库容17亿m^3。水库在主汛期7～9月调水运用，205m以上调蓄水量一般在2亿～4亿m^3以内变化，6月底还留有一定的蓄水量(最大10亿m^3)供7月上旬为下游灌溉补水，运用水位在205m以上升降变化。初始蓄水运用，坝区水深和过水面积很大，水面几乎呈静止状态。随着泥沙淤积，坝区上段水面开始流动，坝区动水与静水的分界线逐渐下移。其后，坝区上段逐渐淤出边滩和心滩，呈现多股水流并存局面。经过一段时间后，坝区下段也淤出边滩和心滩，水流散乱分汊，主流游荡。最后，边滩、心滩扩大并逐渐相连，成为滩地，出现一条深槽，坝区形成大冲刷漏斗域。

在这一阶段，水库以异重流运动为主。进水塔前含沙量沿垂线分布很不均匀，在水面附近含沙量很小，在底部含沙量很大。异重流运动泥沙沿程淤积。据模型试验资料，按平均情况计，排沙洞过流含沙量与发电洞过流含沙量的比值为4，排沙洞泥沙中数粒径与发电洞泥沙中数粒径的比值为1.6。

因此，在水库初期拦沙运用的第一阶段约3年时间内，水库主汛期低水位蓄水拦沙，要淤满水位205m以下库容，过机泥沙很少且颗粒很细；而在调节期10月～来年6月水库抬高水位蓄水拦沙，引清水发电。因此，水库运用的第一阶段在正常发挥排沙洞和孔板泄洪洞的作用、形成坝区大冲刷漏斗域、控制进水塔群孔口前淤积高程低于183m的条件下，水轮机没有泥沙磨损问题。

2. 第二阶段——逐步抬高主汛期水位拦沙和调水调沙运用阶段

大致从第4年起，水库转入逐步抬高主汛期水位拦沙和调水调沙运用阶段，历时约12年。此阶段库水位由205m逐步升高至254m，年平均主汛期升高水位约4m。水库拦沙和调水调沙运用，主汛期控制低壅水蓄水容积不大于3亿m^3（实际操作不大于4亿m^3），水库拦粗沙排细沙，出库沙量仍有较多的减少，过机泥沙减少，泥沙颗粒细。在调节期抬高水位蓄水拦沙，6月底留有不大于10亿m^3的蓄水量供7月上旬下游补水灌溉用，下泄清水，引清水发电。

模型试验表明，主汛期每当水位升高，低滩面普遍上水，过水面积增大，重复出现异重流水流泥沙运动形态，而且延续时间较长。

在坝区异重流条件下，排沙洞含沙量与发电洞含沙量的比值变化范围为4～2，排沙洞泥沙中数粒径与发电洞泥沙中数粒径的比值为1.6～1.3，在第二阶段的12年内，可使水电站过机泥沙有较多的减少，尤其是显著减少粗泥沙过机。

按照流量在570～2 230m^3/s范围内，发电流量为总泄流量的70%，排沙洞流量为总泄流量的30%计算，在排沙洞含沙量与发电洞含沙量的比值为4的条件下，发电洞含沙量约为出库断面含沙量的50%，有很大减少，可见异重流对电站防沙有很大效果。在来水小于400m^3/s(含400m^3/s)时，关闭排沙洞，全部水流过机。由于坝区壅水，流速小，异重流沿程淤积，粗泥沙沉下，减轻水轮机的泥沙磨损。

3. 第三阶段——形成高滩深槽阶段

在此阶段，水库继续拦沙和调水调沙运用，库区滩地继续淤高，并利用来水2 000m^3/s以上较大水流量逐渐冲刷下切河床。每年主汛期大多数时间为低壅水蓄水拦沙运用，蓄水容积控制不大于3亿m^3(实际操作不大于4亿m^3)，6月底仍保留不大于10亿m^3蓄水量，供7月上旬下游灌溉用。在调节期抬高水位蓄水拦沙，下泄清水。据模型试验反映，在水库主汛期调水调沙的低壅水蓄水拦沙运用中，形成坝区大冲刷漏斗域异重流运动，其延续时间较长，排沙洞含沙量与发电洞含沙量的比值及排沙洞泥沙中数粒径与发电洞泥沙中数粒径的比值，与前述第二阶段基本相同。在此阶段历时约13年，其大多数年份的主汛期电站防沙效果与第二阶段有类似情形。

4. 第四阶段——水库后期即正常运用时期"蓄清排浑、调水调沙"运用阶段

在水库初期拦沙运用完成，形成高滩深槽库容形态后，转入后期"蓄清排浑、调水调沙"的正常运用时期，它是长期运用的过程。

主汛期调水调沙运用是在库区滩面以下的10亿m^3槽库容内进行的。每年主汛期的多数时间仍为控制低壅水拦沙和调水调沙运用，低壅水库区加上坝区仍有调节库容0.30亿～3.3亿m^3，在低壅水区和坝区有形成和保持异重流运动的条件，有利于小浪底水电站防沙。

(四)小浪底水电站分流分沙计算

为提高发电效益、防止孔口淤堵并减少过机泥沙,制定小浪底发电流量 Q_f、泄洪洞和排沙洞分水流量 Q_p 与出库流量 Q_b 的关系为:

(1)当 $Q_b \leqslant 400m^3/s$ 时,$Q_f = Q_b$,$Q_p = 0$;

(2)当 $400m^3/s < Q_b \leqslant 571m^3/s$ 时,$Q_f = 400m^3/s$,$Q_p = Q_b - Q_f$;

(3)当 $571m^3/s < Q_b \leqslant 2\,230m^3/s$ 时,$Q_f = 0.7Q_b$,$Q_p = 0.3Q_b$;

(4)当 $Q_b > 2\,230m^3/s$ 时,$Q_f = 1\,500m^3/s$,$Q_p = Q_b - Q_f$。

在满足发电流量条件下,超过排沙洞泄流能力部分的流量由孔板泄洪洞或明流泄洪洞泄放。

为确定小浪底水电站引水发电的分沙比,进行了以下分析。

1.三门峡水库日调节模拟试验资料

试验结果表明,通过调节出库流量和调蓄水位,能在库区形成异重流排沙,有效地减少过机沙量。在日调节试验时段,当来水流量为 400~2 500m³/s,库区形成异重流,泥沙主要集中在相对水深 0.8m 以下的底层且泥沙颗粒较粗,而在相对水深 0.8m 以上的水流层内,含沙量很小且颗粒细,有利于底孔多排沙而发电洞引少沙水流发电,显著减少过机泥沙。

一般情况下,用隧洞模拟机组分流比为 0.67,在坝区异重流和浑水明流条件下其分沙比分别为 0.53~0.86。

2.根据扩散理论分析电站分沙比

严镜海、许国光根据扩散理论及三门峡等水库的实测资料,提出了水库三层孔分流分沙比关系的近似计算方法:

中孔分沙比:

$$S_2/S = \frac{e^{-\beta\bar{y}_1} - e^{-\beta\bar{y}_2}}{(1 - e^{-\beta})(\bar{y}_2 - \bar{y}_1)} \tag{8-8-1}$$

式中 S_2——中孔水流含沙量;

S——坝前断面平均含沙量;

$\bar{y}_1$、$\bar{y}_2$——相对水深;

β——坝前含沙量分布指数,$\beta = \frac{6}{k} \cdot \frac{\omega}{u_*}$,其中,$k$ 为卡门常数,根据小浪底的条件,$k = 0.26 \sim 0.29$;ω 为泥沙沉速,仍按混合沙清水平均沉速计算;u_* 为摩阻流速,$u_* = \sqrt{gRi}$。

由中孔(代表发电引水洞)分沙比计算关系式计算小浪底水库浑水明流条件下发电引水洞的分沙比,即机组引水含沙量与坝前断面平均含沙量的比值约为 0.75,与三门峡水电站有底孔泄流条件下浑水明流时机组分沙比 0.76 相近。

小浪底水库的工程布局优于三门峡水库,如三门峡水电站机组引水进口高程比排沙底孔高程高 7m,而小浪底水电站发电引水洞比排沙洞高 15~20m。更重要的是,小浪底水库主汛期调水调沙作用优于三门峡水库,在主汛期调水调沙运用,有更多的机会和时间在坝区形成异重流，将使过机泥沙有更大的减少。

综合考虑以上因素，并从留有余地出发，小浪底水库发电引水洞的分沙比采用值按以下条件确定：当坝区形成异重流时，发电引水洞分沙比采用0.5，如为浑水明流则分沙比采用0.8。

（五）水电站过机泥沙计算分析

采用2000年设计水平6个50年代表系列进行水库拦沙和调水调沙运用的泥沙冲淤计算，按以上提出的电站引水原则及分流分沙比计算机组引水、引沙量，同时统计了各级过机含沙量出现天数及频率，取设计水平6个50年代表系列的平均值。按照水库的运用过程，将50年系列划分为5个时段，即1～3年、4～10年、11～14年、15～28年及29～50年。计算结果表明，由于水库10月份提前蓄水，下泄流量及沙量均较小，因此10月份90%以上的时间含沙量小于5kg/m³，出现的最大含沙量小于35kg/m³，而且每年出现天数不足一天。11月～来年6月基本为清水，仅在6月下旬水库降低水位时坝前出现浑水。因此，在每年的10月～来年6月基本上为清水发电，见表8-8-7、表8-8-8。

表8-8-7　小浪底水库各运用阶段调节期过机含沙量出现天数统计　（单位：d）

调节期月份	运用阶段（年）	含沙量（kg/m³）					
		≤0.8	＜5	＜10	＜15	＜20	＜35
10月	1～3	11	29	30	31		
	4～10	18	31				
	11～14	18	29	29	30	30	31
	15～28	17	27	29	30	30	31
	29～50	16	28	30	31		
11月～来年6月	1～3	235	242				
	4～10	237	242				
	11～14	232	241	242			
	15～28	238	242				
	29～50	231	240	242			

表8-8-8　小浪底水库各运用阶段调节期（10月～来年6月）平均过机含沙量（单位：kg/m³）

运用阶段（年）	1～3	4～10	11～14	15～28	29～50
过机含沙量	0.25	0.22	0.28	0.29	0.38

每年主汛期7～9月来沙比较集中，对机组引水含沙量的影响较大。表8-8-9列出了主汛期7～9月水库运用不同阶段坝前断面平均含沙量及过机含沙量。可以看出，在起调水位205m蓄水拦沙和调水期，主汛期坝前断面平均含沙量仅17.1kg/m³，随着水库逐步抬高主汛期水位拦沙和调水调沙运用年数的累计增加，主汛期坝前断面平均含沙量逐渐增大，至正常运用期达主汛期坝前断面平均含沙量为95.7kg/m³。而各阶段过机含沙量则明显小于坝前断面平均含沙量。

表8-8-10、表8-8-11分别列出了各阶段主汛期各月各级过机含沙量出现天数及出现概率。从统计结果看，大部分时间过机含沙量不是很高，例如运用阶段1～3年、4～10

年、11～14年、15～28年、29～50年主汛期7～9月过机含沙量小于50kg/m³时出现的概率分别为99%、92%、81%、62%、60%。

表8-8-9　　水库各运用阶段主汛期7～9月坝前断面平均及过机含沙量　（单位：kg/m³）

部位	运用阶段(年)				
	1～3	4～10	11～14	15～28	29～50
断面平均含沙量	17.1	45.4	54.9	91.2	95.7
过机含沙量	7.4	21.5	35.3	64.5	68.6
机组分沙比	0.43	0.47	0.65	0.71	0.72

表8-8-10　　小浪底水库各运用阶段主汛期各月过机含沙量出现天数统计　（单位：d）

月份	运用阶段(年)	含沙量(kg/m³)										
		≤0.8	＜5	＜10	＜15	＜20	＜35	＜50	＜100	＜200	＜400	＜600
7	1～3	3	23	28	30	30	31					
	4～10	2	13	17	20	22	26	27	30	30	31	
	11～14	2	8	12	15	16	20	23	28	30	31	
	15～28	1	3	5	6	7	12	16	25	29	31	
	29～50	1	3	4	5	6	11	15	24	29	31	
8	1～3	0	17	24	26	28	29	30	31			
	4～10	0	9	14	18	21	25	28	30	31		
	11～14	0	9	14	17	19	23	25	28	30	31	
	15～28	1	4	5	7	8	13	17	25	29	31	
	29～50	0	4	5	7	11	15	24	29	31		
9	1～3	3	20	28	30							
	4～10	1	14	21	24	26	28	30				
	11～14	2	11	17	20	22	25	27	30			
	15～28	1	6	9	12	14	21	25	29	30		
	29～50	1	6	9	11	13	20	24	28	29	30	

水库在前15年的拦沙运用中，过机含沙量小。在15年以后的运用过程中，在调水调沙的作用下，大多数时间过机含沙量较小，只是遇高含沙洪水入库或水库发生较强烈的冲刷时，过机含沙量有较大增加。但是，小浪底水库要合理拦减高含沙量洪水，控制出库含沙量不大于400kg/m³，过机含沙量小于320kg/m³。在15年后过机含沙量大于200kg/m³，平均每年主汛期(7～9月)出现2～3天，在这种条件下如考虑短时间避沙峰停机，则可明显地减少主汛期(7～9月)平均过机含沙量。初步估计，水库正常运用期(29～50年)主汛期7～9月平均过机含沙量可由不避沙峰停机时的68.6kg/m³降为避沙峰停机后的43kg/m³。

(六)过机泥沙级配分析

由于泥沙的分选作用及低位泄洪、排沙底孔的存在，过机泥沙往往较断面平均泥沙颗粒为细。按三门峡水库汛期发电试验资料统计，过机泥沙级配与出库泥沙级配相比，粒径小于0.025mm的细颗粒泥沙含量增加，而粒径大于0.025mm的中、粗颗粒泥沙含量减少，见表8-8-12。

表8-8-11　小浪底水库各运用阶段主汛期各月过机含沙量出现频率统计　（%）

月份	运用阶段（年）	含沙量（kg/m³）										
		≤0.8	<5	<10	<15	<20	<35	<50	<100	<200	<400	<600
7	1～3	7	73	90	96	98	99	100				
	4～10	5	43	55	64	71	83	89	95	98	100	
	11～14	6	27	38	48	52	63	74	89	97	100	
	15～28	3	11	17	20	24	38	52	80	94	100	
	29～50	2	8	14	17	21	34	49	79	92	100	
8	1～3	0	53	78	85	89	95	97	99	100		
	4～10	1	30	47	57	67	82	90	97	100		
	11～14	0	28	46	56	63	74	79	90	97	100	
	15～28	2	12	17	23	26	41	54	81	95	100	
	29～50	2	11	16	19	23	36	50	78	94	100	
9	1～3	10	77	93	96	99	100					
	4～10	4	45	69	81	86	94	96	99	100		
	11～14	7	35	58	66	72	84	91	98	100		
	15～28	2	20	32	40	47	69	82	95	99	100	
	29～50	3	20	30	37	43	67	82	95	98	100	

表8-8-12　三门峡水库过机泥沙级配及坝下游断面泥沙级配对照

时间（年·月·日）	部位	某粒径级（mm）的沙重百分数（%）					
		<0.005	0.005～0.01	0.01～0.025	0.025～0.05	0.05～0.1	0.1～0.25
1989.8.10～9.29	坝下游	19.8	7.9	26.8	29.3	15.2	1
	过机	26.7	12.1	27.5	24.9	8.5	0.3

根据前述小浪底水库设计水平6个50年代表系列平均计算，求得小浪底坝前断面平均含沙量的级配成果，参考三门峡水库电站过机泥沙级配与三门峡坝下游断面泥沙级配的对照，分析得到小浪底水库不同运用阶段主汛期7～9月过机泥沙级配，见表8-8-13。

表8-8-13　小浪底水库不同运用阶段主汛期（7～9月）过机泥沙级配

运用阶段（年）	小于某粒径的沙重百分数（%） 粒径级（mm）							中数粒径 d_{50}（mm）
	0.005	0.010	0.025	0.050	0.10	0.25	0.50	
1～3	36	55	82	97	99.5	100		0.008 4
4～10	30	48	75	92	98	100		0.011 0
11～14	27	44	70	90	97	100		0.013 0
15～28	21	32	55	80	93	99.5	100	0.021 0
29～50	21	32	55	81	93	100		0.021 0

四、小浪底工程浑水容重垂向分布计算

(一)工程施工期度汛洪水坝前浑水容重垂向分布计算

小浪底工程截流后第一年汛期度汛标准为百年一遇洪水设计，第二年汛期度汛标准为三百年一遇洪水设计、五百年一遇洪水校核。需要三门峡水库控制运用。洪水典型分别为"上大型"1933 年型洪水和"下大型"1958 年型洪水。并考虑截流后第一年汛期出现一般洪水，但含沙量很高，选择 1977 年型实测高含沙量洪水典型分别进行坝前浑水容重垂向分布计算。

洪水时期浑水容重垂向分布的计算，考虑坝前蓄水位最高与相应含沙量和坝前含沙量最大与相应坝前水位的两种条件。先进行三门峡水库控制运用和小浪底水库滞洪运用的调洪和泥沙冲淤计算，然后进行小浪底坝前浑水容重垂向分布计算。计算结果分别见表 8-8-14、表 8-8-15。

(二)正常运用期进水塔群前浑水容重垂向分布计算

1. 洪水条件

1)高含沙洪水进水塔群前浑水容重垂向分布计算

计算条件：

(1)采用小浪底水文站实测的 1977 年型高含沙洪水水沙条件。

(2)水库主汛期调水调沙运用最高水位 254m(主汛期限制水位)，敞泄排沙，瞬时最大洪水流量 10 200m^3/s，相应含沙量 400kg/m^3(与最大日平均含沙量相近)。

(3)水库主汛期调水调沙运用平均高水位 251m，敞泄排沙，瞬时最大含沙量 941 kg/m^3，相应流量 9 870m^3/s。

(4)水库非常死水位 220m 运用，瞬时洪水流量 7 000m^3/s，相应含沙量 400kg/m^3。

2)特大洪水进水塔群前浑水容重垂向分布计算

计算条件：

(1)按 1958 年型千年一遇设计洪水，三门峡水库与小浪底水库联合防洪运用计算。不考虑小浪底水库 254m 高程以下 10 亿 m^3 调水调沙槽库容参与调洪，采用防洪运用起调水位 254m，利用滩库容调蓄洪水，最高蓄洪水位为 274m，相应坝前平均含沙量 89kg/m^3。

(2)按 1958 年型万年一遇校核洪水，三门峡水库与小浪底水库联合防洪运用计算。小浪底水库 254m 高程以下 10 亿 m^3 调水调沙槽库容不参与调洪，采用防洪运用起调水位 254m，利用滩库容调蓄洪水，最高蓄洪水位 275m，相应坝前平均含沙量 56kg/m^3。

调洪和泥沙冲淤计算表明：1958 年型千年一遇洪水和万年一遇洪水的坝前最高水位时的含沙量小，但水位高；而 1933 年型千年一遇洪水和万年一遇洪水坝前最高水位时的含沙量大，但水位低。为安全计，采用 1958 年型洪水的坝前最高水位与 1933 年型洪水的坝前最高水位的坝前平均含沙量相匹配，分别组合千年一遇设计洪水的坝前最高水位与坝前平均含沙量、万年一遇校核洪水的坝前最高水位与坝前平均含沙量，进行进水塔群前浑水容重的垂向分布计算。

表 8-8-14　　小浪底工程施工期度汛洪水坝前浑水容重垂向分布计算

年份	洪水典型	频率 P (%)	坝前水位 (m)	含沙量 (kg/m³)	底孔含沙量 (kg/m³)	平均浑水容重 (t/m³)	项目 y/h	1.0	0.8	0.6	0.4	0.2	0.1	0
							S_i/S_a	0.75	0.77	0.80	0.83	0.90	0.95	1.0
截流后第一年汛期	1958 年型 7 月 17 日	1.0	177.30	84.3	101.20	1.053	高程(m)	177.30	168.24	159.18	150.12	141.06	136.53	132
							含沙量(kg/m³)	75.90	77.92	80.96	84.00	91.08	96.14	101.20
							浑水容重(t/m³)	1.047	1.048	1.050	1.052	1.057	1.060	1.063
							平均容重(t/m³)	1.047	1.048	1.049	1.050	1.051	1.051 8	1.053
	1958 年型 8 月 4 日	1.0	163.78	355.9	427.08	1.222	高程(m)	163.78	157.36	151.02	144.68	138.34	135.17	132.00
							含沙量(kg/m³)	320.31	328.85	341.66	354.47	384.37	405.72	427.08
							浑水容重(t/m³)	1.199	1.205	1.213	1.220	1.239	1.253	1.265
							平均容重(t/m³)	1.199	1.202	1.205	1.209	1.214	1.217 6	1.222
截流后第二年汛期	1958 年型 8 月 12 日	0.33 (设计条件)	184.80	287.7	345.24	1.179 3	高程(m)	184.80	176.14	167.48	158.82	150.16	145.83	141.50
							含沙量(kg/m³)	258.93	265.83	276.19	286.54	310.71	327.97	345.24
							浑水容重(t/m³)	1.161 1	1.165 3	1.171 8	1.178 2	1.193 3	1.204 0	1.214 7
							平均容重(t/m³)	1.161 1	1.163 2	1.165 9	1.168 9	1.173 1	1.175 9	1.179 3
	1958 年型 8 月 27 日	0.33 (设计条件)	198.00	137.8	165.36	1.086	高程(m)	198.00	186.70	175.40	164.10	152.80	147.15	141.50
							含沙量(kg/m³)	124.02	127.33	132.29	137.25	148.82	157.09	165.36
							浑水容重(t/m³)	1.077	1.079	1.082	1.085	1.093	1.098	1.103
							平均容重(t/m³)	1.077	1.078	1.079 5	1.081	1.083	1.084	1.086

续表 8-8-14

年份	洪水典型	频率 P (%)	坝前水位 (m)	含沙量 (kg/m³)	底孔含沙量 (kg/m³)	平均浑水容重 (t/m³)	项目 y/h	1.0	0.8	0.6	0.4	0.2	0.1	0
							S_i/S_a	0.75	0.77	0.80	0.83	0.90	0.95	1.0
截流后第二年汛期	1958 年型 8 月 12 日	0.20（校核条件）	184.6	292.7	351.24	1.182 4	高程(m)	184.6	175.98	167.36	158.74	150.12	145.81	141.50
							含沙量(kg/m³)	263.43	270.45	280.99	291.53	316.11	333.68	351.24
							浑水容重(t/m³)	1.163 9	1.168 2	1.174 8	1.181 3	1.196 6	1.207 5	1.218 5
							平均容重(t/m³)	1.163 9	1.166 0	1.168 8	1.171 9	1.176 1	1.179 0	1.182 4
	1958 年型 8 月 22 日	0.20（校核条件）	197.50	79.23	95.08	1.049 8	高程(m)	197.50	186.30	175.10	163.90	152.70	147.10	141.50
							含沙量(kg/m³)	71.31	73.21	76.06	78.92	85.57	90.33	95.08
							浑水容重(t/m³)	1.044 4	1.045 5	1.047 3	1.049 1	1.053 2	1.056 2	1.059 1
							平均容重(t/m³)	1.044 4	1.045 0	1.045 7	1.046 5	1.047 7	1.049 1	1.050 5

表 8-8-15 小浪底工程施工期度汛洪水坝前浑水容重垂向分布计算

年份	洪水典型	频率 P（%）	坝前水位（m）	含沙量（kg/m^3）	底孔含沙量（kg/m^3）	平均浑水容重（t/m^3）	项目 y/h	1.0	0.8	0.6	0.4	0.2	0.1	0
							S_i/S_a	0.75	0.77	0.80	0.83	0.90	0.95	1.0
截流后第一年汛期	1933 年型 8 月 13 日	1.0	174.1	62.3	74.8	1.039	高程(m)	174.1	165.7	157.3	148.8	140.4	136.2	132.0
							含沙量(kg/m^3)	56.1	57.6	59.8	62.1	67.3	71.0	74.8
							浑水容重(t/m^3)	1.035	1.036	1.037	1.039	1.042	1.044	1.046
							平均容重(t/m^3)	1.035	1.0355	1.036	1.037	1.038	1.039	1.040
	1933 年型 8 月 9 日	1.0	165.8	251.9	302.3	1.158	高程(m)	165.8	159.0	152.3	145.5	138.8	135.4	132.0
							含沙量(kg/m^3)	226.7	232.8	241.8	250.9	272.1	287.2	302.3
							浑水容重(t/m^3)	1.141	1.145	1.150	1.156	1.169	1.178	1.188
							平均容重(t/m^3)	1.14	1.143	1.145	1.148	1.152	1.155	1.157
截流后第二年汛期	1933 年型 8 月 30 日	0.33（设计条件）	194.0	8.52	10.22	1.005	高程(m)	194.0	183.5	173.0	162.5	152.0	146.8	141.4
							含沙量(kg/m^3)	7.66	7.87	8.17	8.48	9.20	9.71	10.22
							浑水容重(t/m^3)	1.004 7	1.004 9	1.005 1	1.005 3	1.005 7	1.006 0	1.006 4
							平均容重(t/m^3)	1.004 7	1.004 8	1.004 9	1.005 0	1.005 1	1.005 3	1.005 4
	1933 年型 8 月 9 日	0.33（设计条件）	186.0	174.8	209.7	1.110	高程(m)	186.0	177.1	168.2	159.3	150.4	145.9	141.5
							含沙量(kg/m^3)	157.3	161.5	167.8	174.0	188.7	199.2	209.7
							浑水容重(t/m^3)	1.098	1.10	1.104	1.108	1.17	1.124	1.130
							平均容重(t/m^3)	1.100	1.099	1.101	1.102	1.105	1.108	1.111

续表 8-8-15

年份	洪水典型	频率 P（%）	坝前水位（m）	含沙量（kg/m^3）	底孔含沙量（kg/m^3）	平均浑水容重（t/m^3）	项目 y/h	1.0	0.8	0.6	0.4	0.2	0.1	0
							S_i/S_a	0.75	0.77	0.80	0.83	0.90	0.95	1.0
截流后第二年汛期	1933 年型 8 月 29 日	0.20（校核条件）	195.2	5.58	6.7	1.003	高程（m）	195.2	184.5	173.7	163.0	152.2	146.9	141.5
							含沙量（kg/m^3）	5.0	5.1	5.3	5.5	6.0	6.3	6.7
							浑水容重（t/m^3）	1.003 1	1.003 2	1.003 3	1.003 4	1.003 7	1.003 9	1.004 2
							平均容重（t/m^3）	1.003	1.003	1.003	1.003	1.003	1.003	1.003
	1933 年型 8 月 9 日	0.20（校核条件）	187.0	166.3	199.6	1.105	高程（m）	187.0	177.9	168.8	159.7	150.6	146.1	141.5
							含沙量（kg/m^3）	149.7	153.7	159.7	165.7	179.6	189.6	199.6
							浑水容重（t/m^3）	1.093	1.096	1.099	1.103	1.112	1.118	1.124
							平均容重（t/m^3）	1.093	1.094	1.096	1.098	1.100	1.102	1.104
截流后第一年汛期	1977 年型实测 7 月 9 日	一般洪水（高含沙洪水）	169.1	468.0	561.6	1.294	高程（m）	169.1	161.7	154.3	146.8	139.4	135.7	132.0
							含沙量（kg/m^3）	421.2	432.4	449.3	466.1	505.4	533.5	561.6
							浑水容重（t/m^3）	1.262	1.269	1.28	1.29	1.314	1.332	1.349
							平均容重（t/m^3）	1.262	1.265	1.270	1.275	1.282	1.290	1.298
			182.9	282.0	338.4	1.177	高程（m）	182.9	174.6	166.3	158.1	149.8	145.69	141.5
							含沙量（kg/m^3）	253.8	260.6	270.7	280.9	304.6	321.5	338.4
							浑水容重（t/m^3）	1.158	1.162	1.168	1.175	1.189	1.20	1.21
							平均容重（t/m^3）	1.158	1.160	1.162 5	1.165 5	1.170	1.174 6	1.179 7

2.计算方法

(1)按浑水明流流态计算。

(2)利用三门峡水库资料,求得坝前含沙量分布指数 $\beta=\frac{6}{K}\cdot\frac{\omega}{\mu_*}=0.6$;利用盐锅峡水库资料,求得坝前含沙量分布指数 $\beta=0.7$。

(3)参考三门峡水库和盐锅峡水库坝前含沙量分布指数资料,分析小浪底水库坝前含沙量分布指数 β 值与含沙量大小的关系:当坝前平均含沙量小于等于 400kg/m³ 时,$\beta=0.68$;当坝前平均含沙量为 400~600kg/m³ 时,$\beta=0.50$;当坝前平均含沙量大于 600 kg/m³时,$\beta=0.30$。

(4)关于河底含沙量 S_a 与断面平均含沙量 $\bar{S}$ 关系,三门峡水库实测资料为 $S_a/\bar{S}=1.19\sim1.47$。小浪底水库在正常运用时期,含沙量小于等于 400kg/m³ 时,$S_a/\bar{S}=1.33$;含沙量为 400~600kg/m³ 时,$S_a/\bar{S}=1.2$;含沙量大于 600kg/m³ 时,$S_a/\bar{S}=1.15$。

(5)小浪底水库坝前含沙量分布按 $S_i=S_a e^{-\beta(\bar{y}-a_z)}$ 计算,式中 $\bar{y}=\frac{y}{h}$,$a_z=\frac{a}{h}$,取 $a=0.5$m,h 为底孔前水深,y 为任一点水深。

3.泄水建筑物底部高程条件

(1)排沙洞和孔板泄洪洞进口底坎高程为 175m。

(2)2 条孔板泄洪洞下卧底部高程为 134m,2 条孔板泄洪洞下卧底部高程为 142.5m。

4.计算结果

小浪底水库按 1977 年实测高含沙量洪水敞泄排沙运用,在主汛期调水调沙运用最高水位 254m、调水调沙运用平均高水位 251m、非常死水位 220m 的运用水位条件下进水塔群前浑水容重垂向分布计算见表 8-8-16。小浪底水库按千年一遇设计洪水和万年一遇校核洪水防洪运用条件进水塔群前浑水容重垂向分布计算见表 8-8-17。

五、小浪底水利枢纽泄洪排沙系统和发电引水建筑物调度运用方式

(一)小浪底泄洪排沙系统和发电引水建筑物泄流能力

各泄水建筑物的泄流能力见表 8-8-18。

6 条发电引水洞,每条发电引水洞的引水能力平均按 300m³/s 计算。

(二)泄洪排沙系统和发电引水建筑物调度原则

在主汛期(7~9 月)的沙峰时段水流含沙量高,在水电站调度运行中,根据坝前含沙量的大小,调节机组开启台数。

排沙洞位于发电洞下部,进口底部高程为 175m,比发电洞进口底部高程低 15~20m,泄流规模较大,可在进水口前形成较大范围的冲刷漏斗。在来水流量满足发电引水流量的要求后,应优先考虑从排沙洞下泄。

孔板泄洪洞进口底部高程 175m,泄流规模大,应随排沙洞之后启用。但鉴于孔板泄洪洞运用经验少,从运用安全考虑,在满足底孔排沙洞泄量后可轮流启用 1 条孔板洞泄流,而剩余流量由明流洞泄放后再启用孔板洞,减少孔板泄洪洞运用的机遇和运用历时,以策安全。有待运用实践中加强观测,总结经验,确定孔板洞安全运行条件。

表 8-8-16　小浪底水库 1977 年型实测高含沙量洪水进水塔群前浑水容重垂向分布计算

方案	坝前水位(m)	流量 Q (m^3/s)	含沙量 $\bar{S}$ (kg/m^3)	高程(m)	相对水深 y/h	浑水容重(t/m^3)	平均容重(t/m^3)
设计条件(1)	254	10 200	400	254	1.0	1.168	1.168
				245	0.886	1.182	1.175
				230	0.696	1.207	1.187
				215	0.506	1.236	1.200
				200	0.316	1.268	1.215
				185	0.127	1.305	1.230
				175	0	1.331	1.242
				142.5		1.331	1.268
				134		1.331	1.272
设计条件(2)	220	7 000	400	220	1.0	1.169	1.169
				215	0.889	1.182	1.176
				200	0.556	1.229	1.198
				185	0.222	1.287	1.224
				175	0	1.331	1.243
				142.5		1.331	1.280
				134		1.331	1.285
校核条件	251	9 870	941	251	1.0	1.500	1.500
				245	0.921	1.512	1.506
				230	0.724	1.543	1.521
				215	0.526	1.577	1.536
				200	0.329	1.612	1.553
				185	0.132	1.649	1.571
				175	0	1.674	1.610
				142.5		1.674	1.610
				134		1.674	1.615

根据机组运行、泄洪排沙和扩大坝区冲刷漏斗作用的要求，拟定闸门开启的顺序为发电洞、排沙洞、1 条孔板洞、明流洞、其余 2 条孔板洞、溢洪道，此为调度方案 1；同时，为减少孔板洞运用机遇和历时，又拟定按发电洞、排沙洞、明流洞、孔板洞、溢洪道的开启顺序方案，此为调度方案 2。对两种调度方案进行比较。

(三)泄洪排沙系统和发电引水建筑物调度方式

1. 发电引水洞

根据坝前水流含沙量的大小，分两种调度方式。

1)含沙量小于 150kg /m³

坝前水流平均含沙量小于 150kg/ m³ 时，主要根据出库流量的大小确定发电洞的过流量及机组开启台数。

(1)当 $Q_{出} < 400m^3/s$，$Q_{电} = Q_{出}$；

(2)当 $400m^3/s \leqslant Q_{出} < 572m^3/s$ 时，$Q_{电} = 400m^3/s$，$Q_{排} = Q_{出} - Q_{电}$；

表 8-8-17　小浪底水库设计洪水和校核洪水条件下进水塔群前浑水容重垂向分布计算

洪水典型	频率 P（%）	坝前水位（m）	含沙量（kg/m^3）	底孔含沙量（kg/m^3）	平均浑水容重（t/m^3）	项目		1.0	0.8	0.6	0.4	0.2	0.1	0
						项目	y/h	1.0	0.8	0.6	0.4	0.2	0.1	0
							S_i/S_a	0.75	0.77	0.80	0.83	0.90	0.95	1.0
1958 年型	千年一遇	274	89	107	1.057	高程（m）		274	254.2	234.4	214.6	194.8	184.9	175
						浑水容重（t/m^3）		1.05	1.051	1.053	1.055	1.06	1.063	1.067
						平均容重（t/m^3）		1.05	1.050 5	1.051 3	1.052 2	1.053 5	1.055 1	1.056 7
1958 年型	万年一遇	275	56	67	1.036	高程（m）		275	255	235	215	195	185	175
						浑水容重（t/m^3）		1.031	1.032	1.033	1.035	1.038	1.040	1.042
						平均容重（t/m^3）		1.031 0	1.031 5	1.032	1.032 7	1.033 6	1.034 7	1.035 7

表 8-8-18　　小浪底枢纽泄洪排沙系统泄流能力

泄量(m^3/s)	水位(m,黄海)									
	190	200	210	220	230	240	250	260	270	275
3 条排沙洞	1 119	1 256	1 383	1 500	1 608	1 709	1 806	1 896	1 986	2 025
3 条孔板泄洪洞		3 025	3 280	3 508	3 727	3 900	4 129	4 314	4 489	4 582
3 条明流泄洪洞		150	760	1 761	2 714	3 883	4 790	5 517	6 123	6 450
溢洪道								180	2 230	3 764
合 计	1 119	4 431	5 423	6 769	8 049	9 492	10 725	11 907	14 828	16 821

(3)当 $572m^3/s \leqslant Q_{出} < 2\ 200m^3/s$ 时,$Q_{电}=0.7Q_{出}$,$Q_{排}=0.3Q_{出}$;

(4)当 $Q_{出} \geqslant 2\ 200m^3/s$ 时,$Q_{电}=1\ 500m^3/s$。

其余水量从排沙洞等其他泄水建筑物下泄。

根据发电引水流量的大小,初步拟定机组开启台数(不含调峰运行),见表 8-8-19。

表 8-8-19　　发电流量与机组开启台数关系

发电流量(m^3/s)	<300	300～600	600～900	900～1 200	1 200～1 500
机组开启台数	1	2	3	4	5

2)含沙量大于 $150kg/m^3$

在坝前水流含沙量较高的情况下,为减少泥沙对水轮机的磨损,适当减少机组开启台数。首先根据坝前水流含沙量的大小初步拟定机组开启台数,见表 8-8-20。

表 8-8-20　　允许机组开启台数与坝前水流含沙量关系

坝前水流含沙量(kg/m^3)	150～200	200～300	300～400	400
允许机组开启台数	4	3	2	1

再根据上述出库流量大小及引水发电分流大小的关系综合确定机组开启台数。坝前水流含沙量大于 $400kg/m^3$ 时宜短时避沙峰停机。

2. 其他泄水洞

满足发电引水流量之后的剩余流量由排沙洞等其他泄水洞泄流。

(四)泄洪排沙系统和发电引水建筑物运用频率计算

小浪底泄洪排沙系统调度运用频率计算分别按 50 年系列调水调沙运用条件和大洪水防洪运用条件进行。只计算每年主汛期和不同等级洪水的泄水建筑物调度运用频率。选择 2000 年设计水平 1950～1975+1950～1975 年代表系列进行计算。大洪水水沙条件选择 1933 年型百年一遇、千年一遇、万年一遇洪水的 45 天水沙过程进行计算,计算结果见表 8-8-21、表 8-8-22。

由表 8-8-21、表 8-8-22 可以看出泄水闸门调度运用特点:

(1)小浪底水库各运用阶段,主汛期以发电洞和底孔排沙洞运用时间最长。每条发电洞主汛期平均运用约 50 天,相对稳定;每条排沙洞在初期拦沙运用的前 15 年主汛期平均

表 8-8-21　　小浪底水库各运用阶段主汛期闸门启闭情况及泄水洞运用历时统计

运用阶段	运用年序	调度方案	每条发电洞			每条排沙洞			每条孔板洞			每条明流洞			溢洪道	
			启（次数）	闭（次数）	运用时间（天）	启（次数）	闭（次数）	运用时间（天）	启（次数）	闭（次数）	运用时间（天）	启（次数）	闭（次数）	运用时间（天）	启（次数）	闭（次数）
1	1～3	1	8.3	7.8	50.5	10.3	9.9	50.7	3.1	3.1	4.3	1.8	1.8	2.2	0	0
		2	8.3	7.8	50.5	10.3	9.9	50.7	1.4	1.4	1.8	6.7	6.7	8.4	0	0
2	4～15	1	5.2	4.7	51.7	6.7	6.2	51.6	2.2	2.2	5.4	1.5	1.5	2.7	0	0
		2	5.2	4.7	51.7	6.7	6.2	51.6	0.4	0.4	0.7	3.6	3.6	7.9	0	0
3	16～30	1	4.1	3.5	49.6	5.4	4.9	42.2	1.3	1.2	3.7	0.8	0.8	1.6	0	0
		2	4.1	3.5	49.6	5.4	4.9	42.2	0	0	0	2	2	5.1	0	0
4	31～50	1	4.3	3.7	51.4	5.7	5.1	46.3	1.6	1.6	4.8	1.2	1.1	2.4	0	0
		2	4.3	3.7	51.4	5.7	5.1	46.3	0.1	0.1	0.2	2.7	2.6	7	0	0
合计	1～50	1	4.7	4.1	50.9	6.1	5.6	46.6	1.8	1.7	4.6	1.2	1.1	2.2	0	0
		2	4.7	4.1	50.9	6.1	5.6	46.6	0.2	0.2	0.3	2.9	2.9	6.7	0	0

注：1. 启闭次数为各运用阶段主汛期每条洞平均启闭次数。

2. 发电洞启闭次数不包括日调节调峰运行的启闭次数。

3. 发电洞 6 条、排沙洞 3 条、孔板泄洪洞 3 条，明流泄洪洞 3 条。

表 8-8-22　大洪水期 45 天各泄水洞闸门启闭情况及运用历时统计

频率 P（%）	调度方案	每条发电洞			每条排沙洞			每条孔板洞			每条明流洞			溢洪道	
		启（次数）	闭（次数）	运用时间（天）	启（次数）	闭（次数）	运用时间（天）	启（次数）	闭（次数）	运用时间（天）	启（次数）	闭（次数）	运用时间（天）	启（次数）	闭（次数）
1	1	2.2	1.3	35.3	1.3	0.3	44.7	1	0.7	14	5	5	24	0	0
	2	2.2	1.3	35.3	1.3	0.3	44.7	2	2	4	4	3.7	34	0	0
0.1	1	2.2	1.3	35.2	1	0	45	1.3	1	15.7	5	4.7	33.7	0	0
	2	2.2	1.3	35.2	1	0	45	3.3	3.3	7.3	3	2.3	41	0	0
0.01	1	2.2	1.3	35.5	1	0	45	2	1.7	16.7	4.3	3.3	36.3	0	0
	2	2.2	1.3	35.5	1	0	45	3.7	3.3	10	3	2	41.7	0	0

注：1. 统计时段为洪水期 45 天。

2. 启闭次数为在统计时段内每条洞的平均值。

运用约 51 天,在逐步形成高滩深槽时期,主汛期平均运用约 42 天,在正常运用期主汛期平均运用约 46 天。

(2)低位孔板泄洪洞运用时间最短。对于调度方案 1,每条低位孔板泄洪洞主汛期平均运用 4~5 天;对于调度方案 2,每条低位孔板泄洪洞主汛期平均运用约 1 天。

(3)高位明流泄洪洞运用时间亦短。对于调度方案 1,每条明流泄洪洞主汛期平均运用 2~3 天;对于调度方案 2,每条明流泄洪洞主汛期平均运用 6~8 天。

(4)在水库遇百年一遇以上(含百年一遇)洪水进行防洪运用时,只在短时间泄流量大于 12 000m^3/s 情况下,才启用溢洪道且分泄流量较小,出现机遇稀少。

(5)在百年一遇以上(含百年一遇)大洪水的 45 天洪水期,每条发电洞平均运用约 35 天,每条排沙洞运用达 45 天。对于调度方案 1,每条低位孔板泄洪洞运用 14~17 天,而每条高位明流泄洪洞运用 24~36 天;对于调度方案 2,每条低位孔板泄洪洞运用 4~10 天,而每条高位明流泄洪洞运用 34~42 天。大洪水时期高位明流洞运用天数多于低位孔板泄洪洞。

(6)从发挥低位孔板泄洪洞的排沙作用和扩大冲刷漏斗的作用看,推荐调度方案 1,即在发电洞、排沙洞之后,先轮流开启 1 条低位孔板泄洪洞,然后启用明流泄洪洞,再启用其余 2 条低位孔板泄洪洞。

(7)鉴于排沙洞于主汛期运用历时长,应特别加强底孔排沙洞的泥沙磨损防护措施,使底孔排沙洞正常运用。

(8)发电引水洞于主汛期运用历时长,应加强水轮机抗泥沙磨损措施的试验研究。

第九节 水库回水计算

为了分析小浪底库区淹没及移民高程,进行了小浪底水库汛期和非汛期 5 年一遇、20 年一遇洪水回水曲线计算。小浪底水库由于分期移民限制,在水库初期拦沙运用前 10 年,正常蓄水位按 265m 考虑,水库后期运用正常蓄水位为 275m。

一、水库初期运用 10 年水面线计算分析

(一)水库初期拦沙运用前 10 年库区淤积形态

经过 6 个 50 年代表系列的水库淤积计算,反映出不同水沙条件水库淤积过程快慢不同。经分析,认为 1950~1975 年+1950~1975 年 50 年代表系列的淤积过程快慢较为适中。因此,以该代表系列的 1950~1959 年的 10 年淤积量,作为水库初期运用前 10 年的库区淤积形态设计的计算条件。

经计算,水库初期拦沙运用前 10 年坝前淤积高程为 240m,库区淤积量为 64 亿 m^3,其中,高程 240m 以下淤积泥沙 54.4 亿 m^3,占总淤积量的 85%;高程 240m 以上泥沙淤积 9.6 亿 m^3,占总淤积量的 15%。以水库初期拦沙运用前 10 年的淤积条件计算水库运用 10 年时的 5 年一遇、20 年一遇洪水防洪运用的回水曲线。此时,坝前淤积高程为 240m,造床流量 4 200m^3/s 的平均水深为 3.2m,故此时库区新河道造床流量水位为 243.2m,亦即水库运用 10 年时的防洪起调水位。

1. 干流淤积形态

水库的淤积形态，取决于运用方式、库区地形和进库水沙条件等因素。由于水库主汛期(7～9 月)逐步抬高水位拦沙和调水调沙运用，故库区纵向淤积为锥体淤积形态。

1) 水库淤积横断面

水库初期拦沙运用，库区河床处于淤积抬高过程中。虽然水库调水调沙，库区有冲有淤，但以淤积抬高为主。在此情况下，水库淤积以全断面平行淤积抬高为主，无明显的滩槽，且滩槽不稳定，有多股河槽和花滩出没变化。为简化计算，水库初期拦沙运用前 10 年，库区干流汛期按全断面平均河底高程计算，不划分滩槽。

2) 水库汛期淤积纵剖面

水库淤积纵剖面一般是下凹形，有多级比降，淤积物组成沿程变细。对于天然河床为砂卵石覆盖层，纵坡比降陡的河流，修建水库后形成新的沙质河床纵剖面，比降显著减小。

小浪底库区上半段河谷较狭窄，下半段河谷较宽阔，在水库初期拦沙运用的前 10 年，库区汛期淤积纵剖面分为上、下两段：

(1) 上段(狭窄段)，长度 63.5km，淤积比降 $i=2.3‱$；

(2) 下段(较宽段)，长度 63km，淤积比降 $i=1.8‱$。

整个库区平均淤积比降约为 2‱，与三门峡水库潼关以下库区平均淤积比降相似。坝前淤积高程 240.0m(槽底)，淤积末端高程为 265.9m，距坝 126.5km，淤积末端距三门峡大坝尚有 4.6km。

3) 非汛期淤积形态

小浪底水库初期拦沙运用前 10 年，非汛期蓄水运用，受分期移民水位 265m 限制，水位变化于 243.2～265m 之间，来沙全部淤积在库内。其中，70％的泥沙形成三角洲淤积体，其余 30％的泥沙淤积在三角洲以下库段。

根据水库联合运用的设计，在有小浪底水库后，三门峡水库非汛期按 315m 水位蓄水运用，大禹渡以下库区仍有淤积，故小浪底水库非汛期来沙量减少，且来沙颗粒较细。1950～1975 年系列在初期 10 年非汛期平均来沙量 0.51 亿 t，估计水库尾部段淤积 70％，淤积泥沙 0.36 亿 t，淤积物干容重按 1.3t/m^3 计，则尾部段淤积体积为 0.27 亿 m^3，(小浪底水库 10 月提前蓄水，调节期 10 月～来年 6 月，其 10 月蓄水淤积量此处已计入水库汛期淤积体内)。

经铺沙计算，非汛期三角洲顶坡顶点高程为 263.0m，距坝 92.5km，三角洲淤积末端高程 267.5m，距坝 126.9km，淤积末端不影响三门峡电站尾水位。

(二) 支流淤积形态

建库后，水库回水延伸到支流，支流的砂卵石推移质在回水末端淤积，不进入干流，由于支流水沙很少，而干流水沙很大，支流的淤积主要是干流水沙倒灌形成。干流异重流和浑水明流倒灌支流，挟带大量泥沙进入支流，首先在河口段淤积较粗泥沙，形成沙坎，并向支流内倒灌淤积。

倒灌淤积有两个特点，一是在支流河口段形成倒锥体形态淤积；二是在支流内回水区形成接近水平的淤积。

根据小浪底水库初期拦沙运用前 10 年的干流河床淤积纵剖面及支流倒锥体淤积的

计算,得到小浪底水库初期拦沙运用前10年支流淤积形态成果,见表8-9-1。其中,库尾段的五福涧、老鸦石河由于库区上段泥沙较粗,在淤积形态设计中沟口倒锥体淤积比降采用 $i=52‰$,较其他支流增大1倍。

表 8-9-1 小浪底水库拦沙运用初期前10年主要支流淤积形态

支流名称	距坝里程(km)	天然河口高程(m)	河口淤积高程(m)	倒坡比降(‰)	支流内淤积面高程(m)	淤积末端距河口里程(km)
大峪河	3.9	140	240.7	26	236.2	10.1
白马河	10.4	146	241.9	26	237.4	5.8
东洋河	31.3	164	245.6	26	241.3	7.32
高沟	33.1	165	246.0	26	241.7	3.15
西阳河	41.3	175	247.4	26	243.3	6.55
沇西河	57.6	195	250.4	26	246.5	4.98
亳清河	57.7	195	250.4	26	246.5	6.45
板涧河	65.9	205	252.0	26	248.3	3.56
煤窑河	6.1	143	241.1	26	236.6	5.42
畛水	18.0	152	243.2	26	238.8	13.15
南清河	22.7	160	244.1	26	239.8	6.9
峪里河	43.6	175	247.8	26	243.7	4.75
五福涧	83.5	224	256.1	52	252.8	1.61
老鸦石河	97.8	235	263.7	52	260.5	1.75

(三)坝前水位

小浪底库区洪水水面线推算的起始水位是坝前水位。小浪底水库的坝前洪水位根据黄河干流三门峡水库、小浪底水库和支流陆浑、故县水库四库联合防洪运用方式,通过调洪演算求得。设计洪水过程线分别考虑了"上大洪水"的1933年型和"下大洪水"的1958年型。各水库调洪计算起调水位见表8-9-2。小浪底水库调洪计算成果见表8-9-3。

表 8-9-2 小浪底水库运用后各水库调洪计算起调水位

项目		三门峡水库	小浪底水库运用10年	陆浑水库	故县水库
起调	水位(m)	305.0	240.0	317.0	527.3
	库容(亿 m^3)			5.68	2.79
蓄洪限制	水位(m)			323.0	548.0
	库容(亿 m^3)			8.16	7.62

表 8-9-3 黄河小浪底水库设计洪水调洪计算成果

洪水类型	频率 P(%)	最大蓄水量时		最大入流时	
		蓄水量(亿 m^3)	相应入库流量(m^3/s)	入库流量(m^3/s)	相应蓄水量(亿 m^3)
"上大洪水"的1933年型	5	13.21	6 100	11 560	5.74
	20	3.30	7 580	9 340	1.95

（四）库区水面线推算

1. 计算方法

采用能量方程推算：

$$Z_1+\frac{\alpha_1 v_1^2}{2g}=Z_2+\frac{\alpha_2 v_2^2}{2g}+\frac{Q^2\cdot\Delta L}{\overline{K}^2}+\zeta(\frac{v_2^2-v_1^2}{2g}) \tag{8-9-1}$$

$$\overline{K}=\overline{C}\cdot\sqrt{\overline{R}}\cdot\overline{A} \tag{8-9-2}$$

$$\overline{C}=\frac{1}{\overline{n}}\overline{R}^{1/6} \tag{8-9-3}$$

式中　Z_1、Z_2——上、下游断面的位能，m；

$\frac{\alpha_1 v_1^2}{2g}$、$\frac{\alpha_2 v_2^2}{2g}$——上、下游断面流速水头，m；

v_1、v_2——上、下游断面平均流速，m/s；

α_1、α_2——系数(取 $\alpha=1$)；

g——重力加速度，m/s^2；

$\frac{Q^2\cdot\Delta L}{\overline{K}^2}$——沿程水头损失，m；

Q——河段平均流量，m^3/s；

ΔL——上、下游断面间距，m；

$\overline{K}$——河段的上、下断面流量模数平均值；

$\overline{A}$——上、下游断面面积的平均值，m^2；

$\overline{R}$——上、下游断面的水力半径平均值，m；

$\overline{C}$——谢才系数；

$\overline{n}$——河段平均糙率系数。天然河道糙率是依据三门峡、八里胡同和小浪底等水文站实测水位流量关系进行率定，水库淤积后糙率参考三门峡库区实测资料分析确定。经分析，流量 6 000～12 000m^3/s 的河道糙率：距坝 59km 河段，天然河道糙率为 0.022～0.031，水库淤积后糙率为 0.012 2～0.013 3；距坝 59～84km 河段，天然河道糙率为 0.031～0.045，水库淤积后糙率为 0.013 3～0.021；距坝 84～115km 河段，天然河道糙率为 0.045～0.065，水库淤积糙率为 0.021～0.050；距坝 115～130km 河段，天然河道糙率 0.065～0.078，水库淤积后糙率为 0.05～0.073。水库下半段河谷较宽；水库上半段河谷狭窄，岸壁糙度影响不同；

$\zeta(\frac{v_2^2-v_1^2}{2g})$——局部水头损失；

ζ——局部损失水头系数。

按上三式由坝前水位向上游逐段推算，可求得各断面的水位。

2. 河道断面选取

按照回水计算的分段要求，由三门峡至小浪底天然河道 1/10 000 地形图，在河道横断面及河宽发生较大变化处、河底高程陡变点、较大支流汇入处、水文站及重点河段处共划分了 77 个横断面，作为回水计算的控制断面。

水库淤积后的纵横断面是根据小浪底水库初期运用前 10 年的淤积形态确定的。

3. 水面线计算

1)回水计算起始水位

天然河道水面线计算的起始水位以设计流量在小浪底坝址处的水位流量关系线上查得。

淤积后干流回水计算的起始水位，非汛期为265m。汛期由 $P=5\%$ 和 $P=20\%$ 不同频率的调洪起始水位确定。应计算最高水位相应流量以及最大入库流量相应坝前水位两条回水曲线然后取上包线，作为汛期回水线。由于小浪底水库回水曲线的坝前部分由非汛期控制，后部分由汛期控制，经计算，汛期调洪最大入库流量相应的水面线在距坝较短距离就高于坝前最高调洪水位相应的水面线，因此汛期回水曲线仅计算最大入库流量相应的水面线。

2)天然水面线计算

用率定的天然水面线糙率值，计算 $P=5\%$ 和 $P=20\%$ 汛期天然河道水面线。

3)淤积后水面线计算

汛期按设计的淤积断面，非汛期蓄水淤积，在汛期淤积断面的基础上加上非汛期淤积。

水库各断面回水水位是各方案推算出的非汛期回水曲线和汛期最大入流回水曲线取其上包线作为本次回水曲线推算所得。水库运用前10年265m水位的淹没范围见表8-9-4。

表8-9-4 黄河小浪底水库初期运用10年(265m水位运用)淹没范围

序号	断面号(CS)	距坝里程(m)	天然河底高程(m)	$P=5\%$			$P=20\%$		
				天然水位(m)	汛期回水水位(m)	居民迁移界线(m)	天然水位(m)	汛期回水水位(m)	土地征用界线(m)
0	03	0	134.2	141.9	251.8	266.0	140.9	244.7	265.0
1	01	2 600	136.4	144.5	251.8	266.0	143.5	245.0	265.0
2	02	3 600	136.9	145.4	251.8	266.0	144.3	245.1	265.0
3	3	6 500	139.0	148.8	251.8	266.0	147.4	245.2	265.0
4	16	21 610	153.6	158.7	251.8	266.0	157.4	246.8	265.0
5	18	24 240	156.0	164.5	251.8	266.0	163.5	247.1	265.0
6	20	26 380	157.7	168.7	251.9	266.0	167.4	247.8	265.0
7	22	29 370	159.1	171.2	252.0	266.0	169.6	250.3	265.0
8	23(1)	31 450	159.5	172.6	252.2	266.0	170.9	251.3	265.0
9	23(2)	31 950	159.7	172.8	252.3	266.0	171.1	251.4	265.0
10	30	43 460	173.8	183.7	253.0	266.0	182.0	252.3	265.0
11	40	59 060	191.0	200.0	254.9	266.0	199.4	254.5	265.0
12	50	77 090	211.0	220.3	260.9	266.0	219.7	260.3	265.0
13	60	91 460	229.8	243.8	266.8	266.8	240.6	265.9	265.9
14	70	112 050	256.0	266.1	273.2	273.2	264.6	272.0	272.0
15	75	124 570	265.4	280.1	280.3	280.3	278.3	278.5	278.5
16	76	126 970	268.0	283.3			281.8		
17		130 940	275.0	288.2			287.1		
18		131 100	276.7	288.5			287.3		

注：居民迁移界线以20年一遇洪水的回水曲线与正常蓄水位的上包线为标准，土地征用界线以5年一遇洪水的回水曲线与正常蓄水位的上包线为标准。在回水影响不显著的库段(水平回水线区域)，居民迁移的界线，采用水库正常蓄水位加高1m，以策安全。分期移民正常蓄水位为265m。

4)回水末端

根据水库淹没处理设计规范的规定,水库回水末端的位置按回水曲线高于同频率洪水天然水面线的0.1~0.3m范围内分析确定,干流回水末端及位置计算成果见表8-9-5。

表8-9-5　小浪底水库运用10年回水末端位置

项目	水库运用10年(265m水位)	
	$P=5\%$	$P=20\%$
天然水面线水位(m)	280.1	278.3
回水末端水位(m)	280.3	278.5
回水末端距小浪底大坝里程(km)	124.46	124.6

从表8-9-5可知水库10年运用20年一遇洪水的回水曲线末端距小浪底大坝为124.6km,距三门峡大坝尾水断面6.5km。

5)支流回水计算

小浪底水库库区支流回水计算,采用的汛期和非汛期洪水标准与坝址洪水同频率,计算采用的起始水位与各支流河口处相应的干流回水水位相同。

由于小浪底库区较大支流位于库区下半段,库区上半段加入的支流流域面积小,河道比降大。根据水库淤积分析计算,支流河口处的淤积高程与干流淤积高程相同,支流内的淤积面低于支流河口处的淤积高程。由小浪底水库运用方式可知,水库汛期降低水位运用,而非汛期蓄水位高。鉴于非汛期支流洪水小,并综合以上情况,小浪底库区支流回水计算可按支流河口处相应的干流非汛期回水水位为准,作水平回水处理。小浪底水库运用10年265m水位运用库区主要支流淹没范围见表8-9-6。

二、水库后期正常运用水面线计算分析

在水库正常运用期,进行"蓄清排浑、调水调沙"运用。水库正常蓄水位275m,死水位230m,主汛期限制水位254m,主汛期调水调沙运用,水位在230~254m间变化,平均水位245m。水库形成高滩深槽平衡形态,坝前滩面高程254m,河底高程226.3m,有效库容51亿m^3。主汛期预留滩面以上41亿m^3库容对特大洪水进行防洪运用,利用槽库容10亿m^3进行调水调沙运用;调节期利用滩面以上41亿m^3库容进行调节径流兴利运用。槽库容内有冲淤变化,在保留3.0亿m^3调水库容条件下,多年调沙,最大淤积7亿m^3,冲淤平衡时,恢复槽库容10亿m^3。按多年调沙槽库容平均淤积3.5亿m^3考虑。

(一)干流淤积形态

1.水库淤积纵剖面

1)河床淤积纵剖面形态

根据小浪底水库多年调沙运用槽库容内平均淤积3.5亿m^3河床淤积抬高的特点,

表 8-9-6 小浪底水库运用 10 年 265m 水位运用库区主要支流淹没范围

序号	支流	距坝里程(km)	居民迁移界线(m)	土地征用界线(m)
			P=5%	P=20%
1	大峪河	3.9	266.0	265.0
2	煤窑沟	6.1	266.0	265.0
3	白马河	10.4	266.0	265.0
4	畛 水	18.0	266.0	265.0
5	南清河	22.7	266.0	265.0
6	东洋河	31.3	266.0	265.0
7	高 沟	33.1	266.0	265.0
8	西阳河	41.3	266.0	265.0
9	峪里河	43.6	266.0	265.0
10	沇西河	57.6	266.0	265.0
11	亳清河	57.7	266.0	265.0
12	板涧河	65.9	266.0	265.0
13	五福涧	83.5	266.2	265.0
14	老鸦石河	97.8	269.4	268.3
15	清水河	99.3	270.1	269.0
16	乾灵河	116	275.4	273.8
17	细流河	123	280.3	278.5
18	岳家河	126		

分析计算河床淤积纵剖面形态如下：第一段（坝前段），长 33km，$i=1.8‰$；第二段，长 33km，$i=2.40‰$；第三段，长 63.8km，$i=3‰$。库区悬移质泥沙淤积河床纵剖面平均比降约为 2.5‰。在水库尾部段砂卵石推移质堆积体被水库多年调沙平均淤积物覆盖，此时库区只有悬移质泥沙淤积河床纵剖面形态。

2)滩地淤积纵比降

小浪底水库上半段为狭谷段，不能形成滩地，下半段较宽阔，除八里胡同外，均可以形成滩地。由于水库采取逐步抬高主汛期水位拦沙和调水调沙淤积形成高滩高槽的运用方式，滩地淤积与河槽淤积的造床条件基本相似，故滩地淤积比降比较大，计算分析滩地淤积比降为 $i=1.7‰$。

2. 河槽形态

水库淤积平衡后，形成高滩深槽平衡形态。小浪底水库正常运用期主汛期调水调沙运用，采用小浪底水库正常运用期多年调沙运用淤积形态，比冲淤平衡河床升高。

3. 非汛期淤积形态

按照 2000 年设计水平 50 年代表系列，非汛期平均来沙量为 0.59 亿 t，其中来沙量大于 0.4 亿 t 的 26 年的非汛期平均来沙量为 0.93 亿 t。为留有余地，采用 0.93 亿 t 设计非汛期淤积形态（10 月提前蓄水，其淤积量计入汛期淤积体内）。

考虑非汛期泥沙70%淤积在库尾狭谷段形成三角洲淤积体，其余30%泥沙淤积在三角洲下游段。按淤积物干容重1.3t/m³计算，则非汛期三角洲淤积体为0.5亿m³。

(二)支流淤积形态

在小浪底水库正常运用期，支流淤积形态是在水库初期拦沙运用最大淤积时高滩高槽条件下形成的。由于支流自身来沙量甚少，对支流的淤积不起作用，支流的淤积主要是由于干流的浑水水流倒灌淤积形成，在支流河口段形成倒锥体淤积，在支流内回水区形成接近水平的淤积。支流河口的淤积面与干流淤积的滩面相平。在干流狭谷无滩库段(库区上半段)，支流河口淤积面与干流的槽底线相平。小浪底水库正常运用期支流淤积形态见表8-9-7。

表8-9-7　小浪底水库正常运用期主要支流淤积形态

支流名称	距坝里程(km)	天然河口高程(m)	河口淤积高程(m)	倒坡比降(‰)	支流内淤积面高程(m)	淤积末端距河口(km)
大峪河	3.9	140	254.7	26	249.9	11.5
白马河	10.4	146	255.8	26	251.1	6.38
东洋河	31.3	164	259.3	26	254.8	9.78
高　沟	33.1	165	259.6	26	255.2	3.8
西阳河	41.3	175	261.0	26	256.7	7.9
沇西河	57.6	195	263.8	26	259.7	6.08
亳清河	57.7	195	263.8	26	259.7	7.94
板涧河	65.9	205	265.2	26	261.3	4.7
煤窑沟	6.1	143	255.0	26	250.4	6.1
畛　水	18.0	152	257.1	26	252.5	15.15
南清河	22.7	160	257.9	26	253.3	8.02
峪里河	43.6	175	261.4	26	257.1	5.72
五福涧	83.5	224	265.6	52	262.1	2.18
老鸦石河	97.8	235	269.2	52	265.8	2.08

在水库正常运用期，主汛期库水位下降，干流河床要降低，但由于支流河口已形成拦门沙坎的倒锥体淤积形态，支流来水很小，不考虑支流冲开拉槽。支流大水时冲开拉槽，因洪水后小水期又被干流倒灌淤积，亦不能维持支流河槽。

(三)小浪底水库坝前水位

各水库的调洪计算条件见表8-9-8。

(四)库区水面线

推算的小浪底水库正常运用期(275m水位运用)水库淹没范围见表8-9-9。水库各断面回水水位仍采用各方案推算出的非汛期回水曲线和汛期最大入流回水曲线的上包线。

表 8-9-8 小浪底水库正常运用后各水库调洪计算起调水位

项目		三门峡水库	小浪底正常运用期	陆浑水库	故县水库
起调	水位(m)	305.0	240.0	317.0	527.3
	库容(亿 m^3)			5.68	2.79
蓄洪限制	水位(m)			323.0	548.0
	库容(亿 m^3)			8.16	7.62

表 8-9-9 黄河小浪底水库正常运用期(275m 运用)淹没范围

序号	断面号(CS)	距坝里程(m)	天然河底高程(m)	$P=5\%$			$P=20\%$		
				天然水位(m)	汛期回水水位(m)	居民迁移界线(m)	天然水位(m)	汛期回水水位(m)	土地征用界线(m)
0	03	0	134.2	141.9	257.0	276.0	140.9	244.0	275.0
1	01	2 600	136.4	144.5	257.0	276.0	143.5	244.0	275.0
2	02	3 600	136.9	145.4	257.0	276.0	144.3	244.0	275.0
3	3	6 500	139.0	148.8	257.0	276.0	147.4	244.0	275.0
4	16	21 610	153.6	158.7	257.0	276.0	157.4	244.1	275.0
5	18	24 240	156.0	164.5	257.0	276.0	163.5	244.1	275.0
6	20	26 380	157.7	168.7	257.0	276.0	167.4	244.1	275.0
7		29 370	159.1	171.2	257.0	276.0	169.6	244.2	275.0
8	23(1)	31 450	159.5	172.6	257.0	276.0	170.9	244.2	275.0
9	23(2)	31 950	159.7	172.8	257.0	276.0	171.1	244.2	265.0
10	30	43 460	173.8	183.7	257.0	276.0	182.0	244.5	275.0
11	40	59 060	191.0	200.0	257.1	276.0	199.4	245.8	275.0
12	50	77 090	211.0	220.3	257.2	276.0	219.7	251.9	275.0
13	60	91 460	229.8	243.8	260.0	276.0	240.6	259.0	275.0
14	70	112 050	256.0	266.1	268.2	276.0	264.6	267.0	275.0
15	75	124 570	265.4	280.1	280.9	280.9	278.3	279.1	279.1
16	76	126 970	268.0	283.3	283.6	283.6	281.8	282.0	282.0
17		130 940	275.0	288.2			287.1		
18		131 100	276.7	288.5			287.3		

干流回水末端位置计算见表 8-9-10,距小浪底大坝 127km,距三门峡大坝 3.1km。小浪底水库库区主要支流回水计算成果见表 8-9-11。

表 8-9-10　　小浪底水库正常运用回水末端位置

项目	正常运用	
	$P=5\%$	$P=20\%$
天然水面线水位(m)	283.3	281.8
回水末端水位(m)	283.6	282.0
回水末端距小浪底大坝里程(km)	126.87	127.0

表 8-9-11　　小浪底水库正常运用(275m 水位运用)库区主要支流回水计算成果

序号	支流	距坝里程(km)	居民迁移界线(m)	土地征用界线(m)
			$P=5\%$	$P=20\%$
1	大峪河	3.9	276.0	275.0
2	煤窑沟	6.1	276.0	275.0
3	白马河	10.4	276.0	275.0
4	畛　水	18.0	276.0	275.0
5	南清河	22.7	276.0	275.0
6	东洋河	31.3	276.0	275.0
7	高　沟	33.1	276.0	275.0
8	西阳河	41.3	276.0	275.0
9	峪里河	43.6	276.0	275.0
10	沇西河	57.6	276.0	275.0
11	亳清河	57.7	276.0	275.0
12	板涧河	65.9	276.0	275.0
13	五福涧	83.5	276.0	275.0
14	老鸦石河	97.8	276.0	275.0
15	清水河	99.3	276.0	275.0
16	乾灵河	116	276.0	275.0
17	细流河	123	280.9	279.1
18	岳家河	126	283.6	282.0

第十节　小浪底水库运用对下游桥渡影响分析

一、水库运用对焦枝铁路黄河连地铁桥影响分析

(一)水沙条件变化

小浪底水库运用使进入桥位河段的水沙条件发生变化,主要表现在以下几个方面。

1.流量过程的变化

小浪底水库调水调沙运用,减少了 800～2 000m^3/s 平水流量出现的机遇,增加了

400～800m^3/s小水流量和2 000～8 000m^3/s大水流量出现的机遇。

2.砂卵石推移质来量的变化

小浪底水库修建后,坝址以上干、支流砂卵石推移质被拦截在库内,在坝下游桥渡河段,砂卵石河床覆盖层在较大水流作用下被冲刷,将形成河床粗化的抗冲保护层。

3.水流含沙量变化

在小浪底水库初期拦沙运用的前15年内,水流含沙量小、泥沙颗粒变细,将加强对近坝下游河道的冲刷作用,但水库削减洪水,显著减少洪水的强烈冲刷。因此,小浪底水库运用后对连地铁桥河床的影响,从总体讲是减小冲刷而不是增大冲刷。

4.洪水的变化

焦枝铁路黄河连地铁桥设计洪水标准为百年一遇,设计洪峰流量为22 400m^3/s。经小浪底水库与三门峡、陆浑、故县水库联合防洪运用的调节计算,小浪底水库最大下泄流量:①50年一遇洪水为9 910m^3/s;②百年一遇洪水为9 860m^3/s;③千年一遇洪水为13 480m^3/s;④万年一遇洪水为13 990m^3/s。可见,小浪底水库防洪运用对连地铁桥洪水有很大的削减,提高了防洪安全度。

(二)河势变化

历史上,小浪底至连地铁桥河段砂卵石河床河势相对稳定。对小浪底工程施工期和水库初期拦沙运用期坝下游至桥位河段的河床演变进行了动床模型试验研究。试验结果表明:①施工期和水库拦沙运用期河势有一定变化,连地铁桥断面南岸主槽侧蚀展宽和冲深并存,主流线紧靠右岸,12号墩岩石出露范围加大;②随着水库排沙增大,连地铁桥南岸深槽泥沙回淤比较明显,主流线外移趋中;③洪水时全断面行洪,主流趋中,连地铁桥断面河心滩地被冲刷。

(三)连地铁桥河床冲刷计算分析

为预测小浪底水库运用后连地铁桥各桥墩的冲刷深度,进行了小浪底至坡头河段的河床演变模型试验研究,还采用砂卵石河床冲刷计算方法进行冲刷计算。

1.基本资料

1)连地铁桥断面水位—流量关系

根据调查的资料,小浪底水文站(一)(原站)断面水位与连地铁桥水位相关曲线:

$$H_{桥} = 67 + 0.47H_{小} \tag{8-10-1}$$

式中 $H_{桥}$——连地铁桥断面水位,m;

$H_{小}$——小浪底水文站(一)水位,m。

利用小浪底水文站(一)断面水位—流量关系及式(8-10-1),即可得到连地铁桥断面水位—流量关系,见表8-10-1。

表8-10-1 连地铁桥断面水位—流量关系

流量(m^3/s)	22 400	17 000	13 500	11 500	10 000	8 000
原设计水位(m,大沽)	135.50	134.65	134.10	133.75	133.48	133.08
修正后水位(m,大沽)	136.05	135.05	134.35	133.95	133.63	133.16

根据三门峡水库拦沙期下泄“清水”时期本河段水位观测资料及小浪底水库建成运用后的“小浪底至坡头河段河床演变模型试验”的成果和“小浪底至铁谢河段冲刷粗化计算及分析”的成果，综合分析认为，在小浪底水库拦沙运用期连地铁桥河段砂卵石河床有冲刷，但由于河床冲刷后糙率系数增大，水位流量关系变化不大，模型试验结果表明，小浪底水库初期拦沙运用再加 13 500m^3/s 大洪水冲刷后，连地铁桥水位下降约 0.32m。

2）最大单宽流量确定

最大单宽流量对河床冲刷起主要作用。连地铁桥断面具有河心滩和南岸深槽及北岸浅槽的河床形态，用水流平面图解分析法确定最大单宽流量。

各级流量条件下计算出的最大单宽流量见表 8-10-2。

表 8-10-2　连地铁桥断面最大单宽流量计算成果

流量(m^3/s)	17 000	13 500	11 500	10 000	8 000
最大单宽流量($m^3/(s·m)$)	60	55	50	48	42

3）连地铁桥断面床沙组成

桥渡设计时采用河床平均粒径 $\overline{d}=30mm$。桥位下游不远处的连地滩及西滩的砂卵石平均粒径 $\overline{d}$ 分别为 59.61mm 及 72.25mm。由此可见原设计采用的河床质平均粒径偏小。在进行冲刷计算时，采用连地滩砂卵石级配资料，见表 8-10-3。

表 8-10-3　连地滩砂卵石级配

粒径(mm)	150	80	40	20	5	2.5	1.25	0.63	0.315	0.15
小于某粒径的土重百分数(%)	85.6	61.8	40.7	30.2	23.6	21.7	20.7	17.8	10.4	5.2

2. 计算条件

1）水流条件

小浪底水库调节以后，对连地铁桥断面来讲，流量 8 000m^3/s 可作为冲刷计算的一般洪水条件，百年一遇洪水为连地铁桥的设计洪水标准，所对应的洪峰流量被削减为 10 000m^3/s，以此作为设计条件，千年一遇洪水洪峰流量被削减为 13 500m^3/s，可作为校核条件，而小浪底水库最大下泄流量 17 000m^3/s 则作为极限条件考虑。

2）河床边界条件

由于桥墩在桥位断面上所处的位置不同，各桥墩处的水流条件及河床组成等条件各不相同，大致可分为三种情况。

（1）12 号墩：12 号墩位于南岸的主流区，也是整个断面深泓点的位置。河床组成为岩石或大漂石，抗冲性强。因此，12 号墩的冲刷问题属于岩石或大漂石的冲刷问题。

（2）7 号～11 号墩：7 号～11 号墩位于桥位断面河床中部的砂卵石滩区，小水时滩面出露，大水时过流冲刷，在一般水流条件下，滩面较稳定。

（3）4 号～6 号墩：4 号～6 号墩位于北股河，河床组成为砂卵石，一般水流条件下河床较稳定，在大水情况下，可引起较大的冲刷。

由于各桥墩河床边界条件及水流条件有较大的差异，因此在进行冲刷计算时应分别考虑。

3)各桥墩冲刷计算

a.4 号～6 号墩冲刷计算结果

4 号～6 号墩位于北股河。由于主流所处南股河床组成为岩石或大漂石,抗冲性强,且大洪水时,北股过流流量增大,故大洪水时水流将转而向北股河床发展冲刷。例如 1983 年汛前观测断面表明,在 1982 年洪水约 10 000m^3/s 情况下,南股深泓点高程无大变化,而在北股 5 号墩处,最深点高程下降至 122.58m。因此,4 号～6 号墩处大洪水冲刷计算采用的水力条件和河床边界条件为断面最大单宽流量及深泓点高程。计算结果见表 8-10-4。

表 8-10-4　连地铁桥砂卵石河床 4 号～6 号墩和 7 号～11 号墩冲刷计算成果

墩号	流量(m^3/s)	水位(m)	一般冲刷水深(m)	一般冲刷线高程(m)	局部冲刷深度(m)	总冲刷线高程(m)
4 号～6 号	17 000	135.05	16.75	118.30	7.22	111.08
	13 500	134.35	15.56	118.79	7.17	111.62
	11 500	133.95	14.37	119.58	7.05	112.53
	10 000	133.63	13.92	119.71	7.03	112.68
	8 000	133.16	12.48	120.68	6.86	113.82
7 号～11 号	17 000	135.05	7.64	127.41	4.52	122.89
	13 500	134.35	6.21	128.14	3.90	124.24
	11 500	133.95	5.71	128.24	3.76	124.48
	10 000	133.63	5.10	128.10	3.51	125.02
	8 000	133.16	4.22	128.94	3.08	125.86

注:一般冲刷水深为不含水流局部冲刷深度的冲刷水深;总冲刷线高程为一般冲刷加局部冲刷后的总冲刷线高程。

b.7 号～11 号墩冲刷计算结果

从现状河床看,7 号～11 号墩位于河床中部的滩区,河底高程较高,且过流量不大,流速小。考虑到水库拦沙及大洪水冲刷的发展,滩面降低,过流量增大的因素,故以桥位河床断面平均单宽流量 $\overline{q}$ 及平均河底高程 $\overline{Z}$ 作 7 号～11 号墩冲刷计算的水力条件及河床边界条件,是偏于安全的。计算结果见表 8-10-4。

c.12 号墩冲刷计算

12 号墩位于南岸主流区,河床组成为岩石或大漂石,大漂石粒径在 300mm 以上。当水深为 1m 时,粒径为 200～400mm 的漂石不冲流速为 3.6～4.7m/s。在各级流量下,12 号墩处水深为 10.65～13.55m。12 号墩处的漂石粒径为 200mm,各级流量下的起动流速为 5.78～5.97m/s,而相应的垂线平均流速为 3.94～4.78m/s,小于起动流速,不产生一般冲刷,但会发生局部冲刷。

12 号墩局部冲刷按大漂石河床冲刷计算。阚译利用实测资料及试验资料建立墩前垂线平均流速 v 与桥墩局部冲刷深度 H_b 的关系。如已知墩前垂线平均流速及河床组成情况，可由该关系曲线估算桥墩局部冲刷深度。按此方法估算，12 号墩局部冲刷深度计算结果见表 8-10-5。

表 8-10-5 连地铁桥 12 号墩冲刷深度计算结果

流量(m^3/s)	一般冲刷深度(m)	局部冲刷深度(m)	总冲刷深度(m)
17 000	0	1.1～2.1	1.1～2.1
13 500	0	0.5～1.5	0.5～1.5
11 500	0	0～1.1	0～1.1
10 000	0	0～0.7	0～0.7
8 000	0	0～0.2	0～0.2

(四)结论

(1)原设计连地铁桥一般冲刷线高程为 115m，加局部冲刷后总冲刷线高程为 105m，但由于部分桥墩处岩面较高，如 12 号墩岩面高程 122.87m，墩基仅坐落在基岩上而没有埋入岩下一定的深度，特别是 12 号墩的北侧坐落在大漂石上，存在不安全的因素。小浪底水库的建成运用，削减洪水，对减小连地铁桥河床的冲刷有利，但仍然保持现状南股主流河槽的河势，要加强监测，予以防范和加固。

(2)小浪底水库运用后，拦截了库区干、支流输入坝下游河道的砂卵石推移质，对焦枝铁路桥河段来讲，河床逐步冲刷，但因洪水减小，河床冲刷深度小，且将较快地发生河床粗化，形成抗冲保护层，使河床停止冲刷，趋于稳定。

(3)大洪水对砂卵石河段具有较大的冲刷造床作用，小浪底水库的防洪作用，可使百年一遇洪水洪峰流量由原设计采用的 22 400m^3/s 减少至 10 000m^3/s，大幅度地削减了洪峰流量，减少了洪水对河床的冲刷作用，减少了对桥墩的冲刷作用。

(4)一般水沙条件下，水流中悬移质含沙量的大小对连地铁桥河段砂卵石河床来讲，不参与造床作用，对河床变化影响不大。但在 400～800kg/m^3 的高含沙水流，将加强水流的冲刷能力，对河床变形产生一定的影响。而小浪底水库运用将削减 400kg/m^3 以上的高含沙量。所以类似 1977 年的高含沙洪水的冲刷将不再发生，有利于对连地铁桥减小冲刷的影响。

(5)连地铁桥按百年一遇洪水设计，河床冲刷线可按有小浪底水库建成运用后百年一遇洪水洪峰流量 10 000m^3/s 时的总冲刷深度确定。对于千年一遇洪水洪峰流量 13 500m^3/s或非常情况下的最大下泄流量 17 000m^3/s 的冲刷线可作为校核条件和极限条件检验。但由于洪水减小，总冲刷深度都将小于无小浪底水库时的原设计数值。

二、水库运用对京广铁路郑州黄河铁桥影响分析

(一)郑州黄河铁桥概况

京广铁路郑州黄河铁桥(以下简称新桥)上距小浪底坝址 114.74km，下距花园口站现测流断面 16.4km，距花园口站基本断面(测流老断面)13.26km。

新桥设计洪水为百年一遇，洪峰流量为 25 000m^3/s，相应桥下水位为 95.90m(黄海基

面,下同,$H_{黄海}=H_{大沽}-1.23m$),设计最大流速5.18m/s,平均流速2.8m/s,洪水期含沙量244kg/m^3。1958年7月17日23时,实测最大流量22 300m^3/s,老桥下游水位96.06m,推算新桥下游水位为96.0m,最大流速3.05m/s。

新桥全长2 900m,有71孔,72墩,桥孔净长2 640.3m,为复线桥。桥墩管柱底标高为61.78～69.71m,大部分为64～65m。设计原定允许冲刷线标高北岸为78.77m,南岸为80.77m。1972年修改计算确定允许冲刷线标高傍岸各墩(2号～8号墩、64号～70号墩)为75.3m,河中各墩为76.8m。

大桥梁底高程为100.15m,墩台顶高程为99.59m,轨底高程为103.68m。

基岩距河床面较深,北岸基岩距床面达100m左右,河床为粉细沙夹有黏土层组成。由于河床粉细砂夹黏土组成的覆盖层较厚,大桥墩台基础均未落到基岩上,钢筋混凝土管柱入土深度约30m。

新桥河段河床宽、浅、散、乱,水流多汊,各股水流变化不定,消长变化不已。其主要特点是:①河床淤积时主河槽淤高,淤出滩地,水流趋向较顺直,坐弯冲刷减弱;②河床冲刷时主河槽下切,发展傍岸弯曲水流,环流冲刷加强,桥墩受集中水流冲刷加强,容易形成较大的冲刷水深。表8-10-6所示为新桥历年最大水深和最低河底高程变化情况。在三门峡水库1963年和1964年滞洪拦沙,以及人造洪峰清水冲刷下游河道时期,又受花园口枢纽1963年破坝后影响,导致1963年10月在新桥北岸2号墩发生3 500m^3/s左右流量的持续冲刷,最大冲刷水深为14.8m,出现险情,紧急抛石抢护。

桥墩的冲刷水深与流量大小有关系,更与单宽流量分布形态密切有关。往往出现中小水冲刷水深大,而大水水深小,这与过桥水流单宽流量分布形态有很大关系。如1933年8月大洪水,过老桥流量20 400m^3/s,全桥河床过流72%的水流通过宽1 360m的主河槽下泄,最大冲刷水深约13m,虽有桥墩摇晃,但未被冲倒;而1958年7月大洪水,过老桥流量22 300m^3/s,桥下河床过流约85%,通过725m宽的主河槽下泄,桥北段河床冲刷水深4～10m,最大冲刷水深达16.7m,11号桥墩被冲倒,而桥南段河床还回淤3～4m。

水流的环流集中冲刷可以形成很大的冲刷水深。如花园口险工段"将军坝"的冲刷,经根石探摸资料,根石水深达23.5m;再如花园口水文站测流断面,1963年10月4日3 680m^3/s流量,水面宽662m,平均水深3.46m,而最大水深达15.7m。所以,要特别注意水流的环流集中冲刷。

(二)水库拦沙期下游最大冲刷时河床演变预估

小浪底水库在2000年1月正式运用前,黄河下游河床将继续淤积抬高,郑州铁桥处河床亦要继续淤高。新桥河床最低点高程变化从1971年以来,年平均升高约0.135m。据此,以1995年10月河床地形为基础,预估至2000年1月铁谢至花园口河段河床地形的变化,在以预估的2000年河床地形为基础,计算小浪底水库初期拦沙和调水调沙运用下游最大冲刷时的河床变形,分析小浪底水库初期拦沙和调水调沙运用对花园口以上河段及新桥河床冲刷的影响。

表8-10-7所示为预估铁谢至花园口河段2000年及设计水平1950～1975年代表系列小浪底水库初期拦沙和调水调沙运用14年下游最大冲刷时的河床变化特征。在计算河床冲刷时,考虑了花园口以上河段已有河道整治工程的控制作用,同时在小浪底水库初期

表 8-10-6　郑州新桥历年最大水深和墩周河床最低高程

序号	时间（年·月·日）	水位（m）	流量（m^3/s）	墩号	最大水深（m）	墩周河床最低高程（m）	序号	时间（年·月·日）	水位（m）	流量（m^3/s）	墩号	最大水深（m）	墩周河床最低高程（m）
1	1960.9.9	94.87	2 760	7	8.8	86.07	23	1973.7.3	94.70	1 650	29	11.7	83.00
2	1961.8.22	94.54	1 730	47	9.8	84.74	24	1973.8.27	95.66	2 110	30	12.0	83.66
3	1962.4.9	94.12	1 340	3	9.5	84.62	25	1974.8.3	95.40	3 230	62	9.5	85.90
4	1963.10.21	94.17	3 500	2	14.8	79.37	26	1975.9.21	95.46	4 630	24	12.8	82.66
5	1963.10.31	94.09	1 100	2	13.1	80.99	27	1976.10.16	95.00	4 490	54	12.1	82.90
6	1963.12.5	93.33	1 660	2	12.9	80.43	28	1977.8.8	95.22	7 380	40	10.0	85.22
7	1964.5.21	94.01	2 130	2	12.8	81.21	29	1977.9.11	94.40	914	42	9.9	84.50
8	1964.5.28	94.14	3 460	1 号孔中	14	80.14	30	1978.9.23	95.26	4 260	20	12.0	83.26
9	1964.5.28	94.14	3 460	2	13	81.14	31	1979.8.16	95.58	5 750	14	10.5	85.08
10	1964.6.4	94.33	3 250	1 号孔中	14	80.33	32	1980.10.10	95.82	3 500	16	8.4	87.44
11	1964.7.9	94.43	3 360	2	13.8	80.63	33	1981.9.8	95.86	5 300	17	8.1	87.80
12	1964.7.9	94.43	3 360	1 号孔中	13.5	80.93	34	1982.8.2	96.64	15 300	54	11.0	85.60
13	1964.10.29	93.80	4 720	2	11	82.80	35	1983.8.2	95.92	3 400	55	8.5	87.40
14	1964.10.29	93.80	4 720	1 号孔中	10.7	83.10	36	1984.9.26	94.88	6 600	58	9.7	85.20
15	1965.2.18	93.26	485	35	10	83.26	37	1985.8.20	94.66	2 150	59	8.9	85.76
16	1966.4.22	93.72	553	37	11	82.72	38	1986.7.7	94.92	3 570	34	7.0	87.92
17	1967.8.9	94.56	4 820	62	12	82.56	39	1987.9.3	95.24	2 150	21	7.8	87.44
18	1968.7.25	94.02	1 670	37	11	83.02	40	1988.8.11	96.18	6 500	42	11.0	85.18
19	1968.9.24	95.04	5 710	28	11.8	83.24	41	1989.9.30	95.68	3 800	37	10.1	85.58
20	1969.7.31	94.66	2 790	33	8.9	85.76	42	1994.9.3	96.20	3 900	40	9.2	87.00
21	1971.7.28	94.36	3 918	61	8.2	86.16	43	1996.8.2	96.26	3 900	32	9.1	87.16
22	1972.7.22	94.32	2 680	28	10.9	83.42	44	1996.8.5	96.96	7 640	39	7.9	89.06

运用过程中,将逐步缩小水流游荡范围,加深河床冲刷,还考虑因桥梁束窄而冲刷加深的影响。

表 8-10-7 铁谢至花园口河段 2000 年及小浪底水库拦沙期下游河槽最大冲刷时河床变化(设计水平年 1950～1975 年系列)

断面位置(名称)	距铁谢里程(km)	1995～2000 年河床淤高值(m)(1995 年 10 月起)		小浪底水库拦沙期下游最大冲刷时河床下切值(m)(以 2000 年河床地形为基础)				说明
		生产堤内	生产堤外	主槽	浅槽	边滩	河床平均	
铁谢	0	0.150	0.02	-4.3	-2.4	-0.80	-1.96	水库初期运用 14 年,下游河槽冲刷 19.57 亿 t,其中花园口以上冲刷 6.26 亿 t
马峪沟	26.47	0.265	0.02	-3.6	-1.95	-0.72	-1.84	
裴峪	32.77	0.727	0.02	-3.4	-1.90	-0.68	-1.81	
伊洛河口	44.67	0.365	0.02	-3.05	-1.72	-0.60	-1.76	
孤柏嘴	59.97	0.206	0.02	-2.60	-1.50	-0.50	-1.69	
罗村坡	66.12	0.200	0.02	-2.50	-1.40	-0.40	-1.67	
官庄峪	73.37	0.292	0.02	-2.30	-1.30	-0.40	-1.63	
秦厂	86.67	0.705	0.02	-2.00	-1.06	-0.28	-1.57	
郑州铁桥	89.91	0.675	0.02	-2.30	-1.20	-0.60	-1.83	受桥梁束窄影响
花园口(基)	103.17	0.550	0.02	-1.80	-1.10	-0.50	-1.50	

由表 8-10-7 可知,在 2000 年设计水平年 1950～1975 年系列,小浪底水库初期拦沙和调水调沙运用 14 年,水库拦沙 103.4 亿 t,下游河槽冲刷 19.57 亿 t,其中花园口以上河段河槽冲刷 6.26 亿 t,在郑州新铁桥河床平均冲刷下切 1.83m,上游铁谢为 1.96m,下游花园口为 1.50m。

表 8-10-8 为三门峡水库初期 4 年拦沙运用下泄"清水",下游河床冲刷及水位下降情况。从表 8-10-8 中可以看出,在三门峡水库初期拦沙运用 4 年下游冲刷 23.12 亿 t 情况下,花园口以上河段冲刷 7.56 亿 t,占下游冲刷量的 32.7%。由于水沙条件和水库运用方式与三门峡水库初期 4 年时不同,小浪底水库初期拦沙运用 14 年冲刷下游河槽 19.57 亿 t,花园口以上河段河槽冲刷 6.26 亿 t,占下游冲刷量的 32%,与三门峡水库初期 4 年拦沙运用冲刷下游河道 23.12 亿 t 时,花园口以上河段冲刷量占全下游冲刷量的百分比相近。

在三门峡水库初期 4 年拦沙下游河道冲刷最大时期,下游水位下降值沿程变小。以 3 000m^3/s 同流量水位计,铁谢下降 2.81m,官庄峪下降 2.07m,花园口下降 1.30m,高村下降 1.33m,艾山下降 0.75m,利津还上升 0.01m。小浪底水库初期 14 年拦沙下游河槽最大冲刷时期,水位下降值亦沿程变小。由于三门峡水库现状"蓄清排浑"运用,每年非汛期下泄"清水",在铁谢至伊洛河口河段河床发生一定的冲刷,故小浪底水库初期拦沙对铁谢至伊洛河口河段的冲刷将要减小;但在郑州铁桥至花园口河段,主要由于郑州铁桥上下游河段控制河势约束水流的整治工程比 20 世纪 60 年代加强，故在小浪底水库初期拦沙冲刷下游河槽时期，郑州铁桥上下游河段水位下降将要略大于三门峡水库初期 4 年拦沙运用时的水位下降值，水位下降约 1.50m。

表 8-10-8　三门峡水库 1960 年 10 月～1964 年 10 月下游"清水"冲刷及水位下降特征

项目	铁谢—花园口	花园口—夹河滩	夹河滩—高村	高村—孙口	孙口—艾山	艾山—泺口	泺口—利津	铁谢—利津
站名	铁谢	裴峪	官庄峪	花园口	高村	艾山	利津	
输沙率法冲刷量（亿 t）	-7.56	-5.89	-3.37	-4.13	-0.89	-0.76	-0.52	-23.12
断面法冲刷量（亿 t）	-9.04	-7.90	-5.28	-3.26	-0.81	-1.10	-1.54	-28.93
3 000m^3/s 流量水位下降值	-2.81	-2.16	-2.07	-1.30	-1.33	-0.75	+0.01	

水库拦沙冲刷下游河床，除了河床平均下切外，还有河床局部冲深和河床最低点的下降。黄河下游河道河床最低点普遍下降，与平均河底高程普遍下降的纵剖面形态相似。据三门峡水库初期 4 年拦沙下游冲刷的资料，在铁谢至高村长达 280km 的河段，沿程河床最低点下降 6～9m 的地方比较多，下降 10m、10.2m 的有两处，郑州新铁桥河床最低点下降 6.7m。估计小浪底水库初期拦沙运用由于来水量小而来沙量较大，对花园口以上河段河床最低点的下降值不会超过三门峡水库初期 4 年拦沙该河段冲刷出现的河床最低点下降 10m 的数值。

（三）郑州新桥洪水位变化及洪水期河床冲刷预估

1. 小浪底水库防洪运用对花园口洪水的削减作用

小浪底水库防洪运用，对万年一遇（下大型）洪水，花园口的洪峰流量由现状三库（三门峡水库 + 陆浑水库 + 故县水库，下同）作用下的 41 710m^3/s 削减至 27 350m^3/s，花园口超万洪量由 49.83 亿 m^3 减小为 26.18 亿 m^3；对于千年一遇（下大型）洪水，洪峰流量由花园口 34 420m^3/s 削减至 22 500m^3/s，超万洪量由 31.94 亿 m^3 减小为 16.99 亿 m^3；对于百年一遇（下大型）洪水，花园口洪峰流量由 25 780m^3/s 削减至 15 700m^3/s，超万洪量由 17.96 亿 m^3 减小为 7.49 亿 m^3；对于实测（下大型）洪水，花园口洪峰流量由 20 080m^3/s 削减至9 620m^3/s，超万洪量由 5.06 亿 m^3 减小为 0。由此可见，小浪底水库防洪运用对花园口洪水有很大的削减作用，对超万洪量有很大的减小。

郑州新桥设计洪水为百年一遇，洪峰流量为 25 000m^3/s。小浪底水库运用后，使郑州新桥百年一遇洪水的洪峰流量减小为 15 700m^3/s，超万洪量减小为 7.49 亿 m^3，10 000m^3/s以上洪水过程历时缩短。对于现设防流量22 000m^3/s，则将提高为近千年一遇洪水的标准。因此，小浪底水库防洪运用对郑州新桥的防洪安全很有利。

2. 小浪底水库运用对郑州新桥洪水位影响

由于下游河床逐年淤积抬高，使洪水位不断升高。据以 1996 年汛后河床地形和 1996

年汛期水位流量关系为基础发布的资料,1997 年若发生花园口洪峰流量 22 000m³/s 的洪水,花园口(基)(1958 年老水尺)断面水位为 95.07m(以黄海为基面,下同),秦厂水位为 99.63m。推算郑州新桥桥下游水位为 97.91m,桥上游水位为 98.93m。

考虑到 1997~2000 年期间河床仍要继续淤积抬高,洪水位仍要继续升高,预估 2000 年,花园口 22 000m³/s 洪水,花园口(基)断面水位为 95.34m,郑州新桥桥下游水位为 98.18m,桥上游水位为 99.20m。

在设计水平年 1950~1975 年系列,小浪底水库初期拦沙和调水调沙运用 14 年,下游河槽最大冲刷 19.60 亿 t,花园口以上河段河槽冲刷 6.26 亿 t,郑州新桥至花园口水位将由 2000 年洪水位下降约 1.50m。即在 2014 年前后,花园口 22 000m³/s 洪水,郑州新桥桥下游水位为 96.68m,桥上游水位为 97.70m。

对于花园口 15 700m³/s 的洪水,1997 年郑州新桥水位,桥下游为 97.55m,桥上游为 98.29m。至 2000 年桥下游水位为 97.80m,桥上游为 98.60m。在设计水平 1950~1975 年系列,小浪底水库对下游河槽累计最大冲刷的 2014 年,郑州新桥水位,桥下游为 96.30m,桥上游为 97.10m。

上述分析计算 22 000m³/s 和 15 700m³/s 洪水位表明,1997 年、2000 年、2014 年郑州新桥上、下游洪水位均超过了原设计百年一遇洪水位(桥上游水位 96.9m,桥下游水位 95.9m),可见小浪底水库初期拦沙运用 14 年下游最大冲刷后,22 000m³/s 和 15 700m³/s 洪水位不低于郑州新桥原设计洪水位,其洪水期河床冲刷的冲刷河底线会高于原设计允许冲刷河底线,小浪底水库拦沙运用对该桥无不利影响。

3. 郑州新桥洪水期河床冲刷预估

根据上述设计水平年 1950~1975 年系列小浪底水库初期拦沙和调水调沙运用 14 年下游河槽累计最大冲刷后,当发生提高为千年一遇22 000 m³/s洪水时郑州新桥桥下游水位 96.68 m 预估,在洪水期若按傍岸墩最大冲刷水深 21m 及河中墩最大冲刷水深 18m 计算,则傍岸墩冲刷河底线高程为 75.68m,河中墩冲刷河底线高程为 78.68m,可见傍岸墩冲刷河底线高程高于允许冲刷河底线高程 75.3m,河中墩冲刷河底线高程高于允许冲刷河底线高程 76.8m 更多。

关于郑州老桥的桥墩最大冲刷水深的资料,1958 年洪水,花园口洪峰流量 22 300m³/s,洪水期最大冲刷水深 16.7~17.3m;1933 年洪水,据推算,花园口洪峰流量为 20 400m³/s,洪峰期最大冲刷水深 13m;在三门峡水库"清水"下泄及泄放人造洪峰冲刷时期,1963 年 10 月 4 日,花园口流量 3 680m³/s,发生主流集中冲刷,水面宽 662m,最大流速 3.32m/s,最大冲刷水深 15.7m。均未出现最大冲刷水深大于 18m 的情形。小浪底水库初期拦沙和调水调沙运用连续冲刷下游河床,河床将发生一定的粗化,制约冲刷的发展。小浪底水库运用后,郑州新桥河段百年一遇设计洪水的洪峰流量削减为15 700m³/s,超万洪量减少为 7.49 亿 m³,洪水期河床冲刷水深将比原设计值减小。

按水库拦沙期冲刷下游河床,以河床最低点下降深度考虑,根据三门峡水库 1960 年 10 月~1964 年 10 月"清水"冲刷下游的资料,河床最低点下降值最大为 10.2m。小浪底水库初期拦沙运用对下游河床最大冲刷时,河床最低点下降值最大按 10m 考虑。郑州新桥历年河床最低点高程变化,从 1963 年达最低值后,逐渐升高,至 1996 年河床最低点高程为 87.16m，至 2000 年，河床最低点高程估计为 87.6m。在小浪底水库初期拦沙运用 14 年下游河槽达最大冲刷时，按河床最低点下降 10m 计，则郑州新桥河床最低点高程为 77.6m，冲刷河底最低点高程亦在傍岸墩和河中墩允许冲刷线之上。

（四）结论

小浪底水库初期拦沙运用时期对下游河道冲刷的大小与水库拦沙和调水调沙运用方式及进入下游河道的水量和沙量的大小及其水沙过程形态有密切关系。在小浪底水库初期拦沙和调水调沙运用时期，经过设计水平 6 个 50 年代表系列的不同水沙条件的分析计算表明，其中以水量较大的 1950～1975＋1950～1975 年代表系列下游冲刷最大。在水库拦沙运用 14 年时，水库拦沙 104 亿 t，下游河槽冲刷 19.6 亿 t，其中花园口以上河段冲刷 6.26 亿 t。郑州新桥河床平均冲刷深度 1.83m，花园口河床平均冲刷深度 1.5m，花园口流量 22 000m^3/s，郑州新桥至花园口河段洪水位比 2000 年同级洪水流量的洪水位下降约 1.5m。与三门峡水库 1960 年 10 月～1964 年 10 月的水库拦沙下游河道冲刷及水位下降的情形比较，认为此预测成果是合理的。综合洪水、泥沙的影响分析，小浪底水库运用对郑州新桥无不利影响，而且有削减洪水的有利因素。分析计算 22 000m^3/s 和15 700m^3/s 洪水位表明，1997 年、2000 年、2014 年郑州新桥上、下游洪水位均超过了桥上游设计洪水位 96.9m、桥下游设计洪水位 95.9m。因此，小浪底水库初期拦沙运用下游最大冲刷后，22 000m^3/s 和 15 700m^3/s 洪水位不低于原设计洪水位，冲刷河底线高程高于设计允许冲刷线高程。

第九章　工程导截流和围堰溃坝洪水研究

第一节　截流期洪水处理方案研究

黄河小浪底水利枢纽工程的建设,是举世关注的一件大事,根据施工进度安排,计划于1997年汛后截流。由于在小浪底大坝上游130km处已经修建了三门峡水库,为了保证小浪底工程的施工安全,减轻截流期的施工困难,在小浪底水利枢纽工程1997年汛后截流期间,应研究利用三门峡水库进行控制调节,以满足截流流量要求,保证截流施工安全,并分析三门峡水库控制运用后可能带来的影响。

研究利用三门峡水库减轻小浪底工程截流负担总的原则是:以国务院(65)国农办字426号文批示为依据,为减轻三门峡水库回水和库区淤积的影响,应充分发挥库水位326m高程以下的库容,并在下游河道开始封冻时,使库水位尽量回降到310m附近,以满足黄河下游防凌要求。

一、截流标准及截流流量

根据《水利水电工程施工组织设计规范》(SDJ338—89)规定,并考虑工程特点及坝址上游来水特性,小浪底水利枢纽截流标准按10年一遇洪水设计。

根据《黄河小浪底水利枢纽施工规划设计报告》中对大坝截流期施工进度安排和一标承包商提出的截流施工方案,小浪底工程截流期允许下泄流量见表9-1-1。

二、截流期三门峡水库入库流量

(一)三门峡水库设计入库径流

三门峡水库入库径流代表站为潼关站,其径流主要来源于黄河上游和渭河流域。鉴于黄河上游龙羊峡、刘家峡两水库的投入运用,较大地改变了工程以下各断面的天然径流分配过程,使得截流期三门峡水库入库流量受上述两水库运用和上中游沿黄两岸工农业用水的影响较大,特别是目前龙羊峡水库正处于低水位运用,若遇丰水年份,对三门峡水库的入库流量影响将更大。因此,根据龙羊峡、刘家峡两水库现状运用情况,并考虑工农业用水(按1990年用水水平),对1952～1989年(共38年)的天然径流资料逐年按现状情况进行调节计算,使其统一到现状的径流特性基础,求得10月、11月及(10+11)月入库径流设计值,见表9-1-2。

从长系列调节结果和龙羊峡、刘家峡两水库共同运用后10年(1986～1995年)潼关站的实测流量来看,10月、11月调蓄结果及实测流量占同期天然径流的比例基本相同,说明调节结果基本符合两水库现状实际运用情况;另一方面,从1986年前龙门来水占潼关的比例看,调蓄后与实测相比,10月份减小,11月份加大,符合两水库的调节运用方式。

这充分说明调节计算结果及设计入库径流是相对合理的。

表 9-1-1　　小浪底工程截流期允许下泄流量

方案	项目									
施工规划方案	时间(天)	1~2	3~4	5	6~14	15~17	18~20	21~23	24~50	51 天以后
	下泄流量(m^3/s)	943	543	343	543	543	790	1 343	1 943	2 210
	滞洪水位(m)				142	142	144	146.8	149	150
	堰顶高程(m)				143	143~145	145~148	148~150	152.5	
	施工进度	截流进占		合龙	枯水围堰施工				造高喷墙	

方案	项目											
一标承包商方案	时间(天)	1	2~5	6	7	8	9	10	11	12	13	14~15
	下泄流量(m^3/s)	543	343	440	620	850	1 020	1 220	1 440	1 800	2 210	2 210
	滞洪水位(m)			140.9	142.7	144.4	145.4	146.3	147.3	148.6	150	150
	堰顶高程(m)			143.4	145.2	146.9	147.9	148.8	149.8	151.1	152.3	152.5

表 9-1-2　　10 月、11 月及(10+11)月三门峡水库入库径流设计值　（单位:m^3/(s·月))

月份	均值	10 年一遇	5 年一遇	2 年一遇
10 月	1 278	2 178	1 736	1 107
11 月	1 013	1 570	1 316	930
(10+11)月	2 291	3 670	3 025	2 066

(二)设计入库流量过程

对于三门峡水库设计入库流量过程,按照放大典型的方法进行推求,即以各典型年龙羊峡、刘家峡调蓄后月平均流量与实测月平均流量比值乘以实测日入库过程计算。在典型年选择时,考虑了渭河来水较大和黄河上游来水较大的组成特性。对每种频率选取了两个典型:10 年一遇为 1975 年和 1983 年;5 年一遇为 1967 年和 1955 年;2 年一遇为 1960 年和 1973 年。设计过程组成考虑以 10 月来水和以 11 月来水为主的两个方案。具体为:1997 年 10 月截流是以(10+11)月和 10 月同频率,11 月相应;1997 年 11 月截流是以(10+11)月和 11 月同频率,10 月相应;12 月~来年 2 月按所选典型年调蓄后的实际来水过程考虑。

需要特别指出的是,由于渭河流域呈东西长条状,河源与黄河上游相连,当黄河上游发生大面积连阴雨时,渭河流域往往同时发生连阴雨。这样,黄河来水经上游水库调蓄后，丰水年10月份渭河来水占三门峡水库入库径流比例较大，因此截流期要密切关注渭河来水。

三、截流期三小间来水

(一)设计来水流量

黄河三小间流域面积5 734km²，大小支沟数十条，其中仅3条较大支沟(亳清河、东洋河、畛水)有实测流量资料，3条支沟控制站以上流域面积1 440 km²，仅占三小间面积的25.1%，且各站资料长短不一，不能满足推求三小间设计来水的需要。因此，截流期三小间设计来水拟采用地区综合法进行计算。经分析，相邻流域伊河龙门镇(控制流域面积5 318km²)以上流域产汇流特性与三小间具有相似性，因此选用伊河龙门镇站作为参证站进行推算，并用三小间现有的资料进行验证。

经分析，三花间地区非汛期流量与面积成0.915次方关系。因此，截流期三小间设计来水以伊河龙门镇站为参证站，采用地区综合经验公式 $Q_m = AF^{0.915}$ 进行分析计算，设计成果见表9-1-3。

表9-1-3 三小间最大日平均设计流量成果 (单位:m³/s)

月份	10月下旬	11月	12月	1月
10年一遇	189	143	69	54
5年一遇	109	89	43	37
2年一遇	38	34	17	18
月平均	46.9	29.6	17.1	12

(二)设计来水过程

由于小浪底大坝截流期需要三门峡水库控制泄流时间跨越15～20天，若三小间均按最大日平均设计值考虑，显然偏大。因此，在小浪底大坝截流期，三小间流量拟定为：在大坝口门合龙的当天及合龙前1天、后1天(共3天)按最大日平均设计流量考虑，其余时间按月平均流量考虑。

四、三门峡水库的防凌运用

在小浪底大坝截流期过后，黄河下游将进入凌汛期，需要三门峡水库为下游防凌蓄水运用。三门峡水库在小浪底大坝截流期控制运用多蓄的水量在下游凌汛到来前能否泄空，是否给水库为下游防凌蓄水运用带来影响，是一个重要问题。

非汛期下游冬季水量的90%来自三门峡以上，三门峡水库为黄河下游防凌控制运用(为了不影响潼关高程，防凌蓄水位不高于326m)，可改变下游流量的大小，使河道流量适应冰下过流能力，这是目前防御黄河下游凌汛行之有效的办法。根据黄河下游冰情和三门峡水库防凌调度的经验，在一般冰情条件下，下游河道封河前期的下泄流量以500m³/s较为适宜，以便使稳定封冻期维持较大的冰下过流能力，避免下游小流量封河对防凌的不利影响；封冻期下泄流量应随下游冰情变化而定，可控制在300～400m³/s之间，保证凌汛安全；开河期要根据气温预报进一步减小流量，以防止下游出现“武开河”，发生凌汛灾害，同时依据开河预报日期，考虑三门峡至山东河段的流程，注意掌握逐步加大流量的时机。

五、三门峡水库调度方案

三门峡水库在小浪底工程截流期按截流要求泄流，即在三门峡水库现状运用的基础上，考虑小浪底工程截流期允许下泄流量（见表 9-1-1）及三小间设计来水过程分阶段进行控制运用，满足小浪底工程截流要求，保证截流施工安全。

小浪底工程截流期三门峡水库控制运用的调度原则为：起调水位 10 月份控制为 305m，11 月份控制为310m。当来水大于允许下泄流量时，水库蓄水；当来水小于允许下泄流量时，水库按允许下泄流量泄水，尽量使库水位在下游凌汛到来之前降至 310～315m，而不影响水库防凌蓄水调度。

六、三门峡水库控制运用对蓄水及下游防凌的影响

按前述拟定的小浪底工程截流期三门峡水库控制运用的原则及三门峡水库设计入库流量过程、三小间设计流量过程，根据小浪底工程截流期允许泄流量过程，对小浪底工程截流各方案不同截流时间、不同来水频率分别进行调节计算。三门峡水库的蓄水情况见表 9-1-4。

（一）对三门峡水库蓄水的影响

三门峡水库在正常运用（无小浪底水库）年份，汛期 7～10 月份排沙运用水位为 305m，在下游凌汛前 11～12 月份发电运用水位不超过 310m，以腾出足够的防凌库容，在凌汛期间，按前述凌汛期允许下泄流量泄流。由于三门峡水库承担了小浪底工程截流期控制运用的负担，抬高了三门峡水库的蓄水位。

从表 9-1-4 中可以看出，对于 10 年一遇来水，方案Ⅰ（施工规划方案）：小浪底工程在 10 月下旬截流，三门峡水库的最高蓄水位达到 328.94m，超过防凌最高控制水位 326m 近 3m；如果小浪底工程在 11 月上旬或中旬截流，三门峡水库的蓄水位基本在 324～326.5m 之间，虽然可以基本满足不超过防凌最高控制水位 326m，但远超过 11 月三门峡水库正常运用水位 310m。对于方案Ⅱ（一标承包商方案）：小浪底工程在 10 月下旬截流，三门峡水库的最高蓄水位为 324.36m，比方案Ⅰ降低了 4.5m 左右，这主要是由于方案Ⅱ在截流施工进度安排上比方案Ⅰ快了许多，缩短了三门峡水库的控制运用时间；如果小浪底工程在 11 月上旬或中旬截流，三门峡水库的蓄水位将更低，对三门峡库区的影响将随之减小。

对于 5 年一遇或 2 年一遇来水，三门峡水库承担小浪底工程截流期控制运用负担后的蓄水位均在 326m 以下。

总的来说，两方案对三门峡水库正常运用均有不同程度的影响，但从对三门峡水库蓄水影响程度来看，方案Ⅱ小于方案Ⅰ。

（二）对下游凌汛期的三门峡水库防凌运用影响

从表 9-1-4 中可以看出，对于方案Ⅰ，小浪底工程截流期三门峡水库拦蓄的水量基本在 12 月 20 日以前泄放至库水位 310m，一般情况下对下游凌汛期三门峡水库防凌运用不会产生影响；对于方案Ⅱ，小浪底工程截流期三门峡水库拦蓄的水量基本在 11 月底以前

泄放至库水位310m，对下游汛期三门峡水库防凌运用不产生影响。

表 9-1-4　　小浪底工程截流期三门峡水库蓄水情况

（单位：蓄水量，亿 m^3；水位，m）

方案	小浪底大坝口门合龙时间	项目	来水频率 P(%)					
			10		20		50	
		典型年	1975年	1983年	1967年	1955年	1960年	1973年
方案Ⅰ(施工规划方案)	10月25日	最大蓄水量	28.37	26.22	16.22	18.20	9.93	12.32
		相应水位	328.94	328.29	324.70	325.51	321.50	322.86
		至310m时间(月·日)	12.20	12.21	12.5	12.8	11.22	11.24
	11月5日	最大蓄水量	21.00	19.04	12.23	15.53	8.86	8.82
		相应水位	326.54	325.85	322.81	324.41	320.80	320.77
		至310m时间(月·日)	12.19	12.21	12.8	12.13	11.30	11.29
	11月15日	最大蓄水量	14.78	15.59	11.51	12.05	6.78	5.17
		相应水位	324.11	324.44	322.43	322.72	319.17	317.52
		至310m时间(月·日)	12.19	12.23	12.12	12.16	12.6	12.6
方案Ⅱ(一标承包商方案)	10月22日	最大蓄水量	15.41	14.20	8.02	8.17	4.70	5.37
		相应水位	324.36	323.83	320.24	320.33	316.89	317.79
		至310m时间(月·日)	11.28	11.25	11.11	11.14	11.4	11.7
	11月2日	最大蓄水量	12.58	10.92	7.97	9.70	5.74	6.88
		相应水位	322.99	322.13	320.20	321.36	318.20	319.27
		至310m时间(月·日)	11.28	11.26	11.19	11.22	11.16	11.16
	11月12日	最大蓄水量	10.36	10.09	5.91	7.56	5.13	4.43
		相应水位	321.79	321.61	318.36	319.91	317.46	316.53
		至310m时间(月·日)	12.1	12.2	11.27	11.28	11.24	11.23

七、结论及建议

(1)三门峡水库有能力对小浪底大坝安全截流进行帮忙。

(2)小浪底工程截流时间选择为10月下旬至11月中旬都是可行的，而具体截流时间应根据汛后预报和截流前围堰工程施工情况确定。

(3)三门峡水库承担截流负担后将对库区产生一定的影响，其影响值随三门峡水库入库流量的减小、截流时间的推移和小浪底水库泄流能力的加大而减小。

(4)建议采用一标承包商施工方案。

(5)建议施工单位在截流前加强水情预报,密切关注渭河来水,为大坝截流决策提供依据。

第二节　导流期洪水处理方案研究

一、导流期度汛设计标准

小浪底水利枢纽为Ⅰ等(1)级工程,按照《水利水电工程施工组织设计规范》(SDJ338—89)中规定,截流后第一年(1998年)汛期,水库由高围堰拦洪,鉴于围堰与坝体结合,拦洪库容大于4亿m^3,围堰失事后影响巨大,因此度汛标准按百年一遇洪水设计;截流后第二年(1999年)汛期,水库由坝体拦洪,度汛标准可提高为三百年一遇洪水设计,五百年一遇洪水校核;截流后第三年(2000年)汛期,水库同样由坝体拦洪,度汛标准可提高为五百年一遇洪水设计,千年一遇洪水校核;截流后第四年(2001年),大坝完工,水库按设计条件运用。需要指出的是,截流后第二年和第三年的度汛标准可以有很大提高,是坝体已达到这个防洪度汛能力,并非规定要求的度汛标准,而坝体达到这个度汛标准,对下游防洪有利,说明水库可以在施工期就发挥很大的防洪作用。

在小浪底水利枢纽截流后的施工导流期以及大坝完工后的上述度汛标准,都需要三门峡水库与小浪底水库联合防洪运用,而且要求三门峡水库与小浪底工程截流后的第一年、第二年、第三年汛期,根据小浪底工程的施工安全度汛条件进行控制运用。因此,要研究三门峡水库在小浪底水利枢纽导流期安全度汛进行防洪控制运用的条件、运用方式及其对三门峡水库产生的影响。

二、三门峡水库及小浪底水库库容、泄流能力

三门峡水库库容、泄流能力见表9-2-1。其中库容曲线为1996年汛后测定,泄流能力采用1992～1993年的设计值。泄洪设施包括5个深孔、3个底孔、7对双层孔、2条隧洞、1条钢管,共25个。

表9-2-1　三门峡水库库容、泄流能力

水位(m)	300	305	310	315	320	325	330	335
库容(亿m^3)	0.041	0.330	1.355	3.442	7.665	16.806	31.844	59.754
泄流能力(m^3/s)	3 126	4 859	7 143	8 991	10 413	11 636	12 681	13 536

小浪底水库导流期库容、泄流能力见表9-2-2。其中各年库容为扣除洪水前期泥沙淤积损失后的库容(系考虑选用平水丰沙年的1977年实测水沙过程,计算水库导流期的淤积,详见第八章)。泄洪设施:1998年为3条导流洞泄洪;1999年为2条高位导流洞和3条排沙洞泄洪;2000年为3条排沙洞、3条孔板洞、3条明流洞泄洪。

表 9-2-2 **小浪底水库导流期库容、泄流能力**

水位(m)		140	150	160	170	180	190	200	210	220	225	230	240
1998 年	库容(亿 m^3)	0.04	0.36	1.25	2.70	4.71	8.28	13.16	19.86	28.86	34.10	40.06	53.26
	泄流能力(m^3/s)	360	2 210	5 190	7 350	8 520	9 530	10 500	11 400	12 230	12 650	13 020	
1999 年	库容(亿 m^3)	0	0.01	0.1	1.24	3.57	6.99	11.8	18.5	27.5	32.7	38.7	51.9
	泄流能力(m^3/s)	0	820	2 910	4 630	5 470	7 262	8 066	8 800	9 490	9 820	10 128	
2000 年	库容(亿 m^3)	0	0	0	0.41	2.73	6.13	10.8	17.4	26.3	31.4	37.3	50.5
	泄流能力(m^3/s)	0	0	0	400	800	1 032	4 481	5 419	6 759	7 395	8 055	9 536

三、水库调度方案

(一)三门峡水库调度方案

三门峡水库起调水位 305m。

1.现状防洪运用调度方案

1)“上大洪水”的调度方案

“上大洪水”的特点是入库洪水的峰高、量大、含沙量也大。为了减小三门峡库区洪水泥沙淤积的影响,三门峡水库按“先敞后控”的方式调洪运用。在洪水起涨时,当入库流量小于调洪起始水位相应的泄流能力时,按入库流量泄洪,否则按敞泄滞洪运用。当滞洪水位达到本次洪水的最高滞洪水位时,按入库流量泄洪。当预报花园口洪水流量小于10 000m^3/s时,为减少三门峡水库高水位运用历时,减轻库区淤积及其影响,水库按控制花园口流量10 000m^3/s泄流。

2)“下大洪水”的调度方案

“下大洪水”的特点是洪水涨势猛、峰高、含沙量小、预见期短。三门峡水库首先按“敞泄滞洪”方式运用,当 5 站(小浪底、龙门镇、白马寺、五龙口、山路平)预报花园口洪水流量大于12 000m^3/s,且有继续上涨趋势时,水库关闭部分泄水孔;当 5 站预报花园口洪水流量达到22 000m^3/s,且有继续上涨趋势时,关闭剩余部分泄水孔。水库开始控制运用后,为避免无效蓄水,当预报花园口洪水流量小于10 000m^3/s时,按控制花园口10 000m^3/s泄水。

2.小浪底工程导流期的调度方案

小浪底工程导流期已经具备了较大的工程规模,施工围堰或施工期大坝一旦失事,造成的后果将不堪设想，带来的淹没、淤积损失和影响程度远大于三门峡库区临时蓄水带来的问题。但是，当三门峡水库蓄水位超过330m时，也会造成回水淹没和加重淤积潼关以上库区等严重后果。因此，在小浪底水利枢纽施工期间，三门峡水库防洪控制运用原则为：在保证小浪底工程施工安全的前提下，尽量加快小浪底工程施工进度，充分挖掘小浪底水库滞蓄洪水的潜力，以减轻三门峡水库过重的负担。

在尽量加快小浪底工程施工进度的前提下，三门峡水库泄流时应控制使小浪底水库坝前水位不超过允许滞洪水位。根据黄河下游"上大洪水"和"下大洪水"不相互遭遇的特点，分别拟定了这两种类型洪水的调度方案。

1)"上大洪水"的调度方案

对于"上大洪水"，三门峡水库应在现状防洪运用的基础上，附加控制出库流量不大于某流量（通过试算确定），使小浪底水库的最高滞洪水位不超过允许滞洪水位，以保证小浪底工程的施工安全。导流期各年各方案的控制流量见表9-2-3。

表9-2-3　小浪底工程导流期允许滞洪水位及三门峡水库控制运用方案

<table>
<tr><td rowspan="3"></td><td rowspan="3">项目</td><td colspan="3">小浪底允许滞洪水位</td><td colspan="6">三门峡水库控制运用方案（在现状运用基础上附加的条件）</td></tr>
<tr><td rowspan="2">1998年</td><td rowspan="2">1999年</td><td rowspan="2">2000年</td><td colspan="2">1998年</td><td colspan="2">1999年</td><td colspan="2">2000年</td></tr>
<tr><td>上大洪水</td><td>下大洪水</td><td>上大洪水</td><td>下大洪水</td><td>上大洪水</td><td>下大洪水</td></tr>
<tr><td>方案</td><td>施工围堰（或大坝）高程(m)</td><td>185</td><td>200</td><td>236</td><td>三门峡水库最大下泄流量(m^3/s)</td><td>小浪底实测流量大于6 100m^3/s的三门峡关门历时(h)</td><td>三门峡水库最大下泄流量(m^3/s)</td><td>小浪底实测流量大于5 900m^3/s的三门峡关门历时(h)</td><td>三门峡水库最大下泄流量(m^3/s)</td><td>三门峡水库按下游正常防洪控制运用</td></tr>
<tr><td rowspan="2">方案Ⅰ</td><td>滞洪水位(m)</td><td>177.3</td><td>195</td><td>233</td><td rowspan="2">7 630</td><td rowspan="2">32</td><td rowspan="2">7 400</td><td rowspan="2">36</td><td rowspan="2">8 800</td><td rowspan="2">不需要三门峡帮忙</td></tr>
<tr><td>相应流量(m^3/s)</td><td>8 270</td><td>7 668</td><td>8 499</td></tr>
<tr><td rowspan="2">方案Ⅱ</td><td>滞洪水位(m)</td><td>180</td><td>197</td><td></td><td rowspan="2">8 080</td><td rowspan="2">16</td><td rowspan="2">7 700</td><td rowspan="2">20</td><td rowspan="2"></td><td rowspan="2"></td></tr>
<tr><td>相应流量(m^3/s)</td><td>8 520</td><td>7 827</td><td></td></tr>
<tr><td rowspan="2">方案Ⅲ</td><td>滞洪水位(m)</td><td>182</td><td>200</td><td></td><td rowspan="2">8 540</td><td rowspan="2">8</td><td rowspan="2">8 000</td><td rowspan="2">8</td><td rowspan="2"></td><td rowspan="2"></td></tr>
<tr><td>相应流量(m^3/s)</td><td>8 720</td><td>8 066</td><td></td></tr>
<tr><td>方案Ⅳ</td><td></td><td></td><td></td><td></td><td colspan="6">控制三门峡水库滞洪水位不超过330m</td></tr>
</table>

2)“下大洪水”的调度方案

对于“下大洪水”,三门峡水库应在现状防洪运用的基础上,附加控制运用一定时间(通过试算确定),即当小浪底实测流量达到某一值且有上涨趋势时,三门峡水库开始关门运用,同时下泄流量不超过小浪底水库允许滞洪水位相应的泄流能力。导流期各年各方案需要对小浪底实测大于某流量的三门峡关门历时,见表 9-2-3。

(二)小浪底水库调度方案

由于小浪底水库处于施工导流期,泄水洞没有闸门,当发生洪水时,只能按敞泄滞洪运用,并且随着小浪底工程导流期各年泄洪设施的改变,同水位下泄流能力随之改变。根据“上大洪水”和“下大洪水”的起涨特点,对导流期各年小浪底水库拟定了不同的滞洪起调水位,见表 9-2-4。

表 9-2-4　1998～2000年小浪底水库滞洪起调水位(以黄南为基面)　(单位:m)

年份	上大洪水	下大洪水
1998 年	150	160
1999 年	163	180
2000 年	205	205

四、各年汛期小浪底水库的滞洪情况

按照上述拟定的三门峡与小浪底水库运用方式,三门峡水库现状正常防洪运用与控制防洪运用,各频率洪水小浪底水库的滞洪情况见表 9-2-5～表 9-2-7。

从表 9-2-5～表 9-2-7 中可以看出,三门峡水库按现状防洪运用时,1998 年汛期,小浪底施工围堰可防御“上大洪水”10～20 年一遇,可防御“下大洪水”20～50 年一遇;1999 年汛期,小浪底大坝可防御“上大洪水”约 20 年一遇,防御“下大洪水”约 50 年一遇;2000 年汛期,小浪底大坝基本可防御“上大洪水”约五百年一遇,防御“下大洪水”千年一遇以上。

三门峡水库控制运用时,小浪底大坝防御标准均达到允许滞洪水位要求。需要说明的是,1999 年汛期,对于三门峡水库蓄水位不超过 330m 的方案,三百年一遇“上大洪水”,小浪底水库滞洪水位达 204.9m;五百年一遇“上大洪水”,小浪底水库滞洪水位达 209.4m。然而,小浪底水利枢纽施工设计围堰(大坝)高程 1999 年汛前为 200m,为了满足允许滞洪水位要求,应加快小浪底水利枢纽的施工进度。

五、三门峡水库控制运用后的影响

(一)1998 年汛期

从表 9-2-5 看,在 1998 年汛期,对于百年一遇洪水,若小浪底允许滞洪水位为 177.3m,则三门峡水库防洪控制运用方案Ⅰ的蓄水位,“上大洪水”为 328.60m,比现状正常防洪运用水位抬高 3.11m,“下大洪水”为 326.18m,比现状正常防洪运用水位抬高 2.04m;若小浪底允许滞洪水位为 180m,则三门峡水库防洪控制运用方案Ⅱ的蓄水位,“上大洪水”为 328.10m,比现状正常防洪运用水位抬高 2.61m,“下大洪水”为 325.55m,

表 9-2-5　小浪底大坝 1998 年导流期三门峡水库与小浪底水库滞洪情况

（单位：流量，m³/s；蓄水量，亿 m³；水位，m）

洪水组成		上大洪水（1933 年典型）（花园口、小浪底、三门峡同频率，三小间、小花间相应）						下大洪水（1958 年典型）（花园口、三花间、三小间同频率，三门峡、小花间相应）					
		三门峡		小浪底				三门峡		小浪底			
方案	洪水等级	最大蓄水量	相应水位	最大入库流量	最大出库流量	最大蓄水量	相应水位	最大蓄水量	相应水位	最大入库流量	最大出库流量	最大蓄水量	相应水位
三门峡正常运用	20%	2.90	313.70	9 070	7 701	3.30	173.00	1.62	310.64	9 856	7 385	2.76	170.31
	10%	5.54	317.48	10 624	8 660	5.21	181.39	3.50	315.07	12 199	7 955	3.74	175.17
	5%	8.69	320.56	11 642	8 867	5.94	183.44	6.16	318.22	13 526	8 363	4.44	178.66
	2%	13.82	323.37	12 716	9 340	7.61	188.11	8.61	320.52	15 846	8 844	5.85	183.20
	1%	18.27	325.49	13 122	9 736	9.32	192.13	15.23	324.14	17 953	9 197	7.10	186.70
三门峡控制运用方案Ⅰ	20%	3.25	314.53	8 605	7 513	2.98	171.38	6.88	319.07	9 263	6 855	2.37	167.71
	10%	7.51	319.81	9 004	7 822	3.51	174.03	8.53	320.47	11 221	7 207	2.60	169.33
	5%	12.79	322.80	9 339	7 850	3.56	174.27	11.04	321.85	13 253	7 547	3.04	171.69
	2%	21.10	326.43	9 782	7 934	3.70	175.00	13.58	323.24	15 846	7 980	3.78	175.40
	1%	27.63	328.60	9 830	8 198	4.16	177.26	20.34	326.18	17 341	8 172	4.11	177.03
三门峡控制运用方案Ⅱ	20%	3.01	313.97	8 954	7 661	3.23	172.66	4.65	316.43	9 263	7 001	2.47	168.38
	10%	6.84	319.03	9 452	8 142	4.06	176.77	6.43	318.53	11 221	7 207	2.60	169.33
	5%	11.74	322.23	9 789	8 172	4.11	177.02	8.88	320.67	13 253	7 547	3.04	171.69
	2%	19.68	325.96	10 232	8 275	4.29	177.91	11.26	321.96	15 846	8 203	4.17	177.29
	1%	26.12	328.10	10 280	8 525	4.73	180.04	18.47	325.55	17 341	8 434	4.56	179.25
三门峡控制运用方案Ⅲ	20%	2.90	313.70	9 070	7 700	3.30	173.00	3.17	314.36	9 263	7 041	2.49	168.57
	10%	6.31	318.39	9 902	8 452	4.59	179.41	5.15	317.02	11 221	7 207	2.60	169.33
	5%	10.87	321.75	10 246	8 486	4.65	179.10	7.90	320.13	13 253	7 598	3.13	172.12
	2%	18.35	325.51	10 691	8 567	4.88	180.47	10.16	321.37	15 846	8 455	4.60	179.45
	1%	24.63	327.60	10 740	8 719	5.42	181.98	17.33	325.17	17 341	8 740	5.49	182.19

表 9-2-6　小浪底大坝 1999 年导流期三门峡水库与小浪底水库滞洪情况

（单位：流量，m^3/s；蓄水量，亿 m^3；水位，m）

洪水组成		上大洪水（1933 年典型）（花园口、小浪底、三门峡同频率，三小间、小花间相应）						下大洪水（1958 年典型）（花园口、三花间、三小间同频率，三门峡、小花间相应）					
方案	洪水等级	三门峡		小浪底				三门峡		小浪底			
		最大蓄水量	相应水位	最大入库流量	最大出库流量	最大蓄水量	相应水位	最大蓄水量	相应水位	最大入库流量	最大出库流量	最大蓄水量	相应水位
三门峡正常运用	20%	2.90	313.70	9 070	6 756	6.02	187.18	1.62	310.64	9 856	6 594	5.72	186.27
	10%	5.54	317.48	10 624	7 669	9.42	195.06	3.50	315.07	12 199	7 082	6.65	188.99
	5%	8.69	320.56	11 642	7 811	10.28	196.83	6.16	318.22	13 526	7 357	7.56	191.19
	2%	13.82	323.37	12 716	8 380	14.66	204.28	8.61	320.52	15 846	7 643	9.26	194.73
	1%	18.27	325.49	13 122	8 772	18.24	209.61	15.23	324.14	17 953	7 893	10.76	197.83
	0.5%	23.31	327.16	13 497	8 808	18.60	210.11	19.67	326.09	20 082	8 098	12.10	200.44
	0.33%	26.13	328.10	13 823	8 969	20.71	212.45	21.77	326.81	21 574	8 211	13.12	201.98
	0.2%	29.88	329.35	14 222	9 017	21.34	213.15	24.55	327.75	22 461	8 273	13.69	202.83
三门峡控制运用方案Ⅰ	20%	3.41	314.93	8 392	6 703	5.92	186.88	8.43	320.42	9 856	6 279	5.12	184.52
	10%	7.91	320.13	8 775	7 259	6.98	189.98	9.29	320.89	11 221	6 242	5.04	184.31
	5%	13.41	323.14	9 109	7 330	7.39	190.84	11.60	322.15	13 253	6 541	5.61	185.97
	2%	21.85	326.68	9 552	7 386	7.73	191.54	14.18	323.56	15 846	7 383	7.71	191.50
	1%	29.15	329.10	9 600	7 436	8.03	192.17	19.57	325.92	17 764	7 463	8.20	192.15
	0.5%	38.15	331.13	9 642	7 536	8.63	193.40	24.69	327.62	19 157	7 518	8.52	193.18
	0.33%	44.22	332.22	9 803	7 625	9.16	194.51	27.78	328.65	18 249	7 520	8.53	193.20
	0.2%	51.89	333.59	10 007	7 661	9.38	194.96	30.10	329.42	19 475	7 648	9.30	194.81

续表 9-2-6

洪水组成		上大洪水(1933 年典型)(花园口、小浪底、三门峡同频率,三小间、小花间相应)						下大洪水(1958 年典型)(花园口、三花间、三小间同频率,三门峡、小花间相应)					
方案	洪水等级	三门峡		小浪底				三门峡		小浪底			
		最大蓄水量	相应水位	最大入库流量	最大出库流量	最大蓄水量	相应水位	最大蓄水量	相应水位	最大入库流量	最大出库流量	最大蓄水量	相应水位
三门峡控制运用方案Ⅱ	20%	3.20	314.43	8 667	6 744	6.00	187.10	4.58	316.35	9 856	6 279	5.12	184.52
	10%	7.40	319.69	9 074	7 336	7.43	190.92	6.92	319.11	11 221	6 242	5.04	184.31
	5%	12.61	322.71	9 409	7 484	8.32	192.77	9.40	320.95	13 253	6 590	5.71	186.25
	2%	20.87	326.35	9 852	7 622	9.14	194.48	11.82	322.27	15 846	7 389	7.75	191.58
	1%	27.39	328.52	9 900	7 672	9.44	195.10	18.55	325.58	17 764	7 467	8.21	192.54
	0.5%	34.83	330.53	9 942	7 739	9.84	195.94	23.67	327.28	19 157	7 545	8.68	193.51
	0.33%	40.80	331.61	10 103	7 819	10.32	196.92	26.33	328.17	18 249	7 637	9.23	194.66
	0.2%	48.47	332.98	10 306	7 820	10.33	196.95	28.61	328.92	19 546	7 783	10.11	196.48
三门峡控制运用方案Ⅲ	20%	3.05	314.07	8 895	6 755	6.02	187.17	2.81	313.50	9 856	6 369	5.29	185.02
	10%	6.95	319.15	9 372	7 416	7.91	191.91	5.15	317.02	11 221	6 402	5.35	185.21
	5%	11.92	322.33	9 709	7 566	8.80	193.77	7.90	320.13	13 253	6 824	6.16	187.56
	2%	19.92	326.04	10 152	7 830	10.39	197.06	10.16	321.37	15 846	7 492	8.36	192.86
	1%	26.37	328.18	10 200	7909	10.87	198.06	16.85	325.02	17 764	7 646	9.29	194.78
	0.5%	33.90	330.37	10 242	7 950	11.11	198.57	21.83	326.67	19 157	7 797	10.19	196.64
	0.33%	37.53	331.02	10 403	8 055	11.73	199.86	24.00	327.39	21 045	7 967	11.20	198.76
	0.2%	45.15	332.38	10 606	8 059	11.75	199.91	26.81	328.33	22 151	8 051	11.71	199.81
三门峡控制运用方案Ⅳ	1%	26.37	328.18	10 200	7 909	10.87	198.06						
	0.5%	32.23	330.07	10 550	8 045	11.68	199.75						
	0.33%	32.90	330.19	11 950	8 425	15.08	204.90						
	0.2%	35.00	330.57	13 153	8 759	18.12	209.44						

表 9-2-7　小浪底大坝 2000 年导流期三门峡水库与小浪底水库滞洪情况

（单位：流量，m^3/s；蓄水量，亿 m^3；水位，m）

洪水组成		上大洪水（1933 年典型）（花园口、小浪底、三门峡同频率，三小间、小花间相应）						下大洪水（1958 年典型）（花园口、三花间、三小间同频率，三门峡、小花间相应）					
方案	洪水等级	三门峡		小浪底				三门峡		小浪底			
		最大蓄水量	相应水位	最大入库流量	最大出库流量	最大蓄水量	相应水位	最大蓄水量	相应水位	最大入库流量	最大出库流量	最大蓄水量	相应水位
三门峡正常运用	20%	2.90	313.70	9 070	5 456	17.65	210.28	1.62	310.64	9 856	5 691	19.21	212.03
	10%	5.54	317.48	10 624	6 328	23.44	216.79	3.50	315.07	12 199	5 895	20.56	213.55
	5%	8.69	320.56	11 642	6 828	26.85	220.54	6.16	318.22	13 526	6 148	22.24	215.44
	2%	13.82	323.37	12 716	7 833	35.31	228.32	8.61	320.52	15 846	6 834	26.90	220.59
	1%	18.27	325.49	13 122	8 416	40.51	232.43	15.23	324.14	17 953	6 564	25.00	218.54
	0.5%	23.31	327.16	13 497	8 516	41.41	233.12	19.67	326.09	20 082	6 584	25.14	218.70
	0.33%	26.13	328.10	13 823	8 759	43.57	234.75	21.77	326.81	21 574	6 744	26.20	219.89
	0.2%	29.88	329.35	14 222	8 809	44.02	235.09	24.55	327.75	22 461	6 820	26.80	220.49
	0.1%	35.08	330.58	14 713	8 959	45.37	236.11	27.67	328.73	24 657	7 000	28.23	221.89
三门峡控制运用方案Ⅰ	20%	2.90	313.70	9 070	5 456	17.65	210.28						
	10%	6.06	318.10	10 144	6 303	23.27	216.59						
	5%	10.43	321.51	10 505	6 884	27.31	220.99						
	2%	17.63	325.27	10 951	7 791	34.93	227.99						
	1%	23.85	327.34	10 999	8 111	37.80	230.38						
	0.5%	30.28	329.48	11 042	8 198	38.58	230.97						
	0.33%	34.06	330.40	11 203	8 411	40.47	232.41						
	0.2%	39.59	331.39	11 406	8 423	40.58	232.49						
	0.1%	46.16	332.57	11 693	8 503	41.29	233.03						

比现状正常防洪运用水位抬高 1.41m；若小浪底允许滞洪水位为 182m，则三门峡水库防洪控制运用方案Ⅲ的蓄水位，“上大洪水”为 327.60m，比方案Ⅰ降低 1.0m，比现状正常防洪运用时水位抬高 2.11m，“下大洪水”为 325.17m，比方案Ⅰ降低 1.01m，比现状正常防洪运用水位仅抬高 1.03 m。

(二)1999 年汛期

从表 9-2-6 看出，对于三百年一遇洪水，如果小浪底允许滞洪水位为 195m，三门峡水库防洪控制运用方案Ⅰ的蓄水位，“上大洪水”为 332.22m，比现状正常防洪运用水位抬高 4.12m，“下大洪水”为 328.65m，比现状正常防洪运用水位抬高 1.84m；如果小浪底允许滞洪水位为 197m，三门峡水库防洪控制运用方案Ⅱ的蓄水位，“上大洪水”为 331.61m，比现状正常防洪运用水位抬高 3.51m，“下大洪水”为 328.17m，比现状正常防洪运用水位抬高 3.51m，“下大洪水”为 328.17m，比现状正常防洪运用水位抬高 1.36m；如果小浪底允许滞洪水位为 200m，则三门峡水库防洪控制运用方案Ⅲ的蓄水位，“上大洪水”为 331.02m，比现状正常防洪运用水位仍抬高 2.92m，“下大洪水”为 327.39m，比现状正常防洪运用水位仅抬高 0.58m。

由于三门峡水库蓄水负担过重，又研究了三门峡水库蓄水位不超过 330m 的防洪控制运用方案Ⅳ。经过调节计算，“上大洪水”三百年一遇三门峡水库蓄水位为 330.19m，比现状正常防洪运用水位 328.10m 抬高 2.09m。

(三)2000年汛期

从表 9-2-7 看出，“上大洪水”五百年一遇，三门峡水库现状正常防洪运用的蓄水位为 329.35m，小浪底水库蓄水位为 235.09m，比允许滞洪水位高 2.09m；三门峡水库防洪控制运用的蓄水位 331.39m，比现状正常防洪运用水位抬高 2.04m，此时小浪底水库蓄水位为 232.39m，比允许滞洪水位低 0.61m。所以，三门峡水库在现状正常防洪运用的基础上，附加控制运用一定时间，控制三门峡水库蓄水位在 330～331m 之间，就可以满足小浪底大坝防御标准五百年一遇的度汛要求，基本上对三门峡水库影响不大。

总的来说，通过对 1998～2000 年各年度汛方案的对比分析，在 1998～2000 年汛期小浪底工程导流期需要三门峡水库进行防洪控制运用。三门峡水库承担小浪底工程导流期度汛负担后库水位均有不同程度的抬高。但从对比分析中也可以知道，小浪底工程导流期发生“下大洪水”比发生“上大洪水”对三门峡水库蓄水的影响相对要小，这与该地区洪水特点及来源组成不同的特征是相符的。

六、结论及建议

(1)三门峡水库按现状防洪运用时，1998 年汛期小浪底施工围堰可以防御“上大洪水”10～20 年一遇；1999 年汛期小浪底大坝可防御“上大洪水”约 20 年一遇；2000 年汛期小浪底大坝基本可防御五百年一遇洪水，不需要三门峡水库控制运用。

(2)三门峡水库控制运用后，能够保证小浪底工程的施工安全，但加重了三门峡水库的防洪负担，给库区淹没也将带来一定的影响。若遇设计标准洪水，三门峡水库蓄水位抬高 2.0m 左右；若遇 20 年一遇以下洪水，对三门峡库区基本不产生影响。

(3)为了尽可能地减少抬高三门峡水库的水位，建议小浪底水库允许滞洪水位 1998

年汛期采用 182m,1999 年汛期采用 205m,2000 年汛期采用 236m。

(4)建议施工单位按照不同年份小浪底水库允许滞洪水位要求,研究相应的施工计划,加快施工进度,尤其是 1999 年汛期,大坝宜填筑至 205m 以上。

(5)建议小浪底水库施工导流期加强洪水预报,特别是三小间洪水预报的研究,应从多种不同途径进行分析,提高洪水预见期和预报精度。

第三节 施工围堰溃坝影响与应急措施

一、施工围堰设计标准及溃决条件

小浪底水利枢纽为Ⅰ等(1)级工程,按照《水利水电工程施工组织设计规范》(SDJ338—89)中规定,小浪底工程施工围堰按百年一遇洪水设计。根据小浪底工程施工规划设计安排,施工围堰堰顶高程为 185m,平均坝高 49m,百年一遇设计防洪水位 177.3m,相应库容 4.17 亿 m^3(已扣除泥沙淤积 0.74 亿 m^3)。

从一些土坝溃决的实例来看,一般情况下,溃坝时库水位略高于设计洪水位(如板桥水库,校核洪水位为 116.41m,溃坝时水位为 117.64m;石漫滩水库,校核洪水位为 109.30m,溃坝时水位为 109.80m),但是,考虑到施工围堰的质量相对较差,溃坝时库水位与设计洪水位更接近一些。因此,小浪底施工围堰溃决时水位取设计洪水位 177.3m。溃坝形式为围堰全溃。溃坝口门的几何特征为高 42.3m,上口宽 696m,下口宽 270m,平均宽 483m。溃坝洪水按三百年一遇标准。

二、溃坝洪水计算方法

溃坝洪水计算是一个比较复杂的水力学问题,本次选用美国国家天气局逐时渐溃洪水计算方法和中国常用的瞬时溃坝洪水计算方法进行分析。在中国常用的瞬时溃坝计算方法中,又选用了圣维南-利特尔公式,正波、负波相交法,波流、堰流相交法,肖克利契公式和原黄委会水利科学研究院公式等 5 种,下面分别加以介绍。

(一)美国国家天气局溃坝洪水计算方法

该计算方法属于逐时渐溃计算方法,认为最终溃决口门为一梯形,且口门是从一点开始的,随着时间的延长而不断扩大。在溃坝经过一定时间 t 后形成的口门和经过全部溃决历时 T 后形成的口门如图 9-3-1 所示。

图 9-3-1 中:B_s、B_x 分别为最终口门(T 时段后)的上、下口宽度;H 为最终口门的高度;B_t 为 t 时段的下口宽度;H'_t 为 t 时段时的口门高度;H_t 为 t 时段时的口门水头;H_a 为 t 时段时库水位与最终溃坝底高程之差;H_b 为 t 时段时溃坝底高程与最终底高程之差。单位均为英尺。

溃坝水库的泄流量由溃坝口门出流量 Q_b 和泄洪建筑物出流量 Q_s 两部分构成,即:

$$Q = Q_b + Q_s \tag{9-3-1}$$

式(9-3-1)中,Q_s 按泄洪建筑物泄流量的计算公式计算,现将 Q_b 的计算方法说明如下:

$$Q_b = (3.1B_t + 2.45ZH_t)C_vK_sH_t^{1.5} \tag{9-3-2}$$

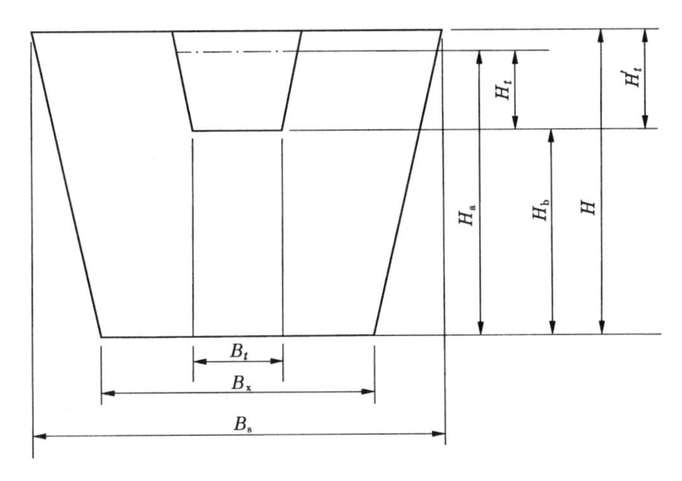

图 9-3-1　大坝溃坝决口口门形成过程示意图

无特别说明时,式(9-3-2)中各参数的物理意义与图 9-3-1 相同,其确定方法如下:

(1)B_t 的确定。

$$\begin{cases} B_t = B & (t > T) \\ B_t = B \times (t/T)^P & (t \leqslant T) \end{cases} \tag{9-3-3}$$

式中　P——决口形成过程的非线性函数,一般情况下,$1 \leqslant P \leqslant 4$。

(2)T 的确定。

$$T = 0.8(V/H^2)^{0.5} \tag{9-3-4}$$

式中　V——开始溃坝时水库的蓄水量,英亩×英尺。

(3)H_t 的确定。先由下式确定 t 时段时的溃坝口门高:

$$H'_t = H \times (t/T)^P \tag{9-3-5}$$

然后由坝上水位减去 t 时段时口门的下底高程,近似作为堰上水头。

(4)Z 的确定。Z 为口门边坡坡度,由下式计算:

$$Z = (B_s - B_x)H/2 \tag{9-3-6}$$

(5)C_v 的确定。C_v 为流量系数,其计算公式为:

$$C_v = 1.0 + 0.023Q^2/B_d{}^2HH_a{}^2 \tag{9-3-7}$$

式中　B_d——t 时段时坝前水库宽度,英尺。

(6)K_s 的确定。K_s 为淹没系数,按下式计算:

$$\begin{cases} K_s = 1.0 & (H_c/H_b \leqslant 0.67) \\ K_s = 1.0 - 27.8(H_c/H_b - 0.67)^3 & (H_c/H_b > 0.67) \end{cases} \tag{9-3-8}$$

式中　H_c——下游水位(尾水位)h_t 与最终溃坝口门底高程之差。

(7)h_t 的确定。由曼宁公式:

$$Q = \frac{1.4}{n} \times S^{1/2} \times \frac{A^{5/3}}{B^{2/3}} \tag{9-3-9}$$

式中　n——糙率;

　　　S——能坡;

A——断面面积，平方英尺^2；

B——宽度，英尺。

并借助水位—流量关系，试算求得 h_t。

若决口由管涌形成，式(9-3-2)可由孔口出流公式计算，小浪底施工围堰溃坝不属于此类，因此未再列出。

求解水库总出流量时，还借助于水量平衡方程。美国国家天气局模型中利用牛顿－拉夫森方法求解，黄委会设计院重新编制了计算机程序，选用了试算法求解。

(二)瞬时溃坝洪水计算方法

与水库大坝相比，施工围堰的质量一般较差，溃坝方式更接近于瞬时溃坝情况。因此，本次选用了不同的瞬时溃坝计算方法进行分析，对比选用溃坝流量成果。以下单位均为公制。

1.最大溃坝流量计算方法

在实际工作中，通常选用下面5种最大溃坝流量计算方法。

1)圣维南－利特尔公式

假定河道为矩形，河底无阻力，下游无水，联解圣维南方程可得：

$$C^2 = 1/9 \times (2C_1 - x/t)^2 \tag{9-3-10}$$

$$V = 2/3 \times (C_1 - x/t)^2 \tag{9-3-11}$$

其中 $C = \sqrt{gh} \qquad C_1 = \sqrt{gH}$

式中 C——溃坝水流面上的正波流速；

C_1——坝址上游断面的负波流速；

V——断面平均流速；

H——坝上游水深；

h——溃坝水流面上水深；

x——距坝址距离。

当计算溃坝最大流量时，$x=0$，代入式(9-3-10)、式(9-3-11)，得坝址水深及流速，即：$h=\frac{4}{9}H, V=\frac{2}{3}\sqrt{gH}$。由此，坝址最大流量为：

$$Q_m = hVB = \frac{8}{27}\sqrt{g}BH^{3/2} \tag{9-3-12}$$

式中 B——坝址断面宽度。

当下游水深很浅($h_0/H<0.05$，h_0 为下游水深)，且考虑阻力时，波形与式(9-3-10)相近，式(9-3-12)也可以近似使用；当下游水深较大($h_0/H>0.05$)，且有阻力时，形成了明显立波，虽波形与式(9-3-10)相差较大，但式(9-3-12)仍可近似使用。小浪底工程施工围堰溃坝，$h_0/H=5.69/42.3=0.135$，且有阻力，符合上述第二个条件，故近似使用式(9-3-12)。

因为圣维南－利特尔解假定"河道为矩形，河底无阻力，下游无水"，因此式(9-3-12)计算结果往往偏大，可以作为各种方法计算结果的上限约束条件。

2)正波、负波相交法

当土坝瞬时全溃后，在坝址上游形成负波额，在坝址下游形成正波额，如图 9-3-2

所示。

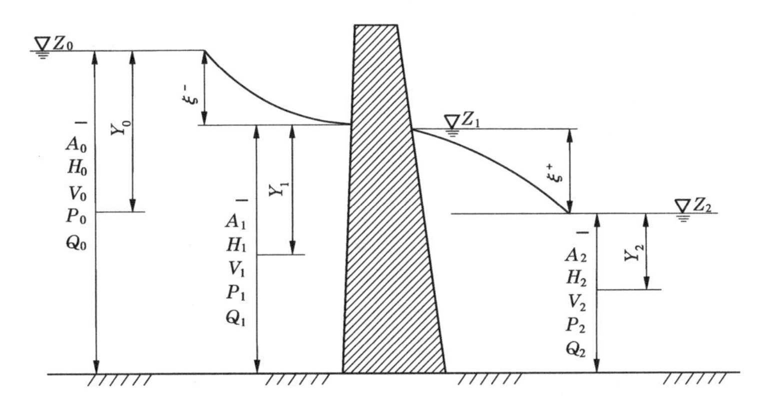

图 9-3-2 土坝瞬时全溃时形成的正波额、负波额示意图

图 9-3-2 中,Z、A、H、V、P、Q、Y 分别为水位、过水面积、水头、流速、总静水压力、流量、断面形心深度,ξ 波高,下角标 0、1、2 分别代表上游、坝址和下游断面。

假定河槽为平底,无阻力,可联解连续方程和运动方程,求出正、负波额流量方程。

顺行正波额流量:

$$Q^+ = \frac{A_1}{A_2}Q_2 + \sqrt{gM + \frac{A_1}{A_2}(A_1 - A_2)} \tag{9-3-13}$$

逆行负波额流量:

$$Q^- = \frac{A_1}{A_0}Q_0 + \sqrt{gM + \frac{A_1}{A_0}(A_0 - A_1)} \tag{9-3-14}$$

式中 M——压力差;

Q_2——坝下断面流量;

Q_0——坝上断面流量。

计算压力差的方法有静面矩法、有限差分法、矩形概化法、矩形概化微波法等多种,在此选用了静面矩法,即:

$$M^+ = Y_1A_1 - Y_2A_2 \tag{9-3-15}$$

$$M^- = Y_0A_0 - Y_1A_1 \tag{9-3-16}$$

断面形心深度的计算方法是,先将断面按宽度平均竖割为几块(见图 9-3-3);然后,将每一小块概化为矩形,求其形心深度和压力,利用压力加权的方法求得全断面平均形心深度,即:

$$Y = \frac{\sum_{i=1}^{n} P_iY_i}{\sum_{i=1}^{n} P_i} \tag{9-3-17}$$

由式(9-3-15)、式(9-3-16)可以看出,在大坝瞬时全溃时,Y_0、A_0、Y_2、A_2 是固定的(因上、下断面水位固定),可通过 Y_1、A_1 的变化(坝上水位 Z_1 变化),计算不同的 Q^+ 与 Q^-,由试算法,求出 Q^+ 与 Q^- 相同的 Z,此时的 Q^+ 作为最大溃坝流量。

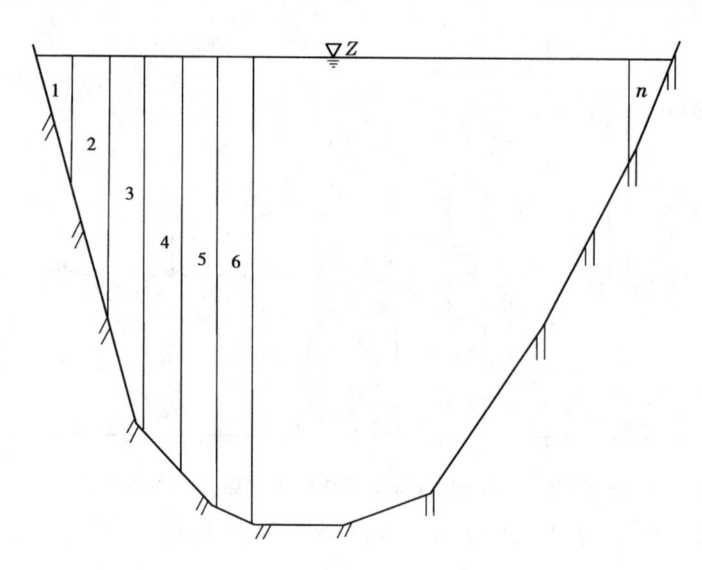

图 9-3-3　断面竖割示意图

3)波流、堰流相交法

假定溃坝时通过坝址断面的流量满足堰流公式:

$$Q_{堰} = \sigma_{淹} mB\sqrt{2g}H_0^{3/2} \tag{9-3-18}$$

式中　$\sigma_{淹}$——宽顶堰淹没系数;

m——宽顶堰流量系数,按 0.385 考虑;

B——坝址断面宽度;

H_0——堰上水头。

溃坝初瞬坝址产生负波向上游传播,同时形成波流量下泄,波流量由下式决定:

$$Q_{波} = \frac{2}{3}\Omega\Delta A \tag{9-3-19}$$

式中　Ω——负波波前流速;

ΔA——过水面积。

联解式(9-3-18)、式(9-3-19),当 $Q_{堰}$、$Q_{波}$ 相等时,即为最大溃坝流量。式(9-3-18)、式(9-3-19)中参数确定如下:

$$H_0 = h + \frac{V^2}{2g}$$

考虑到坝址处为临界流状态,即 $V^2/gh = 1$,则:

$$H_0 = h + \frac{h}{2} = \frac{3h}{2} \tag{9-3-20}$$

$$\Omega = \sqrt{gH} - V_1 \tag{9-3-21}$$

$$\Delta A = B\Delta h \tag{9-3-22}$$

式中　h——溃坝最大流量出现时的坝上水深(见图 9-3-4);

V_1——溃坝前坝下过流断面平均流速;

Δh——负波波高;

B——坝址断面宽度。

4)肖克利契公式

该公式由实验得出,如下:

$$Q_{\mathrm{m}} = 0.9\left(\frac{H - h'}{H - 0.827}\right)B\sqrt{H}(H - h') \tag{9-3-23}$$

式中　Q_m——坝址最大流量;

B——坝址最大宽度;

其他符号含义见图 9-3-4。

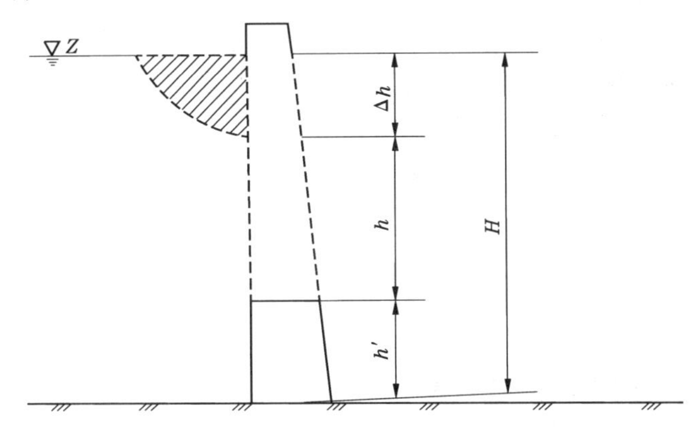

图 9-3-4　部分坝高瞬时溃坝示意图

5)原黄委会水利科学研究院公式

1970～1972 年,黄委会水利科学研究院在小浪底现场对小浪底土坝溃决洪水进行了模型实验,经分析,最大流量公式为:

$$Q_{\mathrm{m}} = 0.928(B/b)^{0.4}bH^{3/2} \tag{9-3-24}$$

式中　B——溃坝时大坝断面宽;

b——溃坝口门宽;

其他符号含义同前。

2. 溃坝洪水过程计算方法

土坝瞬时溃决后的出流过程线与溃坝最大流量 Q_{m}、入库流量及溃坝可泄库容有关,即由溃坝最大流量 Q_{m} 与可泄库容形成一个近似 4 次抛物线的过程下泄,再加上入库流量过程作为溃坝洪水的出流量过程。根据原黄委会水利科学研究院实验资料,溃坝洪水过程的 4 次抛物线线型见表 9-3-1。

表 9-3-1　溃坝洪水典型过程

t/T	0	0.1	0.2	0.3	0.4	0.5	0.65	1
Q_t/Q_{m}	1	0.62	0.48	0.36	0.29	0.22	0.15	0

表 9-3-1 中,T 为可泄库容的泄空历时,按下式确定:

$$T = K\Delta V/Q_{\mathrm{m}} \tag{9-3-25}$$

式中　K——4～5 之间的系数,常取 4.7;

ΔV——可泄库容。

按式(9-3-25)取定 T 值后,可计算一个洪水过程,判断该过程的洪量是否等于 ΔV,若不相等,改变 T 值重新计算,直到相等为止,即求出的过程线所得水体 ΔW 应等于可泄库容 ΔV。

三、施工围堰溃坝洪水及影响分析

(一)溃坝洪峰流量及溃坝洪水过程选择

1.溃坝洪峰流量选择

按照前述条件和各种计算方法,求得小浪底工程施工围堰溃坝洪峰流量见表 9-3-2。从表 9-3-2 可知,对于各方法计算的最大流量相差很小,最小值为波流、堰流相交法,最大值为正波、负波相交法,二者仅相差约 10%。

表 9-3-2 各种计算方法最大溃坝流量对比

计算方法		最大溃坝流量(m^3/s)
一、瞬时溃坝洪水计算方法	(1)圣维南－利特尔公式	123 320
	(2)正波、负波相交法	137 430
	(3)波流、堰流相交法	121 100
	(4)肖克利契公式	122 780
	(5)原黄委会水利科学研究院公式	123 310
二、逐时渐溃洪水计算方法(美国国家天气局溃坝流量计算法)	$P=1.0$	71 850
	$P=1.5$	85 800
	$P=2.0$	97 720
	$P=2.5$	107 320
	$P=3.0$	115 620
	$P=3.5$	121 670
	$P=4.0$	127 280

对于美国国家天气局模型,溃坝洪峰流量大小与溃坝口门形成的非线性指数 P 有关,P 的取值不同,溃坝洪峰流量相对相差较大。这是因为在 t 小于 T 以前,t/T 小于 1,而 P 为大于 1 的指数,当 t 向 T 逼近时,溃决口扩大的幅度迅速加大,且 P 值越大,这种裂变也越明显。另外,在最终溃决口门尺寸已定的情况下,洪峰流量大小也与可泄库容及入库洪水大小有关。

综合上述各种方法的计算结果,并用圣维南－利特尔公式作为边界条件约束,选定小浪底工程施工围堰溃坝洪峰流量为121 670m^3/s,类似于逐时渐溃洪水的 t 向下逼近时 $P=3.5$时的溃坝洪峰流量。

2.溃坝洪水过程选择

洪峰流量取121 670m^3/s时,瞬时溃坝和逐时渐溃的洪水过程见图 9-3-5。本次选用这两种溃坝出库洪水过程同时向下游演进，以便进行比较分析。

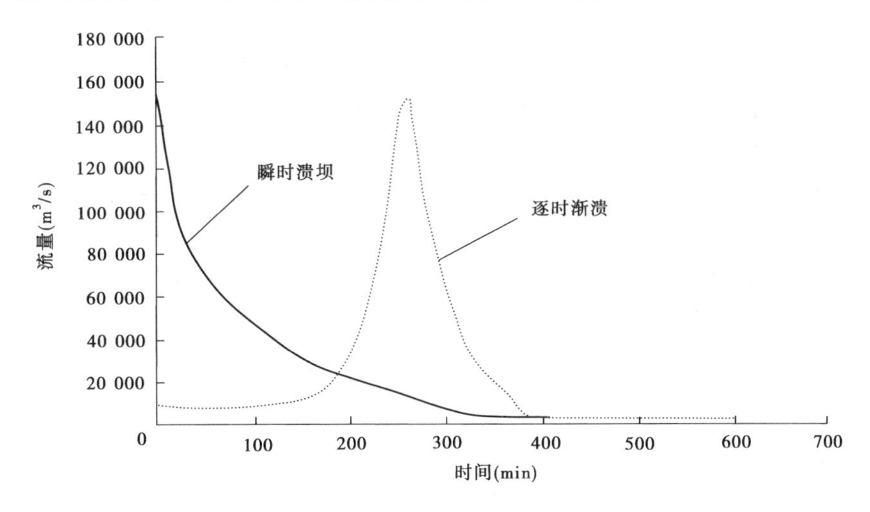

图 9-3-5　黄河小浪底枢纽施工围堰溃坝出库洪水过程线

(二)溃坝洪水沿程变化及影响分析

溃坝水流属于不稳定流，溃坝后水流为急变不稳定流，以立波形式迅速向下游传播，在河槽调蓄及阻力作用下，立波逐渐坦化，至一定距离后立波消失，后续水流为缓变不稳定流。

对于溃坝洪水向下游的演进计算方法，则选用了差分法解圣维南方程组和水量平衡法互相比较。差分法解圣维南方程组的实质是根据河道断面形态资料，按照质量守恒和动量守恒原理计算各断面的流量过程；水量平衡法的本质是以水位—流量关系曲线体现动力方程，由连续方程求各断面流量过程，即 Δt 时段内，ΔL 河段入流与出流的水量差应等于河槽蓄水量的变化。演进使用的大断面资料为 1985 年 5 月实测大断面资料，沿程各断面洪峰流量及水位见表 9-3-3。

表 9-3-3　　小浪底施工围堰溃坝洪水沿程各断面洪峰流量及水位

（单位：流量，m³/s；水位，m）

洪水演进模型	项目	断面											
		小浪底坝下	铁谢	下古街	花园镇	马峪沟	裴峪	伊洛河口	孤柏嘴	罗村坡	官庄峪	秦厂	花园口
差分法	流量	121 670	68 520	60 200	50 000	44 920	43 100	39 200	34 780	33 000	32 500	31 530	30 500
	水位	158.06	123.98			114.08			105.08			99.73	95.81
	流量	121 670	69 010	63 200	54 500	49 440	46 700	42 900	38 020	36 000	34 800	32 890	30 800
	水位	158.36	124.55			114.61			105.43			99.93	95.83
水量平衡法	流量	121 670	67 000	60 840	51 700	48 000	46 000	42 180	39 000	36 500	36 000	34 000	31 170
	水位	162.55	124.13		119.00	113.99	111.48	107.79	104.87	102.92	102.34	99.78	95.86

注：1. 水位系统标高为大沽。

2. 差分法流量为美国国家天气局逐时渐溃方法洪水过程，其余为瞬时溃坝洪水过程。

从表 9-3-3 可以看出，小浪底至铁谢河段溃坝洪水的洪峰流量为121 670～68 520m^3/s(三种情况中的最大值)，大大超过了小浪底黄河公路桥设计过洪流量27 990m^3/s和焦枝铁路桥设计过洪流量22 400m^3/s以及洛阳黄河公路大桥设防流量23 000m^3/s；施工围堰溃坝后花园口断面的溃坝洪水洪峰流量为31 170m^3/s，加上小浪底至花园口区间加水约7 000m^3/s，花园口洪峰流量约为38 000m^3/s，比京广铁路桥设计过洪流量25 000m^3/s大13 000m^3/s，比花园口大堤设防流量22 000m^3/s大16 000m^3/s，也大于郑州黄河公路大桥的设防流量35 800m^3/s。

由上述对比可以看出，小浪底工程施工围堰一旦溃坝，将给黄河小浪底至花园口的交通设施和黄河下游防洪安全带来严重的后果。

四、对施工围堰溃坝洪水的应急措施

施工围堰溃坝洪水影响范围主要包括桃花峪上游三片地区：一是温县、孟县、武陟县的黄河滩区；二是沁河自然滞洪区；三是沿黄河两岸滩地。为了保障发生溃坝洪水后的人民生命财产安全，当小浪底施工围堰滞洪水位达174.3m(相当于50年一遇)时，若洪水继续上涨，由黄河防汛抗旱总指挥部向溃坝洪水影响范围的地方行政首长和黄河铁路桥、黄河公路桥有关部门说明水情，由各行政首长采取措施，向居民下达撤离命令，封闭黄河铁路桥、黄河公路桥交通，居民向附近高地转移，这时距水库达设计水位177.3m还有约8h。孟县大堤以北、青风岭台地以南区域内居民向青风岭台地撤退；沁河自然滞洪区居民向本区周围高地撤退。

第十章　水库下闸蓄水调度方案研究

小浪底水库是国家重点工程。由于小浪底工程 2 号、3 号导流洞改建为孔板洞要在 2000 年汛前完成，工期短，任务重，小浪底水库能否按期下闸蓄水，影响着 2 号、3 号孔板洞的改建，直接关系到小浪底工程 2000 年的安全度汛。因此，必须尽量保证小浪底水库按时下闸蓄水。同时，为保证水库下闸蓄水的作业条件，减轻因小浪底水库蓄水对下游用水产生的影响，必须研究小浪底水库下闸蓄水期间上游三门峡、小浪底、万家寨以及龙羊峡、刘家峡等水库的联合补偿调度方案，尽量减轻因小浪底水库蓄水带来的影响。

第一节　方案制定的前提条件

一、下闸蓄水发电计划

根据小浪底工程招标设计文件技术规范规定，应于 1999 年 11 月 1 日和 5 日分别下闸封堵 2 号、3 号导流洞，将其改建为孔板洞。导流洞下闸后在 2000 年 1 月 1 日前将水库水位蓄到 205m 高程或以上，6 号发电机组具备发电运行条件。1998 年 2 月黄委会设计院编制了《黄河小浪底水库提前蓄水发电分析报告》，对 1999 年小浪底水库下闸蓄水时间及提前下闸蓄水的滞洪风险作了分析。经小浪底水利枢纽工程建设技术委员会第三次会议审查认为："为尽可能减小三门峡水库高水位滞洪风险，水库下闸时间应根据当时来水情况确定，为此要加强黄河中、上游尤其是渭河流域的后期洪水预报。为能保证发电所需水位高程和提高发电保证率，建议下闸蓄水的时间提前到 1999 年 10 月份的适当时间。如有可能，也可于 10 月 1 日下闸蓄水。"

根据小浪底水利枢纽建设管理局《关于请示解决小浪底水库下闸蓄水发电涉及的有关问题的函》(局发[1999]15 号)要求：准备在 1999 年 10 月 1 日到 10 月 30 日之间视洪水预报、工程进展情况下闸，如有可能尽量前靠。并计划于 1999 年 10 月 5 日和 10 日分别下闸封堵 2 号、3 号导流洞，将其改建为孔板洞，水库开始蓄水。在下闸后立即将启闭机拆除，预计需要 3 天。此间，三门峡水库应控制下泄流量，以避免小浪底水库上涨过快，淹没启闭机平台。启闭机拆除后，三门峡水库需加大下泄流量，以加快小浪底水库的蓄水速度，当小浪底水库水位达到 180m 时，小浪底开始进行水库调度，开启排沙洞闸门，向下游供水。11 月 11 日前，小浪底水库蓄水水位至少达到 200m 高程，以便 11 月 11 日开始进行机组充水调试。11 月 20 日水库蓄水水位至少达到 205m 高程，以便机组开始试运行。小浪底工程拟于 12 月 28 日完成试运行，具备发电条件。

需要说明的是，小浪底建设管理局拟定的机组试运行时间长达 40 天，与设计阶段成果相比延长许多，这对下游小流量过程可能会产生一定影响。另一方面，由于小浪底水库下闸蓄水及发电试运行期间存在着下游断流影响供水等问题，因此需要黄河防汛抗旱总指挥部统一调度解决。

二、下闸蓄水方案要求

根据工程施工要求和标书设计规定，编制小浪底水库下闸蓄水方案应满足以下 4 项要求：

(1)由于小浪底工程 2 号、3 号导流洞启闭机和闸门的安装需要在 175m 高程平台上进行，计划需要 20 天时间，而 2 号、3 号导流洞在 175m 高程时的泄流能力约5 000m³/s。因此，在导流洞启闭机和闸门安装期间，若遇三门峡以上发生大洪水，三门峡水库按控制小浪底入库流量不超过5 000m³/s 下泄。

(2)根据设计规定，在 2 号、3 号导流洞闸门下闸时，小浪底库水位不应超过 156m。因此，在 2 号导流洞下闸期间，三门峡水库应控制使小浪底入库流量不大于2 000m³/s，以保证 2 号导流洞下闸期间坝前水位不高于 156m；在 3 号导流洞下闸期间，三门峡水库应控制小浪底入库流量不大于1 000m³/s，同样保证小浪底坝前水位不高于 156m，确保小浪底水库安全下闸。

(3)待小浪底 2 号、3 号导流洞下闸后，三门峡水库应控制下泄流量，使 3 日内小浪底坝前水位不高于 175m，以保证启闭机安全撤离。

(4)启闭机拆除后，应加快小浪底水库的蓄水速度，尽量减轻对下游供水的影响。

三、方案编制目标

小浪底水库下闸蓄水方案编制，主要考虑满足以下目标：

(1)小浪底水库适时下闸蓄水。

(2)尽量缩短小浪底水库下闸后坝下断流时间，保证下游两岸城市生活用水。

(3)小浪底水库下闸及断流期间，尽量避开小麦播种用水高峰，以减轻对农业用水的影响。

(4)如有可能，要尽量满足小浪底水库年底第一台机组发电的要求。

第二节　来水分析及下游用水预估

一、上中游水库蓄水情况

截至 1999 年 9 月 10 日，龙羊峡和刘家峡两水库共蓄水 192 亿 m³(其中龙羊峡水库蓄水 162 亿 m³，刘家峡水库蓄水 30 亿 m³)，比两水库同期多年平均蓄水量 135 亿 m³ 多蓄水 57 亿 m³；万家寨水库水位 969.96m，相应蓄水量 6.47 亿 m³；三门峡水库水位 303.46m，相应蓄水量 0.07 亿 m³；陆浑水库水位 310.42m，比汛期限制水位 315.50m 低 5.08m，相应蓄水量 3.5 亿 m³；故县水库水位 507.52m，比汛期限制水位 515.00m 低 7.48m，相应蓄水量 2.93 亿 m³。

从上述各水库蓄水情况看，对于龙羊峡和刘家峡两水库，若在小浪底水库下闸蓄水期间每天增加下泄流量 200～300m³/s，那么一个月时间多下泄水量 5.2 亿～7.8 亿 m³，占两水库同期多蓄水量的10%左右，也就是说，龙羊峡、刘家峡两水库完全有能力进行帮忙。对于万家寨水库，如果每天增加下泄流量250m^3/s，连续5天可补水约1亿m^3，水库水位逐步降到965m，也就是说，万家寨水库也有能力进行帮忙；而陆浑和故县水库均没有水量可以补偿下游。

二、干、支流来水分析

（一）三门峡入库径流

本次对小浪底水库下闸期间三门峡等其他工程实施调度方案的研究，采用龙羊峡、刘家峡两水库投入运用后的1987～1997年实测入库径流资料进行分析。

三门峡入库代表站为潼关站，其径流主要来源于黄河上游和渭河流域。由于非汛期兰州至龙门区间支流来水较小，龙门站基本上可以代替黄河上游来水，渭河流域主要为华县断面以上来水，因此龙门、华县可以作为三门峡入库径流的主要控制站。对1987～1997年实测径流资料进行分析，9～11月龙门来水约占潼关来水的75%，华县来水约占潼关来水的20%。需要指出的是，如果9～11月黄河来水较丰，则渭河占三门峡入库径流的比例相对增大。这主要是由于渭河流域呈东西长条状，河源与黄河上游相连，当黄河上游发生大面积连阴雨时，渭河流域往往同时发生连阴雨，因此小浪底水库下闸期间要密切关注渭河来水。潼关站实测来水情况见表10-2-1。

表10-2-1　1987～1997年潼关站实测来水情况　（单位：亿m^3）

时间		平均	最丰年(1989年)	最枯年(1997年)	偏枯水年(1991年)
9月	上旬	13.33	26.80	3.91	4.72
	中旬	11.17	26.46	4.61	7.40
	下旬	10.29	27.53	4.89	5.47
	月	34.79	80.79	13.41	17.59
10月	上旬	6.83	14.22	3.67	5.25
	中旬	5.79	8.73	2.46	3.00
	下旬	6.17	11.48	1.72	3.86
	月	18.79	34.43	7.85	12.11
11月	上旬	4.88	7.78	0.89	3.45
	中旬	5.48	8.64	1.62	3.10
	下旬	6.43	11.16	2.50	5.65
	月	16.79	27.58	5.01	12.20
12月	上旬	6.28	8.13	4.41	7.84
	中旬	5.18	8.86	2.28	5.70
	下旬	4.45	8.23	3.27	2.33
	月	15.91	25.22	9.96	15.87
9～12月		86.28	168.02	36.23	57.77
10～11月		35.58	62.01	12.86	24.31

(二)区间来水分析

三门峡至小浪底区间干流预计 9～12 月来水较小,方案计算中未计入。小浪底至花园口区间主要考虑伊、洛、沁河来水,经分析,9 月份按 30m^3/s 来水考虑,10～12 月按 20m^3/s 考虑。

三、下游用水预估

(一)黄河下游引水

根据黄河水量调度管理局对 1980～1998 年黄河下游引水情况进行的统计分析,黄河下游 9～12 月平均引黄水量 21.95 亿 m^3。其中 9 月引水 8.51 亿 m^3,10～11 月引水 8.31 亿 m^3,12 月份引水 5.13 亿 m^3,见表 10-2-2。

表 10-2-2　黄河下游平均引水情况及 1999 年预估值　(单位:亿 m^3)

时间		1980～1998 年			1999 年预估值					
		平均			平水年			偏枯水年		
		河南	山东	合计	河南	山东	合计	河南	山东	合计
9 月	上旬	0.99	1.15	2.14	0.99	1.15	2.14	0.83	0.96	1.79
	中旬	0.67	1.60	2.27	0.67	1.60	2.27	0.56	1.34	1.90
	下旬	0.52	3.58	4.10	0.52	3.58	4.10	0.44	3.00	3.44
	月	2.18	6.33	8.51	2.18	6.33	8.51	1.83	5.30	7.13
10 月	上旬	0.72	3.48	4.20	0.72	3.48	4.20	0.60	2.92	3.52
	中旬	0.41	0.84	1.25	0.41	0.84	1.25	0.35	0.70	1.05
	下旬	0.24	0.28	0.52	0.24	0.28	0.52	0.20	0.23	0.43
	月	1.37	4.60	5.97	1.37	4.60	5.97	1.15	3.85	5.00
11 月	上旬	0.27	0.24	0.51	0.27	0.24	0.51	0.23	0.20	0.43
	中旬	0.12	0.71	0.83	0.12	0.71	0.83	0.10	0.60	0.70
	下旬	0.12	0.88	1.00	0.12	0.88	1.00	0.10	0.74	0.84
	月	0.51	1.83	2.34	0.51	1.83	2.34	0.43	1.54	1.97
12 月	上旬	0.40	1.68	2.08	0.40	2.13	2.53	0.33	1.79	2.12
	中旬	0.18	1.42	1.60	0.18	1.80	1.98	0.15	1.51	1.66
	下旬	0.24	1.21	1.45	0.24	1.53	1.77	0.19	1.28	1.47
	月	0.82	4.31	5.13	0.82	5.46	6.28	0.67	4.58	5.25
9～12 月		4.88	17.07	21.95	4.88	18.22	23.10	4.08	15.27	19.35
10～11 月		1.88	6.43	8.31	1.89	6.44	8.33	1.60	5.39	6.99

从表 10-2-2 可以看出，根据黄河水量调度管理局对黄河下游用水预估，1999 年遇平水年份，9～12 月黄河下游引黄水量需 23.10 亿 m^3，其中 10～11 月引水 8.33 亿 m^3；遇偏枯水年份，9～12 月黄河下游引黄水量需 19.35 亿 m^3，其中 10～11 月引水 6.99 亿 m^3。本次实施调度方案研究则采用此值作为分析的依据。

（二）河道损失及河口生态用水

黄河下游河宽流长，滩区面积大，考虑到河道的蒸发渗漏损失及滩区引水需要，此部分用水按日平均流量 120m^3/s 计算。为保证河口生态环境用水，按利津断面流量不小于 50m^3/s 控制，则河道损失与河口生态环境用水两项合计 9～12 月为 17.92 亿 m^3、10～11 月为 8.96 亿 m^3。

第三节　水库调度方案分析拟定

为保证小浪底水库下闸蓄水的作业条件，减轻因小浪底水库蓄水对下游用水产生的影响，对小浪底水库下闸蓄水期间各水库工程实施调度方案研究的总原则为：根据黄河实际来水条件，充分发挥黄河水量统一调度的优势，在保证小浪底水库下闸蓄水作业条件的基础上，尽最大努力减小因小浪底水库蓄水带来的影响，尽量保证小浪底水库按时蓄到要求水位，使小浪底水库如期发电。

一、三门峡水库调度方案

（一）运用原则

三门峡水库现状防洪运用原则是根据 1969 年晋、陕、鲁、豫四省治黄工作会议确定的，即当上游发生特大洪水时，敞开闸门泄洪。当下游花园口站可能发生超过22 000m^3/s 洪水时，应根据上、下游来水情况，关闭部分或全部闸门。增建的泄水孔，原则上应提前关闭。水库非汛期春灌蓄水和防凌运用控制水位 310～326m；汛期排沙运用控制水位305～300m，一般洪水时敞开闸门滞洪，以利于水库的排沙和降低潼关高程。

小浪底水库按时下闸蓄水关系重大，在小浪底水库下闸蓄水期间，三门峡水库应按小浪底水库下闸蓄水要求进行控制运用。

（二）小浪底下闸期间的调度方案

根据上述三门峡水库运用原则和小浪底水库下闸蓄水期间的运用要求，考虑到小浪底下闸后对下游断流影响最小及三门峡水库控制运用后对水库淤积、淹没影响等因素，拟定如下实施调度方案。

若小浪底水库于 10 月 5～10 日或 10 月 10～15 日下闸蓄水，三门峡水库的调度方案为：

(1)在小浪底 2 号、3 号导流洞启闭机和闸门安装期间，三门峡水库按控制小浪底入库流量不超过5 000m^3/s 下泄。若遇潼关实测来水为平水年或偏枯水年情况，为保证小浪底水库的蓄水进度和减轻小浪底水库下闸期间对下游的影响，三门峡水库应提前蓄水。具体为：①若小浪底于 10 月 5～10 日下闸，遇平水、偏枯水年分别提前 15 天或 20 天开始蓄水，如果龙羊峡、刘家峡两水库每天补偿 200m^3/s 流量，则分别提前 13 天或 15 天开始蓄水;②若小浪底于 10 月 10～15 日下闸,遇平水、偏枯水年分别提前 18 天或 22 天开始蓄水,如果龙羊峡、刘家峡两水库每天补偿 200m^3/s 流量,则分别提前 15 天或 19 天开始蓄水。三门峡水库预蓄水期间,按下游用水要求进行控制泄流,待三门峡水库蓄水位达到 318m(相应库容 3.51 亿 m^3)后,按入库流量泄流。

(2)在小浪底水库 2 号导流洞下闸前两天,三门峡水库开始控制使小浪底水库入库流量不大于 2000m^3/s;在 2 号导流洞下闸后到 3 号导流洞下闸期间,三门峡水库控制小浪底水库入库流量不大于1 000m^3/s。

(3)在小浪底水库 2 号、3 号导流洞下闸后,三门峡水库控制 3 天使小浪底入库流量不大于1 300m^3/s。以后按 5 台机组发电1 000m^3/s 泄流,直至库水位退落至 310m;若入库流量大于1 000m^3/s,按入库流量泄流。

若小浪底水库 2 号导流洞于 10 月 5 日下闸,3 号导流洞下闸时间视来水情况确定,则三门峡水库的调度方案为:三门峡水库于 10 月 11 日开始提前蓄水,且在小浪底水库 2 号导流洞下闸后到 3 号导流洞下闸前,三门峡水库应控制使小浪底水库入库流量不大于2 500m^3/s。其他阶段的运用方式与前述小浪底水库 10 月 5～10 日或 10 月 10～15 日下闸蓄水情况相同。

二、小浪底水库调度方案

小浪底水库的运用原则为:在泄流条件允许的前提下,首先满足下游工农业用水,在库水位满足发电水位后,按入库流量泄流。具体实施调度方案为,在小浪底水库 2 号、3 号导流洞下闸前,由导流洞敞泄滞洪。在 2 号、3 号导流洞下闸后,考虑两种泄流方案:第一种方案,当小浪底库水位达到 175m 以上时,排沙洞即投入运用;第二种方案,当小浪底库水位达到 175m 以上时,排沙洞开始投入运用,但当库水位超过 180m 时,关闭排沙洞,直到库水位达到 185m 以上,排沙洞重新投入运用,以避免排沙洞明、满流过渡时洞内流态不稳,产生意外荷载(拉力或张力),对洞体衬砌产生不良影响,之后按下游用水要求泄流,直到库水位满足发电水位,然后按入库流量泄流。

三、龙羊峡、刘羊峡两水库调度方案

龙羊峡、刘羊峡两水库在小浪底水库下闸蓄水期间考虑两种运用方式:一种为正常运用,即不为小浪底水库蓄水补水;另一种为龙羊峡、刘家峡两水库从 9 月 16 日至 10 月 15 日(此时宁蒙河段不引水)每天增泄 300m^3/s,约 7.8 亿 m^3,考虑沿程损失,到潼关按 200m^3/s 计,约 5.4 亿 m^3,即为小浪底水库蓄水进行补水运用。

四、万家寨水库调度方案

万家寨水库在小浪底水库下闸蓄水期间也考虑两种运用方式:一种为正常运用,即不为小浪底水库蓄水补水;另一种为在小浪底水库 3 号导流洞下闸封堵前 5 天开始连续 5 天逐步从库水位 970m 降至 965m,共补水约 1 亿 m^3,按每天增泄 250m^3/s 考虑,坝前水位平均每天降落约 1m,即为小浪底水库蓄水补水运用。

第四节 实施调度方案分析计算

一、方案组合与计算条件

(一)方案组合

本次小浪底水库下闸蓄水调度方案研究涉及的因素较多,包括小浪底水库不同下闸蓄水时间,龙羊峡、刘家峡两水库补偿与否、万家寨水库补偿与否、三门峡水库提前蓄水与否、小浪底水库不同泄流方式及不同来水条件等各种情况的组合。为便于分析,对各种组合情况按以下五种方案进行分类。

方案Ⅰ:小浪底水库1999年10月5~10日下闸,不考虑万家寨水库补水。

方案Ⅱ:小浪底水库1999年10月10~15日下闸,不考虑万家寨水库补水。

方案Ⅲ:小浪底水库2号导流洞10月5日下闸,3号导流洞11月5日下闸,龙羊峡、刘家峡两水库不补水,考虑万家寨水库补水。

方案Ⅳ:小浪底水库2号导流洞10月5日下闸,3号导流洞10月25日下闸,偏枯水年龙羊峡、刘家峡两水库补水,并考虑万家寨水库补水。

方案Ⅴ:小浪底水库2号导流洞10月5日下闸,3号导流洞10月31日下闸,偏枯水年龙羊峡、刘家峡两水库补水,并考虑万家寨水库补水。

(二)计算条件

1. 来水及用水系列

本次分析计算采用的来水系列条件为三门峡水库现状实测来水过程,丰水年为1989年,偏丰水年为1993年,平水年为1996年,偏枯水年为1991年,枯水年为1997年。下游用水条件为1999年的预估值,即遇平水年份,黄河下游10~11月需引用水量8.33亿m^3;遇偏枯水年份,黄河下游10~11月需引用水量6.99亿m^3。

2. 水库工程条件

(1)三门峡水库。1999年三门峡水库的泄洪设施包括3个深孔、3个底孔、8个双层孔、2条隧洞、1条钢管,共25个。其中,10个为一门一机,15个靠两台350t门吊启闭,现状启闭设备连续开启(关闭)一次约需8h。水库水位、库容、泄量关系见表10-4-1。

表10-4-1 1999年三门峡水库水位、库容、泄量关系

水位(m)	300	305	310	315	320	326	330	335
库容(亿m^3)	0.005	0.137	0.575	1.970	5.269	16.45	28.81	55.10
泄量(m^3/s)	3 380	5 106	7 342	9 089	10 446	11 841	12 623	13 440

注:库容为1999年6月实测(326m以下);326m以上缺渭、洛河库区库容。

(2)小浪底水库。1999年汛期,小浪底坝顶高程达220m以上,防洪标准为三百年一遇设计,主要靠两条导流洞(底坎高程141.5m)和3条排沙洞(进口高程175m,185.54m开始运用)进行泄洪,必要时,1号孔板洞可投入运用(库水位200m开始运用)。小浪底水库1999年水位、库容、泄量关系见表10-4-2。

表 10-4-2 1999 年小浪底水库水位、库容、泄量关系

水位(m)	库容(亿 m^3)	下闸前泄量(m^3/s)		下闸后泄量(m^3/s)
		泄量 1	泄量 2	
141.5	0.017	0	0	
144	0.096	60	30	
147	0.202	340	170	
150	0.351	820	410	
160	1.235	2 910	1 455	
170	3.008	4 630	2 315	
175	4.235	5 050	2 525	0
180	5.705	5 470	2 735	402
185	7.432	6 843	3 940	1 037
190	9.439	7 259	4 189	1 119
195	11.78	7 667	4 429	1 191
200	14.48	9 362		2 552
205	17.66	9 999		2 889
210	20.96	10 772		3 352
220	29.96	12 096		4 106
225	35.16			4 319
230	41.16			4 531
240	54.36			4 900

注:1.库容为 1999 年 5 月实测(205m 以下)。

2.下闸前泄水建筑物包括 2 号、3 号导流洞,1 号、2 号、3 号排沙洞,1 号孔板洞,1 号明流洞。其中,排沙洞运用水位不低于 185m。泄量 2 不包括 2 号导流洞。

3.下闸后泄水建筑物包括 1 号、2 号、3 号排沙洞,1 号孔板洞,1 号明流洞。

二、方案计算与分析

(一)方案计算

按照上述条件,对各组合方案进行分析计算。其中,对于方案Ⅲ、Ⅳ、Ⅴ,结合上游来水预报及水库蓄水要求,仅对偏枯水 1991 年来水情况进行了一个组合方案计算。其中万家寨水库在小浪底水库 3 号导流洞下闸封堵前 5 天开始连续 5 天逐步从库水位 970m 降至 965m。小浪底水库下闸蓄水期间,各方案三门峡与小浪底两水库的蓄滞洪情况及小浪底坝下流量情况分别见表 10-4-3～表 10-4-5。

表 10-4-3　　三门峡、小浪底两水库蓄滞洪情况及小浪底坝下流量情况

（方案Ⅰ，小浪底水库 10 月 5～10 日下闸）

龙羊峡、刘家峡两水库运用方式	三门峡水库运用方式	小浪底不泄流水位	潼关来水情况	三门峡最高蓄水位(m)	小浪底蓄水至某水位(m)的时间(月·日)		小浪底下闸后坝下小于某一流量(m^3/s)的天数(天)		
					200	205	0	100	200
正常调度运用	不提前蓄水	175m以下	1989(丰)	315.43	10.29	10.31	3	3	4
			1993(偏丰)	310.00	11.4	11.13	6	6	7
			1996(平)	305.00	11.17	11.26	8	9	10
			1991(偏枯)	305.00	12.7	12.15	13	14	24
			1997(枯)	305.00	无	无	18	30	44
		175m以下及180～185m	1989(丰)	315.43	10.28	10.31	5	5	6
			1993(偏丰)	310.00	11.3	11.12	8	8	9
			1996(平)	305.00	11.17	11.24	11	12	13
			1991(偏枯)	305.00	12.5	12.12	18	19	27
			1997(枯)	305.00	无	无	21	33	47
	提前蓄水	175m以下	1989(丰)						
			1993(偏丰)	318.00	10.28	11.5	3	4	4
			1996(平)	318.00	11.14	11.20	3	4	4
			1991(偏枯)	318.00	12.4	12.11	4	4	19
			1997(枯)	315.19	无	无	8	10	44
		175m以下及180～185m	1989(丰)						
			1993(偏丰)	318.00	10.28	11.4	4	5	5
			1996(平)	318.00	11.11	11.18	6	7	7
			1991(偏枯)	318.00	12.3	12.10	8	8	19
			1997(枯)	315.19	无	无	11	13	47
从9月16日至10月15日每天补水$200m^3/s$	不提前蓄水	175m以下	1989(丰)	318.09	10.27	10.30	3	3	4
			1993(偏丰)	310.00	10.28	11.3	5	5	5
			1996(平)	305.00	11.10	11.18	5	6	7
			1991(偏枯)	305.00	11.30	12.9	7	8	23
			1997(枯)	305.00	无	无	9	17	41
		175m以下及180～185m	1989(丰)	318.09	10.27	10.30	5	5	6
			1993(偏丰)	310.00	10.27	11.3	6	6	6
			1996(平)	305.00	11.8	11.17	7	8	9
			1991(偏枯)	305.00	11.29	12.6	11	12	23
			1997(枯)	305.00	无	无	15	23	41
	提前蓄水	175m以下	1989(丰)						
			1993(偏丰)	318.00	10.26	10.31	3	4	4
			1996(平)	318.00	11.3	11.12	3	4	4
			1991(偏枯)	318.00	11.25	12.3	3	4	18
			1997(枯)	316.90	无	无	4	11	36
		175m以下及180～185m	1989(丰)						
			1993(偏丰)	318.00	10.25	10.30	5	6	6
			1996(平)	318.00	11.2	11.11	5	6	6
			1991(偏枯)	318.00	11.20	12.1	6	7	21
			1997(枯)	316.90	无	无	8	15	35

表 10-4-4　三门峡、小浪底两水库蓄滞洪情况及小浪底坝下流量情况

（方案Ⅱ，小浪底水库 10 月 10～15 日下闸）

龙羊峡、刘家峡两水库运用方式	三门峡水库运用方式	小浪底不泄流水位	潼关来水情况	三门峡最高蓄水位(m)	小浪底蓄水至某水位(m)的时间(月·日)		小浪底下闸后坝下小于某一流量(m^3/s)的天数(天)		
					200	205	0	100	200
正常调度运用	不提前蓄水	175m以下	1989(丰)	311.88	11.2	11.5	3	4	4
			1993(偏丰)	310.00	11.10	11.17	4	4	5
			1996(平)	305.00	11.20	12.2	8	9	11
			1991(偏枯)	309.83	12.10	12.19	13	14	19
			1997(枯)	305.00	无	无	26	32	39
		175m以下及180～185m	1989(丰)	311.88	11.1	11.5	5	6	6
			1993(偏丰)	310.00	11.10	11.17	6	6	7
			1996(平)	305.00	11.19	11.29	11	12	14
			1991(偏枯)	309.83	12.8	12.16	17	18	23
			1997(枯)	305.00	无	无	29	35	42
	提前蓄水	175m以下	1989(丰)						
			1993(偏丰)	318.00	11.2	11.10	3	4	4
			1996(平)	318.00	11.17	11.25	4	4	4
			1991(偏枯)	318.00	12.6	12.12	4	4	19
			1997(枯)	315.44	无	无	9	13	39
		175m以下及180～185m	1989(丰)						
			1993(偏丰)	318.00	11.2	11.10	5	6	6
			1996(平)	318.00	11.15	11.22	8	8	8
			1991(偏枯)	318.00	12.4	12.11	8	8	20
			1997(枯)	315.44	无	无	12	16	42
从9月16日至10月15日每天补水200m^3/s	不提前蓄水	175m以下	1989(丰)	314.84	10.30	11.2	3	3	4
			1993(偏丰)	310.00	11.2	11.11	3	4	4
			1996(平)	305.00	11.16	11.23	6	6	7
			1991(偏枯)	309.83	12.4	12.12	8	9	19
			1997(枯)	305.00	无	无	10	18	36
		175m以下及180～185m	1989(丰)	314.84	10.30	11.2	4	5	6
			1993(偏丰)	310.00	11.2	11.11	4	5	5
			1996(平)	305.00	11.15	11.21	9	9	10
			1991(偏枯)	309.83	12.3	12.11	10	11	19
			1997(枯)	305.00	无	无	14	22	40
	提前蓄水	175m以下	1989(丰)						
			1993(偏丰)	318.00	11.1	11.5	3	3	4
			1996(平)	318.00	11.9	11.17	3	4	4
			1991(偏枯)	318.00	11.29	12.7	3	4	18
			1997(枯)	318.00	无	无	4	11	35
		175m以下及180～185m	1989(丰)						
			1993(偏丰)	318.17	10.31	11.5	4	4	5
			1996(平)	318.00	11.8	11.17	5	6	6
			1991(偏枯)	318.00	11.28	12.6	7	8	18
			1997(枯)	318.00	无	无	9	16	35

表 10-4-5　　三门峡、小浪底两水库蓄滞洪情况及小浪底坝下流量情况

方案	小浪底水库3号导流洞下闸时间	龙羊峡、刘家峡两水库运用方式	三门峡最高蓄水位(m)	小浪底蓄水至某水位(m)的时间(月·日)		小浪底下闸后坝下小于某一流量(m^3/s)的天数(天)		
				200	205	0	100	200
方案Ⅲ	11月5日	正常调度运用	318.00	12.10	12.31	3	4	9
方案Ⅳ	10月25日	从9月16日至10月15日每天补水200m^3/s	318.00	12.3	12.10	3	4	9
方案Ⅴ	10月31日	从9月16日至10月15日每天补水100m^3/s	318.00	12.8	12.28	3	4	8

注：1. 小浪底水库2号导流洞10月5日下闸，蓄水至175m开始泄流。
2. 潼关来水按偏枯水年1991年情况考虑。
3. 三门峡水库从10月11日开始蓄水，蓄水位最高至318m。
4. 万家寨水库在3号导流洞下闸前5天按连续每天增泄250m^3/s考虑。

(二)方案分析

本次计算组合方案较多，仅对小浪底水库水位达到175m以上就开始持续泄流情况进行分析。

1. 水库蓄水及坝下流量情况

1)方案Ⅰ

从表10-4-3中的计算结果可知，当小浪底水库于1999年10月5～10日下闸时，遇丰水年，龙羊峡、刘家峡两水库不需要进行补水，三门峡水库不需要提前蓄水，三门峡水库最高滞洪水位为315.43m；小浪底水库10月29日可蓄水至200m，10月31日可蓄水至205m；小浪底坝下断流3天，小于100m^3/s的天数为3天，小于200m^3/s的天数为4天。

遇平水年，龙羊峡、刘家峡两水库不需要进行补水，三门峡水库提前15天蓄水，可将库水位蓄至318.00m；小浪底水库11月14日可蓄水至200m，11月20日可蓄水至205m；小浪底坝下断流3天，小于100m^3/s的天数为4天，小于200m^3/s的天数为4天。

遇偏枯水年，龙羊峡、刘家峡两水库不进行补水时，三门峡水库提前20天蓄水，可将库水位蓄至318m；小浪底水库12月4日可蓄水至200m，12月11日可蓄水至205m；小浪底坝下断流4天，小于100m^3/s的天数为4天，小于200m^3/s的天数为19天。龙羊峡、刘家峡两水库从9月16日～10月15日(此时宁蒙河段不引水)每天增泄300m^3/s，约7.8亿m^3，考虑沿程损失，到潼关按200m^3/s计，约5.4亿m^3；三门峡水库提前15天蓄水，可将库水位蓄至318m；小浪底水库11月25日可蓄水至200m，12月3日可蓄水至205m；小浪底坝下断流3天，小于100m^3/s的天数为4天，小于200m^3/s的天数为18天。

遇枯水年，龙羊峡、刘家峡两水库需要补水，三门峡水库需要提前蓄水，但即使三门峡

水库提前25天蓄水，其最高蓄水位也仅为316.90m，而小浪底水库12月底以前不能按时蓄水至要求水位，此种情况小浪底坝下断流4天，小于100m³/s的天数为11天，小于200m³/s的天数为36天。

2）方案Ⅱ

从表10-4-4中的计算结果可知，当小浪底水库于1999年10月10～15日下闸时，遇丰水年，龙羊峡、刘家峡两水库不需要进行补水，三门峡水库不需要提前蓄水，三门峡水库最高滞洪水位为311.88m；小浪底水库11月2日可蓄水至200m，11月5日可蓄水至205m；小浪底坝下断流3天，小于100m³/s的天数为4天，小于200m³/s的天数为4天。

遇平水年，龙羊峡、刘家峡两水库不需要进行补水，三门峡水库提前18天蓄水，可将库水位蓄至318.00m；小浪底水库11月17日可蓄水至200m，11月25日可蓄水至205m；小浪底坝下断流4天，小于100m³/s的天数为4天，小于200m³/s的天数为4天。

遇偏枯水年，龙羊峡、刘家峡两水库不进行补水时，三门峡水库提前22天蓄水，可将库水位蓄至318.00m；小浪底水库12月6日可蓄水至200m，12月12日可蓄水至205m；小浪底坝下断流4天，小于100m³/s的天数为4天，小于200m³/s的天数为19天。龙羊峡、刘家峡两水库从9月16日～10月15日每天增泄300m³/s，到潼关按200m³/s计，三门峡水库提前19天蓄水，可将库水位蓄至318.00m；小浪底水库11月29日可蓄水至200m，12月7日可蓄水至205m；小浪底坝下断流3天，小于100m³/s的天数为4天，小于200m³/s的天数为18天。

遇枯水年，龙羊峡、刘家峡两水库需要补水，三门峡水库需要提前30天蓄水，才能使库水位蓄至318.00m，但小浪底水库12月底以前不能按时蓄水至要求水位，此种情况小浪底坝下断流4天，小于100m³/s的天数为11天，小于200m³/s的天数为35天。

3）方案Ⅲ

龙羊峡、刘家峡两水库正常运用，万家寨水库在3号导流洞下闸前连续5天共补水约1亿m³，按每天增泄250m³/s考虑，坝前水位平均每天降落约1m。三门峡水库从10月11日开始蓄水，对于偏枯水年份，在3号导流洞下闸前可将库水位蓄至318m；小浪底水库12月10日可蓄水至200m，12月31日可基本蓄水至205m；小浪底坝下断流3天，小于100m³/s的天数为4天，小于200m³/s的天数为9天。

4）方案Ⅳ

龙羊峡、刘家峡两水库补水运用，从9月16日至10月15日每天增泄300m³/s，到潼关按200m³/s计；万家寨水库补水运用，在3号导流洞下闸前5天每天增泄250m³/s。三门峡水库从10月11日开始蓄水，对于偏枯水年份，在3号导流洞下闸前可将库水位蓄至318m；小浪底水库12月3日可蓄水至200m，12月10日可蓄水至205m；小浪底坝下断流3天，小于100m³/s的天数为4天，小于200m³/s的天数为9天。

5）方案Ⅴ

龙羊峡、刘家峡两水库补水运用，从9月16日至10月15日每天增泄200m³/s，到潼关按100m³/s计；万家寨水库补水运用，补水运用方式同上；三门峡水库从10月11日开始蓄水，对于偏枯水年份，在3号导流洞下闸前可将库水位蓄至318m；小浪底水库12月8日可蓄水至200m，12月28日可蓄水至205m；小浪底坝下断流3天，小于100m³/s的天数为 4 天，小于 200m³/s 的天数为 8 天。

对于方案Ⅲ、Ⅳ、Ⅴ，小浪底水库 2 号导流洞均于 10 月 5 日下闸封堵，3 号导流洞下闸时间视来水情况确定，有其共同特点，可将各调度方案总结见表 10-4-6。

表 10-4-6 小浪底水库下闸蓄水调度方案

方案	Ⅲ	Ⅳ	Ⅴ
龙羊峡、刘家峡两水库		从 9 月 16 日至 10 月 15 日每天增泄 300m³/s，三门峡入库按 200m³/s 计	从 9 月 16 日至 10 月 15 日每天增泄 200m³/s，三门峡入库按 100m³/s 计
万家寨水库	在小浪底 3 号导流洞下闸前 5 天开始逐步从库水位 970m 降至 965m，每天增泄 250m³/s，坝前水位平均每天降落约 1m		
三门峡水库	从 10 月 11 日开始逐步蓄水至 318m(相应库容 3.51 亿 m³)，并在小浪底 3 号导流洞下闸后按控制小浪底入库1 300m³/s 泄流，待小浪底库水位超过 175m 后，按1 000m³/s(5 台机组发电)下泄，水位逐步降至 310m，之后按入库流量泄流		
三门峡水库坝前水位每天降落幅度(m)	1	0.8	1
小浪底 3 号导流洞下闸时间	11 月 5 日	10 月 25 日	10 月 31 日
小浪底坝下断流天数(天)	3	3	3
小浪底蓄水至 200m 时间	12 月 10 日	12 月 3 日	12 月 8 日
小浪底蓄水至 205m 时间	12 月 31 日	12 月 10 日	12 月 28 日

2. 枯水年小浪底水库蓄水情况

从表 10-4-3、表 10-4-4 中的计算结果可以看出，小浪底水库无论是 10 月 5～10 日下闸，还是 10 月 10～15 日下闸，从对近 11 年的潼关实测来水进行分析，大多数来水情况小浪底水库能按时蓄水至要求水位(11 月 10 日前蓄水至 200m 高程，11 月 20 日前蓄水至 205m 高程)。但对于来水较枯的情况(1997 年)，即便龙羊峡、刘家峡两水库补偿 200m³/s 的流量，小浪底水库仍不能按时蓄水至要求水位，实测枯水年小浪底水库最高蓄水位见表 10-4-7。

从表 10-4-7 可以看出，小浪底水库无论是 10 月 5～10 日下闸，还是 10 月 10～15 日下闸，若龙羊峡、刘家峡两水库不增补黄河下游水量(正常调度运用)，小浪底水库蓄水位(至 12 月 31 日，下同)多在 187m 以下，距设计发电水位仍相差 18m 左右。若龙羊峡、刘家峡两水库按每天增补下游流量 200m³/s 运用，对于三门峡水库不提前蓄水方案，小浪底水库蓄水位为 184.41～187.32m；对于三门峡水库提前蓄水方案，小浪底水库蓄水位为 188.80～190.15m，仍不能满足设计发电水位要求。

因此，为满足按时发电蓄水要求，使小浪底水库发挥效益，结合目前龙羊峡、刘家峡两水库拦蓄上游来水情况，若预报 1999 年 9～12 月潼关来水较枯，在小浪底水库下闸蓄水期间，考虑黄河下游沿黄生活和工农业用水，应尽可能使龙羊峡、刘家峡两水库补偿黄河下游水量，并控制沿程用水和水库拦蓄水量。

表 10-4-7　　实测枯水年(1997年)小浪底水库蓄滞洪情况

(单位：蓄水量，亿 m^3；水位，m)

小浪底下闸时间	龙羊峡、刘家峡运用方式	三门峡运用方式	小浪底泄流条件	小浪底	
				最大蓄水量	最高水位
10月5～10日	正常调度运用	不提前蓄水	175m 以下不泄流	6.86	183.37
			175m 以下，180～185m 不泄流	7.88	186.12
		提前蓄水	175m 以下不泄流	6.86	183.37
			175m 以下，180～185m 不泄流	7.88	186.13
	每天补偿 200m^3/s	不提前蓄水	175m 以下不泄流	8.36	187.32
			175m 以下，180～185m 不泄流	9.28	189.60
		提前蓄水	175m 以下不泄流	9.51	190.15
			175m 以下，180～185m 不泄流	10.22	191.66
10月10～15日	正常调度运用	不提前蓄水	175m 以下不泄流	6.85	183.34
			175m 以下，180～185m 不泄流	7.87	186.10
		提前蓄水	175m 以下不泄流	6.86	183.37
			175m 以下，180～185m 不泄流	7.88	186.13
	每天补偿 200m^3/s	不提前蓄水	175m 以下不泄流	7.22	184.41
			175m 以下，180～185m 不泄流	8.41	187.45
		提前蓄水	175m 以下不泄流	8.96	188.80
			175m 以下，180～185m 不泄流	9.80	190.77

3. 小浪底水库下闸蓄水对黄河下游供水的影响

小浪底水库下闸蓄水，造成下游断流，将对下游沿黄地区的工农业生产及城乡生活用水带来一定影响。

1）对工业及生活用水的影响

黄河下游河南、山东两省沿黄地区工业及生活用水对黄河的依赖性强，尤其是胜利油田的原油生产对水的要求更高。河南省境内的引黄涵闸及提灌站供水范围主要是郑州市、开封市、新乡市、濮阳市、武陟县、原阳县及获嘉县，各地水厂的蓄水能力很有限，又不能提前进行大量的蓄水补源，只能保证 3～7 天。如果小浪底水库坝下断流 7 天以上，各地用水有可能会受到不同程度的影响。

对郑州市来说，目前日平均用水量主要由柿园水厂、白庙水厂和井水供给，其中柿园水厂供给市区西部约 40 万 m^3、白庙水厂供给市区东部约 32 万 m^3、井水约 4 万 m^3。柿园水厂主要水源是西流湖，干旱季节由尖岗水库补水，有月以上调节能力，只要提前做好准备，小浪底水库下闸蓄水不会给郑州市西区正常供水造成太大影响。白庙水厂主要取水于黄河,取水口在黄河干流花园口附近,取水条件较好,据了解,在花园口流量仅 $30m^3/s$ 时也可引水。水厂建有一个调节池,目前调节能力约 200 万 m^3,按水厂目前供水能力可满足 6 天生产生活用水要求,因此应做好储水准备。但结合其取水条件,考虑到伊、洛、沁河来水,小浪底水库下闸蓄水也不会给郑州市东区供水造成太大困难。

山东省东营市现有水库 523 座,一次性蓄水能力 6.61 亿 m^3,其中胜利油田 3.41 亿 m^3,地方 3.2 亿 m^3,扣除死库容 1.0 亿 m^3,实际可用水量 5.61 亿 m^3,胜利油田水库蓄满后,可供工业及生活用水 30 天以上。山东省其他沿黄地区蓄水能力为 16.73 亿 m^3,若能提前蓄满,抗断流影响的能力就较强。以河口地区为例,该地区的蓄水设施若能提前蓄满,其工业及生活用水可以保障相当长一段时间可以不受太大影响。当然,如果不能提前蓄水,则断流也可能对下游造成一定影响。

2)对农业用水的影响

从表 10-2-2 的统计结果来看,9 月下旬至 10 月上中旬正是下游沿黄地区引黄灌溉用水较集中时期,小浪底水库若于 10 月上旬下闸蓄水,黄河两岸农田大部分是以黄河水灌溉为主、井灌为辅,黄河滩区更是如此,因此必将对下游农业用水造成影响。10 月份是下游河南、山东两省近3 200万亩冬小麦播种的关键时期,引黄水量需求较大,据初步估计,10 月份两省农业引黄用水为 6.86 亿 m^3。因此,应尽量推迟下闸蓄水时间,避开农业用水高峰。

4.三门峡水库提前蓄水对库区的影响

1)对防护工程的影响

据统计,截至 1999 年 7 月底,潼关至三门峡大坝河段库区两岸共修建防护工程 41 处,工程总长度 66.782km。其中,左岸山西省侧 17 处,工程长度 30.600km;右岸河南省侧 23 处,工程长度 31.182km,陕西省侧 1 处,工程长度 5.000km。其中黄淤 30 号断面至三门峡大坝防护工程 33 处(续建 11 处),工程总长度 40.119km。

由以上分析可知,三门峡水库提前蓄水的最高控制运用水位为 318.00m,此后在小浪底 3 号导流洞下闸蓄水期间约 10 日内将库水位下降泄水至 310.00m。按水库此种蓄泄过程分析,将可能对潼关至三门峡段库区工程产生一定影响,影响范围主要在黄淤 30 号断面(大禹渡,距三门峡大坝 67.9 km)以下河段。如果库水位由 318.00m 连续下降到 310.00m,对续建工程可能会造成工程基础局部塌陷、蛰陷,对已建工程可能会造成基础滑塌、根石下蛰、坦石下滑等险情,因此应做好抛石加固等除险准备。

2)对库区农作物的影响

据三门峡市防汛抗旱指挥部统计,高程 320m(318m 水位加壅水和风浪爬高)以下三门峡市有耕地 6 万余亩(1 亩 = 0.066 7hm^2),其中花生约 1.8 万亩、大豆约 4.2 万亩,库区内山西省的耕地面积比三门峡市还多。花生的完全成熟收获期在 9 月 20 日左右,大豆的完全成熟收获期在 10 月 10 日左右。因此,三门峡水库若过早蓄水,将对库区农作物造成一定影响,三门峡水库从 10 月 11 日开始蓄水,则不会对库区秋作物收获造成大的影响。

5.对策与措施

1)加大宣传力度,搞好节约用水

各单位要从全局出发,充分认识小浪底水库下闸蓄水的重要性,大力宣传节约用水,尽早做好引水分配计划。调动地方各方力量都来关心支持小浪底工程建设,妥善解决断流问题,使其影响减小到最低限度。

2)鼓励灌区群众提前蓄水灌溉

为了尽量减小10月份小浪底下闸蓄水期间集中用水矛盾和影响,应及早通知河南、山东两省做好灌区群众的思想工作,利用9月份来水较多的有利条件,尽可能提前安排在9月份灌溉,同时充分利用水库、坑塘、河道等尽量多引蓄黄河水。

3)强化流域内统一管理,实时调度水量

小浪底水库下闸蓄水期间,进入下游的水量有所减少是不可避免的,为顾全大局,从长远利益考虑,在一定时段内适当限制下游河南、山东、河北省的引水也是必要的,有关省区会予以理解和支持。

4)采取有效措施,加强引水管理

小浪底水库下闸蓄水期间,下游沿黄各地用水矛盾加剧,各级河务部门必须采取果断措施,加强监督,派遣督察组奔赴沿黄各地进行跟踪巡回检查,确保调度措施和配水计划的顺利实施,缓解用水的紧张局面。

三、方案比较

通过上述分析,按偏枯水年来水考虑,不同方案各有利弊,现分述如下。

(一)方案Ⅰ

有利因素:从小浪底水库的蓄水保证率来看,下闸时间越早,按时蓄水至要求水位的可能性越大。龙羊峡、刘家峡两水库补水运用,小浪底水库蓄水至200m的时间比按方案Ⅱ下闸早8天,蓄水至205m的时间早5天。

不利因素:不能完全避开黄河下游9月下旬和10月上中旬的农业用水高峰期,对三门峡库区秋作物有一定影响。

(二)方案Ⅱ

有利因素:可基本避开黄河下游9月下旬和10月上中旬的农业用水高峰期。

不利因素:小浪底水库蓄水至要求水位的时间比按方案Ⅰ下闸晚5~8天,对三门峡库区秋作物有一定影响。

(三)方案Ⅲ、Ⅳ、Ⅴ

有利因素:避开了黄河下游灌溉用水高峰,对下游城市供水影响较小,对三门峡库区农作物收成基本没有影响。

不利因素:3号导流洞的下闸时间需视来水情况确定。从小浪底水库的蓄水保证率来看,下闸时间较晚,按时蓄水至要求水位的可能性减小。

第五节　下闸蓄水期间后期洪水风险分析

小浪底水库1999年设计防洪度汛标准为三百年一遇,而黄河中下游9、10月仍属汛期,有发生后期洪水的可能。由于小浪底水库下闸后泄流能力明显降低,需要计算分析后期洪水各工程的滞洪风险,保证小浪底水库下闸蓄水期间工程安全运行,确保防洪安全。

一、实测后期洪水典型

从1949年至今，黄河中上游发生了多次后期洪水，较大的年份有1949、1955、1964、1967、1975、1983年等，其中以1949年最大，陕县最大5日洪量有37.16亿m^3，最大12日洪量有72.22亿m^3，最大30日洪量有151.55亿m^3。本次选用洪水较大，且实测资料较全的1964年和1975年两次洪水作为典型洪水进行计算分析。

1964年洪水过程为多峰型，潼关站洪峰流量为7 050m^3/s，出现时间为9月13日16时，实测5日洪量26.38亿m^3、12日洪量55.67亿m^3；花园口站洪峰流量为8 130m^3/s，发生于9月14日16时，实测5日洪量28.91亿m^3、12日洪量63.05亿m^3。三门峡、花园口5 000m^3/s以上洪水从9月13日开始至10月22日结束，历时40天，其间有3次涨水过程。其中，渭河华县站5日洪量13.19亿m^3、12日洪量20.93亿m^3，分别占三门峡入库潼关站5日洪量、12日洪量的50%、37.6%。

1975年洪水过程为单峰型，潼关站洪峰流量为5 910m^3/s，发生于10月4日11时，实测5日洪量23.19亿m^3、12日洪量46.09亿m^3；花园口站洪峰流量为7 580m^3/s，发生于10月2日8时，实测5日洪量29.85亿m^3、12日洪量58.42亿m^3。三门峡、花园口5 000m^3/s以上洪水从9月30日至10月6日，历时约7天。其中，渭河华县站5日洪量15.26亿m^3、12日洪量25.13亿m^3，分别占三门峡入库潼关站5日洪量、12日洪量的65.8%、54.5%。

二、水库调度方案

（一）三门峡水库调度方案

根据分析计算，三门峡水库按现状防洪运用方式运行，小浪底水库没有下闸时，三百年一遇后期洪水小浪底最高滞洪水位为200.58m。根据小浪底工程目前施工情况，可以满足本身防洪要求。但后期洪水较大时，无法按时下闸。为了使小浪底尽量提前下闸蓄水，三门峡水库总的调度方案为：在现状防洪运用的基础上，当小浪底坝前水位退落到170m以下、三门峡入库流量小于4 000m^3/s且逐渐减少时，开始控制运用。首先，控制小浪底入库流量不大于2 000m^3/s，以保证小浪底2号导流洞下闸期间坝前水位不高于156m；其次，在3号导流洞下闸期间，控制小浪底入库流量不大于1 000m^3/s，同样保证小浪底坝前水位不高于156m；最后，待小浪底2号、3号导流洞下闸后，控制小浪底坝前水位不高于175m，以保证启闭机安全撤离，其后控制出库流量不大于5 000m^3/s（不至于使三门峡库区水位降落太快）。

考虑到最不利的情况，即小浪底下闸前，黄河来水一直很小，在小浪底下闸后发生了较大的后期洪水，由于小浪底泄洪规模较小，为了小浪底大坝安全，需要三门峡水库临时控制。三门峡水库的调度方案为：待小浪底水库滞洪达到某水位后，三门峡水库开始控制运用，控制出库流量不大于某流量（此流量与小浪底水库的允许滞洪水位及三门峡开始控制运用时间密切相关）。

（二）小浪底水库调度方案

小浪底水库1999年处于施工导流期，若提前下闸蓄水，泄流能力将大大降低。当发生后期洪水时,为尽快减小洪水对小浪底工程的压力,小浪底水库按敞泄滞洪运用。

三、小浪底水库提前下闸蓄水的滞洪情况

按上述后期洪水典型,推求三门峡水库设计入库洪水过程,根据拟定的三门峡、小浪底两水库调度方案,对小浪底水库下闸蓄水的滞洪情况进行分析计算,求得三门峡水库控制与否各频率后期洪水三门峡与小浪底两水库的滞洪情况,见表 10-5-1、表 10-5-2。小浪底下闸后发生较大后期洪水两水库的滞洪情况见表 10-5-3。

表 10-5-1　1999 年发生后期洪水三门峡水库不控制两水库滞洪水位　(单位:m)

洪水等级	1964 年典型		1975 年典型	
	三门峡	小浪底	三门峡	小浪底
P=5%	307.60	179.30	308.56	180.82
P=1%	313.47	193.47	314.94	195.55
P=0.33%	317.82	199.94	318.89	200.58

注:10 月份小浪底坝前均高于 156m,无法下闸。

表 10-5-2　1999 年发生后期洪水三门峡水库控制两水库滞洪水位　(单位:m)

洪水等级	1964 年典型			1975 年典型		
	三门峡	小浪底	小浪底下闸时间	三门峡	小浪底	小浪底下闸时间
P=5%	318.49	200.94	10 月 2～7 日	316.62	202.59	10 月 10～15 日
P=1%	322.43	210.83	10 月 2～7 日	322.06	212.51	10 月 12～17 日
P=0.33%	324.42	219.11	10 月 2～7 日	324.36	216.44	10 月 14～19 日

(一)小浪底水库的防洪能力

从表 10-5-1 可以看出,当发生 20 年一遇以上后期洪水时,若三门峡水库不控制,小浪底水库最低水位高于 156m,无法按时下闸。但由于此时小浪底水库有两条导流洞参加泄流,结合目前小浪底工程施工情况,小浪底水库本身可防御三百年一遇设计标准的后期洪水。

从表 10-5-2 同样可以看出,在后期洪水退落过程中,小浪底水库在三门峡水库控制情况下下闸蓄水,水库最高蓄水位不足 220m。

从表 10-5-3 可以看出,当小浪底下闸且蓄水位达到一定高度时,发生了后期洪水,小浪底最高滞洪水位将超过 230m,但考虑到 1999 年 9 月底小浪底大坝将达到 235m 以上,因此小浪底水库本身也具有防御三百年一遇后期洪水的能力。

(二)三门峡水库滞洪情况分析

1. 小浪底水库下闸期

从表 10-5-2 可知,为了尽量提前小浪底下闸蓄水时间,当发生三百年一遇以下后期洪水时,三门峡水库控制运用后蓄水位在 324.42m 以下,对库区影响不大。

表 10-5-3 小浪底下闸后(10 月 1 日下闸)发生较大后期洪水三门峡与小浪底两水库滞洪情况 (单位:水位,m;泄量,m^3/s)

<table>
<tr><th colspan="2" rowspan="3">方案</th><th rowspan="3">洪水等级 P</th><th colspan="4">1975 年典型</th></tr>
<tr><th rowspan="2">三门峡水位</th><th rowspan="2">小浪底水位</th><th colspan="2">三门峡控制运用方式</th></tr>
<tr><th>控制时机(小浪底水位)</th><th>最大泄量</th></tr>
<tr><td rowspan="9">小浪底起始调洪水位185m</td><td rowspan="3">三门峡不控制</td><td>5%</td><td>308.56</td><td>214.00</td><td rowspan="3"></td><td rowspan="3"></td></tr>
<tr><td>1%</td><td>314.94</td><td>225.32</td></tr>
<tr><td>0.33%</td><td>318.89</td><td>232.13</td></tr>
<tr><td rowspan="3">小浪底允许滞洪水位 225m</td><td>5%</td><td>308.56</td><td>214.00</td><td rowspan="3">220</td><td rowspan="3">4 252</td></tr>
<tr><td>1%</td><td>316.87</td><td>223.18</td></tr>
<tr><td>0.33%</td><td>323.34</td><td>225.00</td></tr>
<tr><td rowspan="3">小浪底允许滞洪水位 230m</td><td>5%</td><td>308.56</td><td>214.00</td><td rowspan="3">225</td><td rowspan="3">5 030</td></tr>
<tr><td>1%</td><td>314.94</td><td>225.32</td></tr>
<tr><td>0.33%</td><td>320.19</td><td>230.00</td></tr>
<tr><td rowspan="9">小浪底起始调洪水位195m</td><td rowspan="3">三门峡不控制</td><td>5%</td><td>308.56</td><td>216.68</td><td rowspan="3"></td><td rowspan="3"></td></tr>
<tr><td>1%</td><td>314.94</td><td>228.75</td></tr>
<tr><td>0.33%</td><td>318.89</td><td>234.15</td></tr>
<tr><td rowspan="3">小浪底允许滞洪水位 225m</td><td>5%</td><td>308.56</td><td>216.68</td><td rowspan="3">220</td><td rowspan="3">4 264</td></tr>
<tr><td>1%</td><td>320.12</td><td>223.90</td></tr>
<tr><td>0.33%</td><td>325.08</td><td>225.00</td></tr>
<tr><td rowspan="3">小浪底允许滞洪水位 230m</td><td>5%</td><td>308.56</td><td>216.68</td><td rowspan="3">225</td><td rowspan="3">4 585</td></tr>
<tr><td>1%</td><td>314.94</td><td>226.80</td></tr>
<tr><td>0.33%</td><td>322.16</td><td>230.00</td></tr>
</table>

2. 小浪底水库蓄水期

从表 10-5-3 可知,若小浪底水库下闸后发生后期洪水,而其允许滞洪水位为 225m(或 230m)的条件下,为满足设计标准要求,则需要三门峡水库控制运用。三门峡水库控制运用后蓄洪水位不超过 325.08m,对三门峡库区影响也不大。

(三)综合分析

由以上分析可知,小浪底水库于 10 月初下闸时,水库可以防御三百年一遇的后期洪水。但对于 1975 年型后期洪水,若三门峡水库控制运用,控制运用后三百年一遇后期洪水的蓄洪水位在 325m 以下,属主汛期三门峡水库正常运用情况,对三门峡库区影响不大。

第六节　结论及建议

(1)在小浪底水库下闸蓄水期间,为了尽量减小下游断流和用水影响,保证小浪底工程的施工安全,并考虑到合同规定的下闸时间为 11 月 1 日,蓄水至最低发电水位 205m 的时间为 2000 年 1 月 1 日,认为方案Ⅳ最主动。因此,建议采用方案Ⅳ。

(2)建议小浪底水库 2 号导流洞 10 月 5 日下闸,3 号导流洞的下闸时间视来水情况确定。龙羊峡、刘家峡两水库从 9 月 16 日～10 月 15 日按每天增泄流量 $300m^3/s$ 运用(三门峡入库 $200m^3/s$ 考虑);万家寨水库在小浪底 3 号导流洞下闸前 5 天开始连续 5 天逐步从库水位 970m 降至 965m,按每天增泄 $250m^3/s$ 考虑;三门峡水库 10 月 11 日开始提前蓄水,逐步蓄水到 318m 运用;小浪底水库在库水位 175m 以上排沙洞即投入运用。

(3)小浪底水库下闸蓄水期间发生后期洪水,三门峡水库控制运用后蓄洪水位低于 326m,对三门峡库区影响也不大。

(4)龙羊峡、刘家峡和万家寨水库补水涉及面广、影响大,需请国家防总及早做好协调工作并通知宁夏、内蒙古控制引水。

(5)三门峡水库要在小浪底 3 号导流洞下闸前预蓄水至 318m,需提前到 10 月 11 日开始蓄水,亦请国家防总向陕西、山西、河南三省通报,争取支持。

(6)小浪底水库下闸蓄水期间,下游将出现断流,由黄河防总通报下游两省做好节约用水和提前预蓄水工作,尽量减小因小浪底水库下闸蓄水带来的影响。

(7)鉴于目前科学技术水平的限制,还难以准确预报中期来水,黄河防总应加强来水的滚动预报,密切关注渭河流域来水情况,并加强水量实时调度工作,以确保小浪底水库顺利实施下闸蓄水。

第七节　实施调度结果

小浪底水库下闸蓄水按照推荐的方案Ⅳ实施调度,1999 年 10 月 5 日 10 时,小浪底 2 号导流洞开始下闸,10 时 13 分结束,随即开始拆除启闭机。启闭机拆除期间三门峡水库出库流量1 $000m^3/s$ 左右,满足该期间小浪底入库流量不大于2 $500m^3/s$的要求。10 月 10 日起,三门峡水库按日平均流量 $300m^3/s$ 左右控泄蓄水,10 月 22 日三门峡水库蓄水至 318m,小浪底 3 号导流洞具备下闸条件。同时,万家寨水库 10 月 21～26 日按日平均流量 $800m^3/s$ 下泄,对 3 号导流洞 10 月 25 日下闸进行补水。

1999 年 10 月 25 日 10 时 5 分,小浪底 3 号导流洞开始下闸,10 时 15 分闸门完全闭合,水库开始蓄水。小浪底大坝下游于当日 16 时断流,三门峡水库 10 月 24 日 18 时至 25 日 4 时按 $800m^3/s$ 下泄,使小浪底水库坝前水位在 3 号导流洞下闸时接近 156m,25 日 4 时以后按日平均流量1 $300m^3/s$下泄,小浪底水库迅速蓄水,10 月 28 日 18 时 20 分恢复过流,断流历时 74 小时 20 分。10 月 29 日 8 时,小浪底水库泄流量恢复到 $185m^3/s$,库水位达到 178.08m,相应蓄水量 5.0 亿 m^3。10 月 29 日 12 时起,三门峡水库按日平均流量 $400m^3/s$ 左右下泄,11 月 15 日 8 时,小浪底水库坝前水位达到 190.3m。12 月 10 日 8

时,小浪底水库坝前水位达到 200.48m;12 月 15 日 8 时,小浪底水库坝前水位达到 205.01m,相应蓄水量 17.3 亿 m^3,达到发电要求水位,小浪底水库下闸蓄水调度工作圆满结束。

小浪底水库下闸蓄水期间,刘家峡水库自 9 月 20 日至 10 月 15 日加大泄量,按日平均流量 850m^3/s 下泄。万家寨水库为小浪底水库补水 2.0 亿 m^3;三门峡水库最高蓄水位 318.22m,在小浪底水库下闸蓄水期间加大泄量1 300m^3/s进行补水。在小浪底水库 2 号、3 号导流洞下闸期间,小浪底坝前水位均在 156m 以下;在闸门和启闭机安装与拆除期间,小浪底坝前水位均低于 175m;小浪底大坝下游断流历时 74 小时 20 分,12 月 15 日坝前达到 205m 发电要求水位;各项指标均在预定的控制范围内。

在小浪底水库下闸蓄水期间,由于进行了合理的实时水量调度,花园口水文站以下黄河下游河道未出现断流,城市生活用水及下游工农业用水基本没有受到大的影响。小浪底水库如期蓄水至发电试验水位,为小浪底水库按时发电和 2000 年的安全度汛打下了坚实的基础。

第十一章 小浪底水库防洪作用研究

第一节 黄河下游防洪工程布局及小浪底水库的防洪任务

一、黄河下游防洪工程布局

目前,黄河下游堤防工程是按照防御花园口22 000m³/s洪水设防。花园口至艾山河段,考虑河道槽蓄影响,设防流量沿程减小,高村为20 000m³/s,孙口为17 500m³/s。艾山以下河道缩窄,设防流量为11 000m³/s,考虑平阴、长清山区小支流汇入可能加水的情况,艾山排洪一般控制不超过10 000m³/s。当孙口流量超过10 000m³/s时,启用东平湖滞洪区分洪。控制艾山下泄流量不超过10 000m³/s。

已建调蓄滞洪工程主要有 5 个:黄河干流三门峡水库、支流伊河陆浑和洛河故县水库,以及下游两岸平原地区的东平湖滞洪区和北金堤滞洪区。

三门峡水库汛期运用水位 305m,移民水位 335m,坝顶高程 353m。为了长期保持水库拦蓄大洪水的库容,一般洪水时水库不蓄洪,以避免拦沙淤积损失库容。在小浪底水库建成前,三门峡水库的防洪运用方式分别考虑两种洪水情况。

(1)当洪水主要来自三门峡水库以上地区时(简称"上大洪水"),水库敞泄滞洪运用,减轻水库蓄洪负担。水库蓄洪水位达到本次洪水最高水位(出库流量等于入库流量)后,为避免一部分洪水既淹没库区又淹没下游分滞洪区,水库保持此蓄洪水位,按入库流量泄洪。待花园口洪水退落至10 000m³/s以下时,水库按控制花园口10 000m³/s运用,逐渐降低水位,直至泄空。上述运用方式简称为"先敞后控"。

(2)当洪水主要来自三门峡至花园口区间时(简称"下大洪水"),三门峡水库按照以下方式控制运用:预报花园口洪水流量达12 000m³/s(有效预见期按 8h 考虑)且有上涨趋势时,关闭部分泄洪孔(相当于关闭增建部分泄洪孔的泄量,关闸历时 8h);预报花园口洪水流量达到22 000m³/s并有上涨趋势时,关闭水库的全部泄洪孔口(关闸历时 4h),只下泄1 000m³/s 发电流量。待花园口洪水退落到10 000m³/s以下时,按控制花园口10 000m³/s泄流,直至泄空已蓄洪量(干支流水库联合运用的水库泄空顺序为:先陆浑、故县两水库,后三门峡水库)。

对于花园口22 000m³/s以上洪水,由于水情预报时间短,水库至花园口的洪水传播时间长(一般为 20h),即当预报花园口洪水流量达22 000m³/s时水库再控制运用,不能控制峰前下泄的洪量和组成洪峰的部分洪量。

陆浑水库及故县水库,设计蓄洪水位分别为 323m 及 548m,蓄洪库容分别为 2.5 亿m³ 及 5.0 亿 m³,削减黄河洪水的作用相对较小。两水库的防洪运用方式基本相同,具体为：一般洪水控制泄流不超过1 000m^3/s；预报花园口流量达12 000m^3/s且有上涨趋势时，关闭全部泄洪设施；当水库水位达设计蓄洪水位，按照入库流量大小确定泄洪方式，入库流量小于设计蓄洪水位相应泄洪能力时，按入库流量泄洪，否则按敞泄滞洪运用，当滞洪水位回降到设计蓄洪水位后再按入库流量泄洪，以确保大坝安全。待花园口洪水退落到10 000m^3/s以下时，陆浑、故县两水库相继按控制花园口10 000m^3/s泄洪。

东平湖滞洪区是调蓄黄河洪水及支流汶河洪水的重要工程措施。滞洪区围堤顶高程48.5m，目前规定的蓄洪水位为44.5m，相应库容30.5亿m^3，扣除底水4亿m^{3}以及汶河来水9亿m^3，滞蓄黄河洪水的库容约17.5亿m^3。分洪闸设计分洪流量10 000m^3/s，目前实际分洪流量约7 500m^3/s。当孙口流量超过10 000m^3/s时，东平湖滞洪区开始分洪，控制艾山下泄流量不超过10 000m^3/s。

花园口22 000m^3/s以下洪水，依靠河道排洪及东平湖分洪可以处理；遇花园口22 000～30 000m^3/s洪水，除陆浑、故县两水库及东平湖滞洪区投入运用外，三门峡水库和北金堤滞洪区也要投入运用。运用北金堤滞洪区，不仅淹没影响125万人的生活和中原油田的生产建设，而且在高村以上河道流量也超过了设防标准，下游防洪安全难以保证。因此，增建小浪底水库，进一步控制和削减洪水，是完善下游防洪工程体系、解决黄河水患问题的重大措施。

二、小浪底水库的防洪任务

小浪底水库是黄河下游防洪工程体系的重要骨干工程，水库的防洪任务在设计任务书中明确规定为："要求小浪底工程与已建的三门峡、陆浑和在建的故县水库(现已建成)联合运用，并利用东平湖分洪，使黄河下游防洪标准在一定时期内提高到千年一遇；使千年一遇以下的洪水不再使用北金堤滞洪区，减少巨大的淹没损失，满足中原油田防洪要求；对常遇洪水也能减轻防汛负担。"

小浪底水库虽然只控制三门峡至花园口区间流域面积的14%，但由于水库可以长期保持较大的有效库容，不仅可以拦蓄三门峡至小浪底区间的洪水，而且能补足三门峡水库的不足，拦蓄三门峡以上的部分来水，因此具有较大的削减洪水能力。从对已经发生的洪水组成分析可以看出，小浪底以上来水占花园口洪量的49%以上，加上陆浑、故县支流水库，黄河下游的洪水即可在较大程度上得到控制。从三花间洪水的产流及汇流条件来看，较大洪水主要由伊洛河及三小间同时发生暴雨造成，且沁河来水受其下游河道泄流能力限制(当前入黄河流量不超过4 000m^3/s，超过4 000m^3/s时自然分溢进入沁南滞洪区)。对已有的较大洪水来源组成资料统计，三小间来水占三花间5日洪量的21%～25%。如果三门峡水库下泄流量1 000m^3/s，在三花间9 000m^3/s以上洪量中，三小间占30%～60%。小浪底水库建成后，小浪底、陆浑、故县至花园口区间(简称无控制区)洪水来量占花园口12日洪量的37%以下；根据50多年实测资料统计，无控制区产生的最大洪峰流量只有8 000m^3/s(1958年花园口断面)，千年一遇洪峰流量为20 100m^3/s。因此，小浪底水库与现有干、支流水库联合运用，可以控制黄河下游千年一遇洪水不超过22 000m^3/s，而不使用北金堤滞洪区。设计任务书所提出的水库防洪要求是能够达到的。

第二节 小浪底水库投入运用后的干、支流水库联合防洪运用方式

小浪底水库最高蓄水位 275m，原始库容 126.5 亿 m^3，由于泥沙淤积影响，有效库容随运用时间而变化。水库运用分初期运用和后期运用两个时期，初期运用为水库拦沙和调水调沙运用；后期运用为水库正常期运用，进行"蓄清排浑"和调水调沙运用，保持有效库容 51 亿 m^3，其中 41 亿 m^3 滩库容供防洪和兴利调节运用，10 亿 m^3 槽库容供调水调沙运用，长期发挥综合利用效益。经分析研究，水库采取逐步抬高主汛期水位拦沙和调水调沙运用方式，水库运用第 10 年的防洪库容为 60.6 亿 m^3，以此库容计算初期防洪效益；后期运用防洪库容为 40.5 亿 m^3，以此计算正常运用期防洪效益。现就上述两个时期的干、支流水库联合防洪运用方式论述如下。

一、小浪底水库正常运用期的干、支流水库联合防洪运用方式

（一）防洪运用原则

在下游防洪工程体系中，应充分发挥小浪底水库的优势，尽量利用小浪底水库拦洪，适当减轻东平湖滞洪区和三门峡水库的拦洪淹没损失和泥沙淤积影响。洪水退落后，最后泄空小浪底水库，减轻洪水对其他蓄洪工程的压力。

三门峡水库由于蓄洪运用时库区淤积量大且影响严重，因此调洪原则为：既要减轻库区蓄洪淤积，也要避免部分洪水先淹没三门峡库区、又相继淹没下游分滞洪区。

支流陆浑水库和故县水库，由于其防洪库容较小，应着重削减花园口洪峰流量和拦蓄主峰洪水。

（二）防洪运用控制条件

1. 小浪底水库开始防洪运用控制条件

按照黄河下游防洪要求，为了减少东平湖滞洪区运用机遇，小浪底水库需控制花园口洪水流量不超过10 000m^3/s，即当预报花园口洪水流量超过10 000m^3/s时，按与小花区间来洪流量的大小控制花园口10 000m^3/s泄洪。

同时，鉴于黄河下游滩区行洪将淹没影响 130 万人，损失较大，为了减少漫滩洪水的出现机遇，小浪底水库应适当保滩运用；对黄河下游河槽行洪能力统计分析表明，在小浪底水库建成运用前，黄河下游大部分河槽过洪能力约4 000m^3/s，小浪底水库初期拦沙运用，随着黄河下游河槽发生冲刷下切和塌滩展宽，河槽行洪能力逐步提高。据此情况，为了比较，拟定了控制花园口流量6 000m^3/s 及8 000m^3/s 的保滩方案，即预报花园口洪水流量达6 000m^3/s(5 年一遇保滩库容 13.9 亿 m^3)或8 000m^3/s(5 年一遇保滩库容 7.9 亿 m^3)，水库分别按控制花园口6 000m^3/s 和8 000m^3/s 泄洪；当洪水超过 5 年一遇标准后，改按控制花园口10 000m^3/s泄洪，然后按洪水大小再确定运用方案。按照控制花园口不同流量开始防洪运用，要求小浪底水库防洪库容见表 11-2-1。

小浪底水库如按预报花园口流量为6 000m^3/s 开始控制运用，设计蓄洪量达 41.3 亿 m^3，超过水库的允许蓄洪量 40.5 亿 m^3，同时，应充分发挥下游河道的排洪排沙能力，按

6 000m³/s 控制运用也不妥当。因此,不宜选用作为设计依据。

表 11-2-1　　按花园口不同流量控制运用小浪底水库所需防洪库容

洪水组成	洪水典型	洪水等级	小浪底水库防洪库容(亿 m³)		
			按控制花园口 10 000m³/s起调	分级控制水库泄量	
				按控制花园口 8 000m³/s 起调	按控制花园口 6 000m³/s 起调
三小间、三花间与花园口为同频率洪水	1958 年型	千年一遇	35.32	38.17	41.30
		万年一遇	38.06	40.50	44.03
三门峡、小浪底与花园口为同频率洪水	1933 年型	千年一遇	18.14	20.80	27.04
		万年一遇	28.63	30.88	35.62

注:三门峡水库运用方式:"下大洪水"按百年一遇以上洪水开始控制泄量;"上大洪水"按"先敞后控"方式运用。

按照预报花园口流量为8 000m³/s 开始控制运用方案,比按花园口流量为10 000m³/s 开始控制运用方案增加蓄洪量不到 3 亿 m³,即小浪底水库千年一遇蓄洪量为 38.17 亿 m³,万年一遇蓄洪量为 40.5 亿 m³,水库设计防洪库容 40.5 亿 m³ 能满足要求。同时,考虑到小浪底水库运用后黄河下游的河槽排洪能力将有较大提高,可以充分发挥河道排洪排沙的能力,并有适当的洪水淤滩刷槽作用。因此,选用作为拟定防洪库容的依据。

2.小浪底水库与东平湖滞洪区联合运用控制条件

发生"下大洪水"时小花间来洪比较大,在小浪底两水库还余留较大蓄洪库容时,东平湖滞洪区分洪运用,即它们的控制运用条件互不牵连。"上大洪水"主要来源于三门峡以上,若三门峡、小浪底两水库防洪库容足够(万年一遇约需 108 亿 m³),完全可以避免下游滞洪区分洪,实际上这两库防洪库容约 95 亿 m³,不能满足要求。为此,经研究,确定小浪底水库蓄洪量达 20 亿 m³(洪水达三门峡百年一遇洪水标准),利用东平湖滞洪区蓄洪,即当小浪底水库蓄洪量达 20 亿 m³ 后,水库改按泄洪能力或入库流量泄洪。当东平湖蓄满后(花园口10 000m³/s以上洪量达约 20 亿 m³),再用小浪底水库拦洪。

3.小浪底水库与三门峡水库联合运用控制条件

为了减少三门峡水库拦蓄洪水运用机遇,减轻三门峡库区淹没和淤积影响,小浪底水库投入运用后要减轻三门峡水库防洪运用负担。首先用小浪底水库控制干流洪水,从黄河下游洪水组成特性来看,由于三门峡水库现状泄流规模所限,小浪底水库无法改变"上大洪水"时三门峡水库最高蓄水位受泄流规模控制的蓄洪情况。所以,对三门峡水库"先敞后控"的现状防洪运用方案可以维持不变。对"下大洪水",两库联合控制条件拟定了以下两个方案:

(1)当花园口洪水小于 1958 年实测洪水时,由小浪底水库单独承担防洪任务,三门峡水库敞泄不拦洪。当小浪底水库蓄洪量达 18.6 亿 m³(花园口洪水大于 1958 年实测洪水),三门峡水库即开始控制运用,按下游防洪小浪底要求的泄流量控制泄洪,即由小浪底水库全部拦蓄三小间洪水,三门峡水库按照下游防洪要求拦蓄三门峡以上的部分来水。

(2)当花园口洪水小于百年一遇洪水时,由小浪底单独承担防洪任务;花园口洪水大于百年一遇洪水时(小浪底水库蓄洪量达 26.1 亿 m^3),三门峡水库才开始配合小浪底水库防洪运用,配合方式同上。

上述两种运用方案,三门峡、小浪底两水库防洪库容变化见表 11-2-2。

表 11-2-2 三门峡、小浪底两水库不同联合防洪运用方案防洪库容分配情况(下大洪水)

三门峡水库控制运用条件		千年一遇洪水的防洪库容(亿 m^3)			万年一遇洪水的防洪库容(亿 m^3)		
		三门峡	小浪底	合计	三门峡	小浪底	合计
花园口洪水	大于 1958 年实测洪水控制	21.0	32.09	53.09	30.00	40.50	70.50
	大于百年一遇洪水控制	14.90	38.17	53.07	30.00	40.50	70.50

注:1. 洪水组成:花园口、三花间和三小间为同频率洪水。

2. 洪水典型:1958 年型。

3. 小浪底水库按预报花园口8 000m^3/s 开始控泄,分级控制运用。

表 11-2-2 说明,三门峡、小浪底两水库两种不同联合防洪运用方式,总的防洪库容是相同的,只是两库各自的蓄洪量不同。花园口洪水大于百年一遇,三门峡水库开始控制运用,小浪底水库设计防洪库容尚略有富余,而且三门峡水库可以相对减少蓄洪量。权衡影响,选定“下大洪水”时的两库联合防洪运用控制条件为:花园口洪水大于百年一遇,即小浪底水库蓄洪量达 26.1 亿 m^3,三门峡水库开始投入控制运用,以此作为小浪底工程的设计依据。

4. 支流陆浑、故县两水库开始控制运用条件

由于支流陆浑、故县两水库位于小浪底水库以下,仍维持原设计防洪运用条件。

(三)干、支流水库联合防洪运用方式

根据上述运用原则和控制条件,拟定小浪底正常运用期干、支流水库联合防洪运用方式如下。

1. 小浪底水库防洪运用方式

预报花园口洪水流量小于8 000m^3/s,按入库流量泄洪;预报花园口洪水流量大于8 000m^3/s,且含沙量小于 50 kg/m^3,小花间来洪流量小于7 000m^3/s 时,按控制花园口8 000m^3/s 泄洪。此后,须根据小花间来洪流量的大小与水库蓄洪量的多少确定不同的泄洪方式。

对于以三门峡以上来洪为主的“上大洪水”,小花间来洪甚小,一般不超过7 000m^3/s,水库在控制花园口8 000m^3/s 运用过程中,当蓄洪量达到 7.9 亿 m^3 时,反映该次洪水已超过了 5 年一遇洪水(设计拟定的下游保滩标准),即改为按控制花园口10 000m^3/s运用,如入库流量小于控制花园口10 000m^3/s的允许泄量,则不降低水库蓄洪水位,按入库流量泄洪。当水库蓄洪量达 20 亿 m^3,而且还在继续上涨时,反映洪水已超过三门峡和花园口百年一遇洪水。为了保留足够的库容控制特大洪水,需要控制水库的蓄洪水位不再升高,相应增大泄洪流量,允许花园口流量超过10 000m^3/s,下游东平湖滞洪区配合分洪。此时,如果入库流量小于水库泄流能力,按入库流量泄流;如果入库流量大于水库泄流能力,

按敞泄滞洪运用。当预报花园口10 000m^3/s以上洪量将达20亿m^3时，说明已用完东平湖滞洪区可分黄河洪量17.5亿m^3的分洪库容，小浪底水库须恢复按控制花园口10 000m^3/s泄洪，继续蓄洪。当预报花园口洪水流量小于10 000m^3/s时，仍按控制花园口10 000m^3/s泄流，直至泄空蓄水。

对于以三花间来洪为主的"下大洪水"，由于小花间来洪较大，水库在按控制花园口8 000m^3/s运用过程中，在水库蓄洪量还未达到7.9亿m^3时，若小花区间来洪流量已达到7 000m^3/s，且有增大趋势，此时，小浪底水库按下泄发电流量1 000m^3/s控制运用；在水库蓄洪量达7.9亿m^3后，开始按控制花园口10 000m^3/s泄洪，但在控制过程中，水库下泄流量不小于发电流量1 000m^3/s。

2.三门峡水库防洪运用方式

对于"上大洪水"，仍按"先敞后控"方式运用。

对于"下大洪水"，当小浪底水库蓄洪量未达到花园口百年一遇洪水蓄洪量26.1亿m^3时，三门峡水库按敞泄运用；在小浪底水库蓄洪量达26.1亿m^3后，按小浪底水库泄流量控泄。

3.陆浑、故县两水库防洪运用方式

小浪底水库投入运用后，支流陆浑、故县两水库仍按原设计防洪运用方式调洪。

在上述水库运用过程中，当预报花园口洪水流量退落到10 000m^3/s以下时，干、支流水库泄空的次序是陆浑→故县→三门峡→小浪底，依次按控制花园口10 000m^3/s泄空已蓄洪量。

二、小浪底水库初期运用的干、支流水库联合防洪运用方式

小浪底水库初期拦沙运用阶段，库容比较大，但随着水库拦沙淤积的发展，库容逐渐减小，直至水库拦沙运用完成，进入正常运用期保持51亿m^3有效库容，其中40.5亿m^3库容可供防洪运用。如前所述，经分析研究，采用水库运用第10年的防洪库容60.6亿m^3作为代表，来计算水库初期运用防洪效益。为了发挥小浪底水库初期运用库容的防洪作用，需要研究适当调整水库的联合防洪控制运用条件。

（一）小浪底水库开始运用控制条件

如前所述，小浪底水库正常运用时期，水库开始按5年一遇洪水相机保滩运用，比较了保滩流量6 000m^3/s（以下简称方案1）和8 000m^3/s（以下简称方案2）两个方案。由于按方案1运用，设计蓄洪量超过了允许蓄洪量40.5亿m^3，故选择了方案2。但在水库运用初期，水库防洪库容比正常运用时期多20.1亿m^3，即比按方案1所需的设计防洪库容41.3亿m^3多19.3亿m^3。因此，在水库初期运用时期选择了6 000m^3/s的保滩方案。

由于在5年一遇标准下按花园口6 000m^3/s保滩，总需设计防洪库容比水库初期运用允许蓄洪量还少19.3亿m^3，余地较大，还可以适当提高保滩洪水的标准。对小花间洪水特性和下游河道滞洪削峰作用综合分析可知，当小花间洪水超过10年一遇时，大部分区段过洪流量超过平滩流量6 000m^3/s（10年一遇洪水有40%河段超过），即使小浪底水库全部控制坝址以上相应来水，也不能满足保滩要求。因此，选用10年一遇洪水标准作为小浪底水库初期运用的一个保滩方案，参与比较选择。对于这个方案，从小浪底水库来

讲,由蓄洪量 7.9 亿 m^3 增加到 19.2 亿 m^3,增加了 11.3 亿 m^3,仍小于水库初期防洪运用增加的库容 20.1 亿 m^3,故可行;从水库设计蓄洪量来看,调节计算表明,对于“下大洪水”,千年一遇蓄洪量 41.30 亿 m^3 与水库初期运用允许防洪库容 60.6 亿 m^3 相差 19.3 亿 m^3,原因是发生千年一遇“下大洪水”时,在水库为下游保滩运用中当蓄洪量尚未达到 7.9 亿 m^3 时,而小花间洪水流量已超过9 000m^3/s,此时水库已改按不保滩运用。需要指出的是,小浪底水库初期拦沙运用,黄河下游河槽逐渐冲刷下切,在河南河段平滩流量要逐渐消失,在水库运用 10 年时,平滩流量有所增加,将使下游保滩条件更好,可提高保滩效果。

综合上述原因,小浪底水库初期运用,开始防洪运用控制条件选为按预报花园口 6 000m^3/s 保滩运用,保滩标准为 10 年一遇,保滩库容 19.2 亿 m^3。

(二)小浪底水库与东平湖滞洪区联合运用控制条件

在小浪底水库初期运用阶段,库容比较大,平均以水库运用 10 年时为代表,防洪库容有 60.6 亿 m^3,比水库正常运用期设计防洪库容 40.5 亿 m^3 增加了 20.1 亿 m^3,与三门峡水库配合,可以控制全部“上大洪水”,即在小浪底水库初期运用阶段,对“上大洪水”不必使用东平湖滞洪区。

(三)小浪底水库与三门峡水库联合运用控制条件

对于千年一遇“下大洪水”,拦蓄小浪底以上形成花园口的全部超标准洪水,三门峡水库和小浪底水库总蓄洪量为 53.12 亿 m^3,小于小浪底水库初期运用防洪库容 60.6 亿 m^3,因此在小浪底水库初期运用阶段,对千年一遇“下大洪水”不用三门峡水库。控制条件为,在小浪底水库蓄洪量未达 53.12 亿 m^3 前,三门峡水库按敞泄滞洪运用;否则,三门峡水库按小浪底水库出库流量泄洪,此时,三门峡水库拦蓄其以上洪水,小浪底水库拦蓄三小间洪水。

综上所述,在小浪底水库初期运用阶段,其防洪库容较大,所以要发挥其初期运用的更大防洪作用。

第三节　小浪底水库防洪计算

一、设计标准和主要依据

(一)工程设计标准

按照小浪底水利枢纽的工程规模及其重要性,根据《水利水电枢纽工程等级划分和设计标准》(SDJ12—78)及其补充规定,小浪底水利枢纽属Ⅰ等工程,工程规模为大(1)型,主要永久建筑物为 1 级。永久主体工程按千年一遇洪水设计、可能最大洪水(与万年一遇洪水相同)校核。

(二)设计洪水

设计洪水的峰、量采用经水电部规划总院审定分析成果(详见第三章),主要成果数据见表 3-3-5～表 3-3-8。

二、小浪底水库调洪库容计算

在小浪底水库初期运用阶段，库容随泥沙淤积而逐年变化，但库容比较大，对大坝安全来讲，计算此时期防洪库容意义不大，因此仅分析水库正常运用时期的防洪库容。

根据对不同典型和不同组合的洪水调洪计算结果分析，小浪底水库需要的最大调洪库容，由花园口、三花间和三小间同频率洪水控制（洪水地区来源的比例接近1958年洪水情况），千年一遇设计洪水的调洪库容为38.2亿m^3；万年一遇校核洪水的调洪库容为40.5亿m^3。考虑到在死水位230m以上的10亿m^3调水调沙槽库容被多年调沙淤积7亿m^3，还有3亿m^3为调水所用，因此不能供调洪应用。在此情况下，防洪起调水位为254m，千年一遇洪水设计调洪库容38.2亿m^3，相应设计洪水位274m；万年一遇洪水校核调洪库容40.5亿m^3，相应校核洪水位275m，以此作为设计条件。

三、小浪底水库防洪泄流规模拟定

小浪底水库的防洪泄流规模，是由“上大洪水”的排洪要求所控制，应与三门峡泄洪规模基本一致并略大些（有三小间来水）。根据小浪底水库与东平湖滞洪区联合运用的要求，在小浪底水库正常运用时期，小浪底水库蓄洪量达20亿m^3（三门峡和花园口百年一遇洪水相应蓄洪量）时，东平湖投入分洪运用，允许小浪底水库加大泄流量。此时，小浪底水库的蓄洪水位为264.4m（考虑调水调沙库容淤积5亿m^3），相应设计泄洪能力为13 000m^3/s，另加发电流量1 000m^3/s，总泄洪能力为14 000m^3/s。分析三门峡和小浪底两水库联合运用的蓄泄过程，小浪底水库蓄洪量为20亿m^3时，千年一遇洪水，三门峡水库的泄流量为12 410m^3/s，小浪底水库的入库流量为13 360m^3/s，相应最大泄洪流量为13 480m^3/s；万年一遇洪水，三门峡水库的泄流量为14 890m^3/s，小浪底水库的入库流量为15 070m^3/s，相应最大泄洪流量为13 990m^3/s。“下大洪水”因是三花间大洪水，要控制花园口10 000m^3/s运用，在一般情况下，小浪底水库的泄洪流量均小于10 000m^3/s，校核洪水的库水位达275m时（考虑10亿m^3调水调沙槽库容完全不参与调洪），需加大泄量，但控制最大下泄流量只有11 000m^3/s。

对不同等级洪水，经三门峡水库和小浪底水库联合防洪运用调节后，以“上大洪水”的水库泄洪规模大，其最大泄洪流量归纳见表11-3-1。

表11-3-1　　三门峡和小浪底两水库调节后最大泄洪流量

洪水等级	三门峡和小浪底两水库调节后最大泄洪流量（m^3/s）
50年一遇	9 910
百年一遇	9 860
千年一遇	13 480
万年一遇	13 990

第四节 小浪底水库对下游防洪作用

小浪底水库投入干、支流水库联合防洪运用后，对解决黄河下游防洪问题具有重要作用。

一、小浪底水库正常运用时期对下游的防洪作用

(1)千年一遇洪水，可将花园口洪峰流量削减到22 600m^3/s以下，使下游大堤设防标准由60年一遇提高到近千年一遇；北金堤滞洪区可不使用。

花园口千年一遇洪水的不同来源组成，小浪底水库的防洪作用见表11-4-1。1958年型洪水，小浪底水库最大蓄洪量为34.25亿m^3，可使花园口洪峰流量由三门峡、陆浑和故县三水库(简称三库)作用后的34 420m^3/s削减到18 890m^3/s，小于下游大堤设防流量22 000m^3/s；1982年型洪水，小浪底水库蓄洪量为30.82亿m^3，可使花园口洪峰流量由三库作用后的30 910m^3/s削减到22 600m^3/s，接近下游大堤的设防流量；1954年型洪水，小浪底水库蓄洪量为29.38亿m^3，可使花园口洪峰流量由三库作用后的30 120m^3/s削减到19 630m^3/s，小于下游大堤的设防流量；以三门峡以上来水为主的1933年型洪水，小浪底水库蓄洪量20.95亿m^3，可使花园口洪峰流量由三门峡水库作用后的19 640m^3/s削减到16 990m^3/s；小浪底、陆浑、故县以下至花园口区间发生的千年一遇洪水，小浪底水库投入运用后，也可使花园口洪峰流量由三库作用后的37 140m^3/s削减到21 900m^3/s，也小于下游大堤设防流量。从削减花园口10 000m^3/s以上洪量来看，小浪底水库投入干、支流水库联合运用后，花园口10 000m^3/s以上洪量由三库作用后的38.25亿～24.92亿m^3削减到16.99亿～9.49亿m^3。

总之，对千年一遇洪水，在小浪底水库投入运用后，依靠东平湖滞洪区分洪即可满足要求，北金堤滞洪区可不使用，中原油田的防洪安全得到保证。

(2)百年一遇洪水，可控制花园口洪峰流量不超过15 700m^3/s，孙口洪峰流量不超过13 500m^3/s；如果汶河来水不大，东平湖新湖区可不使用。

花园口百年一遇洪水的不同来源组成，小浪底水库防洪作用见表11-4-2。

小浪底水库最大蓄洪量24.89亿m^3，可使花园口洪峰流量由三库作用后的25 780m^3/s削减到15 700m^3/s；花园口10 000m^3/s以上洪量由三库作用后的17.96亿m^3减少到7.49亿m^3。洪水演进到孙口，10 000m^3/s以上洪量只有3.99亿m^3，如果汶河来水不大，东平湖老湖分洪可满足要求。以三门峡以上来水为主的1933年型洪水，小浪底蓄洪19.79亿m^3，可使花园口洪峰流量由三门峡水库作用后的17 110m^3/s削减到10 940m^3/s；花园口10 000m^3/s以上的洪量由19.45亿m^3减少到2.01亿m^3。洪水演进到孙口，洪峰流量为10 350m^3/s；10 000m^3/s以上洪量为0.93亿m^3，东平湖有可能不投入分洪运用。

(3)花园口22 000m^3/s以下(含22 000m^3/s)的较大洪水，均可削减到10 000m^3/s以

表 11-4-1 花园口千年一遇洪水小浪底水库防洪作用

花园口		水库组合	水库蓄洪量（亿 m^3）				10 000 m^3/s以上洪量（亿 m^3）		滞洪区分洪量（亿 m^3）		下游沿程洪峰流量（m^3/s）			
洪水组成	洪水典型		三门峡	陆浑	故县	小浪底	花园口	孙口	北金堤	东平湖	花园口	高村	孙口	陶城铺
花园口、三花间千年一遇洪水，三门峡水库相应洪水；三花间各站及各间按洪水来水比分配	1954 年型	三门峡+陆浑+故县	34.75	2.43	4.82	—	24.92	20.47	4.74	15.89	30 120	20 000	17 340	10 000
		三门峡+陆浑+故县+小浪底	16.87	2.43	4.82	29.38	13.93	10.03	—	10.03	19 630	17 940	159 70	10 000
	1958 年型	三门峡+陆浑+故县	26.94	2.43	4.82	—	31.54	28.49	12.06	17.09	34 420	20 000	17 360	10 000
		三门峡+陆浑+故县+小浪底	15.58	2.43	4.82	34.25	9.49	7.36	—	7.36	18 890	15 270	13 880	10 000
	1982 年型	三门峡+陆浑+故县	27.10	2.43	4.82	—	31.94	27.13	11.50	15.80	30 910	20 000	17 460	10 000
		三门峡+陆浑+故县+小浪底	11.83	2.43	4.82	30.82	16.99	13.68	—	13.39	22 600	20 300	18 050	10 630
花园口、三花间、小花间和无控制区均千年一遇洪水，三门峡、三小间、陆浑和故县为相应洪水	1954 年型	三门峡+陆浑+故县	30.14	2.43	4.82	—	30.57	24.89	9.51	15.67	37 140	20 000	18 400	10 900
		三门峡+陆浑+故县+小浪底	22.03	2.43	4.82	29.89	10.11	6.34	—	6.34	17 360	15 560	13 720	10 000
	1958 年型	三门峡+陆浑+故县	28.96	2.43	4.82	—	29.56	26.86	10.76	17.05	33 400	20 000	18 990	11 490
		三门峡+陆浑+故县+小浪底	12.88	2.43	4.82	32.82	12.42	10.63	—	10.63	21 870	17 210	15 240	10 000
	1982 年型	三门峡+陆浑+故县	29.74	2.43	4.82	—	27.81	24.31	8.61	16.20	31 640	20 000	18 800	11 300
		三门峡+陆浑+故县+小浪底	16.01	2.43	4.82	30.31	13.79	10.86	—	10.86	21 900	18 910	16 870	10 000
花园口、三门峡千年一遇洪水，三花间相应洪水	1933 年型	三门峡	33.35	—	—	—	38.25	34.10	16.00	15.96	19 640	17 480	16 440	10 000
		三门峡+小浪底	33.35	—	—	20.95	16.39	15.41	—	15.41	16 990	16 390	15 280	10 000

表 11-4-2　花园口百年一遇洪水小浪底水库防洪作用

花园口		水库组合	水库蓄洪量（亿 m^3）				10 000 m^3/s以上洪量（亿 m^3）		滞洪区分洪量（亿 m^3）		下游沿程洪峰流量（m^3/s）			
洪水组成	洪水典型		三门峡	陆浑	故县	小浪底	花园口	孙口	北金堤	东平湖	花园口	高村	孙口	陶城铺
花园口、三花间百年一遇洪水，三门峡水库相应洪水；三花间各坝址及各间按典型洪水来水比分配	1954 年型	三门峡＋陆浑＋故县	14.70	2.43	4.52		13.99	7.53		7.53	22 220	18 240	15 250	10 000
		三门峡＋陆浑＋故县＋小浪底	1.74	2.43	4.52	19.95	6.31	2.09		2.09	14 550	13 060	11 650	10 000
	1958 年型	三门峡＋陆浑＋故县	13.98	2.43	4.82		15.00	10.85		10.85	25 780	20 370	17 290	10 000
		三门峡＋陆浑＋故县＋小浪底	1.96	2.43	4.82	24.89	3.56	0.80		0.80	14 180	11 270	10 470	10 000
	1982 年型	三门峡＋陆浑＋故县	12.54	2.43	3.25		17.96	12.84		12.40	23 580	20 990	18 170	10 790
		三门峡＋陆浑＋故县＋小浪底	1.34	2.43	3.47	33.39	7.49	3.99		3.99	15 700	14 420	13 140	10 000
花园口、三门峡百年一遇洪水，三花间相应洪水	1933 年型	三门峡	16.36				19.45	15.87		15.87	17 110	15 210	14 370	10 000
		三门峡＋小浪底	16.36			19.79	2.01	0.93		0.93	10 940	10 620	10 350	10 000

下，大大提高了下游防洪的安全程度，同时减少了滩区的淹没损失。

根据1931～1982年的52年实测洪水系列（包括1958年花园口实测最大洪峰流量22 300m^3/s的较大洪水），经干、支流水库的联合调洪计算，小浪底水库投入防洪运用后，花园口洪峰流量可削减到10 000m^3/s左右。对1958、1954、1982年和1933年等4次实测较大洪水的调洪计算结果见表11-4-3。从表11-4-3中可以看出，实测1982年洪水，小浪底投入运用后，花园口洪峰流量为11 400m^3/s，较原实测15 300m^3/s小3 900m^3/s。

(4)对于万年一遇洪水，小浪底水库也能有效地削减黄河下游洪水的洪峰、洪量。

对于万年一遇洪水，三库作用后，1958年型洪水最大，花园口洪峰流量41 710m^3/s（见表11-4-4），10 000m^3/s以上洪量49.83亿m^3，大大超过了黄河下游大堤沿程设防流量和东平湖、北金堤滞洪区的分蓄能力；小浪底水库投入防洪运用后，则花园口洪峰流量削减为24 210m^3/s，高村以下与大堤沿程设防流量相近，需东平湖、北金堤滞洪区分别蓄洪16.73亿、6.61亿m^3。对于1982年型洪水，小浪底水库投入运用后，花园口洪峰流量和10 000m^3/s以上洪量分别为27 350m^3/s、26.18亿m^3，除花园口至高村河段洪水流量超过大堤设防流量外，还需东平湖滞洪区和北金堤滞洪区分别分蓄洪水16.51亿、7.06亿m^3。

综上所述，小浪底水库有效地削减了万年一遇洪水的峰和量（指超万洪量），但对于花园口至高村河段尚有1982年型洪水超过大堤设防流量，需采取对策措施。

干、支流水库对万年一遇不同典型洪水的防洪作用见图11-4-1～图11-4-4。

(5)小浪底水库投入联合防洪运用后，可减小三门峡水库的蓄洪运用概率及蓄洪负担，有利于减轻库区的泥沙淤积。

对从三门峡以上来水为主的洪水，按现状三门峡水库的泄流能力，三门峡水库开始敞泄滞洪运用，当达到本场洪水的最高蓄洪水位后按来水流量控泄，这种先敞后控的现状运用方案，在小浪底水库投入运用后，仍维持不变，但小浪底水库要先泄空已蓄洪量，可缩短三门峡水库高水位运用历时；对以三花间来水为主的洪水，可减小三门峡水库的蓄洪运用概率及蓄洪负担（见表11-4-5），例如对1958年型洪水，百年一遇蓄洪量由13.98亿m^3削减至1.91亿m^3，相应蓄洪库水位由324.0m降低至312.0m，千年一遇蓄洪量由26.94亿m^3减少至15.58亿m^3，相应蓄洪库水位由328.7m降低至324.7m。

综上所述，小浪底水库正常运用后，黄河下游花园口至东平湖河段大堤设防标准可达近千年一遇；千年一遇以下洪水，可不使用北金堤滞洪区；三门峡水库对“下大洪水”的蓄洪概率减小至百年一遇。小浪底水库投入运用前后，花园口不同频率洪水，花园口、孙口洪峰流量频率曲线见图11-4-5、图11-4-6。

小浪底水库初期运用防洪作用对“上大洪水”的调节计算成果见表11-4-6，花园口10 000m^3/s以上洪量，千年一遇洪水为2.51亿m^3，万年一遇洪水为4.04亿m^3，均为洪水传播波动所造成。因此，在小浪底水库初期运用阶段，一般情况下不需要东平湖滞洪区分洪，即使洪水传播波动造成孙口断面个别时段洪水流量大于10 000m^3/s，只需东平湖老湖区部分分洪即可。

表 11-4-3 花园口实测较大洪水小浪底水库防洪作用

花园口实测洪水	水库组合	水库蓄洪量（亿 m^3）				10 000 m^3/s 以上洪量（亿 m^3）		东平湖分洪量（亿 m^3）	下游沿程洪峰流量（m^3/s）			
		三门峡	小浪底	陆浑	故县	花园口	孙口		花园口	高村	孙口	陶城铺
1954 年型	三门峡＋陆浑＋故县	0.14		1.36	1.33	2.31	0	0	14 400	11 600	9 940	9 940
	三门峡＋小浪底＋陆浑＋故县	0.07	4.03	1.46	1.38	0	0	0	10 000	8 640	8 300	8 300
1958 年型	三门峡＋陆浑＋故县	4.61		2.48	4.67	7.95	4.05	4.05	19 400	15 400	13 300	10 000
	三门峡＋小浪底＋陆浑＋故县	0.52	13.0	2.48	4.79	0	0	0	10 000	10 000	10 000	10 000
1982 年型	三门峡＋陆浑＋故县	0.73		2.48	1.53	8.23	6.01	6.01	17 500	15 800	14 200	10 000
	三门峡＋小浪底＋陆浑＋故县	0	9.88	2.48	1.43	0.92	0	0	11 400	10 700	10 000	10 000
1933 年型	三门峡	10.17				11.82	9.78	9.78	13 300		13 010	10 000
	三门峡＋小浪底	10.17	9.25			0	0	0	10 000	10 000	10 000	10 000

表 11-4-4　　花园口万年一遇洪水小浪底水库防洪作用

花园口		水库组合	水库蓄洪量（亿 m^3）				10 000m^3/s以上洪量(亿 m^3)		滞洪区分洪量（亿 m^3）		下游沿程洪峰流量（m^3/s）			
洪水组成	洪水典型		三门峡	陆浑	故县	小浪底	花园口	孙口	北金堤	东平湖	花园口	高村	孙口	陶城铺
花园口、三花间万年一遇洪水，三门峡水库相应洪水；三花间各坝址及各间按典型洪水来水比分配	1954 年型	三门峡＋陆浑＋故县	48.24		2.43	4.82	43.53	38.91	20.00	17.49	36 220	20 000	17 700	10 200
		三门峡＋陆浑＋故县＋小浪底	30.00	40.29	2.43	4.82	21.15	18.43	2.38	16.00	25 150	20 000	17 650	10 150
	1958 年型	三门峡＋陆浑＋故县	41.69		2.43	4.82	49.83	46.77	20.00	17.41	41 710	22 030	19 600	12 100
		三门峡＋陆浑＋故县＋小浪底	29.15	40.35	2.43	4.82	25.36	23.19	6.61	16.73	24 210	2 000	17 660	10 160
	1982 年型	三门峡＋陆浑＋故县	42.79		2.43	4.82	47.09	42.67	20.00	16.03	36 380	22 900	20 560	13 060
		三门峡＋陆浑＋故县＋小浪底	26.68	36.73	2.43	4.82	26.18	16.51	7.06	16.51	27 350	20 000	17 470	10 000
花园口、三门峡万年一遇洪水，小三花间相应洪水	1933 年型	三门峡	53.00				53.40	49.34	20.09	17.50	22 000	19 030	17 400	14 520
		三门峡＋小浪底	53.00	31.0			20.64	19.12	1.62	17.50	20 540	19 930	17 500	10 000

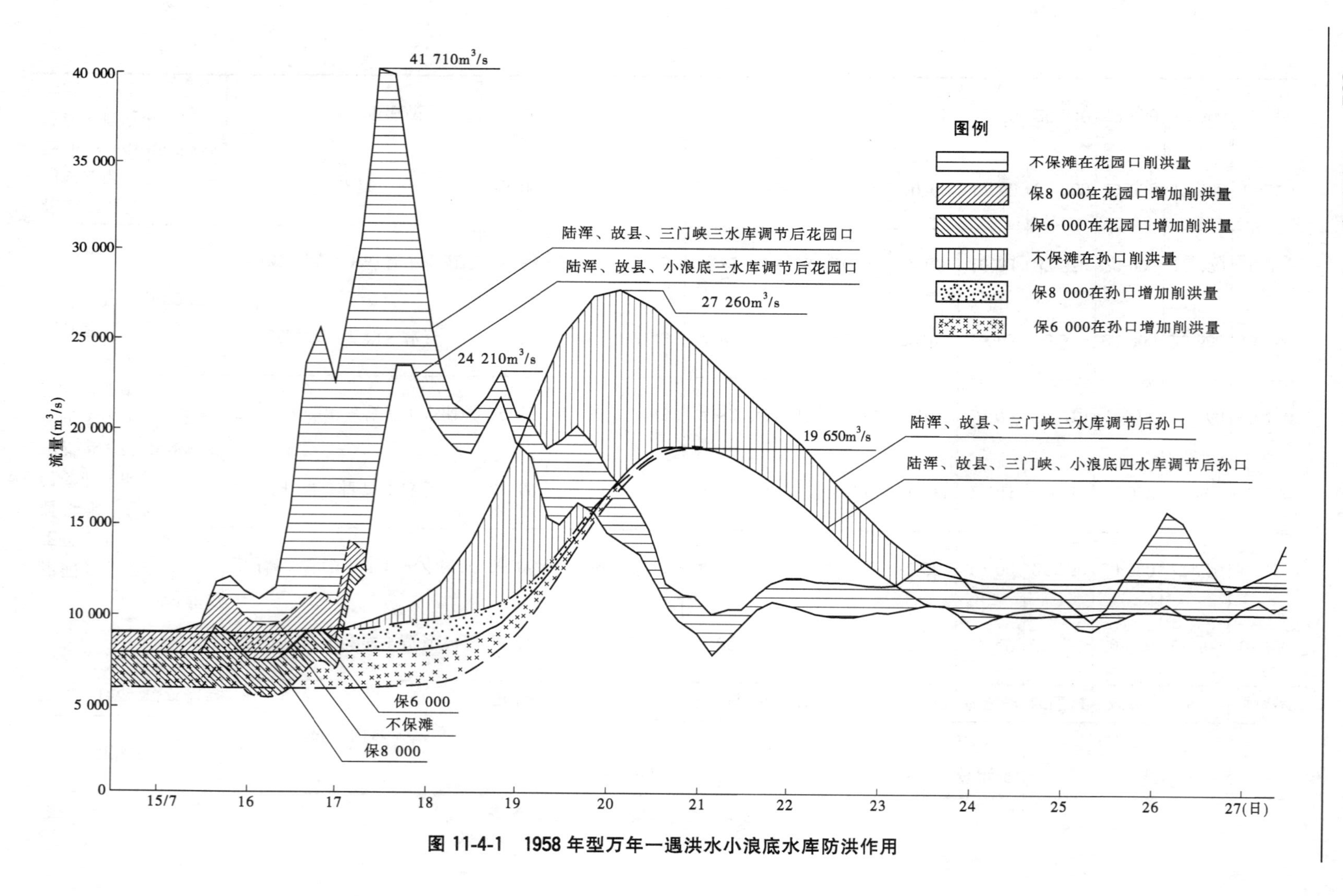

图 11-4-1　1958 年型万年一遇洪水小浪底水库防洪作用

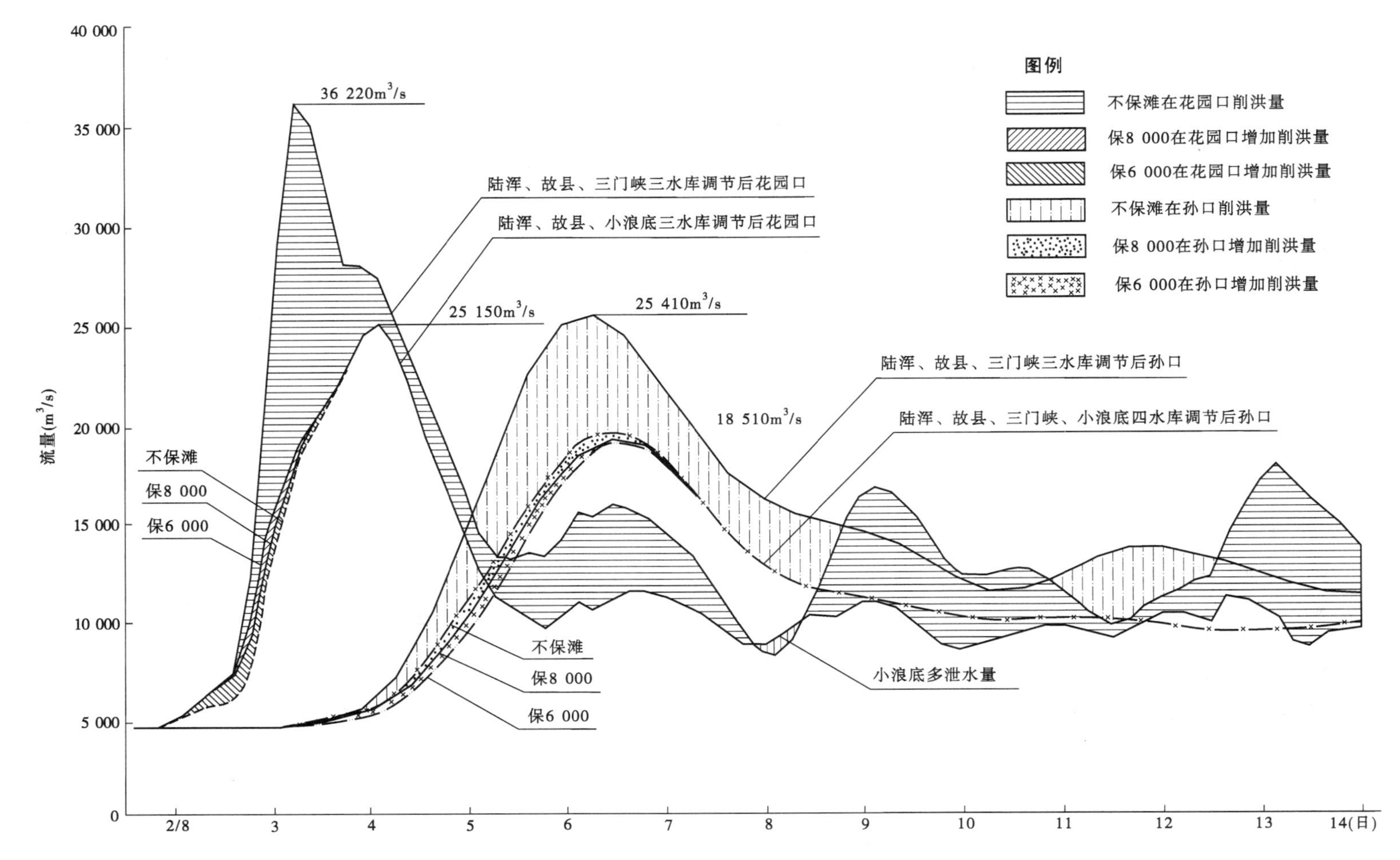

图 11-4-2　1954 年型万年一遇洪水小浪底水库防洪作用

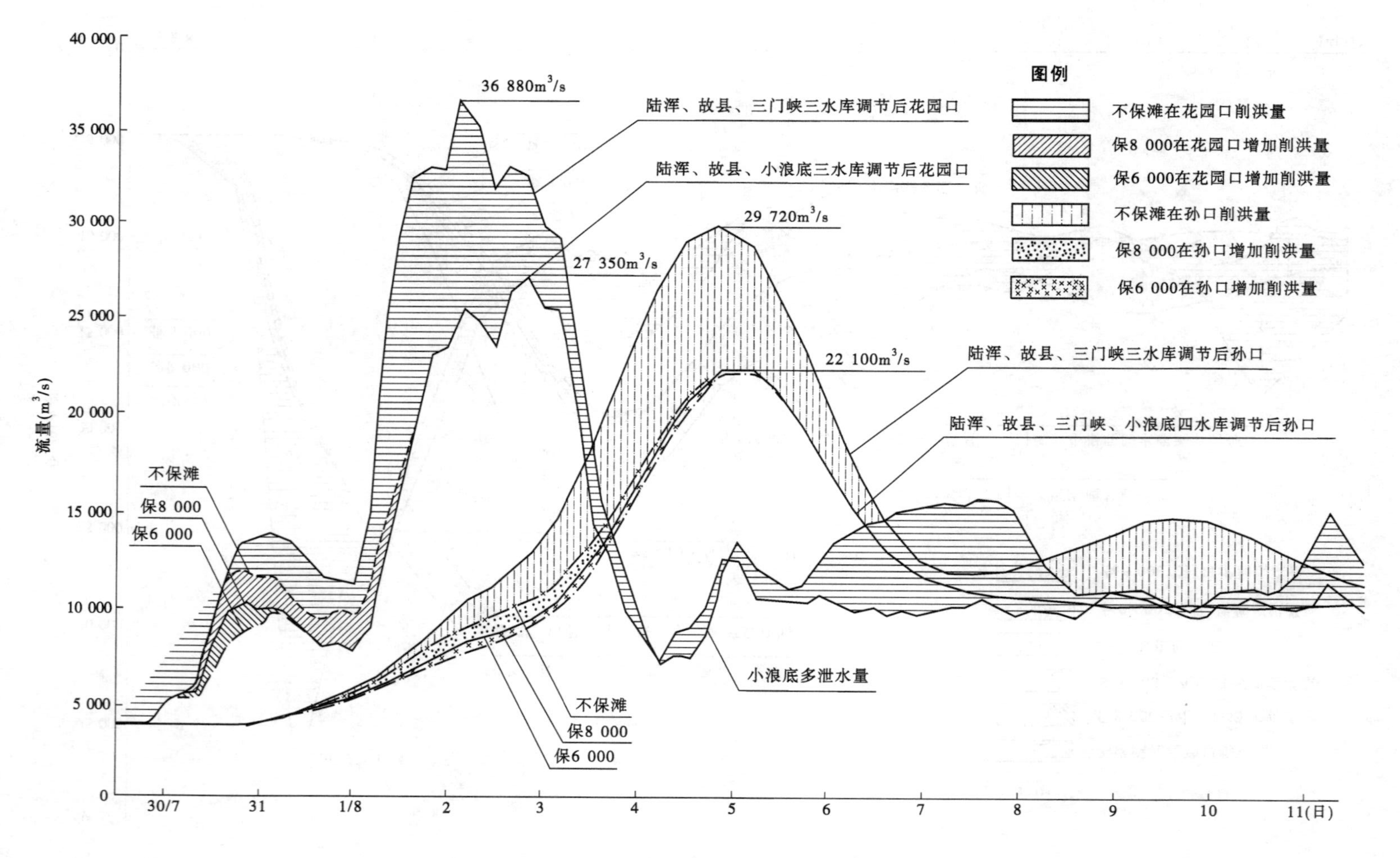

图 11-4-3　1982 年型万年一遇洪水小浪底水库防洪作用

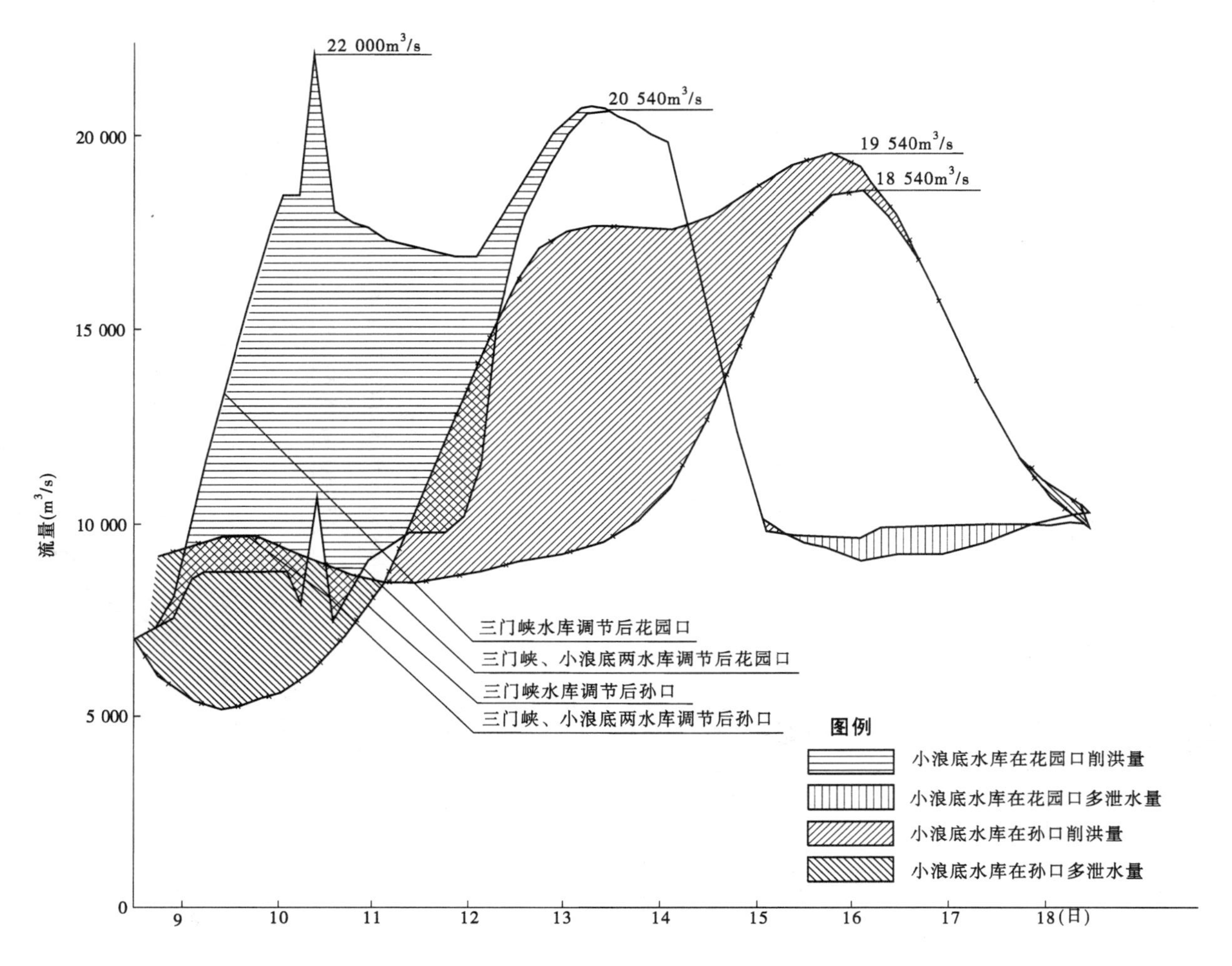

图 11-4-4　1933 年型(8 月)万年一遇洪水小浪底水库防洪作用

表 11-4-5　　小浪底水库投入运用前后三门峡水库的蓄洪情况

水库组合				三门峡＋陆浑＋故县	三门峡＋小浪底＋陆浑＋故县
三门峡水库	控制运用条件			预报花园口12 000m^3/s，关闭部分泄水孔，预报22 000m^3/s，关闭全部泄水孔，最小下泄流量1 000m^3/s	小浪底水库达花园口百年一遇洪水的蓄洪量，三门峡水库开始控制泄洪，并按小浪底泄量泄洪
	开始蓄洪运用概率（%）			10	1.0
花园口洪水	1958年典型	实测洪水	蓄洪量（亿m^3）	4.58	1.51
		百年一遇洪水	蓄洪量（亿m^3）	13.98	1.91
			蓄洪库水位（m）	324.0	312.0
			全部关闸停泄历时（h）	16	0
		千年一遇洪水	蓄洪量（亿m^3）	26.94	15.58
			蓄洪库水位（m）	328.7	324.7
			全部关闸停泄历时（h）	72	36

注：三花间、花园口为同频率洪水。

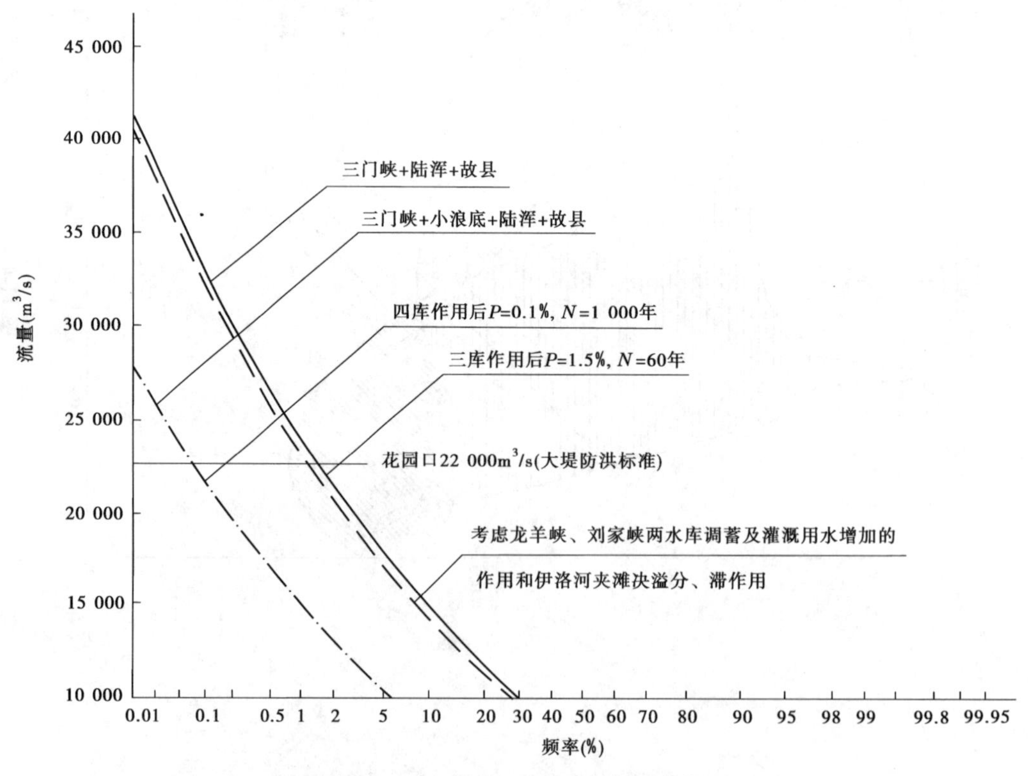

图 11-4-5　花园口洪峰流量频率曲线

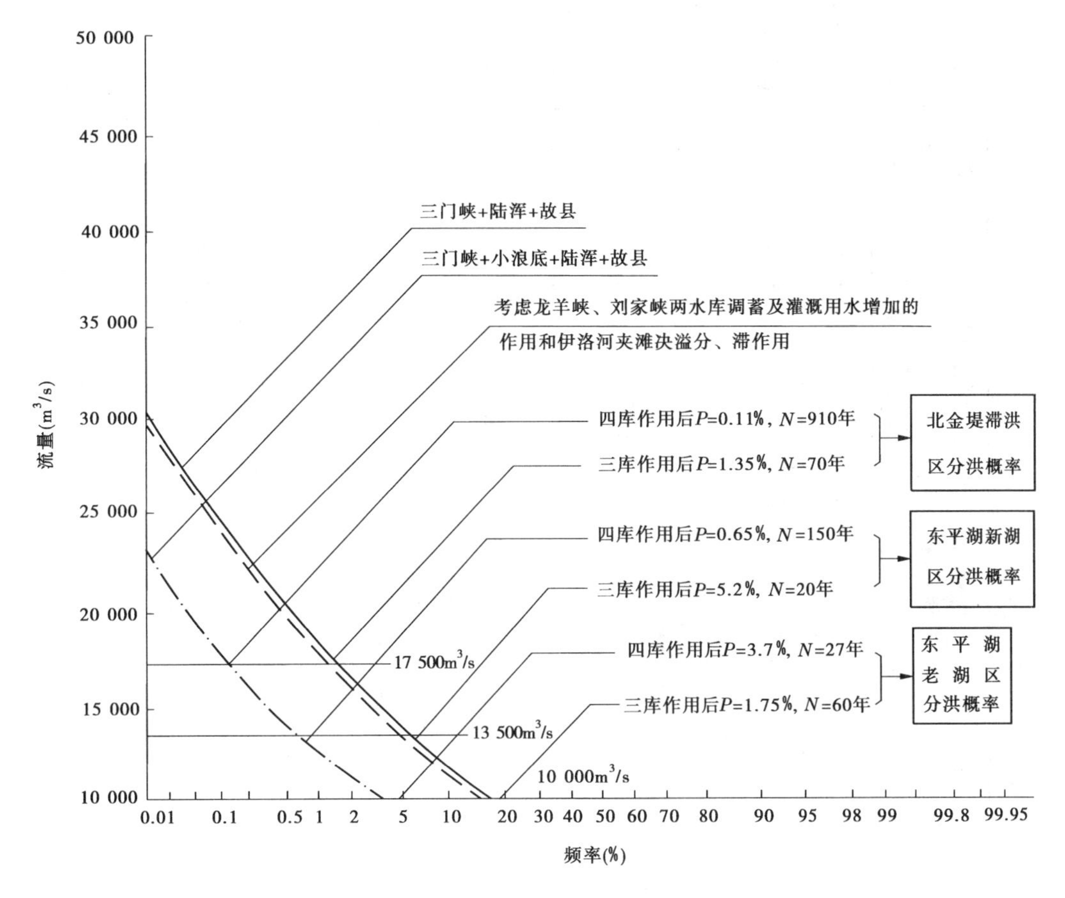

图 11-4-6　孙口洪峰流量频率曲线

二、"下大洪水"对三门峡水库使用概率的影响

对于"下大洪水",可以使三门峡水库的使用概率提高到千年一遇以上,其调洪计算结果见表 11-4-7、表 11-4-8。

由于"下大洪水"小浪底水库以下来洪较大,小浪底水库已经控制了坝址以上洪水,故小浪底水库初期运用的较大库容只能用来减轻三门峡水库蓄洪负担。控制运用条件为:在小浪底水库蓄洪量未达 31.2 亿 m³ 前,三门峡水库按敞泄滞洪运用,否则,三门峡水库按小浪底水库出库流量泄洪,此时,三门峡水库拦蓄其以上洪水,小浪底水库拦蓄三小间洪水。由表 11-4-7、表 11-4-8 可见,对于"下大洪水"千年一遇洪水,三门峡水库最大滞洪库容仅 2.90 亿 m³,相应水位 312.3m,并且很快下泄;对于"下大洪水"万年一遇洪水,三门峡水库拦蓄洪量 5.80 亿~15.53 亿 m³,比现状防洪运用下百年一遇洪水拦蓄洪量 12.54 亿~14.7 亿 m³ 还少。

表 11-4-6 小浪底水库初期运用防洪作用("上大洪水")

洪水等级	水库工程组合	小浪底水库运用期	水库蓄洪量(亿 m^3)				10 000m^3/s以上洪量(亿 m^3)		滞洪区分洪量(亿 m^3)		下游沿程洪峰流量(m^3/s)			
			三门峡	陆浑	故县	小浪底	花园口	孙口	东平湖	北金堤	花园口	高村	孙口	陶城铺
1933 年实测	三门峡+陆浑+故县	—	10.17	—	—	—	11.82	9.78	9.78	—	13 300		13 010	10 000
	三门峡+陆浑+故县+小浪底	初期	10.17	—	—	20.17	0	0	0	—	10 000	10 000	10 000	10 000
		正常期	10.17	—	—	9.25	0	0	0	—	10 000	10 000	10 000	10 000
百年一遇	三门峡+陆浑+故县	—	16.36	—	—	—	19.45	15.87	15.87	—	17 110	15 210	14 370	10 000
	三门峡+陆浑+故县+小浪底	初期	16.36	—	—	28.35	0	0	0	—	10 000	10 000	10 000	10 000
		正常期	16.36	—	—	19.79	2.01	0.93	0.93	—	10 940	10 620	10 350	10 000
千年一遇	三门峡+陆浑+故县	—	33.35	—	—	—	38.25	34.10	15.96	16.00	19 640	17 480	16 440	10 000
	三门峡+陆浑+故县+小浪底	初期	33.35	—	—	50.00	2.51				11 120	10 730	10 480	10 480
		正常期	33.35	—	—	20.95	16.39	15.41	15.41	—	16 990	16 390	15 280	10 000
万年一遇	三门峡+陆浑+故县	—	53.00	—	—	—	53.40	49.34	17.50	20.00	22 000	19 030	17 400	14 500
	三门峡+陆浑+故县+小浪底	初期	53.00	—	—	56.37	4.04			—	12 290	10 910	10 640	10 000
		正常期	53.00	—	—	31.00	20.64	19.12	17.50	1.62	20 540	19 930	17 500	10 000

表 11-4-7 小浪底水库初期运用防洪作用("下大洪水")

洪水等级		水库工程组合	小浪底水库运用期	水库蓄洪量(亿 m^3)				10 000m^3/s以上洪量(亿 m^3)		滞洪区分洪量(亿 m^3)		下游沿程洪峰流量(m^3/s)			
				三门峡	陆浑	故县	小浪底	花园口	孙口	东平湖	北金堤	花园口	高村	孙口	陶城铺
实测洪水	1954	三门峡+陆浑+故县	—	0.14	1.36	1.33	—	2.31	0	0	—	14 400	11 600	9 940	9 940
		三门峡+陆浑+故县+小浪底	初期	0	1.46	1.19	13.64	0	0	0	—	10 000	7 960	7 040	7 040
			正常期	0.07	1.46	1.38	4.03	0	0	0	—	10 000	8 640	8 300	8 300
	1958	三门峡+陆浑+故县	—	4.61	2.48	4.67	—	7.95	4.05	4.05	—	19 400	15 400	13 300	10 000
		三门峡+陆浑+故县+小浪底	初期	0.24	2.48	5.19	20.31	0	0	0	—	10 000	10 000	10 000	10 000
			正常期	0.52	2.48	4.79	13.0	0	0	0	—	10 000	10 000	10 000	10 000
	1982	三门峡+陆浑+故县	—	0.73	2.48	1.53	—	8.23	6.01	6.01	—	17 500	15 800	14 200	10 000
		三门峡+陆浑+故县+小浪底	初期	0	2.48	1.33	11.76	0.88	0	0	—	11 400	10 600	10 000	10 000
			正常期	0	2.48	1.43	9.88	0.92	0	0	—	11 400	10 700	10 000	10 000
百年一遇洪水	1954	三门峡+陆浑+故县	—	14.70	2.48	4.52	—	13.99	7.53	7.53	—	22 220	18 240	15 250	10 000
		三门峡+陆浑+故县+小浪底	初期	1.74	2.43	4.52	20.50	6.08	2.06	2.06	—	14 540	13 140	11 660	10 000
			正常期	1.74	2.48	4.52	19.95	6.31	2.09	2.09	—	14 550	13 060	11 650	10 000
	1958	三门峡+陆浑+故县	—	13.98	2.43	4.82	—	15.00	10.85	10.85	—	25 780	20 370	17 290	10 000
		三门峡+陆浑+故县+小浪底	初期	1.96	2.43	4.82	28.24	3.42	0.66	0.66	—	14 140	11 370	10 230	10 000
			正常期	1.96	2.48	4.82	24.89	3.56	0.80	0.80	—	14 180	11 270	10 470	10 000
	1982	三门峡+陆浑+故县	—	12.54	2.48	3.25	—	17.96	12.84	12.40	—	23 580	20 990	18 170	10 790
		三门峡+陆浑+故县+小浪底	初期	1.34	2.43	3.46	25.71	7.23	3.59	3.59	—	15 540	13 710	12 880	10 000
			正常期	1.34	2.48	3.47	22.39	7.49	3.99	3.99	—	15 700	14 420	13 140	10 000

表 11-4-8 小浪底水库初期运用防洪作用（“下大洪水”）

洪水等级		水库工程组合	小浪底水库运用期	水库蓄洪量（亿 m^3）				10 000m^3/s以上洪量（亿 m^3）		滞洪区分洪量（亿 m^3）		下游沿程洪峰流量（m^3/s）			
				三门峡	陆浑	故县	小浪底	花园口	孙口	东平湖	北金堤	花园口	高村	孙口	陶城铺
千年一遇洪水	1954	三门峡＋陆浑＋故县	—	34.75	2.43	4.82	—	24.92	20.47	15.89	4.74	30 120	20 000	17 340	10 000
		三门峡＋陆浑＋故县＋小浪底	初期	2.64	2.43	4.82	42.50	13.66	10.03	10.03		19 630	17 940	15 970	10 000
			正常期	16.87	2.43	4.82	29.38	13.93	10.03	10.03		19 630	17 940	15 970	10 000
	1958	三门峡＋陆浑＋故县	—	26.94	2.43	4.82	—	31.54	28.49	17.09	12.06	34 420	20 000	17 360	10 000
		三门峡＋陆浑＋故县＋小浪底	初期	2.90	2.43	4.82	53.12	9.45	6.57	6.57	—	18 870	15 010	13 580	10 000
			正常期	15.58	2.43	4.82	34.25	9.49	7.36	7.36	—	18 890	15 270	13 880	10 000
	1982	三门峡＋陆浑＋故县	—	27.10	2.43	4.82	—	31.94	27.13	15.80	11.50	30 910	20 000	17 460	10 000
		三门峡＋陆浑＋故县＋小浪底	初期	2.19	2.43	4.82	45.69	16.39	12.88	12.74	—	21 470	20 300	18 000	10 500
			正常期	11.83	2.43	4.82	30.82	16.99	13.68	13.68	—	22 500	20 300	18 050	10 630
万年一遇洪水	1954	三门峡＋陆浑＋故县	—	48.24	2.43	4.82	—	43.53	38.91	17.49	20.00	36 220	20 000	17 700	10 200
		三门峡＋陆浑＋故县＋小浪底	初期	15.53	2.43	4.82	55.97	20.86	17.39	16.00	1.37	25 090	20 000	17 600	10 100
			正常期	30.00	2.43	4.82	40.29	21.15	18.43	16.00	2.38	25 150	20 000	17 650	10 150
	1958	三门峡＋陆浑＋故县	—	41.69	2.43	4.82	—	49.83	46.77	17.41	20.00	41 710	22 030	19 600	12 100
		三门峡＋陆浑＋故县＋小浪底	初期	10.86	2.43	4.82	60.6	25.35	22.81	16.60	6.21	24 210	20 000	17 550	10 050
			正常期	29.15	2.43	4.82	40.35	25.36	23.19	16.73	6.61	24 210	20 000	17 660	10 160
	1982	三门峡＋陆浑＋故县	—	42.79	2.43	4.82	—	47.09	42.67	16.03	20.00	36 380	22 900	20 560	13 060
		三门峡＋陆浑＋故县＋小浪底	初期	5.80	2.43	4.82	58.31	26.18	23.57	16.51	7.06	27 350	20 000	17470	10 000
			正常期	26.68	2.43	4.82	36.73	26.18	23.57	16.51	7.06	27 350	20 000	17 470	10 000

第五节　三门峡、陆浑、故县水库联合防洪运用作用有关问题补充说明

三门峡、陆浑、故县三水库联合运用后，花园口百年一遇洪水的洪峰流量为25 780m³/s，孙口相应洪峰流量为18 170m³/s，均超过了大堤设防流量，但计算过程有四项防洪作用没有考虑或考虑不足：一是上游龙羊峡、刘家峡两水库的调蓄作用没有考虑；二是三门峡水库增设一门一机，缩短关闸历时，以及全部关闭泄洪闸期间不下泄流量的洪水增蓄作用没有考虑；三是伊洛河夹滩地区决溢对黄河下游洪水的影响，设计中按1958年和1954年两次洪水决溢情况进行了计算，比1982年洪水实际决溢影响可能偏小；四是上中游地区用水增大的减水作用没有考虑。现对这些问题逐项进行分析，并综合分析其总体作用。

一、龙羊峡、刘家峡两水库的联合调蓄和上中游地区灌溉用水增大，对三门峡水库蓄洪量以及下游洪水峰、量的影响

（一）龙羊峡、刘家峡两水库的联合调蓄对下游的影响

1.花园口以上洪水组成

花园口断面控制了黄河上中游地区的全部洪水，从5日及12日洪水总量的地区组成上看，其主体主要来自河花间（河口镇至花园口区间，下同）的中游地区，河口镇以上上游地区的来水仅组成洪水的基流，所占比例较小。根据花园口、河口镇站1953～1982年同频率实测资料选出的19次较大洪水统计（见表11-5-1），5日及12日洪量河口镇以上平均仅占花园口站的22.1%和29.4%，而河花间则占77.9%和70.6%。总的从洪水地区组成上可以看出以下两个特点：

表11-5-1　河口镇占花园口洪量比例

日　期	花园口洪峰流量（m³/s）	流域面积		5日洪量		12日洪量	
		河口镇（km²）	占花园口（%）	河口镇（亿m³）	占花园口（%）	河口镇（亿m³）	占花园口（%）
多年（19次）平均		385 966	52.6	6.70	22.08	17.90	29.39
1954年8月	15 000	385 966	52.6	5.96	17.70	16.06	22.10
1958年7月	22 300	385 966	52.6	6.72	12.90	15.98	19.60
1982年8月	15 300	385 966	52.6	4.20	10.11	10.56	15.79

（1）河口镇以上上游地区的大水与河花间大水据实测资料分析是不相遭遇的。即当河花间大水时，河口镇以上来水较小，如表11-5-1中所列花园口实测的1954、1958、1982年等中游大水典型，河口镇以上5日及12日洪量占花园口比例仅在10%～20%之间，其比值比多年平均为小。而当河口镇以上大水时，河花区间来水较小。

（2）河口镇以上洪量占花园口比例远小于其流域面积占花园口的比例；而河花间洪量占花园口比例则是远大于其流域面积的比例。说明中游地区单位面积产洪量远大于上游地区。

2.水库的调蓄作用

龙羊峡水库是黄河上游具有控制性的以发电为主的多年调节水库，调洪库容为53.14亿 m^3，不仅控制了上游洪水，而且改变了自然来水过程的年际变化和年内分配。

龙羊峡、刘家峡两水库的调节运用方式，是按照上游河段梯级(有龙羊峡、李家峡、刘家峡、盐锅峡、八盘峡及青铜峡六级电站)发电的要求，兼顾灌溉用水(主要考虑宁蒙灌区)的需要所拟定的。本次分析是按西北勘测设计研究院所拟定的梯级电站联合运用方式，进行了长系列的径流调节计算，确定了龙羊峡、刘家峡两水库的蓄洪过程(在各典型洪水过程的时段内，按逐日计算)，并分析计算出各时段内龙羊峡、刘家峡两水库蓄水量的增、减值(本次所分析的各典型洪水均为增值)。从而确定龙羊峡、刘家峡两水库联合调蓄运用后三门峡水库入库洪水主峰时段5日及12日洪量的减少值(见表11-5-2)。

表11-5-2　龙羊峡、刘家峡两库联合调蓄运用后三门峡水库入库洪水量的减少值

时段	5日				12日			
实测洪水年份	1954	1958	1982	1933	1954	1958	1982	1933
三门峡入库洪量减少值(亿 m^3)	2.7	6.2	2.2	11.5	7.4	12.7	6.0	27.6

三门峡水库控制了“上大洪水”，故“下大洪水”是确定下游防洪标准的依据。在发生“下大洪水”时，三门峡水库已进行了补偿调节运用，故龙羊峡、刘家峡两水库主要影响三门峡水库的蓄洪量，而对下游洪水的影响仅是在三门峡水库开始补偿运用之前的一段时间内，见表11-5-3。对于1958年型百年一遇洪水，花园口洪峰流量由不考虑龙羊峡、刘家峡两水库影响的25 780m^3/s降至25 010m^3/s，削减了770m^3/s，仅占3%；花园口10 000m^3/s以上洪量，由不考虑龙羊峡、刘家峡两水库影响的15.0亿 m^3 削减至13.86亿 m^3，削减了1.14亿 m^3，占7.6%。对于1982年型百年一遇洪水，龙羊峡、刘家峡两水库的影响更小。

表11-5-3　龙羊峡、刘家峡两水库调蓄作用对三门峡蓄洪量及花园口、孙口峰、量的影响（百年一遇洪水）

项目	1958年					1982年				
	三门峡	花园口		孙口		三门峡	花园口		孙口	
	蓄洪量(亿 m^3)	洪峰流量(m^3/s)	10 000 m^3/s 以上洪量(亿 m^3)	洪峰流量(m^3/s)	10 000 m^3/s 以上洪量(亿 m^3)	蓄洪量(亿 m^3)	洪峰流量(m^3/s)	10 000 m^3/s 以上洪量(亿 m^3)	洪峰流量(m^3/s)	10 000 m^3/s 以上洪量(亿 m^3)
无龙羊峡、刘家峡调蓄	13.98	25 780	15.00	17 290	10.85	12.54	23 580	17.96	18 170	12.84
龙羊峡、刘家峡调蓄后	10.80	25 010	13.86	16 640	9.62	10.30	23 480	18.39	18 160	12.61
龙羊峡、刘家峡的作用	3.18	770	1.14	650	1.23	2.24	100	−0.43	10	0.23

(二)上、中游地区灌溉用水量增大对下游的影响

按2000年水平上、中游地区灌溉发展情况分析，灌溉用水量增大的主要地区是在上游的宁蒙灌区，渭河、汾河增加的用水量不大，经分别推算，各典型年设计水平用水量与当年相比增加的用水量见表11-5-4。

表 11-5-4　　2000年水平上、中游地区灌溉用水量增值

河段		兰州—河口镇		河口镇—三门峡		兰州—三门峡	
统计时段		5日	12日	5日	12日	5日	12日
增加的灌溉用水量（亿 m^3）	1954年型	1.20	2.90	1.80	4.30	3.00	7.20
	1958年型	0.62	1.50	1.60	3.80	2.22	5.30
	1982年型	0.26	0.61	1.10	2.70	1.36	3.31
	1933年型	0.93	2.20	2.40	5.60	3.33	7.80

由于灌溉用水量的增加，相应减少了三门峡水库入库洪水的基流，对三门峡水库蓄洪量、花园口和孙口站洪水的峰、量均有所削减，见表11-5-5。表中反映，灌溉用水增加后，当发生百年一遇“下大洪水”时，可削减三门峡水库蓄洪量1.14亿～1.25亿 m^3，削减花园口洪峰流量110～370 m^3/s，削减花园口10 000 m^3/s以上洪量0.15亿～0.17亿 m^3。由于在发生稀遇洪水时，灌溉用水比预测数据可能减小，故上述估算成果略偏大。

表 11-5-5上、中游灌溉用水增大对三门峡水库蓄洪量和花园口、孙口洪峰流量、洪量的影响
（百年一遇洪水，龙羊峡、刘家峡两水库作用后）

项目	1958年					1982年				
	三门峡	花园口		孙口		三门峡	花园口		孙口	
	蓄洪量（亿 m^3）	洪峰流量（m^3/s）	10 000 m^3/s以上洪量（亿 m^3）	洪峰流量（m^3/s）	10 000 m^3/s以上洪量（亿 m^3）	蓄洪量（亿 m^3）	洪峰流量（m^3/s）	10 000 m^3/s以上洪量（亿 m^3）	洪峰流量（m^3/s）	10 000 m^3/s以上洪量（亿^3）
不增加	10.80	25 010	13.86	16 640	9.62	10.30	23 480	18.39	18 460	12.61
增加	9.66	24 640	13.19	16 510	9.45	9.05	23 370	18.21	18 400	12.44
增加的作用	1.14	370	0.67	130	0.17	1.25	110	0.18	60	0.17

综合上述分析，龙羊峡、刘家峡两水库联合调蓄作用和上中游灌溉用水增大的影响，主要体现在减少三门峡水库蓄洪量方面，对下游洪水影响不大，即上述两因素作用后百年一遇下游洪峰流量，花园口为24 640 m^3/s，孙口为18 400 m^3/s，花园口仅比不考虑此因素减少了1 140 m^3/s，孙口反而加大了230 m^3/s，仍均超过大堤设防流量，对黄河下游防洪安全威胁程度是一样的。

二、伊洛河夹滩地区不同的自然决溢对花园口、孙口洪水峰、量的削减作用分析

伊河龙门镇和洛河白马寺以下至黑石关河段的南、北两岸均由大堤控制洪水，由于大堤的设防标准低(一般防御 20 年一遇洪水)、工程质量差以及其他因素影响，遇较大洪水(如 1954、1958 年和 1982 年)，即发生决口、倒灌、分洪、滞洪，对黑石关洪峰流量有较大的削峰作用，对黄河下游洪水有一定的削峰作用。

在设计洪水(1976 年分析)中，根据 1954 年和 1958 年两次洪水的决口、倒灌资料，计算了夹滩地区决溢作用之后，1982 年洪水使该区又发生了决口、倒灌。该次洪水前峰的决溢情况与 1954 年和 1958 年两次洪水基本相同，决口口门均发生在伊、洛两河汇流处以上地区，因此同时在两河汇流处的夹滩也发生了漫溢倒灌，由于此种决溢的漫流洪水顺流而下，仍汇入原河道，只起滞洪作用，对黑石关洪峰流量具有较大的削减作用，对洪量的削减作用不大。1982 年洪水后峰(为主峰)过程，不仅在两河汇流处以上地区发生多处决口，而且在汇流处以下地区也发生了多次决口，决口洪水流入洼地区，有相当多的水量不能汇入原河道，故此种决溢具有分洪、滞洪作用，对黑石关洪水影响较大。两种不同决溢情况对比，分滞作用增加削减值，百年一遇洪水，花园口洪峰流量加大削减 790～3 710 m^3/s(见表 11-5-6)，花园口10 000m^3/s以上洪量加大削减 0.45 亿～4.37 亿 m^3，但决口分、滞作用后的花园口、孙口洪峰流量仍分别达24 990m^3/s和17 590m^3/s，均超过大堤设防流量，即使夹滩地区分滞洪作用采用 1982 年洪水的情况，黄河下游百年一遇洪水仍大于大堤设防标准。

表 11-5-6 伊洛河夹滩地区不同决溢情况花园口、孙口洪水洪峰流量、洪量削减(百年一遇洪水)

项目	1958 年				1982 年			
	花园口		孙口		花园口		孙口	
	洪峰流量(m^3/s)	10 000 m^3/s 以上洪量(亿 m^3)	洪峰流量(m^3/s)	10 000 m^3/s 以上洪量(亿 m^3)	洪峰流量(m^3/s)	10 000 m^3/s 以上洪量(亿 m^3)	洪峰流量(m^3/s)	10 000 m^3/s 以上洪量(亿 m^3)
决口滞洪后(1)	25 780	15.00	17 290	10.85	23 580	17.96	18 170	12.86
决口分、滞洪后(2)	24 990	10.63	15 420	6.03	19 870	17.51	17 590	13.93
两种不同决溢之差(3)=(1)-(2)	790	4.37	1 870	4.82	3 710	0.45	580	-1.07

三、三门峡水库增设一门一机和关闭泄洪闸期间不下泄1 000m^3/s 流量，对下游洪水的削减作用分析

为了进一步发挥三门峡水库的防洪作用，减轻洪水对下游威胁，研究了关闭泄洪闸期

间不下泄流量和增设一门一机两项措施的作用。

(一)三门峡水库关闭泄洪闸期不下泄流量的削洪作用分析

根据下游防洪要求,三门峡水库在预报花园口洪水流量达22 000m^3/s,并且有上涨趋势时,按关闭所有泄洪闸运用。为了考虑在关闭泄洪闸期间的发电问题,又比较了关闭泄洪闸期间不下泄流量方案与下泄流量1 000m^3/s 方案。对比结果表明,不下泄流量方案增加的洪水削减量(见表 11-5-7)为:花园口洪峰流量削减 0～40m^3/s,花园口10 000m^3/s以上洪量增减 0.22 亿～0.60 亿 m^3。可见,不下泄流量1 000m^3/s 方案对黄河下游洪峰流量增削作用不大。对10 000m^3/s以上洪量的增削程度与关闭全部泄洪设备的时间长短有关,但全部关闭泄洪闸时间一般为 1～3 天,故不下泄流量1 000m^3/s 对10 000m^3/s以上洪量削减程度也不大。

表 11-5-7　　三门峡水库关闭泄洪闸期间下泄流量与否防洪作用对比
(百年一遇洪水)

项目	1958 年					1982 年				
	三门峡	花园口		孙　口		三门峡	花园口		孙　口	
	蓄洪量(亿 m^3)	洪峰流量(m^3/s)	10 000 m^3/s 以上洪量(亿 m^3)	洪峰流量(m^3/s)	10 000 m^3/s 以上洪量(亿 m^3)	蓄洪量(亿 m^3)	洪峰流量(m^3/s)	10 000 m^3/s 以上洪量(亿 m^3)	洪峰流量(m^3/s)	10 000 m^3/s 以上洪量(亿 m^3)
下泄流量 1 000m^3/s	13.98	25 780	15.00	17 290	10.85	12.54	23 580	17.96	18 170	12.84
不下泄流量	14.56	25 780	14.78	17 200	10.57	13.69	23 540	17.36	18 110	12.06
差值	-0.58	0	0.22	90	0.28	-1.15	40	0.60	60	0.78

(二)三门峡水库增设一门一机的削洪作用分析

三门峡水库目前部分泄洪建筑物的闸门启闭设备较差(按一机多门的关闭方式),关闸历时需达 8h 左右,不能有效控制洪水。全部泄洪孔增设一门一机后,可将关门历时缩减至 4h 以下,其削洪作用见表 11-5-8。

从表 11-5-8 可以看出,三门峡水库泄洪设施全部增设一门一机后与现状启闭设施相比,黄河下游洪峰流量削减了 170～710m^3/s,10 000m^3/s以上洪量削减了 0.13 亿～1.15 亿 m^3,其作用并不大。

四、各因素组合对黄河下游洪水作用分析

上述各项因素对下游洪水的影响是随机变量,各因素同时相遇的组合情况是非常稀遇的,而且也是一种极端情况。为了分析其影响,对此组合情况也进行了计算,成果见表 11-5-9。

表 11-5-8 三门峡水库增设一门一机与否对下游洪水的削减作用

(百年一遇洪水)

项目	1958年					1982年				
	三门峡	花园口		孙口		三门峡	花园口		孙口	
	蓄洪量(亿 m^3)	洪峰流量(m^3/s)	10 000 m^3/s 以上洪量(亿 m^3)	洪峰流量(m^3/s)	10 000 m^3/s 以上洪量(亿 m^3)	蓄洪量(亿 m^3)	洪峰流量(m^3/s)	10 000 m^3/s 以上洪量(亿 m^3)	洪峰流量(m^3/s)	10 000 m^3/s 以上洪量(亿 m^3)
现状启闭设备	14.56	25 780	14.78	17 200	10.57	13.69	23 540	17.36	18 110	12.06
增设一门一机	15.75	25 070	13.65	16 590	9.42	14.14	23 130	16.99	17 940	11.93
一门一机的削减作用	-1.19	710	1.13	610	1.15	-0.45	410	0.37	170	0.13

注:按三门峡水库关闸停泄期不下泄流量方案,比较一门一机的作用。

表 11-5-9 各因素组合情况下对下游洪水的削减作用

(百年一遇洪水)

项目	1958年					1982年				
	三门峡	花园口		孙口		三门峡	花园口		孙口	
	蓄洪量(亿 m^3)	洪峰流量(m^3/s)	10 000 m^3/s 以上洪量(亿 m^3)	洪峰流量(m^3/s)	10 000 m^3/s 以上洪量(亿 m^3)	蓄洪量(亿 m^3)	洪峰流量(m^3/s)	10 000 m^3/s 以上洪量(亿 m^3)	洪峰流量(m^3/s)	10 000 m^3/s 以上洪量(亿 m^3)
不考虑上述因素	13.98	25 780	15.00	17 290	10.85	12.54	23 580	17.96	18 170	12.84
考虑上述因素	10.32	23 620	11.05	14 380	6.47	5.55	19 330	16.19	17 230	12.86
上述各因素组合后的削减作用	3.66	2 160	3.95	2 910	4.38	6.99	4 250	1.77	940	-0.02

表 11-5-9 中反映了上述各因素组合作用,可减少三门峡水库蓄洪量 3.66 亿～6.99 亿 m^3;削减孙口10 000m^3/s以上洪量 0～4.38 亿 m^3;削减花园口、孙口洪峰流量分别为 2 160～4 250m^3/s和 940～2 910m^3/s。组合作用后的花园口、孙口洪峰流量分别为 23 620、17 230m^3/s,花园口洪峰流量仍超过大堤的设防流量,洪水威胁依然存在。只有修建小浪底水利枢纽工程才能有效地提高下游防洪标准,确保黄淮海大平原的安全。

第十二章　水库防凌作用研究

第一节　黄河下游凌汛概况

黄河下游河道是一条上宽下窄的地上河，桃花峪以下全长800km。上、下河段纬度相差3°多，冬季平均气温相差3℃以上。黄河下游一般1月初开始封河，2月底开河。由于纬度的差异，封冻时间一般上河段比下河段晚10天左右，而开河时间则上河段比下河段早20天左右。这就使得封河时下段先封，上河段淌凌往往受阻，宣泄不畅，大量的冰水集蓄在上段宽浅的河槽内，河道槽蓄量迅速增加。开河期上河段先开，冰水及前期槽蓄水量一起下泄，涌向下段，由于下段尚未解冻，河道处于固封状态，极易产生冰凌堆积、堵塞河道，进而产生冰塞、冰坝，使局部河段水位陡涨，造成凌汛，甚至决口成灾。同时，由于黄河下游河道上宽下窄，封河期槽蓄水量大部分集中于上段，下段河道窄而多弯，从而极易形成卡冰壅水，更加重了凌汛的威胁。

黄河下游凌汛决口成灾早有发生，公元前168年就有"冬十二月，河决东郡"的记载，并且在历史上也曾有"凌汛决口，河官无罪"和"伏汛好抢，凌汛难防"等传说。据不完全统计，1883～1936年的54年中，黄河下游就有21年发生凌汛决口，决口口门达40处，其中利津河段就有17处。新中国成立后，1950～2002年的52年中，除有8年未封河外，其余44年均有不同程度的封河，其中1950～1951年、1954～1955年、1968～1969年、1969～1970年等发生较严重的凌情。如1951年和1955年，凌汛期在利津前左、王庄等处形成冰坝，水位猛涨，冰坝以上26km大堤出水仅0.5m，抢护艰难，加上堤防薄弱，多处出现漏洞，致使在王庄、五庄造成决口，受灾人口达26万多，早见表12-1-1。

近40年来，由于修建了防洪、防凌工程，并采取了一系列的防凌措施，战胜了多次严重凌情。三门峡水库自1960年开始运用，并担负下游防凌任务以来，对下游防凌起了积极作用，下游防凌形势有所缓和。但是随着黄河上游刘家峡、龙羊峡等水库投入运行后，凌汛期(12月～来年2月，下同)来水量比过去增大，三门峡水库防凌限制最高蓄水位326m，最大蓄水量18亿m^3，因防凌库容受限而蓄水能力不足的矛盾仍很突出，下游的防凌形势仍很严峻。

下游河道封河时间一般在12月下旬，开河时间在2月底前后，多年平均封冻期50天；封河长度最长703km(1969年)、最短长度25.1km(1988年)，多年平均封河长度约300km；下游冰量最大1.42亿m^3(1966年)、最小0.011亿m^3(1988年)；山东河段(陶城铺以下)封河时间一般比河南河段(陶城铺以上)早10天左右，开河时间一般比河南河段晚20天左右，见表12-1-2。

近十几年来，由于黄河下游气温偏高，以及黄河来水较枯及下游引水量迅速增加等原因，下游凌汛出现了不封年份增多、封河日期偏晚、开河早、冰封期短、小流量封河年份多、

表 12-1-1　黄河下游凌汛决口情况统计(1883～1936 年及 1951、1955 年)

序号	日　期	决溢地点	决口形式	灾　情
1	1883 年(清光绪九年)2 月	南岸历城溞沟	漫溢	决口三处,长 330 多米
2	1883 年(清光绪九年)2 月	南岸齐东赵奉站	漫溢	决口长 120 多米
3	1883 年(清光绪九年)2 月	南岸章丘九龙口	漫溢	决口长 100m 左右
4	1883 年(清光绪九年)2 月	北岸惠民清河镇	决口	决口长 330 多米
5	1883 年(清光绪九年)2 月	北岸利津南北岭子村	漫溢	决口长 330 多米
6	1883 年(清光绪九年)2 月	北岸利津左家庄	漫溢	
7	1883 年(清光绪九年)2 月	北岸利津韩家垣	漫溢	
8	1883 年(清光绪九年)2 月	北岸利津辛庄	漫溢	
9	1885 年(清光绪十一年)2 月	北岸齐河陈家林	决口	
10	1885 年(清光绪十一年)3 月	南岸齐东肖家庄	决口	
11	1885 年(清光绪十一年)	南岸历城郑家店	决口	
12	1886 年(清光绪十二年)	南岸章丘余心庄	决口	
13	1887 年(清光绪十三年)2 月	南岸历城王家楼	决口	
14	1889 年(清光绪十五年)3 月	北岸利津韩家垣	决口	
15	1890 年(清光绪十六年)3 月	北岸齐河高家套	决口	
16	1893 年(清光绪十九年)	北岸济阳桑家渡	漫决	
17	1893 年(清光绪十九年)	北岸惠民小崔家	漫决	张肖堂卡冰、此处出漏洞
18	1895 年(清光绪二十一年)1 月	北岸济阳高家纸坊	漫溢	口门宽 250m
19	1896 年(清光绪二十二年)	南岸历城陈孟圈	决口	
20	1897 年(清光绪二十三年)1 月	南岸章丘小沙滩	漫决	决口宽 70m 左右,深 7m 左右(淹齐东、高苑)
21	1897 年(清光绪二十三年)1 月	南岸章丘胡家岸	漫决	决口宽 130 多米,深 7m 左右(淹博兴、乐安)
22	1897 年(清光绪二十三年)2 月	南岸历城 溞沟	决口	口门长 100m
23	1897 年(清光绪二十三年)11 月 24 日	北岸利津扈家滩	决口	
24	1897 年(清光绪二十三年)11 月 24 日	北岸利津马庄	决口	
25	1899 年(清光绪二十五年)	北岸历城王家梨行	决口	
26	1900 年(清光绪二十六年)1 月 17 日	北岸滨县张肖堂	决口	全河夺溜

续表 12-1-1

序号	日　期	决溢地点	决口形式	灾　情
27	1900年(清光绪二十六年)	张肖堂对岸大道王	决口	决口5处
28	1904年(清光绪三十年)1月3日	北岸利津王庄	漫决	
29	1904年(清光绪三十年)1月3日	北岸利津扈家滩	漫决	
30	1904年(清光绪三十年)1月3日	北岸利津姜庄	漫决	
31	1904年(清光绪三十年)1月3日	北岸利津马庄	漫决	
32	1910年(清宣统二年)	北岸濮阳李忠	漫决	
33	1922年	开封、封丘、兰封、长垣	冰凌泛滥	河南灾区南北30余里,东西40余里
34	1926年12月10日	淹没利津汀河、辛庄、韩家垣、汪二河等村庄	民埝漫决	
35	1928年2月2日	南岸利津王家院	凌汛盛长	
36	1928年2月2日	南岸利津棘子刘	漫决	淹没70余村
37	1929年2月18日	北岸利津扈家滩	冰凌壅塞	决口长约150m,淹利津、沾化两县60余村
38	1931年2月2日	北岸濮阳县廖桥民埝	漫溢	决口长25m
39	1931年2月5日	北岸利津崔庄小民埝	漫决	
40	1936年3月	北岸贯孟堤双王	决口	
41	1951年2月3日	北岸利津王庄	决口	受淹村庄91个,受灾人口7万、耕地43万亩,12人死亡
42	1955年1月29日	北岸利津五庄	决口	受淹394个村庄,受灾人口20多万、耕地86万亩

注:1. 据不完全统计,54年间有21年凌汛期决口,共40处,其中利津河段就有17处。

2. 决溢地点按当时行政区划,日期按原资料抄录。

3. 资料主要来源为《山东通志》、《山东河务局册案》、《山东河务特刊》、《利津县志》、《黄河志》、《中国年鉴》、《黄河水利》(月刊)、《治水述要》、《黄河下游修防资料汇编》(第一集)和《天津大公报》等历史资料。

4. 此表摘自《黄河防凌手册》(黄河防总办公室,2003年1月)。

封冻长度短、冰量少、凌情灾害较轻等新情况。但由于黄河下游主槽淤积严重,滩槽高差减小,漫滩机遇增多,小流量封河时冰下过流能力较小,遇到较强的冷空气过程,很容易造成冰塞,因此下游河段的凌汛威胁依然严重。

表 12-1-2 黄河下游历年凌汛情况统计

年份	淌凌日期(月·日)	首封日期(月·日)	首封地点	封河流量 Q (m³/s)		封河气温 (℃)		封河长度(km)	最上封地点	全河冰量(亿 m³)	封冰厚度(cm)	花利间槽蓄水量(亿 m³)	开河日期(月·日)	封冰天数(天)	开河最大洪峰流量(m³/s)	说明
				当日	前3日	当日	前3日									
1950~1951	12.16	1.7	海口	460	508	−3.2	−3	550	郑州花园口	0.53	20~40	3.64	2.11	36	1 670 泺口	王庄决口
1951~1952	1.1		未封河													
1952~1953	12.2	1.17	利津	311	455	−15	−9.8	220	郑州花园口	0.104	10~20	2.3	2.26	41	1 060 利津	刘春家卡冰
1953~1954	1.22	1.25	海口	862	680	−7.7	−6.9	80	利津宫家	0.072	10~20		2.12	19	830 利津	
1954~1955	12.3	12.15	四号桩	610	693	−5.3	−6.5	623	荥阳汜水河	1	20~100	8.85	2.17	65	2 900 泺口	五庄决口
1955~1956	12.30	1.7	四号桩	440	420	−11	−6.7	500	武陟沁河口	0.578	10~20	2.28	3.4	58	3 190 泺口	老徐庄冰坝 两封两开
1956~1957	12.8	12.14	惠民崔常	250	310	−11	−7.5	399	郑州石桥	0.734	10~20	7.7	3.4	81	3 430 利津	南党冰坝 三封二开
1957~1958	1.14	1.15	小沙	107	234	−15	−9.1	366	中牟辛庄	0.258	15~20	2.91	2.22	39	1 490 利津	
1958~1959	1.2	1.5	四号桩	348	403	−11	−9.3	402	长垣石头庄	0.321	10~25	5.55	2.26	53	1 010 泺口	
1959~1960	12.18	12.20	郓城潘集	253	238	−13	−6.5	554	兰考东坝头	0.238	14~17	3.36	2.17	60	340 泺口	两次封河
1960~1961	12.12	12.17	王旺庄	119	118	−8.8	−6.1	373	武陟秦厂	0.207	10~35	5.46	2.22	67	403 泺口	三门峡蓄水 两次封河
1961~1962	1.1		未封河													
1962~1963	1.1	1.14	海口	615	572	−4.1	−4.6	320	东阿范坡	0.336	5~30	2.2	3.2	48		三门峡蓄水
1963~1964	12.24	12.25	岔一	754	814	−9.9	−4.8	324	开封高朱庄	0.289	10~35	1.99	3.5	72	520 利津	两封两开
1964~1965	1.11		未封河													
1965~1966	12.16	12.17	张家圈	369	392	−7.6	−7.6	275	梁山陈垓	0.31	10~20	3.24	2.16	62	832 孙口	两封两开
1966~1967	12.1	12.24	博兴	375	434	−6	−5.9	616	荥阳孤柏嘴	1.42	15~30	5.92	3.4	71	710 孙口	
1967~1968	12.8	12.14	张家圈	462	701	−5	−4.5	323	梁山蔡楼	0.637	20~60	8	3.8	86	1 330 孙口	李聩、顾道口冰塞

续表 12-1-2

年份	淌凌日期(月·日)	首封日期(月·日)	首封地点	封河流量 Q (m³/s)		封河气温(℃)		封河长度(km)	最上封地点	全河冰量(亿 m³)	封冰厚度(cm)	花利间槽蓄水量(亿 m³)	开河日期(月·日)	封冰天数(天)	开河最大洪峰流量(m³/s)	说明
				当日	前3日	当日	前3日									
1968～1969	1.1	1.2	义和庄	301	378	−11	−9	703	花园口	1.03	10～40	5.24	3.18	76	2 650 孙口	李聩、方家冰坝三次封河
1969～1970	12.9	12.16	惠民	365	406	−4.9	−4.7	436	开封黑岗口	0.9	15～50	8.54	2.18	65	2 420 孙口	王窑冰坝两次封河
1970～1971	12.25	1.28	河口	497	477	−6.2	−7	190	历城付家庄	0.22	10～25	5.4	3.16	48		
1971～1972	12.7	12.21	利津	224	217	−8.8	−7.3	252	开封黑岗口	0.231	6～20	6.9	1.19	30	2 280 利津	
1972～1973	12.12	12.12	海口	235	230	−7.2	−1.6	137	归仁险工	0.09	10～20	3.14	1.24	44	1 620 利津	两次封河
1973～1974	12.21	12.25	纪冯坝头	341	421	−6.8	−6.9	462	原阳马庄	0.5	10～40	1.3	3.2	77	958 利津	三门峡蓄水
1974～1975	12.15		未封河													
1975～1976	12.11	1.29	钩口	673	676	−4.3	−2.4	40	垦利十八户		10～20		2.12	15	932 利津	三门峡蓄水
1976～1977	12.26	12.27	河口	640	634	−8.6	−7.9	404	黑岗口	0.71	20～45	3.56	3.8	72		三门峡蓄水
1977～1978	1.2	2.16	利津王庄	217	221	−6.8	−7.1	52.2	惠民崔常	0.02	10～30		2.21	6	415	三门峡蓄水
1978～1979	12.20	1.15	河口清四	747	721	−4.9	−5.6	490	原阳大张庄	0.4	5～25	1.83	2.19	36	1 190 泺口	麻湾冰坝两封两开
1979～1980	1.5	1.30	十八公里	247	323	−11	−6.8	304	梁山十里堡	0.271	10～25	2.02	2.26	28	450 利津	三门峡蓄水
1980～1981	12.13	12.29	高青大郭家	456	449	−6.8	−7.2	350	苏阁险工	0.4	20～100	4.7	3.3	65		
1981～1982	12.2	1.18	宫家	386	404	−7.8	−7.3	138	济南北店子	0.15	12～40	1.2	2.20	34	550 利津	清河镇冰塞
1982～1983	12.6	1.10	海口	483	452	−7.3	−8.4	110	滨洲赵四勿	0.11	15～30	0.86	2.17	39	690 利津	王庄冰塞
1983～1984	12.23	1.4	西河口	500	496	−6.5	−6.9	330.3	伟庄险工	0.409	20～50	6.5	3.9	64	687 泺口	
1984～1985	12.20	12.25	河口	750	967	−6.8	−7.8	295.5	齐河枯河险工	0.36	30～40	2.71	3.11	77	—	

续表 12-1-2

年份	淌凌日期(月·日)	首封日期(月·日)	首封地点	封河流量 Q (m^3/s)		封河气温(℃)		封河长度(km)	最上封地点	全河冰量(亿 m^3)	封冰厚度(cm)	花利间槽蓄水量(亿 m^3)	开河日期(月·日)	封冰天数(天)	开河最大洪峰流量(m^3/s)	说明
				当日	前3日	当日	前3日									
1985～1986	12.8	12.13	河口	640	829	−3.7	−7	200	济阳邢家渡	0.299	10～30	2.26	2.20	69	—	
1986～1987	12.19	12.26	河口	359	353	−4.2	−2.2	196	历城河套圈	0.167		3.1	2.10	47	—	
1987～1988	11.28	1.23	西河口	327	351	−8.1	−2.7	101.5	惠民白龙湾货场	0.046		0.999	2.26	35	—	人工封河
1988～1989	12.14	12.16	西河口	407	413	−5.2	−5.3	25.1	垦利王家院	0.011		0	1.4	20	—	
1989～1990	12.27	1.24	十四公里	425	428	−9.2	−7.4	308	封丘禅房	0.218		1.34	2.13	21	2 000 利津	
1990～1991		未封河														
1991～1992		12.25	十八公里	23				203	长垣周营	1 000			2.16			
1992～1993		1.29	利津护林	340				180	齐河潘庄	1 200			2.7			
1993～1994		未封河														
1994～1995		未封河														
1995～1996		12.24	十八公里	65				165	济南老徐庄	1 320			2.15			
1996～1997		12.7	河口护林	185				233	郓城杨集	970			2.15			
1997～1998		12.3	一号坝、西河口	32				327	东明上界	850			2.12			
1998～1999		1.9	护林					99.1					2.2			
1999～2000		12.19	利津王庄	66				84.3	东明王高寨				2.24			
2000～2001		未封河														
2001～2002		12.14	十八公里	37				106.73	济阳葛店				1.15			

注：花利间指花园口至利津区间，下同。

第二节 黄河下游凌汛成因及凌情特点

一、黄河下游凌汛成因

黄河下游冬季“凌汛”和夏秋“伏汛”,虽然都是一种涨水现象,但其形成的原因却截然不同,它们的涨水过程也就不同。

黄河下游的“伏汛”是由于花园口以上黄河流域在夏季和秋初降雨强度较大,集中汇流而形成的较大径流。因为黄河下游是“地上悬河”,水量几乎全部来自上中游,所以“伏汛”洪水向下传播时,经河槽的蓄水调节作用,自花园口以下,最大洪峰流量是一个递减的过程。如1958年的大洪水,花园口站最大洪峰流量为22 300m³/s,到山东利津河段,最大洪峰流量已削减到10 400m³/s。黄河下游的“凌汛”是由于河道封冻以后,阻拦了一部分上游来水,使河道槽蓄水量不断增加,水位上涨,而在解冻开河时,这部分被拦蓄的水量急剧释放出来,向下宣泄,沿程越集越多,最终形成凌洪。因此,凌洪流量在黄河下游自上向下传播时,往往是一个递增的过程。如1972年凌汛期,黄河下游孙口站和泺口站的最大凌洪流量分别为672m³/s和1 270m³/s,至利津河段最大凌洪流量却增加到2 230m³/s。

黄河下游封河年份都要产生凌汛,这由其特定的地理位置、气象、水文条件所决定。产生黄河下游凌汛的自然条件如下。

(一)气温上暖下寒

黄河下游河道自兰考东坝头转向东北以后,沿程纬度不断提高。东坝头以上的河南河段,地处北纬34°55′,而河口河段地处北纬38°11′,两地相差3°16′,由于纬度的变化,上下河段的气温出现了明显的上暖下寒。这决定了黄河下游冰凌的产生和消失过程具有下述的三个特点:一是封河时往往是下河段早于上河段;二是开河时往往是下河段晚于上河段;三是冰盖厚度一般是下河段大于上河段。

冬季气温下降时,纬度较高的下河段首先封河,因冰凌的影响,河道泄流不畅,使上游来水量有一部分槽蓄在河槽内;当气温回升而构成开河条件时,往往是上河段先开河,这时由于冰凌下移,解除了封冻所附加的水流阻力,河槽中在封冻期拦蓄的那部分水量被释放出来,伴随冰凌一起下。因此,已解冻开河河段的水位下降,而下段尚未解冻河段的水位上涨,加强了促使开河的水力作用,加快了解冻开河的速度;解冻开河的速度加快,河槽中冰水释放的速度也相应加快,水力作用会更强,这又促使开河速度进一步加快。这样连锁地反应下去,冰水越聚越多,流速越来越快,终于形成了来势凶猛的凌洪。此时,如果下段河道的气温尚低(0℃以下),冰厚与冰的强度较大,水力作用还不能够使得该河段解冻开河,就容易卡塞流水,阻碍上游大量冰水的下泄,迫使河道水位急剧上升,出现严重的凌汛威胁,甚至危害成灾。

上述分析说明,黄河下游河道自东坝头折向东北所造成的气温上暖下寒,是形成下游凌汛威胁的一个根本原因。

(二)河道上宽下窄

黄河下游两岸大堤的堤距从河南河段的10～20km,逐渐减小到山东河段的1～2km,

最窄处尚不到0.5km,而河流的主槽也相应地是上宽下窄,这又给黄河下游的凌汛带来了三个方面的影响:①封河期,河南河段增加的槽蓄水量加重了山东河段在开河时排冰泄水的负担,同时开河一般从上段河道开始,大部分河槽蓄水量在开河初期就急剧释放出来,使得开河尚未达到山东河段就可能形成较大的凌洪,加重了凌汛的威胁。②下段河道槽窄弯多,增加了来自上段宽河道大块流冰卡塞壅水的概率;③河道排洪能力的上大下小与凌洪流量上小下大的矛盾,进一步加重了山东河段的凌汛威胁。

(三)上游来流不稳定

在天然条件下,黄河下游凌汛期的上游来水过程一般是一个由小到大的过程,并且是忽大忽小,这也是加重下游凌汛威胁的原因。表现在:在相同气温条件下,凌汛初期流量小就会早封河,而且冰盖低。冰下过流能力小,后期来水宣泄不畅,增大了河槽蓄水量,也易于造成冰凌卡塞;小流量通过后,上游来水逐渐增大,水位的上升会使尚未封冻河段的大块岸冰脱岸,易在河势不顺的河段卡塞,形成封河;河道稳定封冻以后,一旦上游来水有较大幅度的增长,就会在气温尚低、冰质较强的情况下导致被迫开河的紧张凌汛局面。

有时黄河下游在一个凌汛期内会发生几封几开的严重凌汛情况。除了气温多次大幅度升降以外,上游来流的忽大忽小就是原因之一。流量小时河道封了河,当流量增大后,河道就被迫开河,因为当时气温尚低,往往开河不能达到河口,冰凌不能输送入海,而卡塞在没有开通的河段,造成严重阻水;当流量又减小时,封河将从卡塞段继续上延,几经反复,必然形成严重的凌汛威胁。

综上所述,黄河下游河道在东坝头折身东北所造成的气温上暖下寒,是产生黄河凌汛的根本原因;而下游河道的上宽下窄,以及冬季上游来流的忽大忽小,则是进一步加重黄河下游凌汛威胁的重要原因。

二、影响冰情变化的主要因素

影响冰情变化的因素很多,可归纳为自然因素和人为因素两类。

(一)自然因素

1.河流走向与河道形态

首先,从大的平面形态看,黄河下游自兰考东坝头折向东北,纬度增加3°,因此气温上暖下寒;其次,河道形态的上宽下窄,引起槽蓄水量的上多下少和排洪能力的上大下小;其三,就局部河段而言,河道的宽窄,鸡心滩的多少、大小,河床纵比降的陡缓,弯曲半径的大小等对卡冰阻水都有影响。例如济南的老徐庄、利津的王庄、垦利的张家圈等河段之所以能成为历史上卡冰结坝的重点河段,就是因为开河期块大质坚的密集流冰,在通过各类型弯道时要拐90°甚至连拐数弯而极易卡冰的缘故。

2.热力因素

气温是导致冰情演变的主要热力因素,是影响冰量和冰质(冰的机械强度)变化的决定因素,由于黄河下游河道是由西南流向东北,纬度逐渐增高,所以上段河道降温迟、回暖早、负气温持续时间短,而下段河道降温早、回暖晚、负气温持续时间长。与气温变化相对应的凌情变化规律是,上段河道封冻晚、解冻早、封河历时短、冰盖薄,而下段河道封冻早、解冻晚、封冻历时长、冰盖厚。以河南郑州、山东北镇两站的气温分别代表上、下两个河段的热力因素。可以看出，北镇与郑州的同期气温相比，12月、1月、2月依次低2.8℃、3.3℃、3.3℃。某些年份上、下两个河段的气温差值更大，如1957年元月中旬，北镇旬平均气温为-10.3℃，而郑州同期旬平均气温为-2.9℃，北镇比郑州低7.4℃。该年1月18日日平均气温郑州已上升到0.8℃，而北镇仍为-14.4℃，两地相差15.2℃。此外，对郑州、北镇两站的多年平均气温稳定转负日期统计显示，郑州为12月25日，北镇为12月12日；多年日平均气温转正日期，郑州为1月24日，北镇为2月23日。经计算，郑州负气温持续时间为31天，北镇为73天，北镇比郑州长42天。

由于上、下河段气温和低温持续时间的差异，从而使利津比花园口河段封河日期早12天，开河日期却晚8天。花园口河段多年平均封河日期为1月23日，开河日期为2月8日，冰盖厚5～15cm；利津河段1月11日封河，2月16日开河，冰盖厚30～50cm，局部厚达100cm。

因此，当上游河段因气温升高或因流量增大而开河时，上游来水、融冰水加槽蓄水挟带大量冰块向下游流动时，往往因下游河段尚未解冻，水鼓冰开或形成冰坝，阻止冰水下泄而造成灾害。

3. 动力因素

流量对冰情的影响具有热力作用和水力作用两个方面，同温度的水体其蕴藏的总热量与它的数量成正比，另外，水流在运动中通过质点的摩擦亦产生热量，叫做水流的动力加热。花园口是黄河下游干流上第一个控制站，根据历年水文资料统计，冬季三门峡以上来水量占花园口站水量的88.4%，伊、洛、沁河来水量仅占花园口站水量的11.6%。所以，黄河下游冬季的来水主要受三门峡以上来水量的控制。

一般河流冬季流量逐渐减小，呈退水趋势，但黄河下游却不是这样，它因受黄河上游内蒙古河段流凌封冻的影响，流量是一个由大到小再由小到大的马鞍形变化过程。内蒙古河段常年于11月中旬流凌，12月上旬前后封冻，这一阶段有一部分水量转化为冰，还有一部分水量受河段封冻阻水的影响，转化为槽蓄水量，一般有15天左右的小流量阶段，以后随着冰盖下冰花阻水作用的减小，流量逐渐增大。因此，黄河下游在无三门峡水库调节的情况下，流量也呈马鞍形变化过程，而且小流量过程往往与低气温相遇，形成小流量封河。在同样河道条件下，小流量封河早、冰盖低、冰盖下过流能力小，因此在后期来流量增大时，常迫使封冻河段水鼓冰开的"武开河"发生。再者，黄河中游的龙门至潼关河段也常有卡冰阻水的情况发生，从而使黄河下游流量在由大到小又由小到大的总趋势下，常有流量忽大忽小的情况发生，易导致封冻河段的"武开河"。

综上所述，黄河下游河道由西南流向东北，从而使封冻由下而上、解冻由上而下，及河槽蓄水量的上大下小和排洪能力的下小上大，是形成冰塞、冰坝洪水的主要原因；上游来流量的忽大忽小和气温在0℃上下的大幅度升降，增加了"凌洪"变化的复杂性，黄河下游的"悬河"则增加了"凌洪"的威胁性。

（二）人为因素

1. 水库控制

水库控制不仅可以提高出库水温，而且可以调节封、开河和凌汛期河道流量，使封河日期推迟，封冻长度缩短，冰量减少，减少或避免"武开河"，减轻凌汛灾害。同时，如果水库控制泄流量不当也可造成灾害。如 1980～1981 年,三门峡水库封冻期下泄流量忽大忽小造成冰塞洪水灾害。1980 年 12 月 29 日黄河下游封河,封河后到 1981 年 1 月 10 日三门峡水库控泄流量 300m³/s 左右,但 1981 年 1 月 11～22 日期间,三门峡水库下泄流量忽大忽小,日平均流量最大达 570m³/s,最小 300m³/s,当大流量传播到孙口河段恰遇 1 月下旬出现的一次较强寒潮过程,这时下游封河正由东阿陶城铺向上游发展,从而发生卡冰,形成冰塞,阻水阻冰严重,国那里水位壅高 2.2m,造成河南省的范县、台前及山东省梁山县滩区有 0.4 万多公顷土地被淹。

2. 浮桥

凌汛期,浮桥相当于人工拦冰栅,容易引起卡冰壅水。

3. 涵闸引水

冬季涵闸引水对凌情的影响有利有弊,开河期大量引水对减小凌汛洪水有利,如 1976～1977 年度凌汛期下游总冰量达7 104万 m³。开河期,河南、山东日平均引水量达 420m³/s,是形成"文开河"的主要原因之一。但引水、停水不当也会成灾,如 1982 年 1 月中旬,济南、北镇平均气温较常年偏低 1℃左右,由于前期黄河下游通过河南省人民胜利渠和山东省位山潘庄引黄涵闸向河北、天津等地送水,日平均引水流量 200m³/s 左右,致使泺口以下河道流量减小到 350m³/s 左右;1982 年 1 月 18 日宫家至麻湾汉凌封河,21 日封河上延到惠民清河镇,此时向河北、天津送水停止,泺口流量回升至 700m³/s,清河镇汉凌阻水造成惠民归仁至五甲扬、高青孟门至张王庄滩区进水,两岸 42km 临黄大堤偎水,堤根水深 1.0m 左右,归仁、王集、茶棚张堤段发生渗水。因此,冬季引水、停水时要预先考虑对凌情的影响,以防患于未然。

三、黄河下游凌情特点

黄河下游由于地理跨度较大,河道形态多变,冬季为不稳定封冻河段,冰情变化复杂。黄河下游凌汛期历史上曾决口频繁,危害严重。在 1950～2002 年的 52 个凌汛年度中,有 8 年未封冻,占 15%;44 年封冻,占 85%。在封冻年份中,每年由于流量、气温、河道特性的不同,其凌情表现也差异悬殊。

(一)封、开河日期与封冻天数

黄河下游北镇站冬季日平均气温一般在 12 月中、下旬稳定转负,历史上最早的在 11 月底,最迟到 1 月中旬末。相应的黄河下游初始流凌日期也就在气温稳定转负后,其多年平均始流凌日期为 12 月 20 日,流凌最早为 1993 年的 11 月 23 日,最迟为 1953～1954 年度的 1 月 22 日。首封日期多年平均为 1 月 2 日,封河最早出现在 1998 年 12 月 4 日,最迟封河日期为 1978～1979 年度的 2 月 16 日。开河日期多年平均为 2 月 20 日,最早开河日期为 1 月 4 日,出现在 1988～1989 年度,最迟开河日期为 3 月 18 日,出现在 1968～1969 年度(见表 12-2-1)。封冻天数多年平均为 48 天,封冻最长历时 86 天,出现在1967～1968 年;封冻最短年份为 1977～1978 年度,历时仅 6 天。

1990 年以来,黄河下游一方面受暖冬气候影响,气温偏高,另一方面受流量偏小影响,所以凌情较轻。在封、开河日期方面表现为首封河和开河日期均提前。统计表明,1990～1999 年平均,始流凌日期提早了 4 天,首封河日期提前了 13 天,最后开河日期提前了 7 天。

表 12-2-1　　黄河下游封、开河日期统计

项目	平均(月·日)		历年最早		历年最晚	
	多年	1990～1999	日期(月·日)	年份	日期(月·日)	年份
流凌	12.21	12.17	11.23	1993～1994	1.22	1953～1954
首封	1.2	12.20	12.4	1998～1999	2.16	1978～1979
开河	2.20	2.13	1.4	1988～1989	3.18	1968～1969

(二)封、开河期气温

气温变化是黄河下游凌情的主要影响因素之一,黄河下游一般在北镇站日平均气温稳定转负 2～5 天后开始出现流凌,但也有个别年份在气温稳定转负以前就已开始流凌,也有些年份在气温稳定转负 10～20 天后才开始流凌。流凌持续时间的长短也没有明显的规律,有的年份是一气呵成,一次冷空气过程便造成了封河,有时甚至同一天流凌同一天封河;有的年份流凌持续 10～20 天才封河;有的年份仅有流凌,在气温升高以后不再封河。表 12-2-2 统计了黄河下游 1950 年以来所有封冻年份封河当日和封河前 3 日北镇站的日平均气温。从表 12-2-2 中可以看出,一般情况下,封河当日和前 3 日平均气温均在 0℃以下;封河当日平均气温多年均值为 -7.1℃,历年最高值为 -0.7℃,出现在 1996～1997 年度的封河期,历年最低值为 -15.1℃,出现在 1857～1958 年度的封河期;封河前 3 日平均气温多年均值为 -5.4℃,历年最高值为 1.2℃,出现在 1997～1998 年度,历年最低值为1952～1953 年度的 -9.8℃。

表 12-2-2　　封河期北镇站气温统计

项目	平均(℃)		历年最高		历年最低	
	多年	1990～1999 年	气温(℃)	出现年份	气温(℃)	出现年份
封河当日	-7.1	-4.1	-0.7	1996～1997	-15.1	1957～1958
封河前 3 日	-5.4	-1.9	1.2	1997～1998	-9.8	1952～1953

1990 年以后,由于封河期流量较小,所以封河时气温明显偏高。封河当日和封河前 3 日平均气温,1990～1999 年均值分别为 -4.1℃和 -1.9℃,较其多年均值分别高了 3℃和 3.5℃,历年最高的封河期气温也均出现在 1990 年以后。

(三)封、开河期流量

黄河下游凌期流量在三门峡水库建成运用以前基本上没有什么控制,流量变化较大。三门峡水库运用后,在 1973 年以前仅对开河期进行调节,1973 年开始实行全面防凌调度,河道流量在封、开河期均有所调节。表 12-2-3 统计了历年封河期黄河下游利津站的流量特征值,统计表明:封河当日利津站日平均流量的多年均值为 387m^3/s,历史最大封河流量为 862m^3/s,出现在 1953～1954 年度的封河期,历年最小流量仅有 23m^3/s,出现在 1991～1992 和 1997～1998 两个年度的封河期;封河前 3 日利津站流量多年平均为 416m^3/s,历年最大值为 1985～1986 年度的 992m^3/s,历年最小值为 1998～1999 年度的

13m³/s。

表 12-2-3 封河期利津站流量特征值统计

项目	平均(m³/s)		历年最大		历年最小	
	多年	1990～1999 年	流量(m³/s)	出现年份	流量(m³/s)	出现年份
封河当日	387	152	862	1953～1954	23	1991～1992 1997～1998
封河前 3 日	416	145	992	1985～1986	13	1998～1999

1990 年以后，黄河下游冬季来水偏枯，封河期流量相对较小，小流量封河年份明显增加。统计表明，1990 年以后封河期利津站流量除 1992～1993 年度达到 500m³/s 以上外，其余年份封河期流量均在 200m³/s 以下，均为典型的小流量封河。封河当日和封河前 3 日平均流量 1990～1999 年均值分别为 152m³/s 和 145m³/s，较多年均值分别减少了 235m³/s 和 271m³/s，且历年最小的封河期流量多次出现在 1990 年以后的 10 年中。另外，20 世纪 90 年代黄河下游频繁的断流也对凌汛造成了一定影响，主要表现在封、开河期均出现过断流，流量过小和断流造成了黄河下游在一个凌汛期出现多次封、开河。特别是在 1996～1997 年度凌汛期出现多次断流，即使过流，也是流量较小，所以造成了 4 次封、开河。在其后的 3 年，即 1997～1998、1998～1999、1999～2000 年度的凌汛期，均出现了两度封、开河。

（四）凌情特征量

在黄河下游河段的封冻年份中，封冻最上首达荥阳汜水河口，封冻长度为 703km，出现在 1969～1970 年度冬季；最短的封至垦利十八户，封冻长度仅 25km，出现在 1988～1989 年度。多年平均封冻长度为 303km，1990～1999 年平均封冻长度为 223km。全河段冰量最多为 1966～1967 年度的 1.42 亿 m³；最少的仅 0.001 亿 m³，出现在 1998～1999 年度；多年平均约 0.4 亿 m³。冰盖厚度，滨海河段一般为 0.3～0.5m，兰考以上一般为 0.1～0.2m。花园口至利津间的槽蓄增量最大曾达到 8.85 亿 m³，一般年份多在1 亿～6 亿 m³。开河洪峰一般自上向下沿程增大，最大为 1957 年利津站的 3 430m³/s。黄河下游冬季流量过程一般为前、后期大，中期小，而小流量时正值低温时段，容易封冻，由于流量小，封冻后冰下过流断面小，开河时，上游河段先开，冰水齐下，促使下游河段水鼓冰开，形成“武开河”，这时极易发生冰塞、冰坝。冰坝是开河时，大量流冰在浅滩、弯道、卡口及未解体的冰盖前缘等受阻河段堆积起来，横跨整个或大部分断面，并显著壅高水位的现象。冰坝是一种颇为严重的自然灾害，它的形成和溃决的时间很短，演变过程比较激烈，易于成灾，一般多发生在河道弯曲、河槽窄深、沙滩密布等排冰不畅的河段，发生的时间、地点均不固定，形成的过程和严重程度及持续时间不相同，所以观测和预防都十分困难。黄河下游自 1951 年以来，发生严重的冰坝有 8 年 9 次之多，均有不同程度的灾害发生。

（五）未封冻年份分析

1950～2000 年，黄河下游有 8 年冬季未封河，分别为 1951～1952、1961～1962、1964～1965、1974～1975、1990～1991、1993～1994、1994～1995 年度和2000～2001 年度。

统计分析表明,在这些未封冻年份的冬季,黄河下游气温普遍偏高,流量较大。

表 12-2-4 列出了未封河年份黄河下游郑州、济南、北镇 3 站冬季 12 月~来年 2 月月平均气温值。从表 12-2-4 中可以看出,未封冻年份黄河下游各站各月平均气温普遍为正距平,尤其是在对封冻影响较大的 1 月份,平均气温一般均高于多年均值 1~2℃,而较多年均值低的年份仅低不到 1℃。8 个未封冻年份各月平均气温的均值与多年均值比较,都为正距平,距平值在 0.6~1.7℃。

表 12-2-4 黄河下游未封冻年份各月气温统计 (单位:℃)

站名			郑州			济南			北镇		
月份			12	1	2	12	1	2	12	1	2
年份	1951~1952	实温	4.9	2.0	0.0	2.8	-0.1	-1.2	1.3	-1.7	-3.0
	1961~1962	实温	1.8	-0.5	3.4	1.0	-1.6	2.2	-0.7	-3.8	0.4
	1964~1965	实温	2.5	1.1	3.2	1.6	-0.1	2.7	-0.2	-1.7	0.7
	1974~1975	实温	0.4	0.6	3.2	1.2	0.3	2.0	-1.0	-1.3	-0.6
	1990~1991	实温	2.2	0.7	3.7	3.1	0.8	2.5	-0.6	-2.3	-0.3
	1993~1994	实温	1.9	2.2	2.9	1.7	1.7	2.8	-0.9	-1.4	0.8
	1994~1995	实温	2.5	1.5	4.0	1.8	1.4	4.1	-0.5	-1.5	1.2
	2000~2001	实温	4.1	-1.4	2.6	3.5	-1.5	1.7	1.0	-3.8	-0.1
未封河年均值			2.5	0.8	2.9	2.1	0.1	2.1	-0.2	-2.2	-0.1
多年均值			1.8	-0.1	2.3	1.3	-1.0	1.5	-1.0	-3.5	-1.8
差值			0.7	0.9	0.6	0.8	1.1	0.6	0.8	1.3	1.7

注:多年平均值统计年限为 1951~2000 年。

表 12-2-5 统计了黄河下游未封冻年份潼关、花园口和利津站 12 月~来年 2 月各月平均流量。从表 12-2-5 中可以看出,未封冻年份黄河下游的花园口和利津站各月平均流量的均值都超过多年均值,其距平百分率在 15%以上,最大的达到 39%。除 2000~2001 年度外,其余各未封冻年份黄河下游冬季流量均偏大,利津站 12 月和 1 月平均流量均在 450m^3/s 以上,最大的出现在 1964~1965 年度,12 月和 1 月平均流量分别达到了1 600 m^3/s 和1 000m^3/s。

表 12-2-5 黄河下游未封冻年份流量统计 (单位:m^3/s)

站名			潼关			花园口			利津		
月份			12	1	2	12	1	2	12	1	2
年份	1951~1952	实况	624	438	576	743	552	593	749	592	569
	1961~1962	实况	990	566	700	1 870	605	637	2 140	784	333
	1964~1965	实况	990	755	759	1 400	964	897	1 600	1 000	942
	1974~1975	实况	557	761	822	773	774	825	823	768	844

续表 12-2-5

站名			潼关			花园口			利津		
月份			12	1	2	12	1	2	12	1	2
年份	1990～1991	实况	601	894	883	792	612	884	576	488	585
	1993～1994	实况	641	687	734	730	657	723	663	571	504
	1994～1995	实况	844	544	762	933	519	675	827	461	233
	2000～2001	实况	493	429	560	555	538	397	258	358	265
未封河年均值			718	634	725	975	653	704	955	628	534
多年均值			619	556	692	750	557	552	688	494	456
未封年平均距平（%）			16	14	5	30	17	28	39	27	17

注：多年均值统计年限为 1950～1995 年。

第三节 黄河下游凌汛灾害

黄河下游凌汛形成发展受气温、河势、流量及人为影响等多重因素的控制和影响，致使黄河下游凌情复杂，历史上决口成灾时有发生。在新中国成立前有资料记载的 1883～1936 年的 54 年中，黄河下游就有 21 年发生凌汛决口，决口口门达 40 处，其中利津河段就有 17 处。新中国成立后的几十年来，由于修建了防洪、防凌工程，并采取了一系列的防凌措施，战胜了多次严重凌情。1950～2002 年的 52 年中，黄河下游发生较严重的冰坝灾害有 8 年 9 次，其中 1950～1960 年间有 4 次，特别是 1950～1951、1954～1955 年度发生了凌汛决口，造成了严重的凌灾。三门峡水库 1960 年建成运用后，开始担负下游防凌任务，对下游防凌起了积极作用，下游防凌形势有所缓和。但在水库运用初期，由于对凌汛规律认识不足，缺乏防凌调度经验，在 1960～1973 年的 14 年中，黄河下游仍有 3 年发生 4 次冰坝，如 1968～1969、1969～1970 年度等都发生较严重的凌情。1973 年以后，三门峡水库开始全面防凌调节运用，防凌经验逐步增多，调度手段、方式逐步改善和提高，黄河下游的凌情、冰情得到了进一步的控制，凌灾减少。但由于三门峡水库防凌库容不足，下游的防凌形势仍很严峻，如 1984 年受气温的异常变化影响，黄河下游形成两封两开的局面，造成了严重凌灾。

一、典型年凌情及灾情

（一）1954～1955 年度黄河下游凌情及灾情

由于气温低、封河早、封冻河段长、冰量大，开河时利津河段形成冰坝，造成堤防决口。

1954 年 12 月 9～14 日，黄河下游受强寒流影响，气温急剧下降。15 日河口段开始封河。19 日向上发展到前左，由于封河流量较大，前左一段水位上涨达 2.97m，滩地漫水。25 日以后，冷空气活动频繁，封河位置继续向上发展。由于受上游大量流凌和封冻影响，泺口站以下流量大幅度减小，由初封期的 600m³/s 左右减小到 80m³/s。而花园口以上来水量仍达 600～800m³/s,河槽槽蓄水量迅速增大。此期间封河发展很快,1955 年 1 月 15 日,封冻最上端发展到荥阳汜水河口,封河长度达 623km,最大冰量达 1.0 亿 m³。

1 月 19～22 日,济南以上河段日平均气温回升转正,幅度较大,河南封河段由于冰盖薄,槽蓄水多,开河速度迅猛。26 日高村站出现了2 180m³/s 凌峰,沿程凌峰随着槽蓄水的急剧释放不断加大,艾山、派口、杨房站凌峰流量达3 000m³/s 左右。29 日凌晨河开至利津王庄险工严重受阻,此时王庄险工一带河道冰质坚硬,不具备开河条件,上游来的冰凌大量在王庄险工以上集结,主要分布在麻湾至王庄险工一段,形成长达 24km 的冰坝,冰量达1 200万 m³。王庄险工上游利津站水位上涨了 4.29m,最高水位达 15.31m,超过当年保证水位 1.5m,塞水影响范围长 90km,冰坝以上蓄水约 2.1 亿 m³,造成冰坝头部以上 50 多公里的滩地大量漫水,有 30km 长的河段堤顶出水只有 0.5～1.0m,局部河段水面与堤顶平,形势十分危急。

山东省和惠民地区各级防凌指挥部一面组织力量抢修子埝,一面调飞机、大炮轰击冰坝,但效果不大。1 月 29 日晚又刮起 7 级北风,气温进一步下降。王庄至王旺庄河段临黄堤出现漏洞 20 多处,刘家夹河背河堤坡出现冒水,张家滩背河 20m 范围内也出现 3 处冒水险情,佛头寺堤身严重拥塌,经奋力抢护,险情有所缓和,但形势仍很严重。经请求山东省委批准,于 29 日 19 时炸开垦利小街子溢水围堤分水,分洪 900m³/s;至 21 时许,利津五庄大堤桩号 296+180 处,背河柳荫地多处冒水,虽经全力抢堵,但洞口急速扩大,堤顶突然塌陷成缺口,先后采取沉船堵截和船装土袋沉堵等措施,均无效,又用大船装秸料、土袋沉堵也告失败,此时口门已扩宽至 10m 以上,水流甚急,风又大,照明灯全被风吹灭,工地一片黑暗,料物用尽,终于 29 日 23 时堤身溃决,口门迅速扩宽到 305m,最大过流约 1 900m³/s,测量水深达 6m。正当五庄村西紧张抢险之时,村东大堤桩号 298+200 处背河堤脚也出现漏洞,几次抢堵不成,堤顶塌陷 2m 多,于 31 日 1 时发生溃决。两股溃水汇合后,沿 1921 年宫家决口故道经利津、沾化入徒骇河。受灾范围东西宽 25km,南北长约 40km,利津、滨县、沾化 3 县 360 个村庄,17.7 万人受灾,淹没耕地 88.1 万亩,倒房5 355 间,死亡 80 人。

(二)1968～1969 年度黄河下游凌情及灾情

1968～1969 年度由于气温变化大,出现了 3 次封河、3 次开河的罕见局面。

1. 第一次封河与开河

1968 年 12 月 13 日,第一次强冷空气侵入黄河下游,14 日全河流凌。29 日第二次强冷空气侵入,气温大幅度下降。1969 年元月 2 日,济南、北镇日平均气温分别降到 −9.7℃、−10.6℃,垦利义和庄首先封河,13 日封河发展到东明高村。至 15 日,全河封冻段共长 245km,冰量 2 462 万 m³,花园口至利津河段河槽槽蓄水量 3.36 亿 m³。15 日后气温大幅度回升。18 日济南、北镇日平均气温分别上升到 8.7℃和 3.0℃,造成了艾山以上的封河河段全面开河,大量冰水下泄,艾山站凌峰1 240m³/s,水位上涨,水鼓冰开。开河至齐河顾道口后,因下游河冰固封,大量冰凌集结堆积形成冰坝,继而向上延伸至齐河李隫附近。冰坝高出水面 4～6m,冰坝以上水位急剧上涨,潘庄水位仅比 1958 年洪水位低 1.2m。长清、平阴滩区大量漫水,滩区村庄被水包围。有 50km 大堤偎水,堤根水深 2～3m,大堤渗水严重。济南以下开河到惠民归仁险工,因封冰坚厚,流冰受阻堵塞向上延伸至马扎子险工。

2. 第二次封河与开河

1969 年 1 月 24 日又一次强冷空气侵入下游，沿河日最低气温 -10℃以下持续 8 天，促使第二次封河。由于河道流量小，封河发展很快，1 月 31 日封河到泺口以上，2 月 2 日上端封至郑州铁路桥以上，封冻总长 600 余公里，总冰量8 550万 m^3。这次封河的特点是：封冻快、封口（清沟）少，封冻段占河长的 87%。2 月 5 日气温回升；10 日菏泽以上全部开通；11 日气温急骤上升，菏泽、济南的平均气温分别达 6.4℃和 13℃。2 月 8 日计算李隫冰坝以上河槽蓄冰增量达 4.5 亿 m^3。三门峡水库虽于 2 月 6 日关闸断流，但由于河槽槽蓄水量较大，仍造成第二次开河的较大凌峰。高村 2 月 10 日出现了1 040m^3/s 凌峰，苏泗庄、邢庙两地卡冰壅水。2 月 11 日到孙口站凌峰增至2 650m^3/s。11 日 12 时艾山凌峰2 760m^3/s，相应水位与伏汛8 000m^3/s 的水位相同。大量冰凌在李隫冰坝以上堆积，堵塞更加严重，潘庄水位最高达 39.14m，接近于 1958 年洪水位，长清、平阴滩区大量进水，滩区村庄被水围困。济南军区驻当地工程兵独立营指战员冒严寒涉冰水连续苦战四昼夜抢救群众 2 万余人，在与冰凌的斗争中有 9 位解放军同志在冰水急流中为抢救群众献出了生命。11 日晚，山东省抗旱防汛指挥部召开紧急会议布置防凌，号召沿黄地区广大群众紧急动员起来，全力以赴战胜凌汛。对利津垦利窄河段容易卡凌的弯道进行爆破。顾道口至李隫冰坝阻水，因有长平滩区滞蓄排泄凌水，为减轻以下窄河段的威胁，对该处冰坝未施行爆破。李隫冰坝以下 2 月 10 日局部开河，11 日开河到邹平方家。因第一次开河未通冰层十分坚实，上游来冰又在此被堵形成冰坝，向上延伸 26km，冰坝上游水位陡涨 2m 以上，章丘、邹平、济阳、高青 4 县滩区，水围村庄 55 个，倒房 95 间，淹地 5.4 万亩，受灾人口 2 万余。冰坝拦蓄了上游来的冰水，滩地能回旋过流，减小了对下游的威胁，权衡利害亦未爆破冰坝。

3. 第三次封河与开河

2 月 12 日强冷空气再一次入侵，气温又大幅度下降。由于三门峡关闸断流，下游河道流量小，封河发展很快。15 日再次封冻发展到郑州京广铁路桥，此时三门峡水库水位升到 323.68m，为给第三次开河留下一定的防凌库容，16 日开一孔闸门泄流 400m^3/s。根据下游凌汛形势，国务院批准防凌运用水位可从 326m 提高到 328m。

第三次封河，黄河下游封冻总长度 703km，总冰量 1.03 亿 m^3。2 月 25 日气温回升，3 月 1 日花园口解冻开河，4 日夜位山以上全部开通，5 日开河凌头到艾山，日平均流量达 1 010m^3/s。李隫冰坝上游再次水位上涨，长平滩区第三次漫滩进水。3 月 7 日李隫冰坝以下开河发展到邹平方家，因冰坝未动，塞水漫滩走溜，堤防发生渗水、管涌、漏洞等险情，经抢护脱险。为减轻下游窄河道的压力，仍未爆破冰坝，此时三门峡库水位已达 327.64m，入库流量 853m^3/s。根据气温回升和下游冰质变化，决定加大泄流至 850m^3/s。9 日李隫冰坝主道开通，水位骤降。同日，又有冷空气侵入，开河发展停止，封河又上封到章丘刘家园，但已是强弩之末。13 日气温回升，三门峡加大流量的水头到派口，水温升至 0.5℃以上，冰层上下消融。局部解冻开河，梯子坝至方家冰坝虽未开动，但冰下过流增大，以下河段局部开河。爆破队在下游窄河段施行爆破以助开河。16 日开河到利津罗家屋子，17 日梯子坝至方家冰坝逐渐松滑，河水降落归槽，18 日全河开通。

“三封三开”的严重凌情，造成了东阿、齐河、长清、平阴、章丘、济阳、高青、利津、垦利等9个县滩区多次进水受淹，受灾村计130个，淹地27万亩，受灾人口6.6万。三门峡水库控制运用52天，其中全关断流9天，最高水位327.72m，相应蓄量18亿 m^3，库水位327m以上持续18天，库区淹地13万亩。

（三）1984～1985年度黄河下游凌情及灾情

由于气温的异常变化，1984～1985年度黄河下游形成“两封两开”的严重局势。

1984年12月下旬初，气温陡降，封河前累计负气温济南－43.3℃、惠民－54.9℃，最低负气温济南－10℃、惠民－13℃，利津站流量700 m^3/s，24日由河口向上插封，2月1日最上封河到山东齐河县枯河险工。封河24段，长257km，总冰量3 600万 m^3。2月上旬气温大幅度回升，封冻河段自上而下缓慢开河，至15日开河到垦利县前左险工，尚有48km河段未开通。2月中旬后期，受强冷空气的影响，前左以上开始第二次封河，25日最上插封到垦利王家院险工，接封长度45km。第二次封河过程中河道流凌多，流量大，利津以下窄河段插凌严重，封河段水位壅高一般2m左右，利津站最高水位14.92m，比第一次封河前水位上升3.4m，超过历史最高洪水位（1976年）0.21m。封河期间北岸利津东关以下，南岸牛庄区曹店闸以下滩地全部漫水，冲毁两处控导工程，25个村庄，5 400多人被水围困，淹没土地34万亩，有78km堤防偎水，堤根水深一般为1.5～2.0m，出现5处管涌，19处堤段渗水。胜利油田9口油井停产。封冻期间的严重情况是历年少见的。

三门峡水库为战胜本年度凌汛发挥了重大作用。本年度1月、2月份潼关入库流量为700～1 000 m^3/s，比常年来水大300～400 m^3/s。三门峡水库在下游封河之前采取了凌前蓄水措施。在第一次封河过程中，三门峡下泄由700 m^3/s 减小到500 m^3/s，第二次封河过程中由1 000 m^3/s 减小到600 m^3/s，对防止出现“武开河”发挥了重要作用。三门峡水库运用最高水位324.9m，相应库容16.3亿 m^3。

二、南北展分凌工程及下游防凌存在的问题

（一）南北展分凌工程情况

黄河凌汛期，因下游河道特殊的流向及河道形态，山东济南—齐河和垦利—利津间两段窄河道极易结冰卡凌，形成冰桥、冰坝，壅高水位，威胁堤防安全，甚至导致大堤决口。为此，水利部1971年批准兴建齐河展宽工程（简称北展宽区）和垦利展宽工程（简称南展宽区），于20世纪80年代初基本完成。南、北展区工程自建设以来，由于受多种因素影响，近30年来一直未运用过。

1. 北展宽区

北展宽区地处山东黄河北岸德州、济南两市境内，宽3km左右，面积106 km^2，设计有效库容3.9亿 m^3。现涉及齐河、天桥2个县区，区内74个自然村，4.28万人，其中村台上居住3.04万人，村台下居住1.24万人，区内耕地8.7万亩。

该工程有展宽堤37.78km；在展宽区上中部临黄堤上分别建有豆腐窝分洪闸和李家岸分洪灌溉闸，在展宽区下部展宽堤上建有大吴泄洪闸；沿黄河大堤建有避水村台34个。

豆腐窝分洪闸，于1973年8月完成主体工程，设计分洪流量2 000 m^3/s，分凌流量1 200 m^3/s。

李家岸分洪灌溉闸，于 1971 年 5 月完成，设计分洪流量 $800m^3/s$，分凌流量 800～1 $200m^3/s$，灌溉引水流量 $100m^3/s$。因该闸建成时间已久，防洪能力严重不足，不具备运用条件，于 1986 年汛前废弃，另建李家岸引黄灌溉闸（灌溉引水能力 $100m^3/s$）。

大吴泄洪闸建在展宽堤上，为展宽区泄洪退水闸，设计泄洪流量 $300m^3/s$。另外，在展宽堤上建有王府沟、小八里、赫庄等 8 座小型排水闸。

1998～2000 年济南市为解决市区用水及引黄保泉，经水利部批准，在北展宽区末端修建了鹊山水库，总库容 4 600 万 m^3。

2. 南展宽区

南展宽区地处山东黄河南岸东营市、滨州市境内，展宽区长 38.65km，宽 3.5km 左右，面积 $123.3km^2$，设计有效库容 3.27 亿 m^3，现涉及垦利、博兴、东营 3 个县区，68 个自然村，5.06 万人，耕地 9.15 万亩。沿黄河大堤修筑村台 31 个，展宽区外修村台 7 个。

南展宽工程修筑展宽堤 38.7km，临黄堤上建有麻湾、曹店两座分洪分凌闸和章丘屋子泄洪闸。其中，麻湾闸设计分洪、分凌流量均为 2 $350m^3/s$；曹店闸设计分洪 1 090 m^3/s，因防洪标准不足，已于 1993 年废除；章丘屋子泄洪闸泄流能力为 1 $530m^3/s$。展宽堤上建有大孙、清户、胜干、王营等 9 座排水闸或灌排闸。

（二）南北展工程分凌存在的主要问题

（1）展宽堤年久失修，质量差。展宽堤堤身单薄残缺，尤其是堤防施工时正值“文革”时期，大堤填筑质量较差，加之长期以来维护费用不足，堤段蛰陷、裂缝、残缺现象较为严重，一旦运用很难保证安全。

（2）部分尾工至今没有完成。展宽工程于 1971 年冬动工兴建，1980 年国民经济调整时期，国家计委确定为缓建项目。按原规划剩余的尾工有：北展宽区大吴泄洪闸至徒骇河的泄洪河道尚未开挖，退水无出路，若分滞洪运用，只能临时抢修齐济河西堤和邢家渡干渠西堤，需做土方 43 万 m^3，淹没耕地 34 万亩，迁移 13 万人；南展工程新堤后戗，沿堤截渗排水沟等。

（3）展宽堤上的穿堤建筑物问题多。北展赫庄排灌闸底板裂缝宽 18mm，整个底板断裂；小八里排水闸涵洞顶板贯穿涵洞有一条纵向裂缝；大吴泄水闸闸门止水橡皮严重老化；等等。

南展宽区麻湾分洪闸防洪标准严重不足；章丘屋子泄洪闸及其排洪闸至今没有运用，年久失修，老化严重。

（4）展宽区内群众房台面积小，生活困难。当时展宽区村台面积是按每人 45～$50m^2$ 修建的。近 20 年来，由于人口自然增长，村台居住区面积已减少到每人 $30m^2$，房舍拥挤，群众居住条件很差，部分群众不得已又搬回展区居住。南展区内修堤筑房台所挖土地尚未完成改造，盐碱地较多，群众吃水困难。

（5）展宽区内经济落后。由于展宽区有分滞洪水的要求，展区经济发展受到制约。目前，展宽区内几乎没有任何村镇企业，群众生活水平低下，已成为当地的贫困区。

除上述问题外，两展区内村台沿大堤修建，严重影响了防洪工程的管理水平，也给今后工程的加高、续建带来很多困难。

因此，南北展工程的修建虽然对缓解窄河段卡凌壅水确有作用，但是从目前情况来看,两区分凌存在困难,一旦分凌将会造成严重的经济损失。

(三)河口防凌问题

20世纪50～60年代,河口地区工农业生产发展缓慢,人口稀少。70年代胜利油田开发以后,黄河三角洲地区工农业生产发展迅速。过去河口的凌灾主要涉及滩地的农作物和少量的人民生命财产的损失,而目前已涉及能源、交通、工矿企业和较大规模的居民点等。以前一般年份,河口地区对防凌没有什么要求,而现在河口地区对防凌保护要求不断提高,使得防凌期确保的河段一直延伸至河口,防凌任务日益加重。

第四节　黄河下游防凌实践

一、冰期河道水力特性

反映冰期河道水力特性的主要指标有冰下过流能力和冰期河道槽蓄量,结合黄河下游河道特点,分别介绍如下。

(一)冰下过流能力

1．冰期流量变化过程

黄河下游是地上河,河道流量依赖于上游来水。进入冰期后,随着冰情从淌凌到封河,河道流量急剧减小,最小值甚至小于100m³/s,例如1958年1月份的最小流量仅为50m³/s。这除了因为上游来流的减小以外,还由于在下游河段内有一部分流量因形成冰凌而消耗,另一部分流量则因冰的阻力而滞蓄于河槽中,据统计,这两种原因使下游河段流量沿程减小的幅度可达100～200m³/s。稳定封冻后,虽然会因上游来水的变化及下游局部河段融冰或卡冰的影响,流量变化出现起伏,总的趋势是逐渐有所增大,直至开河时形成凌峰,出现冰期最大流量,这是黄河下游冰期流量变化的一般过程。

2．冰凌对流量变化的影响

黄河下游冰期的流量变化,除上游来水变化的影响外,更为重要的是冰凌对水流的影响,封河初期尤为明显。在同水位下,随冰凌的形成和密度的增加,过流能力急剧减小。

冰期流量的变化,特别是封河后流量的变化,即冰下水流的水力学问题十分复杂,这是因为:冰盖底面的糙率随封河方式、冰花聚积情况以及封河的时段而异,变化幅度较大;封河段的水面比降随上下游河段水位变化、封冻长度以及封河的时段而异;水浸冰和冰花对过水断面的影响随封河方式、气温的变化、清沟的状况以及封河的时段而异。也就是说,冰期的河道糙率、水面比降和过水断面面积都随着河道冰情的演变而变化。

冰期过水断面变化的一般情况是:封河初期,由于大量冰花的拥塞,过水断面面积急剧减小,这时冰花的面积占水道总面积的20%左右,有的甚至占到了1/3以上,使有效过水面积大大减小。随着气温的持续转负,冰盖逐渐增厚,水浸冰的面积会有所增加,但其量不大,而伴随冰盖下冰花面积的减小,过水断面面积将有所增大。对于黄河下游气温偏高的年份,因为封河不严重,清沟始终存在,冰花不断消失,也不断产生,因此冰花面积减小不明显,相应地过水断面增大缓慢。当解冰开河时,过水断面恢复至畅流期的状况。

从上述分析中可以看出,冰期河道糙率的加大和水力半径的减小所造成的流速减小,以及冰花和水浸冰占去了相当大的过流面积，是河流封冻后冰下过流能力减小的原因。

(二)黄河下游冰期槽蓄量的变化及分布

1. 槽蓄量的定义

在河流中，某一河段所容蓄的水量称为该河段的槽蓄量，它随河段水位的涨落而变化，因此槽蓄量 W 是水位 H 的函数，即

$$W = f(H) \tag{12-4-1}$$

因为水位的涨落是由河段流量的增减所致，所以河段槽蓄量的增减值 ΔW 与该河段进出流量的差值 Δq 和时间 t 密切相关，即

$$\Delta W = f(\Delta q, t) \tag{12-4-2}$$

河道槽蓄量是由槽蓄基量 W_0 和槽蓄增量 ΔW 两部分所组成的，而槽蓄增量又包括由河段入流变化所引起的和由河槽阻力变化所引起的两种。设有某河段 L，在畅流期某时刻 t_0 宣泄一定流量 Q_0 时，相应水位下的河槽蓄水量叫做 L 河段的槽蓄基量(W_0)。当河段入流由 Q_0 变为 Q_1 时，河道水位随之变化，河槽蓄水量也相应变化，这部分河槽水量的变化就叫做槽蓄增量 ΔW_1；而当河流封冻以后，由于冰凌的阻力作用，要宣泄同一流量 Q_1 时，河段的水位增高，河槽的蓄水量也相应加大，所增加的这部分河槽水量就叫做 L 河段的槽蓄增量 ΔW_2。所以：

$$W = W_0 + \Delta W_1 + \Delta W_2 \tag{12-4-3}$$

槽蓄基量可用断面法计算，即由畅流期某时刻的过流量的相应水位下的平均过水断面及河段长度进行计算：

$$W_0 = \sum A \times L \tag{12-4-4}$$

式中 A——河段平均断面面积；

L——河段长度。

槽蓄增量也可用断面法求得，即

$$\Delta W = \sum \Delta A \times L \tag{12-4-5}$$

式中 ΔA——河段平均断面面积增量。

由于冰下过流能力的减小是产生槽蓄增量 ΔW_2 的原因，L 河段上、下断面进出水量之差就是槽蓄增量 ΔW_2 的来源，因此通常也用相应日期上、下断面的过流量和所经历的时间来计算槽蓄增量 ΔW_2，即

$$\Delta W_2 = \sum (q_{上} - q_{下}) \times t \tag{12-4-6}$$

式中 $q_{上}$、$q_{下}$——上、下断面的过流量；

t——计算历时。

2. 封冻期槽蓄量的变化

封河期，黄河下游河道的槽蓄量随着河段入流和冰凌对水流阻力的改变而变化，大致可以分为以下4种情况：

(1)河段入流大于封河时的流量，槽蓄增量 ΔW_1 和 ΔW_2 同时增大，槽蓄量越来越大。

(2)河段入流等于封河时的流量,槽蓄增量 ΔW_1 不变,由于冰下过流能力的降低,槽蓄增量 ΔW_2 有所增加,槽蓄量也随之增大。

(3)河段入流等于封河河段的冰下过流能力,由于入流的减小,槽蓄增量 ΔW_1 减小,虽然槽蓄增量 ΔW_2 不变,槽蓄量仍相应减小。

(4)河段入流小于封河河段的冰下过流能力,槽蓄增量 ΔW_1 和 ΔW_2 同时减小,槽蓄量越来越小。

黄河下游河道槽蓄增量 ΔW_1 的变化主要取决于上游来流的变化,因为下游河道是地上河,在凌汛期基本上无汇入或引水量,而黄河下游河道的槽蓄增量 ΔW_2 的变化主要取决于冰凌对水流阻力的变化。

黄河下游凌汛期的河道槽蓄量的变化过程一般可划分为 3 个阶段:

第一阶段,封初形成阶段。黄河下游利津河段开始封冻时,冰盖底面的阻力最大,利津河段的流量急速下降,槽蓄增量迅速增大。将利津河段流量开始减小到基本上恢复到封河时流量的时间作为封初时段,历年平均为 11.5 天,最短 4 天,最长 23 天,这段时间内花园口至利津河段产生的槽蓄增量,多年平均为 2.4 亿 m^3,最大为 6.4 亿 m^3。

第二阶段,稳封平衡阶段。稳定封河后,随着冰下过流能力的增大,在上游来水变幅不大的情况下,一般可以达到进出流大致相等的相对平衡状态,槽蓄增量将维持在一定水平上,变幅不大。

第三阶段,开河释放阶段。当解冻开河时,冰水齐下,槽蓄增量会急剧释放减小。

3. 封冻期槽蓄量的分布

黄河下游河道上宽下窄,因此槽蓄量的沿河分配也是上多下少。花园口至孙口河段长 281km,孙口至利津河段长 322km,但孙口以上河段的槽蓄量,在封河前占花园口至利津河段槽蓄总量的 50%,封河期间最大槽蓄量时占花园口至利津河段槽蓄总量的 58%,这说明槽蓄增量主要分布在孙口以上的河南河段。到开河前夕,槽蓄增量向下游转移,当利津河段开河时,孙口以上河段的槽蓄量仅占花园口至利津河段槽蓄总量的 46%左右。

4. 槽蓄量与凌汛的关系

当河道封冻时,由于冰凌的阻力,槽蓄量不断增加,造成河道水位上涨,有可能封河后就漫滩。但槽蓄量与凌汛的关系主要表现在开河期,黄河下游往往是自上而下逐段解冻开河的,随着冰凌的消失,解除了对水流的附加阻力,滞蓄于河道中的槽蓄增量迅速地被释放出来,于是形成开河期的凌洪,凌洪流量的最大值叫做凌峰。因此,凌洪和凌峰都是开河期河道槽蓄增量释放的产物,它们常常是形成凌汛威胁的直接原因。

一般情况下,槽蓄量大,凌洪则大,凌峰也大。1957 年,黄河下游封河期花园口至利津河段最大槽蓄量为 13.78 亿 m^3;利津河段开河时,该河段槽蓄量仍有 12.89 亿 m^3,其中槽蓄增量为 7.17 亿 m^3,开河时利津站洪峰流量达到3 430m^3/s,造成较大的凌汛威胁。

根据槽蓄量与凌汛关系的分析,如果在黄河下游河道封冻以后,设法减少上游的来水,借以减小河道的槽蓄增量,当上游来水减少的时段长、幅度大时,就能够在开河前预先释放一部分槽蓄增量,或者设法调均并加大封河前的流量,借以提高封河时的冰盖,增大冰下过流能力,减小封河期的槽蓄增量,或者设法在开河前和开河期从河道中分出部分水量,以减小河道的槽蓄量。这样都可以起到"釜底抽薪"的作用,争取达到"文开河",减小黄河下游的凌汛威胁。

二、对下游凌汛规律的认识

从历年凌汛情况分析,凌汛期来水量的大小是造成凌汛的一个主要原因。封河初期流量小,就会造成早封河,一旦封河,冰盖低,冰下过流能力小,增大河道槽蓄水量;如开河期来水量大,下游气温尚低而冰质较坚,冰盖受水力作用,造成水鼓冰开的"武开河"形式,带来凌汛威胁更大。

根据历年封河期流量水位变化情况分析,进入冰期后,随着冰情的发展,封河初期由于冰花、冰絮凝聚的阻水作用,过水流量变小而水位急增,稳定封冻后,虽然由于受上游来水的变化及下游局部河段融冰或卡冰的影响,流量变化出现起伏,但随着冰花、冰絮逐渐被冲走,冰下过流断面逐步恢复,总的趋势是过流量逐渐增大,直到开河时出现冰期最大流量。从历年实测资料分析,除受三门峡水库关门和下游两岸引水影响较大的年份外,冰下最小的稳定过流能力都大于 300m^3/s。

河道封冻后,冰盖高低不是固定不动的,有随上站入流大小而升降的特点。当封冻后,河段上站平均入流小于封河时的流量时,则冰下有足够的过流能力,不仅入流可从冰下安全通过,且可宣泄一部分槽蓄水量;反之,若冰下过流能力小于来水,致使河道槽蓄量增加,冰盖产生压力,易将冰盖鼓裂或上升脱岸,由于水流的曳引力而使大量冰块通过,并有导致下游河段卡冰阻流的危险。因此,封冻后减小上游来水,使水流能从冰盖下通过,是安全度过凌汛的重要措施。

影响冬季封河的因素较多,情况也很复杂,但主要因素是气温与流量的影响。从现有资料分析,封冻前 3 日的气温虽有变化,但封河流量河南河段均小于 700m^3/s,山东河段均小于 550m^3/s,大于上述流量界限者均未出现封河情况。如 1971～1972 年凌汛期,黄河下游利津河段在 12 月 21 日封了河,封冻前 3 日的平均气温 -8℃,当时河道流量仅 280m^3/s 左右;1 月上旬开河后,又于 1 月底遭遇了强寒潮的袭击,寒潮期间最低 3 日平均气温 -10.6℃,当时河道流量为 700～1 000m^3/s,虽然河面淌凌密度达 90%左右,但并未封河。在前后一个月内,河势条件基本是一样的,而流量就成为是否封河的决定因素。这说明,在一定的河势条件下,当流量大到一定程度时,水力作用增大,就可以抵御一定的低负气温条件下的热力作用而不致封河,使流量成为不封河的决定因素。下游封河前适当均匀加大流量,不仅可以促使不封河或晚封河,且一旦封河可以造成较高的冰盖,有利于增大封河后冰盖下的过流能力,减小阻力作用。但大流量封河也易造成封冻时流速大,水力作用大,冰凌插塞严重,水位壅高幅度大,形成冰水蔓延。如 1976、1979 年尝试由三门峡水库调节以大流量封河,1976～1977 年三门峡下泄流量 800m^3/s,利津流量以 640m^3/s 封河,结果 12 月 27 日在河口段 17km 处插凌立封,封冻河段冰花大量堵塞河道,冰下过水面积不足河道面积的 50%,西河口至利津河段封冻初期壅高水位 2m 以上,冰水漫滩,14 个村被水围困,160km 大堤偎水;1978～1979 年三门峡下泄流量 700m^3/s,利津流量为 747m^3/s 时在西河口插凌封河,封冻河段形成严重冰塞,冰下过水不畅,有的河段壅高水位在 2.5m 以上,北镇以下河槽蓄水量约 2.5 亿 m^3,两岸滩地全部漫滩,64 个村被水围困。

产生开河期凌汛危险的主要矛盾是封河期河道槽蓄的水量与冰量。一般情况下，槽蓄量大，则开河期凌洪大，凌峰也大。如1957年黄河下游封河期花园口至利津河段最大槽蓄量为10.3亿m^3，开河时利津凌峰达3 430m^3/s，造成较大的凌汛威胁。封冻期槽蓄量主要产生于开始封河时河道内的基流量（槽蓄基量），及封河后由于入流的增减局部河段的卡凌阻水作用所产生的增加水量（槽蓄增量）。如能在黄河下游封冻后，控制上游来水流量小于初封时的封河流量，减小河道内的槽蓄增量，并使槽蓄基量从冰下安全通过，争取冰融水消，就可以减小下游凌汛威胁。从历年实测资料分析，凡槽蓄量在利津以上大于5亿m^3，泺口以上大于4亿m^3的，则开河时泺口、利津两站均可能产生大于1 000m^3/s的凌峰，造成凌汛紧张局面；反之，则一般可以安全度过凌汛。因此，封冻期控制河道槽蓄量是防凌的关键。

三、水库防凌调度经验

（一）刘家峡水库的防凌调度情况

根据近年来的防凌实际调度情况，刘家峡水库从10月下旬或11月初开始加大下泄流量，腾空防凌库容，同时有利于内蒙古河段较大流量封河。刘家峡水库多年平均11月份下泄流量为756m^3/s，至11月20日左右，水库水位降至最低水位。1997年以来最低为1 717m，最高为1 724m，平均为1 720m。之后，随着凌汛期内蒙古河段过流能力逐步减小，水库开始逐步减少下泄流量，多年平均12、1、2、3月份流量分别为539、488、448、443m^3/s，水库开始凌汛期蓄水，至3月下旬凌汛期结束，为了满足宁蒙河段5～7月份灌溉高峰用水，4月份水库继续蓄水。刘家峡水库近年来11月～来年3月份水位过程见图12-4-1，下泄流量过程见图12-4-2。

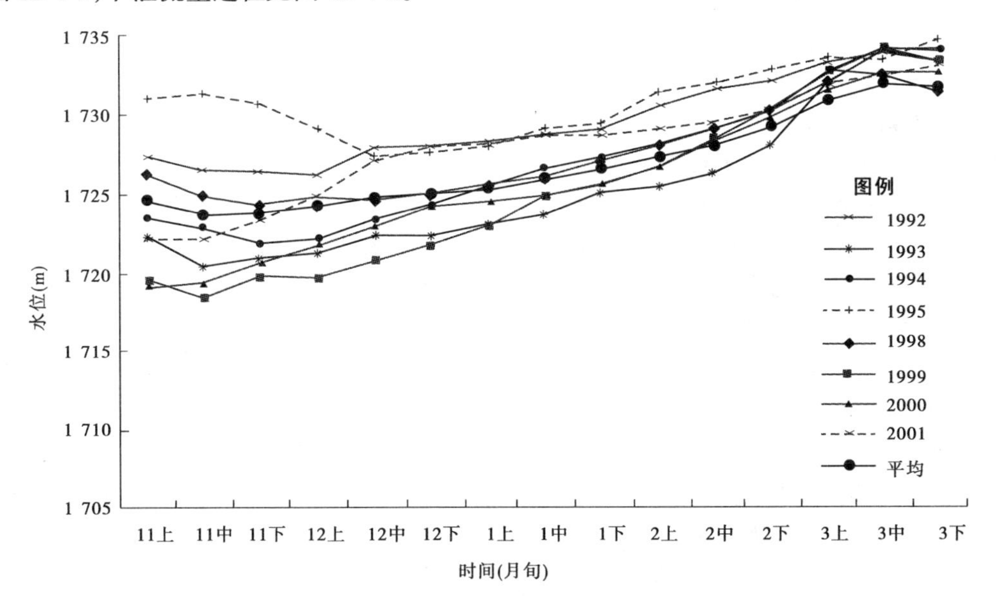

图12-4-1　刘家峡水库凌汛期各月旬末水库水位过程

目前，刘家峡水库在宁蒙河段防凌方面发挥了很大的作用，水库在封河期加大泄量，

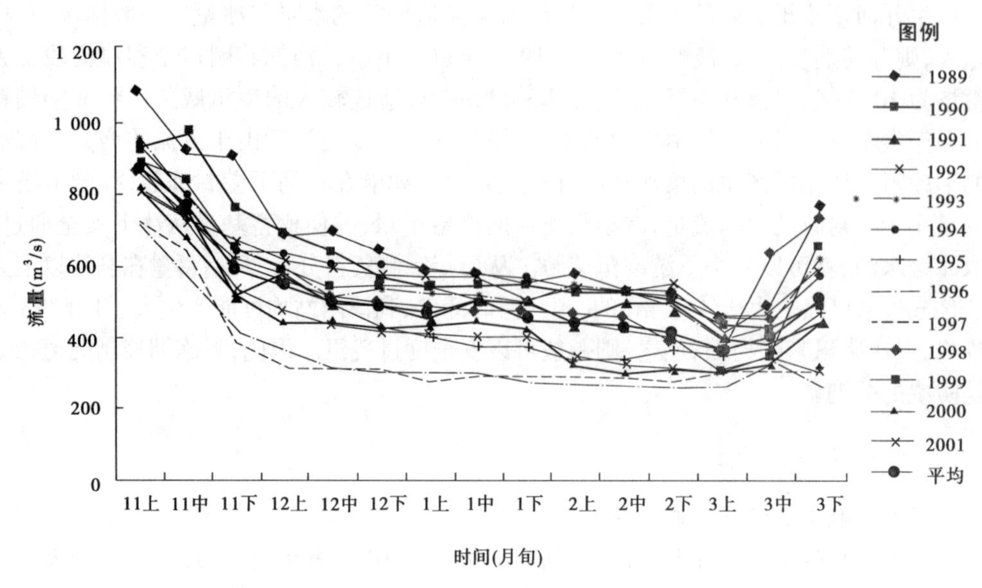

图 12-4-2 刘家峡水库凌汛期各月旬下泄流量过程线

使封河水位较高一些,提高河道断面封冻期过流能力,在开河期控制泄量,使冰水能顺利通过下游各断面,减小发生“武开河”的概率。据统计,内蒙古河段由刘家峡水库建成前的平均每年发生冰坝 13.6 次,减少为水库建成后的平均每年不超过 4 次。但由于刘家峡水库距内蒙古河段较远,不能做到调度灵活自如,防凌调度与刘家峡水电站发电放水发生矛盾,不能满足该河段防凌要求,每年 3 月内蒙古河段的凌汛仍严重威胁两岸安全。例如 1973 年和 1981 年解冻开河时上游水库下泄流量较大(下河沿站 3 月上中旬流量 500~600m^3/s),使水流动力作用增强,形成了“武开河”形势。

(二)万家寨水库防凌调度运用

万家寨水库是黄河中游梯级开发的第一级工程,其主要任务是供水、发电,兼有防洪防凌作用。万家寨水库工程于 1994 年 11 月 3 日开工,1995 年 12 月 9 日截流,1998 年 10 月 1 日下闸蓄水。由于水库蓄水,水位抬高,加重了内蒙古部分河段的防凌负担。为减轻库区防凌压力,水库降低水位时,因加大泄量给天桥电站也会造成较大影响,甚至出现严重险情。在蓄水后的第一个凌汛期,即 1998~1999 年度凌汛期间蓄水运用就给内蒙古头道拐至大坝的库区河段和天桥水电站的防凌带来了较大的影响:

(1)当年凌期内蒙古气温偏高,在封冻冰盖较薄的条件下,万家寨水库蓄水至 960m 左右,由于水库蓄水,水位抬高,河道水流流速变缓,使库区的拐上至坝前多年不封河的河道封河。

(2)开河期,由于上游头道拐河段先开河,大量冰凌顺流进入库区,当行至坝上 62~58km 时,由于河道弯道曲率半径小,阻力增加,流冰速度变慢,形成卡冰结坝,1999 年 3 月 1~7 日,堆冰长度 6.5km,水位壅高较多,二道塔最高水位达 983.58m,几乎达到移民高程线 984m,致使内蒙古喇嘛湾大桥以下部分村庄、厂矿进水。

(3)在开河期,为了减轻库区上游的防凌压力,要求万家寨水库降低运用水位。1999 年 2 月 16 日 20 时,万家寨水库降低库水位时,出库流量较大,造成大坝下游河曲河段“武开河”。

(4)万家寨水库降低库水位时，1 360m³/s 的出库流量演进至天桥电站坝前，使天桥坝前于2月17日出现大于3 000m³/s的凌峰，由于凌峰来势迅猛，库水位暴涨，坝前壅冰水位达834.9m(天桥水电站主坝坝顶高程836.0m，重力坝坝顶高程838.0m)。

(三)三门峡水库防凌调度运用经验

1960～1961年三门峡水库首次投入防凌蓄水运用，当年水库两次关闸蓄水防凌，花园口站最小流量22m³/s，2月中下旬气温升高，冰凌就地融化，平稳开河没有出现冰凌灾害，自此开创了利用水库防凌的先例。至今水库防凌已运用了40余年，下游凌汛威胁显著改善，多数年份未发生大的问题，但因水库防凌库容有限，遇严重凌汛仍难以避免冰凌灾害。经过多年的防凌调度实践，加上对冰凌在河道运行规律的研究与攻关，现已系统总结出一套水库防凌和其他防凌手段相结合解决凌汛灾害问题的经验。

由于防凌库容的限制，三门峡水库防凌运用方式曾试用多种方式进行调节。1973年以前，三门峡水库的运用方式主要是在预报下游开河前几天进行控制泄流，多采用闸门全关方式，快速减小下游河道的槽蓄水增量，防止出现较大凌峰，减小下游河道冰凌堵塞概率，降低冰凌灾害。这种运用方式，若开河日期预报准确，水库关闸时机适宜，可以减轻凌汛威胁。但由于受气象预报、冰情预报水平所限，人为随机任意性因素较多，水库关闸时机不易掌握，仍不能避免凌峰的出现，下游的防凌局面依然十分紧张。经过认真的研究与分析，利用水库在凌汛期全程调节下游河道流量，遏制冰塞、冰坝发生，避免因天气、冰情预报预见期短和预报准确率低的风险，从而达到控制冰凌危害的目的。

1. 封冻前控制运用

封冻前控制运用的目的是充分发挥水流抵制封河的积极作用，使河道推迟封冻或封冻冰盖下保持较大的过流能力。这种运用方式要求在凌汛前预蓄足够水量，凌汛封冻前期适当调平由于上游内蒙古河段早封河产生的小流量过程。据三门峡水库运用实践，在该时段内，下泄流量可以根据两种不同的方式分别确定：一种是大幅度地提高并调匀封冻前的流量，以达到抵制河道封冻不致产生凌汛的目的；另一种是适当加大并调匀封冻前的流量，以避免小流量封冻或推迟封冻日期，从而达到减轻凌汛威胁的目的。通过多年实践和计算分析，以封冻时不产生冰塞、不造成大的漫滩以及尽量减少水库预蓄水量为原则，将封冻流量控制在不超过500m³/s较为合理。这样调节运用，不仅可以避免200～300m³/s小流量封河，增大冰下过流能力，而且三门峡水库预蓄水量不大，一般不超过4亿m³，库区淤积也很少。

2. 封冻后蓄水运用

河道封冻之后，水流边界条件明显改变，湿周加大，水力半径减小，冰盖底面糙率作用以及水内冰堆积占去了一部分过水断面等，均会促使大河水位上升，河槽槽蓄水量大幅增加。据统计，黄河下游封冻期产生的槽蓄水增量，多年平均为3.2亿m³，最多年份为12.9亿m³。槽蓄水增量与凌峰大小成正比关系。槽蓄水增量是形成凌峰流量的物质基础。气温突然升高，上游开河流量增大，导致槽蓄水增量急剧释放，从而形成凌峰沿程增加。因此，逐步减小河槽槽蓄水增量，避免河道流量过程波动，是河道封冻后水库调节径流运用的基本原则。

3. 开河期控制运用

黄河下游河道开河期绝大多数年份是上段先开，开河时槽蓄水增量大量释放，同时也伴随着凌峰出现。一般情况下，凌峰的出现加剧了开河的速度，凌峰也会沿程递增、滚动加大，以至于造成冰凌的严重堆积，堵塞河道，抬高水位。此时必须进一步控制泄流，减小槽蓄水增量，必要时全部关闭水库闸门，使上端冰凌流动呈缓流状态，冰凌随时间推移自然就地消融，以期形成“文开河”局面。

根据以上分析，并参照黄河下游多年行之有效的防凌经验，利用上游水库，调整冬季河道流速的合理步骤应该是：①在河道封冻以前，适当提高流速，加大水体搬运冰体的能力，避免浮冰流冰块受阻而滞蓄于河道中，争取推迟封冻和不封冻；②一旦发生封河现象，及时调整河道流速，争取“平封”，防止“立封”和产生冰塞，尽量减少河道里的储冰量；③在不致产生冰塞和开河高水位的前提下，提高冰盖下流速，加大冰下过流能力，减少河槽蓄水量，以削减开河期的凌峰流量，避免大流冰量的发生，达到“文开河”的目的。

第五节 小浪底水库防凌作用

一、防凌调控流量及防凌库容分析

黄河下游凌汛受气温、流量和河势等综合因素的影响，其规律非常复杂。气温是冰情演变的热力因素，尤其是影响冰量的决定因素；流量对冰情的影响具有热力作用和水力作用两个方面，在一般情况下，流量大，流速亦大，因此热力作用和水力作用也越大；河道的边界条件也是影响凌汛的主要因素之一，局部河段的宽窄、纵比降、弯曲率等，也将影响河段的水流形态。在尚不能调节、控制气温变化和一定时期内河道边界条件相对稳定的条件下，利用水库调节径流，充分发挥水力因素在控制冰凌危害方面的作用，是目前防凌调度中的主要措施之一。

根据前述分析，封河流量大些可以促使晚封河及形成较高冰盖，有利于增大冰下过流能力。但大流量封河基流大，河道槽蓄水量也多，冰量也多，一旦遇特殊气温条件，也易发生大的凌灾。因此，封河流量也不是越大越好，应利用水库调节工程控制适当的封河流量才有利于防凌。以下从历史资料情况分析防凌期安全泄量。

（一）防凌调控流量分析

1. 历史资料情况

在此，主要对花园口断面凌汛资料进行分析，水文系列采用1950～1996年（水文年）共47年日平均流量资料。其中，花园口站1953、1954、1955、1956年因缺失资料，采用上游秦厂站资料补充；1960年6月1～8日因花园口枢纽大坝建成截流，发生河干，12月份因三门峡水库关闭及渠道引水，河道发生断流，流量为零，人为影响1960～1961年凌汛资料分析，剔除不用。利津站1960年1、2月份采用利津站资料，8～12月份采用下游罗家屋子资料。从3月4日起由于上游王旺庄闸放水在河中做土坝将水堵死，利津发生断流，流量为零，6月底利津站撤站，下移至罗家屋子流量站。因此，利津站1961、1962年及1963年的1～3月采用罗家屋子资料。

2．防凌调控流量分析

根据1950～1996年(水文年,下同)47年凌汛资料统计,有7年未封河,封河40年中未出现决口、冰坝、冰塞等较大凌情的有21年,去掉1960年后为20年。在这20年中按照11月～来年2月份来水频率的多少划分为≤25%、25%～50%、50%～75%、>75%四种来水年份,四种来水年份分别为5年。11月～来年2月份不同来水情况下凌汛期花园口、利津流量情况分析见表12-5-1。

表12-5-1　封、开河时无较大凌灾年份凌汛期流量分析　(单位:m^3/s)

年份	频率(%)	11月～来年2月水量	封河日		封河前3日平均		封河期		开通日		开通前3日平均	
			花园口	利津	花园口	利津	花园口	利津	花园口	利津	花园口	利津
1983～1984	5	115.1	592	500	668	496	567	387	633	251	586	254
1971～1972	10	111.1	318	224	559	217	640	502	553	1 050	590	790
1958～1959	14	105.9	585	348	611	403	412	302	405	245	481	262
1962～1963	19	95.3	801	615	910	572	446	414	110	897	110	673
1989～1990	24	94.9	656	413	666	416	481	275	477	1 130	479	717
1988～1989	29	72.4	865	224	748	206	503	151	376	226	425	142
1992～1993	33	71.3	458	375	443	320	395	440	357	367	339	431
1966～1967	38	70.6	433	375	369	434	453	327	348	1 700	273	1 553
1965～1966	43	66.6	624	369	710	392	444	393	460	494	430	531
1973～1974	48	65.6	468	341	530	421	341	273	80	442	61	216
1970～1971	52	62.3	483	497	479	477	358	293	50	1 080	50	498
1957～1958	57	61.2	359	107	451	234	390	394	430	465	401	487
1979～1980	62	60.4	549	247	474	323	344	315	209	414	224	401
1977～1978	67	55.8	225	217	275	221	205	230	239	325	246	265
1987～1988	71	54.9	586	439	657	515	373	293	267	72	285	85
1996～1997	76	53.9	763	180	816	168	369	114	309	0	277	0
1986～1987	81	48.8	475	359	513	353	511	396	417	383	453	409
1995～1996	86	46.8	524	69	511	79	302	117	274	0	278	1
1991～1992	90	42.7	683	15	690	18	287	148	268	10	275	23
1959～1960	95	42.5	411	253	396	238	247	172	122	43	110	54
多年平均		69.9	543	308	574	325	403	297	319	480	319	390
≤25%平均		104.5	590	420	683	421	509	376	436	715	449	539
25%～50%		69.3	570	337	560	355	427	317	324	646	306	575
50%～75%		58.9	440	301	467	354	334	305	239	471	241	347
>75%平均		46.9	571	175	585	171	343	189	278	87	279	97

注:花园口至利津按10日传播时间考虑。

从20年平均情况来看,利津站封河前3日(含首封日及首封前2日)平均流量为

$328m^3/s$;花园口3日平均流量为$550m^3/s$(花园口至利津按10日传播时间考虑,下同)。平均封河期48天,封河期平均流量利津站为$313m^3/s$,花园口站为$408m^3/s$,即封河期的冰下过流能力在$300m^3/s$以上。开河(指开通,下同)前3日平均流量利津站为$328m^3/s$,花园口站为$417m^3/s$。

根据上述历史资料的分析,对20年不同频率来水情况下花园口断面封河前、封河期、开河期的流量均值进行总结概化,见表12-5-2。分析表明,均值概化流量值在历史资料中占大多数,具有较好的代表性。

表12-5-2　　花园口断面凌汛期流量分析概化

11月~来年2月份来水频率	封河前3日	封河期	开通前3日
≤25%	700	500	450
25%~50%	600	450	350
50%~75%	500	350	300
>75%	500	350	300
多年平均	550	400	350

通过表12-5-2说明,对不同的来水年份,控制花园口在封河前、封河期、开河期以适当的流量下泄,下游凌汛期是比较安全的,概化流量基本代表下游凌汛期安全泄量。封河期比封河流量小150~$200m^3/s$,为封河流量的70%~75%。开河期流量比封河期流量小50~$100m^3/s$,有利于凌汛安全。

大流量封河易造成封冻时流速大,水力作用大,冰凌插塞严重,水位壅高幅度大,形成冰水蔓延。如1976、1979年尝试由三门峡水库调节以大流量封河,1976年三门峡下泄流量$800m^3/s$,利津以$640m^3/s$流量封河,结果12月27日在河口段17km处插凌立封,封冻河段冰花大量堵塞河道,冰下过水面积不足河道面积的50%,西河口至利津河段封冻初期壅高水位2m以上,冰水漫滩,14个村被水围困,160km大堤偎水。1978~1979年三门峡下泄流量$700m^3/s$,利津流量为$747m^3/s$时在西河口插凌封河,封冻河段形成严重冰塞,冰下过水不畅,有的河段壅高水位在2.5m以上,北镇以下河槽蓄水量约2.5亿m^3,两岸滩地全部漫滩,64个村被水围困。

根据上述历史资料的分析,利津封河流量在400~$550m^3/s$之间,一般不会发生较大凌情,相应花园口10日前流量在500~$750m^3/s$之间;发生较大凌情年份,利津平均封河流量在$560m^3/s$左右,相应花园口10日前流量大于$760m^3/s$;下游封河期利津冰下安全过流能力在250~$450m^3/s$之间,相应花园口流量在350~$550m^3/s$之间,花园口比利津大$100m^3/s$左右,开河期相应花园口流量应控制在300~$450m^3/s$之间,比封河期小50~$100m^3/s$。

3. 下游封河期引水对花园口控制流量的要求

从花园口、利津断面流量资料来看,不同来水年份封河期两站流量差别在$100m^3/s$左右,相对稳定,变幅为29~$133m^3/s$(见表12-5-3),说明封河期下游引黄相对稳定。花园口封河期概化流量在兼顾下游封河期引黄要求的情况下,能够满足利津封河流量要求。

表 12-5-3　　花园口、利津断面封河期平均流量对比　　（单位：m^3/s）

11 月～来年 2 月份来水频率	花园口	利津	差值
≤25%	509	376	133
25%～50%	427	317	110
50%～75%	334	305	29
>75%	363	256	107
多年平均	408.5	313.5	95

根据前面对凌汛特征、三门峡水库防凌调度运用的分析，初步拟定下游防凌期花园口控制流量如下：每年 12 月份保持均匀流，在封冻前控制花园口流量一般为 500～600 m^3/s。封河后控制泄流，使花园口流量均匀保持 300～400m^3/s，这一流量可以在冰下顺利通过，开河期视下游凌汛情况进一步控制流量。

（二）黄河下游防凌库容分析

根据上述运用方式，按设计水平年和冬季的入库流量，选择下游历年凌汛期最长、凌情最严重、入库流量偏丰的 1954～1955 年和 1968～1969 年两个典型。根据该年实际封冻情况控制运用（1954～1955 年下游封冻期 58 天，1968～1969 年下游封冻期 76 天）。在不考虑向津冀供水的情况下，需要防凌库容 1954～1955 年型为 13.5 亿 m^3，1968～1969 年型为 29.7 亿 m^3，为留有余地，拟定防凌库容为 35 亿 m^3。考虑向津冀供水的条件下，最大防凌库容为 18 亿 m^3，为留有余地，防凌库容为 20 亿～25 亿 m^3。

经计算比较，小浪底与三门峡两库联合承担防凌任务，对梯级电站的发电有利。先由小浪底水库控制运用，每年 12 月底预留防凌库容 20 亿 m^3，当小浪底水库蓄满后，三门峡水库开始控制，三门峡水库防凌库容 15 亿 m^3（若考虑向津冀供水，三门峡水库基本上不承担防凌任务）。这一联合运用方式可以减少三门峡控制运用机会，以提高三门峡电站冬季的发电出力。

二、小浪底水库的防凌作用

三门峡水库为黄河下游防凌运用多年实践证明，利用水库调节凌汛期水量，根据凌期冰凌形成、冰下过流、封河、开河等特性，因势利导，合理控制，是下游防凌的主要措施。而目前存在的主要问题是上游兴利和下游减灾之间的矛盾。这就是说，若侧重于减灾，利用目前黄河干流上游水库统一进行防凌调度也是能够解决下游防凌问题的，只是要损失黄河上游梯级电站的电能；反过来，如果侧重于兴利，保证黄河上游梯级电站效益不受损失，那么势必加重下游的防凌负担。目前，三门峡水库提供的防凌蓄水库容 18 亿 m^3 远不能满足要求，只好动用黄河下游山东河段分凌区分凌，以分凌区的淹没损失换取黄河上游水电站的发电效益，但这样做也会带来很多问题。因此，修建小浪底水库工程，增加防凌蓄水调节库容与三门峡水库联合防凌运用才是从根本上解决黄河下游防凌问题的最佳方案。

小浪底水库建成后，长期有效库容为 51 亿 m^3，小浪底水库与三门峡水库联合防凌运用,其中小浪底有 20 亿 m^3 库容可以用来防凌蓄水调节。按照黄河上游水库不考虑黄河下游防凌要求而按其开发任务调度,按黄河下游防凌任务由三门峡、小浪底两水库和下游的防凌工程体系承担的原则,分析小浪底水库的防凌作用。

根据三门峡水库多年的防凌运用实践经验,拟定了水库防凌运用方式,即凌汛前预蓄适当水量,以补偿黄河内蒙古河段封冻初期出现的小流量过程,在黄河下游封河前,下泄较大流量,避免黄河下游小流量封河,使下游封冻后冰下有较大的过流能力;待黄河下游河道封冻后,水库进入控制运用阶段,根据下游封冻情况和冰下过流能力,逐步减小下泄流量,直到安全开河。具体操作原则为:①在下游河段封河前 1 旬,开始控制小浪底水库出库流量,控泄花园口流量达到封河流量,同时控制旬末水位不高于 267.3m,腾出 20 亿 m^3 防凌库容;②在下游河道封河后,进一步控制小浪底水库出库流量,考虑区间加水、用水后控泄花园口流量达到封河期控泄流量;③在下游开河的当旬进一步控制小浪底水库出库流量,控泄花园口流量不大于开河流量;④封冻河段全部开通以后视来水和下游用水情况逐步加大出库流量。

无小浪底水库时,下游防凌体系由三门峡水库、齐河北展工程和利津南展工程组成,运用次序为:进入凌期,三门峡水库首先投入运用,蓄水至 326m 水位后开始动用齐河北展工程;当北展工程蓄满后开始启用利津南展工程;若南展工程蓄满后凌情还不能解除,可再启用三门峡水库,突破 326m 水位超蓄,以解下游凌汛之危。

小浪底水库建成后,小浪底与三门峡两水库联合防凌运用。为不影响潼关高程,减轻三门峡水库防凌负担,拟定小浪底水库承担 20 亿 m^3 防凌库容,三门峡水库承担 15 亿 m^3 防凌库容,以满足下游的防凌要求。两库的运用次序为:小浪底水库首先投入运用,若蓄水 20 亿 m^3 后还不能满足需要,则启用三门峡水库防凌蓄水,直至凌汛结束。根据下游凌汛的特点,拟定水库的防凌运用方式为:12 月 10 日开始均匀泄流 $500m^3/s$,当艾山开始封河时,水库控泄 $300m^3/s$,下游开河后,水库逐步加大泄流,先泄放三门峡水库。

根据小浪底水库初步设计 1950～1975 年 25 年系列的调节计算结果,不修建小浪底水库,25 年中除去下游未封冻的 2 年外,其余 23 年三门峡水库全部需要投入防凌,运用最高蓄水位达 329m,突破限制水位 326m,并且齐河北展分凌区需分凌 8 次,利津南展分凌区需分凌 3 次。修建小浪底水库后,不但可以避免黄河下游山东段两个展宽区的防凌,而且三门峡水库也只有 5 年投入防凌运用,运用最高蓄水位为 324m。这样,不但避免了下游分凌区的淹没,而且可以大大提高下游防凌的可靠性。下游开河时泺口、利津以上河道的槽蓄水量均可控制在 4 亿 m^3 和 5 亿 m^3 以下,相应凌峰流量不超过 $1\,000m^3/s$,还减少孙口以上河段的封冻机会,推迟下游窄河段的开河时间。所以,小浪底水库的防凌作用很大,相应的经济效益和社会效益也是很大的。

第六节　小浪底水库建成生效后下游凌情形势

随着黄河防凌工程的修建和防凌体系的不断完善,黄河下游防凌形势有利因素增多,特别是在小浪底水库建成后,由于防凌库容增加,与三门峡水库联合运用,控制凌汛期水动力能力增强,下游的防凌威胁显著减轻。

一、小浪底水库运用后防凌调控能力增强

小浪底水库建成后按照设计条件设计水库防凌库容20亿m^3，与三门峡水库联合调度，防凌总库容可达35亿m^3。

根据黄河下游凌汛特征和影响凌汛的因素分析，气温(热力因素)、流量(水动力因素)以及河道的边界条件是影响凌汛的主要因素。调节水动力因素可以有效地控制冰凌灾害的发生。按照水动力因素和冰情演变之间的关系，调节水动力因素主要是调节河道流速、流量，可以改变主要冰情现象(如冰塞、冰坝)的发生和发展。从黄河下游的防凌实践和有关冰凌理论结合分析，下游河道凌汛期安全泄量有一个临界值，大于这个临界流量就要产生冰凌灾害，并要求河道的流量过程是均衡的，避免流量忽大忽小，以免造成封冻冰盖不稳定。这个临界流量即河道安全泄量在凌汛期中每个阶段有所不同，利用水库防凌主要是控制河道不超过这个临界流量。在小浪底水库建成前主要利用三门峡水库调节，但三门峡水库防凌库容有限，因此在三门峡水库防凌运用的近40年中，仍然多次出现较严重的冰凌灾害。

小浪底水库修建后，防凌库容增大，调节流量能力增加，与三门峡水库联合进行防凌调度，对防止冰凌灾害和减轻灾害有重大作用。初步拟定小浪底水库凌汛期防凌运用方式为：每年12月份水库保持均匀泄流，在封冻前控制花园口断面流量一般为500～600m^3/s，封冻后继续控泄，使花园口流量均匀保持在300～400m^3/s，这一流量可以在冰下顺利通过。根据黄河水资源利用分析，冬季泄流规模有两种：其一，考虑向津冀供水(供水位置在小浪底水库坝下白坡附近)，即在黄河下游封河前，小浪底水库均匀下泄流量为500m^3/s，下游河道封河后，控制均匀泄流300m^3/s；其二，考虑向津冀供水，即在黄河下游封河前，小浪底水库均匀下泄流量700m^3/s，封河后控制均匀泄流450m^3/s，向津冀供水后花园口流量分别为550、300m^3/s。

小浪底与三门峡水库联合调度，先由小浪底水库控制运用，每年12月底前预留防凌库容20亿m^3，当小浪底水库蓄满后，三门峡水库开始控制，三门峡水库防凌库容15亿m^3。这一联合运用方式可以减少三门峡水库控制运用机会，以提高三门峡电站冬季的发电出力。

根据对1954～1955年和1968～1969年两个典型年分析，开河时泺口、利津以上河道的槽蓄水(增)量均可控制在4亿m^3和5亿m^3以下，相应凌峰流量一般不超过1 000m^3/s。同时，水库调节后，还可以减少孙口以上宽河道的封冻机会，推迟下游窄河段的开河时间，对保证防凌安全是有利的。

二、用水量增加有利于减少河道槽蓄水量

黄河下游现有引黄涵闸近百座，由于河床高于两岸地面，引水条件较好。涵闸设计总引水能力4 170m^3/s，其中河南河段引黄能力为1 640m^3/s，山东河段为2 530m^3/s。凌汛期(12月～来年2月)引黄水量逐年增长，20世纪60年代为1.0亿m^3，70年代为2.7亿m^3，80年代为7.9亿m^3，90年代增长到12.0亿m^3。

沿岸引水对凌汛的作用主要是减小河道的槽蓄水增量。河道槽蓄水增量与凌汛的关系十分密切。河道内出现冰凌以后，水流阻力增大，河道水位上升，当河道封冻时，河槽内

则会储有大量水，一旦气温突升，冰盖不稳而解冻，槽蓄水增量会急剧释放，形成凌峰，凌峰沿程增大则易在窄弯河段或封冻河段形成冰坝，堵塞过流断面，水位抬高酿成冰凌灾害。因此，凌汛期控制河道槽蓄增量是防止出现较大凌峰形成冰坝的主要办法，利用三门峡、小浪底两水库控泄流量的目的也是为控制河道槽蓄增量。

沿岸引水如果时机和位置适当，防凌效果则十分显著。时机的选择主要在开河期，此时最容易出现凌峰。位置主要选在常发生冰坝的上游附近河段，预报凌峰出现立即分水，削减凌峰，使冰坝难以形成，避免冰凌灾害的发生。如1976～1977年凌汛期，该年冰情较为严重，全下游总冰量7 404万m^3，封河发展到河南开封黑岗口。三门峡水库于封河后开始控制泄流，1977年2月中旬，三门峡水库水位已接近防凌限制水位326m，此时三门峡水库入库流量在1 000m^3以上，而艾山以下河段尚未有开河迹象。为了保证下游防凌安全和三门峡水库不超限运用，要求沿黄涵闸结合灌溉分水，使艾山断面过流不大于300m^3/s。1977年2月中旬～3月上旬，艾山断面以上日最大分水总流量达900m^3/s，分水总量5.13亿m^3，艾山断面流量始终保持在300m^3/s以下，直至平稳开河。

涵闸分水需按防凌调度原则运行，应防止在分水时分水口以下小流量封河，分水口突然停止分水后，又造成河道大流量鼓开冰盖的危险局面。涵闸分水的时机和分流大小应统一调度，避免出现人为的冰凌灾害。

三、堤防工程建设提高了抗凌能力

堤防工程是抗御冰凌洪水的重要屏障。黄河下游干流堤防长1 371km，由平工和险工组成，为1级水工建筑物，在历年防凌防洪斗争中起到了很大作用。

目前，黄河下游堤防设计防洪水位为2000年水平年。①设防流量：花园口为22 000m^3/s，夹河滩为21 500m^3/s，高村为20 000m^3/s，孙口为17 500m^3/s，艾山以下为11 000m^3/s；②堤防设计标准为1级，设计堤顶超高：孙口以上2.5m、孙口以下2.1m，堤顶宽度7～12m，临背河边坡均为1∶3.0，大部分险工和部分堤段已进行放淤固堤，淤背宽50～100m，高度与设计水位平。1998～2002年，国家对堤防工程加大了投资力度，堤防上已发现的重要险点险段已全部消除，现堤身高度和强度均能满足要求。

四、防凌技术和信息化水平有新的发展

黄河防凌技术是随科学技术水平的提高和国家经济的发展而不断提高的。在20世纪60年代以前，人们认为冰害主要是由冰凌堵塞河道引起的，症结是冰，所以防治的措施是治冰。如在冰面上撒土、人工破冰、炸冰、破冰船破冰等。自1960年三门峡水库建成后，运用水库防凌取得了明显效果，并逐渐认识到，冰量再多，如没有水流作用力，那么冰凌只能处于分散的静止状态，构不成凌汛威胁。随着国家经济的发展和国际间冰工程科技交流的增加，黄河防凌技术在与国内外科研单位、大专院校合作中取得了多项成果。国家“八五”科技攻关和国家自然科学基金将黄河防凌技术作为重点项目进行研究，对河冰运行的基本规律进行了系统分析，建立了水库防凌调度数学模型和冰情预报数学模型，使黄河防凌技术提高到一个新水平。

实现黄河治理开发和管理的现代化，必须首先全面实现黄河的信息化，而实现黄河信

息化的关键途径则是数字化。当前黄委会正在建设的“数字黄河”工程，在“数字黄河”的规划中，提出了“研究并建立黄河冬季枯水调度模型”，将充分考虑防凌调度问题，建立包括热力条件、水动力条件、地形条件等因素的防凌调度模型，以功能强大的系统软件和数学模型对防凌各种调度方案进行模拟、分析和研究，并在可视化的条件下提供决策支持，增强决策的科学性和预见性。

五、黄河下游河道断面形态发生了较大变化

由于下游多年来来水减少，河道主槽淤积加重，平滩流量明显减小，20 世纪 50、60 年代，平滩流量一般为 7 000～8 000m^3/s，局部河段可达10 000m^3/s；至 70、80 年代，平滩流量降至6 000～7 000m^3/s；至 90 年代，已降至4 000～5 000m^3/s；目前，平滩流量已降至 2 000～3 000m^3/s，局部河段甚至更小。据统计，1950 年 6 月～2000 年 5 月，艾山至泺口河段共淤积 4.1 亿 m^3；泺口站 1950 年 7 月～1997 年 8 月3 000m^3/s 流量对应水位抬高 3.9m。主槽的淤积改变了河道的断面形态，使排冰能力有所降低，对防凌有一定影响。

六、小浪底水库运用后下游凌情变化趋势分析

小浪底水库 1999 年 10 月 25 日下闸蓄水，2000～2001 年度正式投入防凌运用，由于其对下游水量的调节能力加大和出库水温的升高，黄河下游凌情进一步缓解。

（一）流量调控能力增强

2000～2001、2001～2002、2002～2003 年凌汛前小浪底水库蓄水量分别为 48 亿 m^3、42 亿 m^3、28 亿 m^3。在 2000～2001 年度冬季的低温时段及时地加大了流量（小浪底 1 月上旬平均流量达到 600m^3/s 左右，花园口站旬平均流量约 680m^3/s），使利津站 1 月中旬平均流量达到 440m^3/s 左右，且较大流量正好在中旬气温较低的时段到达下游流凌河段，使下游河段在低气温时段未封冻。在 2001～2002 年和 2002～2003 年两个凌汛年度，由于流域性的缺水，小浪底水库在确保用水安全和黄河下游不断流的情况下，尽量减小出库流量，所以在整个凌汛期使下游河道内流量虽小但较平稳，封河期各河段均为平封，开河时也是以热力因素为主的“文开河”。

（二）出库水温升高

根据小浪底水库运用近 3 年的水库蓄水量和出库水温统计，在 12 月下旬至来年 1 月下旬的低气温时段，2000～2001、2001～2002 年和 2002～2003 年小浪底水库出库水温分别为 5～8℃、6～9℃和 4～8℃。

（三）零温断面下移

小浪底水库运用后，由于出库水温升高，黄河下游零温断面明显下移。2000～2001 年度冬季，黄河下游在 1 月中旬出现了明显的低温时段，郑州、济南、北镇 1 月中旬平均气温较常年偏低 2～3.5℃，其中北镇站 1 月中旬平均气温达 −7.3℃，日平均气温达 −13℃。但由于小浪底水库出库水温为 5～8℃，其下游的花园口、夹河滩、高村河段水温均较高。花园口站日平均水温维持在 3℃以上，孙口站及其以上河段的水温均在 0℃以上。2000～2001 年零温断面在孙口断面附近，下移了约 400km。

2002～2003 年，黄河下游在 12 月下旬至来年 1 月上旬出现了明显的低温时段，郑

州、济南、北镇三站12月下旬平均气温较历年同期偏低2.4～5.1℃，1月上旬三站气温较历年同期偏低1.5～4.0℃，北镇日平均气温达－11℃。低温时段小浪底水库出库水温为5～8℃，在气温低、流量小(1、2月份月均出库流量分别为175、144m^3/s，利津站封河流量为31m^3/s)的情况下，零温断面在夹河滩断面附近，而历史上气温相近、流量在300m^3/s以上的年份，零温断面在花园口以上。

第十三章　水库减淤作用研究

第一节　水库运用方式

一、水库运用时期及其特征

小浪底水库运用分初期和后期两个运用时期。初期采取“拦沙、调水调沙”运用，逐步抬高主汛期(7～9 月，下同)水位拦粗(沙)排细(沙)，同时进行调水调沙，使黄河下游有巨大的减淤效益。为了充分发挥拦沙库容的拦沙减淤作用，一方面使约占总库容 1/3 的支流库容中的拦沙库容能充分有效拦沙；另一方面使干、支流拦沙库容尽量多拦使下游河槽发生大量淤积的粗颗粒和中等颗粒泥沙，而将在下游河槽很少淤积的细颗粒泥沙尽量多地排出水库。根据三门峡水库运用的经验，水库分组泥沙排沙比$\left(\frac{Q_{s出}}{Q_{s入}}\right)_{分}$与全沙排沙比$\left(\frac{Q_{s出}}{Q_{s入}}\right)_{全}$的平均关系(泥沙颗粒级配是按粒径计法分析成果，下同)见表 13-1-1 和图 13-1-1～图 13-1-3。

表 13-1-1　　水库分组泥沙排沙比与全沙排沙比关系

分组泥沙排沙比(%)	全沙排沙比(%)														
	0	3	10	20	30	50	70	85	100	120	150	200	250	300	400
细沙(d<0.025mm)	0	12	30	49	62	79	90	96	100	109	126	159	197	242	353
中沙(d=0.025～0.05mm)	0	2	6	14	22	40	65	83	100	124	158	214	269	326	440
粗沙(d>0.05mm)	0	0	1	3	8	21	41	65	100	136	180	238	288	333	396

若水库全沙排沙比小，则粗细泥沙都大量落淤在库内，大量细泥沙淤占拦沙库容，水库拦沙对下游减淤的效率减小。小浪底站来沙组成，按多年平均统计(粒径计法颗粒分析)，细颗粒泥沙占 52.4%，中等颗粒泥沙占 22.5%，粗颗粒泥沙占 22.1%。按 1919 年 7 月～1995 年 6 月统计，小浪底站输沙量年平均为 13.51 亿 t，其中细颗粒泥沙为 7.08 亿 t，其小部分在下游河道边滩淤积、在河心滩淤积、在洪水漫滩时滩地淤积；粗颗粒和中等颗粒泥沙年平均为 6.43 亿 t，占下游河道淤积的主体，而且主要在河槽内淤积。在三门峡水库“蓄清排浑”运用条件下，黄河泥沙几乎全部在汛期进入黄河下游。为了充分发挥小浪底水库的拦沙减淤作用，主汛期就要多拦粗颗粒泥沙和中等颗粒泥沙，少拦细颗粒泥沙。为此，要求：①水库在主汛期拦沙和调水调沙运用中控制低壅水拦沙，降低拦沙率，提

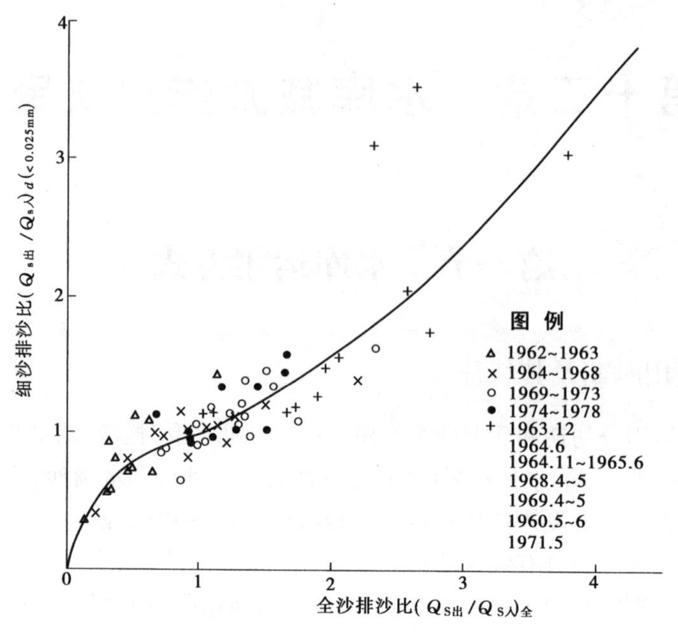

图 13-1-1 三门峡水库(潼关—三门峡大坝)细沙排沙比与全沙排沙比关系

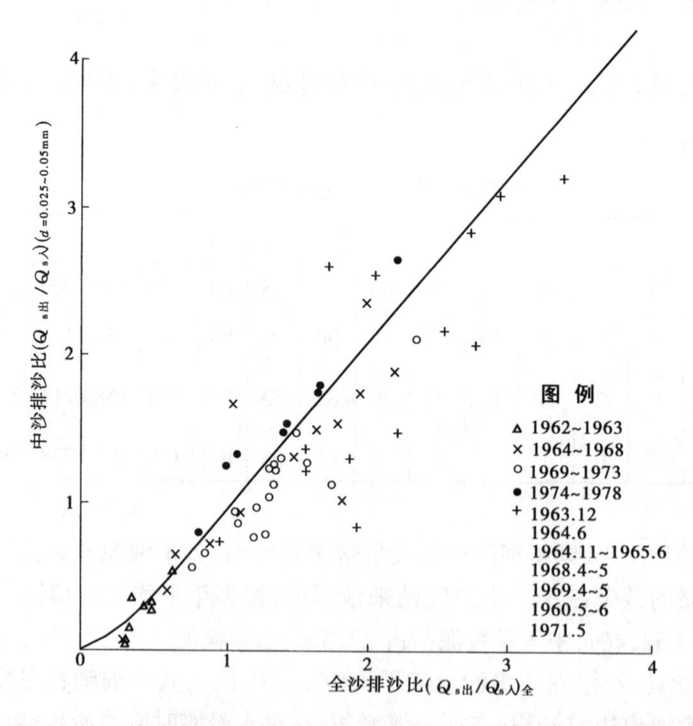

图 13-1-2 三门峡水库(潼关—三门峡大坝)中沙排沙比与全沙排沙比关系

高排沙比;②发挥黄河下游河道大流量的输沙能力,提高大流量的排沙比,降低大流量的拦沙率;③保持水库主汛期调水调沙,使水沙两极分化,避免黄河下游河槽小水和平水淤积,以较大流量、较大含沙量进入黄河下游,就能在水库合理拦沙的同时,在黄河下游河道

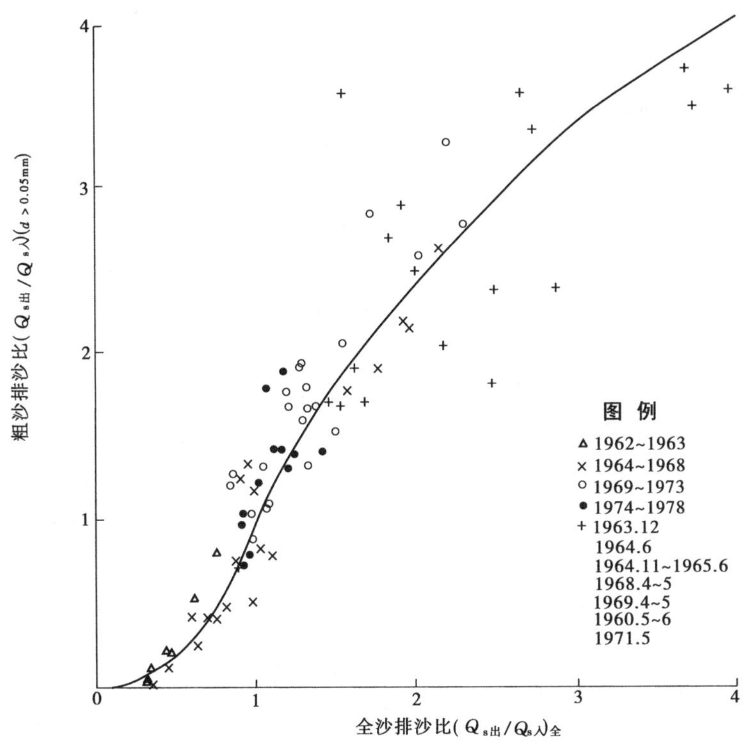

图 13-1-3　三门峡水库(潼关—三门峡大坝)粗沙排沙比与全沙排沙比关系

输沙减淤或在河槽微冲微淤,限制塌滩展宽河道,保持主流线位置相对稳定,防止发生重大河势变化及重大险情,有利于黄河下游在大量减淤的同时进行河道整治,促进河型、河性朝有利方向转化。

根据三门峡水库运用经验,小浪底水库初期拦沙运用要尽量降低初期拦沙运用的起调水位,缩短在起调水位下死库容的蓄水拦沙及调水下泄"清水"和异重流细泥沙低含沙量水流出库的运用时间;在起调水位下的死库容淤满后,逐步抬高主汛期水位控制低壅水拦沙和调水调沙,控制水库主汛期2 000m^3/s以上流量的大水平均排沙比70%左右,拦粗沙排细沙,发挥大水输沙减淤作用;在黄河来水流量及来水含沙量较大时,在黄河下游安全行洪前提下,水库相机适当降低水位冲刷,泄水造峰,下泄有较大含沙量的5 000～8 000m^3/s小洪水,在下游形成低漫滩洪水调沙淤滩刷槽,进一步改善宽、浅、散、乱的河床形态,增大滩槽高差和平滩流量,提高河槽排洪能力。小浪底水库后期,采取"蓄清排浑、调水调沙"运用,进行水库多年调沙,在每一个多年调沙期内,库区冲淤相对平衡,保持有效库容长期运用,黄河下游河道持续减淤。

水库初期和后期运用,每年10月至次年的7月上旬为蓄水调节期,水库高水位蓄水拦沙调节径流,进行防凌、供水、灌溉、发电等综合运用,基本上下泄清水。在下游非灌溉时期,下泄流量小,一般约400m^3/s;在下游灌溉时期,下泄流量较大,一般为600～1 200m^3/s。

吸取三门峡水库运用的经验,根据黄河下游河道冲淤规律的分析,认识河南河段和山东河段的特点,小浪底水库减淤运用,不宜进行清水冲刷减淤治河,而要浑水输沙减淤治河，通过水库合理拦沙和调水调沙，使黄河下游河道转向输沙相对平衡、滩槽相对稳定的方向发展。

二、水库拦沙和调水调沙库容方案选择

小浪底水库最高蓄水位275m，总原始库容126.5亿m^3。由于黄河泥沙问题的特殊性，水库对黄河下游河道的防洪减淤任务是长期的，要求防洪库容和调水调沙库容长期保持，形成长期有效库容。调节期的兴利调节库容则重复利用防洪库容和调水调沙库容。总结多沙河流水库泥沙淤积严重而又具有“死滩活槽”的冲淤特性，小浪底水利枢纽工程规划设计，将防洪库容分布在库区滩地以上，为滩库容，确定水库主汛期运用的限制水位为254m，主汛期在坝前滩面高程254m以下的槽库容内调水调沙运用，预留254m高程以上的滩库容供防洪、防凌和兴利调节运用，不受一般洪水甚至较大洪水的泥沙淤积影响。为此，要求水库的泄流规模在非常死水位220m泄流7 000m^3/s，在正常死水位230m泄流8 000m^3/s，在主汛期限制水位254m泄流11 200m^3/s，以适应保护水库滩库容的要求。

在水库初期拦沙运用完成库区形成高滩深槽形态后转入后期正常运用，保持有效库容51亿m^3，其中供汛期防洪和调节期兴利运用的滩库容41亿m^3，供主汛期调水调沙运用的槽库容10亿m^3。根据水库淤积形态设计，高程254m以上的滩库容有41亿m^3，在高程254m以下的槽库容有10亿m^3，满足了水库防洪和主汛期调水调沙库容的要求。

小浪底水库最高蓄水位275m，总库容为126.5亿m^3，要求保持有效库容51亿m^3。主汛期在预留滩库容41亿m^3的前提下（确保防洪和兴利调节），可供拦沙和调水调沙减淤运用的库容为85.5亿m^3。其中：控制主汛期逐步抬高水位进行低壅水拦粗（沙）排细（沙）的调水库容为3亿m^3；在主汛期逐步抬高水位拦沙和调水调沙运用中，干流倒灌淤积支流，形成支流河口段的倒锥体淤积形态，因支流河口拦门沙坎淤堵的库容约3亿m^3；扣除这两项，则水库最大拦沙容积约80亿m^3。水库初期拦沙运用时期，包括库区淤积抬高形成高滩高槽和冲刷下切形成高滩深槽的过程。当形成高滩高槽时最大拦沙容积约为80亿m^3，当形成高滩深槽时最小拦沙容积约为72.5亿m^3，因而平均拦沙容积76亿～77亿m^3，平均拦沙约100亿t。水库后期正常运用时期，主汛期在正常死水位230m至防洪限制水位254m之间的10亿m^3槽库容内进行调水调沙为下游减淤运用。

三、水库拦沙和调水调沙运用方案选择

小浪底水库如何使拦沙和调水调沙库容得到充分、有效、合理的运用，使黄河下游减淤效益尽可能增大，负面影响尽可能减小，则是要研究的重要问题。为此研究了以下方案。

（一）水库初期运用不同起调水位拦沙和调水调沙运用方案比较

水库初期运用不同起调水位拦沙和调水调沙运用方案，不仅在水库初期拦沙运用时期对库区的淤积过程和下游河道的冲淤过程产生不同的影响，而且对水库后期正常运用时期的库区和下游河道的冲淤过程也有影响。

研究比较了水库初期运用起调水位200m、205m、220m、230m、245m拦沙运用等5个方案，起调水位以下的库容分别为13.9亿m^3、17.1亿m^3、29.6亿m^3、40.8亿m^3、60.5亿m^3。

对不同起调水位拦沙和调水调沙运用方案，按相同的主汛期调水调沙方式和调节期调节径流方式，用相同的2000年设计水平年的代表系列1950～1975年翻番系列的水沙条件，进行三门峡和小浪底水库联合运用50年的库区泥沙冲淤计算及下游河道的泥沙冲淤计算，同时对无三门峡水库的方案和三门峡水库的现状方案进行下游河道的泥沙冲淤计算，比较有小浪底水库不同起调水位拦沙运用方案比三门峡水库现状方案对下游河道增加的减淤效益。各方案计算结果见表13-1-2，各方案黄河下游逐年冲淤过程见表13-1-3。

表13-1-2　小浪底水库不同起调水位拦沙和调水调沙运用方案下游减淤效益比较（2000年设计水平1950～1975＋1950～1975年系列）

方案	起调水位(m)	阶段	年数(年)	淤积量(亿t)		下游河道全断面减淤效益			下游河道全断面累积最大冲刷时期	
				库区	下游	减淤量(亿t)	拦沙减淤比	不淤年数	冲刷量(亿t)	历时(年)
1	200	蓄水拦沙	3	23.9	−6.89	17.1	1.40	4.5	−16.8	14
		总拦沙期	32	101.5	39.8	81.7	1.24	21.5		
		正常期	18	−1.11	58.7	9.4		2.5		
		合　计	50	100.4	98.5	91.1	1.10	24.0		
2	205	蓄水拦沙	3	25.9	−6.95	17.2	1.50	4.5	−17.7	14
		总拦沙期	32	101.9	43.5	78.0	1.31	20.6		
		正常期	18	−2.00	61.5	6.6		1.7		
		合　计	50	99.9	105.0	84.6	1.18	22.3		
3	220	蓄水拦沙	5	47.6	−12.3	31.2	1.52	8.2	−19.5	13
		总拦沙期	32	102.1	47.0	74.5	1.37	19.6		
		正常期	18	−2.57	58.7	9.4		2.5		
		合　计	50	99.5	105.7	83.9	1.19	22.1		
4	230	蓄水拦沙	6	63.4	−20.3	40.6	1.56	10.7	−20.3	9
		总拦沙期	29	102.2	39.0	70.3	1.45	18.5		
		正常期	21	−2.46	69.9	10.3		2.7		
		合　计	50	99.7	108.9	80.6	1.24	21.2		
5	245	蓄水拦沙	9	99.9	−24.9	58.4	1.71	15.4	−24.9	9
		总拦沙期	22	102.3	15.9	66.0	1.55	17.4		
		正常期	28	−2.16	97.7	9.93		2.6		
		合　计	50	100.1	113.6	76.0	1.32	20.0		

注：1. 减淤比＝水库淤积量/下游减淤量；下游河道不淤年数是下游减淤量除以三门峡水库现状方案下游年平均淤积3.79亿t而得到相当不淤年数。

2. 小浪底按主汛期拦沙和调水调沙、调节期蓄水拦沙运用。

表 13-1-3　　2000 年设计水平水沙条件有、无三门峡水库和有小浪底水库不同运用方案黄河下游累积冲淤量过程　　（单位：亿 t）

设计水平代表系列	水库运用年序	年份（水文年）	无三门峡水库方案	三门峡水库现状方案	小浪底水库初始运用起调水位(m,黄海)									
					200		205	220			230		245	
					10 月不蓄水	10 月提前蓄水	10 月提前蓄水	10 月提前蓄水			10 月提前蓄水		10 月提前蓄水	
					调水调沙			第 1 阶段不调水	第 1 阶段调水	第 1 阶段等流量调节	第 1 阶段不调水	第 1 阶段调水	第 1 阶段不调水	第 1 阶段调水
1950～1975＋1950～1975 年	1	1950～1951	5.05	4.09	−2.03	−2.56	−2.37	−1.86	−2.56	−1.60	−1.86	−2.56	−1.86	−2.55
	2	1951～1952	8.22	7.02	−4.44	−5.44	−5.22	−4.11	−5.60	−3.79	−4.11	−5.60	−4.11	−5.60
	3	1952～1953	10.94	10.21	−6.01	−6.89	−6.95	−5.78	−7.50	−5.18	−5.78	−7.50	−5.78	−7.49
	4	1953～1954	16.55	14.79	−6.66	−7.95	−7.92	−7.21	−9.43	−6.58	−7.28	−9.49	−7.28	−9.49
	5	1954～1955	20.44	18.91	−7.22	−8.39	−9.27	−9.89	−12.28	−10.10	−10.91	−14.39	−11.34	−14.59
	6	1955～1956	23.38	20.31	−10.03	−11.52	−14.05	−14.63	−16.69	−14.73	−16.80	−20.30	−15.07	−19.60
	7	1956～1957	28.20	25.92	−9.70	−11.09	−13.63	−13.79	−15.83	−13.83	−15.97	−19.38	−16.92	−21.40
	8	1957～1958	31.10	28.31	−10.12	−11.56	−14.07	−14.18	−16.19	−14.17	−16.34	−19.72	−17.92	−22.40
	9	1958～1959	36.76	33.47	−10.24	−12.13	−15.20	−15.56	−17.28	−15.06	−17.35	−20.34	−20.82	−24.88
	10	1959～1960	42.43	39.58	−7.76	−9.41	−12.53	−12.35	−14.01	−11.94	−14.19	−17.06	−14.91	−14.59
	11	1960～1961	46.26	42.12	−8.25	−9.98	−13.24	−12.99	−14.64	−11.80	−14.04	−16.90	−12.26	−14.52
	12	1961～1962	49.13	44.96	−11.94	−13.74	−16.05	−15.97	−17.65	−11.82	−14.24	−16.41	−9.68	−15.23
	13	1962～1963	52.26	47.15	−14.09	−15.93	−17.64	−17.80	−19.50	−8.395	−11.32	−13.49	−8.71	−12.48
	14	1963～1964	55.14	48.36	−15.20	−16.80	−17.68	−16.43	−17.98	−9.13	−13.02	−13.66	−9.00	−14.53
	15	1964～1965	58.27	52.63	−12.97	−13.07	−8.17	−10.84	−8.00	−3.83	−2.33	−8.20	−3.46	−3.75
	16	1965～1966	60.67	54.75	−163.27	−13.43	−8.93	−10.77	−8.67	−4.36	−2.88	−8.78	−3.31	−4.32
	17	1966～1967	68.15	60.79	−9.97	−9.67	−8.46	−6.42	−7.30	1.44	−1.16	−2.92	1.55	−2.64

续表 13-1-3

设计水平代表系列	水库运用年序	年份（水文年）	无三门峡水库方案	三门峡水库现状方案	小浪底水库初始运用起调水位(m,黄海)									
					200		205	220			230		245	
					10 月不蓄水	10 月提前蓄水	10 月提前蓄水	10 月提前蓄水			10 月提前蓄水		10 月提前蓄水	
					调水调沙			第 1 阶段不调水	第 1 阶段调水	第 1 阶段等流量调节	第 1 阶段不调水	第 1 阶段调水	第 1 阶段不调水	第 1 阶段调水
1950～1975＋1950～1975 年	18	1967～1968	70.36	62.65	−2.24	−8.12	−1.79	−0.26	−6.64	8.77	−0.54	4.45	7.64	−2.04
	19	1968～1969	73.71	66.68	−3.54	−11.48	−3.57	−1.82	−3.68	7.17	2.51	2.87	6.05	1.07
	20	1969～1970	78.46	70.95	−2.79	−6.76	−1.56	0.74	2.11	8.51	6.89	4.12	8.50	6.92
	21	1970～1971	85.78	78.75	5.18	1.27	5.77	9.01	10.62	10.65	14.91	12.29	16.41	16.14
	22	1971～1972	90.02	81.94	6.75	2.54	9.29	12.65	10.50	19.13	17.86	14.78	20.07	15.94
	23	1972～1973	92.88	84.91	10.13	5.99	11.87	15.52	13.76	22.45	21.06	18.11	23.27	19.12
	24	1973～1974	98.82	90.80	16.29	12.19	18.68	19.67	21.02	28.64	27.06	24.32	27.66	25.42
	25	1974～1975	101.71	93.38	18.18	14.14	20.00	22.79	23.11	30.43	28.78	26.11	30.77	28.45
	26	1950～1951	106.46	98.06	22.06	17.90	24.01	26.96	27.27	34.59	32.96	30.29	34.96	32.81
	27	1951～1952	109.68	101.28	26.36	22.25	27.29	30.83	30.57	37.59	36.09	32.75	38.71	35.08
	28	1952～1953	112.43	104.55	29.86	25.53	29.77	33.49	32.65	40.27	38.75	36.54	41.36	38.70
	29	1953～1954	118.22	109.34	34.18	30.19	33.85	38.07	37.45	44.85	43.20	38.95	45.83	43.29
	30	1954～1955	122.77	114.07	38.96	35.06	38.97	41.00	41.74	47.78	45.50	45.18	47.96	46.41
	31	1955～1956	125.74	115.57	38.37	32.65	38.89	42.56	41.76	49.32	47.24	42.41	49.70	47.87
	32	1956～1957	130.88	121.49	44.05	39.76	43.54	49.68	47.01	56.60	54.12	49.26	56.98	53.81
	33	1957～1958	133.83	123.90	46.35	41.19	45.92	52.12	49.37	59.04	56.62	51.66	59.50	56.20

续表 13-1-3

设计水平代表系列	水库运用年序	年份（水文年）	无三门峡水库方案	三门峡水库现状方案	小浪底水库初始运用起调水位(m,黄海)									
					200		205	220			230		245	
					10月不蓄水	10月提前蓄水	10月提前蓄水	10月提前蓄水			10月提前蓄水		10月提前蓄水	
					调水调沙			第1阶段不调水	第1阶段调水	第1阶段等流量调节	第1阶段不调水	第1阶段调水	第1阶段不调水	第1阶段调水
1950～1975+1950～1975年	34	1958～1959	139.48	128.97	49.33	45.68	49.66	56.11	54.08	61.72	62.06	48.46	64.96	62.48
	35	1959～1960	145.20	135.28	59.75	55.50	59.48	66.18	64.20	72.00	67.26	62.10	69.14	66.14
	36	1960～1961	149.03	137.82	60.60	56.25	59.66	65.60	63.63	72.35	69.92	64.59	71.64	68.59
	37	1961～1962	151.92	140.68	56.92	53.17	60.48	64.06	62.13	72.62	71.49	65.58	74.16	71.65
	38	1962～1963	155.03	142.83	60.05	55.17	62.86	66.68	64.72	75.22	74.13	68.20	76.78	72.74
	39	1963～1964	157.91	144.05	61.83	56.82	63.25	66.92	64.95	73.93	73.48	68.49	75.52	73.01
	40	1964～1965	161.08	148.37	67.24	62.78	72.63	73.05	71.10	85.02	80.01	73.99	82.04	79.45
	41	1965～1966	163.48	150.50	67.02	62.50	71.93	72.57	70.63	84.59	79.59	73.50	81.61	78.98
	42	1966～1967	170.95	156.56	71.58	67.91	74.97	77.73	75.78	87.56	85.28	79.06	87.40	84.08
	43	1967～1968	173.22	158.48	72.56	69.07	76.85	84.72	82.76	89.17	92.33	85.99	94.47	90.93
	44	1968～1969	176.87	162.80	77.30	72.89	79.06	84.38	82.40	91.04	91.99	85.63	94.13	90.58
	45	1969～1970	181.66	167.13	79.71	75.36	84.29	85.92	83.88	94.53	94.10	87.11	96.24	92.05
	46	1970～1971	188.88	174.92	89.33	84.94	90.60	94.29	92.25	103.52	101.66	95.47	103.80	100.34
	47	1971～1972	193.13	178.13	91.09	86.70	94.38	96.81	94.32	105.89	104.92	97.54	107.20	102.37
	48	1972～1973	196.00	181.09	94.72	90.32	96.93	100.098	97.59	109.15	106.39	100.80	108.67	105.59
	49	1973～1974	201.93	186.99	100.86	96.48	103.71	106.30	103.80	115.40	112.85	107.02	115.13	111.73
	50	1974～1975	204.83	189.57	102.79	98.44	105.02	108.20	105.68	117.29	114.40	108.89	116.67	113.58

由表13-1-2、表13-1-3可见,水库初期运用起调水位愈高,愈会产生不利影响(对河南河段更为显著):①蓄水拦沙运用连续下泄"清水"年数多,总拦沙期年数少,水库恢复排沙时间早;②下游河道冲刷发展快,冲刷强度大,累积最大冲刷量大而历时短;③水库恢复大量排沙后,下游河道回淤快,回淤强度大;④下游河道不稳定性加剧,塌滩展宽幅度大;⑤主流流路变化幅度大,工程冲刷险情大,增加下游河道整治的困难;⑥下游河道减淤效益减小。相反,水库初期运用起调水位愈低,则显著减小上述不利影响,朝有利方向发展。

因此,小浪底水库的主要任务是为黄河下游河道防洪、减淤,为提高黄河下游河道的减淤效益,减小对黄河下游河道的负面影响,并照顾水库初始运用的发电水位要求,选择初期运用起调水位205m拦沙和调水调沙运用方案。虽然在水库初期运用的前10年主汛期水位较低,发电效益较小,但在水库运用10年后,主汛期水位已提高至240m,并继续向254m升高,在水库运用14～20年内主汛期库水位在240～254m间变化,图13-1-4和图13-1-5所示为设计水平1919～1969年系列和1950～1975年翻番系列主汛期各月最高与最低库水位变化过程,可以代表水库运用的基本特点。例如,设计水平1919～1969年系列,枯水段在前的约20年主汛期水位逐步抬高至254m。此后,主汛期库水位主要在243～254m间变化;遇主汛期丰水,连续较大流量历时较长时,库水位降至正常死水位230m。小浪底水库调水调沙运用不要求小水年和中水年主汛期降低水位至正常死水位230m,提高了发电效益,并对下游有利。

(二)水库拦沙和调水调沙运用方案研究比较

1. 设计采用的水库拦沙和调水调沙运用方案

设计采用的水库拦沙和调水调沙运用方案基本内容:

(1)在水库初期拦沙运用和后期"蓄清排浑"运用,都实行主汛期以调水为主的调水调沙运用方式和调节期以灌溉为主的调节径流运用方式。

(2)主汛期以调水为主的调水调沙运用方式,在7～9月全过程实行。水库拦沙时,逐步抬高主汛期水位拦沙和调水调沙运用,控制低壅水,调蓄水量不大于3亿m^3(指令控制不大于3亿m^3,实际操作不大于4亿m^3),提高水库排沙比,多拦粗沙多排细沙;水库冲刷时,利用2 000m^3/s以上来水流量逐步降低水位冲刷,防止小水冲刷。调水泄放流量800～400m^3/s和2 000～8 000m^3/s,形成水沙过程两极分化,消除平水(800～2 000m^3/s)和小水(<400m^3/s)的下泄,发挥大水输沙能力大的输沙减淤作用,使全下游河道处于微冲微淤的减淤状态。在河南河段以徐缓冲刷下切为主,减少塌滩展宽和减少冲刷险情;在山东河段以微冲微淤相对稳定为主,防止上冲下淤;河口河段减少来沙量,延缓河口延伸;尽量延长下游河槽不淤积抬高的年限,减少滩地淤积。当调蓄水量大于3亿m^3时,适当降低水位,泄水造峰5 000($Q_入<5\ 000m^3/s$)～8 000m^3/s($Q_入>5\ 000m^3/s$),直至保留1亿m^3蓄水量,在下游河道淤滩刷槽,增大滩槽高差,改善河床形态,提高河槽排洪和输沙能力。

(3)10月提前蓄水,提高下游供水保证率,增大灌溉和发电效益,同时也有利于减淤及减少塌滩展宽和冲刷险情。

(4)6月底留蓄不大于10亿m^3的水量供7月上旬黄河枯水时补水灌溉和发电,有利于提高灌溉和发电效益。

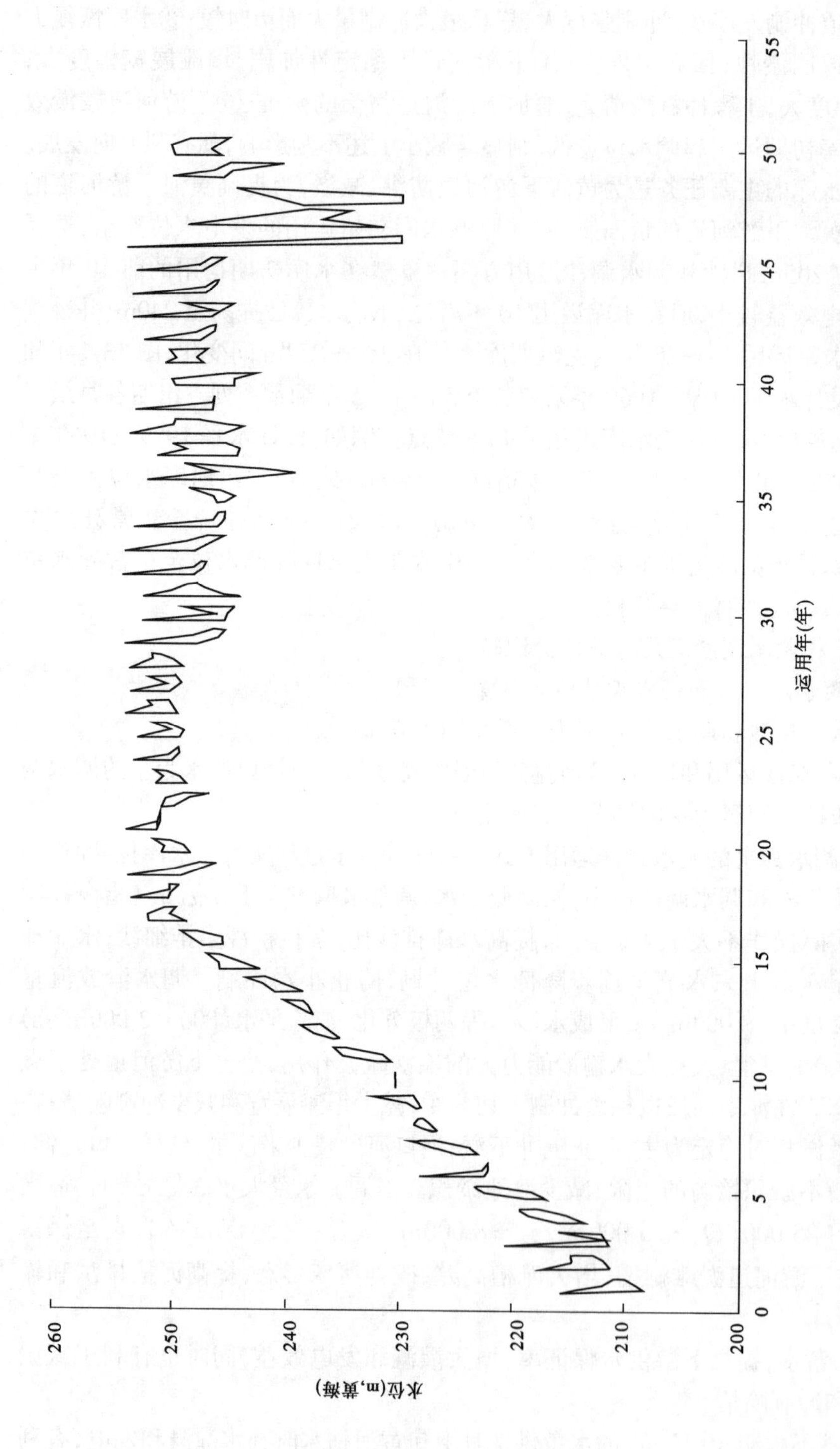

图 13-1-4 小浪底水库设计水平 1919～1969 年系列主汛期(7、8、9 月)各月最高、最低水位过程

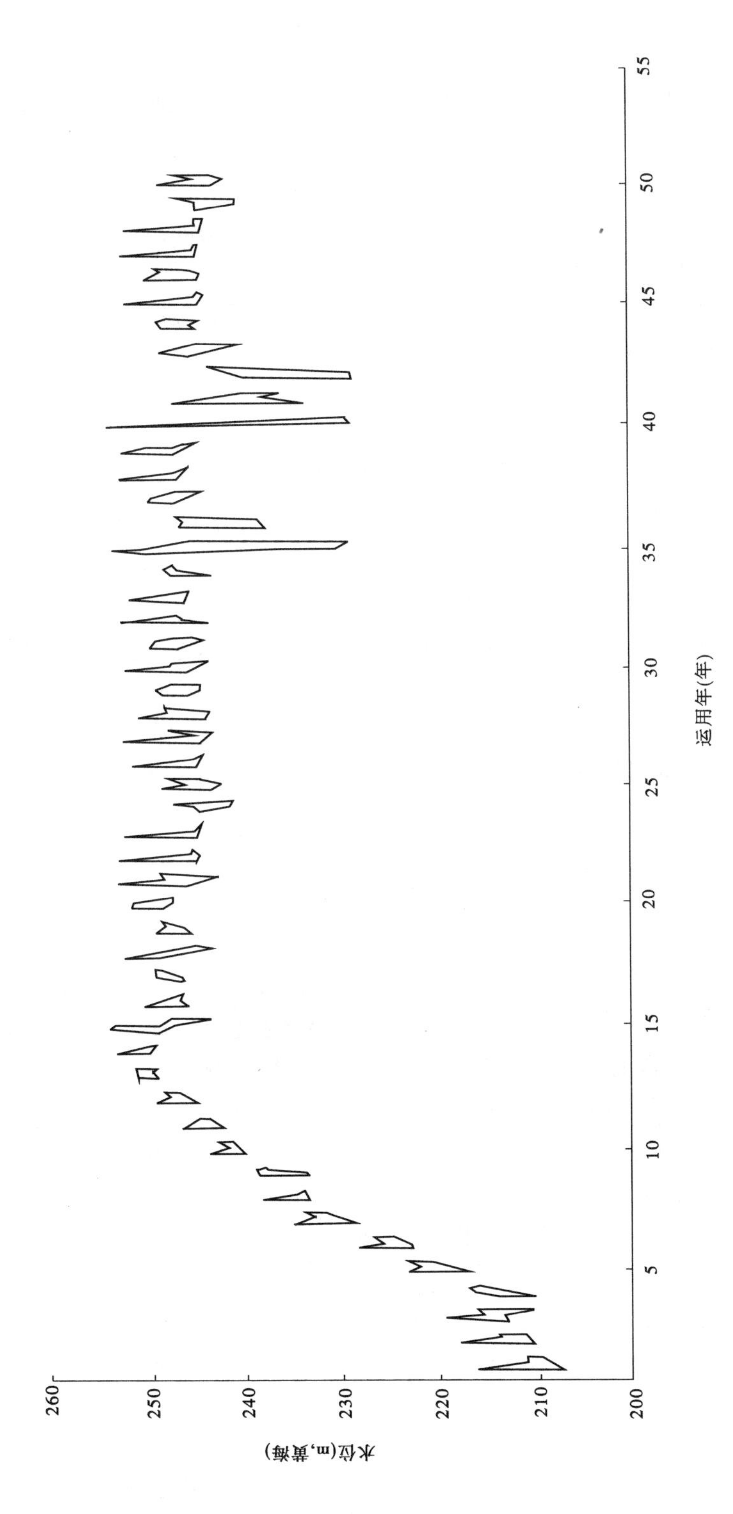

图 13-1-5 小浪底水库 2000 年设计水平 1950～1975＋1950～1975 年系列主汛期(7、8、9 月)各月最高、最低水位过程

(5)调节期蓄水调节径流,将10月～来年2月来水量调蓄到3～7月上旬泄放,增大灌溉供水量,提高灌溉供水效益,主汛期限制下游引水量不超过30亿m^3,下游年引水量100亿～120亿m^3。

(6)主汛期预留滩库容41亿m^3,备大洪水防洪运用,主汛期拦沙和调水调沙运用限制水位254m;10月上半月预留库容25亿m^3,备后期洪水防洪运用,蓄水运用限制水位264m;10月下半月至12月蓄水位可至275m,但12月底预留防凌库容20亿m^3,限制蓄水水位267m;1～2月防凌运用蓄水位可至275m;调节期正常蓄水位275m,前10年(原拟10年,现缩短为3年)分期移民限制蓄水位265m。

(7)主汛期来一般洪水大于8 000m^3/s时,水库控制下泄流量不大于8 000m^3/s;遇50年和百年一遇洪水时,控制下泄流量不超过10 000m^3/s;遇千年和万年一遇洪水时,控制下泄流量不大于14 000m^3/s。凌期山东河段封河后,控制下泄流量在花园口断面约300m^3/s。黄河枯水时,补水下泄流量400m^3/s,保持河道基流。

(8)水库初期运用拦沙时,控制累积最大拦沙容积不超过80亿m^3。水库后期"蓄清排浑、调水调沙"运用,水库冲刷时控制累积最小拦沙容积不小于71亿m^3。

2. *水库拦沙和调水调沙运用方案比较*

对设计采用的水库拦沙和调水调沙运用方案,分别就某方面作些改变,作为比较方案,用2000年设计水平1950～1975年翻番系列计算,对下游减淤的效益进行比较,检验各方案与设计采用方案的差异。比较结果见表13-1-3,分述于下。

(1)水库在起调水位蓄水拦沙阶段(即初期拦沙运用第1阶段)进行调水,不调水按来水流量下泄和等流量调节方案比较。分别对水库初期运用起调水位220m、230m和245m蓄水拦沙运用阶段进行调水、不调水按来水流量下泄和等流量调节运用,以后各阶段调水调沙运用方式相同。经水库运用50年的库区和下游河道泥沙冲淤计算,结果表明,从下游减淤而言,在起调水位蓄水拦沙运用阶段进行调水运用优于按来水流量下泄运用,而按来水流量下泄运用优于等流量调节运用。

(2)水库10月不提前蓄水方案。从下游减淤而言,水库10月提前蓄水方案优于10月不提前蓄水方案。这是因为10月提前蓄水,在水库拦沙期黄河下游冲刷量增多;在水库排沙增多后,10月提前蓄水拦沙又使黄河下游河道回淤减缓。因此,减淤效益提高。

(3)水库6月底留蓄不大于10亿m^3水量供7月上旬下游补水灌溉方案。从减少下游河道最大冲刷量和提高河槽减淤效益讲,6月底留蓄不大于10亿m^3水量供7月上旬下游补水灌溉,优于6月底不留蓄水量方案,在7月上旬黄河枯水时能够补水灌溉和发电,反调节三门峡水库小水冲刷泄出来的小流量高含沙水流,对小浪底水电站减少过机泥沙也有利。

(4)主汛期控制调蓄水量6亿m^3(实际操作不大于7亿m^3)拦沙和调水调沙方案。与控制调蓄水量3亿m^3(实际操作不大于4亿m^3)相比,下游河道冲刷历时12年,少2年,冲刷量少0.3亿t,但年平均冲刷强度增大;50年下游淤积量多6.85亿t,全断面相当不淤年数少2年。以主汛期控制调蓄水量3亿m^3(实际操作不大于4亿m^3)方案较优。

(5)主汛期调水调沙运用,水沙两极分化,避免800～2 500m^3/s流量下泄方案。水库主汛期调水调沙运用,水沙两极分化,避免800～2 500m^3/s流量下泄方案,与避免800～

2 000m^3/s 流量下泄方案相比，在相同的控制主汛期低壅水调蓄水量 3 亿 m^3 拦沙和调水调沙运用方案条件下，水库运用 50 年的库区和下游河道泥沙冲淤计算表明：前者拦沙减淤比为 1.21（即水库拦沙 1.21 亿 t，下游全断面减淤 1 亿 t）；后者拦沙减淤比 1.18。两者对下游的冲刷和减淤接近，后者略好。分析设计水平 1950～1975 年翻番系列来水来沙条件，按 7 月 11 日～9 月 30 日主汛期时段统计，50 年总天数4 100天，其中来水流量2 000 m^3/s 以上（含2 000m^3/s）天数为1 574天，占总天数的 38.4%，而流量2 000～2 500m^3/s 的天数为 614 天，占来水流量2 000m^3/s 以上天数的 39%，比重较大，在水库主汛期低壅水拦沙条件下，流量2 000m^3/s 以上按来水下泄，可以发挥2 000～2 500m^3/s 流量低含沙量水流对下游的冲刷造床作用，并可影响到艾山以下河段，若将该级流量经水库调蓄并按 800m^3/s 流量下泄，可降低对下游的冲刷减淤作用。1955～1959 年和 1974～1984 年的 16 年小浪底实测水沙资料，主汛期总天数1 472天，流量2 000m^3/s 以上 800 天，占总天数的 54.3%，其中2 000～3 000m^3/s 流量 370 天，占2 000m^3/s 以上流量天数的 46%，比重较大；而设计水平的来水来沙条件，流量2 000m^3/s 以上占主汛期天数的比重减小为 38.4%，其中2 000～3 000m^3/s 流量的天数占2 000m^3/s 以上流量天数的 61.4%，比重增大很多，所以不宜将来水2 000～2 500m^3/s 流量在水库内调蓄削减为按 800m^3/s 下泄。综上分析可以看出，避免 800～2 000m^3/s 流量下泄方案较优于避免 800～2 500m^3/s 流量下泄方案。

(6)水库主汛期来水流量大于2 000m^3/s（含2 000m^3/s）时，先造峰5 000m^3/s 泄空前期蓄水量，之后按来水流量泄流排沙运用方案。与先不造峰泄空前期蓄水量，而在前期蓄水体内按来水流量泄流排沙运用方案比较，用设计水平 1950～1975＋1919～1945 年系列水沙条件计算表明：前者在水库拦沙运用期，年平均排沙量较多，库区淤积较慢，运用 50 年，库区淤积 72.86 亿 m^3，拦沙 94.72 亿 t；下游淤积 113.97 亿 t，减淤 87.67 亿 t；50 年后水库还在拦沙减淤运用，下游减淤较多。后者在水库拦沙运用期，年平均排沙量较少，库区淤积较快，运用 14 年，库区淤积 79.67 亿 m^3，拦沙 103.6 亿 t；28 年后水库进入后期正常运用时期，进行“蓄清排浑、调水调沙”运用；50 年下游淤积 121.86 亿 t，减淤 79.78 亿 t，50 年后水库调水调沙下游减淤量较少。综合比较，各有优点，前者近期对下游的冲刷影响较小，长期对下游减淤效益较大；后者近期对下游的冲刷影响较大，长期对下游减淤效益较小。由于黄河下游长时期以来持续淤积抬高河床，平滩流量减小比较显著，防洪形势严竣，所以仍以后者的方案较前者为优，它能较快地改变下游河道淤积抬高造成的不利状况，对下游防洪有利。两者方案的水库淤积及下游冲淤比较见表 13-1-4。

(7)增加下游非汛期灌溉引水量方案。黄河泥沙集中在主汛期进入下游，而主汛期来水量减少，主汛期水流输沙问题突出。小浪底水库拦沙和调水调沙运用需要控制主汛期引水量 30 亿 m^3，使主汛期有必要的水量输沙入海，才能保持小浪底水库拦沙和调水调沙运用对下游河道的巨大减淤效益。主汛期控制引水量 30 亿 m^3，实际上是保持以往的主汛期平均引水量，由于黄河主汛期来水量减少，对下游减淤有不利影响，主汛期控制引水量 30 亿 m^3 是必要的。

黄河非汛期水量较多，但流量小，在水库蓄水拦沙下泄“清水”条件下，主要问题是要减少河南河段的冲刷和塌滩，避免山东河段的淤积。增加下游非汛期灌溉引水量，可以增

表 13-1-4 小浪底水库主汛期 $Q_{入}>2\ 000m^3/s$ 时不泄空前期蓄水 $Q_{出}=Q_{入}$ 低壅水排沙与泄空前期蓄水后 $Q_{出}=Q_{入}$ 敞泄排沙水库淤积及下游减淤量比较

设计水平代表系列(水文年)	$Q_{入}>2\ 000m^3/s$ 时不泄空前期蓄水 $Q_{出}=Q_{入}$		$Q_{入}>2000m^3/s$ 时泄空前期蓄水后 $Q_{出}=Q_{入}$		下游减淤量(亿 t)	
	水库淤积(亿 m^3)	下游淤积(亿 t)	水库淤积(亿 m^3)	下游淤积(亿 t)	主汛期低壅水	$Q_{入}>2\ 000m^3/s$ 敞泄
1950～1951	7.73	−2.37	7.73	−2.42	6.46	6.51
1951～1952	14.41	−5.22	14.33	−5.25	12.24	12.27
1952～1953	19.89	−6.95	19.54	−6.87	17.16	17.08
1953～1954	26.14	−7.92	23.19	−5.58	22.71	20.37
1954～1955	32.71	−9.27	19.93	−0.72	28.80	19.63
1955～1956	38.95	−14.06	21.66	−2.23	34.37	22.54
1956～1957	46.63	−13.63	21.31	4.48	39.55	21.44
1957～1958	49.45	−14.07	22.62	5.45	42.38	22.86
1958～1959	57.93	−15.20	20.34	11.46	48.62	22.01
1959～1960	63.38	−12.53	18.70	18.43	52.10	21.15
1960～1961	67.02	−13.24	20.83	19.01	55.36	23.11
1961～1962	74.42	−16.05	23.19	18.88	61.01	26.08
1962～1963	78.74	−17.64	25.51	18.34	64.79	28.81
1963～1964	79.67	−17.68	28.98	14.66	66.04	33.70
1964～1965	69.60	−8.17	26.38	19.29	60.80	33.34
1965～1966	72.09	−8.93	28.53	18.91	63.68	35.84
1966～1967	76.95	−8.46	25.72	23.60	69.25	37.19
1967～1968	68.38	−1.79	23.41	25.76	64.44	36.89
1968～1969	75.99	−3.57	25.03	27.04	70.25	39.64
1969～1970	78.79	−1.56	26.57	29.85	72.51	41.10
1970～1971	77.98	5.77	23.27	39.17	72.98	39.58
1971～1972	77.08	9.29	25.17	40.48	72.65	41.46
1972～1973	76.86	11.87	27.03	41.25	73.04	43.66
1973～1974	75.80	18.68	27.97	46.23	72.12	44.57
1974～1975	76.87	20.00	29.02	47.85	73.38	45.53
1919～1920	79.27	24.09	32.92	51.18	75.73	48.64
1920～1921	80.08	28.05	37.42	52.11	76.28	52.22
1921～1922	77.22	34.17	37.33	56.50	74.36	52.03
1922～1923	77.11	38.78	41.17	57.76	74.39	55.41
1923～1924	77.69	43.94	43.21	62.19	74.72	56.47
1924～1925	78.43	44.90	44.25	62.95	75.60	57.55
1925～1926	76.38	52.82	46.78	67.02	74.15	59.95
1926～1927	76.61	55.56	48.82	68.09	74.32	61.79
1927～1928	77.06	59.38	51.80	69.62	74.53	64.29

续表 13-1-4

设计水平代表系列（水文年）	$Q_{入}>2\ 000m^3/s$时不泄空前期蓄水 $Q_{出}=Q_{入}$		$Q_{入}>2000m^3/s$时泄空前期蓄水后 $Q_{出}=Q_{入}$		下游减淤量（亿 t）	
	水库淤积（亿 m^3）	下游淤积（亿 t）	水库淤积（亿 m^3）	下游淤积（亿 t）	主汛期低壅水	$Q_{入}>2\ 000m^3/s$ 敞泄
1928～1929	77.64	60.06	52.45	70.23	74.97	64.80
1929～1930	77.16	68.51	57.19	74.24	74.60	68.88
1930～1931	77.59	72.85	60.50	75.88	75.12	72.09
1931～1932	77.92	76.75	63.74	77.13	75.48	85.10
1932～1933	77.43	83.45	67.78	79.76	75.21	78.90
1933～1934	72.00	98.39	61.85	94.44	71.68	75.63
1934～1935	77.78	98.72	66.33	95.52	76.19	79.59
1935～1936	78.77	101.34	67.88	98.18	77.33	80.49
1936～1937	77.77	104.84	68.75	100.19	77.17	81.83
1937～1938	71.77	107.84	64.32	101.26	74.07	80.65
1938～1939	79.66	105.51	68.85	101.87	79.57	83.21
1939～1940	78.42	109.50	69.83	103.85	78.97	84.62
1940～1941	73.53	116.33	67.07	109.20	75.14	82.27
1941～1942	76.99	115.95	68.63	110.63	78.41	83.73
1942～1943	77.53	119.78	72.60	111.49	79.09	87.38
1943～1944	77.89	121.86	72.86	113.97	79.78	87.67

大灌溉面积，提高灌溉效益，同时要有利于减少河南河段的冲刷和塌滩，避免山东河段的淤积。为此，研究比较了增加下游非汛期引水量方案，比较了下游年引水量 100 亿 m^3、120 亿 m^3 和 150 亿 m^3 三个方案。经过对设计水平 6 个 50 年代表系列的水库和下游泥沙冲淤计算，结果表明，非汛期增加引水 20 亿 m^3 对下游减淤影响不大，非汛期增加引水 50 亿 m^3 对下游减淤影响较大，见表 13-1-5。

综合考虑，可以增大非汛期引水量 20 亿 m^3，使年引水量达到 120 亿 m^3。

表 13-1-5 小浪底水库增加非汛期引水量下游减淤效益比较

2000 年设计水平水沙条件	水库淤积量（亿 t）	下游来水来沙		下游引水引沙		利津水沙量		下游全断面减淤效益		下游河道全断面累积最大冲刷量（亿 t）
		水量（亿 m^3）	沙量（亿 t）	引水量（亿 m^3）	引沙量（亿 t）	水量（亿 m^3）	沙量（亿 t）	减淤量（亿 t）	不淤年数（年）	
6 个 50 年系列平均	101.7	322.2	11.0	100	1.33	222.2	7.2	78.7	19.5	14.4
				120	1.53	202.2	6.9	73.8	18.3	13.0
				150	1.88	172.2	6.4	66.0	16.3	11.6

(8)关于人造洪峰冲刷减淤方案。小浪底水利枢纽为了提高水库拦沙和调水调沙的

减淤效益，采取低起调水位 205m 蓄水拦沙运用，控制低壅水调水；在 205m 水位下库容淤满后，逐步抬高主汛期水位拦沙和调水调沙，控制低壅水。因此，在主汛期水库不进行高蓄水制造人造洪峰冲刷下游河道的减淤运用。在非汛期，在保证下游正常工农业用水及向津、冀、青送水外，利用剩余水量进行人造洪峰冲刷下游河道，作为补充减淤措施。据分析，在考虑造峰冲刷后汛期回淤量的影响后，建立水库平均造峰水量与年平均减淤量的关系，年平均造峰水量 26.6 亿 m^3(造峰流量4 000～5 000m^3/s，一般为 6～7 天)，年平均造峰减淤量 0.34 亿 t。可行性研究阶段审查认为，由于需用水量不尽可靠等原因，采用人造洪峰冲刷下游河道不够落实。在初步设计阶段，研究了非汛期人造洪峰冲刷下游河道增大减淤效益，为了留有余地，并考虑增加非汛期灌溉引水量的效益，故仍然只考虑水库拦沙和调水调沙的减淤作用。在招标设计阶段，为了合理利用水资源，不考虑采用人造洪峰冲刷减淤方案。

通过上述 8 个方案的研究比较，说明设计采用的小浪底水库拦沙和调水调沙运用方案，是集中了各方面的较优因素，体现了趋利避害、综合利用的原则。

四、水库初期“拦沙、调水调沙”运用

水库初期“拦沙、调水调沙”运用，要经历 3 个阶段：①初始运用起调水位 205m 蓄水拦沙和调水运用，淤满起调水位以下库容；②起调水位 205m 库容淤满后逐步抬高主汛期水位至 254m 拦沙和调水调沙运用，逐步由下而上由低而高淤积抬高库区河床；③逐步形成高滩深槽拦沙和调水调沙运用，经历高滩高槽过渡至高滩深槽，塑造新的河床纵剖面、滩地纵剖面和河槽横断面平衡形态。对于不同的来水来沙条件，完成此过程的历时长短不同。现分述于下。

(一)初始运用起调水位蓄水拦沙和调水运用阶段

小浪底坝址(小浪底水文站(一)原址)天然河道流量 1 000m^3/s 的平均水位约 135.18m(黄海，下同)，流量10 000m^3/s 的平均水位约 141.2m。小浪底水库初始运用起调水位的选择按三个条件考虑：①尽量使拦沙库容的大部分(约 75%)用于逐步抬高主汛期水位拦沙和调水调沙运用，使水库多拦粗颗粒泥沙($d>0.05$mm)和中颗粒泥沙($d=0.025\sim0.05$mm)，少拦细颗粒泥沙($d<0.025$mm)，以提高水库对下游河道减淤的效益；②满足水库初始运用发电水位的要求，满足机组在最低水位发电运行的工况条件；③水库初始运用起调水位有较大的泄流能力，以利用下游接近平滩流量 5 000m^3/s 时的最大输沙能力，提高下游减淤效益。

综合上述要求，选择初始运用主汛期起调水位为 205m。其特点是：①205m 水位以下原始库容仅有 17.1 亿 m^3，扣除施工期淤积损失库容 1.1 亿 m^3，并考虑斜体淤积，在 205m 水位蓄水拦沙运用，可以淤积泥沙 24.4 亿 t，只占最大拦沙库容 80 亿 m^3 拦沙 104 亿 t 的 23.5%，按多年平均水沙条件，蓄水拦沙运用约 3 年可淤满，持续下泄清水及细泥沙低含沙量水流历时短，影响小；②可以基本满足初始运用起调水位 205m 的发电运行工况的要求；③由于水库调水运用，在 6 月底留一定的蓄水量(不超过 10 亿 m^3)供 7 月上旬黄河枯水时补水发电及下游供水、灌溉，并在 7 月 11 日～9 月 30 日控制调蓄水量不大于 3 亿 m^3 的调水；④水库初期运用起调水位 205m 的泄流能力与三门峡水库汛期排沙运用水位 305m 的泄

流能力相近。在初始运用起调水位205m蓄水拦沙和调水运用阶段，可进行较大流量的调水运用，避免下游河道发生上冲下淤。本阶段运用历时平均约3年。

(二)逐步抬高主汛期水位拦沙和调水调沙运用阶段

当初始运用起调水位205m高程以下库容淤满后，转入逐步抬高主汛期水位拦沙和调水调沙运用阶段。主汛期库水位由205m逐步升高至254m(主汛期限制水位)，库区淤积由下而上由低而高逐步发展。由于调水调沙运用，主汛期库水位以升高为主作上下变动。当坝前淤积高程达到245m后，则完成本阶段的运用。本阶段运用历时平均约12年。

(三)逐步形成高滩深槽拦沙和调水调沙运用阶段

在此阶段，一方面水库拦沙和调水调沙运用逐步淤高滩地，坝前滩面高程淤至与主汛期拦沙最高运用水位254m相平，在库区下半段形成1.7‰的滩地比降；另一方面，利用2 000～8 000m^3/s来水流量逐步降低主汛期水位冲刷下切河槽。在此阶段，库水位升降及库区冲淤变化较大，当水库出现高滩高槽淤积形态时，坝前滩面高程为254m，河底高程为250m，水库河床淤积比降下半段为1.7‰、上半段为2.5‰，淤积不影响三门峡坝下水位。水库出现高滩高槽时计算的最大累积淤积量约80.4亿m^3，扣除支流无效库容3亿m^3，其有效库容约43亿m^3，可以满足水库主汛期防洪及调水调沙和调节期兴利运用。在水库形成高滩高槽后，继续调水调沙，在来水小于2 000m^3/s时仍低壅水拦沙，在来水大于2 000m^3/s时逐步降低水位冲刷下切河槽，直至正常死水位230m形成高滩深槽平衡形态，保持有效库容51亿m^3。本阶段运用历时平均为13年。

综上所述，小浪底水库初期拦沙和调水调沙运用历时平均约28年。

五、水库后期“蓄清排浑、调水调沙”运用

水库后期转入正常运用期为“蓄清排浑、调水调沙”运用。在主汛期7～9月利用254m高程以下的10亿m^3槽库容调水调沙和多年调沙，水库运用水位在正常死水位230m至主汛期限制水位254m之间变化；在调节期10月～来年6月高蓄水拦沙、调节径流兴利运用。在调水调沙运用中有效库容在44亿～51亿m^3之间变化，确保主汛期预留254m高程以上滩库容41亿m^3备防洪运用，继续为下游河道防洪、减淤服务；兴利调节库容平均按46.5亿m^3计算。

六、水库调度运用方式

(一)主汛期以调水为主的调水调沙运用方式

黄河水少沙多、水沙异源、来水来沙的自然组合与下游河道水流输沙能力不协调，是造成黄河下游河道严重淤积的根本原因。

小浪底水库初期“拦沙运用”要通过调水调沙提高拦沙减淤效益，水库后期“蓄清排浑”运用要通过调水调沙持续发挥减淤效益。

表13-1-6和表13-1-7为小浪底水库主汛期2000年设计水平与实测的来水流量和含沙量的特征统计。从二表中可以看出：①设计来水来沙条件下的大水流量3 000m^3/s以上出现的概率为14.8%，2 000m^3/s以上出现的概率为38.4%，比实测的3 000m^3/s以上

表 13-1-6 小浪底水库 2000 年设计水平(1950～1975＋1950～1975 年系列)主汛期 7 月 11 日～9 月 30 日入库日平均流量和含沙量特征

流量级(m^3/s)	≥8 000	<8 000 ≥5 000	<5 000 ≥3 000	<3 000 ≥2 500	<2 500 ≥2 000	<2 000 >800	≤800 ≥400	<400	≥3 000	≥2 500	≥2 000	<2 500 >800	≤800	合计
出现天数(天)	4	134	470	352	614	1 672	600	254	608	960	1 574	2 286	854	4 100
几率(%)	0.1	3.3	11.5	8.6	15.0	40.8	14.6	6.2	14.8	23.4	38.4	55.8	20.8	100
含沙量级(kg/m^3)	≥500	<500 ≥400	<400 ≥300	<300 ≥200	<200 ≥100	<100 ≥50	<50 ≥10	<10	≥400	≥300	≥200	<200 ≥50	<50	合计
出现天数(天)	2	12	50	136	667	1 185	2 036	12	14	64	200	1 852	2 048	4 100
几率(%)	0.05	0.29	1.2	3.3	16.3	28.9	49.6	0.29	0.34	1.6	4.8	45.2	50.0	100

表 13-1-7 小浪底站实测(1955～1959＋1974～1984 年系列)主汛期 7～9 月日平均流量和含沙量特征

	流量级(m^3/s)	8 000	<8 000 ≥7 000	<7 000 ≥6 000	<6 000 ≥5 000	<5 000 ≥4 000	<4 000 ≥3 000	<3 000 ≥2 000	<2 000 ≥800	<800 ≥400	<400	≥3 000	≥2 000	<800	合计
流量分级特征	出现天数(天)	5	13	15	39	106	252	370	554	95	23	430	800	118	1 472
	几率(%)	0.3	0.9	1.0	2.6	7.2	17.1	25.1	37.7	6.5	1.6	29.1	54.2	8.1	100
	平均流量(m^3/s)	8 782	7 382	6 468	5 431	4 408	3 492	2 482	1 392	632	306				
	平均含沙量(kg/m^3)	112.9	83.3	162.5	83.5	65.0	53.7	61.3	39.9	20.8	8.2				
	含沙量级(kg/m^3)	>500	<500 ≥400	<400 ≥300	<300 ≥200	<200 ≥100	<100 ≥50	<50 ≥20	<20 ≥10	<10	≥300	≥200	<200 ≥50	<50	合计
含沙量分级特征	出现天数(天)	0	3	6	25	118	325	714	207	74	9	34	443	995	1 472
	几率(%)	0	0.2	0.4	1.7	8.0	22.1	48.5	14.1	5.0	0.6	2.3	30.1	67.6	100
	平均含沙量(kg/m^3)	477.7	358	237.1	134.9	68.2	32.8	16	5.6						
	平均流量(m^3/s)	5 577	3 377	2 968	3 385	2 803	2 466	1 566	621						

出现的几率29.1%、2 000m^3/s以上出现的几率54.2%均有很大的减少，相应的平水流量(2 000～800m^3/s)和小水流量(800m^3/s以下)出现的几率比实测有显著的增大；②设计来水来沙条件下的水流含沙量增大，高含沙量的等级提高，高含沙量出现的几率增大，日平均含沙量200kg/m^3以上出现的几率为4.8%，100～50kg/m^3出现的几率为28.9%；③设计来水来沙条件下日平均流量2 000～2 500m^3/s出现的几率为15.0%，而且占日平均流量2 000m^3/s以上几率的39%，所占比重大，要发挥2 000～2 500m^3/s流量对下游河道的造床作用；④小浪底水库调水调沙使水沙过程两级分化(泄放大水，避免平水，提高枯水)，要从有利于黄河下游的水流造床作用和水流输沙减淤作用来考虑。第一，要泄放2 000m^3/s以上的大水流量。在设计水沙条件下，主汛期日平均流量2 000m^3/s以上出现的几率为38.4%，然而，2 500m^3/s以上出现的几率为23.4%。黄河下游河道造床作用既需要有较大流量的作用，又需要相应的历时较长的作用。如果将2 000～2 500m^3/s这一级流量调蓄库内，削减为流量800m^3/s下泄，仅让2 500m^3/s以上来水流量进入下游，则几率减小，历时缩短，对下游河道造床和输沙减淤不利。如果调蓄这一级流量的水量放到3 000m^3/s以上流量下泄，则因水库多蓄水造成泄出的是"少沙"大流量，在河南河段发生冲刷塌滩，展宽河道，"少沙"水流降低水流流速(一方面冲刷河床，河床粗化；另一方面水流糙率增大)，从而降低输沙能力，对下游河道均为不利。第二，要避免2 000～800m^3/s的平水流量下泄。在设计水沙条件下，主汛期日平均流量2 000～800m^3/s出现的几率为40.8%，这一级平水流量在下游河道发生泥沙淤积，如果水库拦沙，泄放这一级平水流量，在下游河道要发生上冲下淤或一段冲一段淤，向下游推进，对山东河段不利。因此，小浪底水库调蓄平水流量，削减为按小水流量800m^3/s下泄，既满足下游用水要求(在沿程引水时致使沿程流量减小)，又减小冲刷能力，避免上冲下淤或段冲段淤。第三，要泄放小水流量和提高枯水流量。在设计水平水沙条件下，主汛期日平均流量800～400m^3/s出现的几率为14.6%，在水库调蓄2 000～800m^3/s平水流量而泄放800m^3/s小水流量时，可使800～400m^3/s流量在下游出现的几率显著增大。这级流量是下游引水需要的，在水库拦沙条件下，水流含沙量小，泥沙颗粒细，下游减少泥沙淤积或微冲，沿程引水，流量沿程减小，冲刷塌滩也不明显，可以改变小水流量在下游全程淤积或上冲下淤问题。对于小于400m^3/s的枯水流量，水库利用调蓄800～2 000m^3/s流量的蓄水量补水至400m^3/s下泄，可补水发电并保持下游河道基流，改善水质。小浪底水库调水调沙的这种模式是针对今后的来水来沙条件，从有利于下游河道的水流造床作用和水流输沙减淤作用，及冲刷要在全下游和缓进行，防止上冲下淤等的要求得出的，它基于黄河下游河道的河床演变规律和吸取三门峡水库运用的实践经验和教训，因此是比较稳妥的，统筹了下游河道减淤与河道整治和兴利的综合要求。

吸取三门峡水库运用的经验教训，认识黄河水库和下游河道的自然规律，水库首先要解决下游河道的超饱和输沙淤积问题，发挥下游河道输沙能力，使黄河下游河道输沙减淤，符合黄河下游河道是多泥沙输沙河流的性质，尽量缩短与减小黄河下游河道清水冲刷减淤的河床演变的逆向反复的负面影响，避免人造洪峰长时段中水流量均匀化清水冲刷，减小黄河下游河道的冲刷深度和冲刷险情以及塌滩展宽的不利影响。

小浪底水库以调水为主的调水调沙运用的原则是，主汛期调蓄2 000m^3/s以下的小水，泄放 2 000m^3/s 以上的大水，削减 8 000m^3/s 以上的洪水。即调节黄河复杂多变的自然水沙过程使其两极分化，在来水小于 2 000m^3/s 时，水库进行低壅水蓄水拦沙调节径流；在来水大于 2 000m^3/s 时，水库进行按来水流量下泄的低壅水拦粗沙排细沙运用或敞泄排沙或冲刷排沙运用；当来水大于 8 000m^3/s 时，水库进行滞洪削峰运用。调水调沙运用的目标是：①发挥下游河道大水输大沙能力和较大含沙量洪水淤滩刷槽的作用；②减少清水冲刷塌滩展宽河道，防止平水与小水淤积及上冲下淤；③减少河道冲刷险情，提高河道减淤效益；④增大下游河道滩槽高差，提高平滩流量；⑤削减洪水，保障下游河道防洪安全；⑥调节径流，满足下游供水、灌溉要求；⑦保证发电流量，提高发电效益；⑧保持下游河道基流，改善水质和生态环境。

主汛期以调水为主的调水调沙运用，按以下方式调度：

(1)提高枯水流量。当来水流量小于 400m^3/s 时，利用前期蓄水量补水，按 400m^3/s 下泄，保证发电流量 400m^3/s，保持河道基流，改善水质和水环境。

(2)泄放小水流量。当来水流量为 400～800m^3/s 时，按来水流量下泄，满足下游用水要求。

(3)避免平水流量下泄。当来水流量为 800～2 000m^3/s 时，水库蓄水，按 800m^3/s 流量下泄，避免下游河道平水与小水淤积和上冲下淤的不利情形发生，但要控制蓄水量不大于 3 亿 m^3(指令控制 3 亿 m^3，实际操作可达 4 亿 m^3)，控制低壅水，提高排沙比，拦粗沙、排细沙；当调蓄水量大于 3 亿 m^3 时，则按 5 000m^3/s(来水小于 5 000m^3/s 时)或 8 000m^3/s(来水大于 5 000m^3/s 时)泄水造峰，直至保留 1 亿 m^3 蓄水量后继续调水调沙。

(4)大水流量泄流排沙。考虑到小浪底水库初期拦沙运用下游河道发生河床冲刷下切及低漫滩洪水淤滩刷槽，滩槽高差增大，平滩流量将逐渐增大至 8 000m^3/s 或更大，因此通过下游河槽流量以 8 000m^3/s 为控制。当来水流量为 2 000～8 000m^3/s 时，按来水流量泄流排沙，此时有两种情况：①在水库有前期蓄水体时，则在前期蓄水体内按来水流量泄流排沙，水库低壅水排沙比提高，拦粗沙、排细沙，在来水流量大而蓄水体小时则呈敞泄排沙状态；②在水库无前期蓄水体时，则按来水流量进行敞泄排沙或冲刷排沙。

(5)调节对下游河道有不利影响的高含沙洪水。黄河下游河道遇 400kg/m^3 以上高含沙量洪水时出现明显不利影响的现象，主要表现在：①水位异常。水位增高，并陡涨陡落，涨落幅度大。②洪峰异常。增大洪峰流量，洪峰上涨率高，洪水上涨快。③水流集中冲刷增强。水流迅速刷槽贴边淤滩，河槽急剧缩窄，单宽流量增大，流速增大，冲刷深度增大。④引起大的河势变化。高含沙洪水时刷槽淤滩，河槽趋向窄深规顺，河势和主流流路发生急剧变化；高含沙洪水后小水淤槽刷滩，河床又趋宽浅，河势和主流流路又发生新变化。所以，要合理调节 400kg/m^3 以上高含沙洪水，控制坝前和出库含沙量小于 400kg/m^3，在下游河道塑造较稳定的输水输沙河槽。此时，当按以调水为主的调水调沙运用尚不能控制出库含沙量不大于 400kg/m^3 时，则要实施以调沙为主的调水调沙运用。即以控制出库含沙量不大于 400kg/m^3 为条件，根据来水流量和含沙量，设定控制出库含沙量和排沙比($\rho_{出}/\rho_{入}$)，按壅水排沙关系式和调水计算式的方程组联解求得出库流量和蓄水容积，并验算出库流量和含沙量的组合是否符合下游输沙减淤要求，否则，再设定 $\rho_{出}/\rho_{入}$ 计算，直至满足这两个要求。

(6)滞蓄洪水。当来水大于 8 000m^3/s时,水库滞蓄洪水,按 8 000m^3/s下泄,控制花园口流量不大于 10 000m^3/s;当花园口洪水继续上涨时,则按下游防洪运用。

(二)调节期的调蓄运用

选定 10 月提前蓄水,10 月～来年 7 月上旬蓄水拦沙调节径流运用。但 10 月上半月有后期洪水,要预留防洪库容 25 亿 m^3,蓄水位不超过防洪限制水位。调节期除 1～2 月为黄河下游防凌运用外,主要按灌溉调节径流运用。考虑将灌溉水量优化分配在农作物生长期内不同需水阶段,增加灌溉供水量和扩大灌溉面积,并使下游河道沿程有一定的基流,有一定的入海水量,以利河口生态环境。考虑了 6 月底留蓄不大于 10 亿 m^3 水量供 7 月上旬黄河枯水时补水灌溉和发电应用。由于水库按下游灌溉调节径流运用,下游河道冲刷减弱,基本消除了上冲下淤的影响问题。遇丰水时,6 月尚有剩余水量时(扣除 6 月底留蓄 10 亿 m^3 水量),则均匀增加下泄流量,扩大供水、灌溉效益和增大冲刷效果及入海水量。

第二节　水库减淤作用

一、水库运用特性和出库水沙特性

在水库初始运用起调水位 205m 蓄水拦沙和调水运用阶段的平均 3 年内,主汛期低水位蓄水拦沙和调水运用,要完成水库最大拦沙量的 23%,约淤积 24 亿 t(含非汛期,下同),主汛期异重流排沙,出库水流为含沙量小于 10kg/m^3、泥沙中径约为 0.008mm 的细泥沙低含沙量水流。在水库逐步抬高主汛期水位拦沙和调水调沙运用阶段的平均 12 年内,每年主汛期全过程是低壅水拦沙和调水调沙,调蓄水量在 0.5 亿～4.0 亿 m^3 之间变化,多数在 1.0 亿～3.0 亿 m^3 之间变化;排沙比为 15%～85%,较大流量排沙比为 50%～85%,小流量排沙比为 10%左右;较大流量2 000～6 000m^3/s 出库含沙量较大,可大至 50～240kg/m^3,小流量出库含沙量小于 10kg/m^3;要完成水库最大拦沙量的 77%,约淤积 80 亿 t。在水库逐步形成高滩深槽拦沙和调水调沙运用阶段的平均 13 年内,其中有 6～7 年主汛期为低壅水排沙及降低水位冲刷结合运用;有 3 年主汛期全过程是低壅水拦沙和调水调沙,调蓄水量 0.40 亿～4.0 亿 m^3,多数在 1.0 亿～3.0 亿 m^3 之间变化;有 3 年主汛期大水全过程是逐步降低水位冲刷排沙,排沙比为 100%～200%,大流量3 000～8 000m^3/s出库含沙量大,可大至 300～400kg/m^3,主要是将大流量冲刷出库的泥沙调至下游形成低漫滩洪水淤滩刷槽和在河槽内形成大流量输沙减淤。在水库后期正常运用时期"蓄清排浑、调水调沙"和多年调沙运用,其主汛期调水调沙运用的基本特点和出库水沙特性,与水库初期拦沙和调水调沙运用的第三阶段相类似。

表 13-2-1 列出了设计水平 1950～1975 年系列在水库初期拦沙和调水调沙运用的第二阶段,水库运用第 9 年主汛期全过程为低壅水拦沙和调水调沙运用的泄流排沙特点。表 13-2-2 列出了水库初期拦沙和调水调沙运用的第三阶段,水库运用第 15 年、主汛期较大流量敞泄排沙和降低水位冲刷排沙运用的泄流排沙特点。

表 13-2-3 为小浪底水库运用 50 年(1950～1975 + 1950～1975 年系列)主汛期 7～9 月出库各级流量和含沙量出现的几率。从表 13-2-3 中可以看出,水库调水后,流量过程

发生两极分化。小水流量400～800m^3/s出现的几率为40.2%；大水流量2 000～8 000 m^3/s出现的几率为41.5%；平水流量800～2 000m^3/s出现的几率为13.1%；枯水流量小于400m^3/s出现的几率为5.3%，但流量为200～300m^3/s，能满足最小发电流量和下游河道最小基流的要求。小浪底水库的调水，使在3 000～6 000m^3/s接近满槽流量出现的几率有17.1%，在水库低壅水拦沙和调水调沙作用下，水流含沙量减小，有利于发挥大水输沙减淤和冲刷作用。2 000～3 000m^3/s出现的几率为23.4%，在水库主汛期低壅水拦沙和调水调沙作用下，这级流量含沙量较小，泥沙颗粒较细，在下游有一定的输沙减淤和冲刷作用。在800m^3/s以下(含800m^3/s)小水流量出现的几率为45.5%，比重较大，在水库低壅水拦沙条件下，小流量细泥沙低含沙量水流，在下游河道冲刷能力小，但消除了小水淤积。800～2 000m^3/s平水流量出现的几率为13.1%，在水库低壅水拦沙条件下，也变为细泥沙低含沙量水流，冲刷作用小，也消除了平水淤积。

表13-2-4为小浪底水库初期拦沙和调水调沙运用前15年、第16～20年、前20年的出库水沙特性。从表13-2-4中可以看出，在前15年主汛期，800m^3/s以下(含800m^3/s)出现的几率为39.9%，800～2 000m^3/s出现的几率为12.8%，2 000～5 000m^3/s出现的几率为45.2%，5 000m^3/s以上出现的几率为2.2%。2 000～5 000m^3/s大水流量挟带出库的沙量为81.8亿t，占出库总沙量115.25亿t的71%，5 000m^3/s以上的洪水流量挟带出库的沙量为24.06亿t，占出库总沙量的20.9%，两项合计，2 000m^3/s以上大水流量挟带出库的沙量占出库总沙量的91.9%，发挥了大水输沙减淤和冲刷作用，而平水和小水挟带出库的沙量为9.39亿t，仅占出库总沙量的8.1%，对下游冲刷影响小，但消除了平水和小水淤积。在水库主汛期出库沙量中，大量是粒径小于0.025mm的细泥沙，有72亿t，占出库总沙量的62.5%；其次为粒径0.025～0.05mm的中颗粒泥沙，有27.62亿t，占出库总沙量的24.0%；再次为粒径大于0.05mm的粗沙，有15.6亿t，占出库总沙量的13.5%。由此可见，水库发挥了拦粗沙排细沙和大水输沙的作用。

在水库运用第16～20年，主汛期出库分级流量的平均流量与前15年相近，但平均含沙量有较明显增大，中颗粒泥沙含沙量和粗泥沙含沙量所占比重增加，但仍然以细泥沙含沙量为主，仍然显示水库拦粗沙排细沙和大水输沙的作用。

尤其要指出的是，由于水库控制主汛期低壅水调蓄水量3亿m^3拦沙和调水调沙作用，往往是大水流量时水库低壅水的蓄水体小，水库排沙比大，出库含沙量大，避免大流量时水库蓄水体大，水库排沙比小，出库流量大、含沙量小的“清水”水流在下游河道冲刷下切与塌滩展宽并存及加剧工程局部冲刷险情的情形发生。

水库初期“拦沙和调水调沙”运用和后期“蓄清排浑和调水调沙”运用，出库各级日平均含沙量出现的几率在表13-2-3中显示出：水库初期拦沙运用第一阶段出库日平均含沙量绝大多数小于10kg/m^3，其次为10～20kg/m^3，20kg/m^3以上稀少；水库初期拦沙运用第二阶段出库日平均含沙量大多数小于20kg/m^3，其次为20～100kg/m^3，100kg/m^3以上出现的几率为4.6%；水库初期拦沙运用第三阶段出库日平均含沙量显著增大，小于20kg/m^3含沙量出现的几率为46.5%，20～100kg/m^3出现的几率为37.8%，100～200kg/m^3出现的几率为9.9%，200kg/m^3以上出现的几率为5.9%。在水库后期运用，出库日平均含沙量小于20kg/m^3出现的几率为41.7%，20～100kg/m^3出现的几率为

表 13-2-1 水库逐步抬高主汛期水位拦沙和调水调沙运用泄流排沙特点(部分时段)(设计水平 1950～1975 年系列)

水库运用年序	代表年(月·日)	ΣV_s(亿 m^3)	$Q_{入}$(m^3/s)	$Q_{出}$(m^3/s)	$Q_{s入}$(t/s)	$Q_{s出}$(t/s)	$S_{入}$(kg/m^3)	$S_{入细}$(kg/m^3)	$S_{入中}$(kg/m^3)	$S_{入粗}$(kg/m^3)	$S_{出}$(kg/m^3)	$S_{出细}$(kg/m^3)	$S_{出中}$(kg/m^3)	$S_{出粗}$(kg/m^3)	V_w(亿 m^3)	排沙比(%)
第 9 年	1958.7.13	50.43	2 144	2 144	361.5	127.4	168.7	97.6	39.3	31.8	59.4	55.3	4.13	0.01	2.287	35.2
	7.14	50.70	2 365	2 365	684.9	277.1	289.6	177.5	60.2	51.9	117.2	113.8	3.35	0.02	2.092	40.5
	7.15	51.17	3 798	3 798	1 786.6	1 082.5	470.3	243.5	132.1	94.7	285.1	207.3	74.8	2.96	1.755	60.6
	7.16	51.42	2 929	2 929	901.4	519.0	307.7	176.7	78.6	52.4	177.2	143.9	33.0	0.30	1.572	57.6
	7.17	51.57	3 221	3 221	621.7	403.6	193.1	112	46.4	34.7	125.4	104.4	20.1	0.89	1.468	64.9
	7.24	52.11	2 663	2 663	331.0	165.5	124.4	73.2	29.3	21.9	62.1	55.2	6.89	0.05	1.894	50.0
	7.25	52.28	2 499	2 499	497.9	244.8	199.2	129.0	39.6	30.6	98.0	95.2	2.83	0.01	1.773	49.2
	7.26	52.58	2 324	2 324	867.4	424.6	373.2	221.3	95.0	56.9	182.7	152.3	30.4	0.02	1.561	49.0
	7.30	53.35	3 223	4 610	794.4	474.7	246.4	149.8	54.9	41.7	92.2	103.0	10.5	0.23	1.847	59.8
	7.31	53.46	1 361	800	195.9	25.5	143.9	103.6	25.0	15.3	31.9	31.9	0	0	2.251	13.0
	8.2	53.83	2 644	2 644	508.8	198.5	192.5	116.9	44.6	31.0	75.1	69.5	5.57	0	2.515	39.0
	8.3	54.19	5 872	5 872	1 777.8	1 237.2	302.8	160.6	83.7	58.5	210.7	152.7	54.1	3.92	2.256	69.6
	8.4	54.34	3 692	3 692	504.4	286.9	136.7	96.3	32.7	7.68	77.7	67.0	10.7	0	2.152	56.9
	8.12	55.18	3 921	3 921	535.4	343.8	136.6	73.4	36.9	26.3	87.7	66.0	20.7	0.95	1.860	64.2
	8.13	55.30	5 953	5 953	939.7	759.9	157.9	100.8	43.8	13.3	127.6	93.5	34.0	0.08	1.773	80.9
	8.14	55.52	5 692	5 692	1 717.2	1 390.2	301.7	151.5	90.8	59.4	244.3	156.1	75.2	13.0	1.617	81.0

表 13-2-2　水库逐步形成高滩深槽阶段主汛期大水冲刷排沙特点(部分时段)(设计水平 1950～1975 年系列)

水库运用年序	代表年(月·日)	$\sum V_s$(亿 m³)	$Q_{入}$(m³/s)	$Q_{出}$(m³/s)	$Q_{s入}$(t/s)	$Q_{s出}$(t/s)	$S_{入}$(kg/m³)	$S_{入细}$(kg/m³)	$S_{入中}$(kg/m³)	$S_{入粗}$(kg/m³)	$S_{出}$(kg/m³)	$S_{出细}$(kg/m³)	$S_{出中}$(kg/m³)	$S_{出粗}$(kg/m³)	V_w(亿 m³)	排沙比(%)
第 15 年	1964.7.6	79.17	3 620	3 620	824.5	1 290.2	227.8	125.8	55.4	46.6	356.4	139.0	110.2	107.2	0	156.5
	7.17	77.79	4 531	4 531	862.3	1 384.3	190.2	101.0	51.2	38.0	305.5	125.0	87.3	93.2	0	160.6
	7.19	76.94	2 985	2 985	726.4	1 054.3	243.4	134.1	66.8	42.5	353.2	161.0	99.2	93.0	0	145.1
	7.22	76.53	5 085	5 000	946.6	1 487.9	186.2	95.6	52.0	38.6	297.6	124.0	83.3	90.3	0	159.8
	8.11	74.04	4 631	4 631	534.7	898.9	115.4	72.1	32.0	11.3	194.1	78.9	54.6	60.6	0	168.2
	8.12	73.82	4 327	4 327	678.9	1 013.3	157.0	79.7	45.7	31.6	234.2	102.0	65.1	67.1	0	149.2
	7.13	73.51	7 330	7 330	544.2	1 015.2	74.3	44.9	24.3	5.14	138.5	64.5	35.7	38.3	0	186.4
	8.16	71.11	3 434	3 434	664.5	964.3	193.5	105.3	53.2	35.0	280.8	127.0	78.8	75.0	0	145.1

表 13-2-3　　小浪底水库 2000 年设计水平 1950～1975＋1950～1975 年系列主汛期(7～9 月)出库日平均流量和含沙量特征

运用时期		流量(m^3/s)	<400	≥400 ≤800	>800 <2 000	≥2 000 <3 000	≥3 000 <4 000	≥4 000 <5 000	≥5 000 <6 000	≥6 000 <7 000	≥7 000 <8 000	≥8 000	≥2 000	≤800	合计
初期拦沙运用阶段	1	出现天数(天)	0	117	29	83	18	11	8	0	0	0	120	117	266
		几率(%)	0	44	10.9	31.2	6.8	4.1	3.0				45.1	44.0	100
	2	出现天数(天)	2	428	88	264	83	31	24	8	1	1	412	430	930
		几率(%)	0.2	46	9.5	28.4	8.9	3.3	2.6	0.9	0.1	0.1	44.3	46.2	100
	3	出现天数(天)	14	136	32	71	61	27	9	2	3	0	173	150	355
		几率(%)	3.9	38.3	9.0	20	17.2	7.6	2.5	0.6	0.9		48.7	42.3	100
后期	正常运用	出现天数(天)	228	1 167	452	659	272	138	104	22	4	3	1 202	1 395	3 049
		几率(%)	7.5	38.3	14.8	21.6	8.9	4.5	3.4	0.7	0.1	0.1	39.4	45.8	100
合计		出现天数(天)	244	1 848	601	1 077	434	207	145	32	8	4	1 907	2 092	4 600
		几率(%)	5.3	40.2	13.1	23.4	9.4	4.5	3.2	0.7	0.2	0.1	41.5	45.5	100
运用时期		含沙量(kg/m^3)	<10	≥10 <20	≥20 <50	≥50 <100	≥100 <200	≥200 ≤400			<20	<100	<200		合计
初期拦沙运用阶段	1	出现天数(天)	216	44	5	1	0				260	266			266
		几率(%)	81.2	16.5	1.9	0.4					97.7	100			100
	2	出现天数(天)	418	185	209	75	35	8			603	887	922		930
		几率(%)	44.9	19.9	22.5	8.1	3.8	0.8			64.8	95.4	99.1		100
	3	出现天数(天)	135	30	57	77	35	21			165	299	334		355
		几率(%)	38	8.5	16.1	21.7	9.9	5.9			46.5	84.3	94.2		100
后期	正常运用	出现天数(天)	496	396	901	714	370	172			892	2 507	2 877		3 049
		几率(%)	16.3	13.0	29.6	23.4	12.1	5.6			29.3	82.2	94.4		100
合计		出现天数(天)	1 265	655	1 172	867	440	201			1 920	3 959	4 399		4 600
		几率(%)	27.5	14.2	25.5	18.8	9.6	4.4			41.7	86.0	95.6		100

表 13-2-4　小浪底水库初期拦沙和调水调沙运用前 20 年出库水沙特征统计(设计水平 1950～1975 年系列)

时间	前 15 年					第 16～20 年					前 20 年				
	7～9 月				10 月～来年 6 月	7～9 月				10 月～来年 6 月	7～9 月				10 月～来年 6 月
流量(m^3/s)	≤800	>800 <2 000	≥2 000 ≤5 000	>5 000		≤800	>800 <2 000	≥2 000 ≤5 000	>5000		≤800	>800 <2 000	≥2 000 ≤5 000	>5 000	
天数(天)	550	176	624	30	4 095	182	58	190	30	1 365	732	234	814	60	5 460
W(亿 m^3)	344.67	184.97	1 593.2	158.46	2 573.1	99.35	59.73	536.2	147.2	100.8	444.0	244.7	2 129.4	305.7	3 574
W_s(亿 t)	4.04	5.35	81.8	24.06	0.87	1.93	2.8	35.49	25.37	0.32	5.96	8.15	117.3	49.44	1.19
$\overline{Q}$(m^3/s)	725	1 216	2 955	6 113	727	632	1 192	3 266	5 679	849	702	1 210	3 028	5 896	758
$\bar{S}$(kg/m^3)	11.7	28.9	51.3	151.9	0.34	19.4	46.8	66.2	172.4	0.32	13.4	33.3	55.1	161.7	0.33
$W_{s细}$(亿 t)	3.64	3.08	50.34	14.94	0.66	1.76	1.54	21.17	11.23	0.29	5.41	4.63	71.51	26.17	0.95
$W_{s中}$(亿 t)	0.27	1.30	19.69	6.36	0.07	0.10	0.71	8.88	6.9	0.03	0.37	2.01	28.56	13.26	0.09
$W_{s粗}$(亿 t)	0.12	0.97	11.75	2.76	0.14	0.06	0.54	5.45	7.25	0.01	0.18	1.51	17.2	10.01	0.15
$\bar{S}_{细}$(kg/m^3)	10.6	16.7	31.6	94.3	0.26	17.8	25.9	39.5	76.3	0.29	12.2	18.9	33.6	85.6	0.26
$\bar{S}_{中}$(kg/m^3)	0.78	7.01	12.4	40.1	0.03	1.04	11.9	16.6	46.9	0.03	0.84	8.2	13.4	43.4	0.03
$\bar{S}_{粗}$(kg/m^3)	0.35	5.25	7.37	17.4	0.05	0.61	9.08	10.2	49.3	0.01	0.41	6.2	8.08	32.8	0.04

注:W 为水重;W_s 为输沙量;$W_{s细}$ 为细颗粒沙量($d<0.025$mm),$W_{s中}$ 为中等颗粒沙量($d=0.025\sim0.05$mm);$W_{s粗}$ 为粗颗粒沙量($d>0.05$mm)。

44.3%,100～200kg/m³ 出现的几率为 9.6%,200kg/m³ 以上出现的几率为 4.4%。所以,小浪底水库初期运用的主要拦沙期(第一、第二阶段)主汛期出库日平均含沙量绝大多数在 100kg/m³ 以下,主要在 50kg/m³ 以下,在下游河道获得巨大的减淤效益,下游河道的连续冲刷发生在这一时期,要达到累积最大冲刷量。

小浪底水库调节期蓄水拦沙调节径流运用。由表 13-2-4 看出,基本上为 1 000m³/s 以下小流量清水下泄,下游河道有一定的冲刷,但流量小且沿程引水,水流冲刷强度有较大的减弱,上冲下淤影响基本消除。

二、水库拦沙和调水调沙运用方案泥沙冲淤计算

(一)小浪底水库拦沙和调水调沙运用方案的减淤效益

用 2000 年设计水平,1950～1975 年翻番代表系列水沙,对水库初期起调水位 205m 逐步抬高主汛期水位拦沙和调水调沙运用,后期正常运用时期分不同死水位方案进行库区及下游河道泥沙冲淤计算,并对三门峡水库的现状方案进行计算,得出小浪底水库运用对下游河道的减淤效益。

从表 13-2-5 看出,三门峡水库现状方案,下游 50 年淤积 189.57 亿 t,年平均淤积 3.79 亿 t,其中艾山以下河道淤积 22.75 亿 t,年平均淤积 0.455 亿 t。有小浪底水库运用后,对下游河道有很大的减淤作用。小浪底水库初期起调水位 205m,逐步抬高主汛期水位拦沙和调水调沙运用,后期正常运用不同死水位分别为 230m、220m 及 205m 方案,在水库淤积量基本相同的条件下,50 年下游淤积量有一定的差别,死水位 230m 方案下游淤积 105.02 亿 t,减淤 84.55 亿 t;死水位 220m 方案下游淤积 102.60 亿 t,减淤 86.97 亿 t;死水位 205m 方案下游淤积 97.49 亿 t,减淤 92.08 亿 t。艾山以下河道的淤积量分别为 12.07 亿 t、12.00 亿 t 及 11.59 亿 t,各减淤 10.68 亿 t、10.75 亿 t 及 11.46 亿 t,稍有差别。相当于下游全断面不淤年数分别为 22.1、22.9 年和 24.3 年,最大相差 2.2 年。说明在水库后期正常运用,死水位降低,调水调沙库容增大,对下游河道的减淤作用会有增大,但减淤效益差别较小,而从发电效益讲, 水库后期运用死水位 230m 和 220m 与 205m 比

表 13-2-5　小浪底水库运用 50 年黄河下游河道减淤效益比较

(2000 年设计水平 1950～1975＋1950～1975 年系列)　(单位:亿 t)

方　案	小浪底库区淤积量	下游河道淤积量						下游全断面减淤量	
		铁—花	花—高	高—艾	艾—利	铁—艾	铁—利	铁—利	艾—利
三门峡水库现状		15.52	91.16	60.14	22.75	166.82	189.57		
小浪底水库逐步抬高(后期死水位 230m)	101.20	7.88	50.41	34.66	12.07	92.95	105.02	84.55	10.68
小浪底水库逐步抬高(后期死水位 220m)	101.47	7.18	49.04	34.37	12.00	90.60	102.60	86.97	10.75
小浪底水库逐步抬高(后期死水位 205m)	100.6	6.34	46.31	33.25	11.59	85.90	97.49	92.08	11.16

注:"铁谢"简称"铁";"花园口"简称"花";"高村"简称"高";"艾山"简称"艾";"利津"简称"利";下同。

较则差别较大。故小浪底水库采用后期运用正常死水位230m,非常死水位220m,不考虑降低至205m。

(二)水库减淤效益敏感性检验

对设计选定的水库运用方案,即初期起调水位205m,逐步抬高主汛期水位拦沙和调水调沙运用,后期运用正常死水位230m“蓄清排浑、调水调沙”运用,选用以不同丰、平、枯水段在前的2000年设计水平6个50年代表系列进行水库和下游河道的泥沙冲淤计算,进行下游减淤效益的敏感性检验,并以6个50年代表系列计算的平均值作为采用结果。

2000年设计水平6个50年代表系列计算的结果见表13-2-6、图13-2-1～图13-2-6。表13-2-7列出了其中4个50年代表系列的前22年水库主要拦沙时期及下游河道主要减淤时期的逐年冲淤过程,可以反映不同代表系列水库及下游河道冲淤过程和冲淤量变化特点。

表13-2-6　小浪底水库不同水沙系列库区及黄河下游河道淤积计算成果(50年)

2000年设计水平不同代表系列年	小浪底水库淤积量(亿t)	下游河道淤积量(亿t)				下游全断面减淤量(亿t)		拦沙减淤比	下游全断面不淤年数(年)	水库拦沙期下游河槽冲刷	
		无小浪底	年平均	有小浪底	年平均	全下游	艾—利段			冲刷量(亿t)	历时(年)
1919～1969	101	198	3.96	123.1	2.46	74.9	9.0	1.35	18.9	3.9	2
1933～1975+1919～1927	103.4	193.3	3.87	121.2	2.42	72.1	8.7	1.43	18.6	16.9	11
1941～1975+1919～1935	104.3	208.4	4.17	128.7	2.57	79.7	9.6	1.31	19.1	18.5	12
1950～1975+1919～1944	101.3	201.6	3.97	121.9	2.44	79.7	9.2	1.32	19.3	19.6	14
1950～1975+1950～1975	99.9	189.6	3.79	105	2.10	84.6	10.2	1.18	22.3	19.6	14
1958+1977+1960～1975+1919～1952	100.3	221.7	4.43	140.6	2.81	81.1	9.7	1.24	18.3	15.0	11
平　均	101.7	202.1	4.03	123.4	2.47	78.7	9.4	1.29	19.4	15.6	11

由表13-2-6看出,对于不同代表系列,小浪底水库运用50年的黄河下游总减淤量在72.1亿～84.6亿t之间变化,黄河下游全断面相当不淤年数在18.3～22.3年之间变化,相对稳定。6个50年代表系列平均,小浪底水库可使下游全断面减淤78.7亿t,拦沙减淤比1.29,全断面相当不淤年数为19.4年。经过不同代表系列的敏感性检验,小浪底水

库运用对黄河下游河道的减淤效益是可靠的。

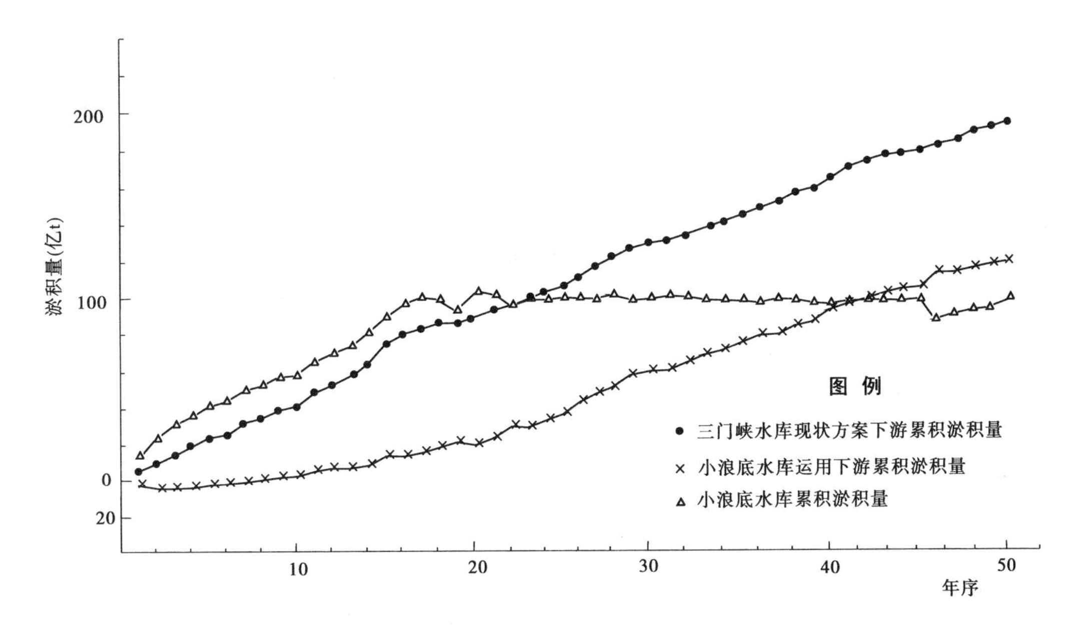

图 13-2-1　2000 年设计水平 1919～1969 年系列小浪底水库及黄河下游淤积过程线

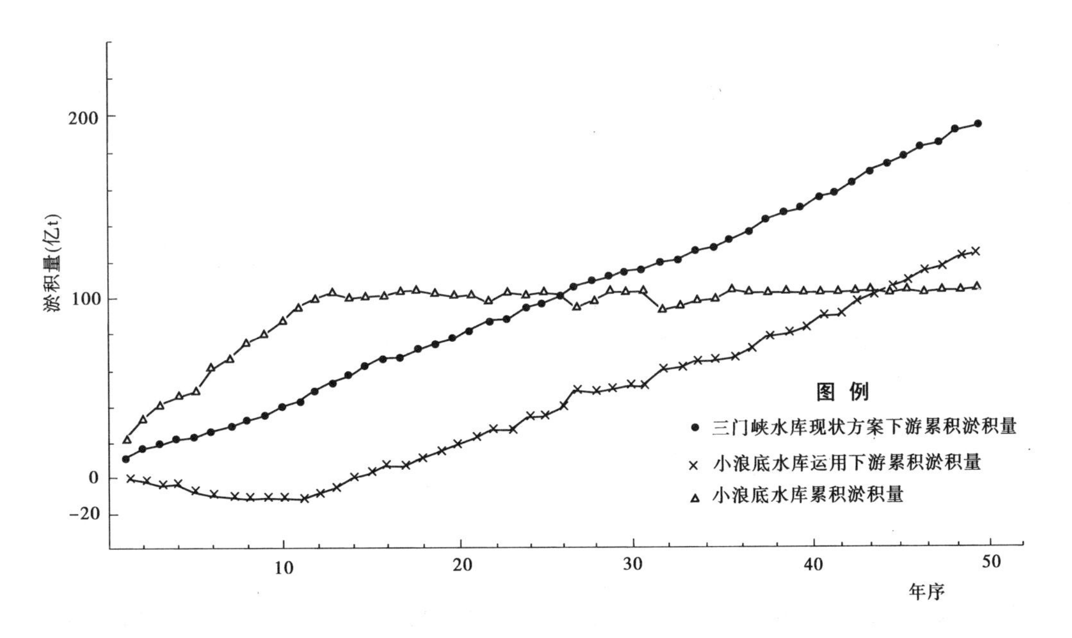

图 13-2-2　2000 年设计水平 1933～1975＋1919～1927 年系列小浪底水库及黄河下游淤积过程线

按 2000 年设计水平 6 个 50 年代表系列平均计算，小浪底水库运用的前 20 年，水库拦沙约 100 亿 t，下游河道(利津以上)减淤约 69 亿 t，进入河口段的沙量减少 31 亿 t，对延缓河口的淤积延伸有很大作用，对山东河段减淤有利。后 30 年库区为动平衡，由于调水

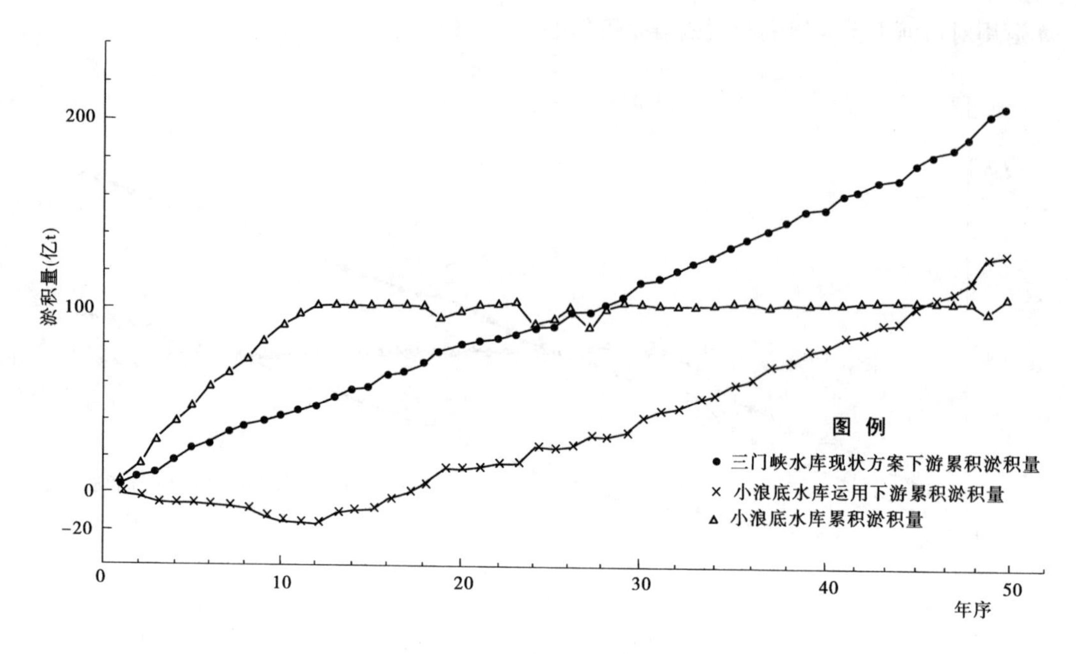

图 13-2-3 2000 年设计水平 1941～1975＋1919～1935 年系列小浪底水库及黄河下游淤积过程线

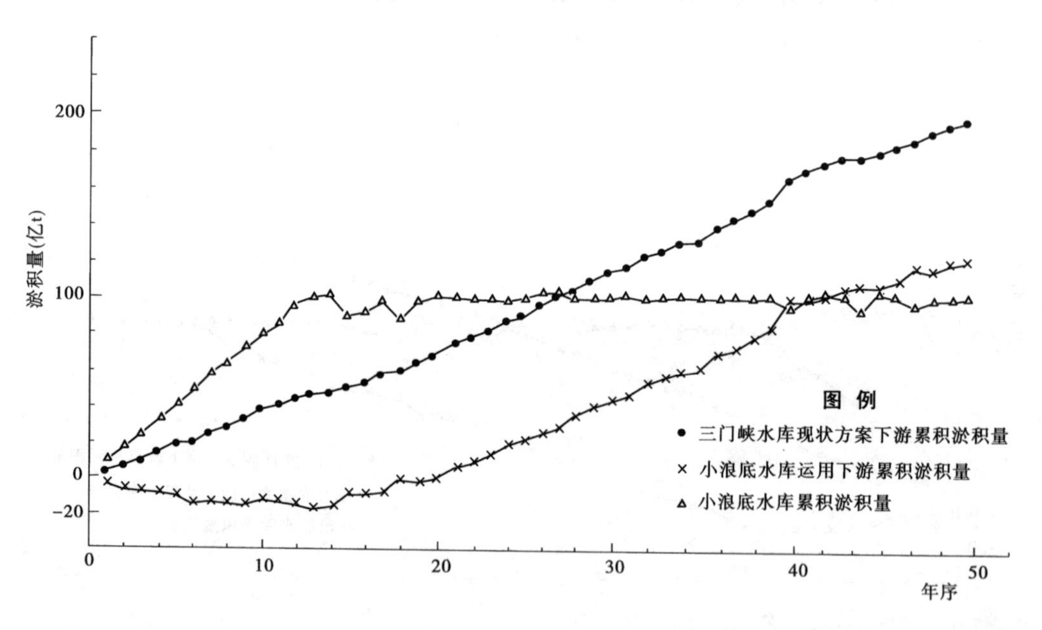

图 13-2-4 2000 年设计水平 1950～1975＋1919～1944 年系列小浪底水库及黄河下游淤积过程线

调沙,下游河道继续减淤9.2 亿 t,年平均减淤0.31 亿 t。

由表 13-2-7 看出,不同系列水沙条件的水库和下游河道的冲淤过程及冲淤量不同,例如在水库运用前 14 年,1919 年开头的系列,由于枯水段在前,水库淤积减缓,淤积 63.72 亿 m^3(82.83 亿 t)。下游河道冲刷量小,最大冲刷 3.87 亿 t,冲刷历时短,为 2～3 年,减淤量较小,减淤 55.2 亿 t;而 1950 年开头的系列,由于丰水丰沙段在前,使水库淤积

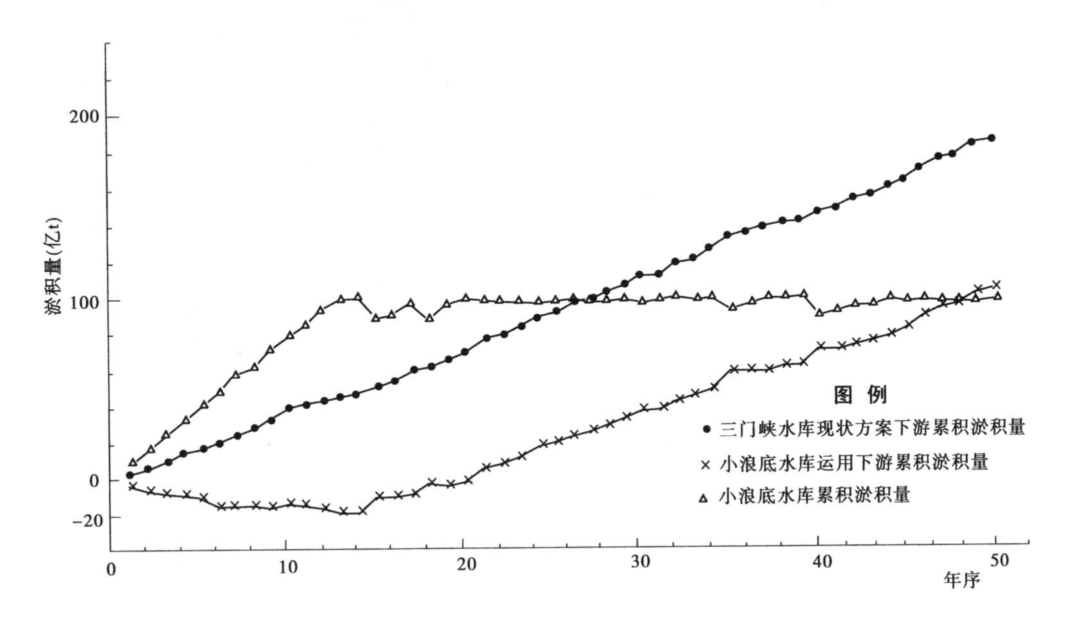

图 13-2-5　2000 年设计水平 1950～1975＋1950～1975 年系列小浪底水库及黄河下游淤积过程线

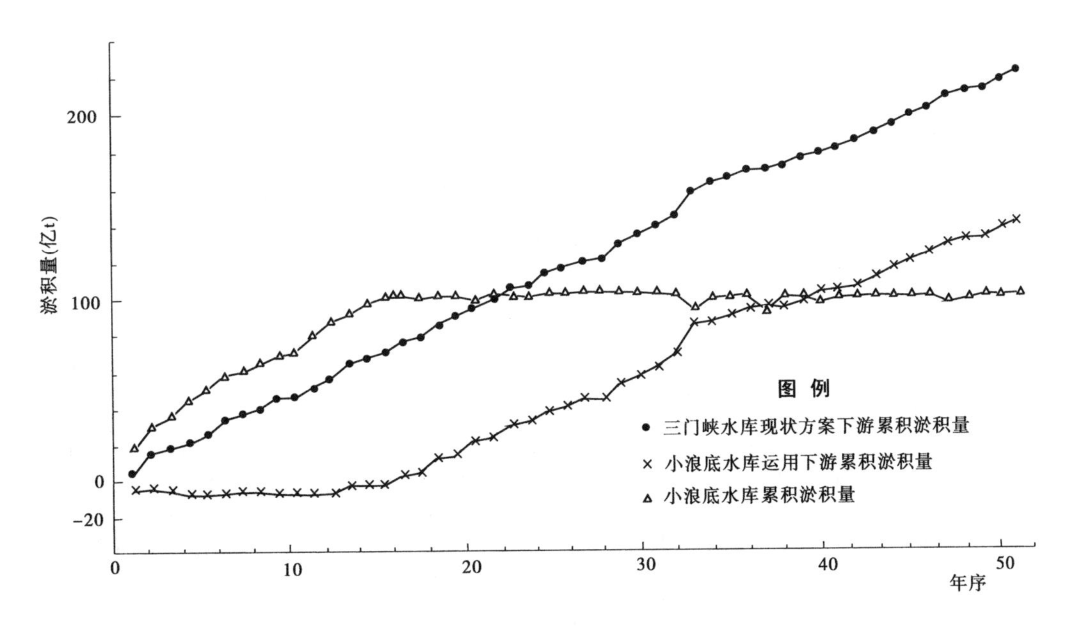

图 13-2-6　2000 年设计水平 1958＋1977＋1960～1975＋1919～1952 年系列小浪底水库及黄河下游淤积过程线

加快,淤积 79.67 亿 m^3(103.57 亿 t),下游河道冲刷加快,冲刷量大,按全断面计最大冲刷 17.68 亿 t,冲刷历时长,连续冲刷 14 年,减淤量较大,减淤 66.04 亿 t。所以,水库拦沙运用下,来水量的大小对黄河下游冲刷量的大小和冲刷历时的长短以及减淤量的大小有很大影响,若来水量小,水库拦沙只使下游不淤积,而下游冲刷量小。

表 13-2-7 小浪底水库不同水沙系列库区和黄河下游河道冲淤过程及冲淤量变化特征

代表系列年	年序	年份（水文年）	水库淤积（亿 m^3）	下游水量（亿 m^3）	下游沙量（亿 t）	利津沙量（亿 t）	下游累积淤积（亿 t）	下游累积减淤（亿 t）
1919～1969	1	1919～1920	10.29	280.67	1.12	2.11	-1.67	7.55
	2	1920～1921	18.14	297.64	1.16	2.54	-3.87	14.14
	3	1921～1922	23.84	364.68	9.07	7.56	-3.46	17.96
	4	1922～1923	28.06	199.99	3.01	1.28	-2.62	21.78
	5	1923～1924	32.73	205.15	4.61	2.11	-1.08	25.75
	6	1924～1925	34.27	165.03	1.30	0.39	-0.78	27.30
	7	1925～1926	39.55	218.96	4.80	2.72	0.36	32.64
	8	1926～1927	41.62	172.82	2.50	0.61	1.42	34.49
	9	1927～1928	44.64	179.73	3.35	0.89	2.89	37.02
	10	1928～1929	45.28	136.17	1.47	0.30	3.50	37.54
	11	1929～1930	51.05	165.02	5.36	1.81	6.10	43.04
	12	1930～1931	54.38	152.60	3.15	0.68	7.72	46.27
	13	1931～1932	57.68	149.50	2.45	0.65	8.86	49.40
	14	1932～1933	63.72	179.27	2.30	0.87	9.49	55.20
	15	1933～1934	69.40	297.67	19.76	12.16	15.65	60.27
	16	1934～1935	75.31	264.15	3.88	2.68	15.65	65.10
	17	1935～1936	77.91	376.78	10.31	7.21	17.39	67.11
	18	1936～1937	77.10	262.21	8.61	4.18	20.75	67.10
	19	1937～1938	71.54	564.64	27.99	23.90	22.73	64.98
	20	1938～1939	80.40	445.80	4.80	6.02	20.41	70.47
	21	1939～1940	79.17	273.00	10.71	5.59	24.44	69.82
	22	1940～1941	74.06	461.39	29.22	19.67	31.53	65.70
	30	1948～1949	76.77	281.43	9.53	4.37	62.32	69.57
	50	1968～1969	77.71	448.48	12.02	8.39	123.14	74.84
1933～1975+1919～1927	1	1933～1934	16.72	308.92	3.98	4.64	-1.43	10.79
	2	1934～1935	24.64	266.81	1.26	2.55	-3.56	17.78
	3	1935～1936	30.65	375.41	5.88	6.22	-5.03	23.01
	4	1936～1937	34.43	259.92	2.65	2.59	-5.68	27.00
	5	1937～1938	36.95	562.89	17.49	19.88	-9.67	30.62
	6	1938～1939	45.89	445.74	4.69	6.09	-12.20	36.23
	7	1939～1940	50.25	270.00	3.44	3.03	-12.41	39.80
	8	1940～1941	57.61	457.84	13.02	12.12	-13.02	43.31
	9	1941～1942	61.42	225.15	1.26	1.06	-13.48	46.64
	10	1942～1943	66.86	227.30	2.22	1.50	-13.54	51.20
	11	1943～1944	73.44	410.98	6.75	7.43	-15.43	55.83
	12	1944～1945	77.42	301.10	9.48	4.70	-11.94	58.56
	13	1945～1946	78.95	351.98	13.52	8.16	-8.31	60.09
	14	1946～1947	75.85	384.14	19.87	11.57	-2.28	58.17
	15	1947～1948	77.93	328.77	11.36	6.94	0.68	60.36
	16	1948～1949	77.07	281.73	10.34	4.71	4.94	59.90
	17	1949～1950	79.59	508.08	13.78	12.78	3.89	61.99
	18	1950～1951	79.79	295.67	9.78	4.09	8.12	61.99
	19	1951～1952	78.57	359.61	11.41	6.41	11.67	61.45
	20	1952～1953	77.53	290.83	9.76	5.00	15.13	61.08
	21	1953～1954	77.37	274.23	11.46	5.30	19.79	61.06
	22	1954～1955	75.37	432.60	23.57	16.68	24.93	60.40
	30	1962～1963	77.74	340.64	8.92	5.07	47.00	66.34
	50	1926～1927	79.55	173.08	2.99	0.71	121.20	72.07

续表 13-2-7

代表系列年	年序	年份（水文年）	水库淤积（亿 m³）	下游水量（亿 m³）	下游沙量（亿 t）	利津沙量（亿 t）	下游累积淤积（亿 t）	下游累积减淤（亿 t）
1941～1975＋1919～1935	1	1941～1942	4.83	226.40	0.59	0.87	－0.93	4.01
	2	1942～1943	11.59	229.19	0.73	1.02	－1.90	9.60
	3	1943～1944	20.71	415.57	3.46	5.94	－5.42	15.73
	4	1944～1945	28.77	298.87	4.17	3.60	－5.84	22.29
	5	1945～1946	35.66	349.47	6.56	6.31	－6.70	28.25
	6	1946～1947	43.21	379.65	6.02	6.18	－8.07	33.72
	7	1947～1948	49.46	326.73	5.95	5.19	－8.40	39.19
	8	1948～1949	54.77	278.26	2.30	2.39	－9.26	43.84
	9	1949～1950	62.58	505.36	7.05	10.63	14.27	49.91
	10	1950～1951	68.93	292.05	1.77	2.59	－15.91	55.78
	11	1951～1952	73.63	336.75	3.60	4.28	－17.52	60.41
	12	1952～1953	77.58	288.12	3.27	2.91	－17.94	63.92
	13	1953～1954	77.57	274.18	11.27	5.72	－13.84	64.46
	14	1954～1955	77.82	432.22	20.64	15.70	－10.55	65.67
	15	1955～1956	77.32	438.20	12.85	9.87	－9.19	65.69
	16	1956～1957	77.75	330.02	15.52	8.70	－4.02	66.11
	17	1957～1958	77.17	211.49	6.15	2.75	－1.60	66.01
	18	1958～1959	76.70	484.52	26.19	18.73	3.65	65.88
	19	1959～1960	71.86	326.78	26.26	15.97	12.19	63.57
	20	1960～1961	74.68	229.57	2.49	1.65	12.10	66.19
	21	1961～1962	78.31	439.14	10.17	8.41	12.33	68.77
	22	1962～1963	77.92	340.64	8.92	5.21	14.51	68.65
	30	1970～1971	77.67	288.77	19.12	9.84	37.28	75.07
	50	1934～1935	80.26	264.41	4.34	2.56	128.68	79.67
1950～1975＋1950～1975	1	1950～1951	7.73	294.34	0.80	2.36	－2.37	6.46
	2	1951～1952	14.41	338.13	1.15	3.19	－5.22	12.24
	3	1952～1953	19.89	289.34	1.30	2.37	－6.95	17.16
	4	1953～1954	26.14	273.96	3.12	3.19	－7.92	22.71
	5	1954～1955	32.71	429.50	12.42	12.57	－9.27	28.18
	6	1955～1956	38.95	435.05	4.09	7.74	－14.05	34.36
	7	1956～1957	46.63	326.57	6.09	4.78	－13.63	39.55
	8	1957～1958	49.45	209.67	1.74	1.57	－14.07	42.38
	9	1958～1959	57.93	481.58	14.56	14.08	－15.20	48.67
	10	1959～1960	63.38	323.85	12.88	9.21	－12.53	52.11
	11	1960～1961	67.02	228.98	1.43	1.38	－13.24	55.36
	12	1961～1962	74.41	437.53	5.28	6.79	－16.05	61.01
	13	1962～1963	78.24	338.08	2.79	3.38	－17.64	64.79
	14	1963～1964	79.67	452.01	10.48	8.76	－17.68	66.04
	15	1964～1965	71.00	640.64	42.51	29.92	－8.17	60.80
	16	1965～1966	72.09	219.25	1.04	1.23	－8.93	63.68
	17	1966～1967	76.95	433.61	18.18	15.75	－8.46	69.25
	18	1967～1968	71.00	625.48	36.48	27.28	－1.79	64.44
	19	1968～1969	75.99	446.59	6.02	6.58	－3.57	70.25
	20	1969～1970	78.79	244.04	5.62	2.62	－1.56	72.51
	21	1970～1971	77.98	288.99	19.17	10.05	5.77	72.98
	22	1971～1972	77.08	245.85	8.78	3.84	9.29	72.65
	30	1954～1955	75.83	432.30	9.92	3.34	38.97	75.10
	50	1974～1975	76.85	205.60	14.82	10.92	105.02	84.55

第三节　小浪底水库对下游河道减淤效益论证分析

一、不同计算方法下游河道减淤效益敏感性检验

黄河下游泥沙冲淤计算有不同的计算方法,各计算方法有其特点,需要用不同的方法进行泥沙冲淤计算敏感性检验,以评估小浪底水库对下游河道减淤效益的可靠性。

选择2000年设计水平1950～1975+1950～1975年系列的来水来沙条件,按同一的小浪底水库拦沙和调水调沙运用方案的出库水沙过程和无小浪底水库条件下的三门峡水库现状运用方案的出库水沙过程,用黄委会设计院方法、黄委会水科院方法和长委会长科院方法(简称“三种方法”)分别计算黄河下游河道的泥沙冲淤。用不同计算方法计算的结果列于表13-3-1。

表13-3-1　不同计算方法计算三门峡水库现状方案和有小浪底水库50年下游冲淤成果比较

计算方法	方案	淤积量(亿t)			下游50年减淤量(亿t)			拦沙期下游全断面冲刷量(亿t)		下游不淤积年数(年)
		铁谢—艾山	艾山—利津	铁谢—利津	艾山以上	艾山以下	全下游	冲刷量	运用年数(年)	
黄委会设计院	三门峡水库现状	166.82	22.75	189.57						
	有小浪底水库	92.41	12.60	105.01	74.41	10.15	84.56	17.70	14	22.3
黄委会水科院	三门峡水库现状	147.56	6.42	153.98						
	有小浪底水库	77.82	5.38	83.20	69.74	1.04	70.78	13.40	15	23.0
长委会长科院	三门峡水库现状	181.17	22.98	204.15						
	有小浪底水库	68.79	13.22	82.01	112.38	9.76	122.14	25.49	13	29.9
三种方法平均	三门峡水库现状	165.18	17.38	182.56						
	有小浪底水库	79.67	10.40	90.07	85.51	6.98	92.49	18.86	14	25.3

由表13-3-1可见:

(1)三门峡水库现状方案,三种方法计算下游50年淤积分别为189.57亿t、153.98亿t和204.15亿t,其中艾山以上河段淤积分别为166.82亿t、147.56亿t和181.17亿t,艾山以下河段淤积分别为22.75亿t、6.42亿t和22.98亿t,分别占下游总淤积量的12.0%、4.2%和11.3%。

2000年设计水平三门峡水库现状方案,下游年平均水量349.2亿m^3,沙量13.61亿t,含沙量39kg/m^3。黄委会设计院和长委会长科院计算下游年平均淤积3.79亿t及4.08亿t,与1950年7月～1960年6月下游年平均水量479.6亿m^3、沙量17.95亿t、含沙量37.4kg/m^3、下游年平均淤积3.80亿t(含东平湖淤积)相比,两单位计算的成果是相近的;黄委会水科院计算下游年平均淤积3.08亿t可能偏小。黄委会设计院和长委会长

科院计算艾山以下河段年平均淤积 0.45 亿 t 及 0.46 亿 t，与实际比较接近；黄委会水科院计算艾山以下河段年平均淤积 0.13 亿 t，比实际偏小较多。

(2)有小浪底水库后，黄河下游河道严重淤积的形势将被改变。黄委会设计院计算，水库运用 14 年，按全断面讲，艾山以上河段最大冲刷量达 18.41 亿 t，至水库运用 20 年，仍有冲刷量，有 20 年不淤积；长委会长科院计算，水库运用 13 年，按全断面讲，艾山以上河段最大冲刷量达 25.87 亿 t，至水库运用 29 年，回淤量约等于冲刷量，有 29 年不淤积；黄委会水科院计算，水库运用 13 年，按全断面讲，最大冲刷量达 11 亿 t，至水库运用 20 年淤积量小于 0.5 亿 t，有 20 年不淤积。

在艾山以下河段按全断面讲，黄委会设计院计算，水库运用 18 年微冲，冲刷量为 0.62 亿 t，水库运用 20 年，淤积量为 0.15 亿 t，有 20 年不淤积；长委会长科院计算，水库运用 18 年微淤，淤积量为 1.12 亿 t，基本上有 18 年不淤积；黄委会水科院计算，水库运用 13 年冲刷量为 2.2 亿 t，水库运用 20 年冲刷量 0.2 亿 t，亦有 20 年不淤积。

(3)在水库正常运用时期，三种方法计算显示，下游河道是淤积的过程，但持续减淤。水库运用后 30 年，黄委会设计院计算，下游河道全断面减淤量为 12.05 亿 t，年平均减淤 0.40 亿 t；长委会长科院计算，下游河道全断面减淤 26.12 亿 t，年平均减淤 0.87 亿 t；黄委会水科院计算，下游河道全断面减淤 9.28 亿 t，年平均减淤 0.31 亿 t。黄委会水科院与黄委会设计院计算结果相近，而长委会长科院计算减淤效益较大。

综上说明，三种方法计算结果大同小异。按设计水平 1950～1975 + 1950～1975 年系列水沙条件，小浪底水库运用 50 年，下游全断面相当于有 23～30 年不淤，艾山以下河段全断面相当于有 18～20 年不淤。由此可见，黄委会设计院计算的小浪底水库运用对下游河道的减淤效益，得到两家用不同计算方法计算的印证，表明小浪底水利枢纽工程设计采用的黄河下游减淤效益的成果是可靠的。

二、水库拦沙和调水调沙运用下游河道冲淤过程和减淤部位

水库拦沙和调水调沙运用下游河道冲淤过程和减淤部位，按 6 个 50 年代表系列的计算，如表 13-3-2、表 13-3-3 所示，有以下特点：

(1)对于枯水段不在前的 5 个 50 年代表系列，水库初期运用 13～15 年拦沙淤积 100.35 亿～103.57 亿 t，下游河槽冲刷 10.03 亿～19.57 亿 t，减淤 25.94 亿～34.91 亿 t；滩地淤积 1.72 亿～10.96 亿 t，减淤 32.16 亿～37.59 亿 t；全断面冲刷 1.71 亿～17.68 亿 t，减淤 32.16 亿～37.59 亿 t。河槽减淤量占总减淤量的 40.8%～51.0%；滩地减淤量占总减淤量的 49.0%～59.2%。

对于 1919 年开头的枯水段在前的系列，水库初期运用 17 年拦沙淤积 101.28 亿 t，在前 3 年来水量较大，下游河道河槽最大冲刷 3.87 亿 t，在 3 年后为连续 11 年枯水段，来水量小，水库拦沙下游河道减淤，在 17 年内河槽微冲微淤变化。17 年水库拦沙 101.28 亿 t，下游河道河槽淤积 2.84 亿 t，减淤 19.11 亿 t；滩地淤积 14.55 亿 t，减淤 48.01 亿 t；全断面淤积 17.39 亿 t，减淤 67.12 亿 t。河槽减淤量占总减淤量的 28.5%，滩地减淤量占总减淤量的 71.5%，但未出现大的冲刷量，冲刷险情将显著减少。若类似代表系列的连续 11 年枯水段在小浪底水库主要拦沙期出现，亦将在水库和下游河道出现如此代表系列

计算的情形。不同的是，此代表系列的连续 11 年的枯水段来沙量较大，而现在枯水段来沙量也小，可能还较有利些，但可能来水量也更小，水库淤积少，下游冲刷少，仍减淤明显。

表 13-3-2　　小浪底水库初期运用主要拦沙期下游减淤计算成果

下游冲淤特点	水库运用特点	代表系列年			1919～1969	1933～1975＋1919～1927	1941～1975＋1919～1935	1950～1975＋1919～1944	1950～1975＋1950～1975	1958＋1977＋1960～1975＋1919～1952	平均
下游河槽连续冲刷	水库连续拦沙淤积	水库	初期运用年数(年)		17	13	14	14	14	15	15
			累积淤积量(亿 t)		101.28	102.63	101.17	103.57	103.57	100.35	102.10
		下游	河槽	淤积量(亿 t)	2.84	－10.03	－15.54	－19.57	－19.57	－12.67	－12.42
				减淤量(亿 t)	19.11	25.94	29.32	33.43	33.43	34.91	29.36
				占总减淤量(%)	28.5	40.8	44.6	51.0	51.0	48.3	44.1
			滩地	淤积量(亿 t)	14.55	1.72	4.99	1.89	1.89	10.96	6.0
				减淤量(亿 t)	48.01	37.59	36.35	32.16	32.16	37.33	37.27
				占总减淤量(%)	71.5	59.2	55.4	49.0	49.0	51.7	55.9
			最大槽冲量(亿 t)		－3.9	－16.9	－18.5	－19.6	－19.6	－15.0	－15.6
			水库运用年数(年)		2	11	12	14	14	11	11
			总淤积量(亿 t)		17.39	－8.31	－10.55	－17.68	－17.68	－1.71	－6.42
			总减淤量(亿 t)		67.12	63.53	65.67	65.59	65.59	72.24	66.62
下游河槽回淤至接近平衡	水库拦沙，大水年冲刷排沙	水库	初期运用年数(年)		20	18	31	29	34	22	26
			累积淤积量(亿 t)		104.52	103.73	99.76	100.24	103.73	99.15	101.86
		下游	河槽	淤积量(亿 t)	0.28	0.42	0.43	0.06	－5.23	1.78	－0.38
				减淤量(亿 t)	18.51	18.74	31.96	33.13	36.30	29.40	28.01
				占总减淤量(%)	26.3	30.2	42.9	44.5	45.8	40.7	38.8
			滩地	淤积量(亿 t)	20.13	7.70	40.69	38.72	54.89	30.08	31.92
				减淤量(亿 t)	51.96	43.25	42.57	41.36	43.0	42.92	44.18
				占总减淤量(%)	73.7	69.8	57.1	55.5	54.2	59.3	61.2
			总减淤量(亿 t)		70.47	61.99	74.53	74.49	79.31	72.32	72.19

注：表中“－”表示冲刷。

(2)6 个 50 年代表系列，水库初期拦沙运用 18～34 年，下游河道河槽淤积量为－5.23亿～＋1.78 亿 t，基本平衡，河槽减淤 18.51 亿～36.3 亿 t。6 个 50 年代表系列平均，水库初期拦沙运用 26 年，水库拦沙淤积 101.9 亿 t，下游河道河槽冲刷 0.38 亿 t，不淤积抬高。

(3)关于下游滩地，6 个 50 年代表系列，在水库拦沙运用 13～17 年，由于河槽冲刷，滩槽高差增大，平滩流量变大，水流漫滩机遇减少，滩地仅淤积 1.72 亿～14.55 亿 t，滩地减淤 32.16 亿～48.01 亿 t。水库初期拦沙运用 18～34 年，滩地淤积 7.7 亿～79.86 亿 t，滩地减淤 41.36 亿～51.96 亿 t。

表 13-3-3 小浪底水库运用 50 年下游减淤计算成果

下游冲淤特点	水库运用特点	代表系列年		1919～1969	1933～1975+1919～1927	1941～1975+1919～1935	1950～1975+1919～1944	1950～1975+1950～1975	1958+1977+1960～1975+1919～1952	平均
下游河槽先冲后淤	水库先拦沙后调沙，冲淤相对平衡	水库	运用年数(年)	50	50	50	50	50	50	50
			淤积量(亿 t)	101.02	103.41	104.34	101.26	99.90	100.26	101.7
		下游	槽淤积量(亿 t)	20.66	32.42	25.32	23.79	10.95	31.90	24.17
			减淤量(亿 t)	23.65	21.18	26.10	24.96	39.89	22.19	26.33
			占总减淤量(%)	31.6	29.4	32.8	31.3	47.2	27.4	
			滩淤积量(亿 t)	102.48	88.78	103.37	98.07	94.07	108.67	99.24
			减淤量(亿 t)	51.18	50.89	53.56	54.82	44.66	58.89	52.33
			占总减淤量(%)	68.4	70.6	67.2	68.7	52.8	72.6	
			总淤积量(亿 t)	123.14	121.20	128.69	121.86	105.02	140.57	123.41
			总减淤量(亿 t)	74.83	72.07	79.66	79.78	84.55	81.08	78.66
			河槽不淤年数(年)	26.7	19.8	25.4	25.6	39.2	20.5	26.2
			全断面不淤年数(年)	18.9	18.6	19.1	19.3	22.3	18.3	19.5

(4)6 个 50 年代表系列，小浪底水库运用 50 年，水库淤积 99.90 亿～104.34 亿 t，下游河槽淤积 10.95 亿～32.42 亿 t，减淤 21.18 亿～39.89 亿 t；滩地淤积 88.78 亿～108.67 亿 t，减淤 44.66 亿～58.89 亿 t；全断面淤积 105.02 亿～140.57 亿 t，减淤 72.07 亿～84.55 亿 t。河槽减淤量占总减淤量的 27.4%～47.2%，滩地减淤量占总减淤量的 72.6%～52.8%。

(5)6 个 50 年代表系列，水库运用 50 年，下游全断面相当不淤年数为 18.3～22.3 年，平均为 20 年；河槽不淤积年数为 19.8～39.2 年，平均为 26 年。

(6)按 6 个 50 年代表系列平均，水库初期拦沙和调水调沙运用 15 年，拦沙减淤比为 1.53，拦沙和调水调沙运用 26 年，拦沙减淤比为 1.41，运用 50 年，拦沙减淤比为 1.29。水库拦沙完成后，调水调沙运用，下游河道继续减淤。

小浪底水库 2000 年设计水平 1950～1975+1950～1975 年代表系列较其他代表系列平均来水量大，水库运用 50 年，拦沙减淤比为 1.18，比其他代表系列拦沙减淤比小，减淤效益大，主要原因是其来水量较大，大水流量较多。

第四节 小浪底水库初期拦沙运用下游河道最大冲刷时的河槽和滩地冲淤变化

表 13-4-1 所示为 2000 年设计水平 6 个 50 年代表系列，小浪底水库初期拦沙和调水调沙运用下游河道最大冲刷时河槽和滩地冲淤变化情况。

表 13-4-1　　小浪底水库初期运用下游河道最大冲刷时河槽和滩地冲淤变化

2000 年设计水平代表系列年		1919～1969	1933～1975＋1919～1927	1941～1975＋1919～1935	1950～1975＋1919～1944	1950～1975＋1950～1975	1958＋1977＋1960～1975＋1919～1952	6 个 50 年代表系列计算平均	
								铁谢—高村	铁谢—利津
水库运用年数(年)		2	11	12	14	14	11	11	11
水库拦沙量(亿 t)		23.58	95.47	100.85	103.57	103.57	80.0	84.51	84.51
水库年平均排沙比(%)		6.5	37.8	30.1	41.5	41.5	55.5	35.50	35.50
下游年平均来水量(亿 m^3)		289.2	346.4	327.2	347.0	347.0	416.4	345.5	345.5
下游年平均来沙量(亿 t)		1.14	5.69	3.79	5.58	5.58	8.70	5.08	5.08
下游年平均含沙量(kg/m^3)		3.94	16.4	11.6	16.1	16.1	20.9	14.70	14.70
铁谢—利津	总冲刷量(亿 t)	3.87	15.43	17.94	17.68	17.68	6.10	10.30	13.12
	河槽冲刷量(亿 t)	3.87	16.86	18.45	19.57	19.57	14.96	11.66	15.55
	滩地淤积量(亿 t)	0	1.43	0.51	1.89	1.89	8.86	1.36	2.43
铁谢—花园口	总冲刷量(亿 t)	1.24	5.306	5.867	6.135	6.135	4.205		
	河槽冲刷量(亿 t)	1.24	5.40	5.90	6.26	6.26	4.79		
	滩地淤积量(亿 t)	0	0.094	0.033	0.125	0.125	0.585		

6 个 50 年代表系列中，以 1950～1975 年在前的代表系列在水库运用 14 年，下游河槽冲刷 19.57 亿 t 为最大，其中花园口以上河槽冲刷 6.26 亿 t，而滩地淤积很少。为安全计，以该代表系列的下游河槽最大冲刷考虑对下游河道冲刷险情的影响。

下游河道最大冲刷时各河段的河槽和滩地冲刷情况如表 13-4-2 所示。

表 13-4-2　　小浪底水库初期拦沙运用 14 年下游河道最大冲刷时河床形态特征值
(2000 年设计水平 1950～1975 年代表系列计算)

河段	铁谢—花园口	花园口—夹河滩	夹河滩—高村	高村—孙口	孙口—艾山	艾山—泺口	泺口—利津	铁谢—利津
河段长度(km)	103	100	71	125	65	103	167	734
总冲刷量(亿 t)	6.26	5.09	3.33	2.94	0.99	0.59	0.37	19.57
占下游比例(%)	32	26	17	15	5	3	2	100
河槽冲刷量(亿 t)(不包括塌滩)	5.32	3.92	2.56	2.29	0.78	0.50	0.31	15.68
占总冲刷量比例(%)	85	77	77	78	78	85	85	80.1
滩地冲刷量(塌滩)(亿 t)	0.94	1.17	0.77	0.65	0.21	0.09	0.06	3.89
占总冲刷量比例(%)	15	20	23	22	20	15	10	19.9
河道宽度(m)	6 720	8 340	8 338	5 264	5 261	2 582	2 581	5 198

续表 13-4-2

河段	铁谢—花园口	花园口—夹河滩	夹河滩—高村	高村—孙口	孙口—艾山	艾山—泺口	泺口—利津	铁谢—利津
河槽宽度(展宽前)(m)	1 920	1 660	1 662	744	738	485	479	1 026
滩地宽度(塌滩前)(m)	4 800	6 680	6 676	4 520	4 523	2 097	2 102	4 172
河道面积(亿 m^2)	6.92	8.34	5.92	6.58	3.42	2.66	4.31	38.15
河槽面积(展宽前)(亿 m^2)	1.98	1.66	1.18	0.93	0.48	0.50	0.80	7.53
滩地面积(塌滩前)(亿 m^2)	4.94	6.68	4.74	5.65	2.94	2.16	3.51	30.62
滩地冲刷厚度(塌滩部分)(含水上水下)(m)	1.10	1.10	1.20	1.20	1.20	1.30	1.30	1.14
滩地冲刷宽度(m)	593	760	648	312	200	49	18	331
滩地冲刷(塌滩)面积(亿 m^2)	0.61	0.76	0.46	0.39	0.13	0.05	0.03	2.43
河槽展宽宽度(m)	593	760	648	312	200	49	18	331
展宽后河槽宽度(m)	2 513	2 420	2 310	1 056	938	534	497	1 357
展宽后河槽面积(亿 m^2)	2.59	2.42	1.64	1.32	0.61	0.55	0.83	9.96
展宽后河槽平均冲刷深度*(m)	1.73	1.50	1.45	1.59	1.16	0.76	0.32	1.40
断面名称	铁谢	花园口	夹河滩	高村	孙口	艾山	泺口	利津
河槽平均冲刷深度(m)	1.96	1.50	1.45	1.52	1.16	0.76	0.54	0.10

注：* 展宽后河槽平均冲刷深度是按总冲刷量除以展宽后河槽面积求得的，淤积土干容重采用 1.4t/m^3。

由表 13-4-2 可见，下游河道河槽最大冲刷 19.57 亿 t 时，其中，铁谢—花园口河段河槽冲刷 6.26 亿 t，花园口—高村河段河槽冲刷 8.42 亿 t，高村—艾山河段河槽冲刷 3.93 亿 t，艾山—利津河段河槽冲刷 0.96 亿 t。河槽平均冲刷深度沿程变小：铁谢 1.96m，花园口 1.50m，夹河滩 1.45m，高村 1.52m，孙口 1.16m，艾山 0.76m，泺口 0.54m，利津 0.10m。滩地冲刷(塌滩)面积 243km^2，其中铁谢—花园口河段占 25.1%，花园口—高村河段占 50.2%，高村—艾山河段占 21.4%，艾山—利津河段占 3.3%。

第五节　小浪底水库拦沙运用与三门峡水库拦沙运用下游冲刷对比分析

以 2000 年设计水平 1950～1975 年代表系列，小浪底水库初期拦沙和调水调沙运用 14 年，水库连续拦沙达最大拦沙量 103.6 亿 t，下游河槽连续冲刷达最大冲刷量 19.57 亿 t，水库年平均拦沙 7.4 亿 t，下游河槽年平均冲刷 1.4 亿 t，水库拦沙量与下游河槽冲刷量之比为，平均水库拦沙 5.29 亿 t，下游河槽冲刷 1.0 亿 t。三门峡水库初期蓄水拦沙和滞洪排沙运用 4 年(1960 年 10 月～1964 年 10 月)，拦沙 44.4 亿 t，下游河槽冲刷 23.12 亿 t，水库年平均拦沙 11.1 亿 t，下游河槽年平均冲刷 5.78 亿 t，水库拦沙量与下游河槽冲刷量之比为，平均水库拦沙 1.92 亿 t，下游河槽冲刷 1.0 亿 t。

三门峡水库拦沙少而下游河槽冲刷多，小浪底水库拦沙多而下游河槽冲刷少，其原因有两个：一是三门峡水库高水位蓄水拦沙和严重滞洪拦沙运用，水库排沙比小，进入下游泥沙少；小浪底水库控制主汛期低壅水拦沙和调水调沙运用，水库排沙比较大，有较多泥沙进入下游河道。二是三门峡水库初期拦沙 4 年，下游来水量大，来沙量相对小，水流含沙量低，泥沙颗粒细，下游停灌不引水；小浪底水库拦沙时，下游来水量小，来沙量相对较大，水流含沙量相对较大，下游引水多。三门峡水库初期拦沙运用的 4 年，1960 年10 月～1964 年 10 月，下游年平均来水量 572.3 亿 m^3，年平均来沙量 5.926 亿 t，年平均含沙量 10.4kg/m^3；小浪底水库初期拦沙运用 14 年，下游年平均来水量 347 亿 m^3，年平均来沙量 5.58 亿 t，年平均含沙量 16.1kg/m^3，加之下游沿程引水，使沿程冲刷水量进一步减少。所以，小浪底水库初期拦沙运用 14 年，拦沙运用年数虽长，拦沙量虽多，而下游河槽冲刷量较少，主要是河槽减淤效益增大，不淤年数增多。

表 13-5-1 为三门峡水库初期 4 年拦沙运用下泄"清水"下游河床冲刷及水位下降特征。从表 13-5-1 可以看出，三门峡水库冲刷下游河槽（含冲刷坍滩，下同），冲刷量为 23.12 亿 t，其中，铁谢—花园口河段冲刷 7.56 亿 t，占 32.7%；花园口—高村河段冲刷 9.26 亿 t，占 40.1%；高村—艾山河段冲刷 5.02 亿 t，占 21.7%；艾山—利津河段冲刷 1.28 亿 t，占 5.5%。铁谢—利津河段冲刷坍塌滩地面积为 329.1km^2，其中铁谢—花园口河段占 25.1%，花园口—高村河段占 59.6%，高村—艾山河段占 14.9%，艾山—利津河段占 0.4%。小浪底水库冲刷下游河槽 19.57 亿 t，其中铁谢—花园口河段占 32%，花园口—高村河段占 43%，高村—艾山河段占 20.1%，艾山—利津河段占 4.9%。与三门峡水库初期 4 年拦沙运用冲刷下游河道相比，冲刷量减少 15.4%，各河段冲刷量占下游总冲刷量的百分比两者相近；滩地冲刷坍塌面积减少 26.2%，各河段冲刷塌滩面积占下游总冲刷塌滩面积的百分比，高村以上河段比重有所减小，高村以下河段比重有所增大，基本相近。

表 13-5-1　三门峡水库 1960 年 10 月～1964 年 10 月拦沙下泄"清水"下游冲刷及水位下降特征

河段	铁谢—花园口	花园口—高村		高村—艾山		艾山—利津		铁谢—利津
冲刷量(亿 t)	7.56	9.26		5.02		1.28		23.12
滩地冲刷坍塌面积(亿 m^2)	0.83	1.96		0.49		0.01		3.29
站　名	铁谢	裴峪	官庄峪	花园口	高村	艾山	利津	
3 000m^3/s 流量水位下降值(m)	−2.81	−2.16	−2.07	−1.30	−1.33	−0.75	+0.01	

在三门峡水库初期 4 年拦沙冲刷下游河道最大时期，下游水位下降值沿程变小。以 3 000m^3/s 同流量水位计，铁谢下降 2.81m，官庄峪下降 2.07m，花园口下降 1.30m，高村下降 1.33m，艾山下降 0.75m，利津上升 0.01m。小浪底水库拦沙冲刷下游河道最大时期，按展宽后河槽平均冲刷深度计，铁谢下降 1.96m，花园口下降 1.50m，夹河滩下降

1.45m,高村下降1.52m,孙口下降1.16m,艾山下降0.76m,泺口下降0.54m,利津下降0.10m。由于三门峡水库现状“蓄清排浑”运用,每年非汛期下泄清水,在铁谢至伊洛河口河段河床发生一定的冲刷,淤积发展受到一定的抑制,故在此基础上小浪底水库拦沙对铁谢至伊洛河口河段的冲刷亦相应减小,铁谢—官庄峪河段水位下降要小于三门峡水库初期4年拦沙运用时的值,下降1.96～1.63m;但在郑州铁桥至孙口河段,主要由于河道整治工程比20世纪60年代加强,故在小浪底水库拦沙冲刷下游河槽时期,郑州铁桥至孙口河段的河槽平均冲刷深度要较大于三门峡水库初期4年拦沙运用时的值,下降一般为1.50～1.16m。在艾山至泺口河段河槽平均冲刷深度一般为0.76～0.54m,泺口至利津河段河槽平均冲刷深度一般为0.54～0.10m,比三门峡水库初期拦沙运用时的冲刷效果好。

关于水库拦沙冲刷下游河道,还有河床局部冲刷深度和河床最低点的下降问题。图13-5-1、图13-5-2所示为下游河道河床平均河底高程和最低河底高程的纵剖面变化,从两

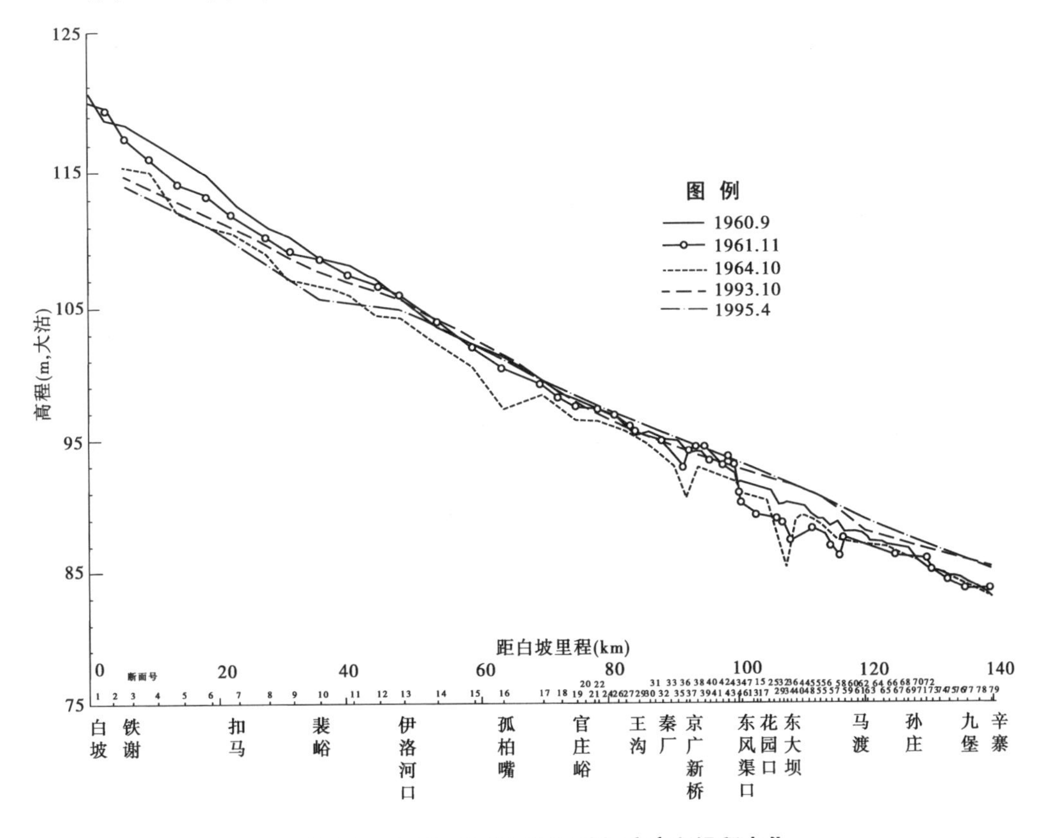

图13-5-1　白坡至辛寨河段平均河底高程沿程变化

图可以看出,河床最低点纵剖面亦具有普遍下降的特点,与平均河底高程下降的纵剖面形态相类似,而且河床最大冲深点的断面可以在黄河下游河道相当长距离的任何地方出现,水流的顶冲冲刷和弯曲水流环流集中冲刷,在任何地方都可能出现。据三门峡水库初期拦沙下泄“清水”冲刷下游的资料,在铁谢至高村长280km的河段,沿程河床最低点下降6～9m的地方比较多,最大下降10m、10.2m的有两处,郑州新铁桥河床最低点下降

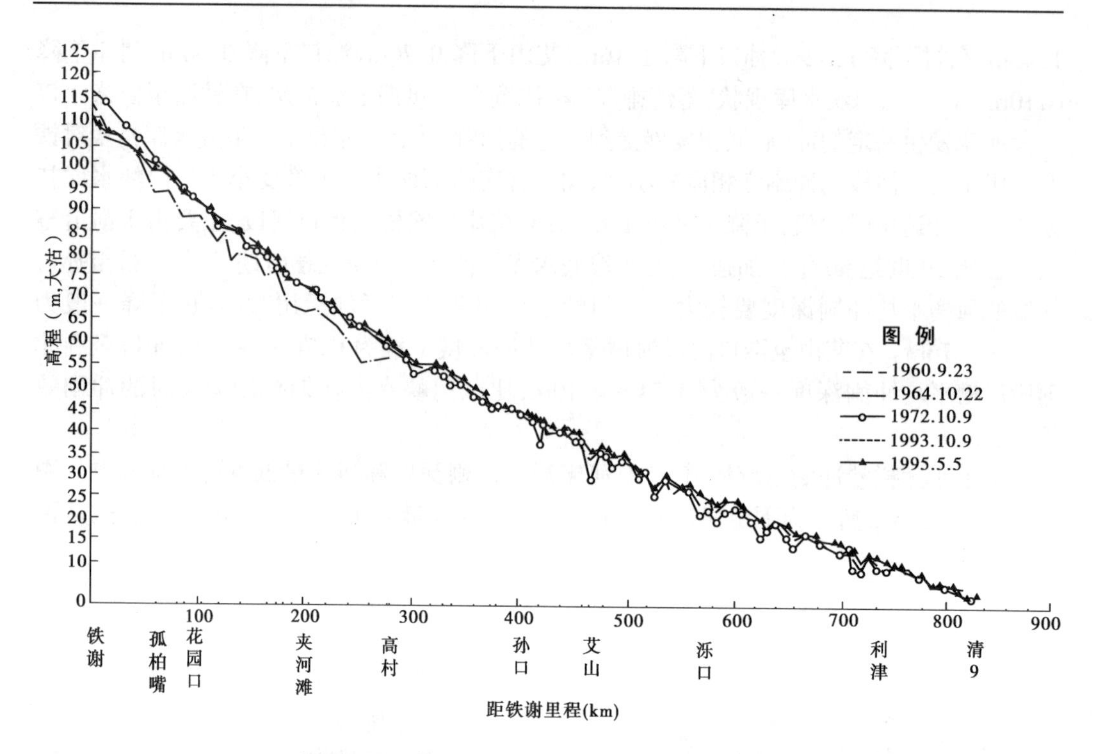

图 13-5-2 黄河下游河道河床纵剖面图(深泓点)

6.7m。估计小浪底水库初期拦沙运用由于来水量小而来沙量较大,黄河下游可能出现的河床最低点的最大下降值不会超过三门峡水库初期 4 年拦沙下泄“清水”冲刷时期出现的河床最低点最大下降 10m 的数值。

第六节 小浪底水库拦沙和调水调沙运用下游各河段减淤效益

经过 6 个 50 年系列的计算,在小浪底水库运用条件下黄河下游各河段全断面减淤量和减淤厚度如表 13-6-1 和表 13-6-2 所示,有以下特点:

表 13-6-1 小浪底水库 6 个 50 年代表系列下游各河段减淤效益

2000 年设计水平代表系列年	减淤量(亿 t)					减淤厚度(m)			
	铁—花	花—高	高—艾	艾—利	铁—利	铁—花	花—高	高—艾	艾—利
1919~1969	2.99	38.16	24.69	8.99	74.83	0.31	1.91	1.76	0.92
1933~1975+1919~1927	2.89	36.74	23.78	8.66	72.07	0.30	1.84	1.70	0.89
1941~1975+1919~1935	3.19	40.61	26.29	9.57	79.66	0.33	2.03	1.88	0.98
1950~1975+1950~1975	3.39	43.11	27.90	10.15	84.55	0.35	2.16	1.99	1.04
1950~1975+1919~1944	3.19	40.68	26.34	9.57	79.78	0.33	2.04	1.88	0.98
1958+1977+1960~1975+1919~1952	3.24	41.36	26.75	9.73	81.08	0.33	2.07	1.91	1.00

(1)花园口以上河段减淤量和平均减淤厚度小,原因是三门峡水库现状的“蓄清排浑”

表 13-6-2　小浪底水库运用各阶段库区淤积及下游水沙和冲淤与减淤

2000年设计水平代表系列	运用年数（年）	水库累积淤积（亿 t）	小浪底+伊洛沁河		铁谢—利津河段累积淤积				水库拦沙下游减淤比	艾山—利津累积淤积		下游累积最大冲刷	
			水量（亿 m^3）	沙量（亿 t）	河槽（亿 t）	滩地（亿 t）	全断面（亿 t）	减淤（亿 t）		河槽（亿 t）	滩地（亿 t）	河槽（亿 t）	历时（年）
1919.7～1969.6	3	31.0	314.5	3.78	−3.46	0	−3.46	17.96	1.73	0.14	0	−3.87	2
	5	42.6	269.6	3.79	−1.08	0	−1.08	25.75	1.65	0.50	0		
	10	58.9	222.1	3.24	3.48	0.02	3.50	37.54	1.57	1.39	0		
	14	82.8	204.8	3.26	7.19	2.30	9.49	55.20	1.50	2.12	0		
	20	104.5	253.9	6.05	0.28	20.13	20.41	70.47	1.48	0.45	2.23		
	25	101.6	267.3	7.46	10.12	27.44	37.56	69.87	1.45	1.21	2.91		
	50	101.0	321.9	11.07	20.66	102.5	123.16	74.83	1.35	4.51	10.26		
1933.7～1975.6+1919.7～1927.6	3	39.9	317.1	3.71	−5.25	0.22	−5.03	23.01	1.73	0.15	0.02	−16.86	11
	5	48.0	354.8	6.25	−11.08	1.41	−9.67	30.62	1.57	−1.25	0.36		
	10	86.9	340.0	5.59	−14.97	1.43	−13.54	51.20	1.70	−0.17	0.36		
	14	98.6	346.3	7.54	−5.18	2.90	−2.28	58.17	1.70	0.47	0.36		
	20	100.8	345.6	8.60	6.60	8.53	15.13	61.08	1.65	1.21	0.49		
	25	101.2	343.8	9.50	7.30	23.35	30.65	63.96	1.58	1.14	1.62		
	50	103.4	331.7	11.25	32.42	88.78	121.20	72.07	1.43	4.45	10.09		
1941.7～1975.6+1919.7～1935.6	3	26.9	290.4	1.59	−5.44	0.01	−5.43	15.73	1.71	0.37	0	−18.45	12
	5	46.4	303.9	3.10	−6.72	0.02	−6.70	28.25	1.64	0.56	0		
	10	89.6	330.2	3.86	−16.42	0.51	−15.91	55.78	1.60	0.50	0.10		
	14	101.2	330.9	5.53	−15.54	4.99	−10.55	65.67	1.54	−0.02	0.31		
	20	97.1	332.7	8.34	−4.81	16.91	12.10	66.19	1.46	−0.09	0.40		
	25	92.8	349.8	9.59	−4.26	27.07	22.81	67.09	1.38	0.32	1.33		
	50	104.3	302.8	10.42	25.32	103.37	128.69	79.66	1.31	4.73	10.71		

续表 13-6-2

2000年设计水平代表系列	运用年数（年）	水库累积淤积（亿t）	小浪底+伊洛沁河		铁谢—利津河段累积淤积				水库拦沙下游减淤比	艾山—利津累积淤积		下游累积最大冲刷	
			水量（亿m^3）	沙量（亿t）	河槽（亿t）	滩地（亿t）	全断面（亿t）	减淤（亿t）		河槽（亿t）	滩地（亿t）	河槽（亿t）	历时（年）
1950.7～1975.6+1919.7～1944.6	3	25.9	307.3	1.08	−6.95	0	−6.95	17.16	1.51	0.44	0	−19.57	14
	5	42.5	325.1	3.76	−10.39	1.11	−9.28	28.18	1.51	−0.22	0.20		
	10	82.4	340.2	5.82	−14.42	1.89	−12.53	52.11	1.58	−0.76	0.26		
	14	103.6	347.0	5.58	−19.57	1.87	−17.70	66.04	1.57	0.46	0.26		
	20	102.4	373.4	9.40	−17.87	16.31	−1.56	72.51	1.41	−0.23	0.39		
	25	99.9	346.4	9.62	−9.61	29.61	20.00	73.38	1.36	0.93	1.09		
	50	101.3	307.5	10.55	23.79	98.07	121.86	79.78	1.27	4.47	10.11		
1950.7～1975.6+1950.7～1975.6	3	25.9	307.3	1.08	−6.95	0	−6.95	17.16	1.51	0.44	0	−19.57	14
	5	42.5	325.1	3.76	−10.39	1.11	−9.28	28.18	1.51	−0.22	0.20		
	10	82.4	340.2	5.82	−14.42	1.89	−12.53	52.11	1.58	−0.76	0.26		
	14	103.6	347.0	5.58	−19.57	1.89	−17.68	66.04	1.57	0.46	0.26		
	20	102.4	373.4	9.40	−17.87	16.31	−1.56	72.51	1.41	−0.23	0.39		
	25	99.9	346.4	9.62	−9.61	29.61	20.00	73.38	1.36	0.93	1.09		
	50	99.9	347.0	11.66	10.95	94.07	105.02	84.55	1.18	3.85	8.75		
1958+1977+1960.7～1975.6+1919.7～1952.6	3	36.84	331.7	4.30	−3.89	0.56	−3.33	22.74	1.62	−0.03	0.05	−14.96	11
	5	50.71	354.1	4.10	−6.61	0.56	−6.05	33.45	1.51	0.23	0.05		
	10	70.64	413.3	9.00	−13.65	8.80	−4.85	52.58	1.34	−1.75	0.07		
	14	96.30	382.5	8.70	−12.27	10.93	−1.34	68.89	1.40	−0.41	0.07		
	20	97.88	347.8	9.40	−3.81	26.66	22.85	71.13	1.38	0.54	0.07		
	25	101.5	317.2	9.10	6.85	34.10	40.95	74.57	1.36	1.76	0.76		
	50	100.3	310.4	10.86	31.90	108.67	140.57	81.09	1.24	3.67	8.33		

运用,非汛期下泄“清水”冲刷,在花园口以上河段有相当程度的抑制淤积的作用,所以小浪底水库运用后该河段减淤量和减淤厚度相应要小。

(2)减淤量和减淤厚度最大的为花园口—高村河段,其次为高村—艾山河段。这是因为在黄河来水量减少、大水流量减少的条件下,在三门峡水库现状“蓄清排浑”运用抑制花园口以上河段淤积的作用下,泥沙推进至花园口—高村河段便成为淤积的重点。小浪底水库拦沙和调水调沙运用后,花园口—高村河段便成为减淤量和减淤厚度最大的河段。由于花园口—高村河段的减淤量和减淤厚度最大,位于下游的高村—艾山河段便成为减淤量和减淤厚度次大的河段。

(3)小浪底水库运用对艾山—利津河段的减淤效益是很显著的,该河段减淤量约占下游河道总减淤量的12%。由于小浪底水库是通过逐步抬高主汛期水位控制低壅水调蓄水量3亿 m^3 拦沙和调水调沙运用,使下游河道获得巨大减淤效益。作为黄河下游河道的一个整体,艾山以下河段与艾山以上河段基本上同步减淤,有较长时期的微冲微淤,相对稳定。

(4)下游减淤效益主要集中在水库拦沙运用前20年。表13-6-3所示为小浪底水库运用6个50年系列平均下游各河段减淤效益。

表13-6-3　小浪底水库6个50年代表系列平均运用20年和50年下游各河段减淤效益

方案	时期	淤积量(亿t)					淤积厚度(m)			
		铁—花	花—高	高—艾	艾—利	铁—利	铁—花	花—高	高—艾	艾—利
无小浪底水库	2020年	3.20	40.91	26.47	9.63	80.21	0.33	2.04	1.89	0.99
	2050年	8.09	103.15	66.72	24.22	202.18	0.83	5.16	4.76	2.48
有小浪底水库	2020年	0.45	5.72	3.71	1.35	11.23	0.04	0.28	0.26	0.14
	2050年	4.93	62.94	40.73	14.81	123.41	0.51	3.15	2.91	1.52
有小浪底水库减淤效益*	20年	2.75	35.19	22.76	8.28	68.98	0.29	1.76	1.63	0.85
	50年	3.16	40.21	25.99	9.41	78.77	0.32	2.01	1.85	0.96

注:*减淤效益分别为减少淤积量和减少淤积厚度的数值。

表13-6-3中说明在水库拦沙运用前20年下游各河段减淤量和减淤效益最大,后30年继续减淤,但年减淤量和年减淤厚度有所减小。

第七节　小浪底水库拦沙和调水调沙运用下游沿程洪水位变化

一、下游河道小洪水5 000m³/s流量水位沿程变化

下游河道小洪水水位的变化,按接近满槽流量的5 000m³/s的水位来分析。

表13-7-1为黄河下游5 000m³/s流量的小洪水水位在无小浪底水库和有小浪底水库条件下的沿程水位变化。小浪底水库运用后,在前20年比无小浪底水库水位下降1.31～1.69m,高村—艾山河段水位下降较多,下降1.50～1.69m;高村以上河段和艾山以下河

段水位下降相近，下降 1.31～1.36m。在后 30 年，比无小浪底水库同流量水位继续下降，但下降幅度减小。与此相应，下游河道平滩流量的变化预测如表 13-7-2 所示。从表 13-7-2中可以看出，小浪底水库运用后，下游河道平滩流量要增大，丰水段在水库拦沙期时，下游河道平滩流量增大较多，枯水段在水库拦沙期时，下游河道平滩流量增大较少。

表 13-7-1 黄河下游流量 5 000m³/s 水位预测值(大沽高程系)

站名	2000 年水位(m)	无小浪底水库		有小浪底水库		有、无小浪底水库水位变化		小浪底水库运用后与2000 年水位相比较	
		2020 年水位(m)	2050 年水位(m)	2020 年水位(m)	2050 年水位(m)	2020 年降低值(m)	2050 年降低值(m)	2020 年水位升值(m)	2050 年水位升值(m)
花园口	94.68	96.19	98.61	94.88	97.08	1.31	1.53	0.20	2.4
夹河滩	76.22	77.73	80.15	76.42	78.62	1.31	1.53	0.20	2.4
高村	64.35	66.08	68.85	64.58	67.09	1.50	1.76	0.23	2.74
孙口	50.04	51.99	55.10	50.30	53.13	1.69	1.97	0.26	3.09
艾山	43.40	45.16	47.96	43.63	46.19	1.53	1.77	0.23	2.79
泺口	32.58	34.15	36.64	32.79	35.07	1.36	1.57	0.21	2.49
利津	15.45	17.02	19.51	15.66	17.94	1.36	1.57	0.21	2.49

注:2000 年为破生产堤方案，2020、2050 年为废生产堤方案。

表 13-7-2 小浪底水库运用后黄河下游河道平滩流量变化预测 (单位：m³/s)

设计水平 1950～1975 年翻番系列	花园口—高村	高村—艾山	艾山—利津
运用前(1999 年)	4 500	4 000	4 000
运用后 5 年	5 500	5 000	4 500
10 年	6 500	6 000	5 500
15 年	8 000	7 500	6 500
20 年	7 500	7 000	6 000
设计水平 1919～1969 年系列	**花园口—高村**	**高村—艾山**	**艾山—利津**
运用前(1999 年)	4 500	4 000	4 000
运用后 5 年	5 000	4 500	4 500
10 年	5 500	5 000	4 500
15 年	6 000	5 500	5 000
20 年	6 500	6 000	5 500

二、下游河道设防流量水位变化

图 13-7-1 及表 13-7-3 为黄河下游设防流量的水位变化。有小浪底水库比无小浪底

水库,小浪底水库运用前 20 年同流量水位沿程降低,花园口—高村河段下降 1.72～1.66m,高村—孙口河段下降 1.66～1.59m,孙口—艾山河段下降 1.59～1.22m,艾山—利津河段下降 1.22～0.83m。在后 30 年,有小浪底水库比无小浪底水库同流量水位继续下降,但下降幅度减小。按小浪底水库运用 50 年计,有小浪底水库比无小浪底水库同设防流量水位下降:花园口—高村河段为 2.0～1.96m,高村—孙口为 1.96～1.84m,孙口—艾山为 1.84～1.40m,艾山—利津为 1.40～0.95m。设防流量洪水位的下降,可以减少黄河下游大堤加高的次数和工程量,在黄河下游减淤的同时产生巨大的防洪经济效益。

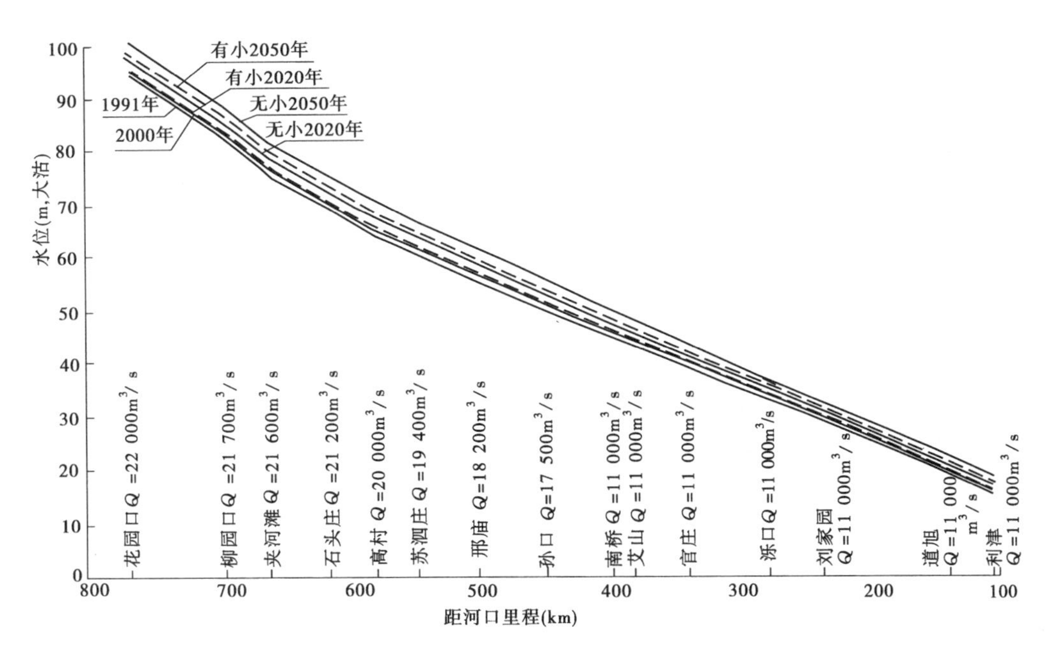

图 13-7-1 有小浪底水库和无小浪底水库黄河下游设防流量洪水位预测
(图中“有小”为“有小浪底水库”,“无小”为“无小浪底水库”)

从小浪底水库自身运用情况比较来讲,在水库运用 20 年(2020 年)时,下游小洪水流量 5 000m^3/s 的水位比 2000 年升高 0.20～0.26m,以孙口升高较多;在水库运用 50 年(2050 年)时,下游流量 5 000m^3/s 的水位比 2000 年升高 2.40～3.09m,亦是孙口升高较多。对于下游设防流量水位,水库运用 20 年(2020 年)的水位比 2000 年水位的升高值:花园口—高村河段为 0.26～0.25m,高村—孙口河段为 0.25～0.24m,孙口—艾山河段为 0.24～0.18m,艾山—利津河段为 0.18～0.13m;水库运用 50 年(2050 年)的水位比 2000 年水位的升高值:花园口—高村河段为 3.15～3.03m,高村—孙口河段为 3.03～2.91m,孙口—艾山河段为 2.91～2.21m,艾山—利津河段为 2.21～1.52m。由此可见,在小浪底水库运用前20年,通过水库拦沙和调水调沙运用下游河槽不淤积,滩地大量减淤;在水库运用后 30 年,下游河槽继续淤积抬高但有减淤,滩地亦继续淤高,亦有减淤,淤积量的大部分为滩地淤积,河槽淤积量相对为小。因此,水库运用后 30 年,5 000m^3/s 流量水位与设防流量水位的变化与滩槽形态变化亦有关系。

表 13-7-3　　小浪底水库运用下游设防流量水位变化计算

站名		花园口	柳园口	夹河滩	石头庄	高村	苏泗庄	邢庙	孙口	南桥	艾山	官庄	泺口	刘家园	道旭	利津
至河口距离(km)		768	695	662	616	579	547	501	449	397	386	339	278	237	139	104
设防流量(m^3/s)		22 000	21 700	21 500	21 200	20 000	19 400	18 200	17 500	11 000	11 000	11 000	11 000	11 000	11 000	11 000
1991 年水位(m)		95.60	83.23	76.44	70.06	65.03	61.55	56.65	51.39	45.61	45.09	40.42	34.80	30.65	20.24	16.64
2000 年水位(m)		96.25	84.21	77.62	71.29	66.38	62.95	58.11	52.56	47.22	46.33	41.62	35.96	31.72	21.13	17.43
无小浪底水库时水位(m)	2020 年	98.23	86.19	79.60	73.27	68.29	64.78	59.94	54.39	48.70	47.73	42.83	36.92	32.68	22.09	18.39
	比 2000 年升高	1.98	1.98	1.98	1.98	1.91	1.83	1.83	1.83	1.48	1.40	1.21	0.96	0.96	0.96	0.96
	2050 年	101.40	89.36	82.77	76.44	71.33	67.70	62.86	57.31	51.03	49.94	44.73	38.43	34.19	23.60	19.90
	比 2000 年升高	5.15	5.15	5.15	5.15	4.95	4.75	4.75	4.75	3.81	3.61	3.11	2.47	2.47	2.47	2.47
有小浪底水库时水位(m)	2020 年	96.51	84.47	77.88	71.55	66.63	63.19	58.35	52.80	47.41	46.51	41.78	36.09	31.85	21.26	17.56
	比 2000 年升高	0.26	0.26	0.26	0.26	0.25	0.24	0.24	0.24	0.19	0.18	0.16	0.13	0.13	0.13	0.13
	2050 年	99.40	87.36	80.77	74.44	69.41	65.86	61.02	55.47	49.55	48.54	43.53	37.48	33.24	22.65	18.95
	比 2000 年升高	3.15	3.15	3.15	3.15	3.03	2.91	2.91	2.91	2.33	2.21	1.91	1.52	1.52	1.52	1.52
	比 2020 年升高	2.89	2.89	2.89	2.89	2.78	2.67	2.67	2.67	2.14	2.03	1.75	1.39	1.39	1.39	1.39
	2020 年比无小浪底水库降低值	1.72	1.72	1.72	1.72	1.66	1.59	1.59	1.59	1.29	1.22	1.05	0.83	0.83	0.83	0.83
	2050 年比无小浪底水库降低值	2.0	2.0	2.0	2.0	1.92	1.84	1.84	1.84	1.48	1.40	1.20	0.95	0.95	0.95	0.95

第八节 小浪底水库运用对山东河段的减淤作用分析

一、小浪底水库运用对艾山—利津河段的减淤作用

前面已分析了小浪底水库对下游各河段的减淤作用，包括对山东河段的减淤作用，这里再做进一步分析，因为它是很受关注的问题。

2000年设计水平6个50年代表系列的泥沙冲淤计算表明，小浪底水库拦沙和调水调沙运用在艾山以上河段和艾山以下河段的减淤基本上是同步的，只在减淤数量上和表现方式上有差异。在艾山以上河段，一般为河槽先连续冲刷后连续回淤，是明显冲淤变化的过程；在艾山以下河段，一般为河槽微冲微淤，是冲淤变幅小的过程。小浪底水库的减淤作用：①逐步抬高主汛期水位控制低壅水3亿m^3拦粗沙、排细沙，拦沙100亿t；②调水调沙使水沙两极分化，拦蓄来水小于2 000m^3/s的水沙，按800～400m^3/s流量下泄细泥沙低含沙水流，避免了800～2 000m^3/s平水下泄，可免除下游平水上冲下淤，泄放2 000m^3/s以上流量在下游河道河槽内输沙减淤和相机利用有较高含沙量的低漫滩洪水淤滩刷槽；③主汛期控制引水量不大于30亿m^3，调节期增大引水量，年平均引水量100亿～120亿m^3，通过利津水量200亿m^3。小浪底水库的这种运用方式有利于河南河段和山东河段同步减淤。

根据2000年设计水平6个50年代表系列的计算，在艾山—利津河段的河槽连续有14～23年的微冲微淤，其累积淤积量小于1.0亿～2.0亿t，其中连续5～19年是微冲的，个别系列年最大累积冲刷量达1.68亿t。如表13-8-1所示，小浪底水库运用前20年6个50年代表系列下游艾山以上和以下河段的全断面冲淤情况。

表13-8-1 小浪底水库运用前20年6个50年代表系列下游艾山以上和以下河段冲淤量 (单位：亿t)

2000年设计水平代表系列年		1919～1969	1933～1975 + 1919～1927	1941～1975 + 1919～1935	1950～1975 + 1919～1944	1950～1975 + 1950～1975	1958 + 1977 + 1960～1975 + 1919～1952
河段	艾山以上	17.72	10.04	11.79	−1.72	−1.72	12.67
	艾山—利津	2.69	1.70	0.31	0.15	0.15	0.61

在设计水平6个50年代表系列中，水库运用前20年，艾山—利津河段全断面淤积分别为0.15亿～2.69亿t，以6个50年代表系列平均计，前20年淤积为0.94亿t，年平均淤积0.047亿t。即使水库运用前20年遇上连续11年枯水段1922年7月～1933年6月，由于小浪底水库拦沙，排出泥沙颗粒细，已不同于自然来沙组成。这11年通过利津的年平均水量89.6亿m^3，年平均输沙量1.12亿t，艾山—利津河段淤积1.98亿t，年平均淤积0.18亿t，淤积量显著减少，占前20年淤积总量2.69亿t的73.6%。20年中的其他9年淤积0.71亿t，年平均淤积0.08亿t，且是滩地淤积，河槽还有冲刷。可见，在最不利水沙代表系列的枯水段来水来沙条件下，艾山—利津河段亦明显减淤。

二、小浪底水库运用对黄河河口的影响

黄河每年有大量泥沙注入渤海,造成了河口的强烈淤积延伸。所以,减少进入河口的泥沙量对于减缓河口延伸、减少其对艾山以下河道的溯源淤积影响是有作用的。按设计水平6个50年代表系列平均计算,水库在初期运用15年拦沙102.1亿t,下游河道减淤66.73亿t,进入河口的泥沙量减少35.37亿t,年平均减少泥沙2.36亿t;水库运用20年拦沙100亿t,下游河道减淤69亿t,进入河口的泥沙量减少31亿t,年平均减少1.55亿t,所以有利于延长河口流路的使用年限。在小浪底水库拦沙完成后的后期调水调沙运用,由于主汛期主要利用2 000m^3/s以上较大流量输沙并有利用较高含沙量低漫滩洪水淤滩刷槽的条件,通过大水流量,增加了送到深海的泥沙。水库运用50年,拦沙101.7亿t,下游河道减淤78.7亿t,进入河口的泥沙量减少23亿t。因此,从较长时期讲,小浪底水库运用减缓河口延伸,亦有利于艾山以下河段减淤。

第九节 小浪底水库运用对下游河槽水力几何形态和输沙能力调整的影响

水库初期逐步抬高主汛期水位控制低壅水拦沙和调水调沙运用,主汛期2 000m^3/s以上流量平均排沙比为60%～70%,水库调水调沙,大量泥沙主要是由2 000m^3/s以上流量输送,并有较高含沙量低漫滩洪水调沙淤滩刷槽机会,使河槽减淤,滩槽高差增大,河槽平滩流量和排洪能力增大。在艾山以上尤其在高村以上河段,河槽形态将趋向窄深,输沙能力将增大,艾山以下窄深河槽趋向规顺,适应全下游输沙减淤的协调发展。

小浪底水库拦沙和调水调沙运用,改善了出库水沙过程,水沙两极分化,促进下游高村以上的游荡性河段进行一定程度的河型转化,主要有以下特点:

(1)调节进入下游的流量、含沙量过程,将泥沙主要集中在主汛期的较大水流的时间,形成大水输沙的河槽水力几何形态,提高河槽输沙能力,以较大流量、较大含沙量输送泥沙,获得减淤效益。分析黄河下游河道河槽水力几何形态与流量和含沙量关系,如表13-9-1所示。

小浪底水库运用方式符合黄河下游河槽水力几何形态和水流输沙能力与流量及含沙量关系的规律。主要是:避免长时期高水位蓄水拦沙下泄“清水”展宽河道;采用逐步抬高主汛期水位控制低壅水调蓄水量3亿m^3拦沙和调水调沙运用,提高水库2 000m^3/s以上流量的排沙比,拦粗沙,排细沙;利用大水输沙,在大水输沙过程中,塑造水面宽减小、水深增大、过水面积减小、流速增大、输沙能力增大、具有较大滩槽高差、比较规顺窄深的河槽。

(2)黄河下游河道在2 000m^3/s以上流量输沙能力明显增大,在4 000～5 000m^3/s接近满槽流量时输沙能力迅速增强。小浪底水库调水调沙使黄河水沙过程两极分化,提高下游河道2 000m^3/s以上流量的输沙能力,在主汛期泄放2 000m^3/s以上流量的水沙,并相机造峰5 000m^3/s和8 000m^3/s的低漫滩较高含沙量洪水淤滩刷槽。

(3)分析黄河下游河道挟沙能力,有以输沙率Q_s^*(t/s)和含沙量S^*(kg/m^3)表示挟沙力的如下关系:

$$Q_s^* = a\left(\frac{S}{Q}\right)_{上}^{m} \cdot \left(\frac{Bv^4}{\omega_s}\right)^{n} \tag{13-9-1}$$

及

$$S^* = k(S_{上})^{\alpha} \cdot \left(\frac{1}{Bh}\right)^{\beta} \cdot \left(\frac{v^{\gamma}}{h\omega_s}\right)^{n} \tag{13-9-2}$$

式(13-9-1)式和式(13-9-2)是同一挟沙力公式的两种表达形式，可以互相转换，计算结果一样。式(13-9-2)表示了来水含沙量、过水断面面积、流速、水深、泥沙群体沉速对挟沙力的影响，与来水含沙量和河槽水力几何形态直接联系。二式的系数和指数分别见表13-9-2及表13-9-3，经过实测资料验证。

表 13-9-1　　黄河下游河槽水力几何形态与流量和含沙量关系

断面	边界条件	流量条件 (m^3/s)	含沙量条件 (kg/m^3)	$v=bQ^mS^u$			$B=cQ^nS^w$			$h=dQ^rS^x$		
				b	m	u	c	n	w	d	r	x
花园口	水面宽自由变化	$Q>1\ 500$	$S>0$	0.082	0.305	0.173	185	0.509	−0.615	0.066	0.186	0.442
		$Q<1\ 500$		0.082	0.350	0.165	48.2	0.470	−0.230	0.253	0.180	0.065
高村	水面宽自由变化	$Q>1\ 500$	$S>0$	0.109	0.305	0.134	50.4	0.509	−0.350	0.182	0.186	0.216
		$Q<1\ 500$		0.100	0.305	0.200	87.7	0.470	−0.419	0.114	0.225	0.219
艾山	水面宽受限制影响	$Q>1\ 500$	$0<S\leqslant180$	0.163	0.346	−0.046	408	0.004	−0.019	0.015	0.650	0.065
			$S>180$	0.079	0.357	0.080	408	0.004	−0.019	0.031	0.639	−0.061
		$Q<1\ 500$	$0<S\leqslant180$	0.156	0.400	−0.185	166.5	0.144	−0.075	0.039	0.456	0.260
利津	水面宽受限制影响	$Q>1\ 500$	$0<S\leqslant180$	0.085	0.460	−0.107	467	0.029	−0.043	0.025	0.511	0.150
			$S>180$	0.032	0.463	0.080	467	0.029	−0.043	0.067	0.508	−0.037
		$Q<1\ 500$	$0<S\leqslant180$	0.238	0.340	−0.200	295	0.080	−0.116	0.011	0.580	0.316

注：v—平均流速，m/s；B—水面宽，m；h—平均水深，m；Q—流量，m^3/s；S—含沙量，kg/m^3。

综合分析表13-9-1、表13-9-2及表13-9-3可知，要提高黄河下游河槽输沙能力，可根据黄河下游的挟沙力与含沙量和河槽水力几何形态及泥沙群体沉速的关系的客观规律，通过小浪底水库调节流量、含沙量及泥沙组成，改善河槽水力几何形态等途径来得到。

表 13-9-2　　黄河下游河槽输沙率关系式 $Q_s^* = a\left(\frac{S}{Q}\right)_{上}^{m}\left(\frac{Bv^4}{\omega_s}\right)^{n}$ 的系数与指数

河段	$Q<1\ 500m^3/s$						$Q\geqslant1\ 500m^3/s$					
	$\left(\frac{S}{Q}\right)_{上}<0.03$			$\left(\frac{S}{Q}\right)_{上}\geqslant0.03$			$\left(\frac{S}{Q}\right)_{上}<0.03$			$\left(\frac{S}{Q}\right)_{上}\geqslant0.03$		
	a	m	n	a	m	n	a	m	n	a	m	n
小浪底—花园口	0.042	0.130	0.65	0.890	1.07	0.65	2.57×10^{-4}	0.200	1.225	0.018	1.52	1.225
花园口—高村	0.043	0.175	0.65	0.428	0.887	0.65	3.13×10^{-4}	0.325	1.225	3.18×10^{-3}	1.04	1.225
高村—艾山	0.084	0.313	0.65	0.461	0.800	0.65	7.30×10^{-4}	0.450	1.225	5.06×10^{-3}	1.00	1.225
艾山—利津	0.114	0.313	0.65	0.344	0.625	0.65	7.57×10^{-4}	0.400	1.225	2.16×10^{-3}	0.700	1.225

表 13-9-3 黄河下游河槽挟沙力公式 $S^{*}=k(S_{上})^{\alpha}\cdot\left(\frac{1}{Bh}\right)^{\beta}\cdot\left(\frac{v^{\gamma}}{h\omega_s}\right)^{n}$ 的系数与指数

河段	流量级 (m^3/s)	$\left(\frac{S}{Q}\right)_{上}<0.03$					$\left(\frac{S}{Q}\right)_{上}\geqslant0.03$				
		k	α	β	γ	n	k	α	β	γ	n
小浪底—花园口	<1 500	41.7	0.130	0.480	2.185	0.650	890	1.070	1.420	0.815	0.650
	≥1 500	0.257	0.200	−0.025	3.020	1.225	18.0	1.520	1.295	1.943	1.225
花园口—高村	<1 500	43.0	0.175	0.525	2.115	0.650	428	0.887	1.237	1.020	0.650
	≥1 500	0.312 6	0.325	0.100	2.918	1.225	3.18	1.045	0.820	2.331	1.225
高村—艾山	<1 500	84.0	0.313	0.663	1.903	0.650	461	0.800	1.150	1.154	0.650
	≥1 500	0.730	0.450	0.225	2.816	1.225	5.06	1.000	0.775	2.367	1.225
艾山—利津	<1 500	114	0.313	0.663	1.903	0.650	344	0.625	0.975	1.423	0.650
	≥1 500	0.757	0.400	0.175	2.857	1.225	2.157	0.970	0.745	2.392	1.225

(4)三门峡水库下泄“清水”,黄河下游河道同时发生以下几种情况:①河槽冲刷和滩地坍塌;②河道下切与展宽并存;③河势变化大,冲刷险情增大;④河床粗化,糙率系数增大;⑤水面宽增大,过水断面面积增大;⑥流速减小,输沙能力降低;⑦一方面减淤,平滩流量增大,另一方面却有相当大的负面影响。小浪底水库运用避免长时期下泄“清水”,尤其避免泄放大流量小含沙量的“清水”,就是吸收上述三门峡水库初期拦沙运用的经验教训。利用水流挟沙力与河槽水力几何形态、流量及含沙量、泥沙群体沉速等关系的规律,调节水沙两极分化,将泥沙调节到 2 000～8 000m^3/s 大流量输送,发挥下游河道大水输沙能力和淤滩刷槽作用。表 13-9-4 所示为黄河下游河道实测的河槽水力几何形态与流量和含沙量关系的对照。在游荡性河段如花园口、高村断面,若同流量下含沙量小,则水面宽增大,水深减小,形成宽浅断面的过水面积,流速降低;若同流量下含沙量大,则水面宽减小,水深增大,形成窄深断面的过水面积,流速增大。 在水面宽受限制的艾山以下弯曲性

表 13-9-4 黄河下游河道实测的河槽水力几何形态与流量和含沙量关系对照

站名	日期 (年·月·日)	Q (m^3/s)	S (kg/m^3)	B (m)	h (m)	v (m/s)	A (m^2)
花园口(水面宽自由变化)	1964.8.3	4 770	15.9	2 550	1.13	1.66	2 882
	1964.8.16	5 590	18.1	2 620	1.23	1.74	3 223
	1964.8.28	4 300	23.3	1 970	1.26	1.85	2 482
	1964.10.7	6 030	8.29	3 510	1.10	1.57	3 861
	1964.10.9	5 550	6.92	3 670	0.99	1.52	3 633
	1967.8.5	4 870	25.9	2 240	1.20	1.82	2 688
	1976.8.21	5 430	39.4	1 730	1.33	2.36	2 310
	1976.9.10	6 220	54.3	1 250	2.42	2.05	3 025
	1977.7.10	6 360	528	779	3.50	2.33	2 730
	1977.7.10	5 310	383	744	2.63	2.71	1 960
	1977.8.8	4 590	271	433	3.76	2.82	1 630
	1977.8.9	4 020	302	490	3.82	2.15	1 870

续表 13-9-4

站名	日期（年·月·日）	Q (m^3/s)	S (kg/m^3)	B (m)	h (m)	v (m/s)	A (m^2)
高村（水面宽自由变化）	1963.10.18	3 780	17.2	1 080	1.60	2.18	1 728
	1964.7.26	4 900	39.4	1 240	1.80	2.20	2 232
	1964.8.4	4 780	22.8	1 220	1.82	2.15	2 220
	1964.10.23	5 250	13.9	1 360	1.76	2.19	2 394
	1966.9.29	4 200	31.2	1 190	1.55	2.28	1 845
	1977.7.10	5 430	160	699	2.76	2.81	1 929
	1977.7.11	5 480	210	752	2.81	2.60	2 113
	1977.8.8	3 870	162	607	2.57	2.48	1 560
	1977.8.9	3 890	265	605	2.43	2.65	1 470
	1977.8.9	4 380	253	603	2.92	2.49	1 761
艾山（水面宽受限制）	1963.9.26	5 080	18.8	416	4.86	2.51	2 022
	1988.8.15	5 060	105	403	5.00	2.49	2 015
	1964.11.2	4 620	18.9	407	4.4	2.58	1 791
	1977.8.10	4 640	214	406	4.41	2.59	1 790
	1964.5.29	4 040	26	549	3.10	2.38	1 702
	1977.8.12	4 050	200	520	3.29	2.37	1 711
	1976.8.8	3 350	48.1	477	2.87	2.45	1 369
	1973.9.7	3 220	211	366	3.42	2.58	1 252
	1963.8.21	3 060	10.9	395	3.24	2.39	1 280
	1973.9.5	3 000	200	400	3.13	2.40	1 252
利津（水面宽受限制）	1964.10.31	5 120	18.8	549	4.15	2.25	2 278
	1977.7.13	5 250	168	520	3.85	2.63	2 000
	1964.5.29	4 040	26	549	3.10	2.38	1 702
	1977.8.12	4 050	200	520	3.29	2.31	1 710
	1982.8.16	3 770	30.5	465	3.53	2.30	1 640
	1977.8.11	3 710	141	519	3.20	2.23	1 660
	1964.4.4	3 110	22.9	547	2.54	2.24	1 389
	1973.9.7	3 220	211	368	3.59	2.58	1 250
	1988.7.26	2 630	68.4	462	2.81	2.02	1 300
	1977.8.13	2 790	146	465	2.67	2.25	1 240

河段,则出现在同流量下含沙量小于 180kg/m^3 时,流速随含沙量减小而增大;含沙量大于 180kg/m^3 时,流速随含沙量增大而增大的情形。这充分说明了小浪底水库进行拦沙和调水调沙运用,主要是针对高村以上河段、高村—艾山河段、艾山以下河段的挟沙力规律和河槽水力几何形态规律进行的科学总结和应用试验,并要在新的实践中不断地总结和提高水库运用的效益。

第十节 小浪底水库运用对下游河道水流含沙量的影响分析

小浪底水库初期拦沙和调水调沙运用,使下游河道水流含沙量减小,主要变化在主汛期 7～9 月,10 月水库提前蓄水,使下游水流含沙量减小;11 月～来年 6 月水库下泄清水,下游河床冲刷恢复一定的含沙量。

以 2000 年设计水平 1950～1975 + 1950～1975 年代表系列的计算为例,说明小浪底水库初期拦沙运用的前 20 年主汛期 7～9 月出库水流含沙量和下游水流含沙量的变化情况,如表 13-10-1 所示,它有以下主要特点:

表 13-10-1 小浪底水库初期拦沙运用前 20 年主汛期(7～9 月)出库水流含沙量和下游水流含沙量特征

断面名称	含沙量级(kg/m^3)	<0.8	0.8～1.0	1～10	10～20	20～50	50～100	100～200	200～400	合计
出库	出现天数(天)	20	783	309	360	225	105	30	8	1 840
	几　率(%)	1.1	42.6	16.8	19.6	12.2	5.7	1.6	0.4	100
花园口	出现天数(天)	0	654	514	434	156	55	20	7	1 840
	几　率(%)	0	35.5	27.9	23.6	8.5	3.0	1.1	0.4	100
高村	出现天数(天)	0	677	488	466	149	49	7	4	1 840
	几　率(%)	0	36.8	26.5	25.3	8.1	2.7	0.4	0.2	100
艾山	出现天数(天)	0	721	445	470	146	49	7	2	1 840
	几　率(%)	0	39.2	24.2	25.5	7.9	2.7	0.4	0.1	100
利津	出现天数(天)	0	782	387	457	151	53	8	2	1 840
	几　率(%)	0	42.5	21.0	24.8	8.3	2.9	0.4	0.1	100

(1)主汛期出库水流含沙量小于 100kg/m^3(日平均,下同)的几率为 98%,大于 100kg/m^3 的几率为 2%。含沙量小于 1kg/m^3 的几率为 43.7%,小于 10kg/m^3 的几率为 60.5%,小于 20kg/m^3 的几率为 80.1%,小于 50kg/m^3 的几率为 92.3%,200kg/m^3 以上含沙量出现的几率为 0.4%。

(2)在下游花园口至利津断面,水流含沙量小于 100kg/m^3 的几率为 98.5%～99.5%,大于 100kg/m^3 的几率为 0.5%～1.5%。出现 200kg/m^3 以上含沙量的几率花园口为0.4%、高村为0.2%，艾山和利津的几率均为0.1%。

(3)下游含沙量小于1kg/m³ 的几率为35.5%～42.5%，含沙量小于10kg/m³ 的几率为63.4%～63.5%，含沙量小于20kg/m³ 的几率为83%～88.3%，含沙量小于50kg/m³ 的几率为91.5%～96.5%。

黄河下游灌溉引水的含沙量控制条件为含沙量不大于35kg/m³(实际引水中有突破情形)。小浪底水库运用后，在初期“拦沙和调水调沙”运用、后期“蓄清排浑和调水调沙”运用下，下游含沙量小于(含等于)35kg/m³ 出现的几率见表13-10-2。小浪底水库运用10年、20年和50年的下游引沙量与三门峡水库现状方案下游引沙量列于表13-10-2进行对比。

表 13-10-2　　小浪底水库运用20年下游引水含沙量和引沙量

(设计水平1950～1975+1950～1975年系列)

水库条件	月份	含沙量 $S \leqslant 35$kg/m³ 的几率(%)					时期	下游当年平均引水		
		出库	花园口	高村	艾山	利津		引水量(亿m³)	引沙量(亿t)	含沙量(kg/m³)
三门峡水库现状方案	7	14.7	51.1	60.6	66.8	69.2				
	8	18.9	40.6	43.9	46.9	48.4	前10年	96.6	1.47	15.2
	9	58.5	75.7	75.0	76.5	75.5	前20年	96.2	1.58	16.4
	10	98.5	99.7	99.2	98.4	97.7				
	11月～来年6月	100	100	100	100	100				
小浪底水库运用(拦沙期)	7	69.0	81.5	84.0	85.3	85.3				
	8	67.3	73.7	75.2	74.7	74.0	前10年	99.4	0.97	9.76
	9	80.8	83.5	84.0	83.7	83.7	前20年	99.0	1.26	12.7
	10	99.8	99.8	99.8	99.8	99.8				
	11月～来年6月	100	100	100	100	99.4				

由表13-10-2可知，小浪底水库拦沙运用前20年下游水流含沙量小于35kg/m³ 的几率明显增大，下游的引沙量显著减少；而在水库运用的后30年，小浪底水库为“蓄清排浑和调水调沙”运用，下游水流含沙量小于35kg/m³ 的几率及下游引沙量与三门峡水库现状方案相近。

在小浪底水库初期拦沙运用前10年，下游年平均引水含沙量为9.76kg/m³，引水量99.4亿m³，引沙量0.97亿t，比三门峡水库现状方案年平均引沙量减少0.5亿t，降低34%。在小浪底水库运用11～20年时期，下游年平均引水含沙量15.7kg/m³，年平均引水量98.6亿m³，引沙量1.55亿t，各项数值都有所提高，比三门峡水库现状方案的同期年平均引沙量1.69亿t略少0.14亿t，比三门峡水库现状方案的同期年平均引水含沙量17.6kg/m³ 降低1.9kg/m³。

第十一节　结语与展望

小浪底水库进行了2000年设计水平6个50年代表系列的来水来沙条件设计，年平均入库径流量289.1亿m^3，来沙量12.75亿t。在此条件下，进行三门峡水库现状方案和小浪底水库运用后的计算。按6个50年代表系列平均，三门峡水库现状方案，黄河下游河道全断面年平均淤积约4亿t；有小浪底水库运用后，按照小浪底水库拦沙和调水调沙的减淤运用方式，不考虑非汛期利用多余水量人造洪峰冲刷黄河下游，而用于扩大农业用水量，水库平均拦沙101.7亿t，黄河下游河道全断面减淤78.7亿t，拦沙减淤比为1.29，黄河下游河道全断面相当于20年不淤积抬高，河南河段和山东河段整体同步减淤，均有20年的相对稳定。

与未来50年可能的实际情况相比，2000年设计水平的年平均来水量可能相近，而设计的年平均来沙量可能明显偏大。初步预估，假定设计年平均来水量不变，而年平均来沙量减小为10.2亿t，则在此条件下，三门峡水库现状方案，黄河下游河道全断面年平均淤积约3.2亿t，有小浪底水库运用后，6个50年代表系列平均，水库拦沙101.7亿t，黄河下游河道全断面减淤96亿t，全断面相当于30年不淤积抬高。

第十四章　小浪底水库供水灌溉作用

第一节　黄河下游引黄用水要求

黄河下游引黄地区跨黄、淮、海三大流域，涉及河南、山东两省85个县，在黄河两岸形成了庞大的引黄灌溉系统。20世纪80年代末期，下游万亩（1亩=0.066 7hm^2）以上引黄灌区已达96处，90年代还相继兴建了引黄济青、引黄入卫、引黄济淄等专项供水工程，使黄河下游的供水范围不断扩大。据1993～1995年统计，黄河下游年引黄水量为77亿～155亿m^3，平均为110亿m^3左右，引黄水量中城镇生活、调剂内河、外流域调水仅占11%左右，灌溉用水量则占总引黄水量的89%。

一、生活、工业用水要求

（一）生活、工业用水现状

1．生活用水

生活用水包括城镇生活用水和农村人畜用水。下游引黄地区包括郑州、开封、新乡、济南、东营等大中城市和近70个县级城镇，目前仅有上述几个大中城市部分生活用水由黄河供水。1989年下游大中城市生活用水3.56亿m^3，其中引黄水量1.88亿m^3；1989年引黄地区人畜生活用水7.56亿m^3，其中引黄水量仅0.21亿m^3。

2．工业用水

1989年下游各大、中城市工业取水量6.04亿m^3，其中引黄水量3.19亿m^3；县级及乡镇工业总取水7.72亿m^3，其中引黄水量仅0.07亿m^3。

3．跨流域调水量

为缓解河北省东南部的缺水情况，1972～1995年先后7次通过位山闸向河北送水15.1亿m^3，其中1994、1995年分别送水4.14亿m^3、3.44亿m^3。引黄济青工程于1989年建成，1989～1995年总引黄水量10.0亿m^3，其中1994、1995年分别引水1.66亿m^3、1.37亿m^3。

（二）生活、工业用水规划

根据1984年《黄河水资源利用预测》拟定的黄河可供水量分配方案，在南水北调生效前向黄河下游沿河主要城市和特殊地区供水共61.4亿m^3，其中主要城市工业及生活用水15.4亿m^3，引黄入白洋淀及向天津补水20.0亿m^3，向青岛市供水10.2亿m^3，另外，为保证胜利油田引水和河口地区生态、渔业要求，要求利津断面最小流量不小于50m^3/s。黄河下游城市生活及工业用水分项过程见表14-1-1。

表 14-1-1 黄河下游城市生活及工业用水分项过程 (单位：m^3/s)

月份	城市生活及工业	引黄济青	引黄入淀及济津	河口油田及渔业	合 计
7			49	50	99
8	65		49	50	164
9	65		49	50	164
10	65		49	50	164
11	65	190	49	50	354
12	65	190	49	50	354
1	65	190	49	50	354
2		190	49	50	289
3			49	50	99
4			49	50	99
5			49	50	99
6			49	50	99
水量合计(亿 m^3)	10.2	20.0	15.4	15.8	61.4

二、下游引黄灌溉要求

(一)下游引黄灌区现状及存在问题

1. 下游引黄灌区现状

黄河下游现有万亩以上的引黄灌区 96 处，其中大于 30 万亩的灌区 33 处，10 万～30 万亩的灌区 29 处，10 万亩以下的灌区 34 处。引黄灌区渠首工程共有 122 处，其中自流引黄涵闸 81 处、虹吸 31 处、扬水站 10 处，引黄灌区总设计引水能力3 994m^3/s。

下游引黄灌区灌溉面积分为正常灌溉面积和补源灌溉面积。正常灌溉面积是指以黄河水源为主的灌区，其中包括了部分井渠双灌区；补源灌区以井灌为主、引黄补源灌溉为辅。

1990 年黄河下游共有机电井 58 万眼，其中配套 52 万眼，当年的纯井灌面积1 435万亩。近年来，由于进入下游水量的减少，对当地的工农业生产和人民群众的正常生活影响较严重，为缓解枯水期的供水危机，沿黄地区相继建成了一批平原水库，总库容约 6.3 亿 m^3，其中大部分平原水库集中在滨州、东营两地区。

根据 1983～1995 年资料统计，黄河下游灌溉年引水量最大为 155.1 亿 m^3，最小为 77.4 亿 m^3，平均为 110.6 亿 m^3。补源灌区平均引水量为 14.5 亿 m^3，占总灌溉引水量的 14.7%。此期间正常灌区和补源灌区的总实灌面积，最大年份为3 533.0万亩，最小为 2 363.7万亩，平均为2 994.9万亩，其中补源灌区最大年份为 837.1 万亩，最小为 351.8 万亩，平均为 568.0 万亩，占总实灌面积的 19.0%(见表 14-1-2)。

表 14-1-2　　黄河下游引黄水量及灌溉面积

年份	引黄水量及分配(亿 m^3)					灌溉面积(万亩)		
	引水量	正常灌溉	补源灌溉	淤改用水	工业用水	总面积	正常灌溉	补源灌溉
1983	100.9	68.5	15.4	15.30	1.70	2 363.7	1 526.6	837.1
1984	89.5	67.5	10.0	9.39	2.64	2 822.6	2 079.3	743.3
1985	77.4	59.5	6.0	9.50	2.44	2 371.2	2 019.4	351.8
1986	112.2	89.1	13.9	5.43	3.81	2 807.9	2 188.2	619.7
1987	109.1	82.5	18.3	3.06	5.19	2 746.9	2 263.4	483.5
1988	124.1	89.9	21.8	4.75	7.63	2 988.1	2 352.5	635.6
1989	155.1	123.2	20.5	1.47	9.90	3 261.7	2 619.5	642.2
1990	100.5	73.5	17.4	2.05	7.55	2 900.9	2 493.4	407.5
1991	114.1	85.6	16.8	0.64	11.03	3 188.1	2 698.6	489.5
1992	128.1	100.2	14.3	0.68	12.87	3 241.6	2 752.1	489.5
1993	119.2	92.5	11.6	3.41	11.69	3 436.8	2 882.0	554.8
1994	103.8	78.8	13.7	1.19	10.11	3 270.7	2 802.0	468.7
1995	103.8	79.9	9.1	3.93	10.91	3 533.0	2 872.5	660.5
平均	110.6	83.9	14.5	4.70	7.50	2 994.9	2 426.9	568.0
最大	155.1	123.2	21.8	15.30	12.87	3 533.0	2 882.0	837.1
最小	77.4	59.5	6.0	0.64	1.70	2 363.7	1 526.6	351.8

黄河下游的引水主要集中在 3～6 月的春灌期，而此时适逢黄河枯水季节。根据对 1989～1996 年的资料统计，春灌期 3～6 月引水量占全年引水量的 56.3%，相当于同期来水量的 57%，而 7～9 月引水量占全年引水量的 18.1%，相当于同期来水量的 14.4%，10 月～来年 2 月引水量占全年引水量的 25.6%，相当于同期来水量的 26.4%。由于三门峡水库调节径流运用受到限制，三门峡以下干流缺乏调节工程，黄河出现断流与弃水并存、断流期不断延长的现象，1989～1996 年，利津断面年平均入海水量为 181.6 亿 m^3，而 3～6 月仅为 26.8 亿 m^3，累计断流天数 397 天，平均每年断流 57 天。1997 年断流最为严重，利津站断流 226 天。

在 3～6 月频繁断流的情况下，绝大多数年份 10 月～来年 2 月尚有较多的水量入海，1989～1996 年 10 月～来年 2 月利津断面平均入海水量为 60.8 亿 m^3，其中有 5 年 10 月～来年 2 月入海水量大于 55 亿 m^3。小浪底水库调节径流运用后，将较好地适应下游的引黄水量过程。

2. *下游引黄存在的主要问题*

(1)沉沙措施不落实，泥沙处理难度大。1973～1990 年，黄河下游累计引沙 28.3 亿 t，沿河的低洼坑塘已大部分被泥沙淤平还耕，目前沉沙处理越来越困难，同时，引黄泥沙还使一些骨干排水河道发生严重淤积，清淤任务繁重。自1965年恢复灌溉至1988年，下游12条骨干排水河道累计淤积量约2.65亿m^3，行洪能力下降20%～50%。

(2)部分地区水资源利用不够合理。下游引黄地区地下水可开采量约109亿m^3，现状开采量约61亿m^3(含纯井灌区)，个别地区地下水开采程度较低。部分灌区引黄水量也存在浪费现象，根据对1983～1990年55处10万亩以上灌区统计，灌溉定额在100～1 400m^3/亩之间，其中灌溉定额大于500m^3/亩的灌区有19处，这些灌区灌溉面积占统计灌区的11.0%，而其引水量占统计灌区的22.9%。

(3)灌区工程不配套，续建改造任务大。黄河下游多数灌区年久失修，不少灌区采用土渠输水，渠道衬砌率低，1985年渠系利用系数仅有0.4左右，尽管80年代以来国家加大了水利建设的投资规模，对原有灌区进行了改建和扩建，灌区工程配套有了较大提高，渠系水利用系数达到0.5左右，但灌区工程的节水改造工作仍很艰巨。

第二节　初步设计和优化设计阶段水库供水灌溉作用分析

在小浪底水利枢纽初步设计和优化设计阶段，对水库的供水灌溉作用都进行了分析计算，但采用的计算条件有所不同，其结果也有所不同。

一、灌溉供水原则和调节计算的边界条件

(一)灌溉供水原则和控制的灌区规模

1. 灌溉供水的调节原则

初步设计和优化设计阶段对下游灌溉供水的调节原则一致，即根据灌区的设计灌溉制度尽可能使灌溉期的灌溉面积稳定，同时使各灌水期的加大供水或打折供水程度接近。分析小浪底水库的灌溉作用时，对有、无小浪底水库条件下游引黄灌区的历年灌溉面积，均取当年各月中最小的灌溉面积。

2. 控制的灌溉供水面积

初步设计阶段、优化设计阶段分析水库灌溉供水作用时，采用的水库运用阶段、三门峡水库运用方式、下游保证灌区的灌溉制度等边界条件是一致的。但采用的灌溉面积有所差别：在小浪底工程初步设计阶段，下游的灌溉面积以1 500万亩控制；在优化设计阶段，分别拟定了2 100万亩方案和3 300万亩方案。其中优化设计阶段拟定的2 100万亩方案中，600万亩为相机灌溉面积，相机灌溉面积的灌溉定额与正常灌区一致；拟定的3 300万亩方案中，1 800万亩为相机补源灌溉面积，补源定额为正常灌溉定额的60%。另外，在优化设计阶段分析的灌溉面积3 300万亩的方案中，不再安排小浪底水库非汛期人造洪峰冲刷下游河道的调度运行。

初步设计和优化设计阶段采用的设计毛定额，河南引黄灌区为545m^3/亩(渠系利用系数为0.55)，山东引黄灌区为536m^3/亩(渠系利用系数为0.52)，1 500万亩保证灌溉面积年引黄水量80.6亿m^3，年引水过程中3、4月引水量最大，其次为7月及6月，水库3～6月引水量占年引水量的56.3%，设计灌溉制度中11月中旬至来年2月上旬不引水。1 500万亩保证灌区的需水过程见表14-2-1。

表 14-2-1 黄河下游 1 500 万亩保证灌区需水过程 (单位:m^3/s)

时段	月份					
	1	2	3	4	5	6
上旬	0	0	671	400	263	302
中旬	0	115	341	480	85	689
下旬	0	115	627	750	470	160
平均	0	76.7	537	543.6	272.7	383.7
时段	月份					
	7	8	9	10	11	12
上旬	1 040	270	80	165	330	0
中旬	241	159	304	80	330	0
下旬	251	88	450	0	0	0
平均	510.7	172.3	278.0	81.7	220	0

(二)灌溉调节计算的边界条件

1.小浪底水库运用阶段和运用方式

小浪底水库初期采用逐步抬高主汛期水位拦沙和调水调沙运用方式,后期采用蓄清排浑、调水调沙运用方式。10 月～来年 6 月的调节期均为高水位蓄水调节径流运用。水库不同运用阶段有效库容变化较大,按照初步设计推荐的以调水为主的调水调沙运用方式,水库运用第 10 年、第 14 年、第 23 年的有效库容分别为 83.7 亿 m^3、71.1 亿 m^3、55.7 亿 m^3,正常运用期的长期有效库容为 51 亿 m^3,仅相当于原始库容 126.5 亿 m^3 的 40.3%,但该阶段库容相对于 10 月～来年 6 月的来水量而言,水库的蓄满率也仅为 1/3 左右。为简化计算,水库的供水、灌溉方式分析以水库后期正常运用为代表。

水库后期正常运用的正常死水位为 230m。关于水库兴利调节库容的采用,初步设计阶段取汛期正常死水位 230m 的运用条件,水库的调节库容为 51 亿 m^3;优化设计阶段取主汛期调水调沙运用平均水位 245m 的运用条件,水库的调节库容为 46.5 亿 m^3。

2.三门峡水库的运用方式

小浪底水库的供水、灌溉作用,是从三门峡水库现状方案和三门峡水库与小浪底水库联合运用方案的供水、灌溉作用的差别比较而得到的。无小浪底水库的条件下三门峡水库现状方案的运用方式是:汛期 7～10 月控制在 305m 低水位泄流排沙运用,11 月～来年 1 月运用水位在 310～315m,2 月份为下游防凌运用蓄水位不高于 326m,防凌后至桃汛前控制蓄水位一般不超过 320m,桃汛后蓄水至水位 324m 附近,春灌期水库灌溉补水,6 月底水位降至 305m。

小浪底水库建成运用后,三门峡水库与小浪底水库联合运用,但要减轻三门峡水库运用的负担。在非汛期小浪底与三门峡水库为下游联合防凌运用,因上游龙羊峡、刘家峡水库的调节运用的影响,需防凌库容 35 亿 m^3,其中由小浪底水库承担 20 亿 m^3,三门峡水库承担 15 亿 m^3，且小浪底水库先防凌控制运用，防凌库容不足时再由三门峡水库投入防凌控制运用，同时三门峡水库也不再承担春灌蓄水任务。因此，小浪底水库建成后，三门峡水库基本按照 1969 年四省会议的运用要求，但有适当调整，即汛期 305m 水位运用，非汛期 315m 水位运用，2 月防凌蓄水位不高于 324m。

3. 各部门的供水保证率

工业和城市生活用水保证率要求 95% 以上，向河北、天津的供水保证率为 75%，特枯年份可以降低 4 成供水，1 500万亩保证灌区的供水保证率为 75%，保证率以外的年份 8 折供水。小浪底库区年引水量 1.45 亿 m^3，因引水量小且引水方便，供水保证率为 100%。

4. 计算时段

径流调节以月为计算时段，考虑非汛期进行人造洪峰冲刷下游，以提高下游减淤效益，人造洪峰时段以日为计算时段。

5. 小浪底—花园口区间水平衡方法

小浪底—花园口区间流域面积为41 615km^2，其中伊洛河、沁河入黄站集水面积 31 443km^2，干流区间集水面积4 393km^2。水量平衡计算中干流区间来水、需水根据小浪底—花园口之间的干流区间面积占三门峡—花园口之间的干流区间面积比例推算。小浪底—花园口干流区间的天然径流量为 4.23 亿 m^3，需水量为 1.77 亿 m^3。经陆浑、故县等水库调蓄并与当地工农业用水平衡后，下游伊洛河、沁河设计水平多年平均来水量 33 亿 m^3，保证率 75%年份来水 19 亿 m^3。

小浪底水库调节时，下游伊洛河、沁河及干流区间来水首先参与下游工农业用水平衡，小浪底水库补其不足。

二、水库径流调节方式和供水灌溉作用分析

（一）初步设计阶段和优化设计阶段拟定的径流调节方式

1. 汛期调水调沙运用

按照小浪底水利枢纽工程防洪（包括防凌）、减淤为主的运用要求，根据下游河道的泥沙冲淤特性，小浪底水库在主汛期 7～9 月的运用原则是：当入库流量 $Q_入$ 大于8 000m^3/s 时，按8 000m^3/s下泄；当花园口流量大于8 000m^3/s且有上涨趋势时，按防洪运用下泄。

当入库流量小于 8 000m^3/s 时，进行调水调沙运用，调水调沙方式为：

当入库流量 $Q_入<400m^3/s$ 时，水库补水使出库流量 $Q_出=400m^3/s$；

当入库流量 $Q_入=400\sim800m^3/s$ 时，使 $Q_出=Q_入$；

当入库流量 $Q_入=800\sim2\ 000m^3/s$ 时，使 $Q_出=800m^3/s$；

当入库流量 $Q_入=2\ 000\sim8\ 000m^3/s$ 时，使 $Q_出=Q_入$。

控制低壅水，当蓄水大于 3 亿 m^3 时，若 $Q_入<5\ 000m^3/s$，以 $Q_出=5\ 000m^3/s$泄水造峰，若 $Q_入>5\ 000m^3/s$，以 $Q_出\leqslant8\ 000m^3/s$泄水造峰，直至保留水库蓄水量为 1 亿 m^3，其后继续进行调水调沙。

2. 防凌运用

黄河下游属不稳定封河河段，封河时间历年不一，山东窄河段最早封河在 12 月 15 日

前后，一般情况下为1月上旬，根据三门峡水库防凌运用经验，小浪底水库的防凌运用方式为：在下游封河前均匀下泄流量500m^3/s，下游封河后控制均匀泄流300m^3/s。径流调节计算中，水库腾空防凌库容的时间安排在12月末，防凌控泄期概化为2月。

3.人造洪峰运用

除优化设计阶段3 300万亩灌溉面积方案不再安排人造洪峰外，初步设计阶段和优化设计阶段2 100万亩灌区方案均考虑利用丰水年份的剩余水量进行人造洪峰，冲刷下游河道，以提高下游减淤效益。一个调节期水量丰沛时造峰1～2次，结合腾空防凌库容和防洪库容分别在12月初和6月末进行。造峰流量为4 000～5 000m^3/s，要求每次造峰持续5天以上，若蓄水量达不到造峰要求，则在满足下游用水要求的条件下尽可能均匀下泄。

4.6月末余留的蓄水量

按照初步设计采用的灌溉制度，7月上旬1 500万亩保证灌区要求的灌溉流量为1 040m^3/s，是全年的灌溉用水高峰。据统计，多数年份7月上旬黄河来水不能满足灌溉需水要求，要求小浪底水库6月末尽可能预留10亿m^{3}的水量供7月上旬下游灌溉应用。

据统计，1950～1987年花园口7月上旬来水量占当月来水量的24.5%，按此比例计算设计水平年该断面7月上旬的来水量，对56年系列进行下游引黄灌区7月上旬水量平衡计算，75%的年份需要小浪底水库补水8.7亿m^3，因此按照初步设计阶段拟定的灌溉制度，在6月末尽可能预留10亿m^{3}的水量供7月上旬补水灌溉是合适的。

5.调节期电站最小发电流量

拟定的调节期发电流量一般不少于400m^3/s，在枯水年发电流量不小于电站发电保证出力且不小于300m^3/s。

(二)初步设计阶段水库灌溉供水作用分析

1.调度图编制及各区运用原则

初步设计阶段小浪底水库调节期的调度图共分7个区，自下而上依次为降低出力区、降低供水区、保证供水区、蓄水准备造峰区、4 000m^3/s流量造峰区、5 000m^3/s流量造峰区和防凌区。

调度图编制采用两个典型年组逆时序推算，设计保证率分别为90%、75%。其中降低出力区由保证率90%典型年组下包线构成，降低供水区由90%典型年组的上、下包线构成，保证供水区上线由75%典型年组上包线构成。初步设计阶段编制的水库调度见表14-2-2及图14-2-1。

调度图各区的调节原则如下：

(1)降低出力区。电站发保证出力的80%，工业用水全部满足，冀、津供水7折，豫、鲁农业相机供水。

(2)降低供水区。电站出力不小于保证出力，向冀、津9折供水，豫、鲁农业7.5折供水，最小泄量保证在300m^3/s左右。

(3)保证供水区。各种用水均全额满足，且要求最小泄量不小于300m^3/s。

(4)蓄水准备造峰区。在满足补水灌区用水要求后，蓄存多余水量准备造峰。

(5)人造洪峰区。根据蓄水情况，以4 000～5 000m^3/s流量造峰，造峰后保证正常供水。

(6)防凌区。12月底预留20亿 m^3 防凌库容供1～2月水库防凌控泄蓄水。

表 14-2-2 初步设计调度

月份	基本调度线(月末水位:m)				
	降低出力区上限	保证供水区		人造洪峰区下限	
		下限	上限	造峰流量 4 000 m^3/s	造峰流量 5 000 m^3/s
10	241.7	243.0	254.3	268.1	269.8
11	245.0	245.4	256.3	268.1	269.8
12	246.8	252.0	259.5	279.3	270.9
1	248.3	256.4	261.7	267.5	267.5
2	250.0	259.1	263.7	273.5	275.0
3	244.8	255.6	262.0	271.9	273.5
4	235.9	249.5	254.2	267.5	269.2
5	231.8	247.5	254.2	267.5	269.2
6	230.0	243.1	254.2	265.8	267.8

注:1.造峰区12月底水位降至267.5m(腾空防凌库容);6月末降至254.2m(保留10亿 m^3 蓄水量)。
2.1～2月份防凌。

2.小浪底水库的灌溉供水作用

初步设计阶段比较了水库10月蓄水、不蓄水两个方案,推荐水库10月提前蓄水方案。

在10月份开始蓄水的条件下,下游56年系列多年平均保灌面积为1 442万亩(不计入补源灌溉面积),最小保灌面积为651万亩,1 500万亩正常灌区的供水保证率为75%。

在无小浪底水库条件下,下游多年平均保灌面积为837万亩,1 500万亩正常灌区供水的保证率为32%。

有、无小浪底水库对比,下游正常灌区多年平均保灌面积增加了605万亩,灌溉供水保证率由32%提高到75%。

(三)优化设计阶段2 100万亩方案水库灌溉供水作用分析

优化设计阶段分别研究了下游灌区2 100万亩方案和3 300万亩方案,其中2 100万亩灌溉面积方案中,1 500万亩为保证灌溉区,600万亩为补水灌区,补水灌区定额与保证灌区一致。

除增加50%来水典型年推求加大灌溉供水区外,优化设计阶段2 100万亩方案的调度图分区、推求及各调度区的运用原则与初步设计一致。水库正常运用期的调度见表14-2-3。

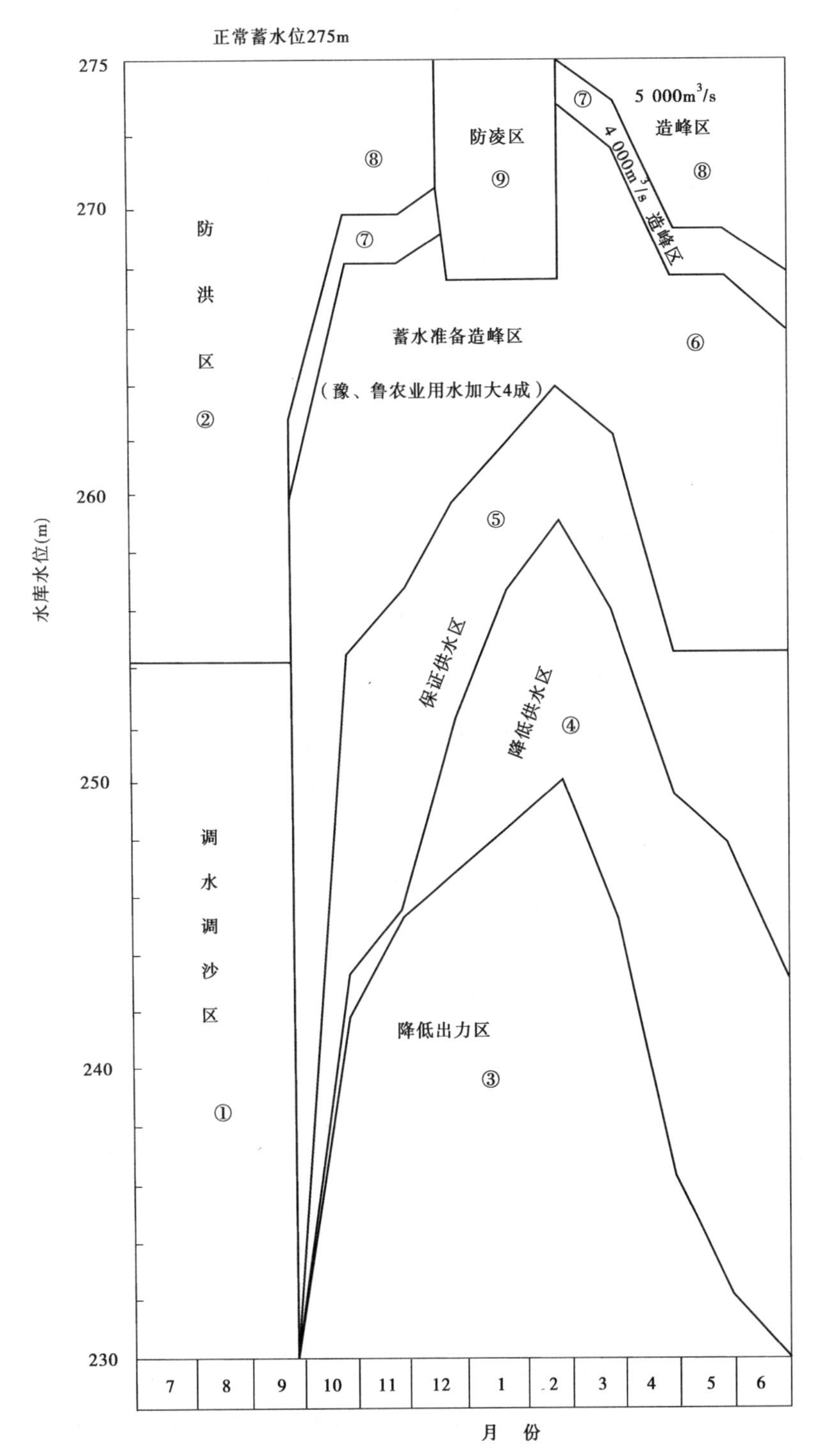

图 14-2-1　小浪底水库调度图(正常运用时期)
(第Ⅰ方案)(初步设计)

表 14-2-3 **优化设计调度** (单位:m)

月份	基本调度线(月末水位)			
	降低出力区下限	保证供水区		人造洪峰区下限
		下限	上限	
10	252.0	253.0	260.2	275.0
11	250.7	255.4	263.5	275.0
12	252.2	257.5	265.7	
1	255.1	259.8	267.0	
2	258.2	264.0	267.3	
3	258.0	263.0	264.9	275.0
4	250.5	256.5	260.3	275.0
5	247.0	255.5	260.0	275.0
6	246.0	252.8	258.1	258.1

注:1.造峰区 12 月底水位降至 267.5m(腾空防凌库容);6 月末降至 254.2m(保留 10 亿 m^3 蓄水量)。

2.1~2 月份防凌。

经对 2000 年设计水平年 1919~1975 年系列供需平衡计算,无小浪底水库条件下,城市生活及工业用水和向冀、津供水基本上可以满足,56 年系列中只有两年出现工业缺水情况:1939~1940 年(水文年,下同)工业及城市生活缺水 1.64 亿 m^3,1936~1937 年冀、津供水缺水 0.21 亿 m^3。小浪底水库发挥作用后,下游工业、城市生活和向冀、津供水均能达到相应保证率要求。

下游灌溉面积按 2 100 万亩控制,无小浪底水库条件下,下游多年平均保证灌溉面积为1 085万亩,其中 25%、50%、75%、90%保证率的相应保证灌溉面积分别为1 505万亩、921 万亩、696 万亩、505 万亩;小浪底水库生效后,多年平均保证灌溉面积为1 581万亩,其中 25%、50%、75%、90%保证率相应灌溉面积分别为2 100万亩、1 500万亩、1 500万亩、750 万亩。小浪底水库发挥作用后,使下游多年平均保灌面积增加 496 万亩,25%、50%、75%、90%保证率分别增加 595 万亩、579 万亩、804 万亩、245 万亩。

(四)优化设计阶段 3 300 万亩方案灌溉供水作用分析

鉴于非汛期进行人造洪峰运用时下游补水灌区补水概率和灌溉面积偏小,并且为充分利用黄河非汛期来水量向下游引黄灌区供水,以增大灌溉效益,在优化设计阶段还研究了下游3 300万亩灌区的方案。该方案拟定的正常灌区的规模和供水保证率与初步设计一致,只将丰、平年份的最大补源灌溉规模扩大到1 800万亩,相应的补源定额降低至正常灌溉定额的 60%。

1.调度图编制及各区运用原则

在下游灌区 3 300 万亩方案研究中,小浪底水库除非汛期不安排人造洪峰冲刷下游外,其他运用方式与初步设计一致。根据水库运用原则和补水灌区规模编制调度图。汛期设置调水调沙区和防洪区 2 个区,调节期设置了降低出力区、降低供水区,保证供水区、防凌区、加大供水区 5 个区,其中加大供水区又可分为加大 600 万亩、1 200万亩和1 800

万亩3个子区。

加大供水区的运用原则是满足相应补源灌区面积的用水,并要求电站最小发电流量不小于400m^3/s。

其他各调度区的运用原则与初步设计阶段一致。

2.小浪底水库的灌溉作用

下游灌区3 300万亩方案在有、无小浪底水库条件下的生活及城市工业用水指标与优化设计阶段2 100万亩方案一致。

无小浪底水库条件下因三门峡水库调节能力不足,设计水平年下游1 500万亩正常灌区的灌溉供水保证率为32%,当供水保证率为50%时的保灌面积仅959万亩,供水保证率为75%时的保灌面积为713万亩,1 800万亩的补源灌区只有一年能够全部供水。正常灌区、补源灌区3~6月多年平均灌溉面积分别为1 248万亩、647万亩,10月~来年6月分别为1 312万亩、790万亩。花园口3~6月径流量为66.3亿m^3。无小浪底水库时豫、鲁两省保灌面积概率分析见表14-2-4。

表14-2-4　　无小浪底水库时下游不同时段保灌面积概率分析

年序	保证率(%)	正常灌区		补水灌区		正常+补水	
		10月~来年6月	3~6月	10月~来年6月	3~6月	10月~来年6月	3~6月
1	1.8	1 500	1 500	1 800	1 800	3 300.0	3 300
2	3.5	1 500	1 500	1 484.8	1 484.8	2 984.8	2 984.8
3	5.3	1 500	1 500	1 349.3	1 384.3	2 849.3	2 884.3
4	7.0	1 500	1 500	1 282.5	1 297.3	2 782.5	2 797.3
5	8.8	1 500	1 500	1 166.9	1 282.5	2 666.9	2 782.5
6	10.5	1 500	1 500	1 038.4	1 166.9	2 538.4	2 666.9
7	12.3	1 500	1 500	955.9	955.9	2 455.9	2 455.9
8	14.0	1 500	1 500	486.8	822.6	1 986.8	2 322.6
9	15.8	1 500	1 500	331.1	486.8	1 831.1	1 986.8
10	17.5	1 500	1 500	301.4	331.1	1 801.4	1 831.1
11	19.3	1 500	1 500	270.7	301.4	1 770.7	1 801.4
12	21.1	1 500	1 500	177.5	270.7	1 677.5	1 770.7
13	22.8	1 500	1 500	119.3	210.9	1 619.3	1 710.9
14	24.6	1 500	1 500	8.6	177.5	1 508.6	1 677.5
15	26.3	1 461.1	1 500	0	119.3	1 461.1	1 619.3
16	28.1	1 361.6	1 500	0	0	1 361.6	1 508.6
17	29.8	1 327.2	1 361.6	0	0	1 327.2	1 361.6
18	31.6	1 312.0	1 327.2	0	0	1 312.0	1 327.2
19	33.3	1 275.3	1 312.0	0	0	1 275.3	1 312.0
20	35.1	1 237.5	1 275.3	0	0	1 237.5	1 275.3
21	36.8	1 157.4	1 237.5	0	0	1 157.4	1 237.5

续表 14-2-4

年序	保证率(%)	正常灌区		补水灌区		正常+补水	
		10月~来年6月	3~6月	10月~来年6月	3~6月	10月~来年6月	3~6月
22	38.6	1 128.7	1 160.2	0	0	1 128.7	1 160.2
23	40.4	1 125.4	1 157.4	0	0	1 125.4	1 157.4
24	42.1	1 077.4	1 128.7	0	0	1 077.4	1 128.7
25	43.9	1 033.2	1 125.4	0	0	1 033.2	1 125.4
26	45.6	990.2	1 077.4	0	0	990.2	1 077.4
27	47.4	959.2	1 033.2	0	0	959.2	1 033.2
28	49.1	956.0	959.2	0	0	956.0	959.2
29	50.9	921.0	956.0	0	0	921.0	956.0
30	52.6	920.1	921.0	0	0	920.1	921.0
31	54.4	864.9	920.1	0	0	864.9	920.1
32	56.1	851.5	864.9	0	0	851.5	864.9
33	57.9	836.8	851.1	0	0	836.8	851.1
34	59.6	829.1	836.8	0	0	829.1	836.8
35	61.4	796.0	829.1	0	0	796.0	829.1
36	63.2	792.7	796.0	0	0	792.7	796.0
37	64.9	772.7	792.7	0	0	772.7	792.7
38	66.7	764.9	772.7	0	0	764.9	772.7
39	68.4	749.1	764.9	0	0	749.1	764.9
40	70.2	744.6	749.1	0	0	744.6	749.1
41	71.9	732.6	744.6	0	0	732.6	744.6
42	73.7	712.5	732.6	0	0	712.5	732.6
43	75.4	696.5	712.5	0	0	696.5	712.5
44	77.2	693.9	696.5	0	0	693.9	696.5
45	78.9	691.1	693.9	0	0	691.1	693.9
46	80.7	665.3	691.1	0	0	665.3	691.1
47	82.5	657.0	677.3	0	0	657.0	677.3
48	84.2	641.5	665.3	0	0	641.5	665.3
49	86.0	602.8	641.5	0	0	602.8	641.5
50	87.7	515.4	602.8	0	0	515.4	602.8
51	89.5	505.4	515.4	0	0	505.4	515.4
52	91.2	393.3	505.4	0	0	393.3	505.4
53	93.0	379.8	379.8	0	0	379.8	379.8
54	94.7	295.7	295.7	0	0	295.7	295.7
55	96.5	114.7	114.7	0	0	114.7	114.7
56	98.2	0	0	0	0	0	0

小浪底水库生效后,豫、鲁两省 1 500 万亩正常灌区的供水保证率可达到 75%,1 200 万亩补源灌区的供水保证率为 34%。正常灌区 3~6 月、10 月~来年 6 月多年平均灌溉面积分别为1 425万亩、1 432万亩,补源灌区 3~6 月、10 月~来年 6 月多年平均灌溉面积分别为1 008万亩、1 007万亩,使花园口断面 3~6 月来水量增加到 82.5 亿 m^3。有小浪底水库条件下正常灌溉及补源灌溉面积概率分析见表 14-2-5。

表 14-2-5　有小浪底水库时下游不同时段保灌面积概率分析　(单位:万亩)

年序	保证率(%)	正常灌区		补水灌区		正常+补水	
		10 月~来年 6 月	3~6 月	10 月~来年 6 月	3~6 月	10 月~来年 6 月	3~6 月
1	1.8	1 500	1 500	1 800	1 800	3 300	3 300
2	3.5	1 500	1 500	1 800	1 800	3 300	3 300
3	5.3	1 500	1 500	1 800	1 800	3 300	3 300
4	7.0	1 500	1 500	1 800	1 800	3 300	3 300
5	8.8	1 500	1 500	1 800	1 800	3 300	3 300
6	10.5	1 500	1 500	1 800	1 800	3 300	3 300
7	12.3	1 500	1 500	1 800	1 800	3 300	3 300
8	14.0	1 500	1 500	1 800	1 800	3 300	3 300
9	15.8	1 500	1 500	1 800	1 800	3 300	3 300
10	17.5	1 500	1 500	1 500	1 500	3 000	3 000
11	19.3	1 500	1 500	1 500	1 500	3 000	3 000
12	21.1	1 500	1 500	1 200	1 500	2 700	3 000
13	22.8	1 500	1 500	1 200	1 500	2 700	3 000
14	24.6	1 500	1 500	1 200	1 500	2 700	3 000
15	26.3	1 500	1 500	1 200	1 200	2 700	2 700
16	28.1	1 500	1 500	1 200	1 200	2 700	2 700
17	29.8	1 500	1 500	1 200	1 200	2 700	2 700
18	31.6	1 500	1 500	999.1	1 200	2 499.1	2 700
19	33.3	1 500	1 500	900	1 200	2 400	2 700
20	35.1	1 500	1 500	900	1 071.4	2 400	2 571.4
21	36.8	1 500	1 500	900	999.1	2 400	2 499.1
22	38.6	1 500	1 500	900	900	2 400	2 400
23	40.4	1 500	1 500	600	900	2 100	2 400
24	42.1	1 500	1 500	600	900	2 100	2 400
25	43.9	1 500	1 500	600	900	2 100	2 400

续表 14-2-5

年序	保证率（%）	正常灌区		补水灌区		正常＋补水	
		10月～来年6月	3～6月	10月～来年6月	3～6月	10月～来年6月	3～6月
26	45.6	1 500	1 500	300	900	1 800	2 400
27	47.4	1 500	1 500	300	600	1 800	2 100
28	49.1	1 500	1 500	300	300	1 800	1 800
29	50.9	1 500	1 500	300	300	1 800	1 800
30	52.6	1 500	1 500	300	300	1 800	1 800
31	54.4	1 500	1 500	300	300	1 800	1 800
32	56.1	1 500	1 500	300	300	1 800	1 800
33	57.9	1 500	1 500	300	300	1 800	1 800
34	59.6	1 500	1 500	300	300	1 800	1 800
35	61.4	1 500	1 500	0	300	1 500	1 800
36	63.2	1 500	1 500	0	300	1 500	1 800
37	64.9	1 500	1 500	0	300	1 500	1 800
38	66.7	1 500	1 500	0	0	1 500	1 500
39	68.4	1 500	1 500	0	0	1 500	1 500
40	70.2	1 500	1 500	0	0	1 500	1 500
41	71.9	1 500	1 500	0	0	1 500	1 500
42	73.7	1 500	1 500	0	0	1 500	1 500
43	75.4	1 500	1 500	0	0	1 500	1 500
44	77.2	1 200	1 500	0	0	1 200	1 500
45	78.9	1 200	1 500	0	0	1 200	1 500
46	80.7	1 082.5	1 356.1	0	0	1 082.5	1 356.1
47	82.5	977.4	1 200	0	0	977.4	1 200
48	84.2	819.1	1 200	0	0	819.1	1 200
49	86.0	778.8	1 200	0	0	778.8	1 200
50	87.7	750	977.4	0	0	750	977.4
51	89.5	750	897.7	0	0	750	897.7
52	91.2	750	819.1	0	0	750	819.1
53	93.0	527.1	527.1	0	0	527.1	527.1
54	94.7	474.9	474.9	0	0	474.9	474.9
55	96.5	260.3	260.3	0	0	260.3	260.3
56	98.2	258.6	258.6	0	0	258.6	258.6

与无小浪底水库时三门峡水库现状方案相比，小浪底水库调节可使花园口 3～6 月径流量增加 16.2 亿 m^3，增幅为 24.4%，其中可增加灌溉用水 12.2 亿 m^3，同时尚可为 7 月上旬下游灌溉补水 6.1 亿 m^3。

小浪底水库进行调节后，可使1 500万亩正常灌区供水保证率由 28.1% 提高到 75.4%，同时亦提高了补源灌区的供水保证率。在无小浪底水库条件下，只有 23% 的年份向部分补源灌区补水，有小浪底水库后有 60% 的年份可向补源灌区补水，并使1 800万亩、1 200万亩补源灌区的供水保证率提高到 20% 和 34%。与无小浪底水库相比，使 3～6 月、10 月～来年 6 月时段内的保灌面积分别增加 177 万亩、120 万亩，增幅分别为 12.4%、9.1%，使相应时段内补源灌溉面积分别增加 360 万亩、219 万亩，增幅分别为 55.6%、27.7%。

第三节　招标设计阶段 4 000 万亩灌区方案研究

黄河下游不少灌区试验站对农作物的水分生产函数进行了多年的研究，从而使水库在灌溉调度中采用节水灌溉制度，提高单位耗水的净产出成为可能。

小浪底水利枢纽招标设计阶段选定黄河下游灌区规模扩大到 4 000 万亩的方案，根据来水情况和作物不同生育阶段产量对水分的应激反应，选择出最佳的灌溉模式。

一、农作物的水分生产函数

(一)作物的充分需水量与缺水程度

1. 作物的充分需水量

作物的充分需水量是指在供水充足条件下作物的需水量，根据有关单位的分析结果，选用的不同作物的充分需水量见表 14-3-1。

表 14-3-1　下游引黄灌区作物的充分需水量　(单位：m^3/亩)

作物灌区范围	小麦	玉米	棉花	水稻
河南	340	300	424	1 032
山东	347	300	431	1 032

2. 有效降雨量及作物缺水程度分析

根据对 1950～1980 年系列豫、鲁两省各种作物生育期内有效降雨计算，小麦生育期内多年平均有效降雨 110～132.9mm，玉米 235.8～261.3mm、棉花 315.5～332.4mm、水稻 239.6～263.1mm。

在不考虑利用地下水的条件下，从对农作物的水平衡分析(见表 14-3-2)可以看出，即使在概率为 25% 的丰水年份，各种作物也是缺水的。小麦属越冬作物，生长期降水稀少，亩均缺水量 250～274m^3，缺水率在 75% 左右。玉米和棉花生长期为多雨季节，前者亩均缺水 125～143m^3，缺水率 40%～50%；后者亩均缺水 210m^3 左右，缺水率约 50%。水稻生长期需水较多，几乎全依赖灌溉，亩均缺水 860m^3 左右，缺水率约 84%。

表 14-3-2 各种作物代表年份的缺水情况

保证率 P(%)	省别	小麦		玉米		棉花		水稻	
		缺水量 (m³/亩)	缺水率 (%)	缺水量 (m³/亩)	缺水率 (%)	缺水量 (m³/亩)	缺水率 (%)	缺水量 (m³/亩)	缺水率 (%)
25	河南	232.4	68.4	112.5	37.5	189.8	44.8	845.1	81.9
	山东	263.9	76.0	89.7	30.0	166.3	38.6	818.5	79.3
50	河南	258.3	76.0	139.1	46.4	198.3	46.8	866.8	84.0
	山东	281.3	81.1	127.9	43.0	202.5	47.0	859.8	83.3
75	河南	277.6	81.7	179.9	60.0	248.1	58.5	910.1	88.2
	山东	291.7	84.1	157.1	52.0	247.8	57.5	886.0	85.8
多年平均	河南	251.3	73.9	142.7	47.6	213.5	50.4	872.2	84.5
	山东	273.6	78.9	125.7	42.0	209.3	48.6	856.5	83.0

(二)农作物的水分生产函数和节水灌溉制度

1.作物的水分生产函数

农作物的生长、发育和产量形成对水分条件的反应,实际上是相对生育周期内土壤水不可逆的变化过程,即在时间尺度上是一个连续的动态函数,但在实际应用中,确定灌溉制度时不可能在时间上连续地考虑作物的生长情况,而只能以实际可操作的时段来控制水分供应,研究不同生育阶段产量对水分反应的灵敏程度,提供由关键水至次关键水的水分生产函数,因此某作物生长期内的水分生产函数是与不同生育阶段对应有序的。

根据近年来新乡灌溉研究所、山东省水利科学研究所、河南封丘灌区、山东刘庄灌区的实验分析,选用的不同作物的水分生产函数见表 14-3-3、表 14-3-4。

表 14-3-3 河南省作物需水量与单位产量的关系

小麦			玉米			棉花		
需水量		单产	需水量		单产	需水量		单产
%	m³/亩	kg/亩	%	m³/亩	kg/亩	%	m³/亩	kg/亩
100	340	435	100	300	330	100	431	90
85.3	290	415						
70.6	240	379	83.8	250	350	88.4	381	83
55.9	190	325	66.70	200	280	76.8	331	67
41.2	140	253	50.00	150	150	65.2	201	43
26.5	90	170				53.6	231	20

表 14-3-4　　山东省作物需水量与单位产量的关系

小麦			玉米			棉花		
需水量		单产	需水量		单产	需水量		单产
%	m^3/亩	kg/亩	%	m^3/亩	kg/亩	%	m^3/亩	kg/亩
100	347	410	100	300	400	100	424	74
85.6	297	393	83.8	250	370	88.2	374	68
68.3	237	361	66.7	200	290	76.4	324	54
53.9	187	313	50	150	170	64.6	274	35
39.5	137	250				50.5	214	15
25.1	87	175						

2.节水灌溉制度

根据对下游引黄灌区 1950～1980 年系列各种作物生长期的有效降雨量分析，丰水年($P=25\%$)、枯水年($P=75\%$)仅较中水年($P=50\%$)的灌溉定额变化 ±13.7% 左右，为简化计算，将特定年份的实验序列转化为多年平均情况。两省各种作物多年平均的灌溉制度及相应产量见表 14-3-5、表 14-3-6。

表 14-3-5　　河南省灌区作物多年平均灌溉制度及相应产量

小麦						
方案	次数	阶段	时段(月·日)	灌水定额	灌溉定额	单产(kg/亩)
				m^3/亩		
Ⅴ	1	播前	9.20～10.10	50	250	435
	2	越冬	12.10～12.20	50		
	3	拔节	3.10～3.30	50		
	4	抽穗	4.20～4.30	50		
	5	灌浆	5.10～5.20	50		
Ⅳ	1	播前	9.20～10.10	50	200	415
	2	越冬	12.10～12.20	50		
	3	拔节	3.10～3.30	50		
	4	抽穗	4.20～4.30	50		
Ⅲ	1	越冬	12.10～12.20	50	150	379
	2	拔节	3.10～3.30	50		
	3	抽穗	4.20～4.30	50		
Ⅱ	1	越冬	12.10～12.20	50	100	325
	2	抽穗	4.20～4.30	50		
Ⅰ	1	抽穗	4.20～4.30	50	50	254
0	0			0	0	170

续表 14-3-5

玉米

方案	次数	阶段	时段（月·日）	灌水定额 m³/亩	灌溉定额 m³/亩	单产（kg/亩）
Ⅲ	1	播前	6.1～6.10	50	150	385
	2	抽穗	8.5～8.15	50		
	3	灌浆	8.20～8.30	50		
Ⅱ	1	播前	6.1～6.10	50	100	350
	2	灌浆	8.20～8.30	50		
Ⅰ	1	播前	6.1～6.10	50	50	280
0	0			0	0	160

棉花

方案	次数	阶段	时段（月·日）	灌水定额 m³/亩	灌溉定额 m³/亩	单产（kg/亩）
Ⅳ	1	播前	3.20～3.30	60	210	90
	2	现蕾	6.1～6.10	50		
	3	开花	7.1～7.10	50		
	4	结铃	8.1～8.10	50		
Ⅲ	1	播前	3.20～3.30	60	160	83
	2	现蕾	6.1～6.10	50		
	3	开花	7.1～7.10	50		
Ⅱ	1	播前	3.20～3.30	60	110	67
	2	现蕾	6.1～6.10	50		
Ⅰ	1	播前	3.20～3.30	60	60	43
0	0			0	0	10

水稻（河南与山东）

方案	次数	阶段	时段（月·日）	灌水定额 m³/亩	灌溉定额 m³/亩	单产（kg/亩）
Ⅳ	1	泡田返青	6.11～6.30	220	860	527
	2	分蘖孕穗	7.1～7.30	280		
	3	抽穗乳熟	8.1～8.30	240		
	4	黄熟	9.1～9.30	120		
0	0			0	0	0

表 14-3-6　　山东省灌区作物多年平均灌溉制度及相应产量

小麦

方案	次数	阶段	时段（月·日）	灌水定额 m³/亩	灌溉定额 m³/亩	单产（kg/亩）
Ⅴ	1	播前	9.20～10.10	60	260	410
	2	越冬	11.10～11.20	50		
	3	拔节	3.1～3.10	50		
	4	抽穗	4.20～4.30	50		
	5	灌浆	5.15～5.25	50		
Ⅳ	1	播前	9.20～10.10	60	210	393
	2	越冬	12.10～12.20	50		
	3	拔节	3.1～3.10	50		
	4	抽穗	4.20～4.30	50		
Ⅲ	1	越冬	11.10～11.20	50	150	361
	2	拔节	3.1～3.10	50		
	3	抽穗	4.20～4.30	50		
Ⅱ	1	越冬	11.10～11.20	50	100	313
	2	抽穗	4.20～4.30	50		
Ⅰ	1	抽穗	4.20～4.30	50	50	250
0	0			0	0	170

玉米

方案	次数	阶段	时段（月·日）	灌水定额 m³/亩	灌溉定额 m³/亩	单产（kg/亩）
Ⅲ	1	播前	6.1～6.10	50	150	460
	2	抽穗	8.1～8.10	50		
	3	灌浆	8.20～8.30	50		
Ⅱ	1	播前	6.1～6.10	50	100	370
	2	灌浆	8.20～8.30	50		
Ⅰ	1	播前	6.1～6.10	50	50	290
0	0			0	0	170

棉花

方案	次数	阶段	时段（月·日）	灌水定额 m³/亩	灌溉定额 m³/亩	单产（kg/亩）
Ⅳ	1	播前	3.20～3.30	60	210	74
	2	现蕾	6.1～6.10	50		
	3	开花	7.1～7.10	50		
	4	结铃	8.1～8.10	50		

续表 14-3-6

棉花						
方案	次数	阶段	时段（月·日）	灌水定额	灌溉定额	单产（kg/亩）
				m^3/亩		
Ⅲ	1	播前	3.20～3.30	60	160	68
	2	现蕾	6.1～6.10	50		
	3	开花	7.1～7.10	50		
Ⅱ	1	播前	3.20～3.30	60	110	54
	2	现蕾	6.1～6.10	50		
Ⅰ	1	播前	3.20～3.30	60	60	35
0	0			0	0	10

注:1.灌水定额和灌溉定额均为净定额。

2.单产值应用于大面积时,可折减20%。

表14-3-5、表14-3-6中小麦的生育期共划分为5个时段,即播前、越冬、拔节、抽穗和灌浆期,单位耗水自小而大依次为抽穗、越冬、拔节、播前和灌浆期,其中抽穗期单方水增产1.5～1.68kg,而灌浆期仅0.34～0.4kg。

棉花生育期共划分为4个时段,分别为播前、现蕾、开花和结铃期,单位耗水自小而大依次为播前、现蕾、开花和结铃期,其中播前单方水增产0.33～0.38kg,结铃期单方水增产0.12～0.14kg。

玉米生育期共划分为播前、抽穗和灌浆三个阶段,其中播前单位耗水最小,单方水增产2.4～2.6kg,抽穗期单位耗水最大,单方水增产0.6～0.7kg。

水稻属水生作物,生长期内一般不能缺水,中水年灌溉净定额860m^3/亩,亩产527kg。

(三)作物种植比例及渠系利用系数

1.作物种植比例

根据下游典型灌区的调查资料分析,采用的种植比例见表14-3-7。

表14-3-7 河南、山东两省作物种植比例

作物	小麦	玉米	棉花	水稻	合计
河南灌区	0.70	0.65	0.30	0.05	1.70
山东灌区	0.75	0.68	0.25	0.02	1.70

2.渠系利用系数

目前下游大多数灌区渠系利用系数只有0.4～0.5。预估时考虑水资源供需矛盾程度和地方财力及农民对节水意义的认识程度,河南、山东两省引黄灌区的灌溉水利用系数分别取0.45、0.58。

二、水库运用方式及调度图编制与操作

(一)水库运用方式

小浪底水库的灌溉供水作用以水库后期(正常运用期)为代表,正常运用期采用的起始调节水位及有效调节库容与优化设计阶段相同,水库运用方式除非汛期不安排人造洪峰外,另有两点改变:

(1)根据节水灌溉制度,7月上旬仅有棉花开花灌水,且此次灌水增产量又小于播前和现蕾期的增产量,因此不再安排6月底预留水量。

(2)防凌库容腾空时间提前至11月底。

无小浪底水库条件下三门峡水库运用方式与初步设计及优化设计阶段一致。

(二)调度图编制

1.初始调度线推求

小浪底水库的初始调度策略线是根据优化原理对5个典型年组($P=10\%$、25%、50%、75%、90%)求解得出的。依据小浪底水库开发任务和运用原则编制的优化模型,是在满足防洪、减淤、防凌、供水并兼顾发电的前提下,寻求最大的灌溉净产值。

该优化模型共考虑了11类约束,依次为防洪约束、防凌约束、工业城市生活优先供水约束、兼顾发电用水约束、水量平衡约束、库容约束、灌溉面积约束、水稻优先约束、作物争水月份按比例供水约束、河南和山东两省总灌溉用水量约束。

模型采用线性规划的改进单纯形法求解,通过对典型年组的计算,推求得水库调度的初始最优策略线族。

2.初始调度线的反演修改

由于来水年内分布复杂,目前入库径流中、长期预报准确率和可信度很低,为了客观地反映水库供水、灌溉、发电效益,指导水库的运行调度,对优化模型提供的初始最优策略线进行了反演修改,主要原则如下:

(1)使设计枯水年、虚拟枯水年的出力接近保证出力。

(2)满足城乡生活用水、工业用水及外流域调水的保证率。

(3)获得较大的灌溉效益。

(4)减少丰水年灌溉高峰月份的弃水电能。

反演修改后的正常运用期调度图共分为6个大区,其中第Ⅳ区又分为3个子区。6个大区依次为调水调沙区、防洪区、防凌区、降低出力区、保证出力区和逐步加大灌溉供水区。Ⅳ～Ⅵ区相应调度线的水位见表14-3-8,各区不同月份的最小灌溉面积见表14-3-9。

表14-3-8　各调度区逐月水位　(单位:m)

调度线	月份								
	10	11	12	1	2	3	4	5	6
Ⅳ区上包线	253.1	251.65	254.04	258.98	263.9	253.00	248.94	254.48	246.00
Ⅴ区上包线	257.57	258.95	258.03	261.68	265.84	263.78	253.52	258.65	246.00
Ⅵ-1区上包线	264.85	263.00	264.42	267.00	269.26	267.88	259.52	262.66	246.00
Ⅵ-2区上包线	272.21	267.10	268.18	269.97	273.61	269.34	265.51	267.22	246.00

表 14-3-9 各区不同月份最小灌溉面积 （单位:万亩）

分区	月份						
	10	11	12	3	4	5	6
Ⅳ	185	510	630	1 205	880	455	2 345
Ⅴ	625	930	1 460	1 330	985	760	2 690
Ⅵ-1	1 070	1 940	2 825	2 100	2 860	1 000	3 220
Ⅵ-2	2 100	3 580	3 625	3 045	3 460	1 280	3 495
Ⅵ-3	3 600	4 000	4 000	4 000	4 000	2 000	4 000

3.调度图的操作

各区的调度原则如下:

(1)调水调沙区。主汛期7～9月在槽库容内调水调沙,库水位控制在230～254m间变化,调水调沙库容10亿m^3。在该区内调节水沙两极分化,拦蓄小于2 000～2 500m^3/s的来水,泄放大于2 000m^3/s的来水,控制库内蓄水不大于3亿m^3。

(2)防洪区。主汛期7～9月在滩面以上水位254～275m之间预留防洪库容41亿m^3;10月上半月在水位265～275m之间预留防洪库容25亿m^3,以防御后期洪水。

(3)防凌区。12月初库水位不超过267m,预留防凌库容20亿m^3,在来水较大条件下防凌期可蓄水至水位275m。

(4)降低出力区。电站发80%保证出力,向冀、津7折供给。

(5)保证出力区。发电不小于保证出力,冀、津供水80%满足。

(6)逐步加大灌溉供水区。共分为3个子区,该区中电站出力不小于保证出力,其中Ⅵ-1区出库流量不小于350m^3/s,Ⅵ-2、Ⅵ-3区不小于400m^3/s,水库除满足黄河下游沿河城乡工业用水及外流域调水任务外,逐步扩大下游灌溉面积。

三、小浪底水库的灌溉供水作用分析

经对设计水平1919～1975年56年系列供需平衡计算,无小浪底水库条件下花园口断面3～6月来水流量2 523.5m^3/s(见表14-3-10),来水量为66.3亿m^3,向下游引黄灌区10月～来年6月供水量89.4亿m^3,其中3～6月供水量为54.4亿m^3(见表14-3-11),占10月～来年6月供水量的60.6%,在10%、25%、50%、75%、90%保证率年份3～6月的灌溉供水量分别为98.1亿m^3、67.2亿m^3、50.9亿m^3、31.4亿m^3、25.1亿m^3(见表14-3-11),作物的灌溉率(指有灌水要求的作物得到灌溉的比例)分别为76%、51.1%、38.1%、22.3%、17.3%。无小浪底水库条件下下游3～6月多年平均灌溉面积1 366万亩,作物灌溉率为41.0%。小浪底水库生效后,花园口断面3～6月来水流量3 306.9m^3/s(见表14-3-10),来水量为87.9亿m^3,向下游引黄灌区10月～来年6月供水量96亿m^3,其中3～6月供水量为72.3亿m^3(见表14-3-11),占10月～来年6月供水量的75.3%,在10%、25%、50%、75%、90%保证率年份3～6月的灌溉供水量分别为127.3亿m^3、98.8亿m^3、73.5亿m^3、44.3亿m^3、31.0亿m^3,作物的灌溉率分别为100%、76.0%、56.5%、32.9%、21.9%。下游3～6月多年平均灌溉面积1 846万亩,作物灌溉率为55.4%。

表 14-3-10 有、无小浪底花园口来水过程(设计水平 1919～1975 年系列) (单位:m^3/s)

年份	无小浪底花园口来水				有小浪底花园口来水			
	7～9月	10月～来年2月	3～6月	全年	7～9月	10月～来年2月	3～6月	全年
1919～1920	5 755	2 469	2 514	10 738	5 741.9	1 879.6	3 012.1	10 633.6
1920～1921	4 355	4 926.3	2 204.7	11 486	4 341.9	3 941.5	3 098.2	11 381.6
1921～1922	8 793	2 988.6	1 753.4	13 535	8 779.9	2 246.8	2 403.9	13 430.6
1922～1923	2 997	2 282.9	1 807.1	7 087	2 983.9	1 742.2	2 256.5	6 982.6
1923～1924	3 101	3 169.1	1 898.9	8 169	3 087.9	2 590.9	2 385.8	8 064.6
1924～1925	1 118	2 558.2	620.3	4 296.5	1 104.9	1 950.6	2 249.1	5 304.6
1925～1926	4 029	2 482.8	1 556.2	8 068	4 015.9	1 998	1 949.7	7 963.6
1926～1927	1 755	2 253.4	1 960.6	5 969	1 741.9	1 772.2	2 350.5	5 864.6
1927～1928	2 278	2 729.4	1 650.6	6 658	2 264.9	2 122.2	2 166.5	6 553.6
1928～1929	933	2 285.1	1 356.9	4 575	919.9	1 810.2	1 740.5	4 470.6
1929～1930	2 397	2 212.1	1 452.9	6 062	2 383.9	1 811.7	1 762	5 957.6
1930～1931	1 923	2 086.9	1 374.1	5 384	1 909.9	1 801.4	1 568.3	5 279.6
1931～1932	2 156	2 016.3	1 083.7	5 256	2 142.9	1 750.6	1 258.1	5 151.6
1932～1933	2 364	2 190.5	1 728.5	6 283	2 350.9	1 809.2	2 018.5	6 178.6
1933～1934	6 845	2 846.6	1 578.4	11 270	6 831.9	2 151	2 182.7	11 165.6
1934～1935	3 809	5 232.6	2 206.4	11 248	3 795.9	3 973.5	3 374.2	11 143.6
1935～1936	6 452	5 435.6	2 062.4	13 950	6 438.9	3 954.6	3 452.1	13 845.6
1936～1937	4 398	2 544.3	2 935.7	9 878	4 384.9	1 986.9	3 401.8	9 773.6
1937～1938	12 762	5 261.5	3 189.5	21 213	12 748.9	3 924.7	4 435	21 108.6
1938～1939	7 410	8 184.6	2 494.4	18 089	7 396.9	6 813.3	3 774.4	17 984.6
1939～1940	5 354	2 134.3	1 148.7	8 637	5 340.9	1 749.2	1 442.5	8 532.6
1940～1941	10 177	6 600.6	1 033.4	17 811	10 163.9	5 709.9	1 832.8	17 706.6
1941～1942	3 500	3 554	2 179	9 233	3 486.9	2 503.3	3 138.4	9 128.6
1942～1943	3 167	3 348.2	2 636.8	9 152	3 153.9	2 314.3	3 579.4	9 047.6
1943～1944	9 809	4 122.4	2 613.6	16 545	9 795.9	3 078.2	3 566.5	16 440.6
1944～1945	5 046	3 048.1	3 441.9	11 536	5 032.9	2 136.6	4 262.1	11 431.6
1945～1946	5 900	4 308.4	2 894.6	13 103	5 886.9	3 165.9	3 945.8	12 998.6
1946～1947	7 928	5 018.5	1 662.5	14 609	7 914.9	3 662.6	2 927.1	14 504.6
1947～1948	5 369	4 148.5	2 966.5	12 484	5 355.9	3 142	3 881.7	12 379.6
1948～1949	4 938	3 720.1	2 398.9	11 057	4 924.9	2 720.8	3 306.9	10 952.6

续表 14-3-10

年 份	无小浪底花园口来水				有小浪底花园口来水			
	7～9月	10月～来年2月	3～6月	全年	7～9月	10月～来年2月	3～6月	全年
1949～1950	10 641	6 330	3 044	20 015	10 627.9	4 954.4	4 328.3	19 910.6
1950～1951	3 397	3 528.83	3 797.17	10 723	3 383.9	3 925.6	3 309.1	10 618.6
1951～1952	5 744	4 221.5	2 702.5	12 668	5 730.9	3 152.4	3 680.3	12 563.6
1952～1953	5 678	2 858	2 009	10 545	5 664.9	2 079.6	2 696.1	10 440.6
1953～1954	4 558	3 945.8	2 580.2	11 084	4 544.9	2 802.8	3 631.9	10 979.6
1954～1955	8 696	4 987.2	2 966.8	16 650	8 682.9	3 742.9	4 119.8	16 545.6
1955～1956	7 205	5 544.8	3 370.2	16 120	7 191.9	4 345.6	4 478.1	16 015.6
1956～1957	7 771	3 038.5	2 841.5	13 651	7 757.9	2 160.3	3 628.4	13 546.6
1957～1958	3 215	2 693.8	1 694.2	7 603	3 201.9	1 914.8	2 381.9	7 498.6
1958～1959	10 939	6 059.5	3 378.5	20 377	10 925.9	4 700.5	4 646.2	20 272.6
1959～1960	7 534	2 905.6	1 957.4	12 397	7 520.9	2 134.5	2 637.2	12 292.6
1960～1961	3 040	3 489.3	2 763.8	9 293.1	3 026.9	2 548.2	3 613.6	9 188.7
1961～1962	7 542	7 934.5	2 776.3	18 252.8	7 528.9	6 449.4	4 170.1	18 148.4
1962～1963	5 022	4 682.2	4 609.2	14 313.4	5 008.9	3 256.1	5 944	14 209
1963～1964	6 313	6 099.3	6 136.1	18 548.4	6 299.9	4 706.6	7 437.5	18 444
1964～1965	12 773	9 316	4 219	26 308	12 759.9	7 946.3	5 497.4	26 203.6
1965～1966	3 593	2 717.4	1 962.1	8 272.5	3 579.9	1 848.8	2 739.4	8 168.1
1966～1967	6 405	4 727.7	5 194	16 326.7	6 391.9	3 643.7	6 186.7	16 222.3
1967～1968	10 765	6 454.7	5 049.9	22 269.6	10 751.9	5 451	5 962.3	22 165.2
1968～1969	7 014	6 673.4	3 622.6	17 310	7 000.9	5 292.3	4 912.4	17 205.6
1969～1970	3 393	2 911.5	2 907.5	9 212	3 379.9	2 285	3 442.7	9 107.6
1970～1971	5 301	3 213.6	2 627.4	11 142	5 287.9	2 247.9	3 501.8	11 037.6
1971～1972	3 097	3 317.1	2 804.9	9 219	3 083.9	2 259.6	3 771.1	9 114.6
1972～1973	3 910	2 145.3	1 956.7	8 012	3 896.9	1 635.6	2 375.1	7 907.6
1973～1974	3 879	3 558.4	2 042.6	9 480	3 865.9	2 686.9	2 822.8	9 375.6
1974～1975	2 270	3 229.5	2 148.5	7 648	2 256.9	2 310.6	2 976.1	7 543.6
均值	5 473.4	4 001.9	2 523.5	11 998.8	5 460.3	3 090.2	3 343.9	11 894.4

注：未扣除向河北、天津引水量。

表 14-3-11　　小浪底水库不同典型年的灌溉供水指标(正常运用期)

保证率(%)	花园口年来水量(亿 m^3)	3～6月灌溉供水量(亿 m^3)			3～6月灌溉面积(万亩)			3～6月作物灌溉率(%)		
		无小	有小	差别	无小	有小	差别	无小	有小	差别
10	452.5	98.1	127.3	29.2	2 532	3 333	801	76.0	100	24.0
25	363.9	67.2	98.8	31.6	1 704	2 553	849	51.1	76.0	24.9
50	287.8	50.9	73.5	22.6	1 269	1 882	613	38.1	56.5	18.4
75	197.1	31.4	44.3	12.9	744	1 097	353	22.3	32.9	10.6
90	156.5	25.1	31.0	5.9	576	731	155	17.3	21.9	4.6
多年平均	312.6	54.4	72.3	17.9	1 366	1 846	480	41.0	55.4	14.4

与无小浪底水库相比,小浪底水库建成运用后可向3～6月调节水量21.6亿 m^3,使同期灌溉供水量增加17.9亿 m^3,其中10%、25%、50%、75%、90%保证率年份3～6月的灌溉供水量分别增加29.2亿 m^3、31.6亿 m^3、22.6亿 m^3、12.9亿 m^3、5.9亿 m^3,作物的灌溉率分别提高24.0%、24.9%、18.4%、10.6%、4.6%。3～6月的多年平均灌溉面积增加480万亩,作物灌溉率提高14.4%。

第十五章　小浪底水电站在电网中的作用和效益

小浪底水电站的供电范围主要是河南省电网，电站投运后为河南电网提供约1 800MW的容量和58.9亿kW·h的电量，将显著改善河南电网的运行条件，提高电网的调峰能力，具有巨大的经济效益和社会效益。

第一节　河南电网概况

1999年底，小浪底水电站第一台机组投入河南电网运行，2002年全部6台机组投入运行。小浪底水电站投产后能否发挥其调峰作用，除了与电站本身的来水来沙条件、水库综合利用条件有关外，还与河南电网的电力供需情况密切相关。

一、河南电力系统供需现状

河南电网位于华中电网北部，网内以火电为主。截至2000年底，全省单机6MW以上装机容量达到15 214MW，其中统调火电装机9 284MW、地方小火电装机4 570MW、大中型水电装机1 360MW。在小浪底水电站投产期间，河南电网存在的主要问题如下：

(1)系统最大负荷持续增长，峰谷差越来越大，调峰矛盾日益突出。1991～2000年，省网(统调部分，不包括地方电网)的最大峰谷差从1 460MW增加到3 540MW，增长了142%，而同期省网最大负荷从4 179MW增加到8 870MW，仅增长了112%，负荷峰谷差增长速度明显高于最大负荷增长速度。2000年统调最大峰谷差率达到39.91%，已远远超过河南电网现有电源的正常调峰能力。河南电网以火电为主，在小浪底水电站投产前，较大的水电站只有三门峡水电站和故县水电站，两电站装机容量仅占全省装机容量的3.3%，调峰电源主要是火电站。目前，全省火电机组综合平均调峰能力仅为26%左右(火电调峰能力与其开机容量之比)，远不能满足负荷峰谷差率38.9%的要求。为满足电网调峰要求，火电机组不得不采取大机组投油助燃、200MW以下机组启停调峰(甚至个别200MW机组也启停调峰)等非常规措施，从而使电网燃料费增加，经济性较差。1997年主网火电调峰烧油4万多吨，仅投油一项，就使河南主网燃料成本增加8 000多万元。1996年主网峰谷差只有2 171MW，就使100MW以上机组启停调峰76次，100MW以下机组启停调峰1 440次。火电机组频繁启停调峰，不但费用大，而且造成锅炉爆管、泄露等事故增加，寿命缩短。仅1996年，主网火电机组启停调峰经济损失就达4 000多万元，发生爆管事故3次，每次6～7台机组。

(2)电网调频困难，供电质量不高。由于燃煤火电的升、卸负荷速度缓慢，满足不了电网负荷快速变化的要求，因而电网调频困难，供电质量不高。根据河南电力公司提供的资料，目前河南电网日负荷变化速率约30MW/min，而火电机组的平均变负荷能力约

3MW/min,仅为电网日负荷变化速率的1/10,因此电网调频困难,供电质量不高。随着社会、经济和电力的发展,特别是我国加入WTO后,电力用户对电网的供电质量将提出更高的要求。因此,电力系统迫切需要建设能够快速启动、调峰性能优越的电源,以满足电力发展的需要。

综上所述,在小浪底水电站投产时,河南电网峰谷差进一步拉大,电网调峰困难进一步加剧。这种电力供需形势,迫切需要小浪底水电站投产后承担电网的调峰、调频任务,改善电网供电质量。

二、河南电网电力需求预测

“八五”期间,河南省全社会用电量年平均增长率达10.9%,高于全国平均水平。1997～1998年下降到2.47%,略低于全国平均水平。1998年第四季度以来,随着全省国民经济迅速回升,用电量随之增加;1999年用电量仍保持继续增长;2000年,主网发电量比上年增长6.19%,需电量已恢复正常增长趋势。根据河南省电力公司预测成果,2001～2005年、2006～2010年需电量增长率分别为6.84%、5.39%,最大负荷年增长率分别为7.21%、5.29%。各水平年的负荷预测成果见表15-1-1。

表15-1-1　河南电网负荷预测结果

项目	水平年				
	1998（实际）	1999（实际）	2000（实际）	2005	2010
需电量(亿kW·h)	645	680	718.5	1 000	1 300
增长率(%)		5.43	5.66	6.84	5.39
最大负荷(MW)	10 200	10 570	12 000	17 000	22 000
增长率(%)		3.63	13.5	7.21	5.29

注:表中数据为河南省电力公司2001年预测的成果,下同。

与小浪底工程设计阶段负荷预测成果比较,各水平年河南省需电量、最大负荷数值相差不多。如2005年水平,小浪底设计阶段预测的全省需电量925亿～1 047亿kW·h,最大负荷为14 682～16 620MW,而2001年预测的2005年全省需电量为1 000亿kW·h,最大负荷为17 000MW。

近年来,随着夏季降温负荷的快速增长,年最大负荷出现双高峰,年中和年末的最大负荷相差不大。1997、1998年在电力供需基本平衡的情况下,年最大负荷出现在7月或8月。预计在未来年份,河南电网的年最大负荷曲线变化不大,预测结果见表15-1-2。与小浪底工程设计阶段采用的年负荷曲线比较,年内最大负荷从冬季12月份转移到夏季8月份。

表 15-1-2　　河南电网年负荷曲线　　(%)

水平年	月份											
	1	2	3	4	5	6	7	8	9	10	11	12
2005	85	78	80	82	92	95	98	100	93	89	93	94
2010	85	78	80	82	92	95	98	100	93	89	93	94
2015	85	78	80	82	92	95	98	100	93	89	93	94

现状河南电网用电高峰冬、夏两季均出现在灯峰时间,夏季为 20～22 时,冬季为 18～20 时;日最小负荷一般出现在凌晨 4 时。预测未来河南电网典型日负荷曲线形状与目前基本相似,但峰谷差将进一步加大。今后随着第二产业用电比重的下降、第三产业和居民生活用电比重的上升,日负荷率 γ 和最小负荷率 β 呈缓慢下降趋势。根据对历史上负荷特性变化情况、未来供用电形势、用电结构等情况分析,预测未来各水平年典型日负荷曲线见表 15-1-3。

表 15-1-3　　不同水平年典型日负荷曲线　　(%)

小时数	水平年					
	2005 年		2010 年		2015 年	
	夏	冬	夏	冬	夏	冬
1	72	68	72	68	72	68
2	71	66	71	66	71	66
3	68	63	68	63	68	63
4	64	59	64	59	64	59
5	69	64	69	64	69	64
6	73	69	73	69	73	69
7	84	79	84	79	84	79
8	83	77	83	77	83	77
9	90	82	90	82	90	82
10	92	86	92	86	92	86
11	95	84	95	84	95	84
12	93	81	93	81	93	81
13	92	78	92	78	92	78
14	90	81	90	81	90	81
15	92	82	92	82	92	82
16	94	83	94	83	94	83

续表 15-1-3

小时数	水平年					
	2005 年		2010 年		2015 年	
	夏	冬	夏	冬	夏	冬
17	96	87	96	87	96	87
18	96	96	96	96	96	96
19	93	100	93	100	93	100
20	100	96	100	96	100	96
21	92	94	92	94	92	94
22	91	89	91	89	91	89
23	87	77	87	77	87	77
24	77	71	77	71	77	71
γ	64	59	64	59	64	59
β	86	80	86	80	86	80

三、河南电网电源开发总体规划

河南省具有煤炭资源丰富、交通发达及紧靠山西能源基地等有利条件，因此河南电力开发的主要方针就是大力发展坑口、路口燃煤火电电厂。2000 年之后除供热机组外，原则上不上 300MW 机组，以 600MW、600～1 000MW机组为主。

为了解决河南电网面临的严重调峰困难，必须加快电源结构的调整，适应新形势下电力发展的需要，除了对未来火电电源调峰性能提出高要求外，还需要加快建设一定规模的抽水蓄能电站。

四、河南电网各类电源情况及技术经济特性

河南电力系统是一个以火电站为主的电力系统，目前主要由火电站、水电站组成，计划还将建成抽水蓄能电站和天然气电站。

(一)常规水电站

河南电力系统较大的水电站有小浪底水电站、三门峡水电站、故县水电站和西霞院水电站，这些水电站除具有水电站的一般共性特点外，还具有各自的运行特点，简单描述如下。

1.三门峡水电站

三门峡水利枢纽位于河南省三门峡市和山西省平陆县之间的黄河中游下段，控制流域面积 68.8 万 km^2，占黄河流域面积的 92%。于 1957 年 4 月动工，1960 年 9 月建成。蓄水后因泥沙淤积严重，并沿渭河向上游发展，淹没或浸没渭河两岸农田，危及西安市的防洪安全，遂改变原来蓄水拦沙的设计思想为泄水排沙，在 1964～1973 年间进行了两次

改建。改建后的三门峡水利枢纽工程的开发任务为防洪、防凌、发电、灌溉等综合利用。水电站原装机 5 台共 250MW，扩装两台 75MW 机组后，目前装机容量 400MW。

小浪底水库建成运用后，三门峡水库和小浪底水库联合运用。三门峡水库汛期 7～10 月份控制水位 305m 运用，11～12 月份控制水位 315m 运用，1～2 月防凌运用，最高蓄水位可达 324m，2 月份以后维持水位 315m 径流发电，6 月末水库降低水位至 305m。

对于扩装的两台 75MW 机组，由于进水口底板高程为 300m，而汛期水库运用水位为 305m，故汛期不发电。20 世纪 70 年代安装的 5 台 50MW 机组，随着机组的逐步更新改造，汛期泥沙少时可径流发电，但调峰能力有限。因此，三门峡水电站只能在非汛期相机承担部分调峰任务。按理想情况考虑，预计 2010 年三门峡水电站非汛期各月最大调峰能力为 293～343MW。考虑防凌、灌溉供水影响，实际调峰能力低于该值。

2. 故县水电站

故县水库位于黄河支流洛河中游洛宁县境故县镇下游，东距洛阳市 165km，控制流域面积5 370km^2，占洛河流域面积（不含支流伊河面积）的 41.8%。库区河道平均比降 2.86‰，坝址处多年平均年径流量 12.8 亿 m^3（1951～1984 年系列），径流年内分配不均，7～10 月径流量占年径流量的 60.1%，且年际变化较大，最大年径流量 31.5 亿 m^3（1964 年 7 月～1965 年 6 月），最小年径流量 5.2 亿 m^3（1972 年 7 月～1973 年 6 月）。多年平均流量 40.6m^3/s，多年平均输沙量 655 万 t。

故县水库于 1993 年全部建成，其开发任务以防洪为主，兼有灌溉、发电、供水等综合利用。水库正常蓄水位 534.8m，汛期限制水位 527.3m，极限死水位 495m。坝顶高程 553m（大沽高程系），校核洪水位以下水库总库容 11.75 亿 m^3，水库调节性能较好，可以进行不完全多年调节。电站装机容量 3×20MW，年发电量 1.76 亿 kW·h，属中型水电站。故县水库还承担洛阳市供水及沿岸灌溉（远期灌溉面积约 102 万亩）供水任务，在较枯水年份，年内出力过程变化较大。目前，因其下游有数座已建的岸边渠道式小型水电站，且故县水库还承担着水库下游的工农业供水任务，在下游反调节水库修建前，不宜调峰运用。

3. 小浪底水电站

小浪底水利枢纽于 1994 年主体工程开工，2001 年全部建成，其开发任务以防洪（包括防凌）减淤为主，兼顾供水、灌溉、发电等综合利用，是特大型水利枢纽工程。水库正常蓄水位 275m，正常运用期死水位 230m，汛期限制水位 254m。水库总库容约 126.5 亿 m^3，长期有效库容约 51 亿 m^3。小浪底水利枢纽位于河南省洛阳市的西北，距洛阳市约 41km，靠近郑州、洛阳、三门峡等市组成的负荷中心，其水电站可成为系统中理想的调峰电站。小浪底水电站供电范围为河南电网，电站建成后将是河南电网装机规模最大、调峰能力最强的调峰电源。小浪底水电站装机 6 台，单机容量 300MW，总装机容量 1 800MW。机组额定水头 112m，单机额定引水流量为 300m^3/s，单机最大发电流量 315m^3/s。

为了更好地发挥小浪底水库的拦沙减淤作用，减轻黄河下游河道淤积，并使水库能够长期保持 51 亿 m^3 的有效库容，小浪底水库设计初期拦沙运用采用逐步抬高主汛期运用水位拦沙和调水调沙的运用方式。水库初期拦沙运用历时约 28 年，分 1～3 年、4～10

年、11～14 年、15～28 年 4 个阶段，2005～2009 年相当于 4～10 年运用阶段，2010 年水平相当于 11～14 年运用阶段，2015 年相当于 15～28 年运用阶段。由于水库初期 10 年运用汛期水位较低，非汛期最高蓄水位为 265m(设计时初期 10 年移民水位按 265m 考虑，在具体实施时修改设计，2003 年全部完成 275m 以下的移民工作)，电站发电水头低于额定水头，发电出力受阻，将影响电站的调峰效益。11～14 年运用阶段，水库正常蓄水位达到设计的 275m，汛期平均运用水位达到 246m，发电水头在汛期低于额定水头出力受阻，非汛期高于额定水头，出力可达到额定出力。由于水库采取逐步抬高主汛期(7～9 月)水位而调节期(10 月～来年 6 月)高水位蓄水运用方式，最大水头在水库运用前 10 年为 128.92m，10 年后为 138.92m；最小水头在水库运用前 10 年为 65.79m，10 年后为 90.79m；平均水头在水库运用前 10 年为 100.34m，10 年后为 119.41m；保证出力在水库运用前 10 年为 283.9MW，10 年后为 353.8MW；多年平均发电量在水库运用前 10 年为 45.99 亿 kW·h，10 年后为 58.51 亿 kW·h。

小浪底水库汛期防洪运用和调水调沙运用，下泄流量两级分化，在洪水期间和调水调沙大流量下泄期间，电站在基荷运行，不宜承担调峰任务，但可适当承担少量负载备用，在小流量(指日平均流量)下泄期间，电站可承担调峰任务。在非汛期，电站月平均出力变化较大，相应运行方式也有所不同。10～12 月水库蓄水，电站日平均出力不小于保证出力，在负荷高峰时可充分调峰；1～2 月，水库防凌运用，控制下泄流量，电站发电量较少，可承担尖峰负荷；3～6 月，水库按灌溉要求下泄水量，电站日平均出力相对较大，可承担电网的峰荷或腰荷发电。

根据小浪底水库初期运用方式研究分析，小浪底电站充分调峰时的不稳定流对坝下至花园口以上河段的引提水工程和水质将造成一定影响，因此在下游西霞院反调节水库建成运用以前，小浪底水电站必须泄放一定基流，承担部分基荷容量。

4. 西霞院水电站

西霞院反调节水库工程距小浪底坝址约 16km，水库正常蓄水位 134m，死水位 131m，有效库容4 520万 m^3，电站设计装机容量 140MW，是低水头径流式水电站。西霞院工程为小浪底水利枢纽的配套工程，其开发任务以反调节为主，结合发电，兼顾灌溉、供水等综合利用，主要利用其调节库容对小浪底水电站日内调峰发电下泄流量过程进行反调节。由于西霞院工程主要承担小浪底水库的反调节任务，且汛期低水位排沙，年内大部分时间在基荷运行，只能进行相机调峰，调峰时间及调峰容量十分有限。

5. 华中电网南部水电站送河南的电力电量

目前，华中电网和河南电网主要通过电力交换进行联系，丰水期(主要指夏季)葛洲坝水电站通过姚(姚孟)—双(双河)线(500kV 一回)，丹江口水电站通过丹(丹江口)—青、丹—南(南阳)(220kV 二回)向河南电网送电，枯水期(冬季)河南向华中南部送电。此外，丹江口水电站在枯水期通过丹—淅、丹—栾(110kV 二回)向河南淅川和栾川县供电，最大电力 150MW。由于葛洲坝为径流式水电站，以及鄂、豫两电网特殊的电力交换方式，汛期华中南部水电通过弃水调峰，可承担河南电网 50～100MW 的调峰任务，但将使这些水电站的经济效益下降。

正在建设的长江三峡水电站，设计装机容量18 200MW，建成后将对华中、华东乃至全国电力供求形势产生巨大影响。三峡水电站在2003～2006年围堰挡水,径流发电,电站只能承担基荷任务;2007年以后,三峡水电站非汛期有一定的调峰能力,但汛期因水库防洪排沙,一般维持低水位运行,无调节能力,电站宜承担系统的基荷。为满足下游航运要求,电站在非汛期调峰运行时,需保持1 300MW的强迫基荷。

国家计委于2001年11月份向国务院上报了三峡水电站电能消纳方案,且已得到国务院批准。三峡水电站发电后将向河南电网送电,2004年三峡水电站非汛期基荷发电,分配给河南电网的也为基荷容量,将会加剧电网的调峰容量缺乏的矛盾,但由于送电数量较小,不致对河南电网产生明显的不利影响。2005、2006年,三峡非汛期的1～4月份和10～12月份向河南电网送电,其中1～4月份和12月份电站有一定的调峰能力,对缓解河南电网这些月份调峰容量缺乏的局面是有利的,但10、11月份,三峡对河南电网的送电负荷为100万～120万kW,且为基荷,在这些月份将加剧河南电网的调峰矛盾,增加电网的调峰费用;此外,由于5～9月份三峡不向河南电网送电,而河南电网的最大负荷又发生在7、8月份,将给河南电网调度安排带来一定困难,有可能造成电网装机容量闲置。2007～2009年,三峡水电站将全年向河南电网送电,其中6～9月份为基荷送电,在这些月份将使河南电网的调峰处于更加困难的局面,增加电网的调峰费用;10～11月份三峡水电站工作容量可以安排在电网的腰荷位置工作,具有一定的调峰能力;其他月份三峡水电站具有较强的调峰能力,对河南电网的调峰有利。2010年及以后,7～9月份基本为基荷送电,对河南电网的调峰不利,其他月份具有较强的调峰能力。

(二)抽水蓄能电站

抽水蓄能电站是一种特殊形式的水电站,一般建设于电力系统缺乏调峰容量的地区。它利用午夜电力系统低谷时多余的电量抽水蓄能,将电能转化为水能,待电力系统高峰来临时发电,以补充电力系统尖峰容量的不足。抽水蓄能电站除具有常规水电站的技术特点外,还具有填谷的作用,其调峰作用是其装机容量的两倍,因此是解决系统调峰问题的最有效的措施。抽水蓄能电站由于在抽水、发电能量转换时要损失部分能量,综合效率一般为75%左右,单位发电成本一般较高,宜承担电网的尖峰任务。河南电网正在建设的有南阳回龙抽水蓄能电站和宝泉抽水蓄能电站。

1.南阳回龙抽水蓄能电站

回龙抽水蓄能电站位于南阳供电区内,规划供电范围以南阳供电区为主。南阳供电区位于河南电网的西南部,目前区内有鸭河口、蒲山等火电站,总装机容量在1 000MW以上,2005年需火电装机容量1 250MW。回龙抽水蓄能电站装机容量2×60MW,预计2004年建成投产。

2.宝泉抽水蓄能电站

宝泉抽水蓄能电站位于辉县市境内,距新乡市、郑州市的直线距离分别为45km、80km,电站装机容量为4×300MW,在全国名列前茅,设计年发电量20.1亿kW·h,年抽水耗电量26.42亿kW·h。供电范围为河南省电网,预计2008、2009年投产,是河南电网未来最主要的调峰电源。

(三)火电站

2000年河南电网统调火电站情况见表15-1-4。

表 15-1-4　　**2000 年底河南省统调火电站情况**　　(单位:MW)

类型	电厂	总容量	台数	最大出力	最小出力	最小出力系数	最大调峰能力
350MW	鸭河口电厂	700	2	700	343	49.0%	51.00%
	小计	700	2	700	343	49.0%	51.00%
300MW	安阳电厂	600	2	600	300	50.0%	50.00%
	首阳山电厂	600	2	600	300	50.0%	50.00%
	三门峡火电厂	600	2	600	300	50.0%	50.00%
	姚孟电厂 1 号	270	1	270	238	88.0%	12.00%
	姚孟电厂 2 号	300	1	300	240	80.0%	20.00%
	姚孟电厂 3 号、4 号	600	2	600	300	50.0%	50.00%
	小计	2 970	10	2 970	1 678	56.5%	43.52%
200MW	郑州热电厂	600	3	600	480	50.0%	50.00%
	焦作电厂	1 280	6	1 280	640	50.0%	50.00%
	鹤壁电厂	400	2	400	200	50.0%	50.00%
	新乡电厂	400	2	400	200	50.0%	50.00%
	首阳山电厂	440	2	440	220	50.0%	50.00%
	小计	3 120	15	3 120	1 740	55.8%	44.23%
100～200MW	丹河电厂	200		200	120	60.0%	40.00%
	伊川电厂	500		500	260	52.0%	48.00%
	万方电厂	250		250	130	52.0%	48.00%
	蒲山电厂	250		250	130	52.0%	48.00%
	安阳电厂	200		200	120	60.0%	40.00%
	洛阳热电厂	284		284	227	53.0%	47.00%
	开封火电厂	385		385	200	52.0%	48.00%
	小计	2 069		2 069	1 187	57.4%	42.61%
100MW以下	平顶山电厂	225		225	130	57.7%	42.30%
	濮阳热电厂	150		150	120	60.0%	20.00%
	安阳电厂	50		50	35	70.0%	30.00%
	小计	425		425	285	67.0%	32.98%
合计	统调火电	9 284		9 284	5 233	56.4%	43.64%

五、系统调峰方式和机组调峰能力

（一）系统调峰方式

河南电网以火电为主，水电容量所占比重较小，目前电网的调峰任务主要由火电机组承担（供热机组除外）。一般电网调峰主要有如下三种方式。

1. 压负荷调峰方式

压负荷调峰一般指机组在系统负荷低谷时，机组压负荷运行（小于额定出力），当负荷上升时，机组逐渐加大出力。对于水电机组，当压负荷运行时，一般都在振动区和补气区上限边界以上运行，如果在下限边界以下，当负荷上升时，机组应带足负荷很快越过振动区和补气区，进入正常运行区域。对于火电机组，受锅炉燃烧条件限制，压负荷运行幅度有一定限制，出力只能在额定出力和最小技术出力之间变化。

火电机组压负荷运行时，机、炉运行参数均偏离设计最优工况，引起附加热损失，从而使发电煤耗率上升，根据有关资料，煤耗率上升一般为16～33g/(kW·h)。同时辅助设备的运转也偏离最优工况，效率较低，特别是较大的设备如燃料输送、煤粉制造、送风、吸风和循环水泵等设备效率降低更多，使厂用电率上升。一般火电机组基荷运行时的厂用电率为5%～6%，峰荷运行时机组的厂用电率为8%～9%。

2. 启停调峰方式

启停调峰方式即当系统负荷上升时，增开机组，随着负荷下降关停机组。常规水电机组、抽水蓄能机组和燃气轮机，启停迅速，操作方便，能够做到时开时停，这类机组较多采用启停调峰方式参与电网调峰运行。特别是抽水蓄能电站，当系统负荷急剧下降时，机组还可以从满发工况转换到满抽工况，具有削峰填谷的双重调峰作用。对于大容量火电机组，由于机组启停都需要一个较长过程，故较少采用启停调峰方式。但当电力系统缺乏调峰容量时，中低压的小型火电机组也可采用这种方式调峰，在负荷高峰出现前预先启动、并网，并随负荷上升增发出力。

火电机组启停调峰，机组启动频繁，设备损伤加剧，检修周期缩短，工期延长，费用增加，机组寿命缩短。根据有关资料，机组设计寿命为30年，若每年启动150次，寿命将减至26年。同时火电机组启停调峰还会增加燃料消耗，火电机组启停消耗损失包括启动—并列—带至满峰荷—开始降负荷—停机的各种损失，其中含助燃用油、点火用油、各种煤耗损失。根据有关调查资料，单机容量为100MW的火电机组在热态状态下，每启停一次所消耗的费用为10万～15万元。

3. 空载运行调峰方式

对于火电机组，维持机组锅炉系统为热状态，并以少量蒸汽维持机组空转，以便负荷到来时能够尽快增大出力。

（二）机组调峰能力

机组调峰能力是机组启停时间长短、出力变化幅度大小和出力调整速度快慢的综合体现，也即机组对系统负荷变化的跟踪能力。对于调峰容量平衡，机组调峰能力主要指机组出力变幅的大小，调峰容量指机组开机容量中的可调容量与最小技术出力之差。

1.火电机组调峰能力

河南省电网目前火电机组的调峰能力见表15-1-4。目前,我国设计制造的调峰火电机组,调峰能力可达40%左右。从国外进口的调峰火电机组,设计调峰能力可达40%~50%。但火电机组的调峰性能不仅与设计制造有关,还与机组安装调试、辅机性能及煤质等有关,因此火电机组投产后实际调峰能力均达不到设计调峰能力。根据河南省电力发展规划,并考虑现有火电机组调峰性能改造,预测今后火电站的综合调峰能力:350MW机组为51%,300MW机组为50%,600MW机组为20%。

2.水电机组调峰容量

水电机组的调峰能力,不仅与其水库的调节性能有关,而且受水库综合利用各部门用水的限制,因此不能简单地以其装机容量来衡量调峰能力的大小。显然,对于无调节能力的径流式水电站,只能在基荷位置工作,在不考虑弃水调峰时无调峰能力。对于有调节水库的水电站,在其下游无反调节水库时,由于综合利用各部门限制,有一部分容量不能参与调峰运行。对于多数水电站,在丰水期为了多发电能,在基荷位置工作,在不考虑弃水调峰时也无调峰能力;在枯水期,由于水库供水引起水位下降,出现容量受阻问题,其容量达不到额定出力。

对于河南电网的水电站,故县水电站受综合利用用水限制,在其下游的反调节水库修建前,主要承担基荷运行。小浪底水电站在下游的西霞院反调节水库工程修建前也承担部分基荷运行,满足下游的生态环境和水质、工农业引水等方面的要求;在西霞院工程建成后,小浪底水电站可完全调峰运行,但在汛期洪水期间和调水调沙大流量下泄期间,以及丰水年份灌溉高峰期间,电站下泄流量较大,也不宜承担峰荷运行,否则会造成电站弃水。西霞院水电站是在满足反调节任务的条件下,相机调峰。

因此,水电站的调峰容量需要根据电站的预想出力、平均出力,考虑综合利用要求,进行电力电量平衡后确定。

第二节　基于常规方法的小浪底水电站的发电效益计算

常规发电效益计算方法包括容量效益计算和电量效益计算,主要是通过有、无小浪底水电站时电力系统的电力电量平衡计算,分析计算小浪底水电站的装机容量、电量在河南电网中的利用情况,并根据可利用的容量和电量,计算其替代容量和替代电量,并计算相应火电机组的投资、运行费和燃料费等费用,以此作为小浪底工程的发电效益。

一、电力电量平衡模型

电力电量平衡的目的是:通过典型日负荷平衡,对水电站进行近似的负荷分配,确定水电站工作容量、备用容量、空闲容量以及相应的调峰容量,并进一步确定火电站工作容量、年发电量以及需要的调峰容量。电力电量平衡模型由典型日负荷平衡模型、年电力电量平衡模型和调峰容量平衡模型组成。

(一)电力系统的容量构成

电力系统和各电站的装机容量,按容量的性质可做如下划分:

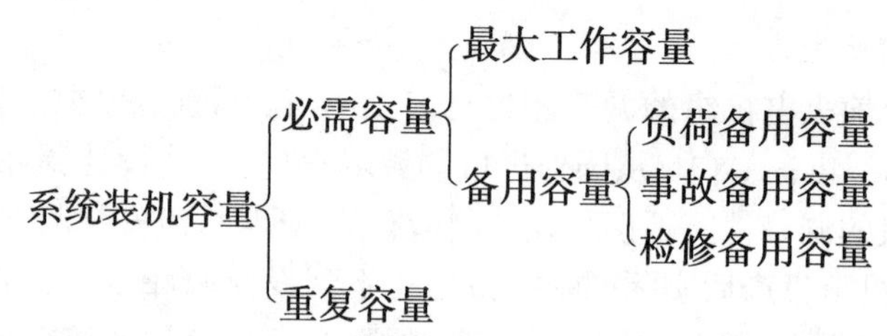

必需容量是保证电力系统正常工作所必不可少的容量,包括承担系统最大负荷(峰荷)要求而设置的最大工作容量和为保证系统安全运行而设置的备用容量。备用容量包括负荷备用容量、事故备用容量和检修备用容量。

负荷备用容量是承担计划外无法预测的短时间波动的负荷所设置的发电容量,用以维护系统的频率稳定,根据1996年电力工业部批准发布的《水利水电工程动能设计规范》(DL/T5015—1996)(以下简称规范),其值取系统最大负荷的2%~5%。负荷备用容量一般集中设置在担负系统调频任务、调节性能比较好的大型水电站上,其次是设置在有较强调峰能力的火电站。由于负荷短时波动有正有负,能力可以相互补偿,故无需存储额外的备用能量。

事故备用容量是顶替因事故停运发电设备而设置的发电容量,用以保证系统从事故运行状态及时恢复到正常运行状态。由于事故发生是随机的,难以预测,规范规定取系统最大负荷的10%左右,且不得小于系统内最大一台机的容量。事故备用容量应分设在靠近负荷中心的一些大型水、火电站,可按水、火电工作容量的比例分配。事故备用容量一定要有相应的备用能量,水电站事故备用容量可按一台机组在基荷连续运行3~10天所需水量设置事故备用库容。

检修备用容量是用来保证系统内所有机组都能按计划定期检修(大修)的容量。年计划平均检修时间:常规水电机组和抽水蓄能电站机组按30天考虑,火电机组按45天考虑,核电机组按60天计。机组检修应尽可能安排在当年内低负荷季节,电力系统出现空闲容量时进行。当系统空闲容量不能保证系统内各电站所有机组都能按计划定期检修(大修)时,就必须增设专门的检修备用容量。检修备用容量应通过设计枯水年电力系统的容量平衡确定。

重复容量是对调节性能差的水电站,为减少汛期弃水电能损失而增装的部分容量,它在枯水季节因水量不足而停运,因而不能减少火电站装机容量,所以叫重复容量。

对于电力系统和各电站容量,按容量所处工作状态又可做如下划分:

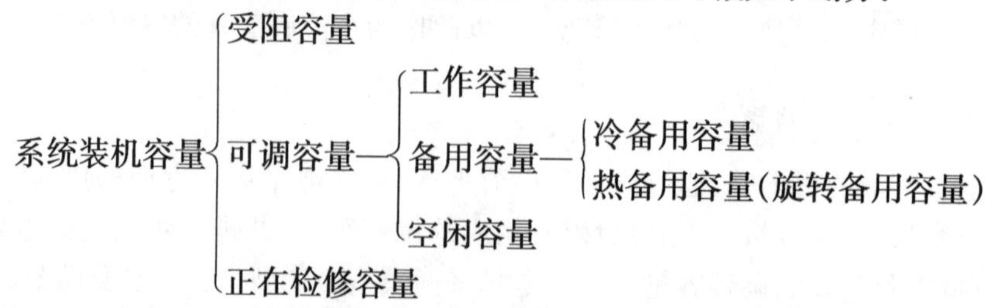

受阻容量主要是由于机组缺陷、输电容量的限制或因水头不足(仅指水电站)而使部分容量不能参加工作的容量。可调容量是可以被电力系统调度的容量,即装机容量扣除检修容量和受阻容量后的容量。冷备用容量为事故备用容量的50%。旋转备用容量指

已处于运行状态,并接在母线上,但未输出功率,可随时带负荷,根据1996年电力工业部批准发布的规范,规定旋转备用容量为系统的全部负荷备用容量和事故备用容量的一半。空闲容量是指电力系统或电站承担工作容量和备用容量后仍未被系统利用的多余容量。

(二)水电站容量组成

水电站的容量包括工作容量、受阻容量、各项备用(包括负荷备用、事故备用、检修备用)容量和空闲容量,各项容量之和等于水电站的装机容量。

检修备用容量(PJh):水电站的检修计划,应根据水电站自身的特点灵活安排。对于以提供电量为主的水电站,其检修一般应安排在枯水期,避免丰水期检修造成电站发生弃水而损失发电量;对于以提供电力(指调峰容量)为主的水电站,其检修一般应安排在负荷较低的月份,为了尽量减少弃水电量,机组检修也应避开汛期来水较丰的年份;对于黄河中游电站,由于汛期入库含沙量较大,且电站所处电网调峰供需矛盾均十分突出,因此电站主要为电力系统提供调峰容量,为了尽量减小泥沙对水轮机的磨蚀作用,电站机组检修可安排在汛期泥沙较多的月份。对于小浪底水电站,机组平均检修时间按每台机组每年平均检修时间为60天,则小浪底水电站年内均有1台机组处于检修状态。

负荷备用容量(PRh)、事故备用容量(PAh):备用容量的分配原则上按各电站的容量进行分配,装机容量大的多承担,装机容量小的少承担或不承担。此外,调节库容大的电站可以多承担一些备用容量。负荷备用容量应尽量由水电站承担,事故备用容量则应尽量由各电站分散承担。由于小浪底水电站承担综合利用任务,且黄河水资源供需矛盾十分突出,因此小浪底水电站不承担系统的事故备用容量;小浪底水电站第一台机组投产后的前两年不担任负荷备用容量,2001年担任50MW,2005年担任100MW,2010年及其以后担任150MW。

工作容量(PGh):主要指水电站担负电力系统峰荷位置的容量,通过设计枯水年典型日负荷平衡进行计算。

空闲容量($PKXh$):指水电站的装机容量扣除受阻容量、工作容量、负荷备用容量、事故备用容量、检修备用容量后的剩余容量。

$$PKXh_{i,t} = Ch_i - PZh_{i,t} - PGh_{i,t} - PRh_{i,t} - PAh_{i,t} - PJh_{i,t} \qquad (15\text{-}2\text{-}1)$$

式中 Ch_i——i 水电站的装机容量;

$PZh_{i,t}$——i 水电站 t 月份的受阻容量。

(三)典型日负荷平衡方法和模型

典型日负荷平衡的目的:根据各水电站各月的预想出力、平均出力和强迫出力,确定各水电站在系统日负荷图上的工作位置,并校核水电站容量利用情况。其具体计算方法如下。

1.确定各调峰电源的投入次序

设电网中设计水平年确定的调峰电源(包括水电站、抽水蓄能电站、燃气轮机电站等,在模型描述时除特殊描述外,统称为水电站)数目为 M,各调峰电源的编号为 i。确定调峰电源参加典型日负荷平衡的次序时,可以根据水电站在时间序列上的投入顺序进行安排,先投入电力系统运行的水电站先参加日负荷平衡,后投入的后平衡,设计水电站一般安排在最后。

2.确定水电站各月的工作容量

假定设计水平年各月的月份编号为 t,典型日各时段的时序编号为 j。水电站的工作容量是指水电站的装机容量扣除受阻容量、空闲容量和各项备用(包括负荷备用、事故备用、检修备用)后的容量。首先假设电站的空闲容量为0(当然也可假设暂不承担负荷备用容量和事故备用容量),则电站的工作容量为:

$$PGh_{i,t} = CAh_{i,t} - PRh_{i,t} - PAh_{i,t}$$

$$CAh_{i,t} = Ch_i - PJh_{i,t} - PZh_{i,t} \tag{15-2-2}$$

式中　$CAh_{i,t}$——i 水电站 t 月份的预想出力。

3.日负荷平衡的方法

对于 i 水电站的设计枯水年典型日负荷平衡,是在已经安排过的 $i-1$ 个水电站的基础上进行平衡,应该从系统典型日负荷曲线上扣除已经安排过的 $i-1$ 个水电站的工作出力。i 水电站在修正后的典型日负荷曲线上确定水电站的工作位置和工作容量。

水电站的工作位置所要满足的条件为:

$$EP_i = \sum_{j=1}^{24} N_{i,j} \tag{15-2-3}$$

式中　EP_i——水电站的日可调电量,$EP_i = NP_i \times k_{调} \times 24$;

$N_{i,j}$——i 水电站一日内各小时的发电出力;

NP_i——水电站设计典型年各月的平均出力;

$k_{调}$——水电站月调节系数,对于具有一定调节能力的水电站,一般取1.1。

设 i 水电站的最低工作位置为 X_1,则其最高工作位置为 $X_2 = X_1 + PGh_{i,t}$,则 $N_{i,j} = \min\{PF(j), X_2\} - X_1$,且 $N_{i,j} \geqslant 0$,$PGh_{i,t} = \max(N_{i,j}, j = 1,24)$。其中,$PF(j)$为一日内24小时的负荷值。

反复试算 X_1,直至满足条件 $EP_i = \sum_{j=1}^{24} N_{i,j}$。

当 $PM = \max\{PF(j), j = 1,24\} < X_2$ 时,说明水电站日可调电量不足,水电站的工作容量不能完全利用,水电站的可用工作容量 $PGh_{i,t} = PM - X_1$,则需调整水电站承担一定的备用容量,重新计算;若无承担备用的能力,则水电站存在空闲容量:

$$PKXh_{i,t} = PGh_{i,t} - (PM - X_1) = X_2 - PM \tag{15-2-4}$$

4.典型日负荷曲线修正

对于 i 水电站的典型日发电出力过程:

$$N_{i,j} = \min(PF_j, X_2) - X_1 \qquad (N_{i,j} \geqslant 0) \tag{15-2-5}$$

扣除 i 水电站的发电出力后的典型日负荷:

$$PF_j' = PF_j - N_{i,j} \qquad (j = 1,24)$$

5.抽水蓄能电站填谷平衡计算

抽水蓄能电站典型日的设计发电量为:

$$EP_i = NP_i \times k_{调} \times 24$$

抽水蓄能电站典型日的抽水电量为:

$$EC_i = EP_i / KZh$$

式中　EC_i——抽水蓄能电站典型日的抽水电量；

KZh——抽水蓄能电站发电量和抽水电量的转换系数。

填谷平衡计算：原则上以整台机容量为单位(ΔE)逐小时进行填谷计算，填谷位置选择在典型日负荷的最低点 j，满足条件：

$$\begin{cases} \Delta E_j = k \times SCA_i & k \in K(K\text{ 为抽水蓄能电站运行机组的台数}) \\ PF_j + \Delta E_j \leqslant \overline{PF} \\ \sum \Delta E = EC_i \end{cases} \tag{15-2-6}$$

式中　$\overline{PF}$——典型日平均负荷值；

SCA_i——抽水蓄能电站的单机容量。

当 $PF_j + \Delta E_j > \overline{PF}$时，可以调整该填谷位置的填谷容量 ΔE_j，使

$$PF_j + \Delta E_j = \overline{PF}$$

各时段抽水蓄能填谷容量为：

$$PTG_{i,j} = \Delta E_j$$

当对典型日 24 个时段进行填谷平衡后，仍不能满足条件 $\sum \Delta E = EC_i$ 时，则需根据实际计算的填谷电量，修正该抽水蓄能电站的发电量，重新进行典型日负荷平衡计算。

通过对 M 个水电站进行计算，可以计算出各水电站的工作容量、备用容量和空闲容量。

(四)年电力电量平衡模型

在典型日负荷平衡的基础上，利用其检修容量安排、备用容量分配和水电站容量平衡结果，按照电力系统负荷需求，确定火电站工作容量、年发电量和装机容量等规模指标。

1. 系统年电力电量平衡的条件

系统工作容量平衡：年内各月各水、火电站工作容量必须大于等于系统该月的最高负荷，即

$$\sum_{j=1}^{jt} PGT_{t,j} + \sum_{j=1}^{Jh} PGh_{t,j} \geqslant LMAX_t \tag{15-2-7}$$

系统电量平衡：年内各月各水、火电站平均负荷必须等于系统该月的平均负荷，即

$$\sum_{j=1}^{jt} \overline{NPT_{t,j}} + \sum_{j=1}^{Jh} \overline{NPh_{t,j}} = \overline{NP_t} \tag{15-2-8}$$

系统负荷备用容量平衡：年内各月各电站承担的负荷备用容量必须大于等于系统必需的负荷备用容量，即

$$\sum_{j=1}^{jt} PRT_{t,j} + \sum_{j=1}^{Jh} PRh_{t,j} \geqslant PR_t \tag{15-2-9}$$

系统事故备用容量平衡：年内各月各电站承担的事故备用容量必须大于等于系统必需的事故备用容量，即

$$\sum_{j=1}^{jt} PAT_{t,j} + \sum_{j=1}^{Jh} PAh_{t,j} \geqslant PA_t \tag{15-2-10}$$

系统装机容量平衡：系统年内各月的工作容量、备用容量、检修容量、受阻容量和空闲容量之和，应等于系统的装机容量。

2.火电站的工作容量和负荷、事故备用容量计算

计算如下：

$$\begin{cases} PGT_t = LMAX_t - \sum_{j=1}^{Jh} PGh_{t,j} \\ PRT_t = PR_t - \sum_{j=1}^{Jh} PRh_{t,j} \qquad (t = 1,\cdots,12) \\ PAT_t = PA_t - \sum_{j=1}^{Jh} PAh_{t,j} \end{cases} \tag{15-2-11}$$

式中　PGT_t、PRT_t、PAT_t——火电站各月承担的工作容量、负荷备用、事故备用；

$LMAX_t$、PR_t、PA_t——系统各月需要的负荷、负荷备用、事故备用；

$PGh_{t,j}$、$PRh_{t,j}$、$PAh_{t,j}$——水电站各月承担的工作容量、负荷备用、事故备用。

3.火电站需要的装机容量估算

火电站的装机容量不仅要满足其承担的工作容量、负荷备用容量和事故备用容量，而且要满足机组在年内大修的要求(一般按检修面积进行控制，有时简化为火电机组检修备用容量按其承担最大负荷的10%考虑)。在电力电量平衡计算时，火电站的机组检修暂按检修面积(火电站装机容量扣除承担的工作容量和备用容量后的容量之和)满足该年每台火电机组均能安排一次检修的要求，即

$$\sum_{i=1}^{12} (CAt - PGT_t - PRT_t - PAT_t) \geqslant CAt \times TJX$$

电力系统需要火电站的总装机容量按下式计算：

$$CAt = \frac{\sum_{t=1}^{12} (PGT_t + PRT_t + PAT_t)}{12 - TJX} \tag{15-2-12}$$

且满足条件 $CAt \geqslant \max\{PGT_t + PRT_t + PAT_t, t = 1,\cdots,12\}$。

式中　CAt——系统需要火电站的总装机容量；

TJX——系统内火电机组平均的检修时间，取45天，即1.5个月。

4.火电站需要的发电量

火电站需要的发电量的计算公式为：

$$ET = E - \sum_{j=1}^{Jh} Eh_j \tag{15-2-13}$$

式中　ET——火电站需要的发电量；

E——系统需要的发电量；

Eh_j——水电站j的发电量。

二、电力电量平衡成果

由于小浪底水库初期拦沙运用采用的是逐步抬高主汛期水位拦沙和调水调沙的运用方式，其运用的每一年的容量和电量是不同的。通过对小浪底水库运行期内各年进行有、无小浪底时河南电网电力电量平衡计算和分析，小浪底水电站的容量(扣除受阻容量后)和电量均能得到充分利用。典型年份(2005 年)电力电量成果见表 7-4-9 和表7-4-11。小浪底水电站各年的容量和电量成果见表 15-2-1(当时确定向山西省供电 300MW，由于山西省电网基本为纯火电系统，其容量电量可完全得到充分利用，因此仅考虑在河南电力系统的电力电量平衡)。

表 15-2-1　　小浪底水电站各年的容量、电量指标

年序	可调出力(MW)	发电量(亿 kW·h)	说　明
1	313	30.15	1.年序指小浪底水电站第一台机组投产后的第几年； 2.可调出力是指设计枯水年各月可调容量(扣除检修容量、受阻容量和空闲容量)的平均值； 3.发电量是指各年的发电量期望值，即根据各年的水库运用条件，采用长系列调节计算的多年平均值
2	693.2	37.68	
3	950.0	40.45	
4	1 027.5	42.0	
5	1 100.0	44.0	
6	1 170	46.0	
7	1 241	48.0	
8	1 310	50.0	
9	1 332.5	52.0	
10	1 452.5	54.0	
11	1 464.0	55.15	
12	1 488.0	55.4	
13	1 492.5	55.7	
14	1 496.0	56.0	
15	1 496.0	56.18	

三、小浪底水电站在电力系统中的作用

小浪底水电站是目前河南电网的主要调峰电源，水库调节库容大，在非汛期可以清水发电，运用的前 20 年电站在汛期基本上也可以低含沙量“清水”发电，具有启停灵活、升降负荷快速方便等特点，在满足防洪、防凌、减淤、供水和灌溉等综合利用要求的条件下，有能力承担电力系统的调峰、调频等任务。它在电网中具有以下作用：

(1)承担电网峰荷工作容量。根据河南省电力公司预测，2005 年和 2010 年河南省最大负荷分别达到17 000MW和22 000MW，最大峰谷差分别达到6 937MW和9 635MW，需调峰容量分别为8 291MW和11 515MW。小浪底水电站正常运用后，在考虑始终有一台

机组处于检修状态的条件下，冬(12 月份)、夏(8 月份)季可为电网提供的容量分别为1 500MW和1 406MW(夏季小浪底水电站有部分受阻容量)。计入已建和在建各类电源(含小浪底、三峡送电)可提供的调峰容量，与 2010 年电网所需调峰容量相比，尚缺调峰容量3 705(冬季)～6 627MW(夏季)。因此，小浪底水电站承担电网的调峰任务是河南电网缓解调峰矛盾的需要。2000 年小浪底水电站仅装机 2 台机组，装机容量仅 600MW，按设计条件应该基荷运行，但由于河南电网缺乏调峰容量，要求水电站调峰运行，最大发电负荷 320MW(部分容量受阻)，最小发电负荷 40MW。

小浪底水电站扣除承担的负荷备用容量和检修容量外，正常运用期可以承担峰荷工作容量1 350MW，可以避免电力系统最少1 350MW的火电机组启停调峰，可大量减少火电机组的启停费用。

(2)承担河南电网的调频任务。由于小浪底水库承担的综合利用任务繁重，考虑到黄河水资源供求关系紧张，故仅安排小浪底水电站担任负荷备用，不担任事故备用。为了满足电网安全运行，需要一定的调频容量和调相容量，预测 2010 年河南电网需负荷备用容量 700MW 左右。小浪底水电站具有跟踪负荷快的特点，适合担任电网的调频任务，也可以承担电网的部分调相任务。小浪底水电站 1999 年开始发电，2001 年全部机组投产。随着投产机组台数增加和运用水位抬高，可以担任的备用容量逐步增加。小浪底水电站投产后的前两年不担任负荷备用，2001 年担任 50MW、2005 年担任 100MW、2010 年及其以后担任 150MW 的负荷备用容量。

(3)替代火电工作容量，减少火电的投资、运行费和燃料费。通过有、无小浪底水电站时河南电网的电力电量平衡计算，小浪底水电站装机容量1 800MW，10 年后多年平均发电量为 58.51 亿 kW·h，可以替代燃煤火电机组装机容量1 800MW，不仅可以节省电网的火电电源投资，而且可减少火电机组大量的运行费用，节约煤炭资源，减少环境污染，具有巨大的社会效益和经济效益。

四、发电效益计算

小浪底水电站的发电效益计算，以电力电量平衡成果为依据，根据水电站的容量和电量的利用情况，在同等满足电力系统电力电量的条件下，计算替代火电站的装机容量和发电量。根据规范，考虑水电站和火电站机组检修时间和厂用电率等因素的差别后，水电站和火电站的容量可比系数为 1:1.1，电量可比系数为 1:1.05，即单位容量的水电站(扣除受阻容量和空闲容量)可以替代 1.1 倍火电站的装机容量，水电站的单位电量(有效电量)可以替代 1.05 倍的火电站发电量。

由于小浪底水库初期拦沙运用采用逐步抬高主汛期水位拦沙和调水调沙的运用方式，初期运用水位较低，发电水头小于额定水头，有一定的容量受阻；随着水库主汛期运用水位的逐年抬高，受阻容量逐渐减少，到水库建成后约 14 年，小浪底水电站的受阻容量很小，装机容量基本上可以全部发挥作用。因此，在计算小浪底的发电效益时，需根据小浪底电站装机容量逐年利用情况，分别计算其容量效益，反映到替代火电站的装机容量也有一个逐步投入的过程。

采用凝气式火电站作为替代电站，单位千瓦投资 1 930 元(河南电力设计院 1990 年资料)，标准煤耗 330g/(kW·h)，标准煤价 92 元/t。火电站运行管理费按投资的 3%计。火电施工工期按 4 年计算，各年投资比例按 0.24、0.29、0.24 和 0.23 计。火电经济使用年限按 25 年计，达到经济使用寿命时进行更新，更新投资按建设投资的 70%考虑，更新投资流程与施工投资流程相同。

小浪底水电站的发电效益常规计算方法详见第十六章。考虑社会折现率 10%后，其发电效益经济现值为 32.26 亿元。替代电站发电效益计算见表 15-2-2。

表 15-2-2　小浪底水电站发电效益计算

年序	小浪底水电站			替代电站				
	投资(万元)	有效容量(MW)	年发电量(亿 kW·h)	投入容量(MW)	投资(万元)	运行费(万元)	燃料费(万元)	合计(万元)
1	2 805.28							0
2	4 850.56							0
3	6 317.79							0
4	9 318.16				17 398			17 398
5	10 520.35				42 155			42 155
6	33 529.61				57 208			57 208
7	28 142.25				59 361			59 361
8	14 674.94	313	30.15	375.6	43 762	3 262	9 611	56 635
9	13 530.76	693.2	37.68	456.24	26 747	7 225	12 012	45 984
10		950	40.45	308.16	16 806	9 901	12 895	39 602
11		1 027.5	42	93	16 357	10 709	13 389	40 454
12		1 100	44	87	13 560	11 464	14 026	39 050
13		1 170	46	84	15 799	12 194	14 664	42 657
14		1 241	48	85.2	13 625	12 934	15 301	41 860
15		1 310	50	82.8	9 975	13 653	15 939	39 567
16		1 332.5	52	27	8 893	13 887	16 577	39 357
17		1 452.5	54	144	2 443	15 138	17 214	34 795
18		1 464	55.15	13.8	1 764	15 258	17 581	34 603
19		1 488	55.4	28.8	434	15 508	17 660	33 602
20		1 492.5	55.7	5.4	186	15 555	17 756	33 497
21		1 496	56	4.2	0	15 591	17 852	33 443
22		1 496	56.18	0		15 591	17 852	33 443
23		1 496	56.18			15 591	17 852	33 443
⋮	⋮	⋮	⋮	⋮	⋮	⋮	⋮	⋮
折现费用					182 948	62 237	77 396	322 581

第三节 基于电源优化扩展规划的发电经济效益分析

一、电源优化扩展规划模型概述

(一)电源优化扩展规划模型的一般形式

电源优化扩展规划模型的一般形式有以下几种。

1. 目标函数

电源优化扩展规划模型一般都采用某种优化技术,其目标函数是系统总费用最小,可以表述为:

$$\min f(X, Y) \tag{15-3-1}$$

式中 X——各类发电机容量集合;

Y——各类发电机出力集合。

目标函数的总费用函数中包含两个部分:一部分与各种电源的装机容量有关,如发电厂的投资和固定运行费用;另一部分与各种电源的实际出力有关,如发电厂的变动运行费用和燃料费(水电站、抽水蓄能电站没有燃料费)。如果模型考虑的是在整个规划期上的最优解,则 $f(X, Y)$为各年费用之总和;如果模型是采用逐时段优化方法,则 $f(X, Y)$表示一个时段的费用。

2. 模型的约束条件

约束条件为:

$$\text{s.t.}\begin{cases} h_i(X) \leqslant a_i \\ g_i(Y) \leqslant b_i \\ k_i(X, Y) \geqslant d_i \\ X \geqslant 0, Y \geqslant 0 \end{cases} \tag{15-3-2}$$

式(15-3-2)列出的四类约束条件分别为电源建设施工约束、系统运行约束、需求约束和变量约束,a_i、b_i、d_i 为常数。

(1)电源建设施工约束:主要包括待建电源点最大装机容量和每年可能投产装机容量约束、最早投入年限约束、投资约束、待建电站装机连续性约束和建设顺序约束等。

(2)系统运行约束:主要包括发电机组最大和最小出力约束、火电燃料消耗约束、水电站水量可发电量约束、抽水蓄能电站运行工况约束、水电站群补偿调节约束、火电站年利用小时数约束、输电能力约束和最小开机容量约束等技术、工况约束。

(3)需求约束:主要包括系统不同时期的负荷、电量、峰谷差、备用容量(检修、事故、负荷备用)、可靠性等需求约束,电力系统中各类电源发出的电能在任何时候均应满足电力用户的各种需求。各方案该项约束必须保证有相同的效益,是采用最小费用目标进行电源优化扩展规划的基础。

(4)变量约束:数学模型中的各类型变量均为非负变量。

在实际电源规划模型中,为了减少变量,常将 Y 表示为 X 的函数或将 X 表示为 Y 的函数。例如,通过电力系统运行方式模拟或电力电量平衡,由装机容量 X 和系统负荷及各种资料数据,可以求出在不同时期相应的发电出力 Y 值。这样,式(15-3-1)和式(15-3-2)所表示的电源优化扩展规划模型便可简化表示为:

$$\begin{cases}\min f(X), X = \{x_1, x_2, \cdots, x_n\} \\ \text{s.t. } g_i(X) \leqslant b_i, i = 1,2,\cdots,m, X \geqslant 0\end{cases} \tag{15-3-3}$$

式中　$f(X)$——目标函数;

$g_i(X)$——概化的约束条件。

由于电源规划问题相当复杂,在各种优化模型中,需作某种简化处理。简化方法、优化方法以及对某些问题处理的不同,就形成了各种各样的电源优化规划模型:①当将 $f(X)$和 $g_i(X)$均处理为线性且 X 为连续变量时,就构成了电源线性规划模型;②当 X 部分或全部为整数变量时,就构成了电源混合整数规划模型;③若在 $f(X)$和 $g_i(X)$中允许存在非线性关系,就构成了电源非线性规划模型;④若还考虑装机容量随着时间的推移而增长,要求得到在整个时间序列上的整体最优方案,则往往采用动态规划,就构成电源动态规划模型;⑤如果优化时不考虑整体优化而只是按阶段优化,就是逐时段优化模型;⑥若在模型中考虑电源规划中的一些随机因素,如发电机的停运率、来水量变化、负荷增长变化等,则形成了电源规划的随机模型;⑦若将各种随机因素都作了确定量处理,则构成确定型电源规划模型等。

(二)国内外电源优化扩展规划模型简述

电源优化扩展规划模型,按在模型中是否考虑各种变量的随机因素,分为确定性电源优化规划模型和随机电源优化规划模型;按采用的数学规划方法,分为线性规划模型、整数规划模型、混合整数规划模型、动态规划模型等。国内外主要电源优化扩展规划模型简述如下。

1.按发电机组类型优化的电源规划(WASP)

WASP是"维也纳系统规划程序包"(Wien Automatic System Planning Package)的缩写。该模型考虑了电力系统中发电机组类型的差异对电源规划的影响,WASP－Ⅲ中考虑了12种电源类型。这种电源规划模型主要回答"应在什么时间扩建什么类型机组"的问题,而不能回答"在什么地方扩建这些机组"的问题。

WASP模型采用最小费用法作为经济评价的根据,约束条件主要包括电力平衡和可靠性约束。

2.按发电厂优化的电源规划(JASP)

由西安交通大学开发的JASP模型是按发电厂优化的电源优化规划模型,其具有以下特点:①能够考虑不同厂址对投资和运行费用的影响;②按发电厂优化便于进行区域电力电量平衡,从而协调省(区)间各层次的关系,反映各方面的效益;③规划时考虑水文条件和地理条件带来的特点。

JASP模型把大系统分解协调技术应用于电源规划,较好地解决了这类问题。该模型包括电源投资决策和生产优化两部分。前者确定系统电源的投产进度,后者计算扩建系统的技术经济指标。

3.水电优化开发与电力系统电源优化模型(HELP)

水电优化开发与电力系统电源优化模型 HELP(Hydropower Electricity Long-term

Planning)主要特点是:①能进行大规模的规划,电站的装机容量用机组台数来描述,主网架用输电线的回路数来描述;②应用动态规划控制整体优化,可进行逐年决策;③采用逐时段递推,大幅度缩小了计算规模;④有效地解决了动态规划的后效性问题;⑤模型可解决复杂的非线性问题;⑥模型可进行水电站(水库)群补偿优化计算、水电能量生成和电站群在电力系统中运行方式的优化。

模型包括两个层次共三类模型,即水电站(水库)群运行优化及水电能量生成、电站群在电力系统中运行方式的优化两个子模型和整体优化模型。整体模型是上层动态规划模型,用动态规划来协调控制上述两个子模型,解决整体优化问题。但模型中没有考虑抽水蓄能电站这种特殊的电源类型,尚需进行一定的完善。

4.多区域发电系统扩展优化软件包(GESP-II)

GESP模型采用混合整数规划来求解中长期发电系统最优投资扩展规划和相应的电站最优调度运行计划(详见后述)。

5.发电系统优化生产模拟模型(GOPS)

GOPS模型采用启发式的优化算法计算发电系统的最优运行方式。其主要特点如下:①以发电系统满足负荷需求的运行费用最小为目标,在系统各项技术经济的约束条件下,对系统运行、调峰、检修和安排备用等进行确定性较详细的优化模拟;②各台机组的检修计划按"等备用原则"安排,且充分考虑各月调峰需求、水电系统枯期空闲和汛期弃水等;③按"等微增率原则"对火电系统在可调出力范围内进行经济调度;④模型同时以确定性备用率和随机性停运概率两类可靠性指标反映系统的可靠性水平。

6.高级电力系统规划和运行费用计算模型(SYPCO)

高级电力系统规划和运行费用计算模型的主要功能是比选规划期给定负荷的可供选择的电源方案。该软件由几个关联的模型组成:①负荷预测模型;②水电站在负荷图上运行位置计算模型;③确定基荷和腰荷增加的静态优化模型;④失负荷概率分析确定峰荷容量增加模型;⑤生产费用模拟计算模型;⑥系统总费用计算模型;⑦各年年费用计算模型;等等。

二、GESP模型在小浪底水利枢纽发电经济效益计算中的应用

(一)GESP模型概述

1990年,黄委会设计院和北京动力经济研究所合作,应用GESP模型,共同对河南电网电源优化扩展规划和小浪底水电站的发电经济效益进行了研究。

北京动力经济研究所开发的GESP模型,曾用于三峡工程的国民经济评价、华南电网规划研究、世界银行和亚洲开发银行贷款电力项目的经济分析。

GESP模型采用混合整数规划来求解中长期发电系统最优投资扩展规划和相应的电站最优调度运行计划。其数学模型如下。

1.GESP模型的目标函数

$$\min Z = I - S + F + V + E \tag{15-3-4}$$

式中 Z——目标函数,为总费用最小;

I——规划期内总费用的现值;

S——规划期内新增的固定资产期末余值的现值；

F——系统在规划期内固定运行费的现值；

V——系统在规划期内可变运行费的现值；

E——系统在规划期内不供电量损失的现值。

2.约束条件

该模型考虑的主要约束条件有：①系统有效容量必须满足最大负荷加上所需备用；②各电厂的总出力应能满足负荷需求；③各电厂的出力在任何时刻应能满足其最小技术出力限制；④各电厂的出力不大于其可发容量；⑤水电站的发电量不大于其可发电量；⑥每一类电厂的装机容量不大于其装机容量限制等。

3.模型的主要输出

模型的输出主要包括最小费用投资方案、系统最优运行方式和总投资现值(不包括固定资产期末余值)以及运行费用等信息。

经过近20年的不断开发完善，GESP模型在世界银行、亚洲开发银行以及国内电力行业有了一定的信誉，在我国利用外资电力项目的经济性论证中获得广泛应用，且具有一定的垄断性。但是，GESP模型中没有包括水电站群的联合优化补偿调节模块，对解决水电比重较大的电力系统电源优化问题存在一定的困难。

(二)基本条件

1.规划期

研究的规划期为1995～2015年，并将规划期划分为11个阶段，分别为1995～1996年、1997～1998年、1999年、2000年、2001年、2002～2003年、2004～2005年、2006～2008年、2009～2010年、2011～2012年、2013～2015年。

2.虚拟电站

为满足2010年以后的负荷需要，分别设单机容量600MW的虚拟火电厂1座和单机容量为1 000MW的加压水冷反应堆核电站1座。

3.季节划分

夏季从6月到9月，冬季从11月到次年的5月。在研究中将一年分为冬季、夏季和评判季进行平衡。在冬季和夏季采用水电站平水年电量进行平衡。为了校验枯水年装机容量利用情况，在评判季采用枯水年枯水期的电量进行电力平衡。在计算中评判的持续时间为1天。

4.系统可靠性

鉴于当时国家对系统的可靠性尚未制定准则，在研究时以备用容量作为衡量系统可靠性的标准。考虑系统的备用容量不小于最大负荷的23%，以保证系统必要的可靠性。

5.经济参数

根据国家计委1987年颁布的《建设项目经济评价方法和参数》的规定，基准贴现率取10%(不含通货膨胀因素)。

(三)基本资料

1.电力系统基本资料

在1990年利用GESP模型进行河南电网电源优化扩展规划和小浪底水电站发电经

济效益计算时，采用的河南电力系统负荷资料见表 15-3-1。系统负荷、事故备用容量分别取各月最大负荷的 3% 和 10%，合计为 13%（其中 8% 为旋转备用），检修备用一般取系统最大负荷的 10%。当时统计电力系统平均厂用电率为 7.9%，系统平均网损为 2.7%。随着大容量机组的逐步投产，厂用电率降为 6.0% 左右。

表 15-3-1　河南电网负荷曲线特征值（系统内）

水平年	季节	最大供电负荷（MW）	日负荷率 γ	日最小负荷率 β	峰谷差（MW）
1995	冬	6 035	0.88	0.74	1 569
	夏	5 673	0.86	0.70	1 702
2000	冬	10 487	0.86	0.72	2 935
	夏	10 062	0.84	0.68	3 220
200 年	冬	13 801	0.84	0.69	4 278
	夏	13 387	0.82	0.67	4 418
2010	冬	17 936	0.83	0.68	5 740
	夏	17 398	0.81	0.66	5 915
2015	冬	22 731	0.81	0.67	7 501
	夏	22 050	0.79	0.65	7 718

2. 已建火电站技术指标

1995 年（1990 年研究时确定的规划期初）前已建成和计划建成的电站均为已决策的电站，不参与电源优化，只参与电力电量平衡。1995 年前已建成和计划建成的电站 7 180MW。这些电站发电标准煤耗一般为 330～420g/（kW·h），单机容量 300MW 的机组煤耗较低，而单机容量小的煤耗较高；机组最小技术出力 60%～84%，进口大容量机组的调峰能力较强。机组检修时间一般为 43～55 天/（年·台）。

3. 规划火电站技术经济指标

为了满足河南省国民经济发展对电力的需求，根据 1990 年河南省电力局所作电力系统发展规划，河南省电力系统在 1995～2015 年期间需新（扩）建的火电站有鸭河口（2×350MW 和 2×600MW）、三门峡（3×600MW）、鹤壁（2×300MW）、洛阳（2×200MW）、郑州（2×200MW）、开封（2×300MW）、沁北（10×600MW）、禹州（4×300MW）、永城（4×300MW）、新密（4×300MW）、九里山（2×600MW）、信阳（6×300MW）。这些电站有的当时已完成初步设计，有的只是规划选点。各类火电站的技术指标如下：

（1）最小技术出力。200MW 机组采用 70%，300～600MW 机组采用 60%。

（2）等效强迫停运率。200MW 机组为 4.5%，300～350MW 机组为 6.2%，600MW 机组为 6.5%。

（3）厂用电率。200MW 机组为 7%，300～350MW 机组为 6%，600MW 机组为 5%。

（4）机组检修时间。200MW 机组为 38 天，300～350MW 机组为 48 天，600MW 机组

为53天。

(5)发电标准煤耗。200MW机组为350g/(kW·h),300～350MW机组为330g/(kW·h),600MW机组为320g/(kW·h)。

(6)电站投资和固定运行费。由于部分待选电站处于规划选定阶段,没有投资资料,在电源规划时,根据国内同类型电站进行类比,其单位千瓦投资指标为2 100～3 000元;各电厂的标煤影子价格为100.2～128.7元/t,火电站固定运行费率按总投资的3%计。各类火电站有关费用指标见表15-3-2。

表15-3-2　各类火电站有关费用指标

机组类型		燃气轮机	燃煤机组		
单机容量(MW)		10	20	30	60
电站投资(元/kW)		2 250	1 850	2 400	2 400
输变电投资(元/kW)			290	340	480
固定运行费(元/kW)		45	62	84	88
燃料价格(元/t)		424	105.7	112.3	112.3
投资流程(%)	第1年	20	21	24	20
	第2年	40	64	29	20
	第3年	40	15	24	25
	第4年			23	25
	第5年				20

4.机组退役计划

河南电网中有一批单机容量小于50MW的火电机组,煤耗高,运用时间长,设备陈旧,事故率增加。计划2005年前单机容量小于50MW的机组全部退役,2010年前所有单机容量小于200MW的机组全部退役。

5.抽水蓄能电站

黄委会设计院和河南省电力局经过查勘和综合比较,确定首先开发宝泉抽水蓄能电站。宝泉抽水蓄能电站坝址控制流域面积538.4km^2,多年平均径流量1.29亿m^3。电站平均毛水头510m,总容量4×300MW。当时该电站处于规划选点阶段,初步估算宝泉电站的总投资(影子投资)16亿元,施工期7年。与电站配套的输变电线路投资2.22亿元,电站的年固定运行费为15元/kW,变动运行费为0.06分/(kW·h)。

6.小浪底水电站

在1990年利用GESP模型计算小浪底水电站的发电效益时,小浪底各运用阶段的保证出力为289～352MW,多年平均发电量为44.9亿～56.2亿kW·h。考虑引黄入淀冬4个月(11、12、1、2月)自白坡闸引水,$P=75\%$的来水年份引水流量150m^3/s,$P=90\%$的来水年份引水流量110m^3/s,相应要求小浪底水电站的强迫基荷出力,第1～3年为73～151MW,第4～14年为91～154MW,第15年之后为103～167MW。

小浪底水电站的总投资(电站及大坝分摊投资)为26.1亿元,影子价格总投资为30.2亿元,与装机有关的发电系统的影子投资为14.83亿元,补充单位千瓦投资为824元。枢纽工程施工期9年,最早可能投产年份为1999年,最大装机进度为每年2台。年固定运行费为20.9元/kW,变动运行费为0.06分/(kW·h)。

7.湖北与河南电网电力交换和三峡水电站供电

根据1990年河南省电力设计院资料,2000年河南向湖北净送电量为10亿kW·h,2005年为15亿kW·h,2010年为20亿kW·h,2015年为25亿kW·h。对于电力交换方式,在1991年小浪底工程设计时,认为三峡水电站在2015年前不可能投产,湖北水电不可能解决河南的调峰问题,由两省各自解决调峰问题,在电力交换时,互送基荷,6~10月湖北向河南送电,11月~来年5月河南向湖北送电,2000年交换电力为700MW,2005年交换电力为1 000MW,2010年交换电力为1 400MW。2015年三峡水电站投产后,夏季0~7时湖北向河南送电850MW,后17小时送电200MW,即考虑河南电网吸收一部分湖北电网的低谷电量;冬季长江处于枯水期,湖北水电可以部分为河南调峰,即河南省负荷低谷时可以向湖北多送电量,最大负荷达3 000MW,负荷尖峰时少送电量,负荷只有450MW。图15-3-1所示为2015年水平冬季河南向湖北送电过程。

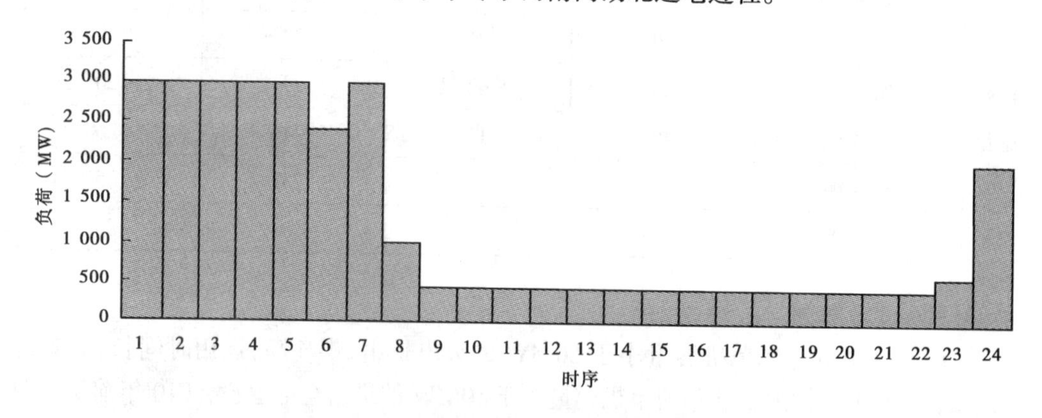

图15-3-1 2015年水平冬季河南向湖北送电过程

(四)小浪底水电站的替代容量作用

GESP模型对河南电网进行了电源优化扩展规划,待选的电站有15座火电站、小浪底水电站和抽水蓄能电站。小浪底水电站装机容量、发电量的4/5供河南系统,小浪底发电系统投资和费用的4/5也计入河南电网(1990年考虑小浪底水电站向山西供电1/5)。在此条件下,电源优化扩展规划表明,从发电方面讲,小浪底水利枢纽应在1993年开工,前两台机组宜在1998年底投产,后4台机组分别在1999年和2000年投产,以参加下一年份的电力电量平衡,与小浪底计划的投产年份相同。即使考虑小浪底电站的投资增加20%,或提高基准折现率、降低负荷需求、小浪底水电站汛期发电能力降低等不利因素,均不影响小浪底水电站的投产进度,这也充分说明了小浪底水电站的经济性。

1.小浪底水电站容量利用情况

小浪底水电站的装机容量不考虑分期投入,装机进度较快,在小浪底水电站设计时,国内外专家十分关心其容量能否被充分利用。GESP模型评判季的电力电量平衡结果如下：

1999～2001年是小浪底水库初期运行的前3年，由于水库水位较低，电站运行水头低于额定水头，小浪底水电站的出力受阻，受阻出力占额定出力的25%～38%。扣除检修和受阻容量后，小浪底供河南电网的可调出力为300～750MW，电力电量平衡后，系统可利用的工作容量为230～570MW，剩余的70～180MW的容量可作为系统的负荷备用容量。小浪底水电站投产第一年在基荷位置工作(装机容量较小)，其他年份均在满足强迫基荷出力的条件下，承担调峰任务。

2002～2009年，随着水库主汛期运用水位的逐步抬高，受阻出力越来越小，仅占额定出力的10%左右。扣除检修和受阻容量后，小浪底供河南电网的可调出力约1 080MW，系统可利用的工作容量约900MW，剩余的180MW的容量可作为系统的负荷备用容量。

2010年以后，小浪底水库正常蓄水位达到275m，电站基本上不存在出力受阻问题。扣除检修和受阻容量后，小浪底供河南电网的可调出力约1 200MW，系统可利用的工作容量约1 060MW，剩余的140MW的容量可作为系统的负荷备用容量，其容量效益可完全发挥作用。

2. 小浪底水电站替代火电装机容量

通过有、无小浪底水电站时的电源优化规划计算，可得河南电网的装机容量差别情况，见表15-3-3，此即为通过电源优化扩展规划计算小浪底水电站的替代容量作用。

表15-3-3　有、无小浪底水电站时河南电力系统装机容量情况

年份	最大负荷(MW)	有小浪底系统装机(MW)				无小浪底系统装机(MW)				有、无小浪底系统装机差(MW)			
		系统装机	火电装机	水电装机	抽水蓄能电站	系统装机	火电装机	水电装机	抽水蓄能电站	系统装机	火电装机	水电装机	抽水蓄能电站
1996	7 169	8 511	8 111	400	0	8 511	8 111	400	0	0	0	0	0
1998	8 940	11 120	10 720	400	0	11 120	10 720	400	0	0	0	0	0
1999	9 983	12 607	11 727	880	0	12 403	12 003	400	0	204	－276	480	0
2000	11 150	14 243	12 883	1 360	0	13 838	13 438	400	0	405	－555	960	0
2001	11 781	15 274	12 833	1 840	600	14 613	13 613	400	600	661	－780	1 440	0
2003	13 152	16 521	13 481	1 840	1 200	16 299	14 699	400	1 200	222	－1 218	1 440	0
2005	14 682	18 403	15 363	1 840	1 200	18 181	16 581	400	1 200	222	－1 218	1 440	0
2008	17 182	21 478	18 438	1 840	1 200	21 256	19 656	400	1 200	222	－1 218	1 440	0
2010	19 081	23 599	20 559	1 840	1 200	23 592	21 992	400	1 200	7	－1 433	1 440	0
2012	20 977	25 931	22 891	1 840	1 200	25 924	24 324	400	1 200	7	－1 433	1 440	0
2015	24 182	29 866	26 826	1 840	1 200	29 866	28 266	400	1 200	0	－1 440	1 440	0

小浪底初期运用前3年,由于出力受阻,小浪底供电河南电网1 440MW,只能替代火电装机容量780MW;2003～2009年,小浪底电站受阻出力逐渐减少,可以替代火电装机容量约1 220MW;2010年以后,电站运行水头达到设计水头,没有出力受阻,小浪底电站可替代火电站装机容量1 440MW。

(五)小浪底水电站节约投资效益

小浪底水电站静态投资(包括大坝分摊投资和输电线路投资)35.15亿元,单位千瓦投资1 953元,而作为替代电站的火电站单位千瓦投资(包括输电线路投资)达2 860～2 872元。电源优化规划成果表明,与无小浪底水电站方案相比,有小浪底水电站方案可为国家节约电源建设投资约12.78亿元(静态投资)。有、无小浪底水电站时河南电力系统电源建设投资差别见表15-3-4。

表15-3-4 有、无小浪底水电站时河南电力系统电源建设投资比较 (单位:百万元)

年份	有小浪底时系统投资		无小浪底系统投资	有、无小浪底系统投资费用差值	年份	有小浪底时系统投资		无小浪底系统投资	有、无小浪底系统投资费用差值
	系统投资	其中:小浪底				系统投资	其中:小浪底		
1993	208.7	166.2	42.5	166.2	2005	3 565.6	0	3 544.0	21.6
1994	1 132.4	151.4	980.9	151.5	2006	3 470.6	0	3 463.3	7.3
1995	2 248.7	161.3	2 087.3	161.4	2007	3 502.8	0	3 541.0	-38.2
1996	2 989.1	156.3	3 021.7	-32.6	2008	3 588.9	0	3 619.4	-30.5
1997	3 688.3	137.9	3 971.5	-283.2	2009	3 522.6	0	3 654.2	-131.6
1998	2 775.2	158.8	3 054.9	-279.7	2010	3 604.3	0	3 668.7	-64.4
1999	2 407.4	773.7	2 330.4	77.0	2011	3 747.9	0	3 798.3	-50.4
2000	1 958.3	738.0	2 179.5	-221.2	2012	3 078.6	0	3 132.7	-54.2
2001	3 029.0	587.4	2 869.9	159.1	2013	2 372.3	0	2 419.3	-47.0
2002	3 046.9	75.6	3 408.4	-361.5	2014	1 414.2	0	1 442.2	-28.0
2003	3 381.0	79.9	3 649.8	-268.8	2015	409.5	0	417.6	-8.1
2004	3 193.0	0	3 315.5	-122.5	合计	62 335.2	3 186.6	63 612.8	-1 277.6

(六)小浪底水电站的电量效益

小浪底水电站多年平均发电量40亿～56亿kW·h,除了供电山西省之外,多年平均给河南电网供电32亿～45亿kW·h(平水年供电31亿～43亿kW·h)。为了满足系统供电要求,有小浪底水电站时,河南电网的火电站1999～2015年需消耗标准煤55 126.2万t,多年平均消耗标准煤3 243万t;无小浪底水电站时,河南电网的火电站1999～2015年需消耗标准煤57 383万t,多年平均消耗标准煤3 375万t。有小浪底水电站方案比无小浪底水电站方案每年可为国家节约标准煤约132万t,若按原煤计算,每年可节约原煤210万t。因此,小浪底水电站投入河南电网后,对于缓解2000年以后河南省一次能源短缺问题具有重要的战略意义。有、无小浪底水电站时河南电力系统发电量和标准煤耗用量差别见表 15-3-5。

表 15-3-5　　有、无小浪底水电站时河南电网发电量和标准煤耗用量差别

年份	有小浪底方案			无小浪底方案			有、无小浪底之差		
	系统发电量(亿 kW·h)	火电站发电量(亿 kW·h)	标准煤耗用量(万 t)	系统发电量(亿 kW·h)	火电站发电量(亿 kW·h)	标准煤耗用量(万 t)	系统发电量(亿 kW·h)	火电站发电量(亿 kW·h)	标准煤耗用量(万 t)
1995～1996	905.251	880.972	2 977.8	905.251	880.972	2 977.8	0	0	0
1997～1998	1 112.991	1 088.858	3 651.0	1 112.991	1 088.858	3 651.0	0	0	0
1999	651.555	614.637	2 058.1	653.207	640.478	2 145.3	-1.652	-25.841	-87.2
2000	725.354	682.771	2 280.0	727.397	714.665	2 391.9	-2.043	-31.894	-111.9
2001	762.879	719.205	2 398.6	764.991	752.413	2 515.0	-2.112	-33.208	-116.4
2002～2003	1 637.272	1 538.579	5 128.3	1 643.321	1 618.841	5 405.6	-6.047	-80.262	-277.3
2004～2005	1 805.946	1 707.224	5 689.5	1 810.938	1 786.453	5 963.7	-4.992	-79.229	-274.2
2006～2008	3 027.852	2 883.400	9 560.6	3 031.946	2 996.114	9 932.2	-4.094	-112.714	-371.6
2009～2010	2 267.975	2 159.729	7 131.2	2 270.625	2 246.104	7 410.4	-2.65	-86.375	-279.2
2011～2012	2 478.386	2 369.905	7 795.2	2 481.604	2 457.028	8 082.4	-3.218	-87.123	-287.2
2013～2015	4 124.241	3 981.933	13 084.7	4 149.026	4 113.018	13 536.4	-24.785	-131.085	-451.7
合计	19 499.702	18 627.213	61 755.0	19 551.297	19 294.944	64 011.7	-51.595	-667.731	-2 256.7
1999～2015合计	17 481.460	16 657.383	55 126.2	17 533.055	17 325.114	57 382.9	-51.595	-667.731	-2 256.7

(七)小浪底水电站的发电经济效益

电源优化扩展规划表明,有小浪底水电站方案,规划期内系统电源建设及生产运行管理的总费用现值(即 GESP 的目标函数)为 500.19 亿元;作为基本方案的替代方案,无小浪底水电站时,规划期内系统电源建设及生产运行管理的总费用现值为 514.46 亿元。由此可以看出,在相同满足电力系统供电要求,建设小浪底水电站比不建设小浪底水电站可减少电力系统投资及运行管理费用现值 14.27 亿元,此即为建设小浪底水电站在河南电网产生的净效益现值。

若按 50 年的经济计算期计算,有、无小浪底水电站时河南电网总费用现值(贴现到 1995 年的现值)差值约 19.23 亿元,其年费用差值为 1.94 亿元,此即为小浪底水电站的年发电效益值。若计入供电山西电网的 1/5 电力和电量,则小浪底水电站装机1 800MW 的年净发电效益值约为 2.43 亿元。

三、HEAGEP 模型在小浪底水利枢纽发电经济效益计算中的应用

目前国内外的各种电源优化模型各有特点,有些适合于电源结构比较单一的电力系统,有些适合于电源类型多样,尤其适合于水电比重比较大的电力系统。例如,GESP 模型能够模拟常规水电站、抽水蓄能电站的运行特点,结果比较可靠,但模型采用混合整数规划,对于水库群的联合补偿、约束条件的非线性问题只能进行简化处理。黄委会设计院根据工作的需要,在总结各模型优点的基础上,研制开发了基于电源优化扩展规划的水电

经济评价模型软件(Hydroelectric Economic Appraisal Software Based On Optimizationin Generation Expansion Planing,简称 HEAGEP)。

(一)模型思路及结构

HEAGEP 模型拟采用分解协调技术,包括容量扩展优化(电源投资决策)和生产运行优化两部分。前者确定系统电源的分布和投产进度,即何时、何地投产多大容量的电源;后者计算扩建系统的技术经济指标及电力系统的可靠性指标。

电力系统中水电站与其他电站的特点不同,承担的任务不同,水电站的投入对其他电站的运行条件影响很大,梯级水电站的电能指标还与梯级的开发次序有关,上级水电站对下级水电站的电能指标影响最大。因此,在电源扩展规划中将调峰电源(包括水电站、抽水蓄能电站及其他调峰电源)和火电站、核电站等分开考虑。基本思路是先确定水电站的投产顺序,再相应确定火电站的排序。为此,电源扩展规划采用递阶控制数学模型。

模型系统由主模型和若干子模型构成。

主模型为分解协调模型,其功能是解决水、火电及其他电源的排序问题,优化水电站(包括抽水蓄能电站)最优开发次序和投入时间。目标函数为电力系统规划期总费用最小。

子模型由 3 个平行的具有不同功能的计算模型和一个生产模拟模型构成。

(1)水电站联合补偿调节子模型:其功能是在水电站投产时间确定的情况下,计算水电站群电能指标。目标函数为水电站群发电效益最大。

(2)电力电量及调峰容量平衡子模型:其功能是在水电站电能指标一定的情况下,首先对水电站进行近似负荷分配,确定其工作容量、备用容量和空闲容量,并根据电力系统负荷、需电量、调峰容量要求,确定火电站装机容量、发电量和承担的调峰容量。

(3)火电站排序动态规划子模型:其功能是在已知各年需要火电装机容量、发电量及各月需要调峰容量等条件下,优化各火电电源投产时间并反馈于主模型。其目标函数为火电站费用最小。

(4)火电站生产模拟模型:它是在各类电站投产时间一定的情况下,模拟电力系统运行,进行各电站负荷分配,计算各火电站的燃料消耗量及系统总燃料费用。其目标函数是系统燃料费用最小。

电源优化模型逻辑结构如图 15-3-2 所示。

上述电源优化扩展规划模型的主要特点为:①可进行电力系统大规模的电源规划,电站装机容量可用机组台数描述;②采用递阶控制分析模型,将容量扩展规划问题分解为若干子系统,采用多级递阶系统优化技术,分别求解主模型和各子模型以解决水、火电站及其他电源优化,往复协调,达到总体最优,主模型以坐标轮换法控制整体优化,大幅度地降低了计算规模;③能解决复杂的非线性问题。

在建立数学模型的过程中,假定以下条件:①规划期内,负荷需求是已知的或者是可以预测的;②在整个规划期内,认为每个电站均在各时段初投入,其投资均在时段初完成;③各个电站的规模、各项技术经济指标及输变电费用为已知;④在电源排序时,认为各火电站装机年利用小时数相同(开、停火电除外)。

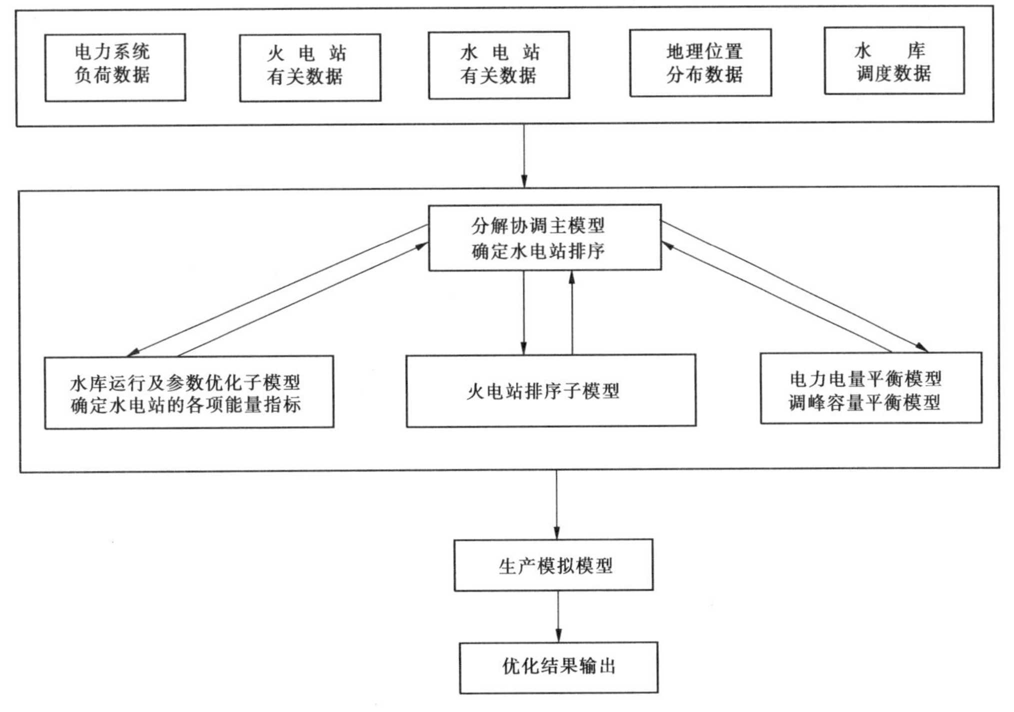

图 15-3-2　电源优化模型逻辑结构

(二)主模型——水电站排序的分解协调模型

电力系统包含多个待选水电站(含抽水蓄能电站)时,电源排序将变得十分复杂,需建立分解协调主模型解决水、火电排序问题。

主模型的目标函数为:

$$C_s = \min(C_h + C_t) \tag{15-3-5}$$

式中　C_s——系统的总费用现值;

C_h——所有水电站的总费现值(包括投资、运行费);

C_t——所有火电站的总费现值(包括投资、运行费、燃料费),由火电站排序子模型求得。

分解协调主模型求解思路为:①初步确定水电站投产时间,在水电站效益、投资及运行费用确定的情况下,将主模型中的电力系统总费用现值最小目标函数转化为火电站费用现值最小;②优化火电站投产时间,使火电站费用最小;③进行生产模拟计算,计算整个规划期内水电站和火电站投资、运行费和燃料费等;④逐步优化水电站投产时间,重复以上 3 个步骤,使系统容量扩展总费用最小。

(三)子模型Ⅰ——水电站联合补偿调节模型

对于有水力、电力联系的水电站群,任何一个水电站的投入,都将改变电源结构和电力系统的运行方式,对其他水电站电能指标产生影响。因此,对于每一个水电站投入方案来说,需要建立水电站联合补偿调节模型,进行水能调节计算,以确定相应电能指标。

1. 目标函数

水电站联合补偿调节的目的,就是利用各水电站的不同特点,使水电站群总保证出力

N_p最大，年发电量尽可能多，表示成目标函数为：

$$F = \max\{N_p\} \tag{15-3-6}$$

2. 约束条件

考虑的约束条件主要有最小发电流量、最大过机流量、最小出力、最大出力（预想出力）等。

3. 水量平衡方程

对于水库个数为 n，空间分布并联或串联的水电站群，按从上游至下游、先支流后干流的顺序，将它们编为 $1\sim n$ 号水电站，并定义一个 $n\times n$ 阶对称关联矩阵 R：

$$R = \begin{bmatrix} r_{11} & r_{12} & \cdots & r_{1k} & \cdots & r_{1n} \\ r_{21} & r_{22} & \cdots & r_{2k} & \cdots & r_{2n} \\ \vdots & \vdots & & \vdots & & \vdots \\ r_{i1} & r_{i2} & \cdots & r_{ik} & \cdots & r_{in} \\ \vdots & \vdots & & \vdots & & \vdots \\ r_{n1} & r_{n2} & \cdots & r_{nk} & \cdots & r_{nn} \end{bmatrix} \tag{15-3-7}$$

式中 r_{ik}——i 水电站与 k 水电站在水力上的关联关系。

当 $k=i$ 时，$r_{ik}=1$，即对角线上的元素为 1；当 $r_{ik}=0(k\neq i)$时，表示 i 水电站与 k 水电站无水力联系；当 $r_{ik}=1(k\neq i)$时，表示 i 水电站与 k 水电站有水力联系。

借助关联矩阵，水量平衡方程可表示为：

$$V_{j,k} = V_{j,k-1} + q_{j,k} - qf_{j,k} \tag{15-3-8}$$

$$q_{j,k} = \sum_{m=1}^{j-1} r_{jm}(Q_{m,k} + V_{m,k-1} - V_{m,k} - D_{m,k} - E_{m,k}) + Q_{j,k} - E_{j,k} \tag{15-3-9}$$

式中 $V_{j,k}$、$V_{j,k-1}$——j 水电站 k 时段初、末的库容；

$qf_{j,k}$——j 水电站 k 时段的出库径流；

$q_{j,k}$——j 水电站 k 时段的入库径流；

$Q_{m,k}$、$Q_{j,k}$——m、j 水电站 k 时段的区间入库径流；

$V_{m,k}$、$V_{m,k-1}$——m 水电站 k 时段初、末的库容；

$D_{m,k}$——m 水电站下游 k 时段的工农业用水；

$E_{m,k}$、$E_{j,k}$——m、j 水电站 k 时段的库容损失。

4. 水电站补偿原则

(1)水库经济参数。采用文献[7]推荐的经验公式：

$$k = \frac{W_i + \sum \Delta V}{F_i \cdot \sum H} \tag{15-3-10}$$

式中 k——边际能量，即当电站增发单位水量所引起的能量损失或蓄入单位水量所引起的额外能量增加；

W_i——水电站面临时段（月）的入库水量；

$\sum \Delta V$——上游各水库的总蓄水量，上游无水库时此项为 0；

F_i——水库面临时段的水面面积；

$\sum H$——本电站及下游各电站的总水头。

(2)出力分配原则。根据出力分配最优时的等微增率(或边际相等)原则,则各时刻最有利的供蓄分配条件为 $k_1 = k_2 = \cdots = k_i = \cdots = k_n$。

在实际计算中,各电站要同时达到某一 k 值是很难或不可能的,在尽可能接近的条件下,采用 k 值小的先供水、k 值大的先蓄水。

(四)子模型Ⅲ——火电站排序的动态规划模型

1.目标函数

设规划期为 N 年,以年为时段,在已预测电力系统负荷的基础上,以系统容量扩展规划折现费用最小为目标函数,即

$$C = \min\left[\sum_{i=1}^{N} C_i(1 + r_0)^{-(i-1)}\right] \tag{15-3-11}$$

式中　C_i——系统第 i 个阶段所有电站投资、运行费、燃料费之和；

r_0——社会折现率。

2.阶段变量

将规划期划分为 N 个计算时段,每时段作为动态规划模型的一个阶段。以年序 i 为阶段变量,$i = 1,2,3,\cdots,N$。

3.状态变量

以阶段 i 以前系统原有的和到 i 阶段为止所有新投入电站的集合,作为阶段 i 的状态变量,记为 S_i,则

$$S_i = \{s_0, s_1, s_2, \cdots, s_k, \cdots, s_m\} \tag{15-3-12}$$

式中　m——系统中已有电站及规划拟建电站个数；

s_k——本阶段各电站机组投产状态,s_k 取值范围为 $0 \sim n_k$,当没有机组投产时 $s_k = 0$,全部投产时 $s_k = n_k$；

n_k——k 电站的装机台数。

4.决策变量

以 i 阶段新投入电厂的机组台数的集合作为本阶段决策变量,记为 D_i,则

$$D_i = \{d_0, d_1, d_2, \cdots, d_k, \cdots, d_m\} \tag{15-3-13}$$

式中,d_k 代表 i 阶段新投入电厂机组数目。当 $d_k = 0$ 时,代表 k 电厂 i 时段无新机组投入;当 $d_k > 0$ 时,代表 k 电厂有机组投入。d_k 取值范围为 $0 \leqslant d_k \leqslant K_{mn}$,其中 K_{mn} 为 k 电厂每年允许最大装机台数。

5.状态转移方程

就每一阶段而言,本阶段末的状态与该阶段初始状态和决策变量有关。状态转移方程记为:

$$S_i = S_{i-1} + D_i \qquad (i = 1,2,\cdots,m) \tag{15-3-14}$$

6.阶段效益

阶段效益就是本阶段对目标函数的贡献。阶段效益的大小与该阶段初的状态和所采

取的决策变量有关。其阶段效益的具体表达式为：

$$r_i[C_{i-1},D_i] = K_1(ZT_i + Zv_i) + K_1K_2(aT_iCT_i + av_iCv_i + ZTr_i + Zvr_i) \tag{15-3-15}$$

式中 ZT_i、Zv_i——火电站、核电站机组投资折算到机组投产年初的数值；

CT_i、Cv_i——火电站、核电站机组总投资；

aT_i、av_i——火电站、核电站机组固定运行费率；

ZTr_i、Zvr_i——火电站、核电站机组燃料费；

K_1——将折算到机组投产年初的各项费用再折算到规划期初的折算系数，$K_1=(1+r_0)^{(i-1)}$；

K_2——固定运行费、燃料费折算到机组投产年初的折算系数，$K_2=\dfrac{(1+r_0)^{(N-i+1)}-1}{r_0(1+r_0)^{(N-i+1)}}$，$r_0=12\%$，为社会折现率。

7. 费用递推公式

根据参考文献[9]、[10]，同时考虑到规划期不同方案电站组合状态的差异，为便于考虑资金时间价值和水电、火电等的不同经济使用年限，计算中采用系统容量扩展总折现费用最小为准则。为使动态规划求解顺序与工程实际开发进程相一致，费用递推采用前向递推解法，即顺序递推解法。根据 Bellman 优化理论，可以写出如下递推方程：

$$\begin{cases} F_i^*(j) = \min[r(C_{i-1}^k,D_j) + F_{i-1}^*(k)] & (k \in k^*) \\ F_0(k) = 0 & (k \in m) \end{cases} \tag{15-3-16}$$

式中 i——阶段变量，$i=1,2,\cdots,N$；

j——状态水平编号，表示第 i 阶段第 j 个可行电源投入方案；

$r(C_{i-1}^k,D_j)$——从第 $i-1$ 时段的 k 状态转移到第 i 时段 j 状态所对应的决策 D_j 的总费用；

$F_{i-1}{}^*(k)$——第 $i-1$ 时段各状态的最小费用；

$F_i^*(j)$——对应于第 j 个可行的电源投入方案所对应的最小费用；

k^*——状态数，即待选电站的数目。

8. 约束条件

约束条件主要包括系统负荷和电量需求、备用约束、调峰容量及其他约束。详情略。

(五)电力电量平衡和调峰容量平衡模型

电力电量平衡在本章第二节中介绍，在此主要介绍调峰容量平衡模型。

1. 调峰容量平衡的必要性

由于电力不能储存，发电与用电必须同步进行，电力供求必须随时保持平衡，否则将导致供电质量下降，影响工农业的正常生产活动，损坏电力用户的用电设备，严重时会导致电网本身的重大事故。随着国民经济迅速发展，人民生活水平的逐步提高，系统的峰谷差越来越大，调峰问题日趋突出，对于以火电机组为主的电力系统，由于缺乏调峰容量，影响其正常运行。因此，电力部门已明确规定，电网的电源规划建设，必须重视调峰容量平衡，应明确发电机组的调峰能力。

通过有、无设计水电站调峰容量平衡计算，可以分析设计水电站建成后在电网中的调峰作用。

根据动能设计规范，系统调峰能力平衡是指系统的开机容量中的可调容量应大于或等于日最大负荷 L_{max} 加旋转备用 Pr 之和，开机容量中的允许最小技术出力应小于或等于最小负荷 L_{min}。

2. 调峰容量平衡模型

调峰容量平衡模型是根据日、年电力电量平衡结果，确定各类电源的工作容量、备用容量，计算其调峰容量。若不能满足调峰容量盈亏平衡，则需采取调整电源结构、加大调峰工作容量或其他调峰措施，重新进行日、年电力电量平衡；若规划建设的调峰电源和火电站机组的调峰能力已经确定，且调峰容量不能满足要求，则需计算出需要火电机组启停调峰的容量。

(1)电力系统需要的调峰容量：

$$PTF_t = (L_{maxt} - L_{mint}) + PR_t + PA_t \times 0.5$$

式中　L_{maxt}、L_{mint}——电力系统各月的最大负荷、最小负荷；

PR_t——电力系统负荷备用，一般取各月最大负荷的3%；

PA_t——电力系统事故备用，一般取各月最大负荷的10%。

(2)水电站调峰容量：

$$PTFh_{i,t} = \max(N_{i,j}, j = 1,24) - \min(N_{i,j}, j = 1,24) + PRh_{i,t} + PAh_{i,t}$$

式中　$N_{i,j}$——i 水电站 j 月份一日内24小时发电出力过程。

(3)抽水蓄能电站调峰容量：

$$PTFp_{i,t} = \max(PTG_{i,j}, j = 1,24) + \max(N_{i,j}, j = 1,24) - \min(N_{i,j}, j = 1,24) + PRh_{i,t} + PAh_{i,t}$$

式中　$PTG_{i,j}$——i 水电站 j 月份一日内24小时抽水出力过程。

(4)火电机组调峰能力：

$$PTFt_{i,t} = PCA_{i,t} \times (1 - K_{min}i)$$

式中　$PCA_{i,t}$——火电机组开机容量；

K_{mini}——火电机组最小技术出力。

(5)调峰容量平衡。在满足电力电量平衡的条件下，满足调峰容量平衡的条件为各类电站的调峰容量之和大于等于系统需要的调峰容量，即

$$\sum PTFh_{i,t} + \sum PTFp_{i,t} + \sum PTFt_{i,t} \geqslant PTF_t \qquad (t = 1,\cdots,12) \tag{15-3-17}$$

或各类机组的可调容量大于等于系统最大负荷与旋转备用之和，且各电站的最小技术出力之和小于电网的最小负荷，即

$$\begin{cases} \sum PGh_t + \sum PGT_t \geqslant L_{maxt} + PR_t + PA_t \times 0.5 \\ \sum P_i \times K_i \leqslant L_{mint} \end{cases} \tag{15-3-18}$$

式中　P_i、K_i——第 i 台机组的可调容量和允许最小技术出力系数。

如果调峰容量平衡结果不能满足上述条件，则需由调峰能力好的机组替换调峰能力

差的机组,直至满足上述条件要求,如果调峰电源确定,调峰能力差的机组也均被替换,且火电机组调峰能力已经确定,则需计算电力系统需要火电机组的启停调峰容量,启停调峰容量按调峰能力的100%考虑,使调峰容量平衡满足上述条件。

启停机组容量为:

$$PQT = PTd / K_i \tag{15-3-19}$$

式中 PTd——调峰容量缺口。

(六)子模型Ⅳ——火电站生产模拟模型

电力电量平衡模型确定了火电站各时段工作容量、年发电量。根据年内火电组成,安排火电机组年内各时段检修容量,确定各机组可利用容量。考虑系统旋转备用,按优化原则分配各类型火电开机容量,然后采用电力系统日负荷经济分配方法进行火电生产模拟,最后求得电力系统年内燃料费用。

1.检修安排

电力系统供电可靠性与其拥有的备用容量密切相关,而系统备用容量的大小总是受负荷变化和发电机组检修停运的影响。检修按等备用率原则安排,即按系统各月备用率在全年尽可能相等来制定检修计划;同时,考虑检修机组的时段连续性约束和时段最大检修容量约束。

2.火电机组开机优化

当火电机组安排检修后,剩余火电机组容量包括开机容量和处于停机停炉状态的事故备用容量(通常称为冷备用容量)。从经济运行角度考虑,冷备用容量宜安排煤耗高的机组或小机组。可采用优化方法计算系统火电机组各月开机容量,其目标函数为:

$$CO = \min\left(\sum_{i=1}^{kk} R_i \cdot M_i\right) \tag{15-3-20}$$

且要满足以下条件:

$$\begin{cases} \sum_{i=1}^{kk} R_i \geqslant L_{\max}^t + PHB \\ \sum_{i=1}^{kk} (CLX_i \cdot R_i) \leqslant L_{\min}^t - PKP \\ R_i \leqslant RZ_i - RO_i^t \end{cases} \tag{15-3-21}$$

式中 CO——各类机组总煤耗;

R_i——第 i 类机组开机容量;

M_i——第 i 类机组平均煤耗率;

PHB——系统所需火电旋转备用容量;

CLX_i——第 i 类机组最小技术出力系数;

kk——火电机组类型数;

RZ_i——第 i 类机组总装机容量;

RO_i^t——第 i 类机组 t 时段总检修容量;

$L_{\min}^t$——t 时段最小负荷;

PKP——电网出现的瞬时反向负载波幅。

3.火电机组生产模拟

系统耗煤量是衡量电源规划方案经济性的重要指标，要较为准确地计算火电耗煤量，需进行火电机组日运行过程模拟。各类火电机组24小时出力过程，采用电力系统日负荷经济分配方法计算。

电力系统日负荷经济分配数学模型是一个在多个约束条件下的多元函数寻优问题。以小时为时段计算火电机组煤耗量，取目标函数为：

$$Coal = \min\sum_{j=1}^{24}\sum_{i=1}^{kk} N_{j,i} \cdot C_{j,i} \tag{15-3-22}$$

其约束条件为：

$$\begin{cases} \sum_{i=1}^{kk} N_{j,i} = NP_j \\ N_{j,i}/R_i - X_{\max}^i \leqslant 0 \quad (i = 1,2,\cdots,n) \\ N_{j,i}/R_i - X_{\min}^i \geqslant 0 \quad (i = 1,2,\cdots,n) \end{cases} \tag{15-3-23}$$

式中　$C_{j,i}$——第 i 类机组 j 时段的煤耗率，其值与机组开度（$N_{j,i}/R_i$）的大小有关；

$N_{j,i}$——第 i 类机组 j 时段的出力；

R_i——第 i 类机组开机容量；

$X_{\max}^i$、$X_{\min}^i$——第 i 类机组允许的最大、最小技术出力系数；

NP_j——j 时段火电机组承担的总负荷。

当只有第一约束条件时，利用拉格朗日乘子法，对上面条件极值问题求解，可得出等式：

$$\frac{\partial(N_{j,1} \cdot C_{j,1})}{\partial N_{j,1}} = \frac{\partial(N_{j,2} \cdot C_{j,2})}{\partial N_{j,2}} = \cdots = \frac{\partial(N_{j,n} \cdot C_{j,n})}{\partial N_{j,n}} = \Delta C \tag{15-3-24}$$

式(15-3-24)即为煤耗微增率相等原理。由于存在着上述的机组技术出力约束条件，因而该式求解变得复杂化，难以达到等式要求。在计算中采用了近似微增率相等原理，对各类火电机组各小时承担的出力进行分配。在出力分配的基础上，根据各类火电机组的煤耗曲线计算出其煤耗量，并根据该电站到厂煤价计算火电机组时段总燃料费，累计各时段燃料费即知系统年总燃料费。

（七）电源优化采用的基本资料

1.电力系统负荷资料

在2001年小浪底水电站发电效益复核计算时，根据当时河南省电力公司预测的负荷资料，河南省2001～2005年、2006～2010年需电量的增长率分别为6.84%、5.39%。随着经济的发展和生活水平的提高、用电形势的缓和，以及负荷利用小时数较低的第三产业和居民生活用电比重的增加，最大负荷利用小时数会继续下降。预测2005年、2010年两个水平年的最大负荷分别达到17 000MW、22 000MW，见表15-1-1。在电源优化扩展规划时，2010年以后河南电网的最大负荷和需电量，按稍低于2005～2010年的增长率进行估算。

2. 水电站资料

对于河南省的水电站情况在本章第一节已经叙述。与 GESP 模型采用的资料相比，小浪底水电站的供电范围、装机容量投产进度和投资有所调整，其电能指标略有变化，三峡水电站的投产时间和向河南电网的供电方式也有所变化。

在 1990 年利用 GESP 模型进行小浪底水电站发电效益计算时，当时确定的小浪底水电站的供电范围主要为河南省，但考虑到水库淹没涉及到山西省，因此也考虑部分供电山西省，其中河南电网分配的电力电量占 4/5，山西省分配的电力电量占 1/5。随着设计工作的继续开展，经与山西省协商，确定小浪底水电站的供电范围为河南省，不再考虑向山西省供电问题。

三峡水电站向河南电网的供电情况详见本章第一节。2010 年以后，三峡水电站向河南电网送电容量占三峡送华中电网的 25%，电量比例 5～10 月份为 25%，其他月份为 10%。

3. 火电站资料

2000 年火电站装机容量13 854MW，其中统调火电装机9 284MW、地方小火电装机4 570MW。根据河南电网电源建设规划，地方小火电机组要逐步关停退役（小火电关停、退役计划见表 15-3-6），综合调峰能力以 1999 年统调电厂核定的最小技术出力为基础，逐台计算，并考虑部分机组的调峰改造情况，调峰能力按 35.8%考虑。

表 15-3-6　河南电网地方小火电关停、退役计划　（单位：MW）

年份	2000	2001～2005	2006～2010	2011～2015
退役容量		516	1 055	1 000
期末剩余容量	4 570	4 054	3 000	2 000

根据河南电网电源建设规划情况，在计算小浪底水电站发电经济效益时，火电站暂采用分类型机组进行计算。规划建设的火电站主要考虑 600MW、350MW、300MW 机组类型，为了较准确地计算小浪底电站的容量效益，还考虑了 200MW、125MW 两种机组类型，其投资及其他经济指标见表 15-3-7。

表 15-3-7　火电机组经济指标

机组类型	125MW	200MW	300MW	350MW	600MW
投资（元/kW）	4 100	4 500	4 644	4 644	3 856
运行费率（%）	6.0	6.0	6.0	6.0	6.0
煤耗率（g/(kW·h)）	350	345	336	336	330
最小技术出力（%）	60	60	50	50	60
标煤价（元/t）	220	220	220	220	220
建设工期（年）	3	4	4	4	5

4. 其他参数

规划计算期取 20 年，规划起始年份为 2001 年。社会折现率取 12%，费用现值计算将各年的投资费用折算到 2001 年初。

(八)小浪底水电站发电经济效益计算成果

由于小浪底水电站的投资涉及到与枢纽工程其他综合利用部门的投资分摊问题,该问题比较复杂,在计算小浪底水电站的发电效益时,暂不计算其经济净效益指标,以有、无小浪底水电站时河南电网的投资费用的差别作为小浪底水电站的发电经济效益,即不考虑小浪底水电站的投资和费用,仅计算其在电力系统的替代容量效益和替代电量效益。

1.小浪底水电站的替代容量作用

通过电源优化扩展规划计算,有、无小浪底水电站时河南电网电源建设情况见表15-3-8。小浪底水电站前10年运用水头较低,扣除检修容量和受阻容量后,其可调容量2001年约570MW,2002年约830MW,2003~2009年约1 200MW,2010年以后约1 500MW。从电源优化扩展规划成果可以看出,由于容量受阻,小浪底水电站2001年可替代火电装机容量600MW,2002年为1 050MW,2003~2009年为1 350MW左右,2010年以后替代火电装机容量1 650MW(其原因之一是小浪底水电站机组检修时间为每台机组每年检修2个月,比火电机组的1.5个月长)。需要说明的是,在电源优化时根据发电进行电力电量平衡,没有考虑水电、火电之间的厂用电差别,计入厂用电的差别后,小浪底水电站装机容量1 800MW,可以替代火电装机容量1 800MW。

表15-3-8　有、无小浪底水电站时河南电网电源扩展规划装机容量　(单位:万kW)

年序	有小浪底			无小浪底			差值		
	火电装机	水电装机	系统装机	火电装机	水电装机	系统装机	火电装机	水电装机	系统装机
2001	1 435.4	136	1 571.4	1 495.4	46	1 541.4	-60	90	30
2002	1 520.4	226	1 746.4	1 625.4	46	1 671.4	-105	180	75
2003	1 605.4	226	1 831.4	1 735.4	46	1 781.4	-130	180	50
2004	1 655.4	238	1 893.4	1 805.4	58	1 863.4	-150	180	30
2005	1 763.8	238	2 001.8	1 888.8	58	1 946.8	-125	180	55
2006	1 863.8	238	2 101.8	2 001.3	58	2 059.3	-137.5	180	42.5
2007	1 923.8	245	2 168.8	2 071.3	65	2 136.3	-147.5	180	32.5
2008	2 023.8	252	2 275.8	2 146.3	72	2 218.3	-122.5	180	57.5
2009	2 063.8	312	2 375.8	2 186.3	132	2 318.3	-122.5	180	57.5
2010	2 050.9	372	2 422.9	2 190.9	192	2 382.9	-140	180	40
2011	2 125.9	372	2 497.9	2 290.9	192	2 482.9	-165	180	15
2012	2 225.9	372	2 597.9	2 390.9	192	2 582.9	-165	180	15
2013	2 325.9	372	2 697.9	2 490.9	192	2 682.9	-165	180	15
2014	2 425.9	372	2 797.9	2 590.9	192	2 782.9	-165	180	15
2015	2 505.9	372	2 877.9	2 670.9	192	2 862.9	-165	180	15
2016	2 625.9	372	2 997.9	2 790.9	192	2 982.9	-165	180	15
2017	2 698.4	372	3 070.4	2 863.4	192	3 055.4	-165	180	15
2018	2 818.4	372	3 190.4	2 983.4	192	3 175.4	-165	180	15
2019	2 908.4	372	3 280.4	3 073.4	192	3 265.4	-165	180	15
2020	2 998.4	372	3 370.4	3 163.4	192	3 355.4	-165	180	15

从电源优化扩展规划还可以看出，有、无小浪底水电站时，对三峡水电站送河南电网的容量利用有一定影响。由于2008年以后三峡非汛期送电量较少，其日电量仅相当于按最大容量发电2.5h，其工作位置在负荷图的尖峰，有小浪底水电站方案，2008～2010年有部分容量没有得到充分利用，反映到电源优化成果中，即该时期小浪底水电站的替代火电容量作用有所减小。在小浪底水库已经建成生效的情况下，为了使三峡水电站的容量能够被充分利用，需研究非汛期向河南送电的合理电量数值。

2.节约电网投资和运行费效益

小浪底水电站建成投产，可以相应减少火电站的装机容量，在未考虑水电站、火电站之间厂用电率差别的条件下，建设小浪底水电站可以减少河南电网1 650MW的火电站装机容量，可以相应减少火电站的投资和运行费用。电源优化成果表明，有、无小浪底水电站时，规划期内河南电网的电源建设投资差别累计为84.80亿元(见表15-3-9，2001年投产的火电机组，其各年投资已折算到2001年年初)。有、无小浪底水电站时电网各年运行费差别随小浪底水电站容量效益的逐年发挥，其值也越来越大，到2010年以后，有、无小浪底水电站时电网年运行费差别将达到40 129万元，此即为小浪底水电站节约电网的火电站运行费效益。

3.节约电网燃料费效益

小浪底水电站投入运用10年后，其发电量已接近正常运用期多年平均发电量，其值约58亿kW·h。小浪底供电河南电网，可以直接减少火电机组的发电量，节约煤炭消耗，有、无小浪底水电站时河南电网的燃料费用差别见表15-3-9。从表15-3-9中可以看出，由于小浪底水电站的调峰作用，减小了火电机组的调峰幅度，降低了火电机组的煤耗率，在小浪底水电站发电指标相同的条件下(2010年以后)，随着负荷和峰谷差的逐步增长，在没有新的调峰电源投入的条件下，有、无小浪底水电站时河南电网的燃料费用差别也逐步增大。

4.小浪底水电站的调峰效益

小浪底水电站作为河南电网的骨干调峰电站，在目前河南电网严重缺乏调峰容量的条件下，其调峰运用可以减少火电机组的启停调峰容量或降低火电机组的调峰幅度。在考虑三峡水电站按国家计委批准的方案向河南电网送电、宝泉抽水蓄能电站按设计投产年份投入的条件下，无小浪底水电站时，在规划期各年河南电网均缺乏调峰容量，需要部分火电机组启停调峰，而有小浪底水电站方案可基本解决河南电网2010年前后的调峰问题，但2015年以后电网的调峰问题又逐渐突出。从表15-3-9可以看出，在小浪底水电站发电指标相同的条件下(2010年以后)，随着负荷和峰谷差的逐步增长，在没有新的调峰电源投入的条件下，有、无小浪底水电站时河南电网的启停费用也逐步增加。

5.小浪底水电站的发电经济效益

小浪底水电站的建设，不仅可以大量节省河南电网的电源建设投资、运行费和燃料费，而且可以明显改善电力系统的运行条件，缓解电网的调峰矛盾，减少火电机组的启停调峰费用。将各年的投资费用折算到规划起始年份2001年的年初，则有小浪底水电站方案河南电网电源建设的投资和运行费用现值总计为1 266.97亿元，无小浪底水电站方案为1 424.06亿元，其差值为157.09亿元，此即为小浪底水电站的发电经济效益。

表 15-3-9　有、无小浪底水电站时河南电网各年投资费用　(单位:万元)

年序	有小浪底				无小浪底				差值			
	投资	运行费	燃料费	启停费	投资	运行费	燃料费	启停费	投资	运行费	燃料费	启停费
2001	1 689 009	13 882	506 014	11 442	2 290 248	27 763	525 671	27 973	601 239	13 881	19 657	16 531
2002	401 412	37 516	538 908	9 821	429 657	60 926	571 334	39 711	28 245	23 410	32 426	29 890
2003	421 318	61 150	575 557	7 069	444 008	88 690	611 648	51 189	22 690	27 540	36 091	44 120
2004	481 281	76 111	590 585	10 541	471 820	109 051	634 239	52 350	−9 461	32 940	43 654	41 809
2005	396 964	103 874	628 368	4 306	423 622	132 685	670 971	43 504	26 658	28 811	42 603	39 198
2006	261 062	131 638	678 250	4 843	340 586	163 523	721 501	46 553	79 524	31 885	43 251	41 710
2007	363 242	153 775	713 812	8 537	436 897	188 620	756 805	44 243	73 655	34 845	42 993	35 706
2008	474 534	181 538	766 513	10 174	496 781	212 254	809 447	44 501	22 247	30 716	42 934	34 327
2009	492 466	207 467	830 146	3 851	493 459	238 183	872 945	15 347	993	30 716	42 799	11 496
2010	425 820	210 542	867 578	0	428 016	246 542	910 248	1 921	2 196	36 000	42 670	1 921
2011	406 812	234 176	907 459	0	406 812	274 305	954 966	3 654	0	40 129	47 507	3 654
2012	401 676	261 939	953 004	0	401 676	302 069	1 000 353	6 349	0	40 130	47 349	6 349
2013	385 608	289 703	1 000 018	0	385 608	329 832	1 047 234	11 312	0	40 129	47 216	11 312
2014	371 410	317 466	1 048 531	0	371 410	357 595	1 095 640	18 164	0	40 129	47 109	18 164
2015	365 302	336 747	1 089 440	644	365 302	376 877	1 137 070	23 531	0	40 130	47 630	22 887
2016	313 833	364 511	1 126 178	2 317	313 833	404 640	1 173 856	30 916	0	40 129	47 678	28 599
2017	252 510	381 467	1 164 305	3 737	252 510	421 596	1 212 022	36 843	0	40 129	47 717	33 106
2018	139 068	409 230	1 203 424	7 192	139 068	449 360	1 251 188	45 144	0	40 130	47 764	37 952
2019	62 568	431 471	1 243 660	10 121	62 568	471 600	1 291 466	49 498	0	40 129	47 806	39 377
2020	0	453 712	1 285 480	13 195	0	493 841	1 333 329	54 075	0	40 129	47 849	40 880

第十六章 经济评价

小浪底水利枢纽工程的开发目标是以防洪、防凌、减淤为主,兼顾供水、灌溉、发电,除害兴利,综合利用。小浪底水利枢纽水库总库容 126.5 亿 m^3,永久性淤沙库容 72.5 亿 m^3,长期有效库容 51 亿 m^3,其中滩库容 41 亿 m^3、槽库容 10 亿 m^3,库区支流河口拦门沙坎淤堵支流库容 3 亿 m^3,电站总装机容量为1 800MW,共 6 台机组,每台 300MW。工程建成后,可使黄河下游防洪标准由 60 年一遇提高到近千年一遇,基本解除黄河下游凌汛威胁;水库拦沙 100 亿 t,减少下游河道淤积 78 亿 t,相当于 20 年下游河床不淤积抬高;每年3~6 月灌溉高峰期可增加黄河下游灌溉引水量 16.75 亿 m^3,大大改善下游农业灌溉和城市供水条件;为河南电网提供宝贵的调峰电源。

水利部小浪底水利枢纽工程建设管理局(黄河水利水电开发公司)是小浪底水利枢纽工程的项目业主,承担项目筹资、建设、运营、还贷及国有资产保值增值等职责。小浪底水利枢纽工程于 1991 年 9 月开始前期准备工程施工,1994 年 9 月主体工程开工,1997 年 10 月 28 日实现大河截流,2000 年、2001 年分别有 3 台机组投产,2001 年底枢纽工程全面竣工。

小浪底水利枢纽建设项目经济评价包括国民经济评价和财务评价。

第一节 国民经济评价

小浪底项目是综合利用水利建设项目,国民经济评价对项目整体进行评价。

小浪底项目部分利用外资,国民经济评价主要进行国内投资的效益评价,同时进行项目全部投资的效益评价,综合评价项目的经济性。两种角度评价的效益是相同的,主要差别是它们的费用范围不同。国内投资经济评价是以项目国内投资和国外借款的还本付息支出作为项目的费用,全部投资经济评价是以项目全部投资为项目费用。

一、主要参数

(一)社会折现率

社会折现率是建设项目经济评价中计算经济净现值的折现率,并作为评价经济内部收益率的基准值,采用 12%。

(二)影子价格

国民经济评价中的项目投入物和产出物使用影子价格计算,反映其真实价值。根据目前我国市场情况和项目采用的财务价格分析,财务价格和影子价格换算系数采用 1.0。

(三)计算期

计算期包括建设期和运行期,小浪底水利枢纽工程建设主工期 8 年(1994~2001 年),正常运行期取 50 年(2002~2051 年),计算期计 58 年(其中主工期 8 年,正常运行期

50年)。

(四)价格水平年和基准年

价格水平年为1996年,基准年为1994年,基准点为1994年初。

二、费用分析

(一)全部投资

小浪底水利枢纽工程的全部投资包括项目固定资产投资、流动资金、年运行费和更新费用等。

1.概算投资

根据黄委会设计院1996年5月编制的“黄河小浪底水利枢纽内外资修改概算”,国家计委分别以计建设[1997]1332号《国家计委关于小浪底水利枢纽工程枢纽部分调整概算的批复》、计建设[1997]1249号《国家计委关于小浪底水利枢纽工程第一期水库淹没处理补偿投资调整概算的批复》、计投资[1998]2018号《国家计委关于小浪底水利枢纽工程第二、三期水库淹没处理补偿投资调整概算的批复》等批复小浪底水利枢纽工程概算1995年底价格水平静态投资266.88亿元,其中外币11.33亿美元(汇率为1美元兑换8.32元人民币),详见表16-1-1。

表16-1-1　小浪底水利枢纽概算成果

编号	工程项目	内资(万元)	外资(万美元)	合计(万元)
Ⅰ	枢纽工程	1 073 558	104 049	1 939 246
一	前期准备工程	71 100	0	71 100
二	建筑工程	510 617	84 060	1 209 996
三	机电设备及安装工程	106 196	9 749	187 308
四	金属结构设备及安装工程	50 489	265	52 694
五	临时工程	50 852	0	50 852
六	其他费用	157 593	3 151	183 809
	一~六部分合计	946 847	97 225	1 755 759
七	基本预备费	56 711	6 824	113 487
八	专项预备费	70 000	0	70 000
Ⅱ	水库淹没处理补偿费	652 282	9 282	729 508
Ⅲ	静态投资总计	1 725 840	113 331	2 668 754

2.国民经济评价投资调整

根据国家计委和建设部1993年颁布的《建设项目经济评价方法与参数》的规定,在进行国民经济评价时,对于在项目效益和费用中占比重较大,或者价格明显不合理的投入物和产出物,应以影子价格代替财务评价中的现行价格进行效益和费用计算,同时还应剔除属于国民经济内部转移的税金、计划利润、借款利息以及各种补贴等。因此,需对小浪底水利枢纽的概算投资进行如下调整。

(1)小浪底水利枢纽工程一部分采用的是国际招标、一部分采用的是国内招标,工程中采用的价格均为市场价,财务价格和影子价格的换算系数采用1.0。

(2)汇率调整。小浪底水利枢纽概算中使用外币投资11.33亿美元,汇率为1美元兑换8.32元人民币。根据水利部发布的《水利建设项目经济评价规范》(SL72—94)规定影子汇率应为1美元兑换8.32×1.08元人民币,按此汇率对概算中的外币投资进行调整。

(3)剔除概算中的国民经济转移性支付。概算单价中的利润和税金,国民经济评价投资中予以剔除。

(4)水库淹没处理补偿费用,按规定应以机会成本法进行调整,在本工程国民经济评价中没有进行调整。

经以上调整,小浪底水利枢纽静态投资由概算的266.88亿元调整为257.01亿元,详见表16-1-2。国民经济评价采用投资为257.01亿元。

表16-1-2　小浪底水利枢纽投资调整　(单位:万元)

编号	工程项目	调整前	调整后
Ⅰ	枢纽工程	1 939 246	1 912 238
一	前期准备工程	71 100	71 100
二	建筑工程	1 209 996	1 205 046
三	机电设备及安装工程	187 308	191 263
四	金属结构设备及安装工程	52 694	51 666
五	临时工程	50 852	44 787
六	其他费用	183 809	167 111
	一～六部分合计	1 755 759	1 730 973
七	基本预备费	113 487	111 265
八	专项预备费	70 000	70 000
Ⅱ	水库淹没处理补偿费	729 508	657 890
Ⅲ	静态投资总计	2 668 754	2 570 128

3.流动资金

流动资金包括维持项目正常运行所需购买燃料、材料、备品、备件和支付职工工资等的周转资金,国民经济评价采用财务分析中的值,流动资金为0.45亿元,不再进行价格调整。

4.年运行费

年运行费包括职工工资、材料动力费、工程维护费、库区维护费、管理费等。

(1)职工工资及福利费。该项包括枢纽生产运行、管理等人员的年工资总额,枢纽总编制为1 561人,职工年平均工资水平为10 000元/人,职工福利费为工资总额的14%,失业保险金3%,劳保统筹17%,住房基金10%,医疗保险金8%,养老保险28%。估算职工工资及福利费为0.28亿元。

(2)工程维护费。该项包括枢纽工程的大修和正常生产运行中的生产、维护、防汛和养护所需费用,按固定资产价值的1.2%计为4.17亿元。

(3)管理费用。该项包括基层管理费和总公司管理费。基层管理费按工资和福利费的40%计,总公司管理费按工资及福利费的110%计,估算管理费用为0.42亿元。

(4)其他费用。该项包括库区维护费、直接材料费等。库区维护费按每1kW·h提取5厘计算,直接材料费按水电站的定额1.4元/kW计取。

根据以上各项计算,枢纽正常运行期的年运行费为5.14亿元。考虑项目国民经济评价投资调整情况,年运行费调整为国民经济评价费用为4.94亿元。

5.更新费用

小浪底水利枢纽工程主要包括挡水工程、泄洪工程、引水发电工程、发电工程、变电工程等。这些工程建筑物的使用寿命一般比较长,但其中的发电设备、变电装置、金属结构等寿命较短,一般在20～30年。在本次计算期内,对机电设备、金属结构按25年使用期更新一次。

(二)国内投资

小浪底项目全部投资中,固定资产投资部分利用外资,以国内投资为基础进行评价时,在全部投资中扣除外资部分,同时增加外资借款的本金偿还和利息、承诺费、手续费支付作为费用。

三、效益分析

小浪底水利枢纽具有巨大的防洪、防凌、减淤、供水、灌溉和发电等综合利用效益。

(一)防洪经济效益

1.防洪经济效益计算方法

工程的防洪效益是通过有无对比的方法获得的,无工程情况下的洪灾损失和有工程情况下的洪灾损失的差值即为工程的防洪效益。防洪效益与灌溉效益、发电效益不同,它不是直接创造财富,而是把由于修建防洪工程减少的洪灾损失作为效益。因此,防洪工程效益只有当遇到原来不能防御的洪水时才能体现出来。如果遇不上这类洪水,效益就体现不出来,也有称这种效益为“潜在效益”或“影子效益”。

1)多年平均防洪效益计算方法

小浪底水利枢纽防洪经济效益计算,是采用“频率法”分别求出修建与不修建小浪底水利枢纽两种情况下,黄河下游各防洪受益区的多年平均洪灾损失值,两者之差即为小浪底水利枢纽的多年平均防洪效益,然后考虑洪灾增长率计算工程经济计算期内各年的防洪经济效益。

采用频率法计算多年平均防洪效益,首先分析有小浪底情况下和无小浪底情况下发生不同频率洪水的洪灾经济损失,然后计算有小浪底情况下和无小浪底情况下洪灾损失的差值。小浪底工程多年平均防洪效益计算公式如下:

$$\Delta S = S_0 - S \tag{16-1-1}$$

式中　ΔS——小浪底工程多年平均防洪效益;

S_0——无工程情况下多年平均洪灾损失;

S——有工程情况下多年平均洪灾损失。

“频率法”计算多年平均洪灾损失的公式为:

$$S = \sum_{P=0}^{1} \frac{1}{2}(P_{i+1} - P_i)(S_i + S_{i+1}) \tag{16-1-2}$$

式中　S——多年平均洪灾经济损失；

P_i、P_{i+1}——两相邻频率；

S_i、S_{i+1}——两相邻频率的洪灾经济损失。

2)洪灾损失计算方法

在一定防洪工程条件下，发生某种频率洪水以后可能产生的洪灾经济损失，与以下因素有关：

(1)防洪工程失事的可能性。发生某种频率洪水情况下，防洪工程有两种可能，即安全运用或发生失事灾害。发生超标准洪水工程一般难以安全运用，发生失事灾害的概率较大。发生防洪工程防御标准以内的洪水，工程一般可以安全运用，但由于防洪工程的可靠性并非100%，仍有可能发生失事灾害，但其发生的概率相对较低。判断防洪工程在发生一定频率洪水情况下是否会发生失事灾害、发生失事灾害的概率是多少，是洪灾损失分析的第一步，也是很关键的一步。分析防洪工程发生失事灾害的概率，需要研究防洪工程的质量及整体防洪能力，评估发生不同频率洪水情况下工程的可靠度。

(2)防洪工程失事以后的成灾状况。发生失事灾害以后，洪水的成灾状况包括决口流量、行洪流速、洪水的淹没范围、淹没水深的时间与空间分布等。确定洪水成灾状况的分析方法有多种，包括地貌学方法、实际洪水调查法、水文学方法、水文水力学数值模拟方法、水力学方法等。水文学方法可分为水面线法与容积曲线法两类方法。水力学方法分为实体模型模拟法和洪水数值模拟法。黄河下游各地区的洪水成灾状况分析，根据各地区具体情况采用了多种分析方法，大堤保护区采用水力学数值模拟法，滩区采用水文学水面线法，东平湖滞洪区采用水文学容积曲线法。

(3)淹没区的各类资产存量和经济发展水平。洪水灾害影响范围大、涉及面广，各类资产洪灾损失识别非常复杂。首先要对各类财产存量进行分类。根据黄河下游洪水风险区财产特点和统计部门的分类习惯，并考虑各类财产承受洪灾能力的差异，把财产分为10大类，分别为农业、基础设施、交通及运输业、邮电及通讯业、工业及建筑业、商业及饮食业、行政事业、金融及保险业、城市家庭财产、农村家庭财产。在各类财产分类的基础上进行典型调查分析和面上统计，获取各类财产存量指标以及第一、第二、第三产业的GDP指标。

(4)不同淹没情况下各类资产的损失率。洪灾损失率，指遭受洪灾地区各类财产的损失值与灾前财产原有价值或正常年份各类财产值之比。它是洪灾损失估算的关键因素之一，与洪水类型、淹没深度、历时、季节、预见期、抢救措施及各类财产的抗洪能力等因素有关。在本地区没有比较系统的洪灾损失资料可供借鉴，洪灾损失率分析通过总结已有洪灾损失率研究成果，参考近年来现场调查的其他地区洪灾损失率关系，并考虑保护区的实际情况调整拟定。按照财产调查中的财产分类，分别建立各项财产洪灾损失率与洪水要素之间的关系。

2.黄河下游大堤保护区洪灾经济损失计算模型

为了分析计算黄河下游大堤保护区发生决堤洪水的洪灾经济损失，开发了以水力学数值模拟方法为基础的洪灾损失计算模型。该模型的功能是计算黄河下游发生一定频率洪水时不同防洪工程条件下的洪灾经济损失。模型的总体功能分解为三个核心功能。①人机交互功能:模型能够根据经济分析人员发出的指令执行相应的功能,完成经济分析人员预期的各种任务;②信息支持功能:模型具备数据的录入、编辑、查询等功能,并能为模型系统的计算提供支持;③减灾方案效益计算功能:模型能够根据经济分析人员的要求,从数据库中提取所需的各种信息,经有关模型计算,完成减灾方案的经济效益计算。

模型数据库系统包括地理信息数据库、水文信息数据库、社会经济数据库、财产资料数据库、洪灾损失率数据库等,其中地理信息数据库包括地形资料数据库、河流资料数据库、交通资料数据库和城市资料数据库等。主要计算模型包括洪水还原计算模型、决堤洪水演进二维非恒定流模型和减灾效益计算模型。

模型的工作流程如下:

(1)拟定防洪效益计算的洪水频率方案。

(2)分析无小浪底工程情况下发生不同频率洪水黄河下游大堤保护区洪灾经济损失:①分析无小浪底工程情况下不同频率的洪水过程;②根据黄河下游堤防工程状况,拟定发生不同频率洪水情况下,黄河下游大堤的决堤概率;③拟定洪水溃决出河水量过程,进行决堤洪水演进计算;④计算无小浪底工程情况下发生不同频率洪水黄河下游大堤保护区的洪灾经济损失。

(3)分析有小浪底工程情况下发生不同频率洪水黄河下游大堤保护区洪灾经济损失:①分析有小浪底工程情况下不同频率的洪水过程;②根据黄河下游堤防工程状况,拟定发生不同频率洪水情况下,黄河下游大堤的决堤概率;③拟定洪水溃决出河水量过程,进行决堤洪水演进计算;④计算有小浪底工程情况下发生不同频率洪水黄河下游大堤保护区的洪灾经济损失。

(4)计算小浪底工程的防洪效益,即有、无小浪底工程情况黄河下游防洪保护区洪灾经济损失的差值。

1)主要计算模型

a.决堤洪水二维非恒定流演进模型

黄河下游大堤决堤洪水二维数值模拟计算模型涉及范围很大,内部边界条件非常复杂,为了提高计算精度,在基本方程中考虑了对流项的影响。模型采用可以自动生成的矩形交错网格,选择差分格式为显隐式交替、三时间层格式的 ADI 计算方法。

(1)二维非恒定流模型基本控制方程。二维非恒定流模型忽略地形冲淤变化、风应力、黏性项和克氏力,以 η、μ_1、μ_2 为变量的基本方程为:

$$\frac{\partial \eta}{\partial t}+\frac{\partial}{\partial x_1}(Hu_1)+\frac{\partial}{\partial x_2}(Hu_2)=0 \tag{16-1-3}$$

$$\frac{\partial u_1}{\partial t}+u_1\frac{\partial u_1}{\partial x_1}+u_2\frac{\partial u_1}{\partial x_2}+g\frac{\partial \eta}{\partial x_1}+g\frac{u_1(u_1^2+u_2^2)^{1/2}}{C^2H}=0 \tag{16-1-4}$$

$$\frac{\partial u_2}{\partial t}+u_1\frac{\partial u_2}{\partial x_1}+u_2\frac{\partial u_2}{\partial x_2}+g\frac{\partial \eta}{\partial x_2}+g\frac{u_2(u_1^2+u_2^2)^{1/2}}{C^2H}=0 \tag{16-1-5}$$

式中 η——对应于某特定水面的水面波动值;

H——实际水深，$H = h + \eta$；

h——对应于某特定水位的水深值；

x_1、x_2——x_1、x_2 方向的距离；

u_1、u_2——x_1、x_2 方向的流速；

t——时间；

g——重力加速度；

C——糙率。

上述基本方程适用于流动区域无源汇的情况，如存在源汇项（如降雨、入渗等）可在式(16-1-3)中进行体现。研究地区的源汇项主要有入渗、降雨、蒸发等。分析认为，在洪水演进过程中入渗因素影响比较明显，故在模型中考虑了入渗过程影响。

(2)地形及边界条件的处理。地形及边界条件的处理包括网格高程、城镇、道路、涵闸、河道等的处理和糙率的选取等。糙率是洪水演进计算中的重要参数。黄河下游防洪保护区地面条件非常复杂，参考美国水土保持部在试验基础上提出的不同植被条件、不同阻滞水流程度的糙率分析成果和国内相关研究成果，结合洪泛区汛期植被类型、淹没特点，综合选取糙率：淹没水深大于等于 0.9m 时，糙率取 0.035；淹没水深小于 0.9m 时，糙率取 0.070。

b.减灾效益计算模型

减灾效益计算的主要内容是洪灾损失计算。洪灾损失计算方法为：根据某堤段某一流量决堤洪水的演进计算成果，得到淹没区内不同水深等级的淹没面积；由调查分析的各类财产不同水深等级的洪灾损失率，计算该场洪水每种财产的综合洪灾损失率；根据调查分析的典型地区财产及社会经济资料，计算典型地区财产洪灾损失价值和单位洪灾损失指标；根据洪水演进的总淹没面积，计算淹没区财产损失的总价值。

从洪灾损失的组成分析，洪灾损失计算包含了多种因素：

(1)洪灾直接经济损失。决溢洪水淹没地区除面上洪灾损失以外，还包括重要城市、设施的洪灾损失，以及减免沙压耕地洪灾损失等。通过财产调查，当年的直接洪灾损失可用计算式表示为：

$$B_{\text{当年直接洪灾损失}} = B_{\text{面上损失}} + B_{\text{重要城市}} + B_{\text{重要设施}} + B_{\text{沙压耕地}} \tag{16-1-6}$$

(2)全部洪灾经济损失。防洪经济效益包括直接经济效益和间接经济效益，间接经济效益是防洪工程体系减灾效益的重要组成部分。美国、澳大利亚等国有关机构分析不同部门洪灾间接损失均按其占直接损失的百分比计算。计入洪灾间接损失的全部防洪效益按下式计算：

$$B_{\text{当年减灾效益}} = (1 + k)B_{\text{当年直接洪灾损失}i} \tag{16-1-7}$$

式中　k——洪灾间接损失系数。

采用 Windows 环境的数据库开发工具 VisualFoxPro5.0 开发了减灾效益计算模型。

2)演示模型

洪水演进模型计算成果的配套演示模型，主要包括地形地物、水深分布、淹没范围、流速分布等演示功能。地形地物演示，可以显示区域内地面高程的变化趋势，道路、河流、城镇的相对位置；水深分布图可以显示区域内水深动态的变化过程，具有连续变化、取任一时层观察等功能。

3)模型计算参数

a.财产调查分类

黄河下游防洪保护区面积很大，主要是以农业经济为主导的县(县级市)、乡(镇)、村级单位。面上财产通过分析选择有代表性的县进行调查，用于代表保护区县级单位社会经济与财产的总体情况。重要城市、设施的受淹财产情况和耕地沙化损失单独统计分析。

县级单位财产总体状况以典型县财产为代表。典型县的选取标准为：该县的国民经济发展水平、公共及私人财产具有代表性，能够反映整个防洪保护区面上财产的平均水平。黄河下游防洪保护区的经济以农业生产为主，农民人均年纯收入基本上能够反映一个地区的国民经济发展水平和公私财产的积累情况。

根据县级单位财产特点、统计部门的分类习惯，并考虑各类财产承受洪灾能力的差异，通过系统分析，把县级单位财产分为10大类，共43小项。10大类分别为农业、基础设施、交通及运输业、邮电及通讯业、工业及建筑业、商业及饮食业、行政事业、金融及保险业、城市家庭财产、农村家庭财产。

b.重要城市、设施受淹及耕地沙化经济损失分析

保护区受洪灾影响较大的大中城市主要是新乡、开封等市。城市遭受洪灾损失的财产主要是市区工、商业财产及居民家庭财产。保护区的重要设施财产包括铁路、高速公路、油田等设施和产业的财产。洪水淹没区内铁路和高速公路的洪灾损失按冲毁一定长度铁路或高速公路的修复费用计算。保护的油田主要是中原油田。根据固定资产净值、存货等资产存量，按照油田受灾的洪灾损失率计算一次淹没洪灾经济损失。根据历史决溢情况，黄河大堤一旦决溢将在口门附近造成大面积的严重沙化，致使农田多年不能恢复耕种。据有关资料记载，可造成的沙化范围长10～15km、宽3～5km，折合耕地约10万亩(溃水流路沿程沙压面积不计)。沙压耕地损失按5年绝收计算。

c.保护区洪灾损失率关系

洪灾损失率，指遭受洪灾地区各类财产的损失值与灾前财产原有价值或正常年份各类财产值之比。它是洪灾损失估算的关键因素之一，与洪水类型、淹没深度、历时、季节、预见期、抢救措施及各类财产的抗洪能力等因素有关。在本地区没有比较系统的洪灾损失资料可供借鉴，洪灾损失率分析通过总结已有洪灾损失率研究成果，参考性移植近年来现场调查的其他地区洪灾损失率关系，并考虑保护区的实际情况调整拟定。按照财产调查中的财产分类，建立了各项财产洪灾损失率与洪水要素之间的关系。

d.地形地物参数

洪水演进计算的基本地理条件包括地形和地物两类。地形情况是指地面的高低起伏和地势走向，以地面高程表示。地物情况是指地面上对洪水演进的水流方向和流速等起主要影响作用的有形物体，包括河流、渠堤、铁路、公路、居民点等，涉及保护区12万km^2面积的地形和主要地物数据，通过数据库管理为模型计算提供支持。

3.小浪底水库的防洪作用

黄河下游是一条“地上悬河”，其防洪工程体系由干支流水库群、两岸堤防工程和分滞洪区组成。三门峡、故县、陆浑等水库对黄河下游的洪峰、洪量都有一定程度的削减作用，

但是若无小浪底水库,下游防洪仍存在以下问题:①黄河下游堤防工程的防洪标准仅60年一遇,防洪标准显然偏低;②对常遇较大洪水不能控制,仍存在溃堤失事的危险;③对特大洪水尚无妥善措施,下游安全问题无保证。

现状工程条件下,无论是遇到特大洪水,还是常遇较大洪水,黄河下游仍然存在决堤危险,两岸人民的生命财产均可能遭受毁灭性灾害。

小浪底水利枢纽修建后可以保持51.0亿m^3的长期有效库容,与已建成的干支流水库联合调度,对黄河下游防洪起到以下作用:

(1)可以使黄河下游防洪能力由现状的60年一遇提高到近千年一遇,使北金堤滞洪区的分洪概率由现状的60年一遇减小到近千年一遇。

(2)花园口站百年一遇洪水可以由目前的25 780m^3/s削减为15 700m^3/s,洪水演进到孙口,洪峰流量仅为1 3140m^3/s,超过10 000m^3/s的洪量为3.99亿m^3,仅东平湖老湖区分洪即可使艾山以下洪水安全入海。

(3)对于黄河下游常遇较大洪水,小浪底水利枢纽可以根据水沙情况灵活调度,不仅提高黄河下游河道的输沙能力,同时也减少下游滩地的淹没损失。

4.黄河下游洪水频率分析

根据水文资料和不同防洪工程体系的调洪原则,分别求出有、无小浪底水利枢纽情况下,黄河下游花园口站各级洪水出现的频率。

5.黄河下游洪水影响地区社会经济情况

黄河下游洪水影响地区包括黄河下游灌区、东平湖滞洪区、北金堤滞洪区以及大堤保护区。各区1996年基本情况见表16-1-3。

表16-1-3 洪水影响地区基本情况

地区	面积(km^2)	耕地(万亩)	村庄(个)	人口(万人)
黄河下游滩区	3 956	374.6	2 178	178.8
东平湖滞洪区	627	46.89	477	29.88
北金堤滞洪区	2 316	232.5	2 227	160.81
大堤保护区	120 000	10 775.81		8 509.59

注:1.黄河下游滩区包括封丘倒灌区。

2.北金堤滞洪区的人口不包括中原油田。

为了研究黄河下游发生洪水所造成的洪水淹没损失,1996年对黄河下游滩区的濮阳县、东平湖滞洪区的梁山县小安山乡、北金堤滞洪区的濮阳县及大堤保护区的封丘县进行了社会经济及财产调查。

1)黄河下游滩区

黄河下游河道自河南省孟津县至山东省垦利县入海口,全长800多公里,除右岸郑州黄河京广铁路桥以上和山东东平县十里铺至济南宋庄两段为山岭外,其余河段均依靠堤防来约束河水。堤距艾山以上宽5~15km,艾山以下宽0.5~5km。河道一般为复式河槽,主槽两岸除靠河的险工外均有广阔的滩地。下游河道总面积为4 647km^2(包括封丘倒灌区 407km^2),其中滩地面积3 956km^2,占河道总面积的 85%。滩地滞洪淤沙作用很大,汛期是宣泄洪水所必需的河道面积,平时是滩区群众生产生活的居住地。现沿河有滩地的县共 43 个,滩内有村庄2 178个,居住着 178.77 万人,耕地 374.5 万亩,其中封丘倒灌区有 240 个村庄,19.36 万人,39.68 万亩耕地。

根据 1996 年的抽样调查推算下游滩区 1996 年水平的总财产值为1 209 417万元(不考虑私人房屋折旧,下同),详见表 16-1-4。

表 16-1-4　　洪水影响地区社会经济及财产调查成果汇总(1996 年水平)

洪水影响地区	调查范围	项目	社会经济及财产情况	
			调查范围	整个地区
下游滩区	濮阳县	人口(万人)	10.85	178.77
		耕地(万亩)	18.52	374.5
		财产值(万元)	68 786	1 209 417
		人均值(元/人)	6 341	6 765
		亩均值(元/亩)	3 715	3 229
东平湖滞洪区	小安山乡	人口(万人)	3.63	29.88
		耕地(万亩)	7.8	46.89
		财产值(万元)	36 498	271 331
		人均值(元/人)	10 051	9 080
		亩均值(元/亩)	4 681	5 786
北金堤滞洪区	濮阳县	人口(万人)	65.73	160.81
		耕地(万亩)	9.69	232.5
		财产值(万元)	672 199	1 626 154
		人均值(元/人)	10 226	10 112
		亩均值(元/亩)	6 750	6 994
大堤保护区	封丘县	人口(万人)	68.88	8 509.59
		耕地(万亩)	92.62	10 775.81
		财产值(万元)	793 019	
		人均值(元/人)	11 513	
		亩均值(元/亩)	8 562	

2)东平湖滞洪区

东平湖滞洪区位于山东西部梁山县、东平县和平阴县境内,距黄河入海口约 364km,总面积为 627km^2,其中老湖区 209km^2、新湖区 418km^2。现有耕地 46.89 万亩,其中老湖区 10.8 万亩、新湖区 36.09 万亩。湖区共有 17 个乡镇,29.88 万人。

根据 1996 年抽样调查推算,1996 年水平东平湖滞洪区总财产值为271 331万元,详见表 16-1-5。

3)北金堤滞洪区

北金堤滞洪区总面积2 316km²,区内包括河南、山东两省的4市7县67个乡镇2 227个村庄,160.81万人(不包括中原油田),耕地232.5万亩。

根据1996年抽样调查推算,1996年水平北金堤滞洪区总财产值为1 626 154万元。详见表16-1-5。

4)大堤保护区

黄河下游是一条“地上悬河”,已成为淮、海河流域的分水岭,河水靠两岸大堤束范。两岸大堤一旦决口,洪水将泛滥黄淮海平原广大地区,中华人民共和国成立前的数千年间,黄河下游在黄淮海大平原上不断迁徙改道,决溢泛滥的范围波及河南、河北、安徽、江苏和山东等五省,总面积达25万km²。

黄河下游改走现行河道以来,上段河道从沁河口至兰考东坝头,走河历时已达五六百年,东坝头以下河段的1855年改道至今已有140余年。在1949年中华人民共和国成立前的长时段内,各个河段都发生过频繁的决溢灾害。根据历史决溢流路和泛区范围的文献记载,以及现在的地形地物情况综合分析,在不发生重大改道的条件下,现行河道决溢影响范围约12万km²。

黄河下游河长800余公里,在不同河段决溢,决溢影响范围不同,根据历史决溢情况分析,决溢口门位置越靠上游,淹没影响的范围越大;在大洪水年,往往在几个河段内发生决溢,或在一个河段内多年决溢。本次为了计算简便,假设决溢口门发生在沁河口至原阳河段,洪水影响范围33 000km²,成灾面积15 000km²,淹没耕地1 500万亩;如果不包括北金堤滞洪区面积,淹没耕地为1 267.5万亩。

选取封丘县作为大堤保护区面上财产代表区。据统计,1996年水平全县财产总价值为793 019万元,亩均8 562元,人均11 513元(见表16-1-4)。

另外,在大堤决溢影响范围内,还有重要城市新乡、中原油田以及京广(郑州—新乡)、新菏(新乡—菏泽)、京九(台前—临清)、津浦(济南—德州)等铁路干线。

据调查,新乡市现有人口69.01万,1996年全市(不包括所辖县)工业总产值105.23亿元,工业净产值为29.46亿元,人均工业净产值4 269元(见表16-1-5)。

表16-1-5 新乡市工、商业统计资料(1996年)

项目	单位	数量	项目	单位	数量
人口	万人	69.01	固定资产净值	万元	680 096
社会劳力	万人	35.88	人均固定资产原值	元	13 026
工业总产值	万元	1 052 383	人均工业净产值	元	4 269
工业净产值	万元	294 620	商业企业固定资产	万元	13 426
固定资产原值	万元	898 939	商业企业库存	万元	13 291

6.多年平均防洪经济效益计算

潜在淹没损失是指某一特定地区遭遇一场洪水,而可能蒙受的最大损失。它与该地区的经济结构、经济状况、财产价值以及各类财产的洪灾损失率有关。

潜在淹没损失指标分析方法很多,本次采用的是根据水平年洪水受淹地区的社会经济及财产调查，求得该地区各类财产值，然后再根据可能蒙受最大损失时不同财产的面上平均损失率，求两者的乘积即得该地区的潜在淹没损失，再除以受淹面积即得单位面积损失指标。

1）黄河下游滩区

总潜在淹没损失 682 025 万元，折合每亩耕地 1 821 元。

2）东平湖滞洪区

总潜在淹没损失 172 362 万元，折合每亩耕地 3 676 元。

3）北金堤滞洪区

北金堤滞洪区分洪淹没损失分两部分：一是面上综合损失；二是中原油田损失。面上综合损失计算结果，总潜在淹没损失989 719万元，折合每亩耕地4 257元。中原油田分洪 20 亿 m^3 时潜在淹没损失为 20.4 亿元，分洪 10 亿 m^3 时潜在淹没损失为 14.4 亿元。

4）大堤保护区

采用黄河下游决堤洪灾损失模型计算，黄河下游大堤一次决堤潜在淹没损失为 677.41 亿元。

各区洪灾损失指标汇总见表 16-1-6。

表 16-1-6　各区洪灾损失指标汇总

受淹地区	洪水情况		损失指标	
			单位	数量
下游滩区	花园口洪峰流量	$>15\ 000 m^3/s$	元/亩	1 821
		$<15\ 000 m^3/s$	元/亩	1 220
东平湖滞洪区			元/亩	3 676
北金堤滞洪区(不包括油田)	分洪水量	20 亿 m^3	元/亩	4 257
		10 亿 m^3	元/亩	2 129
中原油田	分洪水量	20 亿 m^3	亿元/次	20.4
		10 亿 m^3	亿元/次	14.4
大堤决溢(不包括中原油田和北金堤滞洪区)			亿元/次	677.41

5）洪灾损失增长率

洪灾损失指标是 1996 年水平，根据各淹没区的社会经济情况，计算期内采用不同的洪灾损失增长率。

6）多年平均防洪经济效益估算

根据以上分析成果采用“频率法”分别求得修建小浪底水利枢纽与不修建小浪底水利枢纽两种情况下，下游滩区、北金堤滞洪区、中原油田、东平湖滞洪区和大堤以外保护区（不包括北金堤和中原油田，下同）等五部分的多年平均洪灾损失，两者之差即为小浪底水利枢纽工程的多年平均防洪经济效益。

计算期内，小浪底水利枢纽全部防洪效益现值为 40.23 亿元。

（二）防凌经济效益

1. 黄河下游凌情及防凌现状

历史上黄河下游凌汛灾害十分频繁，1883～1936 年的 54 年中有 21 年发生了凌汛决口。中华人民共和国成立后，政府对黄河凌情十分重视，采取了一系列的措施，初步形成了“上拦下分”的防凌体系，实现了30多年无决口，但是无小浪底情况下黄河下游的防凌形势还很严峻，其主要原因如下：

(1)黄河上游龙羊峡、刘家峡两水库的联合调度运用，使得黄河下游凌汛期的来水量明显增加，增加了下游防凌调节的负担。

(2)为黄河下游防凌调节的库容只有三门峡水库提供防凌库容18.0亿 m^3(受潼关高程限制)，很难全部承担下游的防凌调节任务。

(3)虽然下游也开辟了分凌区，但由于凌汛影响因素多，凌情复杂多变，调度运用有困难，而且一旦分凌将会造成严重的经济损失。

2.小浪底水库的防凌作用

小浪底水库建成后可提供20亿 m^3 的防凌库容与三门峡水库联合为黄河下游防凌调节运用(三门峡水库为了不影响潼关高程，提供15亿 m^3 防凌库容，而且由小浪底水库先防凌运用)。为分析小浪底水库防凌作用，根据三门峡水库多年来对下游防凌运用的实践经验，拟定小浪底、三门峡两水库联合防凌运用方式，按有、无小浪底水库工程两种情况，对2000年设计水平1951～1975年25年代表系列，考虑龙羊峡、刘家峡两水库调度运用条件下的三门峡非汛期来水条件，进行防凌模拟调度，从而求得25年系列各年所需的防凌总库容。小浪底、三门峡两水库联合防凌运用情况见表16-1-7。

表16-1-7 小浪底、三门峡两水库联合防凌运用情况

年份	两水库联合运用防凌总库容(亿 m^3)	工程运用情况						
		无小浪底工程			有小浪底工程			
		三门峡	北展	南展	小浪底	三门峡	北展	南展
1951	9.46	V	–	–	V	–	–	–
1952	–	–	–	–	–	–	–	–
1953	10.22	V	–	–	V	–	–	–
1954	11.78	V	–	–	V	–	–	–
1955	16.23	V	–	–	V	–	–	–
1956	18.31	V	V	–	V	–	–	–
1957	20.65	V	V	–	V	V	–	–
1958	9.76	V	–	–	V	–	–	–
1959	24.37	V	V	–	V	V	–	–
1960	10.53	V	–	–	V	–	–	–
1961	13.93	V	–	–	V	–	–	–
1962	–	–	–	–	–	–	–	–
1963	17.52	V	–	–	V	–	–	–
1964	19.63	V	V	–	V	–	–	–
1965	–	–	–	–	–	–	–	–

续表 16-1-7

年份	两水库联合运用防凌总库容（亿 m^3）	工程运用情况						
		无小浪底工程			有小浪底工程			
		三门峡	北展	南展	小浪底	三门峡	北展	南展
1966	12.51	V	-	-	V	-	-	-
1967	18.60	V	V	-	V	-	-	-
1968	24.27	V	V	V	V	V	-	-
1969	32.29	V	V	V	V	V	-	-
1970	13.64	V	-	-	V	-	-	-
1971	22.21	V	V	V	V	V	-	-
1972	4.77	V	-	-	V	-	-	-
1973	2.18	V	-	-	V	-	-	-
1974	10.07	V	-	-	V	-	-	-
1975	10.98	V	-	-	V	-	-	-

注："V"表示投入防凌运用；"-"表示不投入防凌运用。

从表 16-1-7 中可以看出，小浪底水库投入与三门峡水库联合防凌运用后，不仅可以完全免除黄河下游山东河段的"南展"和"北展"两个展宽区的分凌运用，同时还可以大大减少三门峡水库的防凌运用（由 23 次减少为 4 次），而且显著降低三门峡水库的防凌运用蓄水位，这些都对潼关以下三门峡库区及渭河下游和小北干流有利。

3. 防凌效益分析计算

从防凌作用分析结果可以看出，小浪底水库的防凌效益体现在减免黄河下游山东河段两个展宽区分凌的淹没损失和减轻三门峡水库防凌运用负担两个方面，但由于后者效益计算比较复杂，且难以量化，故经济效益分析只计黄河下游山东河段两个展宽区分凌减免的淹没损失。

1）北展工程

黄河下游北展工程位于山东河段齐河县境内，目前该区居民已基本迁出，有耕地 8.7 万亩。该区社会经济情况与东平湖区近似，淹没损失指标参照东平湖滞洪区，按亩均进行计算，一次潜在淹没损失为 0.592 亿元。

2）南展工程

黄河下游南展工程位于山东河段垦利县境内，该区居民已全部迁出，有耕地 9.2 万亩以及高产油井和胜利油田的输水干线，淹没损失包括两部分：一是农田淹没损失；二是油田淹没损失。农田淹没损失指标参照东平湖滞洪区，油田淹没损失只计停产损失，经估算，一次潜在淹没损失为 1.012 亿元。

根据 25 年系列的防凌模拟计算，分别求得有、无小浪底水库情况下 25 年系列黄河下游两个展宽区的淹没损失值，两者之差即为小浪底水库 25 年系列防凌总效益，用算术平均求得年值。计算结果小浪底水库年平均防凌效益为 0.311 亿元。

计算期内小浪底水库防凌效益现值为1.95亿元。

(三)减淤经济效益

黄河下游是一条多泥沙河流,大量泥沙进入下游使河床逐年淤积抬高,形成了举世闻名的"地上悬河",洪水靠两岸堤防束范。目前,下游河道已高出两岸地面3~5m,个别地段达到10余米。由于河槽强烈淤积,主流游荡摆动频繁,大小水都常发生"横河"和"斜河"顶冲大堤险工,还发生"滚河"现象,素有黄河"善淤、善徙、善决"的特性,致使下游防洪极端困难。中华人民共和国成立以来,黄河下游两岸堤防已先后3次全面加高培厚,耗费了大量的人力、物力和财力。随着大堤的逐步加高,施工难度不断加大,堤防加高加固费用将会更多,防守也将更加困难。因此,减缓下游河道泥沙淤积,成为黄河治理开发的主要任务之一。

1.小浪底水库对下游河道的减淤作用

按2000年设计水平1919~1975年水沙条件进行有、无小浪底水库运用条件下下游河道冲淤计算,其结果如下。

1)无小浪底水库

无小浪底水库情况下,通过三门峡水库现状方案运用,经设计水平6个50年代表系列平均计算,黄河下游50年内总淤积量为202.18亿t,其中前20年淤积80.21亿t、后30年淤积121.97亿t。按河段划分,铁谢—花园口河段淤积量8.09亿t,花园口—高村河段淤积量103.15亿t,高村—艾山河段淤积量66.72亿t,艾山—利津河段淤积量24.22亿t。

根据黄河下游各河段的淤积量及相应的落淤面积,经计算,无小浪底水库情况下,6个50年代表系列平均,50年内全下游全断面平均淤积厚度4.42m(前20年1.70m,后30年2.72m),其中铁谢—花园口河段平均淤积厚度0.83m,花园口—高村河段平均淤积厚度5.16m,高村—艾山河段平均淤积厚度4.76m,艾山—利津河段平均淤积厚度2.48m。

2)有小浪底水库

小浪底水库建成运用后,经计算,6个50年代表系列平均,50年内黄河下游河道总淤积量为123.41亿t,其中前20年淤积量仅11.23亿t、后30年为112.18亿t。50年内下游河道平均淤积厚度2.70m,其中前20年仅0.22m、后30年为2.48m。

3)小浪底水库减淤作用

从上述有、无小浪底水库条件下黄河下游河道冲淤计算结果看出:小浪底水库建成后6个50年代表系列平均,50年内可减少下游河道淤积78.77亿t,其中前20年减淤量68.98亿t、后30年减淤量9.79亿t;50年内可使下游河道全断面平均淤积厚度减少1.72m,其中前20年全断面平均淤积厚度减少1.48m、后30年减少0.24m。

2.减淤经济效益计算

1)计算方法

小浪底水库减淤经济效益计算采用"替代工程费用法",即在保持黄河下游各河段设防流量不变的前提下,分别计算有、无小浪底水库条件下50年内下游堤防所需的投资,并将两者之差作为小浪底水库的减淤经济效益。

2)有、无小浪底水库条件下下游堤防投资估算

从小浪底水库对下游河道的作用可以看出,在无小浪底水库条件下黄河下游堤防50年内需加高4.42m,其中前20年需加高1.70m、后30年需加高2.72m。在有小浪底水库条件下黄河下游堤防需加高2.70m,其中前20年需加高0.22m、后30年需加高2.48m。为分析与之相适应的堤防投资,以黄委会于1986年所作的《黄河下游第四期(1986~1995年)堤防加固河道整治设计任务书》中的工程量为基础,按照1996年的影子价格,对有、无小浪底水库条件下50年内下游堤防主要土石方工程所需投资进行估算。其结果是:50年内下游防洪主要土石方工程投资,在无小浪底水库条件下为454.56亿元,其中前20年需156.07亿元、后30年需298.49亿元(见表16-1-8);在有小浪底水库条件下为304.01亿元,其中前20年为60.84亿元、后30年为243.12亿元(见表16-1-9)。

表16-1-8 无小浪底水库条件下黄河下游堤防工程量及投资

项目	2001~2020年			2021~2050年		
	土方(万 m^3)	石方(万 m^3)	投资(万元)	土方(万 m^3)	石方(万 m^3)	投资(万元)
一、堤防工程						
1.大堤加高	16 192.2		355 952.6	33 965.2		746 656.7
2.大堤加固	31 583.0		503 847.3	58 717.8		936 731.7
3.险工加高改建	2 027.6	800.4	180 034.9	4 253.1	1 678.9	377 646.5
4.涵闸、虹吸改建	655.2	17.5	47 348.9	1 374.5	36.7	99 320.3
5.防汛道路修建			11 070.6			16 605.9
二、河道整治工程	1 703.6	162.9	91 142.7	2 555.4	244.4	136 714.1
三、滩区治理工程	39 025.4		83 015.0	58 538.0		124 522.5
四、分滞洪区工程						
1.东平湖水库改建加固	1 236.0	119.8	53 324.6	1 854.1	179.7	79 987.0
2.北金堤滞洪区续建	2 790.4	212.1	93 114.3	5 853.3	444.9	195 319.3
一~四项合计			1 418 850.9			2 713 504.0
基本预备费			141 885.1			271 350.4
静态投资			1 560 736.0			2 984 854.4

3)小浪底水库对下游河道的减淤效益计算

从以上有、无小浪底水库条件下,黄河下游防洪主要土石方工程投资估算结果看出,小浪底水库建成运用后,50年内可节省费用150.55亿元(静态累计值),其中,前20年为95.23亿元,平均每年4.76亿元,后30年为55.32亿元,平均每年1.84亿元。减淤效益现值为18.93亿元。

需要指出的是,在下游防洪工程项目中,关于河道整治工程和滩区治理工程,在有、无

小浪底水库条件下，考虑所用投资相同，东平湖水库改建加固所需投资也相同，所不同的是堤防工程和北金堤滞洪区续建工程的投资。

表 16-1-9 有小浪底水库条件下黄河下游堤防工程量及投资

项目	2001～2020 年			2021～2050 年		
	土方（万 m^3）	石方（万 m^3）	投资（万元）	土方（万 m^3）	石方（万 m^3）	投资（万元）
一、堤防工程						
1. 大堤加高	1 877.2		41 267.2	25 649.4		563 849.8
2. 大堤加固	14 803.0		236 154.4	48 970.0		781 223.7
3. 险工加高改建	235.1	92.8	20 872.3	3 211.8	1 267.8	285 185.9
4. 涵闸、虹吸改建	76.0	2.0	5 489.4	1 037.9	27.7	75 003.4
5. 防汛道路修建			11 070.6			16 605.9
二、河道整治工程	1 703.6	162.9	91 142.7	2 555.4	244.4	136 714.1
三、滩区治理工程	39 025.4		83 015.0	58 538.0		124 522.5
四、分滞洪区工程						
1. 东平湖水库改建加固	1 236.0	119.8	53 324.6	1 854.1	179.7	79 987.0
2. 北金堤滞洪区续建	323.5	24.6	10 795.2	4 420.2	335.9	147 498.5
一～四项合计			553 131.4			2 210 590.8
基本预备费			55 313.1			221 059.1
静态投资			608 444.5			2 431 649.9

（四）灌溉经济效益

小浪底水利枢纽的供水任务包括黄河下游沿河城市工业及生活供水和沿河地区农业灌溉供水两个方面。其中沿河城市工业及生活用水有、无小浪底水库均需优先供给，且可达到其供水保证率95%。因此，小浪底水利枢纽的供水经济效益只计农业灌溉效益。

1. 灌区概况

据统计，1983～1995 年下游灌区年平均引黄水量达到 110 亿 m^3，其中最大年引水量达到 155 亿 m^3（1989 年），最小年引黄水量也达到 77.4 亿 m^3（1985 年），引黄灌溉面积由 2 363.7万亩发展到3 533万亩，其中正常灌溉面积由1 526.5万亩发展到2 772万亩。

2. 小浪底水库灌溉受益面积

根据河南、山东两省引黄灌溉发展规划，考虑到近年黄河下游引黄灌区实际引黄灌溉面积和黄河水资源的实际情况，从全河水资源的合理分配及下游引黄灌区旱、涝综合治理出发，将下游引黄灌溉面积控制在4 000万亩，此即小浪底水利枢纽的受益灌区面积。黄河下游引黄灌区灌溉发展规划见表 16-1-10。

表 16-1-10　　黄河下游引黄灌区灌溉发展规划　　(单位:万亩)

省份	地区	2000年		2010年		2020年	
		正常	补源	正常	补源	正常	补源
河南	北岸	340	130	340	223	340	223
	南岸	160	370	160	610	160	610
	合计	500	500	500	833	500	833
山东	北岸	620.7	1 134.5	620.7	1 134.5	620.7	1 134.5
	南岸	161.1	532.5	161.1	532.5	161.1	532.5
	利津以下	218.2	0.0	218.2	0.0	218.2	0.0
	合计	1 000	1 667	1 000	1 667	1 000	1 667
总计		1 500	2 167	1 500	2 500	1 500	2 500

3.小浪底水库的灌溉调节作用

小浪底水库在满足防洪、防凌、减淤和城市工业及生活用水要求并兼顾发电条件下，根据节水灌溉制度，充分利用水库调蓄能力，将黄河来水过程按需水要求进行优化调度，更好地适应引黄灌溉的要求，以增加黄河水量的利用价值。根据设计水平1919～1975年长系列分析计算，通过小浪底水库调节年平均可使花园口3～6月来水量由无小浪底水库条件下的72.6亿m^3增加到94.5亿m^3，调节径流量21.9亿m^3，使下游同期灌溉引水增加16.75亿m^3，10月～来年6月引黄水量达105.3亿m^3。

4.灌溉效益分析方法

小浪底水利枢纽灌溉效益分析采用系统分析方法，即以下游引黄灌溉面积(4 000万亩)、农业生产函数、作物种植结构、节水灌溉制度等为依据，采用系统分析方法建立灌溉优化的线性规划模型，并根据优化分析结果，进一步采用模拟技术进行长系列操作，最后得出有、无小浪底水库条件下黄河下游引黄灌区的多年平均灌溉效益，两者之差即为小浪底水库对下游灌区的多年平均灌溉效益。通过对比分析，优化模型和模拟模型的计算结果基本接近，考虑到优化模型计算的效益偏于理想，采用模拟模型计算成果较为可靠。

小浪底水利枢纽灌溉效益优化模型，是通过求解两个线性规划模型获得的。小浪底水利枢纽灌溉经济效益计算公式为：

$$Z = \max Z_1 - \max Z_2 \tag{16-1-8}$$

式中　Z——小浪底水库产生的黄河下游灌溉经济效益；

Z_1——有小浪底水库目标函数，有小浪底水库情况下黄河下游引黄灌区的灌溉经济效益；

Z_2——无小浪底水库目标函数，无小浪底水库情况下黄河下游引黄灌区的灌溉经济效益。

有小浪底水库情况下，黄河下游引黄灌区灌溉经济效益目标函数可表达为：

$$\max Z_1 = \sum_{i=1}^{np}\sum_{j=1}^{nc}\sum_{k=1}^{N(i,j)}[Y(i,j,k)P(j)A(i,j,k) - C(i,j)(1+r)A(i,j,k)] \tag{16-1-9}$$

式中 np——计算总省数，为2，依次为河南省、山东省；

nc——计算作物总数，为4，依次为小麦、玉米、棉花、水稻；

$N(i,j)$——i省j作物总灌水方案数；

$Y(i,j,k)$——i省j作物第k次灌水单位面积产量；

$A(i,j,k)$——i省j作物第k次灌水的灌溉面积；

$P(j)$——j作物影子价格；

$C(i,j)$——i省j作物单位面积农业生产费用；

r——农业投入合理的报酬率。

约束条件包括水量平衡约束、库容约束、防洪约束、防凌约束、供水约束、发电约束、灌溉面积约束、作物灌溉优先序约束、两省灌溉水量分配约束等。

无小浪底水库情况下，黄河下游引黄灌区灌溉经济效益目标函数可表达为：

$$\max Z_2 = \sum_{i=1}^{np}\sum_{j=1}^{nc}\sum_{k=1}^{N(i,j)}[Y(i,j,k)P(j)A(i,j,k) - C(i,j)(1+r)A(i,j,k)] \tag{16-1-10}$$

式中符号含义同前。

约束条件包括水量平衡约束、防凌约束、供水约束、灌溉面积约束、作物灌溉优先序约束、两省灌溉水量分配约束等。

采用改进单纯型法求解以上线性规划模型。通过系列年计算获得小浪底水利枢纽的多年平均灌溉经济效益。

5. 灌溉效益分析基本资料

1)径流系列

采用1919～1995年76年水文系列，黄河下游花园口断面天然来水量564.3亿m^3，小浪底断面天然年水量511.5亿m^3。2000年设计水平，小浪底水库净入库水量284.7亿m^3(已扣除库区用水和水库蒸发、渗漏损失)。

2)农作物水分生产函数与节水灌溉制度

农作物水分生产函数是指水分投入与作物产量之间的关系，是制定节水灌溉制度的重要依据。根据有关单位的科研成果，拟定河南、山东两省采用的作物需水量—产量关系和不同作物各灌水方案的灌溉制度及相应产量关系。

3)作物种植比例和渠系利用系数

根据小浪底水利枢纽世界银行二期贷款评估期间对黄河下游典型灌区调查资料的分析，得到黄河下游引黄灌区主要作物种植比例见表16-1-11，灌溉水利用系数见表16-1-12。

表16-1-11 黄河下游引黄灌区主要作物种植比例 (%)

水平年	省份	小麦	玉米	棉花	水稻	合计
1995	河南	70	65	30	5	170
	山东	73	65	25	2	165
2000	河南	70	65	30	5	170
	山东	75	68	25	2	170

表 16-1-12　　黄河下游引黄灌区灌溉水利用系数

水平年	省份	渠系利用系数	田间水利用系数	回归系数	灌溉水利用系数
1995	河南	0.50	0.86	0	0.46
	山东	0.59	0.90	0	0.53
2000	河南	0.52	0.86	0	0.45
	山东	0.62	0.93	0	0.58

4)农产品价格与成本

黄河下游农业生产成本主要根据1995年河南、山东两省价格成本调查队汇编的“1995年农产品成本与劳动生产调查资料”进行分析,分别对水、旱地的生产费用和人工费用进行统计,并考虑种子、化肥、用工的价格调查,计算不同作物水、旱地成本差。根据黄河下游引黄灌区目前灌溉水平,小麦、玉米、棉花、水稻亩均净灌溉定额分别为200m³、100m³、150m³、860m³。据此推算的不同作物每灌溉1m³水增加费用见表16-1-13。农产品价格采用1996年市场价格,见表16-1-14。

表 16-1-13　　河南、山东两省农业生产费用

项目	小麦	玉米	棉花	水稻
水地(元/亩)	278.88	180.60	427.02	342.69
旱地(元/亩)	127.10	108.20	255.78	
差值(元/亩)	151.78	74.40	171.24	342.69
灌水费用(元/m³)	0.758 9	0.724 0	1.141 6	0.398 0

表 16-1-14　　河南、山东两省1996年农产品市场价格　　(单位:元/t)

作物	小麦	玉米	棉花	水稻
价格	1 560	1 220	14 440	2 020

6.灌溉经济效益计算

1)无小浪底水库条件下黄河下游引黄灌区多年平均灌溉效益计算

无小浪底水库时,三门峡水库单独承担下游供水任务,根据三门峡水库的运用原则,采用模型对2000年设计水平1919~1995年系列进行模拟计算,结果表明,无小浪底水库条件下黄河下游引黄灌区多年平均灌溉效益为68.11亿元,其中河南灌区28.13亿元,占黄河下游总灌溉效益的41.3%,山东灌区39.98亿元,占下游总灌溉效益的58.7%。

2)有小浪底水库条件下黄河下游引黄灌区多年平均灌溉效益计算

根据小浪底水库正常运用期调节库容和运用原则,对2000年设计水平1919~1995年系列进行模拟计算,结果表明,有小浪底水库条件下,黄河下游灌区多年平均灌溉效益为86.61亿元,其中河南灌区35.03亿元,占总灌溉效益的40.4%,山东灌区51.58亿元,占总灌溉效益的59.6%。

3)小浪底水库灌溉经济效益

根据以上有、无小浪底水库条件下黄河下游灌区灌溉效益分析得知,小浪底水库正常运用期,可使下游灌区的多年平均灌溉效益由68.11亿元增长到86.61亿元,两者之差为

18.5 亿元，此即为小浪底水利枢纽的多年平均灌溉经济效益。小浪底水库灌溉效益现值为 77.89 亿元。

（五）发电经济效益

小浪底水利枢纽装机 180 万 kW，是河南电力系统中骨干调峰电源。它的建成不仅可为河南电网提供强大的电力，同时，可利用水电机组开停机灵活、迅速等特点，有效地解决电网缺少调峰容量的问题。

水电站发电经济效益是指向电网或用户提供容量和电量所获得的效益，一般可采用最优等效替代法和影子电价法计算，小浪底水利枢纽发电经济效益计算采用最优等效替代法。世界银行 1993 年评估时，采用加拿大 CYJV 公司的电力系统模拟模型 SYPCO，对河南电力系统有、无小浪底水电站两种方案分别进行电源扩展分析，求出两方案相应的总费用现值，两方案的差值即为小浪底水利枢纽的发电效益。

在优化扩展分析的基础上，选用火电替代指标，采用 1996 年价格水平进行等效替代费用的计算。

小浪底水利枢纽的任务是以防洪、防凌、减淤为主，为了提高黄河下游防洪、减淤效益，小浪底水库初期拦沙和调水调沙运用，采取主汛期低水位拦沙和调水调沙运用，逐步抬高汛期运用水位的水库运用方式，使小浪底水电站在初期运用水位较低，发电水头小于额定水头，有一定的容量受阻，随着水库主汛期运用水位逐步抬高，容量得以逐步发挥。在计算发电效益时，应根据电站装机容量逐年利用情况，分别计算其容量效益。

发电替代工程的指标为：

火电站厂用电率为 7%，水电站厂用电率为 0.2%；

火电站的机组年检修平均时间采用 45 天；

火电站的单位千瓦投资为 4 900 元；

火电站的年运行费为投资的 4.5%；

火电站的标准煤耗为 345g/(kW·h)；

火电站的标准煤价为 150 元/t。

替代火电站费用即为小浪底水利枢纽发电经济效益，发电效益现值为 74.56 亿元。

四、国民经济评价指标

根据以上分析的小浪底项目国民经济效益和费用指标，编制效益和费用流程表，计算项目的经济内部收益率、经济净现值和效益费用比等经济指标，评价项目的经济合理性。小浪底水利枢纽工程是部分利用外资贷款项目，应从以下两个方面分析项目的经济效益。

（一）国内投资为基础的效益费用分析

通过编制项目国内投资效益和费用流量表，分析项目国内投资的国民经济效益。国内投资的国民经济评价指标是项目的实际经济评价指标，是项目决策的主要依据。

以国内投资为基础，偿还外资借款的本金和支付其手续费、承诺费和利息为费用，编制小浪底项目国内投资的国民经济效益费用流量表（见表 16-1-15），计算项目国内投资的国民经济评价主要指标如下：

经济内部收益率为 20.2%；

经济净现值为 61.70 亿元；

经济效益费用比为 1.41。

表 16-1-15　　国民经济效益费用流量表(国内投资)　　(单位:亿元)

年份	费用						效益							净效益
	固定资产投资中国内投资	国外借款本金偿还	国外借款手续费、承诺费、利息支付	年运行费	流动资金	小计	防洪	防凌	减淤	灌溉	发电	回收流动资金	小计	
1994	14.73	0	0.43	0	0	15.16	0	0	0	0	0	0	0	-15.16
1995	8.48	0	1.02	0	0	9.50	0	0	0	0	1.43	0	1.43	-8.07
1996	14.12	0	1.77	0	0	15.89	0	0	0	0	5.91	0	5.91	-9.98
1997	15.87	0	2.76	0	0	18.63	0	0	0	0	12.41	0	12.41	-6.22
1998	20.02	0	3.62	0	0	23.64	0	0	0	0	18.14	0	18.14	-5.50
1999	29.52	0	4.35	0	0	33.87	0	0	0	0	18.29	0	18.29	-15.58
2000	22.95	0	5.09	2.81	0.26	31.12	7.38	0.35	4.76	18.50	14.87	0	45.86	14.74
2001	16.30	1.47	5.89	4.92	0.18	28.76	7.58	0.36	4.76	18.50	10.62	0	41.82	13.06
2002	9.73	2.94	6.08	4.93	0	23.68	7.79	0.37	4.76	18.50	7.71	0	39.13	15.45
2003	6.02	5.19	5.82	4.94	0	21.97	8.01	0.38	4.76	18.50	7.86	0	39.51	17.54
2004	3.63	5.95	5.41	4.94	0	19.93	8.23	0.40	4.76	18.50	8.68	0	40.56	20.63
2005	3.36	6.14	4.98	4.94	0	19.42	8.45	0.41	4.76	18.50	9.38	0	41.50	22.08
2006	0	6.23	4.53	4.94	0	15.70	8.69	0.42	4.76	18.50	9.17	0	41.54	25.84
2007	0	6.32	4.08	4.94	0	15.34	8.93	0.43	4.76	18.50	9.06	0	41.68	26.34
2008	0	6.42	3.62	4.94	0	14.98	9.18	0.44	4.76	18.50	8.44	0	41.33	26.35
2009	0	6.15	3.15	4.94	0	14.24	9.44	0.46	4.76	18.50	7.63	0	40.79	26.55
2010	0	5.89	2.70	4.94	0	13.53	9.70	0.47	4.76	18.50	7.45	0	40.88	27.35
2011	0	6.01	2.27	4.94	0	13.22	9.97	0.49	4.76	18.50	7.45	0	41.17	27.95
2012	0	6.12	1.84	4.94	0	12.90	10.26	0.50	4.76	18.50	7.45	0	41.46	28.56
2013	0	6.25	1.39	4.94	0	12.58	10.55	0.52	4.76	18.50	7.45	0	41.77	29.19
2014	0	5.03	0.93	4.94	0	10.90	10.85	0.53	4.76	18.50	8.48	0	43.11	32.21
2015	0	3.61	0.64	4.94	0	9.19	11.15	0.55	4.76	18.50	11.61	0	46.57	37.38
2016	0	3.56	0.41	4.94	0	8.91	11.47	0.56	4.76	18.50	16.16	0	51.46	42.55
2017	0	3.71	0.16	4.94	0	8.82	11.80	0.58	4.76	18.50	20.17	0	55.81	46.99
2018	0	0.46	0.04	4.94	0	5.44	12.14	0.60	4.76	18.50	20.28	0	56.28	50.84
2019	0	0.46	0.03	4.94	0	5.43	12.49	0.62	4.76	18.50	16.72	0	53.09	47.66
2020	1.08	0.46	0.03	4.94	0	6.51	12.85	0.63	4.76	18.50	12.32	0	49.07	42.56
2021	4.65	0.46	0.03	4.94	0	10.08	13.22	0.65	1.84	18.50	9.17	0	43.38	33.30
2022	9.85	0.46	0.02	4.94	0	15.27	13.61	0.67	1.84	18.50	8.60	0	43.22	27.95
2023	3.90	0.46	0.02	4.94	0	9.32	14.00	0.69	1.84	18.50	9.16	0	44.19	34.87
2024	2.02	0.46	0.02	4.94	0	7.43	14.41	0.71	1.84	18.50	9.63	0	45.10	37.67
2025	2.29	0.46	0.01	4.94	0	7.70	14.83	0.74	1.84	18.50	9.82	0	45.73	38.03
2026	0.65	0.46	0.01	4.94	0	6.06	15.27	0.76	1.84	18.50	9.20	0	45.56	39.50
⋮	⋮	⋮	⋮	⋮	⋮	⋮	⋮	⋮	⋮	⋮	⋮	⋮	⋮	⋮
2051	0	0	0	4.94	0	4.94	32.18	1.59	1.84	18.50	7.48	0.44	62.02	57.08
现值	91.56	15.96	24.33	19.82	0.19	151.87	40.23	1.95	18.93	77.89	74.57	0	213.57	61.70

(二)以全部投资为基础的效益费用分析

通过编制小浪底项目全部投资效益和费用流量表,分析项目全部投资的投入产出效益。包括国内投资和外资借款资金投入均作为项目的费用,偿还外资借款的本金和支付其手续费、承诺费和利息则不作为费用,编制小浪底项目全部投资的国民经济效益费用流量表(见表 16-1-16),计算全部投资的国民经济评价主要指标如下:

表 16-1-16　　国民经济效益费用流量(全部投资)　　(单位:亿元)

年份	费用				效益							净效益
	投资	运行费	流动资金	小计	防洪	防凌	减淤	灌溉	发电	流动资金回收	小计	
1994	18.90	0	0	18.90	0	0	0	0	0	0	0	-18.90
1995	21.72	0	0	21.72	0	0	0	0	1.43	0	1.43	-20.29
1996	26.63	0	0	26.63	0	0	0	0	5.91	0	5.91	-20.72
1997	30.12	0	0	30.12	0	0	0	0	12.41	0	12.41	-17.71
1998	35.44	0	0	35.44	0	0	0	0	18.14	0	18.14	-17.31
1999	38.08	0	0	38.08	0	0	0	0	18.29	0	18.29	-19.78
2000	36.67	2.81	0.26	39.74	7.38	0.35	4.76	18.50	14.87	0	45.86	6.12
2001	25.93	4.92	0.18	31.03	7.58	0.36	4.76	18.50	10.62	0	41.82	10.79
2002	10.50	4.93	0	15.43	7.79	0.37	4.76	18.50	7.71	0	39.13	23.70
2003	6.02	4.94	0	10.96	8.01	0.38	4.76	18.50	7.86	0	39.51	28.55
2004	3.63	4.94	0	8.57	8.23	0.40	4.76	18.50	8.68	0	40.56	31.99
2005	3.36	4.94	0	8.30	8.45	0.41	4.76	18.50	9.38	0	41.50	33.20
2006	0	4.94	0	4.94	8.69	0.42	4.76	18.50	9.17	0	41.54	36.60
2007	0	4.94	0	4.94	8.93	0.43	4.76	18.50	9.06	0	41.68	36.74
2008	0	4.94	0	4.94	9.18	0.44	4.76	18.50	8.44	0	41.33	36.39
2009	0	4.94	0	4.94	9.44	0.46	4.76	18.50	7.63	0	40.79	35.85
2010	0	4.94	0	4.94	9.70	0.47	4.76	18.50	7.45	0	40.88	35.94
2011	0	4.94	0	4.94	9.97	0.49	4.76	18.50	7.45	0	41.17	36.23
2012	0	4.94	0	4.94	10.26	0.50	4.76	18.50	7.45	0	41.46	36.52
2013	0	4.94	0	4.94	10.55	0.52	4.76	18.50	7.45	0	41.77	36.83
2014	0	4.94	0	4.94	10.85	0.53	4.76	18.50	8.48	0	43.11	38.17
2015	0	4.94	0	4.94	11.15	0.55	4.76	18.50	11.61	0	46.57	41.63
2016	0	4.94	0	4.94	11.47	0.56	4.76	18.50	16.16	0	51.46	46.52
2017	0	4.94	0	4.94	11.80	0.58	4.76	18.50	20.17	0	55.81	50.87
2018	0	4.94	0	4.94	12.14	0.60	4.76	18.50	20.28	0	56.28	51.34
2019	0	4.94	0	4.94	12.49	0.62	4.76	18.50	16.72	0	53.09	48.15
2020	1.08	4.94	0	6.03	12.85	0.63	4.76	18.50	12.32	0	49.07	43.04
2021	4.65	4.94	0	9.59	13.22	0.65	1.84	18.50	9.17	0	43.38	33.79
2022	9.85	4.94	0	14.79	13.61	0.67	1.84	18.50	8.60	0	43.22	28.43
2023	3.90	4.94	0	8.84	14.00	0.69	1.84	18.50	9.16	0	44.19	35.35
2024	2.02	4.94	0	6.97	14.41	0.71	1.84	18.50	9.63	0	45.10	38.13
2025	2.29	4.94	0	7.24	14.83	0.74	1.84	18.50	9.82	0	45.73	38.49
2026	0.65	4.94	0	5.59	15.27	0.76	1.84	18.50	9.20	0	45.56	39.97
⋮	⋮	⋮	⋮	⋮	⋮	⋮	⋮	⋮	⋮	⋮	⋮	⋮
2051	0	4.94	0	4.94	32.18	1.59	1.84	18.50	7.48	0.44	62.02	57.08
现值	147.26	19.82	0.19	167.27	40.23	1.95	18.93	77.89	74.57	0	213.57	46.29

经济内部收益率为 15.93%；

经济净现值为 46.29 亿元；

经济效益费用比为 1.28。

五、国民经济评价敏感性分析

国民经济效益和费用分析所采用的数据大部分来自预测和估算，具有一定程度的不确定性。针对项目的主要不确定因素，分析其发生不利变化时对项目经济评价指标的影响程度，为项目决策和实施提供依据。

根据小浪底水利枢纽的具体情况，从工程投资、工程效益、工程生效开始年份等三个方面进行了不利因素的分析，结果见表 16-1-17。

表 16-1-17 国民经济评价敏感性分析成果

敏感性分析方案		经济净现值（亿元）	经济内部收益率（%）	效益费用比
国内投资	基本方案	61.70	20.2	1.41
	费用增加 10%	47.06	17.3	1.28
	效益减少 10%	40.34	17.2	1.41
	费用增加 10%，效益减少 10%	25.71	14.8	1.28
	效益推迟发挥 1 年	38.74	16.1	1.26
	效益推迟发挥 2 年	18.24	13.7	1.12
全部投资	基本方案	46.29	15.9	1.28
	费用增加 10%	29.56	14.3	1.16
	效益减少 10%	24.93	14.1	1.15
	费用增加 10%，效益减少 10%	8.20	12.6	1.04
	效益推迟发挥 1 年	23.34	13.7	1.14
	效益推迟发挥 2 年	2.84	12.2	1.02

小浪底项目国民经济评价敏感性分析成果表明：

(1)从国内投资角度讲，分析的费用增加 10%、各单项效益减少 10%、效益推迟发挥等单项指标不利变化与组合情况不利变化，国民经济评价指标均较好，分析方案的最低经济内部收益率为 13.7%，最低经济净现值为 18.24 亿元，最低效益费用比为 1.12。

(2)对于项目的全部投入情况，工程投资增加 10%、各单项效益减少 10%以及该两项不利变化同时发生，项目的经济评价指标均不发生质的变化。效益推迟发挥是项目经济评价指标非常敏感的因素，但即使小浪底各项效益推迟发挥 2 年，项目的经济内部收益率为 12.2%，经济净现值为 2.84 亿元，效益费用比为 1.02，仍然满足要求。

因此，小浪底项目的国民经济评价指标抗风险能力较强。

六、国民经济评价结论

小浪底项目的效益费用分析表明,项目国内投资经济内部收益率为20.2%,经济净现值为61.70亿元,效益费用比为1.41;项目全部投资经济内部收益率为15.9%,经济净现值为46.29亿元,效益费用比为1.28,经济评价指标较好。项目国民经济评价敏感性分析表明,国民经济评价指标的抗风险能力较强。

因此,小浪底项目在经济上是可行的。

第二节 财务评价

一、财务评价的思想与方法

财务评价是根据国家现行财税制度和价格体系,分析、计算项目直接发生的财务效益和费用,编制财务报表,计算评价指标,考察项目的盈利能力、清偿能力以及外汇平衡等财务状况,据以判别项目的财务可行性。

(一)一般建设项目

建设项目的财务评价包括三部分内容,即盈利能力分析、清偿能力分析及外汇平衡分析。

盈利能力主要是考察项目的盈利水平。市场经济条件下,企业是一个自负盈亏的独立经济实体,投资者对投资项目的盈利情况非常关注。盈利水平能否达到预期的目标值或国家规定的基准收益率是项目成立的最基本条件。

清偿能力分析主要是考察计算期内各年的财务状况及偿债能力。除资本金外,建设项目一般都要借入一定数量的债务资金,经营期内需要偿还债务。不仅投资者关心偿债能力,债权人更为关心,偿债能力是债权人提供贷款的决策依据。

对涉及外汇收支的项目,应进行外汇平衡分析,考察各年外汇余缺程度,对外汇不能平衡的项目,提出具体的解决办法。

(二)水利建设项目

随着改革进程的不断发展,我国的经济体制将由传统的计划经济逐步向社会主义市场经济过渡。水利作为国民经济的基础产业,必须建立符合自身特点和规律、适应市场经济发展的经济模式。水利项目具有多种服务功能,服务具有广泛的社会性,形成了水利建设项目财务评价的特殊性。1993年,国家计划委员会颁布的《建设项目经济评价方法与参数》(第二版)指出:"水利建设项目的经济评价以国民经济评价为主,防洪、治涝、除害等公益事业项目不进行财务评价。"但实践告诉我们,为了保证水利项目建设后的良性运行,对水利建设项目也必须进行以实现自我生存、良性发展为目标的财务分析。

1.水利项目的特点

水利是国民经济的基础产业,在市场经济体制下水利产业与一般产业相比,有着自身明显的特点。水利项目具有防洪(防凌、防潮)、减淤、治涝(治碱、治渍)、灌溉、供水、水力发电、航运、水产养殖、改善生态和环境等多种经济功能,并且有重要的社会、环境、生态效益,服务对象和受益范围非常广泛。水利项目的功能往往是除害与兴利并存,具有社会公益性和商品性的双重属性。水利项目的双重属性要求其在运行和管理中有一套与之相适应的、能充分反映社会公益性和商品性的财务运行机制。

2.水利项目的分类

根据水利建设项目的功能和作用,《水利产业政策》将水利项目分为甲、乙两类:甲类为防洪除涝、农田灌排骨干工程、城市防洪、水土保持、水资源保护等以社会效益为主、公益性较强的项目;乙类项目为供水、水力发电、水库养殖、水上旅游及水利综合经营等以经济效益为主、兼有一定社会效益的项目。

从财务评价的角度,可以把水利项目划分为以下三大类:

(1)盈利性项目,即乙类项目,如水力发电项目、城镇及工业供水项目等。盈利性项目一般销售产品,具有较为可靠的财务收入。

(2)社会公益性项目,即甲类项目,如防洪、治涝项目及农业灌溉项目等。社会公益性项目的主要特点是向广泛的地区提供防御自然灾害的服务或为农业提供服务,没有可靠的财务收入或基本没有财务收入。

(3)盈利性和社会公益性兼有的综合利用项目,即甲类、乙类混合型项目。综合利用水利枢纽项目的功能是多种多样的,既销售产品,又提供防御洪涝灾害等公益服务。销售产品的功能部门可以获得较为可靠的财务收入,提供公益服务的功能部门财务收入没有保证或基本没有保证。

3.水利建设项目财务评价中存在的问题

(1)水、电等经营性水利产品是关系到国计民生的商品,其价格由国家审批。调峰是水电的优势,大部分水电站在电网中均承担调峰任务,并占据自身的大部分电能指标,而在制定电价时则得不到充分体现,影响了水电的财务效益。

(2)社会公益性项目运行维护得不到保障。按照《水利产业政策》的规定,像防洪、治涝和灌溉骨干工程等公益性项目,建成后的运行管理费用主要由各级财政支付。

(3)盈利与社会公益性兼有的综合利用项目财务问题复杂。按照《水利产业政策》的精神,综合利用水利建设项目财务评价应分清经营性和公益性投资和成本,再分别按照乙类项目、甲类项目办法进行分析。但由于综合利用水利建设项目虽然具有不同的功能,并且这些功能的性质也不相同,但这些功能又同属于一个整体,其财务分析涉及到投资分摊、项目整体财务协调等特殊问题。

4.各类项目财务评价的任务和目标

(1)盈利性项目财务评价的主要任务,是根据国家已颁布的政策和市场情况分析预测水利产品的价格,分析项目的偿还能力和盈利能力。根据水利产业政策,乙类项目的建设资金主要通过非财政性的资金渠道筹集。

(2)防洪、除涝等社会公益性项目的财务评价主要任务,是分析项目的建设资金和运营资金需求,拟定合理的资金筹措方案。

根据《水利产业政策》,甲类项目的投资主要从政府预算内资金、水利建设基金及其他可用于水利建设的财政性资金中安排,甲类项目的维护运行管理费用由各级财政预算支付。

财务分析应根据项目的设计标准,分析受益的范围和不同地区受益的大小,再根据受益区的实际状况进行建设资金和运营资金筹措方案分析。重视运营资金需求分析,改变以往重建轻管的弊端。项目决策者不但要筹措项目的建设资金,同时要筹措项目的运行资金,运行资金包括项目必需的年运行费用和流动资金。这些资金来源渠道包括政府财政拨款、地方政府筹资、受益者集资、向受益地区收取服务费用、国家给予优惠的税收政策等。在评价时应根据具体情况提出合理的具体方案,供领导决策参考。

(3)综合利用项目的财务评价,要把项目整体作为财务评价的主体,各功能部门作为内部核算单位,分析合理的建设资金和运行资金筹措方案,测算合理的产品价格,分析项目的偿还能力和盈利能力。财务评价应在实现项目整体良性运行的基础上,才能谈到项目的盈利。

5.水利项目财务评价应充分体现水利特性

(1)水利项目的财务收益受水文随机性影响较大,水利建设项目的财务评价应特别重视这方面的风险分析。在财务分析时不但要根据水文的随机性制定一个较合理的价格机制,如分时水价,汛期一般水多,应用低水价鼓励用户储水、用水,非汛期水少,应提高水价,以便缓解水资源供需矛盾。在研究合理价格机制的同时,应提出消除水文随机影响的相应措施,如项目建立储备金,以丰补欠。

(2)由于水利项目的社会性和历史的原因,在做好财务分析的同时必须辅以必要的协议文件作保证,以增强项目财务的可实施性。由于水利项目多为社会公益性项目,受益范围跨越不同地区,以往投资来源多为国家,但随着投融资体制改革,投资来源应为中央和地方受益者多方共同承担。在财务分析时,应重视建设和运行资金筹措方案的研究。确定的资金筹措方案,各投资方应辅以必要的承诺文件,保证项目资金的到位。

另外,基于目前水费征收困难、水电价格偏低的状况,新建供水、供电项目,在做好价格机制分析的同时,必须辅以相应的供销协议。尤其是初步设计阶段,没有供销协议的项目不能仓促上马。这样,项目建成后的财务收入才能落实,也才能降低项目的财务风险。

(三)小浪底项目

水利部小浪底水利枢纽工程建设管理局作为小浪底水利枢纽工程的项目业主,承担项目筹资、建设、运营、还贷及国有资产保值、增值等责任。

具有综合利用功能的水利建设项目,财务评价应把项目作为整体进行评价。根据小浪底项目运营的实际需要,也要求小浪底项目的财务评价立足项目整体,客观分析、评价项目总体财务状况。为从不同角度分析项目的财务问题,财务分析中把项目整体作为总公司,其中的电站部分作为电站分公司进行全面评价。

二、主要参数

(一)计算期

同国民经济评价计算期。

(二)财务价格

项目进行盈利能力和清偿能力分析时,建设期各年采用国家批准的小浪底内外资概算投资,正常运行期采用2000年的价格。

(三)汇率

计算期各年均采用固定汇率，按1美元兑换8.32元人民币计算。

(四)财务基准收益率

综合利用水利建设项目的财务基准收益率，水利行业没有统一规定。小浪底水利工程项目是以防洪、防凌、减少下游河道淤积为主，兼顾供水、灌溉和发电的综合利用工程，财务收入有限。但项目应当具有财务生存能力，以维持项目正常运行，保证各种效益的正常发挥。

《水利建设项目经济评价规范》(SL72—94)对水电建设项目有一定的盈利能力要求，水电项目的财务基准收益率为12%。目前市场条件下，水电建设项目盈利能力一般按资本金财务内部收益率8%控制。

三、费用分摊

小浪底项目为综合利用水利建设项目，具有防洪、防凌、减淤、供水、灌溉、发电等综合利用功能，费用分摊是项目进行各功能经济评价的基础，也是项目财务评价中各功能资金筹措和产品成本分析的重要依据。

综合利用项目费用分摊包括固定资产投资分摊和年运行费分摊。

(一)分摊原则和方法

1.分摊原则

综合利用水利建设项目的投资分摊涉及因素较多，不同工程的差异很大，问题比较复杂，但一般应遵循以下原则：

(1)综合利用水利建设项目中专为某个功能服务的工程费用应由该功能自身承担，为两个以上功能服务的共用工程费用应进行分摊，合理分出各功能应承担的费用。

(2)分摊中仅为某几项功能服务的工程设施，可先将这几项功能视为一个整体，参与总费用的分摊，再将分得的费用在这几项功能之间进行分摊。

(3)主要为某一特定功能服务，同时又是项目不可缺少的组成部分，对其他功能也有一定效用的工程设施，应计算其替代的共用工程费用，并在各受益功能之间进行分摊。超过替代共用工程费用的部分由该特定功能承担。

(4)因兴建本项目使某功能受到损害，采取补救措施恢复其原有效能所需的费用，应由各受益功能共同承担。超过原有效能而增加的工程费用由该功能承担。

2.分摊方法

综合利用水利建设项目各功能之间进行费用分摊，采用动态经济分析方法，进行考虑资金时间价值的动态资金流程分析。对于综合利用水利建设项目费用分摊，国内外主要采用以下分摊方法：

(1)按各功能利用建设项目的某些物理指标进行分摊。分析各功能利用建设项目的水量或库容等物理指标，按照各功能占用项目总指标的比例进行分摊。这种方法比较直观、简洁，便于理解，但在实际运用中仍有不少具体问题和复杂情况。比如对水量指标要考虑各功能利用水量的保证率差别，对库容指标要考虑各功能在工程不同运用阶段、年内不同时段的利用程度等差别，对发电利用水头情况、发电和供水结合情况也要在分摊中进行综合考虑。

(2)按各功能最优等效替代方案费用现值的比例分摊。从理论上讲,按照各功能最优等效替代方案费用现值的比例分摊是最合理的方法。但是寻找最优等效替代方案常常非常困难,有些情况下最优等效替代方案分析工作量很大,有些情况下则不存在最优等效替代方案,这就限制了该方法的使用。

(3)按各功能可获得效益现值的比例分摊。这种方法与按各功能最优等效替代方案费用现值的比例分摊方法类似,前者是以各功能计算的经济效益为基础进行分摊,后者是以各功能的最优等效替代方案费用为基础进行分摊。

(4)按"可分离费用－剩余效益法"分摊。西方国家一般采用"可分离费用－剩余效益法"(The Separable Costs-Remaining Benefits Method,简称 SCRB 法)。该法首先计算各功能的可分离费用,以及各功能的计算效益和替代工程费用,然后以各功能的计算效益和替代工程费用现值的较小者减去其可分离费用现值,即为剩余效益,按照各功能剩余效益的比例分摊共用工程费用。SCRB 法计算相对复杂,但由于其采用了动态计算方法,并实现了考虑多种因素的分摊计算,因此在理论和实践上是一种比较可靠的方法。

(5)考虑功能的主次关系分摊法。当综合利用项目各功能的主次关系明显,其主要功能可获得的效益占项目总效益的比例很大时,可由项目主要功能承担大部分费用。次要工程只承担其可分离费用或其专用工程费用。

3.分摊成果合理性分析

对于特别重要的综合利用水利建设项目,可同时选用 2～3 种费用分摊方法进行计算,选取较合理的分摊成果。在进行成果合理性分析时可重点从以下几方面进行分析:

(1)各功能分摊的费用应小于该功能可获得的效益。

(2)各功能分摊的费用应小于专为该功能服务而兴建的工程设施的费用或小于其最优等效替代方案的费用。

在分析中如果发现某部门分摊的投资和年运行费用不尽合理,应在各部门之间进行适当调整。一般认为,对于重要的大型综合利用水利建设项目费用分摊,采用各功能利用项目的某些物理指标分摊、"可分离费用－剩余效益法"等方法。

(二)分摊成果

小浪底项目是具有多种功能的综合利用工程,费用分摊包括投资分摊和年运行费分摊,是小浪底项目资金筹措的依据,也是各功能成本及产品价格测算的基础。费用分摊按以下原则进行:专用工程费用由各功能自己承担;共用工程费用由各功能共同承担。

在小浪底项目可行性研究和世界银行的多次评估过程中,小浪底项目共用工程的费用分摊主要采用了两种分摊方法,即按各功能利用枢纽库容的比例分摊法和按"可分离费用－剩余效益法"。综合两种分摊结果,权衡各种相关因素后确定最终的分摊比例。

在进行小浪底电价报批的技术准备工作中,按照国家计划与发展委员会、水利部的要求,对综合利用水利建设项目投资分摊方法推荐采用各功能利用项目库容的比例进行分摊。

小浪底水库总库容 126.5 亿 m^3,其中淤沙库容 75.5 亿 m^3、长期有效库容 51 亿 m^3。长期有效库容中防洪库容为 40.5 亿 m^3,调水调沙库容为 10.5 亿 m^3。在库容分摊中分别对总库容中的淤沙库容、有效库容进行分摊。对有效库容的分摊，根据考虑不同时段各功能利用库容情况的不同进行分时段分摊，分摊中把水文年分为7～9月、10月～来年2月和3～6月3个时段。

分摊中考虑了各功能在小浪底不同运用阶段对库容利用情况的变化、发电对水头的利用、发电与供水的结合等多种复杂因素，综合确定各部分库容分摊比例。表16-2-1中列出了各功能分摊总库容的结果，其中防洪防凌减淤分摊库容68.6亿m^3、灌溉供水分摊库容24.1亿m^3、发电分摊库容33.8亿m^3，相应地，各功能分摊共用工程费用的比例为：防洪防凌减淤分摊54.2%，灌溉供水分摊19.1%，发电分摊26.7%。小浪底水利枢纽项目库容分摊结果见表16-2-1。

表16-2-1　　小浪底水利枢纽项目库容分摊结果

总库容组成（亿m^3）		分摊部门	分摊系数			分摊库容（亿m^3）
			7～9月	10月～来年2月	3～6月	
有效库容	51.0	防洪防凌减淤	90.0%	20.0%	0.0%	15.7
		灌溉供水	0.0%	40.0%	70.0%	20.4
		发电	10.0%	40.0%	30.0%	14.9
淤沙库容	75.5	防洪防凌减淤	70.0%			52.9
		灌溉供水	5.0%			3.7
		发电	25.0%			18.9
总库容	126.5	防洪防凌减淤	54.2%			68.6
		灌溉供水	19.1%			24.1
		发电	26.7%			33.8

根据国家计委批准的小浪底内外资修改概算，小浪底水利枢纽项目静态投资为266.88亿元，其中工程投资186.93亿元、移民投资72.95亿元、专项预备费7.00亿元。按当年价计算，项目固定资产投资308.71亿元。投资分摊结果，电站分公司承担项目固定资产投资111.29亿元，占固定资产投资总额的36.1%。

四、投资及资金筹措

（一）总公司

小浪底项目总投资为347.69亿元（由于1998年以后原材料价格比较稳定，小浪底工程实际投资310亿元左右），其中固定资产投资308.71亿元、建设期利息38.53亿元、流动资金0.45亿元。

项目的资金筹措情况为：政府拨款227.88亿元，长期借款119.50亿元，流动资金借款0.31亿元，总计347.69亿元。

长期借款中，国内借款27.23亿元，国外借款11.09亿美元（合人民币92.27亿元）。

国内借款分别为建设银行、开发银行借款。国外借款中世行银行Ⅰ期借款4.60亿美元，世行协会借款1.10亿美元，世行银行Ⅱ期借款4.30亿美元，美国进出口银行出口信贷0.56亿美元，其他国际商业银行借款0.53亿美元。小浪底项目国内外借款条件见表16-2-2。

表16-2-2 小浪底项目国内外借款条件

借款种类	借款金额	借款期（年）	宽限期（年）	利率	承诺费率	偿还方式
国内借款	27.23亿元	25	16	12.42%～6.21%		等本金
世行银行Ⅰ期	4.60亿美元	20	7	7.50%	0.75%	等本金
世行协会借款	1.10亿美元	35	10	0.75%（手续费率）	0.50%	等本金
世行银行Ⅱ期	4.30亿美元	20	5	7.50%	0.75%	按协议流程
美国进出口银行	0.56亿美元	18	5	6.84%	0.50%	等本金
国际商业银行	0.53亿美元	12	5	7.50%	0.75%	等本金

（二）电站分公司

根据投资分摊结果，电站分公司承担项目的固定资产投资为111.29亿元。水电项目不同于公益性项目，属经营性项目，有一定的收益要求。

根据投资分摊结果，拟定的资金筹措方案，电站分公司总投资150.04亿元，其中固定资产投资111.29亿元、建设期利息38.53亿元、流动资金0.21亿元。资金筹措来源，资本金30.39亿元，长期借款119.50亿元，流动资金借款0.15亿元，总计150.03亿元。

五、总成本费用分析

（一）总公司

总公司的总成本费用包括各功能的专用成本费用和共用成本费用。采用制造成本法估算总成本费用如下。

1.制造成本

1）直接材料费

直接材料费按水电站的定额1.4元/kW计取。

2）直接工资

小浪底水利枢纽工程人员编制拟定1 561人，人均年工资额取1.0万元。

3）其他直接费

其他直接费主要是职工福利费、失业保险金等，依据有关规定按职工工资总额的一定比例计取，其中福利费为工资总额的14%、失业保险金为工资总额的3%、劳保统筹费为工资总额的10%、住房基金为工资总额的17%、医疗保险金为工资总额的8%、养老保险为工资总额的28%。

4）制造费用

折旧费由固定资产原值按平均年限法计算，固定资产折旧年限平均为25年，年综合折旧率为 4%。

工程维护费包括大坝共用工程维护费和电站专用工程维护费。工程维护费按固定资产价值的 1.5%计。

库区维护费按每 1kW·h 提取 5 厘计列。

基层管理费按直接工资及福利费的 40%计列。

2.期间费用

1)管理费

总公司管理费按直接工资及福利费的 110%计列。

2)财务费用

运行期利息包括运行期应计入成本的各种长期借款利息、流动资金借款利息。

因汇率变化产生的汇兑损益未计入。

3)销售费用

根据本工程情况,不考虑此项费用。

总公司总成本费用见表 16-2-3。

表 16-2-3　总公司总成本费用　（单位:百万元）

年份	2002	2003	2004	2005	2006	2007	2008	2009	2010	2011	2012	2013
1 制造成本	1 796.4	1 830.4	1 850.4	1 868.9	1 869.2	1 869.7	1 870.2	1 870.7	1 872.2	1 872.2	1 872.2	1 872.2
1.1 直接材料费	2.5	2.5	2.5	2.5	2.5	2.5	2.5	2.5	2.5	2.5	2.5	2.5
1.2 直接工资	15.6	15.6	15.6	15.6	15.6	15.6	15.6	15.6	15.6	15.6	15.6	15.6
1.3 其他直接费	12.5	12.5	12.5	12.5	12.5	12.5	12.5	12.5	12.5	12.5	12.5	12.5
1.4 制造费用	1 765.8	1 799.8	1 819.8	1 838.3	1 838.6	1 839.1	1 839.5	1 840.1	1 841.6	1 841.6	1 841.6	1 841.6
1.4.1 折旧费	1 318.9	1 350.8	1 370.7	1 389.0	1 389.0	1 389.0	1 389.0	1 389.0	1 389.0	1 389.0	1 389.0	1 389.0
1.4.2 工程维护费	416.7	416.7	416.7	416.7	416.7	416.7	416.7	416.7	416.7	416.7	416.7	416.7
1.4.3 库区维护费	19.0	21.0	21.2	21.4	21.7	22.2	22.6	23.2	24.7	24.7	24.7	24.7
1.4.4 基层管理费	11.2	11.2	11.2	11.2	11.2	11.2	11.2	11.2	11.2	11.2	11.2	11.2
2 期间费用	809.8	783.6	743.3	699.4	654.8	609.5	563.5	516.8	455.1	395.4	334.8	273.3
2.1 管理费用	30.9	30.9	30.9	30.9	30.9	30.9	30.9	30.9	30.9	30.9	30.9	30.9
2.1.1 总公司管理费	30.9	30.9	30.9	30.9	30.9	30.9	30.9	30.9	30.9	30.9	30.9	30.9
2.1.2 递延资产摊销费												
2.2 财务费用	778.9	752.7	712.4	668.5	623.9	578.6	532.6	485.9	424.2	364.5	303.9	242.4
2.2.1 运行期利息净支出	778.9	752.7	712.4	668.5	623.9	578.6	532.6	485.9	424.2	364.5	303.9	242.4
2.2.2 汇兑损失												
2.3 销售费用												
3 总成本费用	2 606.2	2 614.0	2 593.7	2 568.3	2 524.0	2 479.2	2 433.7	2 387.5	2 327.3	2 267.5	2 207.0	2 145.5
4 年运行费	508.5	510.5	510.7	510.8	511.2	511.6	512.1	512.6	514.1	514.1	514.1	514.1

(二)电站分公司

电站分公司总成本费用包括电站专用成本费用和电站分摊共用工程成本费用。

电站分公司总成本费用见表 16-2-4。

表 16-2-4 **电站分公司总成本费用** (单位:百万元)

年份	2002	2003	2004	2005	2006	2007	2008	2009	2010	2011	2012	2013
1 制造成本	788.3	803.8	814.9	824.8	825.2	825.6	826.1	826.6	828.1	828.1	828.1	828.1
1.1 直接材料费	2.5	2.5	2.5	2.5	2.5	2.5	2.5	2.5	2.5	2.5	2.5	2.5
1.2 直接工资	8.7	8.7	8.7	8.7	8.7	8.7	8.7	8.7	8.7	8.7	8.7	8.7
1.3 其他直接费	6.9	6.9	6.9	6.9	6.9	6.9	6.9	6.9	6.9	6.9	6.9	6.9
1.4 制造费用	770.2	785.6	796.7	806.7	807.0	807.5	808.0	808.5	810	810	810	810
1.4.1 折旧费	565.1	578.6	589.5	599.3	599.3	599.3	599.3	599.3	599.3	599.3	599.3	599.3
1.4.2 电站维护费	179.8	179.8	179.8	179.8	179.8	179.8	179.8	179.8	179.8	179.8	179.8	179.8
1.4.3 库区维护费	19.0	21.0	21.2	21.4	21.7	22.2	22.6	23.2	24.7	24.7	24.7	24.7
1.4.4 基层管理费	6.2	6.2	6.2	6.2	6.2	6.2	6.2	6.2	6.2	6.2	6.2	6.2
2 期间费用	786.2	760	719.7	675.7	631.1	585.8	539.9	493.1	431.5	371.7	311.1	249.6
2.1 管理费用	8.3	8.3	8.3	8.3	8.3	8.3	8.3	8.3	8.3	8.3	8.3	8.3
2.1.1 总公司管理费用	8.3	8.3	8.3	8.3	8.3	8.3	8.3	8.3	8.3	8.3	8.3	8.3
2.1.2 递延资产摊销												
2.2 财务费用	777.9	751.7	711.4	667.5	622.9	577.6	531.6	484.9	423.2	363.5	302.9	241.4
2.2.1 运行期利息支付	777.9	751.7	711.4	667.5	622.9	577.6	531.6	484.9	423.2	363.5	302.9	241.4
2.2.2 汇兑损失												
3 总成本费用	1 574.4	1 563.7	1 534.5	1 500.5	1 456.3	1 411.4	1 365.9	1 319.7	1 259.5	1 199.8	1 139.2	1 077.7
4 年运行费	231.4	233.4	233.6	233.8	234.1	234.5	235.0	235.6	237.0	237.0	237.0	237.0

六、财务分析方案

以下分别以项目整体(即总公司)、电站部分(即电站分公司)为财务评价主体,从不同角度拟定各种电价分析方案,测算小浪底电站的电价,评价项目的财务可行性。

(一)总公司

总公司是具有多种公益性功能的综合水利管理机构,财务分析时测算电价的基本要求是维持项目的生存,具有债务清偿能力。

1.项目损益分析

1)财务收入

项目的财务收入主要包括发电收入和供水收入。

设计发电量为长系列计算求得的不同运用期的多年平均发电量。厂供电量为发电量扣除厂用电后的电量，厂用电率取0.5%。设计电量指标见表16-2-5。

表16-2-5　设计电量指标　(单位：亿kW·h)

年份	2000	2001	2002	2003	2004	2005	2006	2007	2008	2009	2010～2013	2014～2027	2028以后
发电量	19.33	38.45	44.99	49.67	50.17	50.56	51.37	52.39	53.56	54.83	58.31	58.81	58.99
厂供电量	19.29	38.37	44.90	49.57	50.07	50.46	51.27	52.29	53.45	54.72	58.19	58.69	58.87

考虑小浪底入库流量水文随机性、电网调度等运营不利因素的影响，基本方案计算发电财务收入时，电量按设计电量的85%计。2000年和2001年分别按实际供电量6.13亿kW·h和21.50亿kW·h计算财务收入。电站初始上网电价为0.293元/(kW·h)(含增值税价格，以下均为含增值税价格)，超发部分电价为0.15元/(kW·h)。

按满足借款偿还要求测算，电价为0.570元/(kW·h)。

小浪底水利枢纽供水效益，是将水库来水按灌溉季节需水要求进行优化分配，增加黄河水资源的利用价值，提高引黄灌区效益。小浪底南岸灌区设计多年平均从库区引水4.23亿m^3，黄河下游灌区，经小浪底水库调节后在春灌期3～6月多年平均增供水量17.9亿m^3。按照费用分摊计算的小浪底灌溉运行成本每年约1亿元，按库区引水和下游增供水量总数计算，水价约为6分/m^3，远高于下游目前的引黄渠首供水工程水价。国家计委批复的黄河下游引黄渠首工程供水农业水价为：4～6月引水1.2分/m^3，其他月份引水1分/m^3。从水价的可实现性角度分析，过高的水价估计是不切合实际的。库区引水和下游3～6月增供水量，综合水价按1.0分/m^3计算。考虑受益灌区水价实现与小浪底项目生效时间的差异，灌区暂按比小浪底项目晚生效5年计。

2)销售税金及附加

销售税为增值税，电力产品的增值税税率为17%。

销售税金附加包括城市维护建设税和教育费附加，以增值税税额为基础征收，税率分别为5%和3%。

3)利润总额及分配

利润计算方法如下：

$$利润总额=财务收入-销售税金及附加-总成本费用$$

$$税后利润=利润总额-应缴所得税$$

企业应按规定缴纳所得税，税率为33%。

税后利润即为可供分配利润，提取10%的盈余公积金和5%的公益金后，剩余部分为未分配利润。

总公司损益计算见表16-2-6。

2.项目清偿能力分析

按满足借款偿还要求测算的小浪底电价，可以满足借款偿还的资金需求。应当指出，

表 16-2-6 总公司损益计算

（单位：百万元）

年份	2002	2003	2004	2005	2006	2007	2008	2009	2010	2011	2012	2013
设计发电量(GW·h)	4 499.0	4 967.0	5 017.0	5 056.0	5 137.0	5 239.0	5 356.0	5 483.0	5 831.0	5 831.0	5 831.0	5 831.0
预计售电量(GW·h)	3 805.0	4 200.8	4 243.1	4 276.1	4 344.6	4 430.9	4 529.8	4 637.2	4 931.6	4 931.6	4 931.6	4 931.6
售电价(元/(kW·h))	0.570	0.570	0.570	0.570	0.570	0.570	0.570	0.570	0.570	0.570	0.570	0.570
1 财务收入	2 168.9	2 394.5	2 418.6	2 459.5	2 498.6	2 547.7	2 604.1	2 665.4	2 833.1	2 833.1	2 833.1	2 833.1
1.1 发电收入	2 168.9	2 394.5	2 418.6	2 437.4	2 476.4	2 525.6	2 582.0	2 643.2	2 811.0	2 811.0	2 811.0	2 811.0
1.2 供水收入				22.1	22.1	22.1	22.1	22.1	22.1	22.1	22.1	22.1
2 销售税金及附加	340.3	375.7	379.5	382.5	388.6	396.3	405.2	414.8	441.1	441.1	441.1	441.1
3 总成本费用	2 606.2	2 614.0	2 593.7	2 568.3	2 524.0	2 479.2	2 433.7	2 387.5	2 327.3	2 267.5	2 207.0	2 145.5
4 利润总额	−777.7	−595.3	−554.7	−491.2	−414.1	−327.7	−234.7	−136.9	64.7	124.5	185.1	246.6
5 税前弥补以前年度亏损									64.7	124.5	185.1	246.6
6 应纳税所得额												
7 所得税												
8 税后利润	−777.7	−595.3	−554.7	−491.2	−414.1	−327.7	−234.7	−136.9	64.7	124.5	185.1	246.6
9 可供分配利润	−777.7	−595.3	−554.7	−491.2	−414.1	−327.7	−234.7	−136.9	64.7	124.5	185.1	246.6
9.1 弥补以前年度亏损												
9.2 盈余公积金									6.5	12.4	18.5	24.7
9.3 公益金									3.2	6.2	9.3	12.3
9.4 应付利润												
9.5 未分配利润	−777.7	−595.3	−554.7	−491.2	−414.1	−327.7	−234.7	−136.9	55.0	105.8	157.3	209.6
10 累计未分配利润	−1 548.8	−2 144.1	−2 698.8	−3 190.0	−3 604.1	−3 931.8	−4 166.5	−4 303.4	−4 248.4	−4 142.6	−3 985.3	−3 775.7

这是满足借款偿还的最低电价。

小浪底水利枢纽工程偿还借款的资金来源主要包括未分配利润、折旧费等。折旧费的 90% 可用于偿还借款,未分配利润可全部用于偿还借款。

总公司资金来源与运用表见表 16-2-7。

总公司资产负债表见表 16-2-8。2002 年资产负债率为 37.2%,以后逐年下降,至 2013 年负债水平降到 15.5%,项目总体负债水平不高。

3. 盈利能力分析

小浪底项目的防洪、防凌及减淤等公益性功能没有财务收入,供水收入非常有限,主要收入来源于发电,财务收益水平较低。项目开始运营有长达 10 年的时间处于亏损状态。

总公司全部投资所得税后财务内部收益率为 3.9%,表明项目盈利能力较弱。总公司全部投资现金流量表见表 16-2-9。总公司自有资金所得税后财务内部收益率为 2.4%,总公司自有资金现金流量表见表 16-2-10。

(二)电站分公司

水电项目属经营性项目,财务分析时测算电价除满足借款清偿能力以外,还应有一定的盈利能力。

电站分公司方案电价分析中,基本方案的盈利能力要求自有资金(即资本金)财务内部收益率达到 8%,同时,还分析对电站分公司有不同盈利能力要求时电价的变化情况。

1. 损益分析

考虑小浪底入库流量水文随机性等发电运营不利因素的影响,基本方案计算发电财务收入时,电量按设计电量的 85% 计。

按满足借款偿还和自有资金财务内部收益率 8% 要求,测算小浪底电站电价为 0.545 元/(kW·h)。

编制电站分公司损益表,分析项目的损益状况,电站分公司的损益表见表 16-2-11。

2. 项目清偿能力分析

电站分公司偿还借款的资金来源主要包括未分配利润、折旧费。折旧费的 90% 可用于还贷,未分配利润可全部用于还贷。电站分公司在电价为 0.545 元/(kW·h),可以满足借款偿还和盈利能力要求。

电站分公司资金来源与运用表见表 16-2-12。

电站分公司资产负债分析表明,2002 年资产负债率为 84.0%,以后逐年下降,至 2013 年,负债水平降到 36.7%,电站分公司运营初期负债水平较高。电站分公司资产负债表见表 16-2-13。

3. 项目盈利能力分析

小浪底电站电价达到 0.545 元/(kW·h),电站分公司在运行期无亏损发生,并在电站分公司正常运行期可以向资本金支付 8% 的应付利润,项目有一定的盈利能力。电站分公司全部投资财务内部收益率为 10.9%,资本金财务内部收益率为 8.5%。电站分公司全部投资现金流量表见表 16-2-14。电站分公司自有资金现金流量表见表 16-2-15。

表 16-2-7　　总公司资金来源与运用表　　（单位：百万元）

年份	2002	2003	2004	2005	2006	2007	2008	2009	2010	2011	2012	2013
1 资金来源	1 957.2	1 555.5	1 311.2	1 355.5	974.9	1 061.3	1 154.3	1 252.1	1 453.8	1 513.4	1 574.0	1 635.5
1.1 利润总额	−777.7	−595.3	−554.7	−491.2	−414.1	−327.7	−234.7	−136.9	64.7	124.5	185.1	246.6
1.2 折旧	1 318.9	1 350.8	1 370.7	1 389.0	1 389.0	1 389.0	1 389.0	1 389.0	1 389.0	1 389.0	1 389.0	1 389.0
1.3 摊销费												
1.4 长期借款	77.4											
1.5 流动资金借款	20.6	0.1										
1.6 其他短期借款												
1.7 自有资金	1 318.0	799.9	495.2	457.7								
1.8 其他												
1.9 回收固定资产余值												
1.10 回收流动资金												
2 资金运用	1 710.4	1 319.0	1 089.9	1 072.2	623.3	632.4	642.1	887.8	861.7	872.9	884.7	897.1
2.1 固定资产投资	1 386.7	799.8	495.2	457.7								
2.2 建设期利息												
2.3 流动资金	29.4	0.2							0.1			
2.4 所得税												
2.5 应付利润												
2.6 长期借款本金偿还	294.4	519.0	594.6	614.4	623.2	632.4	642.1	887.8	861.6	872.9	884.7	897.1
2.7 流动资金借款本金偿还												
2.8 其他短期借款本金偿还												
3 盈余资金	246.8	236.6	221.3	283.3	351.7	428.8	512.2	364.3	592.1	640.6	689.4	738.4
4 累计盈余资金	148.1	384.7	606.0	889.3	1 241.0	1 669.8	2 182.0	2 546.3	3 138.4	3 779.0	4 468.4	5 206.8

表 16-2-8 总公司资产负债表 （单位：百万元）

年份	2002	2003	2004	2005	2006	2007	2008	2009	2010	2011	2012	2013
1 资产	31 026.0	30 711.7	30 057.6	29 409.7	28 372.4	27 412.3	26 535.5	25 511.0	24 714.2	23 965.9	23 266.2	22 615.7
1.1 流动资产总额	193.0	429.7	651.1	934.4	1 286.1	1 715.0	2 227.2	2 591.6	3 183.8	3 824.4	4 513.8	5 252.2
1.1.1 应收账款	42.4	42.5	42.6	42.6	42.6	42.6	42.7	42.7	42.8	42.8	42.8	42.8
1.1.2 存货	0.2	0.2	0.2	0.2	0.2	0.2	0.2	0.2	0.2	0.2	0.2	0.2
1.1.3 现金	2.3	2.3	2.3	2.3	2.3	2.3	2.3	2.3	2.3	2.3	2.3	2.3
1.1.4 累计盈余资金	148.1	384.7	606.0	889.3	1 241.0	1 669.8	2 182.0	2 546.3	3 138.4	3 779.0	4 468.4	5 206.8
1.2 在建工程												
1.3 固定资产净值	30 833.0	30 281.9	29 406.5	28 475.3	27 086.3	25 697.3	24 308.4	22 919.4	21 530.4	20 141.5	18 752.5	17 363.5
1.4 无形及递延资产净值												
2 负债及所有者权益	31 026.0	30 711.7	30 057.6	29 409.7	28 372.4	27 412.3	26 535.5	25 511.0	24 714.2	23 965.9	23 266.2	22 615.7
2.1 流动负债总额	31.5	31.6	31.6	31.6	31.7	31.7	31.7	31.8	31.8	31.8	31.8	31.8
2.1.1 应付账款	0.2	0.2	0.2	0.2	0.2	0.2	0.2	0.2	0.2	0.2	0.2	0.2
2.1.2 流动资金借款	31.3	31.4	31.4	31.4	31.5	31.5	31.5	31.5	31.6	31.6	31.6	31.6
2.1.3 其他短期借款												
2.2 长期负债	11 508.3	10 989.3	10 394.7	9 780.3	9 157.1	8 524.7	7 882.6	6 994.8	6 133.2	5 260.4	4 375.7	3 478.6
负债小计	11 539.8	11 020.9	10 426.3	9 811.9	9 188.7	8 556.3	7 914.3	7 026.6	6 165.1	5 292.2	4 407.5	3 510.4
2.3 所有者权益	19 486.1	19 690.7	19 631.3	19 597.7	19 183.7	18 856.0	18 621.3	18 484.4	18 549.2	18 673.6	18 858.7	19 105.3
2.3.1 资本金	21 034.9	21 834.8	22 330	22 787.8	22 787.8	22 787.8	22 787.8	22 787.8	22 787.8	22 787.8	22 787.8	22 787.8
2.3.2 资本公积金												
2.3.3 累计盈余公积金									6.5	18.9	37.4	62.1
2.3.4 累计公益金									3.2	9.5	18.7	31.0
2.3.5 累计未分配利润	−1 548.8	−2 144.1	−2 698.8	−3 190.0	−3 604.1	−3 931.8	−4 166.5	−4 303.4	−4 248.4	−4 142.6	−3 985.3	−3 775.7
资产负债率	37.2%	35.9%	34.7%	33.4%	32.4%	31.2%	29.8%	27.5%	24.9%	22.1%	18.9%	15.5%

表 16-2-9　　总公司现金流量表(全部投资)　　(单位:百万元)

年份	2002	2003	2004	2005	2006	2007	2008	2009	2010	2011	2012	2013
1 现金流入量	2 168.9	2 394.5	2 418.6	2 459.5	2 498.6	2 547.7	2 604.1	2 665.4	2 833.1	2 833.1	2 833.1	2 833.1
1.1 发电收入	2 168.9	2 394.5	2 418.6	2 437.4	2 476.4	2 525.6	2 582.0	2 643.2	2 811.0	2 811.0	2 811.0	2 811.0
1.2 供水收入				22.1	22.1	22.1	22.1	22.1	22.1	22.1	22.1	22.1
1.3 回收固定资产余值												
1.4 回收流动资金												
2 现金流出量	2 264.9	1 686.2	1 385.4	1 351.1	899.8	908.0	917.3	927.5	955.3	955.2	955.2	955.2
2.1 固定资产投资	1 386.7	799.8	495.2	457.7								
2.2 流动资金	29.4	0.2							0.1			
2.3 年运行费	508.5	510.5	510.7	510.8	511.2	511.6	512.1	512.6	514.1	514.1	514.1	514.1
2.4 销售税金及附加	340.3	375.7	379.5	382.5	388.6	396.3	405.2	414.8	441.1	441.1	441.1	441.1
2.5 所得税												
3 净现金流量	−96.0	708.3	1 033.1	1 108.4	1 598.7	1 639.8	1 686.8	1 737.9	1 877.8	1 877.9	1 877.9	1 877.9
4 累计净现金流量	−27 467.5	−26 759.2	−25 726.1	−24 617.6	−23 018.9	−21 379.1	−19 692.3	−17 954.4	−16 076.7	−14 198.8	−12 320.9	−10 443.0
5 所得税前净现金流量	−96.0	708.3	1 033.1	1 108.4	1 598.7	1 639.8	1 686.8	1 737.9	1 877.8	1 877.9	1 877.9	1 877.9
6 所得税前累计净现金流量	−27 467.5	−26 759.2	−25 726.1	−24 617.6	−23 018.9	−21 379.1	−19 692.3	−17 954.4	−16 076.7	−14 198.8	−12 320.9	−10 443.0
财务内部收益率(*FIRR*)	3.9%(所得税前)											

表 16-2-10　　总公司现金流量表(自有资金)　　(单位:百万元)

年份	2002	2003	2004	2005	2006	2007	2008	2009	2010	2011	2012	2013
1 现金流入量	2 168.9	2 394.5	2 418.6	2 459.5	2 498.6	2 547.7	2 604.1	2 665.4	2 833.1	2 833.1	2 833.1	2 833.1
1.1 发电收入	2 168.9	2 394.5	2 418.6	2 437.4	2 476.4	2 525.6	2 582.0	2 643.2	2 811.0	2 811.0	2 811.0	2 811.0
1.2 供水收入				22.1	22.1	22.1	22.1	22.1	22.1	22.1	22.1	22.1
1.3 回收固定资产余值												
1.4 回收流动资金												
2 现金流出量	3 251.9	2 957.8	2 692.5	2 633.9	2 146.9	2 118.9	2 092.0	2 301.1	2 241.1	2 192.5	2 143.8	2 094.7
2.1 固定资产投资中自有资金	1 309.2	799.8	495.2	457.7								
2.2 流动资金中自有资金	20.6	0.1						0.1				
2.3 国内外借款本金偿还	294.4	519.0	594.6	614.4	623.2	632.4	642.1	887.8	861.6	872.9	884.7	897.1
2.4 国内外借款利息及承诺费支付	777.1	750.9	710.6	666.6	622.0	576.7	530.7	484.0	422.3	362.6	302.0	240.5
2.5 流动资金借款利息支付	1.8	1.8	1.8	1.8	1.8	1.8	1.8	1.8	1.9	1.9	1.9	1.9
2.6 年运行费	508.5	510.5	510.7	510.8	511.2	511.6	512.1	512.6	514.1	514.1	514.1	514.1
2.7 销售税金及附加	340.3	375.7	379.5	382.5	388.6	396.3	405.2	414.8	441.1	441.1	441.1	441.1
2.8 所得税												
3 净现金流量	−1 083.0	−563.4	−273.9	−174.4	351.7	428.8	512.1	364.3	592.0	640.6	689.4	738.4
4 累计净现金流量	−24 912.3	−25 475.6	−25 749.5	−25 923.9	−25 572.3	−25 143.5	−24 631.3	−24 267.1	−23 675.0	−23 034.4	−22 345.1	−21 606.7
5 所得税前净现金流量	−1 083.0	−563.4	−273.9	−174.4	351.7	428.8	512.1	364.3	592.0	640.6	689.4	738.4
6 所得税前累计净现金流量	−24 912.3	−25 475.6	−25 749.5	−25 923.9	−25 572.3	−25 143.5	−24 631.3	−24 267.1	−23 675.0	−23 034.4	−22 345.1	−21 606.7
财务内部收益率(*FIRR*)	2.4%(所得税前)											

表 16-2-11　　电站分公司损益表　　（单位：百万元）

年份	2002	2003	2004	2005	2006	2007	2008	2009	2010	2011	2012	2013
设计发电量(GW·h)	4 499.0	4 967.0	5 017.0	5 056.0	5 137.0	5 239.0	5 356.0	5 483.0	5 831.0	5 831.0	5 831.0	5 831.0
预计售电量(GW·h)	3 805.0	4 200.8	4 243.1	4 276.1	4 344.6	4 430.9	4 529.8	4 637.2	4 931.6	4 931.6	4 931.6	4 931.6
售电价(元/(kW·h))	0.545	0.545	0.545	0.545	0.545	0.545	0.545	0.545	0.545	0.545	0.545	0.545
1 售电收入	2 073.7	2 289.5	2 312.5	2 330.5	2 367.8	2 414.8	2 468.8	2 527.3	2 687.7	2 687.7	2 687.7	2 687.7
2 销售税金及附加	321.7	355.1	358.7	361.5	367.3	374.6	383.0	392.0	416.9	416.9	416.9	416.9
3 总成本费用	1 574.4	1 563.7	1 534.5	1 500.5	1 456.3	1 411.4	1 365.9	1 319.7	1 259.5	1 199.8	1 139.2	1 077.7
4 利润总额	177.6	370.6	419.3	468.4	544.2	628.8	719.9	815.5	1 011.2	1 071.0	1 131.6	1 193.1
5 税前弥补以前年度亏损	161.5											
6 应纳税所得额	16.1	370.6	419.3	468.4	544.2	628.8	719.9	815.5	1 011.2	1 071.0	1 131.6	1 193.1
7 所得税	5.3	122.3	138.4	154.6	179.6	207.5	237.6	269.1	333.7	353.4	373.4	393.7
8 税后利润	172.3	248.3	280.9	313.8	364.6	421.3	482.3	546.4	677.5	717.5	758.1	799.4
9 可供分配利润	172.3	248.3	280.9	313.8	364.6	421.3	482.3	546.4	677.5	717.5	758.1	799.4
9.1 盈余公积金		24.8	28.1	31.4	36.5	42.1	48.2	54.6	67.8	71.8	75.8	79.9
9.2 公益金		12.4	14.0	15.7	18.2	21.1	24.1	27.3	33.9	35.9	37.9	40.0
9.3 应付利润		211.1	238.8	243.1	243.1	243.1	243.1	243.1	243.1	243.1	243.1	243.1
9.4 未分配利润	172.3			23.7	66.8	115.0	166.9	221.3	332.8	366.8	401.3	436.3
10 累计未分配利润	10.8	10.8	10.8	34.5	101.3	216.3	383.2	604.5	937.3	1 304.2	1 705.5	2 141.8

表 16-2-12 电站分公司资金来源与运用表 （单位：百万元）

年份	2002	2003	2004	2005	2006	2007	2008	2009	2010	2011	2012	2013
1 资金来源	1 291.7	1 287.1	1 281.1	1 312.6	1 143.6	1 228.1	1 319.2	1 414.9	1 610.6	1 670.3	1 730.9	1 792.4
1.1 利润总额	177.6	370.6	419.3	468.4	544.2	628.8	719.9	815.5	1 011.2	1 071.0	1 131.6	1 193.1
1.2 折旧	565.1	578.6	589.5	599.3	599.3	599.3	599.3	599.3	599.3	599.3	599.3	599.3
1.3 摊销费												
1.4 长期借款	77.4											
1.5 流动资金借款	9.3	0.1										
1.6 其他短期借款												
1.7 自有资金	462.3	337.8	272.3	244.8								
1.8 其他												
1.9 回收固定资产余值												
1.10 回收流动资金												
2 资金运用	848.7	1 190.3	1 244.1	1 256.9	1 046.0	1 083.0	1 122.8	1 400.0	1 438.5	1 469.4	1 501.2	1 533.9
2.1 固定资产投资	535.7	337.8	272.3	244.8								
2.2 建设期利息												
2.3 流动资金	13.3	0.2										
2.4 所得税	5.3	122.3	138.4	154.6	179.6	207.5	237.6	269.1	333.7	353.4	373.4	393.7
2.5 应付利润		211.1	238.8	243.1	243.1	243.1	243.1	243.1	243.1	243.1	243.1	243.1
2.6 长期借款本金偿还	294.4	519.0	594.6	614.4	623.2	632.4	642.1	887.8	861.6	872.9	884.7	897.1
2.7 流动资金借款本金偿还												
2.8 其他短期借款本金偿还												
3 盈余资金	443.1	96.8	37.0	55.6	97.6	145.1	196.4	14.8	172.1	200.9	229.7	258.4
4 累计盈余资金	484.8	581.6	618.6	674.2	771.8	916.9	1 113.3	1 128.2	1 300.3	1 501.1	1 730.8	1 989.2

表 16-2-13　　电站分公司资产负债表　　（单位：百万元）

年份	2002	2003	2004	2005	2006	2007	2008	2009	2010	2011	2012	2013
1 资产	13 717.6	13 573.7	13 293.6	12 994.7	12 493.1	12 038.9	11 636.0	11 051.6	10 624.6	10 226.1	9 856.5	9 515.7
1.1 流动资产总额	505.5	602.5	639.6	695.2	792.9	938.0	1 134.4	1 149.3	1 321.5	1 522.4	1 752.1	2 010.5
1.1.1 应收账款	19.3	19.4	19.5	19.5	19.5	19.5	19.6	19.6	19.8	19.8	19.8	19.8
1.1.2 存货	0.2	0.2	0.2	0.2	0.2	0.2	0.2	0.2	0.2	0.2	0.2	0.2
1.1.3 现金	1.3	1.3	1.3	1.3	1.3	1.3	1.3	1.3	1.3	1.3	1.3	1.3
1.1.4 累计盈余资金	484.8	581.6	618.6	674.2	771.8	916.9	1 113.3	1 128.2	1 300.3	1 501.1	1 730.8	1 989.2
1.2 在建工程												
1.3 固定资产净值	13 212.0	12 971.2	12 654.0	12 299.5	11 700.2	11 100.9	10 501.6	9 902.3	9 303.0	8 703.7	8 104.4	7 505.1
1.4 无形及递延资产净值												
2 负债及所有者权益	13 717.6	13 573.7	13 293.6	12 994.7	12 493.1	12 038.9	11 636.0	11 051.6	10 624.6	10 226.1	9 856.5	9 515.7
2.1 流动负债总额	14.6	14.7	14.7	14.8	14.8	14.8	14.8	14.9	14.9	14.9	14.9	14.9
2.1.1 应付账款	0.2	0.2	0.2	0.2	0.2	0.2	0.2	0.2	0.2	0.2	0.2	0.2
2.1.2 流动资金借款	14.4	14.5	14.5	14.5	14.6	14.6	14.6	14.7	14.7	14.7	14.7	14.7
2.1.3 其他短期借款												
2.2 长期负债	11 508.3	10 989.3	10 394.7	9 780.3	9 157.1	8 524.7	7 882.6	6 994.8	6 133.2	5 260.4	4 375.7	3 478.6
负债小计	11 523.0	11 004.0	10 409.4	9 795.0	9 171.8	8 539.5	7 897.4	7 009.7	6 148.2	5 275.3	4 390.6	3 493.5
2.3 所有者权益	2 194.6	2 569.7	2 884.1	3 199.7	3 321.2	3 499.4	3 738.7	4 042.0	4 476.4	4 950.8	5 465.9	6 022.1
2.3.1 资本金	2 183.8	2 521.6	2 793.9	3 038.8	3 038.8	3 038.8	3 038.8	3 038.8	3 038.8	3 038.8	3 038.8	3 038.8
2.3.2 资本公积金												
2.3.3 累计盈余公积金		24.8	52.9	84.3	120.8	162.9	211.1	265.8	333.5	405.3	481.1	561.0
2.3.4 累计公益金		12.4	26.5	42.2	60.4	81.4	105.6	132.9	166.8	202.6	240.5	280.5
2.3.5 累计未分配利润	10.8	10.8	10.8	34.5	101.3	216.3	383.2	604.5	937.3	1 304.2	1 705.5	2 141.8
资产负债率	84.0%	81.1%	78.3%	75.4%	73.4%	70.9%	67.9%	63.4%	57.9%	51.6%	44.5%	36.7%

表 16-2-14　　电站分公司现金流量表(全部投资)　　(单位:百万元)

年　　份	2002	2003	2004	2005	2006	2007	2008	2009	2010	2011	2012	2013
1 现金流入量	2 073.7	2 289.5	2 312.5	2 330.5	2 367.8	2 414.8	2 468.8	2 527.3	2 687.7	2 687.7	2 687.7	2 687.7
1.1 销售收入	2 073.7	2 289.5	2 312.5	2 330.5	2 367.8	2 414.8	2 468.8	2 527.3	2 687.7	2 687.7	2 687.7	2 687.7
1.2 提供服务收入												
1.3 回收固定资产余值												
1.4 回收流动资金												
2 现金流出量	1 107.4	1 048.8	1 003.0	994.7	781.0	816.7	855.6	896.8	987.8	1 007.4	1 027.4	1 047.7
2.1 固定资产投资	535.7	337.8	272.3	244.8								
2.2 流动资金	13.3	0.2							0.1			
2.3 年运行费	231.4	233.4	233.6	233.8	234.1	234.5	235.0	235.6	237.0	237.0	237.0	237.0
2.4 销售税金及附加	321.7	355.1	358.7	361.5	367.3	374.6	383.0	392.0	416.9	416.9	416.9	416.9
2.5 所得税	5.3	122.3	138.4	154.6	179.6	207.5	237.6	269.1	333.7	353.4	373.4	393.7
3 净现金流量	966.3	1 240.7	1 309.5	1 335.8	1 586.8	1 598.2	1 613.2	1 630.5	1 699.9	1 680.3	1 660.3	1 640.0
4 累计净现金流量	−8 264.3	−7 023.6	−5 714.1	−4 378.4	−2 791.6	−1 193.4	419.8	2 050.3	3 750.2	5 430.5	7 090.8	8 730.9
5 所得税前净现金流量	971.7	1 363.0	1 447.9	1 490.4	1 766.4	1 805.7	1 850.7	1 899.6	2 033.6	2 033.7	2 033.7	2 033.7
6 所得税前累计净现金流量	−8 259.0	−6 896.0	−5 448.2	−3 957.8	−2 191.4	−385.7	1 465.0	3 364.6	5 398.3	7 432.0	9 465.7	11 499.5
财务内部收益率(*FIRR*)	10.9%(所得税后)											

表 16-2-15 电站分公司现金流量表(自有资金) (单位:百万元)

年　　份	2002	2003	2004	2005	2006	2007	2008	2009	2010	2011	2012	2013
1 现金流入量	2 073.7	2 289.5	2 312.5	2 330.5	2 367.8	2 414.8	2 468.8	2 527.3	2 687.7	2 687.7	2 687.7	2 687.7
1.1 销售收入	2 073.7	2 289.5	2 312.5	2 330.5	2 367.8	2 414.8	2 468.8	2 527.3	2 687.7	2 687.7	2 687.7	2 687.7
1.2 提供服务收入												
1.3 回收固定资产余值												
1.4 回收流动资金												
2 现金流出量	2 098.3	2 319.4	2 309.0	2 276.6	2 027.1	2 026.7	2 029.3	2 269.4	2 272.5	2 243.7	2 214.9	2 186.2
2.1 固定资产投资中自有资金	458.3	337.8	272.3	244.8								
2.2 流动资金中自有资金	9.3	0.1							0.1			
2.3 国内外借款本金偿还	294.4	519.0	594.6	614.4	623.2	632.4	642.1	887.8	861.6	872.9	884.7	897.1
2.4 国内外借款利息及承诺费支付	777.9	751.7	711.4	667.5	622.9	577.6	531.6	484.9	423.2	363.5	302.9	241.4
2.5 年运行费	231.4	233.4	233.6	233.8	234.1	234.5	235.0	235.6	237.0	237.0	237.0	237.0
2.6 销售税金及附加	321.7	355.1	358.7	361.5	367.3	374.6	383.0	392.0	416.9	416.9	416.9	416.9
2.7 所得税	5.3	122.3	138.4	154.6	179.6	207.5	237.6	269.1	333.7	353.4	373.4	393.7
3 净现金流量	−24.5	−30.0	3.5	53.9	340.7	388.2	439.5	257.9	415.2	444.0	472.8	501.5
4 累计净现金流量	−5 714.8	−5 744.8	−5 741.3	−5 687.4	−5 346.7	−4 958.6	−4 519.1	−4 261.2	−3 846.0	−3 402.0	−2 929.3	−2 427.7
5 所得税前净现金流量	−19.2	92.3	141.8	208.5	520.3	595.7	677.0	527.0	748.9	797.4	846.2	895.2
6 所得税前累计净现金流量	−5 709.5	−5 617.2	−5 475.4	−5 266.9	−4 746.6	−4 150.9	−3 473.9	−2 946.8	−2 198.0	−1 400.5	−554.4	340.9
财务内部收益率(*FIRR*)	8.5%(所得税后)											

七、财务风险分析

(一)电量和电价变化情况下的财务敏感性分析

1. 总公司

以总公司为基础的财务敏感性分析方案主要包括以下两方面：

(1)实际发电量变化。分析了电站实际发电量占设计电量比例上下浮动5个百分点的两个方案。计算成果见表16-2-16。

表16-2-16　总公司电价敏感性分析方案计算成果

敏感性分析方案	发电量为设计电量的90%	发电量为设计电量的85%	发电量为设计电量的80%
电价(元/(kW·h))	0.538	0.570	0.606

(2)电价变化。研究不同电价水平总公司能够承担的借款规模。当电价从0.570元/(kW·h)降到0.300元/(kW·h)时，总公司能够偿还项目借款的能力从100%降到20%，相应还款额从119.5亿元降到23.9亿元。总公司借款偿还能力分析计算成果见表16-2-17。

表16-2-17　总公司偿还借款能力分析

电价(元/(kW·h))	总公司偿还借款能力	
	占项目借款总额比例(%)	偿还借款总额(亿元)
0.570	100	119.5
0.500	81	96.8
0.450	65	77.7
0.400	51	60.9
0.350	36	43.0
0.300	20	23.9

2. 电站分公司

以电站分公司为基础的财务敏感性分析方案，主要包括以下两方面：

(1)实际发电量变化。敏感性分析中主要分析了对电站有不同盈利能力要求条件下，不同电量水平的电价测算方案，计算各方案电站实际发电量占设计电量比例上下浮动5个百分点的方案。电站分公司电价敏感性分析方案计算成果见表16-2-18。

表16-2-18　电站分公司电价敏感性分析方案计算成果　(单位：元/(kW·h))

敏感性分析方案	发电量为设计电量的90%	发电量为设计电量的85%	发电量为设计电量的80%
满足借款偿还，自有资金财务内部收益率达到8%	0.515	0.545	0.579

(2)电价变化。研究了不同电价水平电站分公司能够承担的借款规模。当电价水平

从0.545元/(kW·h)降到0.300元/(kW·h)时,电站分公司能够偿还借款的能力从100%降到66%,相应还款额从119.5亿元降到78.9亿元。电站分公司借款偿还能力分析计算成果见表16-2-19。

表16-2-19 电站分公司偿还借款能力分析

电价水平(元/(kW·h))	电站分公司偿还借款能力	
	占项目借款总额比例(%)	偿还借款总额(亿元)
0.545	100	119.5
0.500	92	109.9
0.450	84	100.4
0.400	78	93.2
0.350	73	87.2
0.300	66	78.9

(二)投资变化对电价的影响

由于1998年原材料价格比较稳定,据初步估计小浪底项目总投资可节余38亿元左右,建成的实际投资约为310亿元。考虑投资减少因素对成本费用的影响,总公司基本方案的电价由0.570元/(kW·h)降到0.520元/(kW·h),降低0.050元/(kW·h);电站分公司基本方案的电价由0.545元/(kW·h)降到0.520元/(kW·h),降低0.025元/(kW·h)。

八、财务评价结论

从以上分析的成果看,以总公司为主体测算的基本方案电价为0.570元/(kW·h),以电站分公司为主体测算的基本方案电价为0.545元/(kW·h),均与河南电网目前的电价水平有一定距离。

从整个项目的正常运营需要出发,电价至少应达到总公司基本方案电价水平,即0.570元/(kW·h)。在目前电力市场条件下,这一电价水平较高,难以被电力公司所接受。小浪底水电站可以为河南电网提供大量峰、腰荷电量,从优质优价的角度讲,小浪底水电站电价水平应高于同期建成的火电电价。但目前电力市场尚未实行峰谷电价,小浪底水电站良好的调峰性能不能在电价上得到体现。

目前,小浪底水电站初期电价为0.293元/(kW·h),电力公司计划外超发电量的电价为0.150元/(kW·h)。根据对河南电力市场的分析,小浪底水电站正常运行期可实现电价为0.35~0.45元/(kW·h)。在此电价水平下,总公司相应的偿还借款能力为36%~65%,电站分公司相应的偿还借款能力为73%~84%。

从以上分析结果可以看出,小浪底水电站只能偿还80%左右的借款,其余部分要由防洪减淤公益性功能和灌溉供水功能部分承担,并且电站在偿还以上借款规模的情况下,没有能力负担公益性功能的运行维护费用。按照水利产业政策实施细则,这部分工程的投资和运行维护费用均由国家承担。如果国家采取减免税收、把国内贷款转为拨款等措施,减轻小浪底税收、债务负担,有可能达到“以电养水”的目的,避免国家的长期负担。

九、加快西霞院项目建设对小浪底水电站的积极影响

由于河南电网缺乏调峰容量，小浪底水电站投入运用后将作为河南电网的骨干调峰电站。由于小浪底坝下一定河段内引水工程引水和保证河道水质等要求泄放一定基流，在西霞院水利枢纽建成投产前小浪底水电站应下泄 210m^3/s 左右的基流，在此基础上承担河南电网的调峰任务。按照 2005 年的负荷水平，小浪底水电站担负 210m^3/s 基流情况下，电站非汛期（10 月～来年 6 月）日平均调峰时间为：枯水年 3h 左右，平水年 6h 左右，丰水年 8h 左右，多年平均 5h 左右；3～6 月日平均调峰时间为：枯水年 3h 左右，平水年 8h 左右，丰水年 10h 左右，多年平均 7h 左右。

西霞院水利枢纽建成后，经过其反调节作用，小浪底水电站可以按充分调峰运行。长系列调节计算表明，通过西霞院水利枢纽的反调节运用，可以使小浪底水电站与承担 210m^3/s 强迫基荷相比，多年平均峰、腰荷发电量增加 11.9 亿 kW·h，从而进一步提高小浪底水电站的调峰能力，为河南电网提供宝贵的峰荷电量。因此，应加快西霞院项目的建设，促进梯级水库整体效益的发挥。

参考文献

[1] 黄河水利委员会勘测规划设计研究院. 黄河小浪底水利枢纽初步设计报告. 1988
[2] 黄河水利委员会勘测规划设计研究院. 黄河小浪底水利枢纽设计技术总结. 2002
[3] 黄河水利委员会勘测规划设计研究院. 黄河规划志. 郑州:河南人民出版社,1991
[4] 史辅成,易元俊,高治定. 黄河流域暴雨与洪水. 郑州:黄河水利出版社,1997
[5] 高治定,李文家,李海荣. 黄河流域暴雨洪水与环境变化影响研究. 郑州:黄河水利出版社,2002
[6] 史辅成,易元俊,慕平. 黄河历史洪水调查、考证和研究. 郑州:黄河水利出版社,2002
[7] 王国安,史辅成,易元俊. 小浪底水库设计洪水. 人民黄河,1993(3)
[8] 王国安. 可能最大暴雨和洪水计算原理与方法. 北京:中国水利水电出版社;郑州:黄河水利出版社,1999
[9] 涂启华,李世滢,孟白兰,等. 大型水库泥沙冲淤计算方法. 见:黄河泥沙研究报告选编. 1980
[10] 涂启华,李世滢,张俊华,等. 黄河中游干流枢纽上下游泥沙问题研究成果汇编. 水利电力部科学技术司,1986
[11] 涂启华,张俊华,李世滢. 小浪底水库调水调沙问题的研究. 见:赵文林,黄河泥沙. 郑州: 黄河水利出版社,1996
[12] 涂启华,屈孟浩,张俊华. 枢纽工程泥沙问题. 见:赵文林. 黄河泥沙. 郑州:黄河水利出版社,1996
[13] 林秀山,涂启华. 小浪底水利枢纽的工程规模和综合运用方式. 人民黄河,1993(3)
[14] 张俊华,涂启华. 小浪底水电站过机泥沙分析. 人民黄河,1993(3)
[15] 涂启华,何宏谋. 坝区漏斗域河床演变及调水调沙研究. 人民黄河,1993(3)
[16] 涂启华,张俊华,李世滢,等. 小浪底、三门峡水库联合调水调沙运用对下游减淤作用研究. "八五"国家重点科技攻关项目. 子专题编号:85-926-02-02-01. 黄河水利委员会勘测规划设计研究院,1995
[17] 林秀山. 黄河小浪底水利枢纽文集. 郑州:黄河水利出版社,2001
[18] 周之豪,等. 水利水能规划. 北京:水利电力出版社,1985
[19] 张成林,李景宗. 小浪底水电站的装机规模和作用分析. 人民黄河,1993(3)
[20] 李文家,石春先,李海荣. 黄河下游防洪工程调度运用. 郑州:黄河水利出版社,1998
[21] 李文家. 小浪底水库防洪作用分析. 人民黄河,1993(3)
[22] 可素娟. 黄河冰凌研究. 郑州:黄河水利出版社,2002
[23] 安增美. 黄河下游凌情分析及小浪底枢纽防凌作用. 人民黄河,1993(3)
[24] 李福生,等. 小浪底水库运用初期防凌运用方式的初步分析. 见:河南省土木建筑学会. 河南省土木建筑学术文库. 西安:西安地图出版社,2001
[25] 安新代. 小浪底水库蓄水调节运用方式及供水作用分析. 人民黄河,1993(3)
[26] 丁大发,石春先,宋红霞,等. 黄河下游防洪工程体系减灾效益计算模型研究. 水科学进展,2002(4)
[27] 王延红,丁大发,韩侠. 黄河下游防洪保护区洪灾损失率分析. 水利经济,2001(2)
[28] 纪昌明,梅亚东. 洪灾风险分析. 武汉:湖北科学技术出版社,2000
[29] 石春先,安增美. 小浪底水利枢纽国民经济评价. 人民黄河,1993(3)